杭州全书

杭帮菜文献集成

第9册

中华人民共和国成立以来杭帮菜文献（一）

王国平　总主编

杭州国际城市学研究中心浙江省城市治理研究中心出版项目

杭州出版社

U0209679

杭州全书编纂指导委员会

主　任： 王国平

副主任： 朱　华　　刘　颖　　王　　敏　　卢春强
张建庭　　朱金坤　　董建平　　顾树森
马时雍　　郭东风　　王金定　　庞学铨
鲍洪俊

委　员： （以姓氏笔画为序）

马　云　　王　姝　　王水福　　王建沂
刘建设　　江山舞　　阮重晖　　何　俊
应雪林　　陈　波　　陈　跃　　陈如根
陈震山　　卓　超　　金　翔　　郑　迪
於卫国　　郑翰献　　赵　敏　　胡征宇
姜永柱　　聂忠海　　翁文杰　　高小辉
高国飞　　盛世豪　　章登峰　　屠冬冬
董毓民　　谢建华　　楼建忠

杭州全书编辑委员会

总主编： 王国平

编　委： （以姓氏笔画为序）

丁少华　马东峰　王剑文　毛新利　方永斌
朱霞清　江山舞　阮重晖　孙德荣　杜红心
张文波　张炳火　陈　波　陈　跃　邵　臻
杭天鹏　郁廷栋　卓　军　尚佐文　赵丽萍
胡红文　胡征宇　皇甫佳群　俞　晖　翁文杰
梁　旭　程晓东　蓝　杰　蔡　峻　潘沧桑

杭州全书总序

城市是有生命的。每座城市，都有自己的成长史，有自己的个性和记忆。人类历史上，出现过不计其数的城市，大大小小，各具姿态。其中许多名城极一时之辉煌，但随着世易时移，渐入衰微，不复当年雄姿；有的甚至早已结束生命，只留下一片废墟供人凭吊。但有些名城，长盛不衰，有如千年古树，在古老的根系与树干上，生长的是一轮又一轮茂盛的枝叶和花果，绽放着恒久的美丽。杭州，无疑就是这样一座保持着恒久美丽的文化名城。

这是一座古老而常新的城市。杭州有8000年文化史、5000年文明史。在几千年历史长河中，杭州文化始终延绵不绝，光芒四射。8000年前，跨湖桥人凭着一叶小木舟、一双勤劳手，创造了辉煌的"跨湖桥文化"，浙江文明史因此上推了1000年；5000年前，良渚人在"美丽洲"繁衍生息，耕耘治玉，修建了"中华第一城"，创造了灿烂的"良渚文化"，被誉为"东方文明的曙光"。而隋开皇年间置杭州、依凤凰山建造州城，为杭州的繁荣奠定了基础。此后，从唐代"灯火家家市，笙歌处处楼"的东南名郡，吴越国时期"富庶盛于东南"的国都，北宋时即被誉为"上有天堂，下有苏杭"的"东南第一州"，南宋时全国的政治、经济、科教、文化中心，元代马可·波罗眼中的"世界上最美丽华贵之天城"，明代产品"备极精工"的全国纺织业中心，清代接待康熙、乾隆几度"南巡"的旅游胜地、人文渊薮，民国时期文化名人的集中诞生地，直到新中国成立后的湖山新貌，尤其是近年来为世人称羡不已的"最具幸福感城市"——杭州，不管在哪个历史阶段，都让世人感受到她的分量和魅力。

这是一座勾留人心的风景之城。"淡妆浓抹总相宜"的"西湖天下景"，"壮观天下无"的钱江潮，"至今千里赖通波"的京杭大运河（杭州段），蕴涵着"梵、隐、俗、闲、野"的西溪烟水，三秋桂子，十里荷花，杭州的一山一水、一草一木，都美不胜收，令人惊艳。今天的杭州，西湖成功申遗，中国最佳旅游城市、东方休闲之都、国际花园城市等一顶顶"桂冠"相继获得，杭州正成为世人向往之"人间天堂""品质之城"。

这是一座积淀深厚的人文之城。8000年来，杭州"代有才人出"，文化名人灿若繁星，让每一段杭州历史都不缺少光华，而且辉映了整个华夏文明的星空；星罗棋布的文物古迹，为杭州文化添彩，也为中华文明增重。今天的杭州，文化春风扑面而来，经济"硬实力"与文化"软实力"相得益彰，文化事业与文化产业齐头并进，传统文化与现代文明完美融合，杭州不仅是"投资者的天堂"，更是"文化人的天堂"。

杭州，有太多的故事值得叙说，有太多的人物值得追忆，有太多的思考需要沉淀，有太多的梦想需要延续。面对这样一座历久弥新的城市，我们有传承文化基因、保护文化遗产、弘扬人文精神、探索发展路径的责任。今天，我们组织开展杭州学研究，其目的和意义也在于此。

杭州学是研究、发掘、整理和保护杭州传统文化和本土特色文化的综合性学科，包括西湖学、西溪学、运河（河道）学、钱塘江学、良渚学、湘湖（白马湖）学等重点分支学科。开展杭州学研究必须坚持"八个结合"：一是坚持规划、建设、管理、经营、研究相结合，研究先行；二是坚持理事会、研究院、研究会、博物馆、出版社、全书、专业相结合，形成"1+6"的研究框架；三是坚持城市学、杭州学、西湖学、西溪学、运河（河道）学、钱塘江学、良渚学、湘湖（白马湖）学相结合，形成"1+1+6"的研究格局；四是坚持全书、丛书、文献集成、研究报告、通史、辞典相结合，形成"1+5"的研究体系；五是坚持党政、企业、专家、媒体、市民相结合，形成"五位一体"的研究主体；六是坚持打好杭州牌、浙江牌、中华牌、国际牌相结合，形成"四牌共打"的运作方式；七是坚持权威性、学术性、普及性相结合，形成"专家叫好、百姓叫座"的研究效果；八是坚持有章办事、有人办事、有钱办事、有房办事相结合，形成良好的研究保障体系。

《杭州全书》是杭州学研究成果的载体，包括丛书、文献集成、研究报告、通史、辞典五大组成部分，定位各有侧重：丛书定位为通俗读物，突出"俗"字，做到有特色、有卖点、有市场；文献集成定位为史料集，突出"全"字，做到应收尽收；研究报告定位为论文集，突出"专"字，围绕重大工程实施、通史编纂、世界遗产申报等收集相关论文；通史定位为史书，突出"信"字，体现系统性、学术性、规律性、权威性；辞典定位为工具书，突出"简"字，做到简明扼要、准确权威、便于查询。我们希望通过编纂出版《杭州全书》，全方位、多角度地展示杭州的前世今生，发挥其"存史、释义、资政、育人"作用；希望人们能从《杭州全书》中各取所需，追寻、印证、借鉴、取资，让杭州不仅拥有辉煌的过去、璀璨的今天，还将拥有更加美好的明天！

是为序。

2012 年 10 月

说　明

为构建具有国际特征、中国特点、杭州特色的杭帮菜研究体系，切实提升杭帮菜在全国菜系和餐饮业中的地位，根据《〈杭帮菜文献集成〉编纂出版实施方案》和杭州国际城市学研究中心的工作部署，杭帮菜研究院承担了《中华人民共和国成立以来杭帮菜文献》的编纂工作。

本专辑选录的文献资料，主要来自公开发表的期刊、报纸、政府网站以及杭州市档案馆公开档案，数量十分巨大，故删减而未录内容较多。杭州市档案馆、杭州市委办公厅、杭州市人民政府办公厅等单位非公开的档案，亦暂未收录，待以后时机成熟，再进行补充收集。

本专辑收录了1949年中华人民共和国成立以来，有关单位和作者形成的关于杭帮菜的重要文件资料、学术论文、新闻报道、散文及各种评论性文章。这些文献材料，为研究、推广杭帮菜，提供了重要支撑。

本专辑收录的相关文章发表时间跨度大，也无法联系到所有作者。如因我们转载和收录了您的文字作品，您可以联系本专辑执行主编或杭州出版社，我们将按照规定向著作权人支付报酬。

本专辑执行主编：周鸿承。其他参编人员还有：徐子皓、林敢、吴琳怡、王嘉睿、胡誉馨、叶恒新。

由于我们水平有限，在材料选取、加工和编排方面的不足，敬请批评指正。

编者

2022年8月

中华人民共和国成立以来
杭帮菜文献（一）

周鸿承　编

目　　录

一、政策文件、档案记录、指导意见

1. 改进粮食统销办法的通知 ……………………………杭州市粮食统销办公室（2）

2. 关于改进平价糕点供应办法的联合通知 ……杭州市商业局、杭州市粮食局（3）

3. 杭州市1965年食品卫生知识学习计划 ……………………………杭州市卫生局等（4）

4. 关于饮食糕点恢复凭粮票供应有关具体业务手续的通知 … 杭州市粮食局等（8）

5. 关于核定春笋烧猪肉等四种罐头食品价格的联合通知 …………………………
………………………………………… 杭州市轻工业局、杭州市商业局（11）

6. 关于任免陈洪耀等同志的职务的通知 ……………… 杭州市饮食服务公司（12）

7. 关于烤鸡烤鸭价格的批复 …………………………………… 杭州市农垦局（14）

8. 市委办公厅　市政府办公厅关于推进美食夜市一条街建设
的实施意见 ……………………… 杭州市委办公厅　市政府办公厅（15）

9. 建设美食夜市一条街打响美食天堂品牌——在调研夜市和
大排档建设管理工作时的讲话 ………………………………… 王国平（21）

10. 建设美食一条街打造城市金名片——在2009中国（杭州）
商业街发展高峰论坛暨新形势下全国商业街建设与发展
交流大会开幕式上的致辞 ……………………………………… 王国平（33）

11. 中国杭帮菜博物馆正式开馆 …………………… 杭州西湖风景名胜区（39）

12. 做好三个结合打响两张牌加快推进杭帮菜博物馆建设
——在杭帮菜博物馆展陈设计工作专题会议上的讲话 ………… 王国平（40）

13. 杭州市人民政府办公厅转发市贸易局关于加快杭州市餐饮业
　　发展推进"美食之都"建设实施意见的通知……杭州市人民政府办公厅（44）
14. 首个杭帮菜LOGO正式发布 ……………………………… 杭州市商务局（52）
15. 体现七个"结合"，突出八个"名"确立"1+1+1"架构，
　　搞好杭帮菜调研工作——在杭帮菜大全、杭帮菜培训教材、
　　杭帮菜电视宣传片专题研究会议上的讲话 ……………… 王国平（54）
16. 围绕"十个结合"再接再厉　做好杭帮菜系列文化研究工
　　作——在第11次杭帮菜研究座谈会上的讲话 …………… 王国平（63）
17. 杭州餐饮业"六名"工程高质量发展三年行动计划 ……………
　　………………………… 杭州市商务局、杭州市市场监督管理局（70）

二、论文

1. 秦汉魏晋南北朝时期文献所见杭州地区的食料分布 …… 吴　昊、金相超（76）
2. 南宋临安的酒楼酒店 …………………………………………… 朱彤芳（87）
3. 南宋临安酒店的经营特点 ……………………………………… 孙金玲（91）
4. 十三世纪临安饮食文化特征述论 ……………………………… 赵荣光（97）
5. 南宋宫廷菜肴的特点与御菜举例 ……………………………… 林正秋（124）
6. 南宋杭州民间名菜 ……………………………………………… 林正秋（128）
7. 繁盛的南宋临安饮食业 ………………………………………… 张志明（132）
8. 试论南宋临安饮食业的繁荣及其原因 ………………… 杜　晶、张万鹏（134）
9. 南宋临安的水果消费及市场供应 ……………………………… 徐吉军（141）
10. 南宋临安饮食业概述 …………………………………………… 徐吉军（156）
11. 南宋的饮食风尚 ………………………………………………… 徐吉军（171）
12. 论南宋临安市民的饮食生活 …………………………… 钟　儒、徐吉军（183）
13. 论南宋都城临安的酒店 ………………………………………… 徐吉军（199）
14. 南宋临安馒头食品考 …………………………………… 徐吉军、林　莉（210）

15．南宋时期的名酒 ……………………………………… 宋宪章（217）

16．南宋饮食服务的创新——四司六局 ………………… 林正秋（219）

17．南宋杭州酒楼 ………………………………………… 林正秋（221）

18．南宋过年的吉祥食品 ………………………………… 林正秋（225）

19．南宋宫廷菜史话 ……………………………………… 林正秋（227）

20．试论两宋都城汴京、临安的饮食市场………………… 林正秋（232）

21．从"两梦"看北、南宋都城饮食风俗的异同 ………… 华国梁（239）

22．南宋时杭州的饮食业 ………………………… 胡熊飞、韩宗宪（248）

23．浅谈南宋时期两浙地区饮食制作的特点 …………… 董　杰、曹金发（250）

24．从"宋嫂鱼羹"到"花边月饼"——宋以来笔记所记载饮

　　食之情趣摭谈 ………………………………………… 陶慕宁（258）

25．啖荔枝与东坡肉——苏轼诗文中的饮食文化 ……… 朱希详（272）

26．《乡味杂咏》研究……………………………… 何　宏、赵　炜（277）

27．民国时期杭州素食研究………………………………… 何　宏（286）

28．民国时期杭州人的餐桌………………………………… 何　宏（293）

29．民国时期杭州西餐研究………………………………… 何　宏（302）

30．意外的鲜味：民国时期杭州游客饮食 ………… 赵　炜、何　宏（309）

31．近代杭州饮食业的兴起、发展及特点 ………………… 严　军（319）

32．东坡肉的源流………………………………………… 林正秋（324）

33．钱江鲻鱼考述………………………………………… 陈永清（326）

34．杭州名菜东坡肉的荤菜素做…………………………… 吴　强（330）

35．杭州名点——吴山酥油饼的制作创新………… 应小青、金晓阳（336）

36．杭州羊肉文化的古往今生 ……………………… 吴秋萍、朱建芬（341）

37．从西湖醋鱼看杭州饮食………………………………… 何　宏（346）

38．"杭帮菜"故事的民间叙事特征及模式………………… 翁雅青（350）

39．杭州民家年祭中的饮食习俗…………………………… 俞为洁（356）

40. 《西湖文化漫谈》教学有感——以《宋嫂鱼羹，乡愁一碗》

为例……………………………………………………渠长根、贺伟（369）

41. 杭州饮食类非物质文化遗产的现状、保护及传承研究 ………叶方舟（374）

42. 余杭饮食文化遗产及其传承保护……………………………周鸿承（420）

43. 非物质文化遗产与烹饪教育课程资源体系融合研究

——以"杭帮菜"非物质文化遗产传承为例……………史　涛（427）

44. 从"老字号"看"楼外楼" …………………………………陈光新（437）

45. 杭帮菜发展浅析………………………………………………李　鑫（452）

46. 非遗传承背景下现代杭帮菜传承人培养模式探索……高志刚、唐林达（456）

47. 杭帮菜发展与思考……………………………………………陈永清（468）

48. "杭帮菜"品牌发展研究 ……………………………………王　勇（478）

49. 杭帮菜消费者消费者行为分析………………………………李欣荣（482）

50. 基于城市旅游纵深发展背景下的杭州传统小吃开发研究………徐　迅（486）

51. 中国餐饮新热点："杭州菜"热俏的分析与思考…………赵荣光（492）

52. 杭州饮食旅游产品设计与开发研究…………………………徐　迅（507）

53. 关于杭州地方特色饮食文化旅游资源开发的研究…………郑建良（515）

54. 杭州市居民饮食习惯调查……………………………………卞　铮（518）

55. 杭州市老年人营养知识掌握现状及饮食习惯的调查分析……………………

…………………………………………洪少华、傅圆圆、严　谨（525）

56. 从饮食文化博物馆谈城市美食观光业发展提升策略…何　方、周鸿承（531）

57. 基于可用性评估的博物馆网站建设现状与对策研究

——以浙江自然博物馆与中国杭帮菜博物馆为例………陆　斌、王　雪（535）

58. 企业家价值观对企业当责的作用机理研究——以楼外楼为例……郭　奇（543）

59. "绿茶餐厅"战略管理分析…………………………………肖　琦（615）

一、政策文件、档案记录、指导意见

1. 改进粮食统销办法的通知

市委干校训练的全体粮食工作同志：

兹奉市委指示，改进粮食统销办法关系到广大人民群众切身生活的大事，必须耐心教育群众，深入、细微地进行工作，并取得广大人民的拥护和支持，以保证国家粮食统销政策的正确实施。

改进粮食统销办法，是为了进一步消灭粮食投机，稳定市场，克服浪费，保障人民的合理供应和国家建设的需要，这是国家一项正确的、必要的措施。只要向群众讲清道理，教育透彻，一定能够取得广大人民的拥护，任务一定能够胜利地完成。这几天工作中的事实已经证明了这一点。但是，我们要充分认识到任务是十分艰巨、复杂的，完成这项任务必须经过一番艰苦细致的工作。为此，全体同志必须进一步发扬艰苦奋斗的精神，克服当前已在个别同志中开始滋长的急躁情绪和临时帮忙观点，在区粮食统销办公室的统一领导下，严守工作岗位（未经区粮食统销办公室同意，不得擅自离开），提高对工作的责任心，切实遵守工作纪律，坚决执行国家的政策法令，深入群众，耐心细致地做好工作，严防草率从事、强迫命令的工作作风，以保证胜利地完成党所交予我们的光荣任务。

此致

敬礼

一九五五年二月十一日

【文件来源】杭州市粮食统销办公室：《改进粮食统销办法的通知》，1955 年 2 月 11 日，杭州市档案馆藏

一、政策文件、档案记录、指导意见

2. 关于改进平价糕点供应办法的联合通知

糖业烟酒公司，各区粮食分公司、各区工商行政管理局，拱墅、江干、西湖区供销社：

为了进一步满足消费需要，方便群众购买，经研究决定，对平价糕点（包括茶食、饼干、面包，下同）的供应办法作如下改进：

一、自八月一日起平价糕点一律凭全国通用粮票、浙江省流动粮票、浙江省熟食票供应，各种糕点收粮标准仍按原规定不变。

二、平价糕点供应办法改变后，销售情况将发生新的变化，特别是节日期间销售数量可能增加较多，各生产销售单位应加强调查研究，做好生产安排和产品分配供应工作。

三、各零售店回收的熟食票，除酌留一部分小额票面作为找零之用外，原规定熟食票粘贴上交的制度不变。

以上希即贯彻执行。

一九六四年七月二十四日

【文件来源】杭州市商业局、杭州市粮食局：《关于改进平价糕点供应办法的联合通知》，1964 年 7 月 24 日，杭州市档案馆藏

3

3. 杭州市1965年食品卫生知识学习计划

市属食品、水产、饮食服务、烟酒糖业、蔬菜、果品公司，各食品、副食品、市属饮食店，杭州肉类联合加工厂，西湖风景总店，粮食化工厂，市合管会、摊管会，各区卫生局、工商行政管理局、供销社（江干、拱墅、西湖）、合管会、摊管会：

兹制订"杭州市一九六五年食品卫生学习班计划"，希望分别研究贯彻执行。

一、目的要求

为了提高食品管理和工作人员的卫生知识水平，有利贯彻中央五四制度和省、市食品卫生制度、法令，预防肠道传染疾病和食物中毒的发生，保障全市人民身体健康，促进工农业生产，特组织本市有关食品、饮食行业负责人卫生监督员和各级管理机构负责卫生工作人员、食堂管理人员进行卫生知识学习。通过学习，加强对卫生工作的领导，进一步搞好食品卫生。

二、组织领导

（1）省、市属单位，由市商业局、工商行政管理局、轻工业局、卫生局有关局长、市供销社有关主任，组成学习领导小组。各局、社并指派具体工作人员一人，负责学习期间的人员组织、生活管理等事项。

（2）区属单位，由各区工商行政管理局、卫生局局长或区卫生防疫站站长、供销社主任组成学习领导小组，并各指派具体干部一人，参加区学习班具体工作。负责区属饮食卫生单位的培训工作。

（3）部门分工：卫生部门负责教学计划、教材编印、聘请教师讲课。商业、轻工业、供销社等部门负责政治思想领导和组织人员，掌握学习情况和生活管理等事项。

三、学习对象和人数

（1）省、市属单位：杭州肉厂、市属食品、水产、饮食服务、糖业烟酒、蔬菜、果品等公司，国营、公私合营食品、副食品厂，饮食店、粮食化工厂有关经理、厂长、业务（生产、供销、采购）科长、小组长及上述单位批发、门市部、市场、

一、政策文件、档案记录、指导意见

仓库、车间主任，分公司、中心店有关人员和国营、公私合营企业的食品卫生监督员及其他有关人员，市合作商业管理委员会、市摊管会和各有关公司负责卫生工作人员，按性质不同行业分别培训。各区食品卫生管理人员都参加作学习辅导工作。

饮食业、冷饮业学习班参加学习人员140人，糕点、糖果、水果业学员160人，水产、肉类、禽蛋业等学员70人。

（2）区属单位：有关饮食、食品、副食品合作商店，区属副食品厂、店经理、厂长、菜场主任以上单位的组长和卫生监督员，区合管会、区摊管会、各市场管理委员会管理人员，有关市属公司、中心店、分公司负责卫生工作人员、居民食堂等主任和管理人员及其必须培训的单位。

四、学习内容和方法

总的内容：

1. 开展爱国卫生运动的重要意义。

2. 食品卫生的重要性和有关食品卫生法令。

3. 食品卫生基本要求。

4. 肠道传染病的预防。

5. 食物中毒的预防。

以上课程各行业参加人员均需学习。

（一）按行业性质不同，分别学习下列课程

1. 饮食业（冷饮业）

（1）饮食卫生五四制度。

（2）食具、用具消毒。

（3）冷饮食品卫生和有关卫生法令。

2. 糕点糖果、水果业

（1）糖果糕点卫生。

（2）食用色素的卫生管理。

（3）目前对糕点食品卫生上存在的问题应怎样来解决。

（4）瓜果卫生。

（5）痢疾、伤寒等肠道传染病与瓜果关系。

（6）瓜果消毒。

3. 水产、肉、禽蛋业和酿造、蔬菜业（包括粮食化工）

（1）水产品和水产业的卫生。

（2）牛吃小水产有什么害处和怎样向顾客宣传。

（3）小水产的卫生管理。

（4）肉只屠宰、运输、保管、销售卫生。

（5）屠宰场的卫生要求。

（6）禽蛋卫生。

（7）几种次蛋的无害化处理。

（8）出售喜蛋的卫生要求。

（9）为什么要讲究熟荤菜（油味品）。

（10）酿造业卫生。

（10）酱制品生产、运输、销售卫生。

（二）学习方法

1. 采取分行业上课，小组讨论和经验交流相结合，理论和实物教育相结合的方法进行。

2. 区属单位可根据各区具体情况分行分业进行。

五、学习时间和地点

1. 学习时间：市食品卫生学习班确定。

（1）饮食业、冷饮业于2月22日起到2月25日止。

（2）糕点糖果、水果业于3月1日起至3月4日止。

（3）水产、肉、禽蛋、酿造、蔬菜业于3月8日起至3月11日止。

区属单位按各区具体情况决定。但必须在三月底前培训完毕。分别总结上报各有关单位。

2. 学习地点：市食品卫生学习班在浙江医科大学第三教室。各区培训地点自行决定。

六、报到日期和注意事项

市培训班按行按业于培训开始前一小时即上午七点开始报到。

（1）请各单位参加学习人员随带讲义费0.34元给据报销。

（2）学习期间不准迟到早退，不得无故缺席。

（3）因病请假须有医师证明，因事请假须有单位证明，并均须经领导小

一、政策文件、档案记录、指导意见

组批准。

（4）上课时认真听讲，讨论时热烈发言。

【文件来源】杭州市卫生局等：《关于组织本市 1965 年食品、饮食行业卫生学习班的联合通知》，1965 年 2 月 16 日，杭州市档案馆藏

4. 关于饮食糕点恢复凭粮票供应有关具体业务手续的通知

各粮管所，市饮食、烟糖、百货、果品公司，市合管会、摊管会、市管会，各区工商局、供销社、合管会、摊管会、市管会，市园管局，市轻工业局并杭州食品厂，各军人服务社：

现经中国人民解放军浙江省军事管制委员会，报请国务院同意，决定自一九七八年五月九日起对杭州市城区和市郊八个集镇的饮食、糕点恢复凭粮票供应的办法。现对具体业务手续通知如下：

一、凡是在一九六六年一月二十一日前（即试行敞开供应前）凭粮票供应的各种饮食、糕点，全部恢复凭粮票供应。对豆浆、夏季冷饮以及铁路列车、站台，长途轮船的旅客用膳等，原来不收粮票的，仍不收粮票，平价供应。

为了便利群众，在车站、码头和其他地段原来曾经经营过议价供应业务的饮食店、食品店于凭粮票供应的同时，恢复一批专营或兼营议价品种，免收粮票；在郊区和其他农副产品集散的地方，饮食店可以开展以米换饭的业务（具体网点、品种、价格由有关主管单位另行通知规定）。

二、各种凭粮票供应的食品，应按照用多少粮收多少粮票的原则办理，切实保证规格质量（各种品种的收票标准，请各业务主管公司对基层重新明确一下）。恢复凭粮票供应前已生产的部分食品规格，如照原来收票标准收取粮票，略高或略低于实际耗粮的，可照接近的耗粮数收取粮票（以半两为最低起点），售完为止。饮食、糕点中的部分品种，在恢复凭粮票供应后，由于耗粮、毛利等计算不便，不能做到等量供应的，为了不影响消费者的利益，可暂按敞开供应时的规格生产，试行一段时间，发生溢耗的，由粮食部门据实结算。

三、原来实行敞开供应的饮食、糕点用粮企业单位，于五月九日前实际库存的粮食以及成品、半成品进行全面盘存（附盘存记录样式），于五月二十日前向所在地粮管所结报，转作铺底周转之用。对于合作商店和摊贩的盘存，请各区合管会、摊管会协助进行。

今后各用粮企业单位的粮食周转铺底标准，可以参照过去有关规定，结合各用粮单位的实际情况，由各粮管所具体掌握。核定的周转铺底粮食数量，由各粮管所发给周转铺底用粮凭证。各用粮单位在申请周转铺底粮食时，全民所有制企业和合作商店可不必再经主管业务单位证明，但对摊贩仍应请有关主管单位批准证明。

四、饮食、糕点恢复凭粮票供应后，各用粮单位生产或经营上所需的粮食，应凭购粮证核定的计划随同粮票向原指定供应点购买粮食。如有的单位盘存铺底粮不够周转使用，或开始购粮时尚无粮票的，可出具临时铺底收据，凭以抵粮票购粮。所需另找小额粮票，向所在粮管所领取，抵作铺底粮食。

五、凡粮食部门通用的粮票，群众均可在饮食店就餐和购买糕点。现行通用的粮票票种为：全国通用粮票、浙江省的临时流动粮票、定额粮票（包括套印农村专用和奖售字样的）、周转粮票等四种。省外地方粮票不予通用。有的群众持有农村粮票或周转粮票的，票面又较大，其另找部分在一斤以上的，原则上找给城镇定额粮票。

六、为了减少各用粮单位职工的工作量，供应收回粮票的业务处理手续力求简化。供应收回的粮票除全国通用粮票、浙江省临时流动粮票以外的各种粮票，购粮时可粘贴，也可不粘贴，由各单位革命群众自行研究确定，但须包好加封签章；对全国通用粮票和本省的临时流动粮票仍应按票种和面额整理。

茶食糕点业除摊贩外供应收回的粮票，今后直接解交所在粮管所或由所在地粮管所指定的粮站，由粮管所（站）发给"行业供应回收粮票凭证"，凭以凭计划向食品厂进货，食品厂凭此证按月（季）向有关粮管所结算用粮。

由于各用粮单位的生产经营情况不一，粮票进出数量较大，为了便利周转和购买，粮票数量少的，可以直接凭粮票凭计划向粮管所（或粮站）购粮；粮票数量较大，管理困难，一时又不需购粮的，也可以向所在地粮管所（站）换发"行业供应回收粮票凭证"，代替原来的"粮票收付存折"。

"行业供应回收粮票凭证"未印好前，茶食糕点等行业的回收粮票的解交和购粮办法，暂按原凭票供应时的办法办理。

此外，饮食、糕点的用粮计划，自五月份起按季核定，其所需粮食品种，除控制供应的粮种外，在计划范围内，由用粮单位自由选购，控制的粮种按照月度掌握供应；摊贩用粮继续核定用粮品种，按月供应。饮食、糕点各用粮单位在生产经营上需要的小额粮票，除摊贩外，可直接持本单位介绍信按照实际需要向所在粮管所调换，不必经主管单位证明。

以上请遵照执行。

一九六七年五月三日

【文件来源】杭州市粮食局等：《关于饮食糕点恢复凭粮票供应有关具体业务手续的通知》，1967年5月3日，杭州市档案馆藏

一、政策文件、档案记录、指导意见

5. 关于核定春笋烧猪肉等四种罐头食品价格的联合通知

望江食品厂、市烟酒糕点批发商店：

望江食品生产厂生产的春笋烧猪肉等四种食品罐头的价格，经我们工商局研究，核定如附表。

希于文到后起，遵照执行。

1960 年 4 月 19 日

春笋烧猪肉、春笋烧肉皮、花菜烧猪肉、油焖笋等价目表

品名规格	单位	出厂价	批发价	零售价
525 克春笋烧猪肉	瓶	1.15	1.20	1.35
500 克春笋烧猪肉	听	1.16	1.21	1.36
312 克春笋烧猪肉	听	0.76	0.79	0.88
525 克春笋烧碎肉	瓶	1.05	1.15	1.25
500 克春笋烧碎肉	听	1.06	1.11	1.26
312 克春笋烧碎肉	听	0.70	0.73	0.82
525 克春笋烧肉皮	瓶	1.03	1.07	1.20
525 克花菜烧猪肉	瓶	1.37	1.43	1.60
525 克油焖笋	瓶	0.79	0.82	0.92

说明：市内销售不用包装（木箱）。对市外调拨包装外加。

【文件来源】杭州市轻工业局、杭州市商业局：《关于核定春笋烧猪肉等四种罐头食品价格的联合通知》，1960 年 4 月 19 日，杭州市档案馆藏

6. 关于任免陈洪耀等同志的职务的通知

江干分公司、各有关单位：

关于紫阳楼菜馆等十二个单位的领导同志，分别由这些单位的职工代表大会选举产生。经中共浙江省委杭州市江干区社教工作团财贸工作队委员会批准，任免下列同志的职务：

任命：

陈洪超　　　为紫阳楼菜馆经理；

张加贵　　　为紫阳楼菜馆副经理；

吴长寿　　　为光明照相馆副经理；

楼信乐　　　为大兴理发室经理；

张明发　　　为大兴理发室副经理；

王泰海　　　为爱国理发室副经理；

顾洪英　　　为美丽洗染店副经理；

高祖根　　　为望海楼饮食店经理；

陆口子　　　为南星饭店副经理；

陈有根　　　为南星饭店副经理；

何和兴　　　为长兴馆饮食店副经理；

邵亦跃　　　为大兴年糕店经理；

张爱堂　　　为大兴年糕店副经理；

平阿坤　　　为四美太饮食店副经理；

朱益和　　　为钱江旅馆经理；

陈华生　　　为钱江旅馆副经理；

张仁通　　　为美光照相馆经理。

一、政策文件、档案记录、指导意见

免去：

吴长寿　　美光照相馆副经理职务；

陈洪耀　　丰乐馆饮食店副经理职务；

张加贵　　紫阳楼菜馆副经理职务；

顾洪英　　紫阳楼菜馆副经理职务；

童水林　　望海楼饮食店副经理职务；

黄绍清　　南星饭店经理职务；

张仁通　　树光照相馆副经理职务。

现予公布。

一九六五年九月十一日

【文件来源】杭州市饮食服务公司：《关于任免陈洪耀等同志的职务的通知》，1965 年 9 月 11 日，杭州市档案馆藏

7. 关于烤鸡烤鸭价格的批复

杭州凯乐食品店：

报来的烤鸭、烤鸡成本表二份收悉。

经研究对经销价格核定如下：

品名　单位　批发价　零售价

烤鸡　斤　2.83　3.14

烤鸭　斤　2.77　3.07

商品如加工刀切，以 3.30 元（烤鸡）与 3.22 元（烤鸭）的价格经营。

希遵照执行。

一九八三年七月二十三日

【文件来源】杭州市农垦局：《关于烤鸡烤鸭价格的批复》，1983 年 7 月 23 日，杭州市档案馆藏

一、政策文件、档案记录、指导意见

8. 市委办公厅　市政府办公厅关于推进美食夜市一条街建设的实施意见

为加快我市夜间经济发展，提高人民群众生活品质，打响"美食天堂"品牌，加快共建共享与世界名城相媲美的"生活品质之城"步伐，经市委、市政府同意，现就推进我市美食夜市一条街建设提出如下实施意见。

一、推进美食夜市一条街建设的总体要求

1. 重要意义。美食夜市一条街特指夜间在特定路段占道经营的集市，而不是室内市场或室内餐饮店，在经营内容上，以美食小吃为主，兼具旅游纪念品和其他特色小商品等售卖。夜间生活是现代社会人们生活的重要组成部分，夜间经济是现代城市经济的重要组成部分，是衡量一座城市经济繁荣程度的"晴雨表"。推进美食夜市一条街建设，能够为市民群众和中外游客提供更加丰富、充实、安全、便利的夜生活，提高人民群众生活品质；有利于促进餐饮与商业互动、商业与旅游互动，接长"短板"、拓展"蓝海"，实现杭州夜间经济高起点、跨越式大发展；有利于促进美食行业的发展，带动工艺美术、土特产品、珠宝首饰、服装、小百货等行业的发展，推动旅游业的整体发展，培育现代服务业的新增点；有利于为自主创业、城镇下岗失业人员特别是"4050"人员再就业、"新杭州人"就业提供广阔的空间，给老百姓带来就业机会和劳动收入；有利于进一步打响"杭帮菜""美食天堂""购物天堂"品牌，进一步打响"东方休闲之都""生活品质之城"品牌，提高城市的知名度和美誉度，提升城市的竞争力和影响力，为杭城再造一张"金名片"；有利于通过对现有夜市和大排档进行综合整治，按规划要求推进美食夜市一条街建设，有效提升城市环境，为杭州打造"国内最清洁城市"工作加分。总之，建设美食夜市一条街是一项造福于民的"民心工程"、发展夜间经济的"竞争力工程"、提升城市品位的"软实力工程"。各级各部门要充分认识推进美食夜市一条街建设、加快夜间经济发展的重要性、必要性和紧迫性，切实增强责任感和使命感，科学谋划、抓紧实施、务求实效。

15

2. 总体思路。坚持以科学发展观为统领，以提高人民群众生活品质为导向，打造城市特色鲜明、吃购娱功能齐全、服务设施一流、交通便捷通畅、环境整洁卫生、管理科学合理，本地人常到、外地人必到，国内领先、世界一流的"品质美食夜市一条街"，使美食夜市一条街成为市民群众的好去处、中外游客的新景点、"生活品质之城"的"金橱窗"。

3. 基本原则。

——**坚持以民为本。**以民为本是建设美食夜市一条街的根本出发点和落脚点。要以服务市民、服务游客为目标，以民心工程为定位，以市民满意、游客满意为标准，在美食夜市一条街的规划、设计和建设中，处处体现以民为本，体现人文关怀，体现大众性、平民化，做到建设为人民、建设靠人民、建设成果由人民共享、建设成效让人民检验。

——**坚持疏堵结合。**建设美食夜市一条街，既要"开前门"，更要"堵后门"，要"先堵后开""抓大并小"。一方面，做好"疏"的文章，在科学选址、统一规划的前提下，引导夜市和大排档有序集聚、规范经营、提升品质、打响品牌；另一方面，做好"堵"的文章，对现有占道经营的夜市和大排档进行综合整治，对不合法的坚决予以取缔，防止各种夜市和大排档一哄而上。

——**坚持品质至上。**品质是杭州城市的鲜明特征，是杭州城市的核心竞争力。建设美食夜市一条街，必须坚持高起点规划、高强度投入、高标准建设、高效能管理"四高"方针，确立品质导向，强调"细节为王""细节决定成败"，强调精益求精、不留遗憾，追求卓越，放大"名画效应"，打造"品质美食夜市一条街"。

——**坚持特色为王。**建设美食夜市一条街，必须牢固确立以"特"制胜的理念，立足杭州自身特色，贴近百姓生活，挖掘文化内涵，重点打好"杭州牌"；要体现新鲜、味美、价廉、卫生、快捷的特色，营造休闲、热闹、亲情、惬意的氛围，有别于酒店、餐馆的消费模式。

——**坚持统分结合。**建设美食夜市一条街，必须坚持统分结合，具体包括市与区层面的统分结合以及区与街道、社区、企业的统分结合。中山南路美食夜市一条街由市商业资产经营公司和上城区共同建设，其他美食夜市一条街的建设工作由相关城区承担，各城区要妥善处理与相关街道、社区、企业的关系。

——**坚持三力合一。**建设美食夜市一条街，必须坚持政府主导力、企业主

一、政策文件、档案记录、指导意见

体力、市场配置力"三力合一"，既要充分发挥政府"有形之手"的作用，又要发挥市场"无形之手"的作用，找准"三力合一"的结合点，实现"三力合一"的最大化，加强各方面的资源整合，实现优势互补。党委、政府要在制订规划、整合资源、完善政策、市场准入、加强监管、优化环境、宣传促销、提供服务等方面充分发挥主导作用，以"有形之手"推动企业主体力和市场配置力的发挥。

——坚持民主促民生。建立民主促民生工作机制是推进重大工程、推动科学发展、促进社会和谐的重要保障。建设美食夜市一条街，必须深入实施"民主民生"战略，建立党政、市民、媒体"三位一体"的以民主促民生工作机制，落实"四问四权"，做到问情于民、问需于民、问计于民、问绩于民，切实落实人民群众的知情权、参与权、选择权、监督权，做到大家的事大家来办、杭州的事杭州老百姓来办。

二、加强美食夜市一条街建设的规划设计

4.科学选址。美食夜市一条街的规划选址，必须坚持少扰民甚至不扰民(这里的"民"包括沿街住户和单位)、少影响动静态交通、有利于聚人气三条标准，同时，综合考虑交通组织、水电供应、环境卫生、消防安全等因素。美食夜市一条街周边尽量设有公厕、公交车站点、旅游大巴乘降点或泊车位；鼓励周边单位对外开放停车泊位，实行错时停车；合理布置"免费单车"服务点，解决通达性问题。美食夜市一条街规模，根据道路实际情况而定，考虑到能形成拢市效果，摊档总规模一般不少于80家，其中美食小吃的摊档一般不少于50家。综合各种因素，初步规划新建上城区中山南路以及打铜巷，下城区电政路，拱墅区信义坊以及古水街等五处美食夜市一条街。除上述五处选址外，各城区需要新建美食夜市一条街，必须经杭州市区夜市建设工作领导小组审核。对需保留的现有占道经营夜市，要严格坚持标准，符合规划要求，广泛听取民意，由各区党委、政府决定，原则上一个区保留一处，最多不超过三处。

5.优化设计。坚持一体化设计，既要避免由各摊位、业主自行设置餐车、器具而出现杂乱无序的局面，又要避免摊位、设备等过分整齐划一，力求在整齐划一与个性特色之间找到一个最佳平衡点，真正做到既体现个性特色又相对规范。由市商业资产经营公司和相关城区负责，委托中国美院等专业设计单位，结合美食夜市一条街所在地的区位特点，对其整体风格进行特色化设计；对移

17

动餐车、桌椅、遮雨设施等进行统一设计、统一制作和统一配置。餐车上的设置，可根据摊档所加工经营小吃的类型，因摊制宜，但必须保持餐车主体规格及外观的相对统一，使餐车、器具成为美食夜市一条街的一个"卖点"。相关规划设计方案编制完成后，由杭州市区夜市建设工作领导小组统一把关。

6.完善配套。根据餐饮食品加工的要求，在美食夜市一条街现场设置必要的水、电供给，以及污水排放管道，并与移动餐车上的水、电及下水管直接衔接，但平时又能较好地隐藏，不影响正常的道路通行，并确保安全。水源需符合国家饮用水卫生标准，餐饮加工摊点应设置洗消水池。为确保食品卫生，摊档必须使用统一提供的消毒餐具。各摊档的餐车及相关用具安排就近的场所统一存放，以减少餐车移动对交通的影响和对周边居民生活的干扰。同时，在美食夜市一条街附近设置食品初加工场地，供摊档对食品进行整理、清洗、切配等适当的加工，既减少现场清洗加工用水的需求，又减轻污水、垃圾处理的矛盾。建设经营单位要事先制定各种突发事件的安全防范处置预案，聘请一定数量的专业保安人员、卫生管理人员和保洁人员，负责维护治安安全、食品安全和环境卫生保洁管理。加强现场消防设施的配置。按照"一街一模式"，完善美食夜市一条街及其周边区域的交通功能，增加停车、换乘设施，优化交通组织，提升美食夜市一条街的交通环境。

三、健全美食夜市一条街建设的体制机制

7.加强领导。按照"人"字形结构，由市委常委、秘书长许勤华任顾问，市政府副市长张建庭任组长，建立两个领导小组。一是建立市夜市整治工作领导小组，由市有关部门和相关城区参与，办公室设在市城管办。二是建立杭州市区夜市建设工作领导小组，由市有关部门和相关城区参与，办公室设在市贸易局。相关城区也要按照"人"字形结构成立相应机构，切实加强对夜市整治以及美食夜市一条街建设工作的领导。

8.创新体制。美食夜市一条街的运行体制必须与其作为"民心工程"的定位相吻合，与其占用的是城市道路这一公共资源相适应，绝不能以营利为目的。美食夜市一条街的管理权由政府统一掌控，体现政府主导，民营企业可以租摊位经营，但不能做业主。

9.加大招商。打好"国际牌""中华牌""浙江牌""杭州牌"，做好招

一、政策文件、档案记录、指导意见

商文章。特别要以打"杭州牌"为主，注重引进包括5县（市）在内的本地名店、名小吃，体现杭州特色。妥善处理美食夜市一条街与沿街商铺的关系，对有夜间经营意愿、又符合美食夜市一条街规划和业态的沿街商铺，允许其优先把摊位摆到商铺前面的道路上，丰富经营内容。在招商中，设置准入门槛，优先引进名店、名企、名品、名小吃。建立奖惩机制，对文明经营、特色鲜明、价格优、服务好、人气旺的经营户予以表彰奖励；对特色不鲜明、服务差、人气不旺的经营户予以调整。

四、优化美食夜市一条街建设的发展环境

10. 完善政策。一方面，用足用好商业特色街区政策，凡烘托街区氛围、美化街区环境的非营利性路灯、过街灯、公益广告灯等一律纳入街区规划，接入城市路灯网，所需电费由政府财政承担；鼓励旅行社与美食夜市一条街进行合作，建立商旅互动的商业运作机制，对能大量吸引外来游客的街区特色旅游项目，可在市财政相关专项资金中给予适当补助；对美食夜市一条街品牌创建活动，列入我市旅游促销、对外宣传推介计划；市财政每年从现代服务业专项资金中安排一定金额，用于美食夜市一条街建设管理工作目标考核奖励、优秀活动项目补助和整体宣传等。另一方面，本着"能免则免、能减则减"的原则，对美食夜市一条街在3年培育期内实行更为优惠的扶持政策。由市贸易局负责牵头，协调相关职能部门，按照各自职责，对美食夜市一条街建设涉及的卫生管理费、公共设施维护费、营业税、摊位费等各类税费进行梳理，制定相关配套政策。由市城管办牵头制定美食夜市一条街环境卫生管理规范。

11. 优化服务。建设美食夜市一条街涉及城市建设、市容环境、食品卫生、工商管理、治安消防、交通组织、旅游促销等多方面工作，时间紧、要求高、任务重。市各有关部门和城区要牢固树立"全市一盘棋"思想，加强配合、相互支持，为加快美食夜市一条街建设提供便利。特别是市、区两级工商、卫生监督、环保、城管等部门要按照"急事急办、特事特办、手续照办"的要求，畅通审批"绿色通道"，对美食夜市一条街经营户各类经营证照的办理给予支持。美食夜市一条街可集体办理食品卫生等相关证照。所有的美食夜市一条街都要设置管理机构，实行统一管理，明确职责，落实责任。

12. 综合整治。建设美食夜市一条街，必须做到整治在前。由市城管办负责，

19

按照"开前门、堵后门"原则，制定夜市和大排档整治方案，对现有占道经营的夜市和大排档按相关规划进行整治，对不合法的坚决予以关闭。

13. 加强宣传。美食夜市一条街建设事关杭州人、"新杭州人"和中外游客的切身利益，事关"生活品质之城"建设。全市各级舆论宣传部门要精心策划、周密部署，采取多种形式，加大宣传力度，为推进美食夜市一条街建设提供良好的舆论氛围。在规划建设中，要积极探索建立党政、市民、媒体"三位一体"，以"四问四权"为核心的以民主促民生工作机制，充分听取社会各界特别是沿线居民和单位的意见，调动好、发挥好社会各界参与建设的主动性、积极性和创造性，动员全社会力量共同推进美食夜市一条街建设。

【文章来源】杭州市委办公厅、市政府办公厅：《市委办公厅 市政府办公厅 关于推进美食夜市一条街建设的实施意见》，文件号(市委办〔2009〕28号)，浙江政务服务网，2009年12月21日

一、政策文件、档案记录、指导意见

9. 建设美食夜市一条街打响美食天堂品牌——在调研夜市和大排档建设管理工作时的讲话

　　昨天晚上和今天上午，我和勤华、建庭同志一起，对杭州六城区夜市和大排档建设管理工作进行调研。刚才，市贸易局、市商业资产经营公司、市城管办和相关城区作了很好的汇报，围绕办好夜市特别是大排档提出了很好的意见建议；市有关部门负责人表了很好的态，表示要全力支持夜市特别是大排档的发展；勤华、建庭同志作了重要指示，话虽不长，但指导性、针对性、操作性很强，我完全赞同。

　　首先，我对杭州之所以要办夜市特别是大排档的背景作一简要说明。夜市和大排档不是一个概念，而是两个概念：夜市是包括各种服务内容的夜间经济的一种载体；大排档是夜市的一个有机组成部分，其主要服务内容是美食供应。目前，杭州并不缺乏严格意义上的夜市。商业特色街实际上就是杭州的夜市，无非有的夜市特征比较鲜明，有的夜市特征不太鲜明而已。杭州虽然不缺夜市，但缺大排档。目前，有两件事促使市委、市政府作出了发展大排档、建设"美食夜市一条街"的决定。一是杭州夜市和大排档的发展现状。2000年西博会恢复举办时，在我的倡导下，杭州举办了美食节，并作为西博会的一个重要项目。可以说，杭州是国内最早举办美食节的城市之一。当时市委、市政府的想法是要打造一个永不落幕的美食节，也就是要建"美食夜市一条街"。后来市商业资产经营公司等单位提出建"美食夜市一条街"存在一定困难，建议先搞一个黄龙大排档。市委、市政府采纳了这一建议，并给予了全力支持。黄龙大排档的建设和发展，使杭州在发展大排档、建设"美食夜市一条街"上迈出了坚实一步。同时，现在杭州也有不少像近江大排档这样自发形成的大排档。这些大排档存在不合法、不规范、不卫生等诸多问题，急需加以规范和整治。二是台北、台中、高雄夜市和大排档的发展情况。前段时间，我率团赴台湾交流访问，考察了台北、台中、高雄3个城市。台中是第一站。台中胡志强市长一再向我们推荐台中的夜市和大排档，可惜我们没有时间去看。后来，我们在台北、高雄分别看了士林夜市和六合夜市。这两个夜市包括大排档档次都不高，可以说是脏乱差，

21

但它们恰恰成了台北和高雄最重要的旅游产品之一。台北的士林夜市知名度很高、影响力很大，是外地游客必到、本地市民常到之处，但其管理水平及不上杭州的黄龙大排档，甚至及不上近江大排档。高雄的六合夜市也是如此，虽然地处主城区繁华之地，紧靠市中心，但其档次和品位也及不上杭州现有的一些大排档。这里就有一个值得我们深思的问题：为什么过去我们认为是脏乱差、属于市场阴暗面的夜市和大排档，恰恰高雄把它作为一个旅游产品隆重推出，变成了城市的"亮点"和标志？在吃、住、行、游、购、娱"六大旅游要素"中，吃是第一大要素。杭州作为一座年接待游客超过 5000 万人次的国际风景旅游城市，在目前又正在打造国际旅游休闲中心、国际旅游休闲目的地的情况下，建设"美食夜市一条街"，进而打响"美食天堂"品牌是必需的，而且现在已到水到渠成、瓜熟蒂落的时候。我们要深刻认识建设"美食夜市一条街"的重要意义，加快推进"美食夜市一条街"建设工作，努力打响杭州"美食天堂"品牌。下面，我围绕这一主题，再强调几点意见。

一、统一认识

我所讲的"美食夜市一条街"，特指夜间在特定路段占道经营的集市，而不是指室内市场或室内餐饮店，其经营内容不仅有小吃，还包括旅游纪念品和其他特色小商品等的售卖。建设"美食夜市一条街"，其意义主要体现在以下几方面。

（一）建设"美食夜市一条街"是提高人民群众生活品质的新举措。现代社会的一个重要特点，就是夜间生活已成为人们生活的重要组成部分。建设"美食夜市一条街"，提供以吃为主，购、娱、游等多样化服务，不仅能为游客，同时也能为城市居民包括杭州人和"新杭州人"提供更加丰富、充实、安全、便利的夜生活，顺应了现代人的生活方式，满足了现代人的生活需求。从这个意义上说，建设"美食夜市一条街"，发展夜间经济，对杭州人和"新杭州人"来说，意味着生活品质和品质生活。它是提高人民群众生活品质、共建共享与世界名城相媲美的"生活品质之城"的题中之义。

（二）建设"美食夜市一条街"是发展夜间经济的新"蓝海"。夜间经济是现代城市经济的重要组成部分，是衡量一座城市经济繁荣程度的"晴雨表"。

一、政策文件、档案记录、指导意见

杭州作为"中国最佳旅游城市"，能够吸引游客的，不仅是白天，还有夜晚。现在人们常用3句话来形容一座城市，就是晚上看比白天看好、远看比近看好、不看比看好。但杭州这座城市不一样，她远看和近看都一样，晚上看和白天看也一样，看了以后则是更想看。但总体而言，杭州的晚上还不够繁华，在发展夜间经济上还需进一步努力。这方面，我们已经有了成功的尝试。比如，过去杭州夜间演艺业比较落后，缺少一台戏，现在我们不仅有一台戏，而且有几台戏，包括《印象西湖》《宋城千古情》等等。可以说，现在杭州夜间演艺业在全国所有旅游城市中已名列前茅，实现了后来居上。对此，李长春同志也给予了充分肯定。现在看起来，要进一步推动杭州夜间经济发展，最缺的是"美食夜市一条街"。建设"美食夜市一条街"，繁荣夜间经济，是杭州有待开发的一座"金矿"。建设"美食夜市一条街"，有利于促进餐饮与商业互动、商业与旅游互动，接长"短板"、拓展"蓝海"，实现杭州夜间经济高起点、跨越式大发展。

（三）建设"美食夜市一条街"是壮大服务业的新平台。一座发达城市，必定是一个服务业高度发达的城市，必定是一个能满足社会各阶层不同服务需求的城市。现代服务业特别是商贸业和旅游业既是一种"白天经济"，更是一种"夜间经济"。特别是随着收入水平的提高，使得人们对生活方式和生活品质有了更多更高的追求，消费结构加快由生存型向发展型、享受型转变。实施"服务业优先"战略，建设服务业强市，必须正视、顺应并利用好这种消费新趋势。建设"美食夜市一条街"，发展夜间经济，既能促进美食行业的发展，又能带动工艺美术、土特产品、珠宝首饰、服装、小百货等行业的发展，还能推动旅游业的整体发展，让每年来杭州旅游的5000多万中外游客真正享受到"品质旅游""品质休闲"。从这个意义上讲，建设"美食夜市一条街"是杭州发展十大特色潜力行业的新抓手，是发展旅游业的新载体，是发展现代服务业的新增点。

（四）建设"美食夜市一条街"是扩大就业的新渠道。就业是增长之源，是民生之本，是稳定之基。夜市大多涉及劳动密集型服务业，就业容量大，对从业人员要求不高，可以为自主创业、城镇下岗失业人员特别是"4050"人员再就业、"新杭州人"就业提供广阔的空间，给老百姓带来实实在在的就业机会和劳动收入。从这个意义上讲，建设"美食夜市一条街"是杭州保就业、保

23

民生的实际行动，是打造充分就业城市的重大举措。

（五）建设"美食夜市一条街"是经营城市的新名片。充满市井气息的夜市，是展示美食文化、推广城市物产的载体，是保留城市民俗记忆、体验城市生活场景的载体，也是反映城市风土人情、彰显城市特色的载体。"美食夜市一条街"不仅仅是美食夜市街，同时也是商业街、文化街，是一种特殊的旅游资源、旅游产品和旅游景点。建设"美食夜市一条街"，有利于进一步打响"杭帮菜"品牌、"购物天堂"品牌特别是"美食天堂"品牌，从而进一步打响"东方休闲之都"品牌、"生活品质之城"品牌，进而提高城市的知名度和美誉度，提升城市的影响力和竞争力，为杭城再造一张"金名片"。

二、明确思路

建设"美食夜市一条街"是一项造福于民的"民心工程"、发展夜间经济的"竞争力工程"、提升城市品位的"软实力工程"。建设"美食夜市一条街"，必须坚持以科学发展观为统领，以提高人民群众生活品质为导向，打造城市特色鲜明、吃购娱功能齐全、服务设施一流、交通便捷通畅、环境整洁卫生、管理科学合理，本地人常到、外地人必到，国内领先、世界一流的"品质美食夜市一条街"，使"美食夜市一条街"成为市民群众的好去处，中外游客的新景点，"生活品质之城"的"金橱窗"。为此，必须坚持以下 7 条原则。

（一）坚持以民为本。以民为本是建设"美食夜市一条街"的根本出发点和落脚点。要以服务市民、服务游客为目标，以市民满意、游客满意为标准，在"美食夜市一条街"的规划、设计、建设和管理中，处处体现以民为本，体现人文关怀，体现大众性、平民化，做到建设为人民、建设靠人民、建设成果由人民共享、建设成效让人民检验。大众性、平民化，就是杭州"美食夜市一条街"的定位。

（二）坚持疏堵结合。建设"美食夜市一条街"，既要"开前门"，更要"堵后门"，要"先堵后开"。一方面，要做好"疏"的文章，在科学选址、统一规划的前提下，引导夜市和大排档有序集聚、规范经营、提升品质、打响品牌；另一方面，要做好"堵"的文章，对现有占道经营的夜市和大排档进行综合整治，对不合法、不合规的坚决予以取缔，防止各种夜市和大排档一哄而

一、政策文件、档案记录、指导意见

上。坚持堵疏结合绝不是放宽准入条件。"先堵后疏""抓大并小"是堵疏结合的应有之义。

（三）坚持品质至上。品质是杭州的鲜明特征，是杭州的核心竞争力。建设"美食夜市一条街"，必须坚持高起点规划、高强度投入、高标准建设、高效能管理"四高"方针，确立品质导向，追求卓越，放大"名画效应"，强调"细节为王""细节决定成败"，强调精益求精、不留遗憾，打造"品质美食夜市一条街"。

（四）坚持特色为王。建设"美食夜市一条街"，必须牢固确立以"特"制胜的理念，立足杭州自身特色，贴近百姓生活，挖掘文化内涵，重点打好"杭州牌"，找准比较优势，构筑竞争优势，打造产业优势，走差异竞争、错位发展之路。要体现新鲜、味美、价廉、卫生、快捷的特色，营造休闲、热闹、亲情、惬意的氛围，以有别于酒店、餐馆的消费模式。

（五）坚持统分结合。建设"美食夜市一条街"，必须坚持统分结合。具体包括两个层面：一是市与区层面的统分结合。就是由市商业资产经营公司和上城区在中山南路合力打造一条上规模、上水平、上档次的特色美食夜市街。二是区与街道、社区、企业层面的统分结合。除中山南路以外，其他美食夜市街的建设工作由相关城区承担。各城区在建设过程中要按照统分结合原则，妥善处理与相关街道、社区、企业的关系。需要特别强调的是，坚持统分结合，必须充分发挥政府"有形之手"的作用，体现政府主导。也就是说，在中山南路美食夜市街建设上，一切都要听市委、市政府的决策。在其他美食夜市街建设上，一切都要听相关城区党委、政府的意见。

（六）坚持三力合一。建设"美食夜市一条街"，必须坚持政府主导力、企业主体力、市场配置力"三力合一"，既充分发挥政府"有形之手"的作用，又充分发挥市场"无形之手"的作用，找准"三力合一"的结合点，实现"三力合一"的最大化，加强各方面的资源整合，实现优势互补。在"美食夜市一条街"建设中，党委、政府要在制订规划、整合资源、完善政策、市场准入、加强监管、优化环境、宣传促销、提供服务等方面充分发挥主导作用，以"有形之手"推动企业主体力和市场配置力的发挥。

（七）坚持民主促民生。建立民主促民生工作机制是推进重大工程、推动科学发展、促进社会和谐的重要保障。建设"美食夜市一条街"，必须深入实

25

施民主民生战略。在老排档关停以及新排档规划、建设的过程中，都要建立党政、市民、媒体"三位一体"的以民主促民生工作机制，落实"四问四权"，做到大家的事大家来办、杭州的事杭州老百姓来办。

三、狠抓落实

建设"美食夜市一条街"涉及面广，是一项复杂的系统工程，必须形成合力，狠抓落实。当务之急是抓好以下 10 项工作。

（一）加强领导。按照"人"字形结构，由建庭同志牵头，抓紧成立两个领导小组：一是由市城管办负责，市有关部门和相关城区参与，成立现有夜市和大排档整治领导小组，负责抓好"堵"的工作；二是由市贸易局负责，市有关部门和相关城区参与，成立"美食夜市一条街"建设领导小组，负责抓好"疏"的工作。上述两个领导小组，均由勤华同志担任顾问，建庭同志担任组长。相关城区作为"美食夜市一条街"建设主体，也要按照"人"字形结构，成立相应机构，切实加强对"堵""疏"工作的领导。

（二）科学选址。科学选址是办好"美食夜市一条街"的根本前提。"美食夜市一条街"的规划选址，必须坚持少扰民甚至不扰民（这里的"民"包括沿街住户和单位）、少影响动静态交通、有利于聚人气这 3 条标准，同时要考虑交通组织、水电供应、环境卫生、消防安全等因素。比如，"美食夜市一条街"周边应尽量设有公交车站点、旅游大巴乘降点或泊车位，并可利用"免费单车"服务系统解决通达性问题。需要特别强调的是，无论哪个城区办"美食夜市一条街"，都必须做好沿街居民和单位的工作。沿街居民和单位的工作做好了，就可以办；做不好，就不能办，坚决防止出现事情没办、老百姓意见一大堆的现象。至于"美食夜市一条街"的规模，可根据所占道路的实际情况而定。考虑到能形成拢市效果，摊档总规模一般不应少于80家，其中美食小吃的摊档一般不能少于50家。从目前情况看，必须做好两方面选址工作。一要做好新建大排档选址工作。根据各城区的自报和今天市有关部门的意见，可选择以下路段为新建大排档选址：第一，关于上城区新建大排档选址。主要有两个，一是中山南路。中山南路开设大排档、建设"美食夜市一条街"有很多有利条件。比如，静态交通问题可利用太庙遗址公园周边地区和道路来解决；慢行交通问

一、政策文件、档案记录、指导意见

题可利用中山南路东侧人行道来解决。现在的关键是要解决好扰民问题，让当地老百姓真正成为建设"美食夜市一条街"的受益者。二是打铜巷。今后，打铜巷美食夜市街可与中山南路美食夜市街相呼应，连成一片。第二，关于下城区新建大排档选址。先定一条道路，就是电政路。第三，关于拱墅区新建大排档选址。有两个，一是信义坊。信义坊现有海鲜大排档干脆取消，抓紧把信义坊美食夜市街建起来。这样做，或许能成为信义坊步行街的画龙点睛之笔。至于如何把人从现有海鲜大排档吸引到信义坊美食夜市街来，如何把美食夜市街与信义坊步行街现有店家有机结合起来，拱墅区要认真研究。二是霞湾路（古水街）。这里条件也非常好，可以由拱墅区自行建设美食夜市街。除上述5处选址以外，其他点如果要新建大排档，必须经领导小组审核，而且我也要亲自看过。二要明确需保留的现有大排档。对保留的现有大排档数量，一定要严格控制。任何人都不能擅自做主，违反规划搞大排档。

（三）创新体制。办好中山南路美食夜市街，必须创新体制，着力解决市商业资产经营公司与上城区如何合作、采取何种方式建设两大问题。请建庭同志牵头，市商业资产经营公司、上城区负责，认真研究，科学规划，妥善解决上述两大问题。对其他新建或保留的大排档，在体制创新上也要认真研究。办大排档之所以要强调体制创新，是因为所有的大排档，无论是新建的还是保留的，占用的都是公共资源，服务的对象都是市民和游客，其定位必须是"民心工程"，而不能是以营利为目的的经济行为。在这种情况下，大排档的运行体制一定要与"民心工程"相吻合。为此，大排档最好由政府牵头来搞。如果需要企业参与，最好是纯国有企业，而不能是民营企业。民营企业租摊位经营是可以的，但不能做业主。也就是说，大排档的管理权应由政府统一掌控，市、区、街道、社区四级统统不能以赚钱为目的来搞大排档，参与的国有企业3年内也不能赚钱。明年，市财政将安排专项资金对"美食夜市一条街"建设工作实行"以奖代补"。

（四）完善政策。政策是推动"美食夜市一条街"建设的有力杠杆。这几年，市委、市政府先后出台了《关于进一步推进商业特色街区建设与管理的实施意见》等"含金量"高的政策意见，有力地推动了商业特色街区上规模、上档次、创特色、创品牌。清河坊历史文化特色街区、丝绸特色街区、四季青服装特色街区、武林路时尚女装街区等相继获得了国家级"桂冠"，实现了我市商业特

27

色街区建设后来居上。今后，凡商业特色街享受的扶持政策，"美食夜市一条街"全部都能享受。比如，烘托街区氛围、美化街区环境的非营利性路灯、过街灯、公益广告灯等，都应一并纳入街区规划，接入城市路灯网，所需电费由政府财政承担；鼓励旅行社与大排档进行合作，建立商旅互动的商业运作机制，对能大量吸引外来游客的街区特色旅游项目，可在市财政相关专项资金中给予适当补助；对"美食夜市一条街"品牌创建活动，可列入我市旅游促销、对外宣传推介计划；市财政每年可从现代服务业专项资金中安排一定金额，用于"美食夜市一条街"建设管理工作目标考核奖励、优秀活动项目补助等。另外，要为"美食夜市一条街"建设量身定制更为优惠的政策。特别是在3年培育期内，要给予大力扶持。比如，对"美食夜市一条街"的卫生管理费、公共设施维护费、营业税、摊位费等各类税费要进行梳理，能减则减、能免则免。营业税的收取完全可以采取定额征税的办法来解决，而且额度要定得尽可能低。摊位费的收取只要能把食品安全、环境保洁、社会治安这3件事管住就行，千万不能多收。说到底，建设"美食夜市一条街"是一项"民心工程"。市、区、街道、社区四级一定要有当好"活雷锋"的思想境界，通过出台一系列优惠政策来扶持"美食夜市一条街"的建设和发展。请市贸易局负责，按照上述要求，抓紧对"美食夜市一条街"建设涉及的卫生管理费、公共设施维护费、营业税、摊位费等各类税费进行梳理，制定相关配套政策。请市城管办牵头，抓紧制定"美食夜市一条街"环境卫生管理规范。

（五）优化设计。重视设计是杭州科学经营城市的一条重要经验。如果说科学选址是办好"美食夜市一条街"的前提，那么高水准设计则是办好"美食夜市一条街"的保证。要坚持一体化设计，既要避免由于各摊位、业主自行设置餐车、器具而出现杂乱无序的局面，又要避免摊位、设备等过分整齐划一，力求在整齐划一与个性特色之间找到一个最佳平衡点，真正做到既体现个性特色又相对规范。这项工作由市商业资产经营公司和相关城区负责，委托专业设计单位，最好是中国美院，结合不同大排档所在地的区位特点，对各个大排档的整体风格进行特色化设计，对每个大排档的移动餐车、桌椅、遮雨设施等进行统一设计、统一制作、统一配置。餐车上的设置，可根据摊档所加工经营小吃的类型，因摊制宜，但必须保持餐车主体规格及外观的相对统一，力求餐车、器具成为"美食夜市一条街"的一个"卖点"。相关规划设计方案编制完成后，

一、政策文件、档案记录、指导意见

要由市"美食夜市一条街"建设领导小组统一把关。

（六）完善配套。"美食夜市一条街"需要占道经营，这对建设和管理提出了更高要求。要根据餐饮食品加工的要求，在"美食夜市一条街"现场设置必要的水、电供给以及污水排放管道，并与移动餐车上的水、电及下水管直接衔接，而平时又能较好地隐藏，确保安全，确保不影响正常的道路通行。为确保食品卫生，摊档必须使用统一提供的消毒餐具。夜市结束后，各摊档的餐车及相关用具要统一就近安排存放，以减少餐车移动对交通的影响和对周边居民生活的干扰。要在"美食夜市一条街"附近设置食品初加工场地，供摊档对食品进行事先的整理、清洗、切配等适当的加工，既减少现场清洗加工用水的需求，又减轻污水、垃圾处理的矛盾。要按照"一街一模式"，完善"美食夜市一条街"及其周边区域的交通功能，增加停车、换乘设施，优化交通组织，提升"美食夜市一条街"的交通环境。

（七）加大招商。办好"美食夜市一条街"，要打好"国际牌""中华牌""浙江牌""杭州牌"，做好招商文章。特别要强调以打"杭州牌"为主，注重引进包括 5 县（市）在内的本地名店、名小吃，确保"美食夜市一条街"50% 以上摊位卖的是杭州产品、杭州小吃，体现杭州特色。要妥善处理好"美食夜市一条街"与沿街商铺的关系。如果沿街商铺有夜间经营的意愿，又符合"美食夜市一条街"的规划和业态，应优先允许这些店家把摊位摆到商铺前面道路上，丰富经营内容。要设置准入门槛，优先引进名店、名企、名品、名小吃。要建立激励机制，对文明经营、特色鲜明、价格优、服务好、人气旺的经营户予以表彰和奖励。

（八）优化服务。建设"美食夜市一条街"涉及城市建设、市容环境、食品卫生、工商管理、治安消防、交通组织、旅游促销等多方面工作，时间紧、要求高、任务重。市有关部门特别是相关城区要牢固树立"一盘棋"思想，加强配合、相互支持，为加快"美食夜市一条街"建设提供便利。特别是市、区两级工商、卫生监督、环保、城管等部门要按照"急事急办、特事特办、手续照办"的要求，畅通审批"绿色通道"，对"美食夜市一条街"经营户各类经营证照的办理给予支持。刚才，市卫生局建议"美食夜市一条街"集体办理食品卫生等相关证照，非常好。这样做，有利于提高"美食夜市一条街"管委会的责任意识。今后，不论是新建的还是保留的大排档，都要建立管委会。一旦

29

出现问题，就拿管委会是问，由管委会负责查处摊主。

（九）综合整治。建设"美食夜市一条街"，必须做到整治在前。围绕搞好现有夜市、大排档整治，刚才，市城管办提出了很好的意见建议：一是关于整治阶段。你们建议分3个阶段对现有夜市和大排档进行整治，分别是调查摸底、制定政策阶段，宣传教育、自觉纠正阶段，严格执法、严格管理阶段。二是关于整治原则。你们提出了坚持标准、堵疏结合、先规范后提升、属地管理、积极稳妥等5条原则。三是关于整治范围。包括六城区和杭州经济开发区、杭州西湖风景名胜区。四是关于建立领导小组。对上述4点意见建议，我完全赞同。另外，你们还对现有夜市和大排档进行了初步调查。从你们的调查结果来看，杭州六城区范围内现有夜市和大排档太多太杂，亟待整治。对现有夜市和大排档如何进行整治，这里我强调一个原则，就是在符合不扰民、不影响交通、有利于聚人气等3个条件的前提下，允许一个区原则上保留一处夜市和大排档，最多不超过三处。至于到底是保留一处还是三处、保留的夜市和大排档具体是哪几个，要听相关城区党委、政府的意见。请市城管办负责，对现有夜市和大排档进行一次摸底调查，并按照"开前门、堵后门"原则，在今天汇报材料基础上，抓紧制定出台夜市和大排档整治方案，对现有占道经营的夜市和大排档按照现行相关规划进行整治，该关停的要坚决关停。对这项工作，国庆长假后市委、市政府将再次听取汇报。节前，你们要按照这次会议精神，在听取相关城区党委、政府意见建议基础上，明确需保留或关停的现有夜市和大排档。对现有夜市和大排档进行整治，是杭州打造"国内最清洁城市"的一个"撒手锏"。我们要把整治现有夜市和大排档与打造"国内最清洁城市"两项工作有机结合起来，进一步提升杭州城市的环境和品位。

（十）扩大宣传。市委宣传部和杭报集团、杭州文广集团等宣传单位要精心策划、周密部署，采取多种形式，加大宣传力度，为建设"美食夜市一条街"提供一个良好的舆论氛围。过去，我们对杭州的夜市和大排档是不敢宣传，也不准宣传。"开前门、堵后门"以后，我们要像台北、台中、高雄一样，好好地宣传和吆喝一下杭州的夜市和大排档。

最后，我再强调一个观点。市委、市政府召开今天这次会议，作出建设"美食夜市一条街"的决策是有前提的。主要基于以下3个前提：一是不影响杭州打造"国内最清洁城市"。市委、市政府有把握使"美食夜市一条街"建

一、政策文件、档案记录、指导意见

设不影响杭州打造"国内最清洁城市"。正是基于这一判断，我们才召开今天这次会议，作出建设"美食夜市一条街"的决策。在建设"美食夜市一条街"特别是整治现有夜市和大排档的过程中，市有关部门和相关城区要在领导小组的领导下，切实抓好相关工作，确保建设"美食夜市一条街"为打造"国内最清洁城市"加分而不减分。二是在搞好商业特色街基础上建设"美食夜市一条街"。杭州近10年建设商业特色街的成功经验，为建好"美食夜市一条街"提供了有益借鉴。同时，我们也不会像熊瞎子掰苞米那样，搞了"美食夜市一条街"就忘了搞商业特色街。商业特色街包括以美食为特色的商业特色街都应得到进一步发展。特别是像高银巷这样的好典型，一定要积极培育、大力扶持。我们要推动商业特色街经营活动从白天向夜间延伸，做好夜间经营文章，大力发展夜间经济。请建庭同志牵头，对杭州每一条商业特色街白天和夜间的经营情况进行一次摸底调查，并在此基础上，尽快出台举措扶持其发展夜间经济。当然，商业特色街发展夜间经济有一个前提，就是不能占道经营。至于商业特色街广告设置问题，总的原则就是只要符合规划、对发展夜间经济有利的广告包括 LED 媒体墙等，都应该放开。千万不能搞白天亮晚上不亮的广告。另外，屋顶广告也要尽量少搞。三是进一步丰富商业特色街内涵。在建设"美食夜市一条街"的同时，也要办好"跳蚤市场"。"跳蚤市场"像"美食夜市一条街"一样，也是杭州这座国际风景旅游城市不可或缺的旅游产品。要把"跳蚤市场"作为一种特殊类型的商业特色街区来看待，加快建设和发展步伐。刚才，立毅同志表了很好的态，表示愿意在庆春广场办一个"跳蚤市场"。庆春广场占地4.4万平方米，场地空间开阔，交通条件便捷，人气旺盛，而且在这里办"跳蚤市场"可以做到不扰民，是杭州办"跳蚤市场"的首选之地。需要特别强调的是，办好庆春广场"跳蚤市场"，不能离开庆春广场作为文化广场的特色和背景。对进入庆春广场"跳蚤市场"交易的商品，要实行许可证制度。不能什么商品都允许进入庆春广场"跳蚤市场"交易，而要以交易文化类商品为主，如 CD、DVD、邮票、书籍、古玩、字画、文化创意产品，等等。请江干区负责，按照上述要求，抓紧建设庆春广场"跳蚤市场"。市委政研室、市贸易局、市委宣传部、市文创办等有关部门要大力配合，提供一切可以提供的优惠条件和有效资源，支持江干区办好这个"跳蚤市场"。此外，杭州也有必要建一个非露天占道经营的大排档，也就是所谓的"美食城"。"美食城"选址，可在杭州高

31

新开发区（滨江）范围内确定。

总之，建设"美食夜市一条街"，一头连着民生，一头连着发展，事关杭州人、"新杭州人"和中外游客的切身利益，事关杭州打造与世界名城相媲美的"生活品质之城"，意义十分重大。我们要在前一段工作基础上，再接再厉、乘势而上，按照这次会议精神，切实抓好"美食夜市一条街"建设工作，努力打响杭州"美食天堂"品牌。

【文章来源】王国平：《建设美食夜市一条街打响美食天堂品牌——在调研夜市和大排档建设管理工作时的讲话》，中共杭州市委办公厅《市委办通报》第261期，2009年10月28日

一、政策文件、档案记录、指导意见

10. 建设美食一条街打造城市金名片——在 2009 中国（杭州）商业街发展高峰论坛暨新形势下全国商业街建设与发展交流大会开幕式上的致辞

今天，2009 中国（杭州）商业街发展高峰论坛暨新形势下全国商业街建设与发展交流大会在杭州市下城区隆重开幕，这是杭州商业街发展史上具有重大意义的一件大事，必将在杭州商业街建设发展史上留下浓墨重彩的一笔。首先，请允许我代表中共杭州市委和全市人民，向各位嘉宾表示热烈欢迎。

杭州有 8000 年文明史、5000 年建城史。5000 年前，杭州先民就打造了面积近 3 平方公里的"中华第一城"，出现了商业萌芽。杭州还是南宋的都城。"江南形胜，钱塘自古繁华。"商业对杭州这座城市的发展起到了重要作用。改革开放以来，杭州经济社会又好又快发展，2008 年全市户籍人口人均生产总值突破了 1 万美元大关。近年来，杭州还先后获得了国际花园城市、联合国人居奖、国家环保模范城市、全国绿化模范城市、国家森林城市等 10 多项桂冠，并连续 5 年被美国《福布斯》杂志评为"中国大陆最佳商业城市"排行榜第一名，连续 5 年被新华社《瞭望东方周刊》评为"中国最具幸福感城市"第一名，连续 4 年被世界银行评为"中国城市总体投资环境最佳城市"第一名。这些荣誉的取得，离不开我市商贸系统广大干部职工的奉献，离不开我市商业特色街区重要作用的发挥。

商业特色街是城市的标志和象征，它浓缩城市历史、彰显城市特色、展示城市物产、反映城市形象，是城市生活品质的集中体现。迈入新世纪以来，杭州市委、市政府把商业特色街区作为凸显杭州历史、文化和产业特色的有效载体，作为打造"休闲之都""购物天堂"的重要突破口，坚持"政府主导"与"市场运作"并用、"彰显特色"与"综合配套"并举、"商业经营"与"文化旅游"互动，加大商业特色街区建设力度，提升商业特色街区品质，走出了一条商业特色街区与城市建设、旅游发展良性互动，以街促贸、以街兴城的杭州特色商业特色街区发展之路。自 2001 年到 2009 年，杭州累计投

33

入商业特色街区建设资金 100 多亿元，建成并正式命名商业特色街 10 条，目前正在规划建设 9 个新的商业特色街区，其中南宋御街·中山路已于今年国庆前夕建成开放。杭州的商业特色街区，都具有鲜明的特色。比如，清河坊街区凸显了"老宅、老街、老字号"的杭州传统民俗特色；湖滨街区凸显了"名湖、名街、名品"的杭州现代时尚特色；南山路街区凸显了"艺术、休闲、餐饮"的杭州艺术休闲特色；文三路街区凸显了"天堂硅谷、数字杭州"的杭州高新产业特色；梅家坞茶文化村凸显了"采茶、品茶、赏茶"的杭州传统物产特色；武林路、丝绸城、四季青等街区凸显了"丝绸之府、女装之都"的杭州传统产业和都市产业特色。而刚刚建成开放的南宋御街·中山路，则充分体现了"宜居、宜商、宜业、宜文"的"中国生活品质第一街"特色。在中国商业街委员会命名的 43 条"国字号商业街"中，杭州有 6 条获得了中国著名商业街、中国特色商业街、中国服装第一街、中国最具升值前景商业街等"国字号"称号，居全国城市前列。

这几年杭州商业特色街区建设所取得的成绩，离不开在座各位领导的关心、支持和参与，更离不开兄弟城市为杭州特色街区建设提供的借鉴经验。国内许多兄弟城市商业特色街区建设起步很早。杭州市是在 2000 年借鉴上海市商业特色街区建设经验后才开始建设商业特色街区的。可以说，杭州商业特色街区建设的历史还很短，还有许多方面要向兄弟城市学习。这次论坛暨大会，是杭州向兄弟城市学习商业特色街区建设的一个大好机会。回顾杭州商业特色街区从无到有、从小到大的发展历程，我们之所以能取得一定成绩，走出一条具有杭州特色的商业特色街区发展之路，关键在于始终坚持了 3 条基本原则。一是始终坚持"政府主导"与"市场运作"并用。也就是始终坚持"有形之手"与"无形之手"并用。建设和经营好商业特色街区，必须始终坚持政府主导力、企业主体力、市场配置力"三力合一"。在商业特色街区建设过程中，在高度关注企业主体力和市场配置力作用发挥的同时，也要高度关注政府主导力作用的发挥。与其他单项工程不同，商业特色街区建设涉及建筑保护、道路改造、店面装饰、设施设置、业态调整、市场管理等方方面面，是一个系统工程，必须特别注重发挥政府在规划布局、政策支持、业态调整、建设管理、优化环境、提供服务、督促检查等方面的主导作用。最近，杭州市正在全力打造集"吃、住、行、游、购、娱"六要素于一体的"宜居、宜文、宜商、宜游"南宋御街国际旅游综合体。这是一条典型的商业街区，长4.3公里，是800年前南宋御街的原址，原来的南宋御街就静静地躺在中山路地下2米处。原先中山路是杭州市区最破旧的一个地方，现在我们要把它打造成杭州最繁荣、最繁华的一个街区。这是一个难度很大的系统工程。比如，南宋御街·中山路的业态调整就涉及六七万平方米省、市、区属企事业单位的用房。单凭这一条，就没有哪个企业能做到。市委、市政府要求，所有与南宋御街·中山路业态布局不相符的市属企事业单位用房都要搬离南宋御街·中山路或进行业态调整。昨天，我们在研究南宋御街·中山路业态调整问题时就碰到一个问题，就是市财政局一幢建筑面积达2800平方米的老楼如何用于商业开发。不仅市财政局用房，凡是不符合南宋御街·中山路业态的市属企事业单位用房都要搬迁或调整业态。这是一条"高压线"。我们有一个成功的做法，就是市里成立了由纪检监察人员组成的督查组，对南宋御街·中山路上市属单位用房的搬迁情况进行督查。下城区是杭州商业特色街建设较好的一个城区，出台了优惠政策鼓励不掌握在政府手里的店面进行业态调整或提高品位档次。原来我们很担心下城区能否搞好南宋御街·中山路下城段的业态调整。实践证明，经过业态调整，现在南宋御街·中山路下城段的业态并不比历史更悠久的上城段差。二是始终坚持"彰显特色"与"综合配套"并举。商业特色街区要突出"个性"和"特色"。特色是商业特色街区的"命根子"，是商业特色街区最大的优势。在商业特色街区建设中，我们始终注重挖掘街区文化特色、突出街区产业特色，注重把杭州的历史、文化、生态有机融入商业特色街区建设中，使历史街区与时尚街区和谐交融，文化与产业交相辉映，形成每条商业特色街区的"个性"和"特色"。以南宋御街·中山路为例，在建设南宋御街·中山路以前，杭州还没有哪条街区附近有水系。历史上杭州许多道路旁边就是河道，"路河相融"原本是杭州城市的最大特色。虽然南宋御街·中山路较窄，但我们还是决定恢复这条街周边的水系。当时许多专家对此持怀疑态度，但为了彰显南宋御街·中山路特色，我们还是下决心恢复了水系。现在"引水入街"已成为南宋御街·中山路最为领导和专家认可的一个标志。在突出商业特色街区"个性"和"特色"的同时，我们还高度关注街区的综合配套，通过整体规划设计，配置与街区相适应的饮食、旅游、休闲、文化、娱乐等配套商业网点，来满足街区游客"吃、住、行、游、购、娱"的多样化需求。当前杭州正在解决商业特色街区建设的另一个难解之题、必解之题，就是如何把商业特色街区打造成城市综合体。过去我们往往把商业特色街理解为一条街道，没有把它视作一个街区，更没有把它看成是城市综合体。商业特色街区实际上是城市的一个特殊功能区，是一种最具有知名度、美誉度和竞争力的城市综合体。现在杭州正在加快打造集"吃、住、行、游、购、娱"六要素于一体、"宜居、宜文、宜商、宜游"的"甲"字形南宋御街国际旅游综合体。打造南宋御街国际旅游综合体，也需要我们正确处理"彰显特色"与"综合配套"的关系。三是始终坚持"商业经营"与"文化旅游"互动。商业特色街区，顾名思义姓"商"，具有一般商业街的共同特征，即"商贸服务功能"。同时，它又姓"特"，它不仅仅是商业街，还具有一般商业街不具有的特殊功能，就是"文化旅游功能"。杭州是"中国最佳旅游城市"和"东方休闲之都"，旅游业是杭州的主导产业。我们认为，商业特色街区是一种特殊的旅游资源、旅游产品和旅游景点。我们始终坚持商业与旅游互动、商业与文化互动、观光与休闲互动，把商业特色街区作为旅游产品、文化产品来打造、建设、经营，以商气聚人气，以人气聚财气。今年"十一"黄金周 8 天时间，杭州接待中外游客 1200 多万人次，居全国第三位，超过了深圳、广州甚至香港。今年"五一"节假日期间，杭州接待游客人次数甚至超过了上海，仅次于北京位居全国第二。其中，杭州商业特色街区起到了很大作用。今年"十一"黄金周期间，仅南宋御街·中山路就吸引了 100 万人次中外游客，南宋御街·中山路已成为杭州一个不可多得的、具有唯一性和独特性的旅游新产品。坚持"商业经营"与"文化旅游"互动，是我市商业特色街区又好又快发展的内在动力。我们对杭州商业特色街区的要求是两句话：一是杭州人常到；二是外地人必到。也就是说，要把商业特色街区视作一种特殊的旅游资源、旅游产品和旅游景点。下一步，我们将按照"提升老街区、培育新街区、创建名街区"的思路，进一步搞好商业特色街区的建设和发展，推动商业特色街区上规模、上档次、创特色、创品牌。特别是要把建设"美食夜市一条街"放在突出位置，使之成为杭州商业特色街区建设的"新亮点"、杭州城市的"金名片"。

现代社会的一个重要特点，就是夜间生活已成为人们生活的重要组成部分。夜间经济已成为现代城市经济的重要组成部分，成为衡量一座城市经济繁荣程

一、政策文件、档案记录、指导意见

度的"晴雨表"。建设"美食一条街",是推动商业特色街经营从白天向夜间延伸、大力发展夜间经济的重要载体。特别是对于杭州这座"东方休闲之都、生活品质之城"来说,建设"美食夜市一条街"不仅是发展壮大商业特色街区的题中之义,更是提高人民群众生活品质的新举措、发展"夜间经济"的"新蓝海"、壮大服务业的新平台、扩大就业的新渠道、经营城市的"新名片",是一项名副其实的造福于民的"民心工程"、发展"夜间经济"的"竞争力工程"、提升城市品位的"软实力工程"。我们将认真总结近10年来杭州商业特色街建设的成功经验,借鉴国内外先进城市的成功做法,在杭州主城区集中力量打造若干条特色鲜明、功能齐全、服务设施一流、交通便捷通畅、环境整洁卫生、管理科学合理,本地人常到、外地人必到,国内领先、世界一流的"品质美食一条街",使"美食一条街"真正成为市民群众的好去处、中外游客的新景点、"生活品质之城"的"金名片"。

最近,市委、市政府对杭州商业特色街区建设的"短腿"或者说"蓝海"进行了专题研究。我们认为,杭州商业特色街区建设的"短腿"或者说"蓝海",就是美食夜市一条街。目前杭州美食夜市一条街建设远不如香港、广州等兄弟城市,甚至不如温州等省内城市。市委、市政府已建立由建庭同志任组长的市美食夜市一条街建设领导小组,启动实施了一批美食夜市一条街建设项目,以此发展"夜间经济",壮大服务平台,拓展就业渠道,打响经营城市"新名片"。我们将把美食夜市一条街建设工程真正打造成一项造福于民的"民心工程",发展"夜间经济"的"竞争力工程",提升城市品位的"软实力工程"。我们有一个雄心壮志,就是在中国美院一体化设计基础上,在南宋御街·中山路上打造一条1.4公里长的"中国美食夜市第一街"。我们希望这一梦想能成真,从而推动杭州商业特色街区建设再上一个新台阶。

本次商业街发展高峰论坛暨新形势下全国商业街建设与发展交流大会,是全国商业特色街区建设与发展成就的一次大汇展,是各位专家学者思想理论成果的一次大交流,对于杭州采各地之长、借他山之石,开阔发展视野、廓清发展思路、创新发展举措、推进合作交流,推动商业特色街区又好又快发展,必将起到巨大作用。希望在座各位领导、各位嘉宾在杭逗留期间,到杭州特色商业街区多走走、多看看,对杭州特色商业特色街区包括"美食夜市一条街"建设工作多提宝贵意见。我们一定会认真研究、积极采纳大家的意见和建议,把

37

大家的真知灼见转化为杭州商业特色街区建设的实际行动，向在座各位领导、各位嘉宾交上一份满意答卷。

最后，祝论坛暨大会圆满成功，祝各位来宾身体健康、工作顺利。

【文章来源】王国平：《建设美食一条街打造城市金名片——在 2009 中国（杭州）商业街发展高峰论坛暨新形势下全国商业街建设与发展交流大会开幕式上的致辞》，中共杭州市委办公厅《市委办通报》第 196 期，2009 年 11 月 20 日

一、政策文件、档案记录、指导意见

11. 中国杭帮菜博物馆正式开馆

3月20日16时25分，杭州市人大常委会主任王国平与中国饭店协会会长韩明共同为中国杭帮菜博物馆揭幕，这标志着中国杭帮菜博物馆正式开馆，迎接国内外游客。开馆仪式还邀请了全国八大菜系、餐饮协会、市民、大学生代表以及媒体记者参加了杭帮菜博物馆开馆恳谈会。

中国杭帮菜博物馆，坐落在南宋皇城大遗址旁的江洋畈生态公园，博物馆共分为四个区（展陈区、体验区、餐饮区及贵宾区），展览内容上溯至良渚文化，下至民国时期、现代等不同历史阶段饮食文化，在这里不仅可以欣赏到大量的文字图片史料、难觅踪影的文物，还可以观赏到逼真的杭帮菜美食，聆听传统的杭州戏，亲自体验美食的制作，享受"视、听、味"俱全的盛宴。

昔日的淤泥库如今打造成了游览、学习、品尝功能齐全的综合性生态公园。畅游在充满野趣的江洋畈生态公园，您不仅可以呼吸新鲜的空气，享受宁静的山林风光，还可以欣赏五花八门的杭帮菜美食，一品传统正宗的杭帮菜佳肴，其乐融融。

【文章来源】杭州西湖风景名胜区：《中国杭帮菜博物馆正式开馆》，浙江政务服务网，2012年3月22日

12. 做好三个结合打响两张牌加快推进杭帮菜博物馆建设——在杭帮菜博物馆展陈设计工作专题会议上的讲话

今天，我和树森、建平同志一起，专门听取杭帮菜博物馆展陈设计工作汇报，非常及时、很有必要。前段时间，由市商业资产经营公司牵头，浙江工商大学赵荣光教授编制了高质量的杭帮菜博物馆展陈设计概念性方案，应给予充分肯定、高度评价。建设杭帮菜博物馆，既是一件好事，也是一件难事。近年来，市商业资产经营公司领导班子想干大事、敢干大事、能干大事，出色地完成了黄龙大排档、《印象西湖》、南宋御街美食夜市一条街等项目。现在，市商业资产经营公司又义不容辞地承担起建设杭帮菜博物馆这个光荣而又艰巨的任务。我相信，市商业资产经营公司只要继续发扬特别能吃苦、特别能战斗、特别能奉献的精神，一定能搞好杭帮菜博物馆建设，向全市人民再交上一份满意答卷。杭帮菜博物馆要充分体现文化性、体验性、品牌性和盈利性，成为全国餐饮业和杭州城市的"金名片"。为此，要坚持高标准、高起点建设杭帮菜博物馆，达到环保、创新和盈利的目标；要充分挖掘、弘扬杭帮菜传统文化，彰显改革开放以来杭帮菜发展成果；要最大限度地发挥杭帮菜对中外游客的吸引力，促进杭州旅游业发展；要通过建设杭帮菜博物馆，提高杭州市民生活品质，为建设"生活品质之城"作贡献。现在看来，将杭帮菜博物馆打造成中国最高水平的地方菜博物馆、"中国菜"的信息库和中国餐饮经济的"达沃斯"，既是必要的，也是可行的。杭帮菜博物馆展陈设计概念性方案已经五易其稿，确实难能可贵。下一步，要向社会公示这一方案，做好设计导则和招标文件编制工作。刚才，大家发表了非常中肯的意见建议，树森、建平同志作了重要指示，指导性、针对性、操作性都很强，我完全赞同，希望市商业资产经营公司和赵荣光教授认真研究、积极采纳、抓好落实。下面，我再讲3点意见。

一、高度关注、切实解决杭帮菜传承与发展相结合问题

我们之所以花大力气搞杭帮菜博物馆，目的就是要承前启后、继往开来，

一、政策文件、档案记录、指导意见

做好杭帮菜传承与发展这篇大文章。从某种意义上讲，传承是为了发展，发展才是最终目的。要围绕转变杭州旅游发展模式这一课题，设计新的杭帮菜载体，做到杭帮菜与街区相结合、杭帮菜与游船相结合、杭帮菜与演艺相结合、杭帮菜与博物馆相结合。这是我们建设杭帮菜博物馆的出发点和落脚点。实际上，"民以食为天"，"吃"是旅游业"吃住行游购娱"之第一要素。杭帮菜历史悠久、特色鲜明，在全国享有盛誉。美食行业历来是杭州商贸业的重点行业之一，位居"十大特色潜力行业"之首。市委、市政府对此高度重视，多次召开会议进行专题研究。因此，要从战略和全局的高度来认识建设杭帮菜博物馆的重要意义。要认真研究杭帮菜的定位和特色，着眼于杭帮菜的演变与发展，科学界定杭帮菜的内涵与外延。定位问题事关全局，必须给予足够重视。杭帮菜的最大特点就是吸收南、北菜肴精华，兼具南、北菜肴特色。南宋时期，北方菜肴和南方菜肴杂交形成了"老杭帮菜"。改革开放后，"新杭帮菜"博采众长，精工细作，成为全国八大新菜系之一。既要理顺杭帮菜的演变脉络，又要让老百姓喜闻乐见，这是杭帮菜博物馆的难解之题，也是必解之题。下一步，要继续挖掘杭帮菜的代表性人物、代表性菜肴，以及与杭帮菜相配套的餐厅、菜肴、餐具、摆设等。要以杭帮菜为突破口，整合杭州的餐饮历史、餐饮文化、餐饮旅游、餐饮产业和餐饮达人，彰显杭州餐饮的独特性。

二、高度关注、切实解决杭帮菜博物馆与江洋畈生态公园相结合问题

事实证明，将杭帮菜博物馆定位于江洋畈生态公园的决策是完全正确的，两者能相得益彰、交相辉映。当初，不少同志都对这一决策抱有疑虑。一是担心是否会影响西湖周边的自然环境。实际上，只要在建设杭帮菜博物馆过程中，严格依法办事，做好生态保护的文章，这个问题就能迎刃而解。二是担心能否解决"聚人气"问题。就目前而言，杭帮菜博物馆的区位优势还不是很突出。但随着南宋皇城大遗址公园建设的深入推进，杭帮菜博物馆定能"借风使船"，逐步打响品牌、积聚人气，这是完全可以预期的。今年"十一"开放的江洋畈生态公园受到中外游客和广大市民的热捧，就是一大明证。三是担心能否处理好杭帮菜博物馆和江洋畈生态公园的关系问题。建设江洋畈

生态公园的目标是以山林为基础，以湿地为特征，以历史为依托，以美食为"亮点"，打造 21 世纪杭州西湖公园的新典范。因此，搞好杭帮菜博物馆，只会给江洋畈生态公园加分，而不会减分。要在不破坏环境的前提下，做好两者之间景观设计、交通、服务、管理对接的文章，把江洋畈生态公园打造成杭帮菜博物馆的"后花园"，使杭帮菜博物馆能充分体现江洋畈生态公园的湿地特征、野趣特色。

三、高度关注、切实解决博物馆与特色餐厅相结合问题

建设杭帮菜博物馆的创意源于杭帮菜特色餐厅。因此，要以特色餐厅为基础，利用大堂、走廊、接待厅、制作间、就餐区等展示空间，把展示与餐饮相结合，使展示大厅具备体验、展示等混合功能，让参观者真切体验到杭帮菜的色、香、味、形。实际上，真正的公益经营型博物馆并不是简单、机械地将公益性与经营性拼凑在一起，而是将两者有机结合、各取所长，从而创新博物馆运行模式，创造博物馆型旅游产品。比如，中国围棋博物馆就是采取"五星级酒店（天元大厦）＋博物馆"的运行模式，将宾馆与展示、体验有机结合起来，同时利用在宾馆走廊摆实物、挂图片以及播放多媒体等方式，让宾客时时处处都能感受到围棋文化的氛围。杭帮菜博物馆要做好"餐厅＋博物馆"的文章，将就餐与展示、体验与展示有机结合起来。比如，可以将餐厅的每个包厢打造成各具特色的主题展示区，有介绍中国古代食圣、杭州人袁枚的，有讲述毛主席与杭州菜故事的，有复原岳飞府中秋家宴的，还有展示餐厨具、菜肴、原料模型的。在这里，游客不仅能看、能玩，还能零距离欣赏西湖醋鱼、东坡肉等经典杭帮菜的制作过程，甚至可以亲自下厨、亲口品尝。同时，要认真搞好消防安全、食品安全等相关工作，做到"特事特办、急事急办、手续照办"。实际上，现代博物馆的生命就在于体验性与参与性。一旦做活了体验性与参与性文章，博物馆就会成为一个"活的博物馆"，具有旺盛的生命力。而一旦忽视了体验性与参与性，博物馆就会成为一个"死的博物馆"，难逃门可罗雀的命运。因此，建设杭帮菜博物馆，必须妥善处理静态展示与互动体验之间的矛盾，把互动体验类项目作为杭帮菜博物馆的主体项目。杭帮菜博物馆最大的"卖点"就是品尝，品尝也是一种特殊的体验。

一、政策文件、档案记录、指导意见

要通过设置各种体验环节，将游客与食客融为一体，将参观与就餐融为一体。要针对不同的参观人群，搞好早、中、晚三餐体验环节，一揽子解决人气、经营等问题。当然，杭帮菜博物馆还应成为杭州市青少年学生"第二课堂"，承担起普及杭帮菜文化的任务。要利用好博物馆门厅、走廊、转角等，减少纯展示区面积，增加体验、参与区面积，突出博物馆的文化性、体验性、品牌性、盈利性。

目前看来，相比于中国湿地博物馆、中国丝绸博物馆、良渚博物院等博物馆，杭帮菜博物馆在知名度、规模化、专业性等方面均无胜算。要做到"国内领先、世界一流"，要做到胜人一筹、脱颖而出，杭帮菜博物馆必须在做好上述"三个结合"的基础上，打响"南宋牌"和"亲民牌"，打造有别于传统博物馆的杭帮菜博物馆。第一，关于打好"南宋牌"问题。杭帮菜博物馆是南宋皇城大遗址规划范围内谋划实施的 20 多个项目中的一个重要项目，而且南宋时期也是杭帮菜成型的关键期。因此，打"南宋牌"势在必行。在建筑风格上，要参照宋风建筑设计导则，体现宋代建筑元素和符号，突出杭州园林特点，使杭帮菜博物馆建筑与大遗址公园风貌相吻合。在建筑功能上，要把杭帮菜博物馆打造成南宋皇城大遗址公园的"大餐厅"。我们要有这样的信心。第二，关于打好"亲民牌"问题。建设杭帮菜博物馆，除了认真研究南宋宫廷菜、"满汉全席"外，还要打好"亲民牌"，关注日常生活，为老百姓提供杭帮菜餐饮、观赏、制作等多样化服务。通过博物馆演绎南宋以来杭州百姓吃的故事，既有意义，又有必要。比如，可以把烹饪节目的直播间搬进博物馆，邀请市民、游客参与，宣传杭帮菜，推广健康饮食，提升百姓餐饮品质。要将博物馆打造成老百姓的"大厨房"，让老百姓成为这一项目的最大受益者。

总之，今天我们来，主要是给大家鼓劲加油。我相信，只要大家继续发扬敢为人先、克难攻坚、和衷共济、决战决胜的精神，围绕明年"十一"这个时间节点，加大工作力度，做好过细工作，就一定能实现打造"国内领先、世界一流"杭帮菜博物馆的目标。

【文章来源】王国平：《做好三个结合打响两张牌加快推进杭帮菜博物馆建设——在杭帮菜博物馆展陈设计工作专题会议上的讲话》，杭州城市学研究理事会秘书处《研究通报》第 65 期，2010 年 12 月 6 日

13. 杭州市人民政府办公厅转发市贸易局关于加快杭州市餐饮业发展推进"美食之都"建设实施意见的通知

各区、县（市）人民政府，市政府各部门、各直属单位：

市贸易局《关于加快杭州市餐饮业发展推进"美食之都"建设的实施意见》已经市政府同意，现转发给你们，请认真贯彻执行。

杭州市人民政府办公厅

二〇一二年六月十五日

关于加快杭州市餐饮业发展

推进"美食之都"建设的实施意见

（市贸易局 二〇一二年四月二十三日）

为进一步加快全市餐饮业发展，推进"美食之都"建设，提升"休闲美食之都"品牌，现制定如下实施意见：

一、指导思想

以邓小平理论和"三个代表"重要思想为指导，以科学发展观为引领，认真贯彻落实国家扩大内需、拉动消费政策，以开放创新为动力，以餐饮国际化为抓手，以提升管理服务水平、增强企业核心竞争力为重点，着力统筹城乡发展，拓展现代经营方式，鼓励企业提档升级，提高产业集聚度，促进餐饮业与假日经济、夜间经济、旅游经济和会展经济的深度融合，推动餐饮业的规模化、品牌化、规范化、标准化、国际化发展，不断满足人们日益增长的餐饮服务需求，进一步推进美食之都建设，为"打造东方品质之城、建设幸福和谐杭州"作贡献。

二、发展目标

（一）总体目标。

力争到"十二五"期末，全市餐饮业零售额超过 500 亿元，年增长率达到

一、政策文件、档案记录、指导意见

18.5%，逐步形成以大众化餐饮为主体、各种餐饮业态均衡发展、产业总体发展水平与消费需求相适应的现代化餐饮发展格局，初步建成以南宋文化为底蕴、杭帮菜为标志、茶楼等休闲美食为特色、品牌企业为主导的荟萃天下餐饮的"世界休闲美食之都"。

（二）具体目标。

1. 重点培育知名餐饮品牌。力争创建品牌企业〔被国家有关部门、机构评定为"服务品牌""著名商标""国际餐饮名店""中华餐饮名店""全国绿色酒店""新兴商贸企业""四星级"和四钻（国家一级）以上称号的餐饮企业〕50家以上；开拓国际餐饮市场，扶持和培育1—2家具有国际竞争力的跨国（境）餐饮企业。

2. 鼓励餐饮企业做大做强。全市年营业额1亿元以上的餐饮企业达到20家，年营业额5亿元以上的餐饮企业达到10家，年营业额10亿元以上的餐饮企业达到5家，争取8家确保5家餐饮企业进入全国餐饮100强，力争1—2家餐饮企业上市。

3. 形成多元化餐饮格局。吸引国内外知名企业100家以上（国内知名企业指被授予"中华老字号""中国驰名商标"等称号的企业；国外知名企业指被国际餐饮机构命名为"国际餐饮名店"的企业，国际声誉较高的国外大型连锁餐饮企业）；发展连锁经营，推动知名连锁企业（即被国家有关部门、机构授予"服务名牌""著名商标""新兴商贸企业""四星级""五星级"等称号，且具有2个以上门店的餐饮企业）发展市外门店总计1000家以上；加快餐饮街区建设，形成15条以上休闲美食街区（夜市），实现各区、县（市）餐饮街区全覆盖。

4. 促进大众化餐饮发展。培育100家早餐示范门店，建成1000家早餐标准化门店，建设提升5家具有现代化水平的工厂化加工基地、中心厨房和物流配送中心，努力为社区提供"便利、安全、营养、实惠"的餐饮服务，为楼宇经济、总部经济的发展提供餐饮保障。

5. 推动餐饮企业分等定级。认定三星级餐饮企业（茶楼）100家、四星级餐饮企业（茶楼）50家、五星级餐饮企业（茶楼）20家。

三、主要任务

（一）培育品牌优先发展。培育一批地方特色突出、文化内涵丰富、社会影响力大的知名品牌餐饮企业，使之成为行业发展的主导力量。支持餐饮企业

45

通过兼并、收购、参股、控股等多种方式，组建大型餐饮集团并支持其上市。鼓励企业注册和使用自主商标，创建"驰名商标""服务名牌""中国餐饮名店""全国绿色酒店""食品安全诚信企业""烹饪（服务）大师"等品牌，推进"三名工程"（名店、名菜、名师），发挥品牌效应。鼓励品牌餐饮企业跨区域发展，提高杭州餐饮在国内主要城市的市场份额。鼓励与扶持品牌餐饮企业跨国投资，促进国际市场拓展。加大知识产权保护力度，振兴"老字号"餐饮企业。引进国内外知名餐饮品牌，提升餐饮整体发展水平。

（二）传承文化特色发展。促进杭州休闲美食与传统文化、民俗文化、中华饮食文化和世界饮食文化的融合，提升餐饮文化品位。加强休闲美食与文化、旅游、会展等行业的结合，拓展服务形式和功能。加强研究、交流、合作，挖掘传承杭州地方菜和风味小吃特色，借鉴各地特色菜品技艺，创新发展特色菜品和名特小吃，增强美食的感染力和吸引力。弘扬茶都文化，加强茶与文化艺术的融合，提升杭州茶楼的人文特色。

（三）创新管理优化发展。引导传统餐饮企业按照新型流通业态需求改造提升，推广连锁经营、网络营销、集中采购、统一配送等现代流通方式，加快发展加盟连锁和特许连锁，推进标准化、信息化管理。鼓励餐饮企业有效整合餐饮生产、采购、储存、加工、配送产业链的优势资源，加强物流配送中心、中心厨房等基础设施建设，逐步建立"方便、快捷、安全、高效"的物流体系，不断增强餐饮企业综合竞争实力。

（四）转型升级持续发展。倡导生态、绿色、环保、健康饮食，深化"绿色饭店、绿色餐饮"创建。鼓励企业采用环保技术，降低污染排放，推广应用新型节能技术和节能产品。推广节约型餐饮，提倡自助茶水、自助菜单等自助式服务，提高人均劳效。加强餐饮发展理论、菜品创新、健康食谱、食品科学、饮食文化等研究，推进产学研结合，推动科技成果转化。开展杭州创新菜品评选活动，促进新菜推广。加快信息化建设，指导企业应用互联网技术，开展网站建设、网络宣传以及网络餐饮服务。

（五）优化结构多元发展。推进餐饮业态创新，促进多元发展。突出杭州特色，大力发展杭帮菜馆和茶楼茶馆。满足多元需求，鼓励发展大众餐饮、风味小吃、清真菜馆、素食饭店和主题餐厅。注重旅游配套，加快发展商务、会展等配套。引导时尚消费，积极发展咖啡西餐、酒吧等异国餐饮。推进规范管理，提升生态、

一、政策文件、档案记录、指导意见

休闲、娱乐、农家美食一体的"农家乐"。开展电话点餐、网上订餐，引导家庭、团体餐饮消费社会化。抓好放心早餐，发展社区早餐（社区食堂和餐饮广场）。

（六）市区联动协调发展。各区、县（市）餐饮业年营业额增长率达到18.5%以上。制定美食行业发展规划和行动计划，每年举办休闲美食节庆活动，着力打造一地一特色的休闲美食品牌，形成特色鲜明、布局合理、配套完善的餐饮体系。发挥餐饮集聚功能，在区域中心城市规划建设特色餐饮街区或茶文化特色街（村），促进餐饮消费。

（七）搭建平台推动发展。积极开展年度杭帮菜和茶文化国际推介活动，加快餐饮业国际化进程。培育、扶持、深化"休闲美食体验点"发展。办好"中国杭州美食节"、咖啡西餐节、酒吧文化节等节庆活动。通过行业展览、论坛对话、技能比赛、美食展示、市民参与等多种形式，提升"休闲美食之都"的影响力。扩大餐饮企业电子货币应用范围，逐步实现就餐消费刷卡无障碍，为游客和市民营造便捷、安全、高效的消费环境。探索餐饮电子商务应用平台建设，提供行业资讯、美食搜索、数据共享、电话咨询等增值服务。

（八）培养人才促进发展。大力发展餐饮职业技术教育，支持创办餐饮职业技术学校。鼓励各类职业培训机构积极为餐饮企业培养人才，鼓励企业引进餐饮业管理和技术人才。提高行业整体素质，力争品牌餐饮茶楼企业"十二五"末持证上岗率达到60%以上。开展餐饮业优秀人才评选活动和技能竞赛，评选一批优秀经理、烹饪大师（名师）和服务明星，表彰奖励品德良好、管理先进、服务优良、技艺精湛的优秀人才。组织经营管理人员开展学习考察、交流研讨等，提升企业经营管理水平，提高企业发展能力。

（九）加强监管保障发展。各级职能部门要加强餐饮食品安全监管工作，防止食物中毒事故发生。建立农产品源头质量追溯保障体系和农餐对接长效机制，提高餐饮消费安全水平。继续推行食品卫生监督量化分级管理，提高餐饮单位量化分级管理A、B级单位比例。餐饮企业要建立完整的食品安全管理制度，建立和完善餐饮原辅材料采购、储藏、搬运、生产、加工、销售全过程的规范程序及卫生消毒、环境保洁,强化食品、食品原料及食用农产品的采购索证管理。积极推行餐厨垃圾资源化处理，对泔水等餐饮废弃物严加控制管理，逐步建立有效的餐饮废弃物回收机制。

（十）建好协会助推发展。按照人员职业化、工作规范化、活动制度化的

47

要求加强行业协会建设。积极发展会员，扩大行业的代表性。加强行业研究，为会员企业提供优质的信息、培训、协调等服务，开展理论研讨、技术交流、展会节庆、品牌推广、宣传推广等活动，指导会员企业提高经营服务水平。加强行业自律，指导企业依法经营，倡导企业承担社会责任。积极向政府提供行业信息和反映企业诉求，为会员排忧解难，助推行业发展。

四、政策支持

（一）加大促进餐饮业发展的政策扶持力度。积极争取中央、省商贸服务业发展资金，同时市财政每年在商贸服务业发展专项中安排一定资金，各区、县（市）落实配套资金，重点用于实施餐饮业国际化和品牌建设、网点开发、连锁配送、技术改造、信息化建设等项目及发展活动，促进我市休闲美食行业又好又快发展。

（二）鼓励餐饮企业通过证券市场实现资源优化配置和制度创新。支持我市餐饮企业充分借助境内外资本市场发展壮大，对实现境内上市的我市餐饮企业，给予100万元的奖励；对实现境外上市的我市餐饮企业，给予50万元的奖励。

（三）扶持国际国内餐饮品牌引进。经国际专业评估咨询机构认定的国际餐饮品牌，其品牌经营者采取授权特许经营或直营，在本市新设立品牌门店（单家）经营面积达到1000平方米及以上，且年营业额达1000万元的，一次性奖励品牌经营者10万元；引进"中国驰名商标"餐饮品牌入驻本市，其品牌经营者采取授权特许经营或直营，在本市新设立品牌门店（单家）经营面积达到1000平方米及以上，且年营业额达500万元的，一次性奖励品牌经营者5万元。

（四）扶持餐饮企业扩张。总部在杭州的餐饮企业，在国内新发展具有杭州特色的连锁自营店，投资额达1000万元以上的，按投资额的千分之一给予奖励，最高不超过10万元；新投资到境外的，按投资额的千分之二给予奖励，最高不超过20万元。

（五）扶持餐饮品牌建设。餐饮企业新被评为"国际餐饮名店""中华餐饮名店""全国绿色酒店"的，给予一次性奖励3万元；新被评为五钻（国家特级）、四钻（国家一级）的，分别给予一次性奖励6万元、3万元。对被授予"驰名商标""服务名牌"的企业，按照有关政策予以奖励。

（六）扶持"老字号"发展。在城市改造中，涉及"中华老字号"店铺原址动迁的，要按照有利于老字号餐饮企业经营的原则，采取保持原有风貌、原

一、政策文件、档案记录、指导意见

地妥善安置或在适宜其发展的商圈内安置的方式，并严格按国家有关规定给予补偿，尽可能缩短老字号餐饮企业因拆迁造成的歇业时间。餐饮企业新被命名为"中华老字号"的，给予一次性奖励 6 万元。

（七）扶持餐饮集聚街区建设。对被命名为市级、省级、国家级商业特色街的休闲美食街区，按《杭州市人民政府办公厅关于加快商业特色街建设和可持续发展的实施意见》（杭政办〔2010〕18 号）文件，给予一次性奖励 10 万元—20 万元。

（八）优惠税收政策。对吸纳持有"就业失业登记证"（注明"可享受税收政策"）人员的，与其签订 1 年以上期限劳动合同并依法缴纳社会保险的餐饮企业，在 3 年内按实际招工人数，每人每年给予 4800 元定额免税。对持有"就业失业登记证"（注明"自主创业税收政策"）或附"高校毕业生自主创业证"人员从事餐饮个体经营，3 年内按每户每年 8000 元给予定额免税。新办大型餐饮企业经营面积达到 3000 平方米及以上的，经市商贸主管部门核定并正常经营 1 年以上，其缴纳的增值税、营业税、所得税地方实得部分第 1—2 年全额奖励给企业，第 3—5 年按 50% 的比例奖励给企业。餐饮企业纳税额同比增量超过 10% 的部分，次年全额奖励给该企业。

（九）优化融资环境。鼓励各金融机构提高对餐饮企业的贷款比重，建立健全银政企沟通协调机制，有针对性地帮助限额以上餐饮企业解决融资困难。积极发挥小额担保贷款、中小企业担保基金、小额信用贷款等在支持中小餐饮企业发展中的作用，切实解决中小餐饮企业融资难问题。对全市优秀民营企业、市级以上先进纳税餐饮企业，金融部门应优先给予支持。人行杭州中心支行要积极向总行建议完善在餐饮行业实行银行卡手续费优惠的有关政策，争取餐饮行业银行卡消费的手续费标准从目前普遍实行的 2% 左右降至 1%、外卡从 4% 降至 2%，以方便和促进消费者使用银行卡消费。

（十）减轻企业负担。企业可拒绝以盈利为目的各类评比、培训等活动。应由政府承担的公共建设项目经费不得向企业摊派。餐饮企业向城市排水管网排放污水，进入城市污水处理厂的，按规定缴纳污水处理费用，不再缴纳排污费。

（十一）增强商业氛围。简化餐饮企业灯饰、广告设置审批手续，合理放宽对美食街区、老字号、餐饮名店的灯饰、广告设置规定。市级美食街（城）和重点灯饰工程规划区内餐饮企业的灯饰、广告，纳入城市夜景规划的重点灯

49

饰项目，按照杭州市城市景观照明有关规定执行。

（十二）和谐劳资关系。进一步落实餐饮企业用工自主权，完善劳动合同制度和办法，促进餐饮行业建立稳定和谐的劳动关系。人力社保部门要按照《社会保险法》的有关规定，将餐饮个体工商户、就业人员、农民工纳入社会保险覆盖范围。企业要建立年度职工工资自然增长机制，其幅度不低于企业收入的增长。有条件的企业可吸纳员工入股，以树立员工的主人翁地位。对吸纳就业人数超过1000人、3年内未发生重大劳资纠纷的企业，由人力社保部门给予10万—20万元的奖励。

（十三）加强运输停车协调。为餐饮企业运输和消费者停车提供服务。餐饮企业用于配送、送货的蓝牌小型货车，由交警部门按照"高峰禁止、平峰（平日）控制、低峰（夜间）鼓励"的原则办理通行证，按规定时间、线路在市区内行驶。属地政府应采取利用临时闲置土地开辟停车场等方式，积极帮助餐饮场所缓解"停车难"问题。严禁道路违法停车，努力营造良好的餐饮环境。

（十四）鼓励专业人才培养。餐饮企业从业人员通过国家职业资格考试，取得技术职称人员数量占本企业从业人数的比例达80%以上的，一次性资助餐饮企业10万元。市有关部门在各类先进评比表彰中应考虑餐饮行业的从业人员。对符合引进人才相关条件的餐饮从业人员，可按规定申购人才专项房。在餐饮业工作的外来务工者，符合有关条件的可按规定申请公共租赁住房、解决就医问题、安排子女入学。

（十五）鼓励餐饮企业改造提升。支持餐饮企业实行规范化、标准化经营，餐饮"老字号"企业进行新产品研发、信息化建设提升、食品安全设施设备建设的项目，给予投入额（不含土地款）12%的财政资助，最高不超过200万元。对新开的标准化早餐连锁门店（标准条件另行制定），给予一次性2—4万元的奖励，具体按《杭州市人民政府办公厅转发市财政局市贸易局关于杭州市商贸发展专项资金使用管理办法的通知》（杭政办函〔2012〕83号）文件执行。对杭州市经济社会发展作出突出贡献的餐饮企业，经市政府批准，可以采取"一企一策"的方式给予特别扶持。

（十六）支持协会建设。休闲美食相关行业协会承办政府主办的美食节庆、会展、培训、竞赛项目活动的，通过购买社会服务的方式支持行业协会发展。

五、工作要求

促进全市餐饮业又好又快发展是一项系统工程，涉及面广，各级各部门要

一、政策文件、档案记录、指导意见

形成共识、密切配合、统筹协调、合力推进。

（一）加强领导，落实责任。市商贸、发改、旅游、财政、工商、人力社保、质监、食品药品监管、卫生、环保、城管等部门要按照各自职责加强指导、协调和服务。由市商贸流通主管部门牵头，召集相关部门定期或不定期地研究我市休闲美食行业发展中的问题，提出相应措施。各区、县（市）人民政府及商贸部门要结合实际制定具体实施意见，建立目标责任制，确保领导有力，组织到位，目标明确，任务具体，工作落实。市商贸部门对区、县（市）商贸部门要进行工作指导和督促。

（二）密切配合，增强合力。各区、县（市）及各有关部门要重视和支持休闲美食行业发展，支持商贸流通主管部门加强行业管理。各级商贸流通主管部门要强化行业管理，积极与有关部门协调配合，建立协调、交流、互动机制，加大对休闲美食行业相关协会的支持力度，共同推进"购物天堂，美食之都"建设。休闲美食行业相关协会要积极支持政府工作，引导会员单位加强行业自律，开拓市场，促进发展。政府可以将行业监督、行业活动、信息统计、培训评比等有关职能委托给行业协会，并予以必要的资金支持。

（三）依法行政，加强监管。要督促企业依法经营、依法纳税、依法报送统计信息，建立和推广运用餐饮企业信用信息管理系统，推进诚信经营体系建设。规范市场秩序，清理取缔以收费为目的的评比认定活动，严禁有关机构巧立名目乱收费。建立完善的科学统计方法和统计体系，及时提供信息服务。加强对餐饮业发展过程中出现的新情况、新问题的调查研究，提出政策建议，帮助协调解决。切实提高政府服务水平，依法行政，营造良好政务环境。

（四）加强宣传，营造氛围。进一步加强与国内外媒体和机构的合作，整合媒体资源，多形式、多角度、多层面、多方位地宣传"美食之都"和杭州的美食、茶文化，宣传休闲美食行业发展成就、品牌企业典范和先进管理经验，扩大"休闲美食之都"的品牌影响，推广特色美食，促进餐饮消费。

本意见自公布之日起 30 日后施行。

【文章来源】杭州市人民政府办公厅：《杭州市人民政府办公厅转发市贸易局关于加快杭州市餐饮业发展推进"美食之都"建设实施意见的通知》，文件号（政办函〔2012〕178 号），浙江政务服务网，2012 年 7 月 30 日

14. 首个杭帮菜 LOGO 正式发布

为进一步传承、弘扬杭州美食文化，塑造品牌形象，积极拓展国内外市场，杭州市商务委员会联合《城报》面向社会征集杭帮菜 Logo。自 9 月 28 日起，logo 设计大赛的征集正式在《城报》上推出，截至 10 月 13 日，共收集到 66 幅有效作品，经初步筛选，50 幅作品进入投票环节。经专家评选和网络投票，在 2017 年第十八届中国（杭州）美食节开幕式上，首个杭帮菜 LOGO 正式发布。该 LOGO 以三潭印月、杭州拱桥为设计元素，体现杭州地域特色；外轮廓中的字母"C"突出杭帮菜的主题，江南韵味十足；具有中国文化特色的"印章"中衬托出"菜"字，强化了"杭帮菜"独特性；抽象的鱼，体现杭帮菜元素；汉字部分由杭帮菜领军人物胡忠英大师题字，整体风格契合杭帮菜"选料讲究、制作精细、口味清淡、因时而食、历史悠久"的文化内涵。这是我市借势 "后峰会、前亚运"效应，加快杭州美食"走出去"的现实需求，也是打响杭州"世界美食名城"品牌，提升杭州餐饮国际化水平的战略举措。

一、政策文件、档案记录、指导意见

原稿

作品名称：赏西湖 喝龙井 吃杭邦菜

创意说明：

  标识以杭州著名景点西湖"三潭印月""拱桥"为设计元素，体现杭州地域特色；字母"C"代表菜，突出杭邦菜主题，具有中国文化特色的"印章"中衬托出"菜"字，强化了"杭帮菜"独特性。

  西湖"三潭印月"是杭州十景之首，具有代表性，体现出杭州地域特色；"拱桥"，体现出杭州江南水乡的内涵；抽象的鱼，体现杭邦菜元素；作品设计构思新颖，笔法工整、意境深远，契合杭邦菜遵从"选料讲究、制作精细、口味清淡、因时而食、历史悠久"的杭邦菜内容相致。

  标识简洁大气，主题鲜明，构思新颖，色彩明快，内涵深刻，具有较强的艺术感染力和视觉冲击力。

C64M3Y100K0 C0M100Y100K0 C78M37Y7K0 C0M0Y0K100

【文章来源】杭州市商务局，2017 年 11 月 17 日

15. 体现七个"结合"，突出八个"名"确立"1+1+1"架构，搞好杭帮菜调研工作——在杭帮菜大全、杭帮菜培训教材、杭帮菜电视宣传片专题研究会议上的讲话

2008 年，在听取专家学者意见建议的基础上，杭州市委、市政府决定把美食、茶楼、演艺、疗休养、保健、化妆、女装、运动休闲、婴童、工艺美术等十大行业确定为杭州"十大特色潜力行业"。这些行业既是杭州的特色产业，也是杭州的潜力行业，是具有鲜明杭州特色、发展潜力巨大的生活品质行业和休闲旅游行业。第一，这些行业体现了创意、快乐、美丽、休闲、体验、时尚、文化等元素，与提高人民群众生活品质、共建共享"生活品质之城"密切相关，具有鲜明的杭州特色；第二，这些行业大多处于发展的中初级阶段，基础好、优势强、前景广，具有很大的发展潜力，充分体现了杭州的比较优势、竞争优势和产业优势。可以说，"十大特色潜力行业"是杭州旅游业的"新蓝海"，是杭州服务业的"新蓝海"，是杭州文创产业的"新蓝海"，归根结底是杭州经济社会发展的"新蓝海"。

一、以美食行业为抓手，共建共享"生活品质之城"

习近平总书记在十九大报告中指出："中国特色社会主义进入新时代，我国社会主要矛盾已经转化为人民日益增长的美好生活需要和不平衡不充分的发展之间的矛盾。"美食行业作为"十大特色潜力行业"之首，既能极大地满足杭州市民日益增长的新需求、新消费，也能极大地提升杭州市民的经济生活品质、政治生活品质、文化生活品质、社会生活品质、环境生活品质。因此，要从共建共享"生活品质之城"高度，进一步认识培育和发展美食行业的重大意义。要把杭帮菜餐馆作为旅游的基础设施、服务场所，作为杭州的一个品牌好好研究。

培育发展美食行业能极大地丰富杭州旅游的内涵，增强杭州旅游对中外游

客的吸引力，延长中外游客在杭的逗留时间，扩大中外游客在杭的旅游消费。"民以食为天"，游客则以美食为天。有时美食甚至比景点更重要，许多游客到一个旅游目的地去旅游，就是冲着当地的美食而去的。世界上许多"旅游胜地"都是"美食天堂"，巴黎是如此，香港是如此，台湾也是如此。打造"美食天堂"也是杭州的目标和要求。美食对旅游发展至关重要，日本"日航"和"全日空"两家航空公司对杭州旅游的宣传给我们留下了深刻印象，打开这两家航空公司宣传杭州旅游的小册子，里面介绍的全是杭州的美食。2009年我受时任国民党主席连战的邀请，我率队赴台湾参加杭州（台湾）美食文化节，时任国民党副主席林丰正、海峡交流基金会董事长江丙坤、台湾新党主席郁慕明，以及台湾有关协会、企业、媒体负责人和动漫产业知名人士及美食家出席了开幕式。连战主席在开幕式上说道："杭州美食闻名遐迩，苏东坡任杭州太守时就极为赞赏，美食中有文化，文化中有美食。"连战主席以及与会的嘉宾们对杭州美食印象极佳，对杭帮菜赞不绝口，希望台湾美食行业包括圆山饭店向杭州学习。现在台湾吸引大陆游客靠的也是美食，台北主打的旅游产品不是101大厦、不是中山纪念堂，而是小吃。杭州的旅游业要上台阶，就必须打响"美食天堂"品牌。

二、要系统发掘杭州美食，开展杭帮菜文化研究

"吃"是旅游业"吃住行游购娱"之第一要素。美食行业历来是杭州的重点行业之一，杭帮菜作为杭州美食的代表，历史悠久、特色鲜明，在全国享有盛誉。杭州市委、市政府对此高度重视，多次召开会议进行专题研究，提出明确要求。杭州有8000年文明史、5000年建城史，美食文化源远流长。从时间上来看，杭帮菜的产生可能要上溯到跨湖桥时期。杭帮菜的最大特点就是吸收南、北菜肴精华，兼具南、北菜肴特色。南宋定都临安（今杭州），河南开封地区的北方菜肴和浙江本地的南方菜肴杂交形成了"老杭帮菜"，杭州饮食南北交融的特点就是在南宋时期形成的。杭州人之所以特别喜欢吃面食，说到底就是南宋遗风，当时大量北方人迁移来杭后仍保持着喜欢吃面食的习惯。改革开放后，"新杭帮菜"博采众长，精工细作，成为全国八大新菜系之一。在新的历史时期，要认真研究杭帮菜的定位和特色，着眼于杭帮菜的演变与发展，

科学界定杭帮菜的内涵与外延。

随着杭州成功举办 G20 峰会以及即将承办亚运会，杭帮菜迎来了新的机遇和挑战，现在已经是需要把相关成果转化为实践的时候，杭帮菜面临的是杭州国际化的发展机遇；面临的挑战则是如何让杭帮菜不断走向全国、走向世界。中国棋院杭州分院是亚运会的承办单位，12.6 万平方米的大楼要在亚运会期间投入使用，如果能利用承办亚运棋类项目契机，请二三十家杭帮菜精品店家，在新大楼里经营，为世界各地的运动员、教练员、新闻记者、政府官员，特别是参会的数十万中外游客提供杭州特色的菜品，就是给杭帮菜文化提供了一个很好的宣传推广契机。

三、确立"1+1+1"的架构，搞好杭帮菜的调研工作

开展杭帮菜系列文化研究，是为了促进杭帮菜餐饮产业转型升级，指导杭帮菜餐饮企业迈向国际化、效益化、品牌化、规模化。在研究过程中要充分挖掘、弘扬杭帮菜传统文化，彰显改革开放以来杭帮菜发展成果；要最大限度地发挥杭帮菜对中外游客的吸引力，促进杭州旅游业发展；进而为提升杭州旅游产业品质、杭州老百姓生活品质起到积极促进作用，打造全国餐饮业和杭州城市的又一张"金名片"。同时，要继续挖掘杭帮菜的代表性人物、代表性菜肴，以及与杭帮菜相配套的餐厅、菜肴、餐具、摆设等。要以杭帮菜为突破口，整合杭州的餐饮历史、餐饮文化、餐饮旅游、餐饮产业和餐饮达人，彰显杭州餐饮的独特性。

1. 编撰出版一套《杭帮菜大全》（上、中、下三册）。政府类的书籍虽然受众群相对小些，但编书目的不是为了赚钱，而是为了积累资料，传承下去，意义重大。编撰《杭帮菜大全》就是要把杭帮菜的研究成果和杭帮菜的实践结合起来，使之成为教学书、工具书，同时还是杭帮菜的宣传载体。

《杭帮菜大全》要突出"全"，至少要收录 1000 道杭帮菜，除了菜肴，还包括面食、点心、饮品等等。要在杭帮菜博物馆展出的 428 种菜肴基础上，进一步扩大收录范围，增加"大杭州"范围内新的杭帮菜。说到底，研究的最后成果是成菜，最终的检验标准是菜做得好不好，有多少种菜，每种菜怎么做，怎么做到色香味俱佳。我发现西餐在餐具上动了脑筋，选用比热容（热容量）大的餐具，解决了西餐分餐以后变冷的问题。千岛湖鱼头用大碗，不仅是给人

一、政策文件、档案记录、指导意见

一种视觉冲击，本身也考虑到了汤碗的比热容大，从而保证菜品的热量。美食专家曾对食品的味道与入口时的温度进行过研究，结果表明，即使是同一种食品，由于入口时的温度不同，其口感大不一样，相信大家对此都有所体会。从世界美食范围来说，食物味道最好的温度，要么是像中餐的火锅那样滚烫，要么是像西餐的生菜那样冰凉。当食物温度和人的体温相当时，口感最差，因为人的味觉在 37℃左右最迟钝，这是美食的一个普遍规律。这些问题暴露出来以后，我们要找到一个简单的办法，作为一个突破口。大全可以采用每一道菜品正反两页的版式，正面是照片和菜肴历史文化介绍，反面则是菜肴的制作过程。由于收录的内容很多，书可能会很厚，价格也就相对高，因此市场发行中也可以采用类似软广告的营销方式，对代表性的餐饮企业在书里适当做些介绍，企业愿意购买书籍，这样就能解决部分书的销路。城研中心这次找到了一个"撒手锏"，就是"书房＋书架"，城市是书房，单位、个人是书架，书籍等价交换也是一个好办法。杭帮菜大全也可以采用这种方式，在政府资金兜底、市场发行之外，再增加系统内的等价换书。

2. 编撰出版一套《杭帮菜培训教材》（上、下两册）。"杭帮菜"历史悠久、特色鲜明，经营手段多元，在全国享有盛誉，是杭州一个很值得开发的旅游产品，但也遇到了一个难题，就是假冒伪劣产品层出不穷。全国各地都有打"杭帮菜"旗号经营的饭店，其中真正是杭州人经营的只占少数，许多专家和热心市民建议，希望成立"杭帮菜"研究会，打响"杭帮菜"品牌，立足本帮，走向全国。专家认为，"杭帮菜"的问题主要是技术力量薄弱，厨师培训不够，这个问题也需要引起重视，需要通过杭帮菜的研究，指导杭帮菜的教学培训，推广杭帮菜的知名度。

3. 拍摄一部《舌尖上的杭州》30 集电视宣传片。要通过更直观的方式宣传杭帮菜，通过宣传让大家重视杭帮菜，让杭帮菜家喻户晓，让大家了解"什么是杭帮菜"。

四、体现七个"结合"，突出八个"名"，彰显杭帮菜系列文化研究的特点

今天我们开的是个"诸葛亮会"，我把大家的意见再归纳一下，关键的第一步是要把调研提纲搞好，有很多结论性的意见可以暂时放一放。

57

（一）体现七个"结合"

1. **传统与现代的结合。**既包含传统杭帮菜，也包含创新杭帮菜、网红杭帮菜；既包含南宋宫廷菜、"满汉全席"等献礼菜，也包含百姓的家常菜。

2. **市与区县结合。**从地域上来看，杭帮菜应不局限于杭州市本级，应涵盖杭州13个区县（市）的名菜，例如建德、桐庐的土家菜，打好"大杭州牌"。

3. **国有与民营结合。**既包含国有餐饮企业（主要指市饮服集团下属的国有餐饮单位），也包含知名度高、老百姓评价好的民营餐饮企业（如外婆家、严州府、新白鹿等），甚至背街小巷中的网红店。一道杭帮菜可以看出杭州从高楼大厦到背街小巷都是有品质的，对城市旅游的提升有帮助。

4. **专家与民间结合。**既包含专业大厨，也包含民间厨师，甚至"马大嫂"。我们强调要评选"十大精品杭帮菜"，这一建议绝对是"金点子"。我们不但要从新老杭帮菜中评选出"十大精品杭帮菜"，还要从百姓日常菜谱中评选出"十大精品家常菜"。在具体评选过程中，"十大精品杭帮菜"的评选以专家意见为主，"十大精品家常菜"的评选则由百姓说了算。公众可通过报纸投票、网络投票、手机投票等方式参与评选。可借鉴"三评西湖十景"的成功模式，在全市范围内发起"新杭帮菜"评选活动，吸引广大市民、中外游客积极参与，扩大杭帮菜的知名度、美誉度与竞争力。

5. **线上与线下结合。**8月23日，习总书记在致首届中国国际智能产业博览会的贺信中指出："努力推动高质量发展、创造高品质生活。"[1] 9月17日，习总书记在致2018世界人工智能大会的贺信中又进一步指出："新一代人工智能正在全球范围内蓬勃兴起，为经济社会发展注入了新动能，正在深刻改变人们的生产生活方式。"[2] 在调研方法上，要用好百度、大众点评等网络工具检索资料。"众人拾柴火焰高"，实地调研和线上检索相结合，可以减少一半以上的工作时间。在发行方式上，要有实体书籍、宣传片、App，通过电视和网络，教老百姓如何烧菜、品菜，人气一定非常火爆。用好互联网时代"4+3"的新载体，即互联网1.0时代的电子商务、搜索引擎、网络游戏、即时通信工具，以及互联网2.0时代的人工智能、虚拟现实、物联网等工具，把杭帮菜宣传、教学、培训用O2O的方

---

[1]《习近平向首届中国国际智能产业博览会致贺信》，《人民日报》2018年8月24日第1版。
[2]《习近平致2018世界人工智能大会的贺信》，新华社2018年9月17日。

式推广出去。

6.社会效益与经济效益结合。杭帮菜文化研究是传统文化、杭州文化研究的重要组成部分，杭帮菜的文化研究可以推动产业升级，提高老百姓生活品质，实现社会、经济效益双丰收。

7.烹饪和培训的结合。培训不仅要面向从事餐饮行业的群体，还要面向主妇和美食爱好者，杭帮菜的培训有很大的市场。

（二）突出八个"名"

要做到这几个结合，还需在八个"名"上下功夫：

1.名菜＋名店。以名菜打头，《杭帮菜大全》至少收录1000道名菜，名菜背后是主打名菜的1000家名店。

2.名厨＋名材。每一道名菜背后推出一名擅长这道菜的名厨，以及推荐使用的杭州本地有名食材。

3.名栏目＋名主播。现在全世界电视媒体都在黄金时段播放美食节目。要通过杭帮菜文化研究培养几位名主持，既可以是专业的电视台主持，也可以是业余的人气主播。同时，策划"草根大厨PK专业大厨"电视挑战赛，邀请13个区县市的民间高手、职业学校厨师专业学生，甚至"马大嫂"，由主办方规定食材，和专业厨师打擂台，菜好不好吃由老百姓说了算。借此打造一档品牌"美食栏目"，推出人气主播。

4.名著＋名作家。《杭帮菜大全》成为杭帮菜行业工具书、主创团队成为杭帮菜研究领域的权威专家。

五、多方结合，指导杭帮菜的集团化

要按照以上"七个结合""八个名"的思路，通过这次调研找到相关的菜肴、店家、人物、故事，完善调研大纲。研究的着力点是要把杭帮菜发扬光大，目的就是要承前启后、继往开来，做好杭帮菜传承与发展这篇大文章，指导杭帮菜企业依托品牌发展连锁经营，通过兼并、收购、参股、控股等多种方式做大做强，形成集团化。要将品牌培育与餐饮菜系、菜品创新和技术进步紧密结合起来，发挥名店、名菜的品牌叠加效应。支持具备实力的杭帮菜品牌餐饮企业加快"走出去"步伐，提升杭帮菜的国际影响力。

1. **特色化**。有研究报告显示，18—25岁的年轻人作为城市迁入主力，贡献了大量的餐饮消费。由于城市外来人口比重的增加，老百姓的口味偏爱愈加丰富，川菜和粤菜受到普遍的喜爱，而其他传统菜系则主要依靠区域范围内的消费者。2017年，全国餐饮收入总规模占社会消费品零售总额的10.8%，2018年1—4月，全国餐饮市场增幅超过全国零售增长0.4个百分点，继续起着对全国消费经济重要的拉动作用。当前餐饮业全国就业总人数已经从1978年改革初期的700万人，猛增到3000多万人。按照同口径测算，预计到2020年，我国餐饮收入将突破5万亿大关；到2021年，中国餐饮规模将超过美国，成为世界餐饮市场的第一大国。在餐饮市场迅猛发展的同时，杭帮菜要抓住机遇、乘势而上，做好"创新""特色"的一系列文章，避免与其他菜系的同质化竞争。毛泽东主席曾经对文艺工作提出"古为今用，洋为中用"的指导方针，杭帮菜也要秉持这一理念。比如杭州的"外婆家"，就参考川菜麻婆豆腐的制作，结合杭帮菜特色，对西施豆腐进行了改良，老底子杭州路边有名的小吃"油墩儿""定胜糕"也都经过改良；又比如"新白鹿"，在传统徽菜鱼羊鲜的基础上，选用杭州本地食材，创造出了杭帮菜版本的鱼羊鲜，获得了食客的一致好评。当然，杭帮菜在创新的同时，也要做好品牌的经营，赋予杭帮菜更多的价值，使其具有更高的溢价能力，让食客对杭帮菜产生"依赖感"。

2. **标准化**。餐饮行业里的标准化就是制定标准作业程序，由中央厨房统一菜品的采购、制作、分量、口味，以提供统一味道的菜品，具备质量、成本和扩张迭代上的优势。像外婆家这样的民营品牌餐饮，有三四百道可以标准化制作的菜品，就可以复制推广到所有门店。外婆家的采购团队被分成供应部和标准执行部，前者负责采购蔬果和本地食材，而后者的重要任务是寻找能够大规模生产食材的工厂，并将食材的宰杀和粗加工处理等外包出去，这使得外婆家能够从供应方处得到更优惠的价格。外婆家还采用了比中央厨房更先进的中央配送中心，摆脱了对厨师的过度依赖，也保证了菜品的品质。

3. **规模化**。在标准化的基础上，要着力推进杭帮菜企业的规模化、连锁化发展。一家企业可以发展壮大，一定在某些方面得到了客人的喜爱，集团化、规模化就是把单店经营的成功模式作为样板，对菜肴、风格、装修、物料、管理方式等加以复制，使客人在任何一个门店吃到的菜和得到的服务相一致，提升品牌价值。同时，规模化经营对仓储、配送全程管控，既可以减少餐饮企业

一、政策文件、档案记录、指导意见

制冷设备投资和电力能源消耗，也能做到配送的可规划、可调配，保障菜品新鲜的同时也降低了成本。

4. **智能化**。首先是烹饪的透明化，可以通过屏幕实时看到厨房中菜肴的制作过程，让就餐者吃得放心；其次是菜品信息数字化，让点餐的顾客全方面了解菜肴的情况；最后是点餐的智能化，运用语音识别等技术简化点餐流程，节省人力成本。另外，随着互联网的普及，餐饮业首先面临团购、外卖、美食点评等带来的冲击。有机构评估，2018 年每 10 元餐饮收入有 1 元来自外卖，在线餐饮市场规模预计超 2400 亿元。互联网在 1.0 时代有四大技术：以百度为代表的搜索引擎；以阿里巴巴为代表的电子商务；以腾讯为代表的网络游戏；以微信、微博为代表的即时通信。这四大门类是技术上的重大突破，围绕这些技术突破，形成了巨大的产业，中国产生了 BAT（百度、阿里巴巴、腾讯）3 家世界级的大公司。如今到了互联网 2.0 的时代，又迎来了三大新技术：物联网、虚拟现实、人工智能。杭帮菜企业需要与互联网 "4+3" 技术紧密结合，开创 "互联网＋餐饮" 的新格局，要应用大数据甚至人工智能指导推广、管理和经营，渗透餐饮生产全过程，比如建立食材信息数据库，自动预测连锁餐饮企业食材的动销周转和销量，反向指导食材供应计划，全面提升流通效率。杭帮菜企业只有占据智能化技术制高点，才能提高核心竞争力，进而真正引领产业变革之路。

5. **精品化**。留住顾客和获得顾客一样重要，美食、服务、活动等要结合起来，在打造精品菜的同时，营造精致的就餐和服务氛围。

6. **大众化**。大众化和精品化不能对立起来，既要提供一流的菜肴和服务，也要让老百姓消费得起，从而满足大多数人高品质就餐的需求。解决 "精品化" 和 "大众化" 两者之间的矛盾，关键就在于创新、标准和规模，只有成本降低了，才可以提供价格实惠的高品质就餐体验。

7. **国际化**。美食是地方文化的组成部分，杭州市委、市政府一直把提升城市国际化水平放在重要位置，杭帮菜的国际化就是提升城市国际化的有机载体。从 2008 年开始，杭州市政府每年都会派出团队到境外开展美食文化交流推广活动。美国的麦当劳、必胜客，中国台湾的鼎泰丰都是知名的国际餐饮连锁企业。相比国际餐饮连锁巨头，杭帮菜企业近年来也逐渐在国际上崭露头角，"知味观" "外婆家" "绿茶" 陆续在海外多个国家开设了分店，包子店 "甘其食" 在美国的分店甚至需要排队半个小时，可见杭帮菜在全球具有非常广阔的发展前景。

61

现在党中央又给杭州送了一个大礼包，杭州、成都、广州三地共同举办亚洲美食节，这对于宣传杭帮菜是一个千载难逢的良机。但客观地说，面对粤菜、川菜大厨的挑战，杭帮菜大厨不具优势。因此杭州要出奇谋、出奇兵，从"提升老百姓生活品质"破题，主打"亲民牌"，选用民间厨师甚至"马大嫂"，以食材较为常见、制作相对简单、性价比高、流传性广、色香味形俱佳，老百姓买得起、学的会、喜欢吃的家常菜为主，与粤菜、川菜的专业厨师对战，如果杭州的民间厨师可以战胜对方的专业厨师，那一定没有辜负党中央为老百姓办实事的理念。

【文章来源】王国平：《体现七个"结合"，突出八个"名"确立"1+1+1"架构，搞好杭帮菜调研工作——在杭帮菜大全、杭帮菜培训教材、杭帮菜电视宣传片专题研究会议上的讲话》

一、政策文件、档案记录、指导意见

16. 围绕"十个结合"再接再厉　做好杭帮菜系列文化研究工作——在第11次杭帮菜研究座谈会上的讲话

经过两个多月的努力，我们干成了一件别人不敢干也认为是干不成的事情，我们把打造杭帮菜"第九大菜系"做成了一件实事：出版了两本书（《别说你会做杭帮菜：杭州家常菜谱5888例》和《漫画杭帮菜》）、制作了两档电视节目（"舌尖上的杭州"厨神争霸赛之千岛湖鱼头王争霸赛和"小小厨神"）。从目前来看，它们的问世，对全市、全省，乃至全国的同行，都产生了深远的影响。同时，也为办好"亚洲美食节"做出应有的贡献。在此，向参与研究工作的各单位表示由衷的感谢。

杭帮菜文化研究的阶段性成果受到了社会各界的高度关注，阿里巴巴董事局主席马云先生、中国当代艺术家韩美林大师、当代著名作家余秋雨先生专门为两本书亲笔题词。5月3日，央视新闻频道播出了"多彩亚洲·亚洲文明对话大会浙江杭州五月举行厨神争霸赛争夺千岛湖鱼头王"的新闻。

如果把我们现在做的这件事情比作下围棋，我们经历了布局、中盘，现在到了收官阶段，尤其是5月21日千岛湖鱼头王巅峰对决，由中央电视台全程直播，更应该集中精力、全力以赴，把这档节目做到极致。我们要乘势而上，搭乘央视这趟班车，借助亚洲美食节的契机，打开杭帮菜和杭州电视台在全国的知名度。还要一鼓作气，做好第二季的启动准备，不断深入、不断挖掘杭帮菜文化，让杭帮菜的热度持续保持下去。

通过这次锻炼，杭帮菜文化研究上了一个台阶，如何在接下来的研究工作中取得更大的突破，围绕"十个结合"，做几点要求：

一、杭帮菜文化研究与"永不落幕的美食节"品牌打造相结合

中宣部领导在文化与旅游融合发展座谈会上强调，推动文旅融合高质量发展，更好地满足人民美好生活新期待。旅游业"吃住行游购娱"中"吃"是第

63

一要素，如何延伸美食对旅游业的促进作用，打造"永不落幕的美食节"，值得在座的各位深思。

"舌尖上的杭州"厨神争霸赛第一季即将结束，杭州电视台要延续前一季模式，趁热打铁，启动第二季、第三季的比赛，起到"三个有利于"：有利于保持社会对杭帮菜的关注度。在第一季巅峰对决现场揭晓第二季的比赛食材，可以起到告知社会大众后面的比赛更亲民、更精彩，食材更符合大众口味的作用，让杭帮菜保持热度不冷却。有利于提高专业人士对杭帮菜的重视度。第一季厨神争霸赛优胜者的荣誉证书，由市商务局、市人社局联合颁发，含金量高，之后几季的荣誉证书，除了突出"杭帮菜已经能和八大菜系相提并论，成为第九大菜系"外，还需要市人社局等职称评定单位，高看一眼，为推广杭帮菜的名店、名厨在职称、技能评定方面给予优先或破格。有利于合理分流部分来杭游客。第二季的启动时间在9月份，利用"十一黄金周"的旅游关键点，举办杭州自己的美食节，把美食、直播和"菜篮子工程"有效结合在一起，面向长三角，面向全国，积极动员食材生产单位、品牌餐饮店参加，将游客人群从拥堵的热点景区分流到杭帮菜博物馆或者品牌餐饮店去。

杭帮菜研究院是杭帮菜文化研究的工作载体，接下来要启动文献集成的出版工作，将研究成果与实践结合起来，深挖历史文化资源，保留核心价值，并作为非物质文化遗产一直传承下去。

二、杭帮菜文化研究与世界旅游目的地的打造相结合

1992年，邓小平同志视察杭州时作出重要指示："像杭州这样的风景旅游城市在世界上可是不多的，要把杭州的旅游业好好发展起来。"小平同志的洞察力是无与伦比的，旅游是杭州城市的"金名片"，是旅游企业的"摇钱树"，是全体从业人员的"金饭碗"。杭州的旅游业，直接解决了40万人的就业，间接解决了100万人的就业。

如何让"杭帮菜"品牌走出国门、走向世界，必须是"规定动作"和"自选动作"相结合，坚持"政府扶持、市场主导"的原则，以"杭帮菜研究院、市商务局、市人社局、市文广局联合"为抓手，让"自选动作"服从、保障"规定动作"。

一、政策文件、档案记录、指导意见

"规定动作"是知名餐饮店向游客推荐杭帮菜里的名菜，挑选100家百姓信赖、知名度高的酒店或餐饮店，把"舌尖上的杭州"厨王争霸赛成果落实到位，每家店推荐菜单中部分菜品由杭帮菜研究院提供，这也是为杭帮菜研究院提供了第一手的研究资料。"自选动作"是旅行社打造杭帮菜产品线路，动员一些旅行社专门设计"来杭州吃杭帮菜"的旅游线路，与现在高重复、低水平、无特色的旅游产品区分开来，联合农家乐、旅游名店、百年老店等一起，群策群力、集思广益，积极创新，开辟出全新的、以吃为主的特色旅游产品。

三、杭帮菜文化研究与传统商业的转型升级相结合

当前新零售模式已经逐渐取代传统商业模式，传统商业转型迫在眉睫。比如，我们熟知的武林路女装街，在零售新模式的冲击下，正在自觉转型，以前是走女装路线，现在引进更多美食，办小吃广场，走"美装＋美食"的路线。

我们要学习外地的商业综合体运营模式，不要做成单一的 Shopping Mall，可以是多种形式的叠加，向多元化产业发展。比如青岛销售当地海产品的经验让我印象深刻，他们在五星级酒店大堂里打造一个餐厅，整个大堂有十几个柜台在销售海产品，酒店裙楼也都是经营当地产业，很受老百姓和游客喜爱。我们可以借鉴这种做法，改变传统商业模式思维，把杭帮菜融入不同的商业模式中，促进传统商业的转型升级。

四、杭帮菜文化研究与提升杭州老百姓的生活品质相结合

美食行业位居"十大特色潜力行业之首"，既能极大地满足杭州市民日益增长的新需求、新消费，也能极大地提升杭州市民的经济生活品质、文化生活品质、社会生活品质、环境生活品质。要提升杭州市民的生活品质，共建共享"生活品质之城"，这就要求我们不仅要做到城市上水平，更要让百姓得实惠。

杭州已经举办过数届中国（国际）美食节，这次又成功地举办了"亚洲美食节"，我们以举办"美食节"作为契机，让美食餐饮文化充分发挥国家软实力和民间外交作用，把杭帮菜推向国际舞台。

"民以食为天"，我们研究杭帮菜的目的，其中之一就是解决"怎么让老

65

百姓的菜篮子更轻、更好"的问题。我们对杭帮菜文化研究的终极目标，是要让老百姓真正得到实惠。做好"菜篮子"建设工程，包括城市保供蔬菜基地、水产养殖基地、畜禽蛋奶保供基地的建设，保证"菜篮子"产品常年均衡供应。另一个需要解决的是"怎样让老百姓家常菜细做、精做，怎样让老百姓吃上最便宜、最好吃的杭帮菜"问题。我们编撰的《别说你会做杭帮菜：杭州家常菜谱5888例》，一直围绕着这个问题在做。老百姓能在这本书里得到实惠，后期也要开发杭帮菜菜谱App，让移动菜谱应用到百姓的日常生活中。

五、杭帮菜文化研究与"推进乡村振兴战略、打好扶贫攻坚战"相结合

扶贫攻坚是"十三五"时期的"一号工程"，2016年10月27日，中共中央办公厅、国务院办公厅印发《关于进一步加强东西部扶贫协作工作的指导意见》，湖北省恩施州首次纳入国家东西部扶贫协作范畴，明确由浙江省杭州市结对帮扶湖北恩施州，帮扶到2020年。湖北省素来有"千湖之省"的美誉，全省共有湖泊755个，湖泊水面面积合计2706平方公里，水系发达。湖北省自然禀赋条件良好，素称"鱼米之乡"，是全国重要的商品粮棉油生产基地和最大的淡水产品生产基地。恩施州是湖北唯一的少数民族自治州，具有浓厚的少数民族特色。根据习近平总书记提出的"实施精准扶贫、精准脱贫，坚决打赢脱贫攻坚战"的重要指示精神，我们可以参考这次鱼头王争霸赛的做法，考虑为施恩州的鱼头做文章。

"小小厨神"节目在寻找小厨师的人设也要有突破，可以考虑湖北恩施州、新疆阿克苏市、黔东南州这些地方的孩子，这对维护民族团结和祖国统一也能起到积极作用。

为打好精准脱贫攻坚战，实现全面建成小康社会"一个都不能少"，必须从百姓最关心的"吃"入手：一是做好特色农产品的宣传和促销。借助电商渠道、实体批发、零售，把新疆的农副产品拿到杭州宣传、促销，让杭州农村的特色农产品"走出去"。二是推进农家乐的转型和升级。多数农家乐以被动经营为主，缺乏定位，自身特色和品牌不强，因此，农家乐除了要从"提升服务、改善就餐环境、加强卫生管理"三方面入手外，更重要的是要有精准定位，13个区（县、

市）联手推出几家以经营杭帮菜为主的农家乐，既能打造具备杭州特色的农家乐产业，又能传承和发扬杭帮菜文化。

六、杭帮菜文化研究与特色小镇建设有机结合

2016年7月20日，国家下发了《关于开展特色小镇培育工作的通知》，决定在全国范围开展特色小镇培育工作，计划到2020年，培育1000个左右各具特色、富有活力的休闲旅游、商贸物流、现代制造、教育科技、传统文化、美丽宜居等特色小镇，引领带动全国小城镇建设。

杭帮菜要抓住机遇、趁势而上，做好"创新""特色"的一系列文章，避免与其他菜系同质化的竞争。加快杭帮菜特色小镇的建设步伐，是一件刻不容缓的事情，在全市13个区（县、市）都要安排一个杭帮菜特色小镇，不但要有能做杭帮菜的餐饮名店，还要有能推荐杭帮菜书籍、特色食品的民宿。我们要把杭帮菜书籍、特色产品放进酒店，变成酒店里不可或缺的一道风景线。杭帮菜特色小镇的推进，不但能丰富杭帮菜文化的内涵，也是加快推进杭帮菜产业聚集、创新和升级一个非常好的平台。

七、杭帮菜文化研究和专业人员的培养相结合

杭帮菜是浙江非物质文化遗产项目，文化底蕴浓厚，承载着杭州人文历史的记忆，流淌着杭州饮食文化的血液。弘扬和发展杭帮菜文化，要靠技术、靠传统，归根结底要靠人才，要加强杭帮菜人才培养基地的建设、加强与高职院校的合作，高度重视对现有人才的培养和使用。

第一，在中职、高职院校开设杭帮菜专业，把杭帮菜普及到职业学校（院）中。利用中职、高职的教学资源，建立杭帮菜培育中心，提升学校的开班积极性，除了面向从事餐饮行业的群体，还要面向主妇和美食爱好者。

第二，修订现有从业人员的职称评审条件。根据中共中央办公厅、国务院办公厅印发《关于深化职称制度改革的意见》中办发〔2016〕77号文件精神，专业技术人才的职称评定注重业绩水平和实际贡献，我们要结合"将科研成果取得的经济效益和社会效益作为职称评审的重要内容"为杭帮菜从业人员提供职称评定的途径，同时也是为杭帮菜文化的传承提供人才支撑。

八、杭帮菜文化研究与杭帮菜文化研究院的建设相结合

开展"杭帮菜系列文化研究"工作，积极响应了杭州市委、市政府在2018年发布的《杭州市全面推进文化兴盛行动实施方案（2018—2022）》文件精神。研究工作以"杭帮菜研究院"为抓手，积极探索杭帮菜文化的可持续发展，充分发挥研究院在杭帮菜文化研究中要素作用，可以通过"研究院＋全书""研究院＋图书馆""研究院＋餐厅""研究院＋培训班""研究院＋学校""研究院＋栏目"等多种形式，研究目的是将杭帮菜打造成我国"第九大菜系"。

九、杭帮菜文化研究与青少年的思想道德教育有机结合

"小小厨神"节目播出后取得了意想不到的效果。六名不同家庭、不同年龄、不同地域的小选手，分工合作，在镜头前展示自己的厨艺。这种形式，在国内属于首创。杭州电视台要吸取这季的拍摄经验，把这档节目继续推广下去要，做成一档"专家叫好，百姓叫座"的精品栏目。

电视台要把"坚持把青少年思想道德建设放在首位，培养团结友爱、互助自立、积极进取的青少年，培育正确的社会主义核心价值观"的开办宗旨贯穿于整个节目中，下一季更需要强化这方面的内容，把它打造成"文化的时政课堂"，作为"第二课堂"推广开来，充分发挥杭帮菜文化特色，把中华传统文化融入青少年思想道德建设中，呈现出积极向上、健康发展的思想态势。节目的录制、播出模式，也可以邀请央视一起探讨，争取他们的支持。

十、杭帮菜文化研究与"杭帮菜品牌的打造"相结合

最终成为"第九大菜系""让杭帮菜成为中国第九大菜系"，是研究杭帮菜文化的最终目的，我们必须要有这样的雄心壮志去做这件事。有三句话与大家共勉：第一句是"明知不可为而为之"，第二句是"虽千万人吾往矣"，第三句是"凡事预则立，不预则废"。经过大家坚持不懈的共同努力，我们完成了两本书的出版和两个电视节目的制作，取得了良好的社会效益。

《别说你会做杭帮菜：杭州家常菜谱5888例》得到业界的充分肯定和高

一、政策文件、档案记录、指导意见

度评价，被誉为"新中国成立 70 周年，杭州菜谱书集大成者"，而"厨神争霸赛"节目不但打开了央视直播大门，让"杭帮菜"走出杭州、迈向全国，配合这档节目推出的鱼头品尝券，百姓也得到真正的实惠，可以说较好地达成了我们之前预定的两个"小目标"。接下去就要思考：如何更好地转化现有的两项成果，让它们在杭州的旅游产业中发挥更大的贡献。我们在杭帮菜文化的研究过程中，既要考虑经济效益，又要考虑社会效益，要最大限度地发挥杭帮菜对中外游客的吸引力，要对提升杭州旅游产业品质、杭州老百姓生活品质起到积极促进作用，把杭帮菜打造成全国餐饮业和杭州城市的又一张"金名片"。

随着这项工作的进一步深化，下阶段的重点工作是要做好杭帮菜的文献集成，以科学严谨的态度，对杭帮菜文化进行整理和编撰，出版《杭帮菜大全》，把研究成果和实践有机结合起来，让非物质文化遗产得到传承与发展。

【文章来源】王国平：《围绕"十个结合"再接再厉　做好杭帮菜系列文化研究工作——在第 11 次杭帮菜研究座谈会上的讲话》，杭州城市学研究理事会秘书处《研究通报》第 7 期，2019 年 7 月 8 日

17. 杭州餐饮业"六名"工程高质量发展三年行动计划

在"后峰会前亚运"建设关键之时，"十四五"规划开篇之际，为弘扬杭州传统美食文化，充分发挥杭州数字经济第一城优势，促进杭帮菜数智化升级，在疫情常态化防控下推动餐饮业高质量发展，深入挖掘和构建以"名厨、名服务师、名菜、名礼、名店、名街"为支撑的杭帮菜品牌体系，擦亮"世界美食名城"金字招牌，特制定本行动计划。

一、指导思想

以习近平新时代中国特色社会主义思想为指导，深入贯彻十九届五中全会精神，以构建杭帮菜发展新格局为目标，以打造杭州餐饮业"六名"工程为抓手，立足新发展阶段，践行新发展理念，按照"政府引导、市场运作、企业主体、创新发展"的原则，充分发挥餐饮业在保民生、稳就业、促消费等方面的重要作用，助推社会主义现代化国际大都市建设，高水平打造"数智杭州·宜居天堂"，在高质量发展建设共同富裕示范区中更好发挥头雁作用，满足人民群众对美好生活的向往。

二、主要目标

通过三年的努力，打造业内积极参与、群众满意度高、国内知名度高的杭帮菜"六名"工程美食品牌，基本形成集原料生产、加工、配送、制作、销售于一体的"六名"工程美食产业体系，杭帮菜美食文化得到传承弘扬和创新发展，我市美食产业高水平提升。

——全面提升杭帮美食的知名度和美誉度。通过大范围的发动、多层面的参与、深层次的挖掘，将杭帮菜"六名"工程打造成为全国知名美食 IP，进一步打响杭帮菜的知名度，将杭帮菜打造成全国知名菜系。

——全面增强杭州餐饮产业的核心竞争力。建立健全认定标准，着力培育一批具有核心竞争力的美食生产企业，推动杭帮地道食材、半成品、系列真空包装食品和杭帮美食伴手礼的研发，强化"六名"工程美食质量安全，提升杭

一、政策文件、档案记录、指导意见

帮美食的品质和竞争力。

——全面打造杭州美食文化传承的新高地。深入挖掘杭帮美食背后的文化内涵，讲好美食故事。建立人才培养培训体系，培育一批美食名厨，提炼美食工匠精神，不断创新美食文化传承方式。推出一张美食地图、一套美食视频、一套美食丛书、一份杭城美食指南、一群美食达人，传播美食文化。

——全面形成惠民利民的餐饮消费新体系。每年开展不少于100场群众喜闻乐见的"六名"美食体验活动，培育一批放心消费实体，提供丰富的养眼养胃美食产品，推动"六名"工程走进千家万户。力争到2023年底，餐饮消费达到1240亿元，占社零总额的12%以上。

三、重点任务

（一）构建以"六名"为核心的杭帮菜品牌体系

1. 培育一批"名厨"。联合相关部门共同认定20位以上"杭帮菜大师"、100位以上"杭帮菜名厨"，支持符合条件的杭帮菜大师参与烹饪大师工作室认定。杭帮菜厨艺表演队人数增加到100人以上，市商贸服务业烹饪职业技能竞赛、"舌尖上的杭州"厨神争霸赛等厨艺比赛（以下简称重要竞赛）评选出的前3名获奖选手，经专业评审审核后，可纳入"名厨"体系，认定的人员优先推荐为烹饪大师工作室、杭州工匠候选人。定期举办培训班，培育杭帮菜美食从业者和传承工匠，并建立专家人才库，发挥杭帮"名厨"传帮带作用，美食传承后继有人，让一代又一代的杭帮"名厨"成为杭州餐饮业持续健康发展的中坚力量。

2. 评选一批"名服务师"。联合相关部门共同认定150位以上"杭州餐饮名服务师"，全方位促进餐饮服务技艺的提升，提高杭州餐饮业服务水平，彰显"世界美食名城"的独特魅力。

3. 打响一批"名菜"。匠心传承，继往开来，大力开展新杭帮菜的评选，深入挖掘杭帮菜的新菜品，力争评定60道以上"杭帮菜经典名菜"、100道以上"杭帮菜创新名菜"。通过重要竞赛评选出的获奖菜品，经专业评审审核后，可纳入杭帮菜"六名"体系，切实提升杭州"世界美食名城"的美誉度和影响力。

4. 开发一批"名礼"。培育和开发更多杭帮地道食材、半成品和系列真空

71

包装食品，推动杭州美食伴手礼的研发，推出 20 样以上杭州美食特色伴手礼，同时孵化杭州美食产业的研发中心和基地，成为延伸杭州美食产业链、拓展杭州美食产品品种、提升杭州餐饮业销售额的新动能。

5. 创建一批"名店"。挖掘并推广一批杭帮美食"名店"，通过分级、分类评选，计划在三年内开展 100 家以上"杭帮菜品牌餐厅"、300 家以上"杭帮菜特色餐厅"的培育认定。力争引进米其林评价体系，推动黑珍珠餐厅数量进全国前 4 名，助力全市餐饮业服务品质明显提升，涌现一批杭帮老字号形象店和杭帮餐饮服务示范店，全面提升杭帮菜影响力、餐饮品牌度，打造美食新亮点。

6. 打造一批"名街"。为进一步发挥新消费"双街示范"作用，促进杭州消费升级和城市能级提升，以现有基础好、知名度高的美食街为重点，依托大数据等信息技术，优化业态布局，改造提升一批商业有魂、经营有道、品牌有名、数字引领、放心消费的名美食街，增强消费吸引力、商业竞争力、街区凝聚力，利用 3 年时间，要求每个区、县（市）至少创建一条名美食街，打造促进消费升级的有效平台，展示城市形象的靓丽名片、享誉国际影响的商业地标。

（二）提升以"六名"为支撑的杭帮菜产业体系

7. 营造良好环境。鼓励各地重点扶持"六名"工程，整合利用中国（杭州）美食节等美食节庆及重要竞赛活动，开展"六名"工程美食人文交流。

8. 建立评定体系。建立杭帮菜"六名"工程评定体系，计划每年评选一批代表杭州餐饮形象的"名厨、名服务师、名菜、名礼、名店、名街"，并进行动态更新，进一步完善餐饮菜品、业态、配套，显著提升杭州美食文化的海内外知名度和美誉度。

9. 严格监督管理。从原料供应、烹饪制作、规范服务、质量把控等方面，加强"六名"工程美食服务安全监督管理。督促餐饮服务单位严格执行食品安全操作规范，实施餐饮单位阳光厨房建设，落实餐饮外卖对配送食品进行封签，依法查处违法违规行为。

10. 强化人才支撑。围绕将杭州打造为餐饮产业发展的人才基地和杭帮菜大师名师的摇篮，整合龙头企业、技术院校、行业协会人才资源，推进人才培训基地、实习基地、烹饪技术研究基地建设。积极引进高素质的国内外专业技

一、政策文件、档案记录、指导意见

术人才和经营管理人才，促进杭州美食行业特色化、创新化发展。

（三）深化以"六名"为标识的杭帮菜推广体系

11. 打造品牌系统。以"名厨、名服务师、名菜、名礼、名店、名街"为主题 IP，设计"六名"品牌视觉系统，包括 LOGO、色彩、周边衍生产品等。

12. 融合线上线下。发挥杭州数字经济第一城的优势，借助数智化手段，推动"互联网＋美食"发展，利用互联网美食社交平台，推广"六名"工程，提供线上预订、线下消费体验，提升线上消费比例，促进全民消费，引导大众参与"六名"工程的体验、分享与传播。

13. 讲好美食故事。挖掘"六名"工程美食背后的文化内涵，讲好杭帮菜美食文化故事，广泛开展"六名"工程美食宣传，传播美食文化。

14. 坚持上下联动。市、区（县、市）全面参与，上下联动，点面结合，形成合力。鼓励各地积极探索地方特色的美食主题推广活动，开展"名厨"服务日等"六名"工程配套活动，鼓励开展有创意、接地气的美食宣传活动。

15. 加强媒体推介。提炼美食元素，形成富有杭州特色的美食宣传系列成果。借助主流媒体的公信力，发挥抖音和微信视频号等短视频平台的传播作用，邀请社会名人和达人体验，打造"六名"品牌体系。以视频、评选、活动、展示、比赛等多种方式，营造"六名"工程宣传推广氛围。

四、保障措施

（一）加强组织领导

市商务局会同市市场监督管理局、市人力资源和社会保障局、市总工会、市文广集团、市餐饮协会等单位，建立联席会议制度和评审领导小组，协调解决"六名"工程推进中的重难点问题。各地也要建立相应的工作机制，加强沟通，合力推进工作。

（二）加大政策支持

市、区（县、市）两级相关部门要统筹安排资金支持"六名"工程项目落地和活动开展。各级商务部门在安排美食宣传推广资金时要优先保障支持"六名"工程宣传推广和品牌打造。

（三）强化检查考核

将"六名"工程纳入商务部门年度考核的重点内容。各地要结合实际，抓

73

紧研究制定"六名"工程年度工作计划，进一步明确任务，强化责任，务求抓出成效。市商务局适时将会同市级相关部门对各地工作落实情况进行督查。

杭州市商务局　杭州市市场监督管理局

2021 年 7 月 23 日

【文章来源】杭州市商务局、杭州市市场监督管理局:《杭州餐饮业"六名"工程高质量发展三年行动计划》，杭州市商务局网站，2021 年 8 月 19 日

二、论文

1. 秦汉魏晋南北朝时期文献所见杭州地区的食料分布

摘要： 秦汉魏晋南北朝时期，随着经济重心的逐渐南移，杭州地区以其特有的地理区位优势，其经济地位逐渐在全国凸显出来。饮食原料作为经济发展的一个重要指标，在这一时期也表现得更加丰富多彩，主要体现在粮食作物、蔬果、畜禽养殖和调味品上。杭州地区在原有的以水稻及鱼虾等水产品为主的饮食结构之上，增加了具有北方特色的诸如粟、麦及山地旱作果蔬的种植，改善了杭州地区的饮食生活。

关键词： 杭州地区；中古；饮食原料

杭州地区有着优越的自然地理条件，地处亚热带季风气候区，四季分明，雨量充足，动植物资源丰富。这一区域的古代先民很早就开始了稻谷及其他作物的栽培与家畜饲养活动。公元前221年秦始皇统一中国后，今杭州地域基本属于会稽郡的范围。汉沿秦制，略有变动。东汉以后，三国分裂，杭州成为定都建业（即建康，今江苏南京）的东吴辖地。东吴、东晋与南朝的宋、齐、梁、陈六朝，均定都建康不变。按《晋书·地理志》记载，西晋太康初年，钱塘江北岸有隶属吴郡的嘉兴、盐官、钱唐、富阳等5县，和隶属吴兴郡的乌程、临安、余杭、武康、东迁、於潜、故鄣、安吉、原乡、长城等10县，计有15县。《宋书·州郡志》所记与西晋太康初年基本相同，仅吴郡辖下新增了新城县。《南齐书》所载则与《宋书》相同。这种行政区划，也可以看出，杭嘉湖地区唐以前的经济开发格局就是西重东轻。因为东部平原地带，由于地下水位高，土壤盐碱化严重，水草沮洳，开发难度大，直到唐大历年间开展屯田之前，仍然还有大面积的土地处于未开发状态，总体经济水平较低，一直作为吴郡的边地而存在。而在西部山地、丘陵地带，由于开发得较早，六朝时已出现了吴兴郡这样拥有属县达10个之多的大郡，但是，吴兴郡的经济水平，与南岸的会稽郡（两郡属县均为10县）还是不能同日而语的。杭州地域靠近京畿，加上北方人口的南移，促进了江南经济的发展。尤其是在南北朝对峙的百年中，在中国的大陆上，以长江为界，逐渐形成南北两大不同的饮食体系，即当代人称的南食与北食，杭州地区的食料资源的基础建构在长江以南的广大地区的饮食体系之上。

司马迁曾经对南方有过"楚越之地，地广人稀，饭稻羹鱼，或火耕而水耨，果隋嬴蛤，不待贾而足，地埶饶食，无饥馑之患，以故呰窳偷生，无积聚而多贫。是故江淮以南，无冻饿之人，亦无千金之家"[1]（P3270）的描述，凸出了南方地域的农业特点。《隋书•地理志》曾对隋代之前的杭州有过"川泽沃衍，有海陆之饶，珍异所聚"[2]（P887）的总结。魏晋南北朝时期，农田水利设施的兴建，土地大规模的开垦，水田向山区坡地的推进，使得以水稻为代表的农业开始有了很快的发展，带动了经济和文化的欣欣向荣。从东晋始，南方水稻开始有了与粟麦平起平坐的地位，也即与汉魏时北方之粟麦并驾齐驱了。根据学者推算，秦汉时的粮食平均产量折今市制约亩产 264 斤，其中南方水稻平均为 250 斤，即低于全国的平均水平。到了东晋南朝时，全国粮食平均亩产为 257 斤，其中南方水稻平均为 263 斤，比秦汉时增加了 5.2%；而北朝的粮食平均产量比秦汉时减少了 2.42%。[3]（P142—149）所以王羲之说："以区区吴越经纬天下十分之九。"[4]（P2096）虽或有所夸张，也足以说明北方的政治、经济、文化中心地位开始受到挑战。

一、粮食分布

杭州地处江南，水稻是最主要的粮食作物之一，栽培历史十分久远。秦汉时期，水稻的产量已有了较大进步，甚至出现了粮食北调的情况。据文献记载，东汉永初年间（107—113）出现了粮食北调的记载："（永初元年九月）癸酉，调扬州五郡租米，赡给东郡、济阴、陈留、梁国、下邳、山阳。"[5]（P208）又，"（永初七年）九月，调零陵、桂阳、丹阳、豫章、会稽租米，赈给南阳、广陵、下邳、彭城、山阳、庐江、九江饥民"。[5]（P280）显然，这里的米就是稻米，说明当时水稻产量已达到相当的水平。到了东汉熹平年间（172—177），余杭县令陈浑主持建设东苕溪分洪工程——南湖，余杭、钱唐、乌程等县的生存环境得到很大改善。天目山是今浙江境内的暴雨中心之一，而东苕溪汇天目山之水，建瓴而下，入余杭县境后河床趋向平缓，暴涨不能急泄，最易造成洪涝灾害。从今临安到余杭瓶窑的干流，习惯上称南苕溪。东汉熹平年间，余杭县令陈浑兴建堤防工程、分洪工程，以防南苕溪水患。他在县城（今余杭区余杭镇）附近沿溪一带设陡门、塘堤、堰坝数十处。陈浑发民10万，在大涤山之北、苕溪之南，开上、下南湖。并溪者曰南下湖，并山者曰南上湖，总面积1.37万亩。这是一个按地势坡降而建的两级分洪水库。作为东苕溪分洪设施，它分减南苕溪上游水势，对调节东苕溪洪水，保护平原地区的水田起着重大作用。当山洪暴发时用以囊蓄南苕溪上游来水以削减洪峰，干旱时则以之灌溉农田。湖中所蓄之水先导入干渠，再通过干渠流入附近的水田。它可以在不过分提高湖堤的情况下增加蓄水量，从而有效地保障湖堤的安全。这种工程设计在当时是相当先进的。这是见于记载的治理东苕溪的最早举措，是当时钱塘江北岸主要水利工程。南湖建成后，历代维修不辍，至今仍可发挥调洪削峰作用。县人称陈浑之功"百世不易，泽垂永远"，曾建祠以祀。由于这些水利建设，以及铁器、牛耕的推广，水利的兴修，垦田面积的扩大，耕作技术的进步，东汉粮食产量明显提高。从东汉中期起，会稽郡和同属扬州的一些郡，生产的粮食不但自给，且承担起赈济他郡的任务。故而，到了东汉末年，由于水稻的产量的提升，粳米饭成了北方人对于江浙一带人常用食物的印象，《三国志·王朗传》引《魏略》就有"魏略曰：太祖请同会，啁朗曰：'不能效君昔在会稽折秔米饭也。'"[6]（P408）的记载。值得注意的是，游修龄先生曾经指出南方稻的口语也可称粟，比如《三国志·骆统传》记载："时饥荒，乡里及远方客多有困乏，统为之饮食衰少。其姊仁爱有行，寡归无子，见统甚哀之，数问其故。统曰：'士大夫糟糠不足，我何心独饱！'姊曰：'诚如是，何不告我，而自苦若此？'乃自以私粟与统，又以告母，母亦贤之，遂使分施，由是显名。"[6]（P1334）文献中的私粟应是稻米，而《晋书·王荟传》记载"时年饥粟贵，人多饿死，荟以私米作饘粥，以饴饿者，所济活甚众。"[4]（P1759）"饘粥"即是稀饭，私米即为稻米，对应前文的"粟贵"，显然这里的粟指的是稻米。另外，《梁书·贺琛传》记载："（贺琛）家贫，常往还诸暨，贩粟以自给。"[7]（P540）这说明稻米作为商品进行日常买卖。西晋永嘉之乱后，北人南下，像区种法等一些北方先进的生产技术随之传入。区种法是西汉氾胜之推行的一种精耕细作的园艺式的耕作方法。西晋时期，来自北方的郭文在吴兴郡余杭县区种菽麦，达到食有余谷。区种法的传入，促进人们对丘陵山地的开发。麦、粟、菽等本是北方粮食作物，永嘉之乱后，随着北人南迁，东晋南朝统治者曾三令五申地责督引进麦种种麦，东晋初，在余杭大辟山的隐士郭文就以区种菽麦等谋生。麦粟菽等作物的引进和推广，增加了农作物的品种，使得不同的土壤播种不同的粮食作物成为可能，《山居赋》中亦有"兼有陵陆，麻麦粟菽。候时觇节，递艺递熟"[8]（P1760）的记载，说明当时粟在南方还是有分布。

小麦虽然属于北方作物，但是在特殊时期还是在杭州地区进行种植，比如宋文帝元嘉二十一年（444）就下诏："比年谷稼伤损，淫亢成灾，亦由播殖之宜，尚有未尽。南徐、兖、豫及扬州浙江西属郡，自今悉督种麦，以助阙乏。速运彭城下邳郡见种，委刺史贷给……不得但奉行公文而已。"[8]（P92）这则材料说明种植小麦是在历年收成不好的情况下，为了挽回经济损失的一种权宜之计，文献中"扬州浙江西属郡"很明显包括了杭州地区。另，《晋书·隐逸传》中原人郭文"乃步担入吴兴余杭大辟山中穷谷无人之地……区种菽麦，采竹叶木实"[4]（P2440）以及《吴兴记》又有"乌程县西有温山，出御菽"[9]（P187）的记载，这些材料皆说明杭州地区在西晋时期就有种植大豆和小麦的历史。

粮食的丰足，促进了主食品种的多样。粗分之，有饭、粥、饼三大类。细分之，饭有米饭、麦饭、粟饭和菰米饭等，粥有麦粥、豆粥、米粥、粟粥等，饼有胡饼、汤饼（汤面）、面起饼、蒸饼、水引饼等多种。由此可见，秦汉魏晋南北朝时期杭州地区的粮食还是相对比较充足的。

二、蔬菜与水果

秦汉魏晋南北朝时期杭州地区常见的蔬菜主要有竹笋、莼、姜、瓜、韭、山药、芜菁、芹、葵等 10 多种，并且杭州地区已出现以一些种菜为生的人，专门从事蔬菜生产。

竹笋是江南一带的典型作物。《永嘉郡记》曰："含隋竹笋，六月生，迄九月，味与箭竹笋相似。凡诸竹笋，十一月掘土取皆得，长七八寸。长泽民家，尽养黄苦竹。永宁南汉，更年上笋——大者一围五六寸：明年应上今年十一月笋，土中已生，但未出，须掘土取；可至明年正月出土讫。五月方过，六月便有含隋笋。含隋笋迄七月、八月。九月已有箭竹笋，迄后年四月，竟年常有笋不绝也。"[10]（P361）这虽然是记叙了浙江永嘉之地的竹笋，但是气候相近，当时杭州地区亦是有竹笋种植。另，根据《钱塘先贤传赞》有"梁范先生：先生字伯圭，一字长玉，讳元琰，钱塘人。父死方童孺，哀慕尽礼。及长，好学，博通经史，然谦敬不以所长骄人。祖母患痈，常自含吮。与人言，常恐伤物。居家不出城市。虽独居，如对宾客。家贫，以园蔬为业。尝出行，见人盗其菘，遽退走。母问盗者为谁，答曰：'向所以退，畏其愧耻。今启其名，愿不泄也。'或有涉沟盗笋者，因伐木为桥以度之。盗大惭，一乡无复草窃"[11]（P17）的记载，就说明笋在当时杭州地区有广泛的分布，以至于出现偷盗竹笋的现象。

甜瓜是杭州的原产植物，史前时期已有采集食用，史前晚期已开始栽培驯化。秦汉魏晋南北朝时期，不仅出现了像孙钟这样的种瓜专业户，而且因为水运便捷、人口集中、消费旺盛，杭州还成了甜瓜的重要销售地。永兴的种瓜人郭原平就曾到钱唐卖瓜，《宋书·郭原平传》记载：永兴人郭原平"以种瓜为业。世祖大明七年大旱，瓜渎不复通船……乃步从他道往钱唐货卖。每行来，见人牵埭未过，辄迅楫助之，已自引船，不假旁力。若自船已渡，后人未及，常停住须待，以此为常。"[8]（P2245—2246）由此可见，当时甜瓜在杭州地区已有种植。《齐民要术》卷十在谈到江南作物时，有"永嘉美瓜，八月熟；至十一月，肉青瓤赤，香甜清快，众瓜之胜"[10]（P152）的记载，也印证浙江种植甜瓜的历史是非常久远的。东汉末年，钱塘江下游一带的富春县（今杭州市富阳区），孙权的先祖以种瓜出名。南朝宋刘义庆《幽明录》记孙权的祖父孙钟，"吴郡富春人，坚之父也。少时家贫，与母居，至孝笃信，种瓜为业。瓜熟，有三少年容服妍丽，诣钟乞瓜。钟引入庵中，设瓜及饭，礼敬殷勤。"[12]（P699—700）孙钟，富春人，东吴创立者孙权的祖父，以种瓜为业，性好施与，遇贤达者必以瓜相饷。孙坚16岁时，孙钟带他坐船装瓜到钱唐县售卖。这就说明当时有一部分人从农业中分离出来，专门从事种菜、种瓜业。

莼菜是江南地区特有的蔬菜。据《晋书·张翰传》载，齐王同辟张翰为大司马东曹椽，在洛阳。张翰因见秋风起，乃思吴中菰菜、莼羹、鲈鱼脍，说："人生贵得适志：何能羁宦数千里以要名爵乎？"遂命驾而归。后人常用"莼羹鲈脍"为辞官归乡的典收。又据《世语新说·言语》：王武子问陆机江南有什么东西可以与北方羊酪相比，陆机答复："有千里莼羹，但未下盐豉耳。"当时人誉为名对。民间谚语："摘老菱当心触刺，采药菜当心滑脱。"本意指做任何事情都应该小心谨慎才好。药，此一时期既有栽培的，也有野生的。

《南史·孝义传上·会稽陈氏三女传》中记载会稽陈氏有三女，"遇岁饥，三女相率于西湖采菱莼，更日至市货卖，未尝亏怠，乡里称为义门"，[13]（P1817）菱、莼不仅可采食，而且可以拿到市场上去售卖。虽然这些史料都没有直接提到杭州，但以江南采食莼菜、菱角的普遍性来看，杭州地区完全有可能也存在着莼菜和菱角的采食行为。另外，菘菜的种植栽培技术在南北朝时已得到普及，类型多样的"菘菜"逐渐成为常见蔬菜食品。姚思廉《梁书》以及《南史·隐逸传》还专门介绍过以栽培"菘菜"为生计的一位菜农范元琰的事迹。他是钱塘人，享年70岁。据说，他博通经史，兼精佛学，对穷人还富于同情心。

　　莪蒿是多年生草本植物。叶像针，花黄绿色，生在水边。嫩茎叶可作蔬菜。也叫萝、萝蒿、廪蒿，俗称抱娘蒿。《钱塘记》就有"灵隐山，谷树树下生莪，郁茂若沃土所生"[9]（P200）的记载，说明这种植物在杭州地区广为分布，很有可能也是杭人的采食野蔬之一。另，根据《吴郡缘海四县记》有"郡海边诸山，悉生紫菜"[9]（P319）的记载，说明杭州地区在魏晋南北朝时期可能就已采食海生紫菜。而根据《南史·蔡撙传》载其为吴兴太守时，"不饮郡井，斋前自种白苋紫茄，以为常饵，诏褒其清。加信武将军"。[13]（P775）这显然说明当时杭州周边地区已经有了食用茄子的习惯。这一时期，桃、李、柰已经成功在天目山的於潜县种植，北方的先进技术也是保障。《宋书·五行三》："宋顺帝昇明元年十月，於潜桃、李、柰结实，"[8]（P937）可见当时杭州的於潜地区已经有桃子、李子、苹果进行种植了。另，《吴兴记》记载："故章县北有石樽山，出杨梅，常以贡御。张华所谓地名章，必生杨梅，盖谓此也。"[9]（P190）石樽山即今天湖州地区的卞山，由于气候相近，卞山和临安的山脉又是相连的，显然杭州地区亦是适合种植杨梅的。

　　另，根据《临海异物志》有"其子大如弹子，正赤五月，熟似梅味甜酸"来记述杨梅，显然说明当时整个浙江地区都有杨梅的分布。梨在这一时期已经广泛种植，《永嘉记》记录"青田村民家多种梨树，名曰官梨……恒以供献，吏司守视"[9]（P196），而根据《齐民要术》记载，梨是北方种植的水果，而这一时期浙江永嘉地区已经出现梨的种植，显然说明是从北方带过来的生产技术，并且还是进贡给皇家的，那就说明浙江地区是十分适合种植梨的。枣是魏晋南北朝时期南方重要的经济作物之一，《汉书·武五子传》就有"（广陵厉王）胥宫园中枣树生十余茎，茎正赤，叶白如素"[14]（P2762）的记载，而谢灵运在《山居赋》中言其曾有"北山二园，南山三苑"，其中"百果备列，乍近乍远"，并有"杏坛、奈园，橘林、栗圃。桃李多品，黎枣殊所。枇杷林檎，带谷映渚。堪梅流芬于回峦，椑柿被实于长浦"[15]（P2608）的记载，不仅说明当时杭州已开始食用枣类，同时说明当时杭州地区水果品种丰富。

三、畜禽养殖

魏晋南北朝时期，杭州因地处海滨，故而水产较为丰富，海错河鲜菜肴的丰足，成为杭州鱼类食料的首要特征。东南多水产，人亦嗜之。张华在《博物志》中提到东南人食水产："东南之人食水产，西北之人食陆畜。食水产者，龟蛤螺蚌以为珍味，不觉其腥臊也。食陆畜者，狸兔鼠雀以为珍味，不觉其膻也。"[16]（P12）由此可见，水产是当时杭州地区重要的副食品之一。有学者指出，秦汉至南北朝，鱼虾类成为江南水乡地区的辅助食物，大都处于钱塘江下游的钱唐、富春等地[17]（P18）。故而，《吴郡记》中有"富春东三十里有渔浦"[9]（P99）以及《吴兴记》中有"东溪出美鱼"[9]（P188）的记载，这说明杭州地处钱塘江下游，东接杭州湾，故水产丰富。

蛤蜊，这是生活在浅海并且容易获取的海洋食物，其属性是海洋软体动物，肉质十分鲜美，故而有"天下第一鲜"的美誉。在南北朝时候，蛤蜊已经被当时的杭州人所熟识并食用。《南史·王融传》就记载"（王融）初为司徒法曹，诣王僧祐，因遇沈昭略，未相识。昭略屡顾盼，谓主人曰：'是何年少？'融殊不平，谓曰：'仆出于扶桑，入于汤谷，照耀天下，谁云不知？而卿此问？'昭略云：'不知许事，且食蛤蜊。'融曰：'物以群分，方以类聚。君长东隅，居然应嗜此族！'"[13]（P576）由此可知，蛤蜊为当时十分盛行的美味。

鲥鱼，这是最为有名的海错。鲥鱼行动活泼，结群游泳，以浮游植物为食物，鲥鱼之佳味在额，甘美异常。河鲜以鲫鱼羹为典型名菜。鲫鱼羹是江南传统名菜，自汉乃至六朝为江南州郡所常食。鲈鱼脍也是钱塘江流域的名菜。鲈鱼，早在汉代已成为吴淞江与钱塘江流域的名菜，至隋唐末代未衰。目前见到较早的具体记载鲈鱼脍的是北宋初年名臣李昉等编撰的类书《太平广记》："作鲈鱼鲙，须八九月霜下之时。收鲈鱼三尺以下者作乾鲙，浸渍讫，布裹沥水令尽，散置盘内。取香柔花叶，相隔细切，和鲙拨令调匀。霜后鲈鱼，肉白如雪，不腥。所谓'金玉鲙'，东南之佳味也。紫花碧叶，间以素鲙，

亦鲜洁可观。"[18]（P1791—1792）

另，《搜神后记》记载："宋元嘉初，富阳人姓王，于穷渎中作蟹簖。"[19]（P554）南宋高似孙《蟹略》卷一《蟹簖》："《广五行记》曰：元嘉中，富阳民作蟹簖。"《广五行记》或作《广古今五行记》，唐代窦维鋆作，其余不详，已佚。元嘉是南朝刘宋文帝的年号。《法苑珠林》卷42《述异志》记元嘉初年富阳人王某，作蟹簖捕蟹的故事。

秦汉魏晋南北朝时期，畜禽养殖业是杭州比较重要的食物来源，不过肉食在这一时期，大都属于社会的中上层才能消费的副食品。牛作为主要耕作的主要畜力，一直是被严禁食用的，但是在杭州地区还是有零星食用记载。《后汉书·第五伦传》记载："（第五伦为会稽太守）会稽俗多淫祀，好卜筮。民常以牛祭神，百姓财产以之困匮，其自食牛肉而不以荐祠者，发病且死先为牛鸣。"[5]（P1397）第五伦是东汉初年之人。可见，这一地区食牛肉的风气早已有了。自第五伦治郡，严禁杀牛，食牛肉或以牛祭祀的风俗渐渐没有了。然而，到了南朝又开始出现，南朝宋人刘敬叔《异苑》中有"山阴有人尝食牛肉左脾，作牛鸣，菜食乃止"的记载，山阴即今天绍兴地区，杭州与绍兴地区毗邻，其风俗在一定程度上是互相传染的，故而可以由此推断牛肉在一定时期内还是被当时杭州的人们偷偷食用。

根据万历《钱塘县志·纪事·灾祥》记载："晋咸和六年六月有豕异（钱塘民家貑豕产两子，皆面如胡人，其身犹豕）。"[20]（P1）貑，意即公猪。《幽明录》记载的一则故事，亦可佐证这种民家散养的养猪方式当时在江南地区很普遍。故事说"晋升平末，故章县老公有一女，居深山，余杭广求为妇，不许。公后病死，女上县买棺，行半道，逢广。女具道情事。女因曰：'穷逼，君若能往家守父尸，须吾还者，便为君妻。'广许之。女曰：'我栏中有猪，可为杀以饴作儿。'广至女家，但闻屋中有抃掌欣舞之声。广披离，见众鬼在堂，共捧弄公尸。广把杖大呼入门，群鬼尽走。广守尸，取猪杀。至夜，见尸边有老鬼，伸手乞肉。广因捉其臂，鬼不得去，持之愈坚。但闻户外有诸鬼共呼云：'老奴贪食至此，甚快。'广语老鬼：'杀公者必是汝，可速还精神，我当放汝；汝若不还者，终不置也。'老鬼曰：'我儿等杀公。'比即唤鬼子：'可还之。'公渐活，因放老鬼。女载棺至，相见惊悲，因取女为妇。"[12]（P709）故章为吴兴郡属县，县治在今浙江安吉西北郤吴镇，与余杭邻近。

鸡、鸭以及禽蛋的食用更加普遍。傅琰的先祖为北地灵州（今宁夏灵武县）人，自其先祖南下以来，担任南朝的县令，在其担任山阴（今浙江绍兴）县令时期曾经遇到的一段公案中就提及了粟的作用。《南齐书·傅琰传》记载："山阴，东土大县，难为长官，僧祐在县有称，琰尤明察，又著能名……二野父争鸡，琰各问'何以食鸡'，一人云粟，一人云豆，乃破鸡得粟，罪言豆者。"[21]（P914）《南史·褚澄传》有"（澄）善医术。建元中，为吴郡太守，百姓李道念以公事到郡，澄见谓曰：'汝有重疾。'答曰：'旧有冷疾，至今五年，众医不差。'澄为诊脉，谓曰：'汝病非冷非热，当是食白瀹鸡子过多所致，令取苏一升煮服之。始一服，乃吐出一物，如升，涎裹之动，开看是鸡雏，羽翅爪距具足，能行走。澄曰：'此未尽。'更服所余药，又吐得如向者鸡十三头，而病都差"[13]（P756）的记载，说明这时候有人因为过多食用鸡子而导致生病的记录。另，《南史·谢弘微附孙朏传》说："建武初，朏为吴兴，以鸡卵赋人，收鸡数千。"[13]（P560）杭州位于会稽与吴兴之间，二郡皆有今杭州属地，故而杭州人养鸡得以为证。鸭肉因其独有的营养被当时的人们所爱食。《宋书·孔季恭子灵符传》就有"山阴县土境褊狭，民多田少"，孔季恭之弟孔灵符便建议"徙无赀之家于余姚、鄞、鄮三县界，垦起湖田"，江夏王刘义恭反对说："又缘湖居民，鱼鸭为业，及有居肆，理无乐徙。"[8]（P1533）从中可以看到鱼鸭是一体的饲养，因这一带多水域，养鸭业非常兴盛。

另外值得注意的是，食狗肉之风在当时杭州地区还是很盛行的，这在南朝时期有零星记载："屠狗商贩，遍于三吴。"[13]（P1277）《南史·王敬则传》就有"迁吴兴太守……入乌程，从市过，见屠肉枅，叹曰：'吴兴昔无此枅，是我少时在此所作也。'召故人饮酒说平生，不以屑也"[13]（P1129）的记载，三吴地区显然包括了杭州地区。

狩猎仍是肉食的来源之一。东晋郭文隐居余杭大辟山，有猎者曾往郭文处寄宿。说明杭州当时还有以狩猎为生的猎人。郭文采竹叶木实，贸盐以自供，大辟山有大麋鹿被猛兽残杀后，人取卖之。

四、调味品

调味品作为人们日常食用口味的调剂，在杭州地区亦是如此。贾思勰总结汉以下的种蒜食蒜经验说："泽蒜可以香食，吴人调鼎，率多用此，根、叶解菹，更胜葱韭。此物繁息，一种永生。蔓延滋漫，年年稍广。间区劚取，随手还合。但种数亩，用之无穷。种者地熟，美于野生。"[10]（P138）由此可见，蒜在这一时期在杭州地区已经开始种植。

杭州湾北岸濒海地区，在秦统一前夕已"滨海广斥，盐田相望"，盛产海盐，故秦置县时专门以海盐名县。汉武帝实行盐铁专卖，海盐县置司盐校尉，利用海涂作盐场，发展海水煮盐业。司盐校尉设在马嗥城（今海盐县城东南）。《汉书》在35个郡县下注出"有盐官"，海盐县为其中之一。可见当时海盐县有专司盐业生产的官营手工业，是会稽郡主要产盐区。六朝，杭州湾北岸的海盐、钱唐、盐官等县均产海盐。其中海盐县仍是重要的盐业生产基地，孙吴承汉制，由司盐校尉管理。永安七年（264）七月，海盗破海盐，司盐校尉骆秀遭杀害。东晋，海盐县海滨广斥，盐田相望，还是重要的盐产地。苏峻之乱平定后，王允之为建武将军、钱唐令，领司盐都尉，说明钱唐县也是重要的海盐产地。司盐校尉、司盐都尉，都是管理食盐生产和销售的官员。说明海盐生产在官府的控制之下，盐利是国家财政收入的重要来源。另外，《吴郡缘海四县记》"已分海滨盐田相望，吴煮为盐，即此典之"[9]（P319）与《吴郡记》"海滨广斥，盐田相望，即海盐兴盐官之地"[9]（P99），皆有记载。

另外，根据《太平御览》卷四八九引《晋诸公别传》：江迈"好养生，遣妾归东游，采茶于桐庐山，欲断谷，以山近人，不得专壹，移入临安，自以无复反期"。《咸淳临安志·山川六》记新城县西的七贤乡仙坑山六朝时即"山产茶，其味特美"，这就说明茶在这一时期杭州已有种植，但可能并不普及。另外，根据《名医别录》记载：豉出钱塘者，香美而浓，取中心者佳。[22]（P205）晋人葛洪的《神仙传》记有一个与余杭酒有关的故事，说东汉仙人王远（字方平）与麻姑宴于胥门蔡经家，酒尽，"方平语左右曰：'不足复还取也。'以千钱与余杭姥，相闻求其酤酒。须臾信还，得一油囊酒，五斗许，信传余杭姥答言：'恐地上酒不中尊者饮耳。'"虽然这只是一个带着神话传说性质的故事，但暗示了杭州酿酒业发达，已有美酒名声外扬。

五、结语

综上所述，浙江境内，食物原料，粮食有稻、麦、粟、菽等。水稻是最主要的粮食作物，其次是麦、粟等。肉食主要还是各类水产品及家养的畜禽。濒海地区和平原地区，水产品是最易得的肉食，是当地居民的重要食物资源。鱼虾等是常见的食品。水果的种类比汉朝更为丰富，一方面随着丘陵山地的开垦，通过品尝，一些先前不曾食用的野生水果开始进入人们食用的范围；另一方面，外地的水果，尤其是北方的水果品种传入，增加了新品种。而果树种植成为农业多种经营的一部分，豪门世族庄园中大多建有果园，人工种植的水果在人们食用水果中占的比例当已超过野生水果。

参考文献

[1] [西汉] 司马迁 . 史记 [M]. 北京：中华书局，1959.

[2] [唐] 魏征 . 隋书 [M]. 北京：中华书局，1973.

[3] 吴慧 . 中国历代粮食亩产研究 [M]. 北京：农业出版社 .

[4] [唐] 房玄龄 . 晋书 [M]. 北京：中华书局，1974.

[5] [南朝·宋] 范晔 . 后汉书 [M]. 北京：中华书局，1965.

[6] [晋] 陈寿 . 三国志 [M]. 北京：中华书局，1982 年第 2 版 .

[7] [唐] 姚思廉 . 梁书 [M]. 北京：中华书局，1973.

[8] [南朝·梁] 沈约 . 宋书 [M]. 北京：中华书局，1974.

[9] 刘纬毅 . 汉唐方志辑佚 [Z]. 北京：北京图书馆出版社，1997.

[10] [后魏] 贾思勰 . 齐民要术校释 [Z]. 缪启愉校释 . 北京：中国农业出版社，1998.

[11] [宋] 袁韶 . 钱塘先贤传赞 [Z] 周膺、吴晶点校 . 北京：当代中国出版社，2014.

[12] 汉魏六朝笔记小说大观 [Z]. 上海：上海古籍出版社，1999.

[13] [唐] 李延寿 . 南史 [M]. 北京：中华书局，1975.

[14] [东汉] 班固 . 汉书 [M]. 北京：中华书局，1962.

[15] [清] 严可均 . 全上古三代秦汉三国六朝文 [Z]. 北京：中华书局，2006.

二、论文

[16] [晋] 张华 . 博物志校证 [Z]. 范宁校证 . 北京：中华书局，1980.

[17] 林正秋 . 杭州饮食史 [Z]. 杭州：杭州出版社 .2011.

[18] [北宋] 李昉等 . 太平广记 [M]. 北京：中华书局，1961.

[19] [南朝·宋] 陶潜 . 搜神后记 [M]. 李剑国辑校 . 北京：中华书局，2007.

[20] 余杭区地方志编纂委员会办公室 . 万历钱塘县志（第 4 册）[Z]. 杭州：
浙江古籍出版社 .2011.

[21] [南朝·梁] 萧子显 . 南齐书 [M]. 北京：中华书局，1972.

[22] [南朝·梁] 陶弘景 . 名医别录 [Z]. 尚志军注释 . 北京：中国中医药出版社，
2013.

【文章来源】吴昊、金相超：《秦汉魏晋南北朝时期文献所见杭州地区的食料分布》，《楚雄师范学院学报》，2017 年第 2 期

87

2. 南宋临安的酒楼酒店

南宋建都临安（今杭州）后，由于城市人口急剧增加，城区扩大，四方商贾云集，流动人口增多，政务、商务的应酬同时增多。随着都市经济的蓬勃发展，作为应酬之用的大小酒楼酒店遍布街市，尤其在热闹大街，酒肆茶馆林立，将近百家。无论从数量还是规模上，都较北宋汴京有了新的发展。

1. 著名的高级酒楼

据《梦粱录》《都城纪胜》以及《南宋都城临安》的记载，当时临安的著名高级酒楼有30余家。分官营与民营两类。

官营酒楼，又称库，属户部点检所管辖，共有12家。它们是：

太和楼即南酒库；和丰楼即南上酒库；中和楼即中酒库；春风楼即北酒库；太和楼即东酒库；西楼即西酒库，也称金文库；太平楼即西子库，为南宋大将张浚开设；丰乐楼即东子库，是南宋官员饮宴之处；南外库；东外库；西溪库；春融楼即北外库，在当时临安城郊湖州市。

民营酒楼，著名的有18家。它们是：

熙春楼；银马杓；巧张；三元楼；康沈店日；新楼；五间楼；翁厨；沈厨；赏心楼；任厨；郑厨；严厨；陈厨；虼蟆眼；花月楼；周厨，张花。

另据《南宋都城临安》记载，在当时西湖岸边，还有一家酒店，叫望湖楼。这样，私营著名酒店共19家。

2. 遍布街市的普通酒店

与著名高级酒楼同时并存的是大量的普通酒店。据《梦粱录》《都城纪胜》记载，临安的普通酒店按其经营项目及服务对象划分，有9种。

（1）茶酒店。又称茶饭店，以卖酒为主，兼卖下酒配菜，也称"拍户"。

（2）包子酒店。专卖灌浆馒头、薄皮春卷、包子之类。

（3）配羊酒店。零卖软羊、龟背、羊杂等下酒配菜。

（4）一等直卖店。专卖各色黄白酒，不卖下酒配菜。

（5）散卖店。零卖散沽三二碗酒，兼卖便宜下酒菜，是不甚尊贵的小辈常去的地方。门外挂有镀金招牌，门遮竹栅布幕。

（6）庵酒店。意指有妓女在内，酒阁内暗设有卧床，酒店门前的标志是：

挂的红栀子灯上，不分晴雨天均盖有箬篷。

（7）罗酒店。山东、河北开设此类店，后借名改卖"头"。

（8）宅子酒店。指酒店门外装饰如同官绅住宅院，或门面改成仕宦宅院模样的酒店。

（9）花园酒店。多设在城外，如设在城内，则仿效花园馆舍装饰。

3. 酒楼的店面装潢及整体建筑

酒楼的店面装饰及整体建筑，从总体上讲，仍沿袭北宋汴京的格局，但比汴京更为讲究。据《梦粱录》记载，酒楼的门面装饰："门首彩画欢门，设红绿杈子，绯绿帘幕，贴金红纱栀子灯，装饰庭院廊庑，花木森茂，酒座潇洒。"整体建筑式样则是"但此店入其门，一直主廊，约一二十步，分南北两廊，皆济楚（整洁之意）阁儿，稳便坐席"。阁内或可设二三座，或可设十数座，大小不一。酒阁名为厅院，若在楼上，则又名为"山"，称一山、二山、三山等等，若牌额上写"过山"不是说有山，而是说酒力高远。

由此看来，若以之与北宋汴京相比，门面装饰多了贴金红纱栀子灯和红绿杈子，建筑有楼房。可见，南宋临安的高级酒楼比北宋汴京的酒楼装饰更加讲究，且是楼房。

4. 酒店内部陈设豪华，饮具精致

官营酒楼所用酒器如壶、碟、盘、碗、杯、匙、筷以及夏天所用的冰壶、冬天所用的火箱，均用金或银制成；私营酒楼所用酒器大部分酒楼用银制成，只有丰木坊的王家酒店、郑厨分茶酒肆有金制酒具。不论官营或私营酒楼，均设有官妓或私妓数十人。据《梦粱录》记载："向晚灯烛荧煌，上下相照，浓妆妓女数十聚于主廊檐面上，以待酒客呼唤，望之宛如神仙。"同时，备有丝竹歌女，至酒座为酒客弹唱助兴。

下面重点介绍位于涌金门外西湖岸边的著名酒楼丰乐楼。

丰乐楼原名白矾楼，建于北宋政和年间（1111—1118），宣和年间更修。楼的建筑瑰丽奇特，"高切云汉"，三层相高，五层相向，各有飞桥栏槛，明暗相通；珠帘绣额，灯烛晃耀。登楼俯瞰西湖，千峰连环，一望万顷，柳汀花坞，历历在目；游船画舫，乐曲弹唱，往往汇合楼下。此楼是南宋文武官员宴饮之处。乾道五年（1169），南宋大臣楼钥出使金国时，他叔舅就在此楼设宴饯行。

5. 酒楼的经营服务措施

酒店的顾客是酒客，要使酒客喝得满意，除价廉物美外，还需要周到的服务。当时作为南宋京都的临安，各酒店采取的服务措施，可谓周到之极。据《南宋

都城临安》介绍，临安城的一般酒店，饮客一经登门，便有店伙"提瓶献茗"，待人上礼，称为"点花茶"；上楼入座，饮酒一杯，先付几贯，称为"支酒"；然后招呼点酒点菜。店伙精通业务，近百种菜名背得很熟，一等顾客点定，便传唱如流，很快便烹制端上，无须顾客等久。酒未热之前，先送冷菜数碟；酒一烫热，现炒菜肴便接连上桌。店内名味齐全，任人点唤。除名菜佳肴外，又卖玉面狸、鹿肉、糟蟹、酒蛤蜊等醒酒口味；凡下酒羹汤，任意索唤，虽十客各饮一味，亦自不妨。又备有五香豆、杏仁、薄荷糖、姜片等小食品，供顾客酒后小憩助味，称为"撒暂"。店伙或少忤客意，及食次送少，则店主逐之去。有的酒店还用音乐来吸引顾客。如据《梦粱录》记载："向绍兴年间，卖梅花酒之肆，以鼓乐吹《梅花引》曲破卖之。"真可谓服务到家了。

6. 酒客入酒楼的饮酒习俗

《梦粱录》载："大凡入店不可轻易登楼，恐饮宴短浅。如买酒不多，只就楼下散坐，谓之'门床马道'。初坐定，酒家人先下'看菜'（注：只能看不能吃），问酒多寡，然后别换好菜蔬。有一等外郡士夫，未曾谙识者，便下箸吃，被酒家人哂笑。"大抵入酒肆饮酒，主要要看顾客出箸如何。例如下酒品件，要钱不多，这称作"分茶"。这时酒客如要妓女，酒家人便视顾客为"虚驾骄贵"，便另换上等菜肴与精细食品索要高价。因此，只有有经验的、熟谙饮酒规矩的人才能不中计上当。又如要煮酒，可以先要 10 瓶，逐瓶打开喝，喝到五六瓶好酒时，可将余下未喝的退回，以免中计。

7. 酒楼的营业时间

唐代以前，商店只能开设在政府指定的"坊市"之内，分肆经营，交易时间限于白天。规定"以午时击鼓二百下而总会，日入以前七刻击钲三百下散"，市内店铺的营业时间大都在上午，过午渐散，至夕而罢。不少地方实行"日中为市"，有的则将营业时间分为三次或四次进行，分别轮流营业，夜间则实行宵禁。唐代后期，宵禁松弛，于是出现了夜市。到了宋代，据《东京梦华录》及《梦粱录》记载：北宋汴京，夜市可至三鼓；南宋临安，夜市延至四鼓；尤以酒楼等营业时间为最长。常常是四鼓饮罢离开酒楼，五鼓又要赴午门早朝，真可谓是彻夜达旦。

【文章来源】朱彤芳：《南宋临安的酒楼酒店》，《商业文化》，1995 年第 2 期

二、论文

3. 南宋临安酒店的经营特点

南宋都城临安，是当时国内政治、经济和文化的中心，人口众多，商业繁荣，为维持众多人口的饮食需要，临安茶坊酒楼遍布，饮食业盛极一时。当时，流行的谚语是："欲得富，赶着行在卖酒醋。"行在即是临安，酒店是临安最赚钱的地方。所以，临安遍布大小酒楼酒店，无论从数量还是规模上，都较北宋汴京有了新的发展。对于南宋临安饮食服务业的发展状况多有人论述。这些成果在叙述饮食业时都涉及了酒店的发展，但没有详细展开论述，主要偏重于饮食。朱彤芳的《南宋临安的酒楼酒店》虽然介绍了临安酒店的基本概况，但过于简略，尚未完全揭示出临安酒店的特征。本文从酒店及其经营管理方面做一探讨，以期从一个侧面反映临安的城市经济发展和当时的社会生活状况，并为现代的餐饮业发展提供一些有益的借鉴。

一、临安的酒楼酒店

酒肆又称作酒店、酒楼、酒家、旗亭，酒店以卖酒为主要内容，同时兼营各种食品，承办各种宴会。由于临安是当时朝廷所在地，朝廷官员、文人雅士、工商业者多聚居于此，国事、政事应酬，朋友往来，诗文唱酬不少，而喝酒又是官员互相应酬、文人聚会、商人洽谈商务的最好招待方式，因此酒肆遍及京城。临安的酒店，从其经营的性质来看，可以分为官营和私营两大类，从酒店经营的规模和消费档次方面讲，又分为高级酒楼和普通酒店。

1. 著名的高级酒楼

大型酒店都是造酒兼卖酒，资本雄厚，非一般饮食店可比，分为官营大酒楼和民营大酒楼。据《梦粱录》《都城纪胜》以及《南宋都城临安》的记载，当时临安的著名高级酒楼有 30 余家。

官营酒楼，又称库，属户部点检所管辖，共有 12 家。它们是：和乐楼、和丰楼、中和楼、春风楼、太和楼、西楼、太平楼、丰乐楼、南外库、东外库、西溪库、春融楼。

91

民营酒楼，著名的有 18 家。私营酒店遍布杭城内外，数目极多，其中著名的有熙春楼、三元楼、赏心楼、五间楼、花月楼、日新楼、望湖楼、严厨、银马杓、康沈店、翁厨、任厨、陈厨、周厨、巧张、沈厨、郑厨、张花等。

2. 遍布街市的中等酒店

中等酒店的规模介于大酒楼与小酒店之间，主要面向社会中下层，据《梦粱录》《都城纪胜》记载，临安的中等酒店很多，按其经营项目及服务对象划分，有以下几种：

（1）茶酒店。又称茶饭店，以卖酒为主，兼卖下酒配菜，也称"拍户"。"谓兼卖食次下酒是也。但要索唤及时食品，知处不然，则酒家亦有单子牌面点选也。"

（2）肥羊酒店。零卖软羊、龟背、羊杂等下酒配菜，"如丰豫门归家、省马院前莫家、后市街口施家、马婆巷双羊店等铺，零卖软羊、大骨龟背、烂蒸大片、羊杂荨四软、羊撺四件。"

（3）宅子酒店。酒店门外装饰如同官绅住宅院，或者由过去仕宦人家所住的房子改造而成，希望借此吸引顾客。

（4）花园酒店。主要设在城郊，或者酒店装饰仿照园林。

3. 各种小酒店

除了大酒楼和中等的酒店之外，为满足京都各方人士的需求，主要是面向社会下层，临安还有各种特色的小酒店，大致可以分为以下几种：

（1）直卖店。包括散酒店和角球店，"不卖食次下酒"，只卖质量较差的酒；还有碗头店，门首不设油漆权子，只挂草葫芦，用银马构、银大碗等酒具，也有的挂银裹直卖牌。到这种酒店喝酒的人大多是下层的劳动人民，"不甚尊贵，非高人所往"。

（2）罗酒店。原是山东、河北地区的一种酒店名称，随着宋室南渡，这种酒店名称也传到了临安，但已失去了昔日的风采，"今借名以卖浑头，遂不贵重也"。

（3）包子酒店。售卖廉价佐酒菜与一般酒类，专卖灌浆馒头、薄皮春卷、包子之类。

二、酒店的装饰陈设

酒店的大小不一，其经营亦有所不同。对大酒店来说，一方面在制作上力求精益求精，烹调出不同风格的名菜美食；另一方面也注重饮食环境，力求营造出一个优美典雅的进食佳处。首先，对酒楼门面的气派装饰十分注重。临安酒楼的店面装饰及整体建筑，从总体上讲，仍沿袭北宋汴京的格局，但比汴京更为讲究。酒楼除缚彩楼外，设权子及栀子灯的装饰方式比东京更盛行，如"中瓦子前武林园，向是三园楼康、沈家在此开沽，店门首彩画欢门，设红绿权子，绯绿帘幕，贴金红纱栀子灯，装饰庭院廊庑，花木森茂，酒座潇洒"。整体建筑式样则是"但此店入其门，一直主廊，约一二十步，分南北两廊，皆济楚阁儿，稳便坐席"。阁内或可设二三座，或可设十数座，大小不一。其次，对于店铺的内部装修也较为重视，酒店内部陈设豪华，饮具精致。当时的饮食器具质料上乘、精巧雅洁，大多酒店使用贵金属饮食器具。《武林旧事》记录了户部点检所开办的十余家酒楼，这些酒楼（库），"每库设官妓数十人，各有金银酒器千两，以供饮客之用"。为了满足封建士大夫高谈阔论、吟诗助兴之风，在店肆厅堂内还常布置一些名人字画、花草盆景，以增添敞厅雅座的典雅气氛。"今杭城茶肆亦如之，插四时花，挂名人画，装点店面"，对于那些中小酒店来说，其经济实力无法与大酒楼相提并论，但是他们根据自己的特点，采取了相应的装饰形式。另外，临安的各类酒店，因具有不同的特色和服务内容，各有不同的酒家事物和标记，在各类标记之中，酒旗是最为常见的一种。酒旗一般悬挂在店家门口，吸引酒客的注意力，人们一望酒旗，便知有下舍饮酒之处。直卖店或散卖店则挂镀金招牌。门外为竹栅布幕，挂草葫芦、银马杓、银大碗或银裹直卖牌的是"打碗头"小酒店。这一方面，使顾客看到这种标志物就可以知道该店的业务范围，具有商业广告的作用；另一方面，这些鲜艳独特的标志物能够刺激消费者的感官，从而促使顾客走进店铺。

三、酒店的经营特点

竞争，不仅迫使酒家注意运用酒店装饰陈设和广告宣传这些促销手段，而且酒家也注意到了应该根据市场的需求，采用多种经营方式，精心安排，招揽顾客。

1. 舒适、优雅的餐饮环境

温馨舒适的餐饮环境是各阶层消费者所共同向往的，为了吸引顾客，临安的各类酒店都十分注重营造良好的饮食环境，而酒店的装饰陈设就是为了给顾客营造一个良好的餐饮环境。同时，也反映了酒店业竞争激烈。

2. 分等级经营，选择自己的消费群体

由于市场消费需求越来越多样化，为了满足顾客的需要，临安的酒家便不自觉地、粗糙地运用了市场细分的策略原则，选择了自己为之服务的消费者群，也就是说选定了自己的目标市场，并且采取了相应的营销方式。前面提到的酒店分类就充分说明了这一点，各种级别的酒肆分别有自己服务的对象。

3. 优质的人文服务

酒店经营者为了在激烈的商业竞争中求得生存和发展，十分注意服务质量，各种服务供应设施均以顾客为中心，服务热情周到。据《南宋都城临安》介绍，临安城的一般酒店，饮客一经登门，便有店伙"提瓶献茗"，待人上礼，称为"点花茶"；上楼入座，饮酒一杯，先付几贯，称为"支酒"；然后招呼点酒点菜，店伙精通业务，近百种菜名背得很熟，一等顾客点定，便传唱如流，很快便烹制端上，无须顾客等久。"凡下酒羹汤，任意索唤，虽十客各欲一味，亦自不妨。过卖铛头，记忆数十百品，不劳再四传喝。如流便即制造供应，不许少有违误。酒未至，则先设看菜数碟，及举杯又换细菜，如此屡易，愈出愈奇，极意奉承。或少忤客意，及食次少迟，则主人随逐去之。"

4. 饮食与娱乐结合

与此同时，酒店经营者也认识到歌舞声色对其生意的影响。如《梦粱录》记载："向绍兴年间，卖梅花酒之肆，以鼓乐吹《梅花引》曲破卖之。"以此来吸引顾客。在一些规模较大的酒楼，不论官营或私营酒楼，均设有官妓或私妓数十人，以至于"向晚灯烛荧煌，上下相照，浓妆妓女数十聚于主廊槏面上，以待酒客呼唤，望之宛如神仙。"同时，备有丝竹歌女，至酒座为酒客弹唱助兴。顾客在酒店内，可以随意令妓歌唱，虽饮宴至达旦，也不厌怠。而小酒店如"庵酒店"，则"谓有娼妓在内，可以就欢"。

5. 新颖的促销手段"游行宣传"

南宋时官办酒库的产品不仅满足官府的需要，另外也面向市场，参与市场竞争。为了卖酒，酒家也是屡出奇招。在呈进新酒之前，各酒库都预先打出了

广告。到了呈进之日，大队伍上街游行，在长布牌上书写着自己产品的特点，既有乐队伴奏又有预备好的样酒，再组织一班风流少年，沿街向观众劝酒尝新，并且赠送点心，实行无偿的试销。

6. 酒肆同时备有美味佳肴，供顾客选用

大酒店凭借其雄厚的财力、物力，品种门类齐全，五光十色，精美菜肴、名点小吃、应时果品、高级茶酒，应有尽有。仅分茶酒店就有240多种荤素菜肴出售，酒则汇集了全国各地的名产，《武林旧事》中《诸色酒名》就列有54种名酒。一些中小型酒店虽然在品种门类上无法与其匹敌，但却以自己的热情服务和独特的食品特色赢得顾客的青睐。如，《梦粱录》载："大抵酒肆除官库、子库、脚店之外，其余谓之拍户，兼卖诸般下酒，食次随意索唤。"另外，酒店也让小贩进入酒店售卖食品，以增加酒店食品的种类，使酒楼的食品种类更加齐全。

7. 营业时间延长

唐中期以前，城市内实行严格的市与居民区相隔离的"坊市"制度，商店只能开设在政府指定的"市"之内，而且在时间上和空间上都受到了严格的限制。规定"以午时击鼓二百下而总会，日入以前七刻击钲三百下散"，市内店铺的营业时间大都在中午，过午渐散，至夕而罢，夜间则实行宵禁。唐后期，都城制度发生了变化，宵禁逐渐松弛，出现了夜市。许多酒肆从上午启门，直到深夜客散为止，中间从不停止营业。也有的酒肆通宵营业，形成地区性的夜市活动。到了宋代，北宋的汴京和南宋的临安等城市的结构和面貌已与近代城市相近，坊市制度被打破，时间限制也消失了。《梦粱录》记载，南宋临安，夜市十分兴盛，闹市区清河坊至官巷口一带"与日间无异"。可知酒楼营业时间延长。

8. 严格内部管理，形成独特的服务风格

为了保证服务质量，各饮食店都十分重视内部管理，职责分明，并有一套严格的奖罚制度。酒肆食店分量酒博士、档头、行菜、过买、外出省儿数种。量酒博士，简称量酒或博士，又称量酒人，是专门负责接待食客的酒保。档头，又称着案师公，是专门负责烧菜的厨师。行菜，为饮食店的堂信，专门负责送菜，此外也兼任点菜之类工作。过买，也是饮食店的堂馆、伙计，专门负责点菜。"外出省儿"又称"僧儿"，是饮食店中专门负责拉客或兜售食物的小厮，分工非常明确。如店伙"少忤客意"或"食次少迟"，食客将事情告诉店主后，

则店伙必然要遭店主处罚，轻则责骂罚工，重则逐出。宋代是继秦汉以来中国封建社会商品经济发展的又一高峰，临安酒店的数量及其经营特点反映了当时城市经济的繁荣。随着商品经济的进一步发展，市场逐步扩大，竞争日趋激烈，商家要在激烈的市场竞争中取胜，除了保证货真价实之外，还在管理服务、信息传播、名声扩展上下功夫。纵观宋代酒店的经营活动，可以知道部分酒店（官营和私营）开始有意或无意地利用各种策略来进行促销，为顾客提供优质的人文服务，营造高雅洁净、温馨的饮食环境，使酒肆更具有丰富的文化内涵和品位，在满足顾客物质需求的同时，又丰富了人们的精神文化需求，使顾客获得物质与精神的双重愉悦。这时在他们心目中已经有了一种意识：顾客就是上帝。为了招徕顾客以及许多的回头客，他们力求将服务做得更好，这种服务策略往往可以为酒家形成良好的口碑，从而达到赚钱的目的。

【文章来源】孙金玲：《南宋临安酒店的经营特点》，《经济合作与科技》，2008 年第 15 期

二、论文

4. 十三世纪临安饮食文化特征述论

摘要：十三世纪临安的饮食文化是当时长江下游地区乃至整个南宋王朝饮食文化的典型反映，本文依据大量历史文献资料进行定量和定性分析，提出了一些值得深思的看法。

关键词：十三世纪 临安 饮食文化 历史演变

历史大融汇中重构的十三世纪临安南烹饮食文化有着鲜明的时代与区域风格，我们首先从北宋东京饮食开始着手，继而详论临安的饮食特征，通过这种对比性论述，我们可以发现，以十二世纪的宋室南迁为标志，中华饮食文化的地理中心开始实现由传统的黄河中游区向长江下游区的转移。

一、《东京梦华录》记北宋都城东京（开封）之食事

1. 食物原料

（1）畜禽类：猪、羊、驴、骡、牛、鹅、鸭、野鸭、鸡、兔、鹌鹑、鹿、獐儿、野狐狸、羊肉、头肚、腰子、白肠、退毛鸡鸭、乳酪、乳饼、獐。

（2）鱼蛤类：鱼、虾、鳖、螃蟹、蛤蜊、青鱼、河鲀、鳜鱼、元鱼、沙鱼、龟。

（3）菜蔬类：萝卜、莴苣（莴苣笋）、笋、芥、茄、瓠、发牙（芽）豆、葱、蒜、紫苏、菖蒲、木瓜。

（4）谷物类：麦面、大米、小米、绿豆、小豆、小麦。

（5）干鲜果品及果制品类：

干鲜果：梨、水鹅梨、河北鹅梨、西京雪梨、夫梨、甘棠梨、凤栖梨、镇府浊梨漉梨、桃、卫州白桃、南京金桃、樱桃、御桃、胡桃、核桃、杏、银杏、青杏、金杏、李子、乌李、小瑶李子、金橘、段金橘、温柑、香栟（橙）元、肉牙枣、海红、嘉庆子、河阴石榴、河阳查子、楄梓、沙苑楄梓、回马孛萄、橄榄、绵栟、龙眼、召白藕、甘蔗、巴览子、荔枝、间道糖荔枝、越梅、金丝党梅、林檎、义塘甜瓜、栗子、红菱、沙角儿、药木瓜、水木瓜、人面子、榛子、

97

榧子。

饯脯饴糖类：樱桃煎、西川乳糖、狮子糖、霜蜂儿、荔枝膏、梅子姜、铀刀紫苏膏、柿膏儿、罐子党梅、孟家道院王道人蜜煎、香药脆梅、冰雪凉水荔枝膏、泽州饧、稠饧、散糖果子。

果制品类：旋炒银杏、梨条、梨干、梨肉、胶枣、枣圈、梨圈、桃圈、林檎旋、查条、林檎干、枝头干、芭蕉干、广芥瓜、杏片、小元儿、鹏沙元、奇豆、蒸梨枣、旋炒栗子、梅子、香药果子。

（6）调料类：葱、姜、蒜、醋、盐豉、盐。

2. 食品名目

（1）肴品名目

羹汤类：百味羹、头羹、新法鹌子羹、三脆羹、浑炮羹、群仙羹、金丝肚羹、石肚羹、血羹、粉羹、果木翘羹、盐豉汤、石髓羹、齑头羹、汤鸡、汤骨头。

煮类：灌肠、灌肺、大小骨、软羊大小骨。

蒸类：鹅鸭排蒸、洗手蟹、螺蛳肉。

炒类：炒兔、生炒肺、炒肺、炒蛤蜊、炒蟹、炒鸡兔、假元鱼、肚肺、猪脏、鳝鱼。

煎炸炙类：煎鹌子、炸蟹、旋煎羊白肠、煎鱼、煎燠肉、煎肝脏、杂煎事件、百滐(当是煠字)齑、酒炙肚肱、素签、莲花鸭签、羊头签、鹅鸭签、鸡签、细粉素签、假炙獐、角炙、炙腰子、炙鸡、旋炙猪皮肉。

烧烤类：烧肉、烧臆子、入炉羊、炙肉、入炉细项。

熬炖焙类：燠鸭、炖羊、杂燠、犒腰子。

犯鲊脯腊类：鹿脯、腊脯、干脯、脯鸡、鲊脯、玉板鲊、脆筋巴子、獐巴、生削巴子。

脍生类：旋切鱼脍、滴酥水晶脍、水晶脍。

腌渍类：鲊片酱、咸鸭卵、酒蟹、决名汤齑肉、醋托胎衬肠、姜虾、瓜齑、樵酸赚。

其他类：二色腰子、虾蕈、鸡蕈、假河鲀、货鳜鱼、决明兜子、沙鱼两熟、紫苏鱼、乳炊羊、闹厅羊角、假蛤蜊、荔枝腰子、还元腰子、虚汁垂丝羊头、盘兔、葱泼兔、假野狐、羊角子、点羊头、獾儿野狐肉、鹅、鸭、鸡、兔、爊冻鱼头、(咸)鸭子(卵)、姜豉子、抹脏红丝、批切羊头、鸡皮、麻饮鸡皮、腰肾杂碎、夏月麻腐鸡皮、冬月盘兔、野鸭肉、须脑子肉、软羊、龟背、鸭卵、鸡旵、科头细粉、细索凉粉。

菜蔬类：辣脚子姜、辣菜、杂和辣菜、辣萝卜、淹藏菜蔬、生淹水木瓜、药木瓜辣瓜、芥辣瓜儿、咸菜、瓜姜、旋切莴苣生菜、西京笋。

（2）馔品名目

饼类：曹婆婆肉饼、猪胰胡饼、和菜饼、宿蒸饼、白肉胡饼、蒸饼、糖饼、髓饼、炊饼、荤割肉胡饼、装合、引盘、门油、菊花、宽焦、侧厚、油碢、新样、满麻、油蜜蒸饼（又称"蜜和油蒸饼"）。

馒头类：万家馒头（在京第一）、孙好手馒头、羊肉小馒头、龟儿沙馅。

包子类：包子、软羊诸色包子、梅花包子、鹿家包子、猪羊荷包。

馄饨饺子类：细料馉饳儿、鹌鹑馉饳儿、旋切细料馉饳儿、水晶皂儿。

汤煮面类：大抹肉淘、小抹肉淘、冷淘、棋子、细物料棋子、玉棋子、插肉面、大燠面、菜面、桐皮熟脍面、桐皮面、罨（腌）生软羊面、插肉泼刀（面）、姜泼刀（面）、回刀（面）。

糕团类：麦糕、糍糕、黄糕糜、澄沙团子、沙糖冰雪冷元子、保康门潘家黄耆圆、团子、圆子黄冷团子、脂麻团子、科头圆子、白团、五色水团、曹家独胜元。

其他煮蒸面食类：鱼兜子、合羹（面与肉各半）、单羹（半碗合羹）、白肉夹面子、胡（蝴）蝶齑肶胅、从食蒸作、粽子、沙糖绿豆、江豆碥儿、旋索粉、鸡头穰。

其他油瀹面食类：酥蜜食、枣锢、煎夹子、拍头焦健、拍健。

饭粥类：粥、羊饭、饭、水饭、当街水饭、大米水饭、小米水饭、随饭、荷包白饭、生熟烧饭、寄炉面饭、煎鱼饭。

另类：点心。

3. 酒茶等饮料类

（1）酒品类：银瓶酒（七十二文一角）、羊羔酒（八十一文一角）、饶梅花酒、煮酒。

（2）茶及诸般汤煎：小腊茶、梅汁、香药糖水、麻饮、沙糖绿豆甘草冰雪凉水、凉水绿豆、香药。

4. 酒楼食店

（1）酒楼食店类型：

酒楼、酒店、正店、小酒店、外来托买。

（2）酒楼食店名目：

①正店（各类高档食店统称）名目：白矾楼、丰乐楼（白矾楼后改）、杨楼、宜城楼、班楼、刘楼、八仙楼、潘楼、长庆楼、和乐楼（原庄楼）、欣乐楼（原任店）、王楼、清风楼、熙熙楼、会仙楼、高阳正店、仁和店、姜店、药张四店、曹门蛮王家、乳酪张家、戴楼门张八家园宅正店、郑门河王家、李七家正店、安州巷张秀、李庆家、郭厨、宋厨、曹门砖筒李家、骰子李家、黄胖家、州桥炭张家、看牛楼酒店、铁屑楼酒店、中山正店，计正店七十二户。

②脚店（正店之外各类食店的总称）名目：食店（大者为"分茶"）、郑家楼饼店、马铛家羹店、徐家瓠羹店、史家瓠羹（在京第一）、贾家瓠羹、曹家从食、花果铺、张家酒店、李四分茶、薛家分茶、熟羊肉铺、酒店、分茶、素分茶、羹店、唐家酒店、南食店、川饭店、川饭分茶、北食店、素食店、李庆糟姜铺、李四家、段家熬物、石逢巴子、馄饨店、油饼店、胡饼店、周待诏瓠羹、桑家瓦子、州西瓦子、中瓦、里瓦（各类瓦子皆经营饮食）。

③茶坊名目：茶坊、北山子茶坊（内有"仙洞""仙桥"茶馆）、从行裹脚茶坊。

5. 朝廷食事

殿中省六尚局御厨、内酒坊、法酒库、牛羊司、油醋库。

6. 餐饮行业组织与业中各类人物名目

厨子、厨司、四司人、白席人、茶酒司、茶饭量酒博士（店内卖下酒的厨子）、大伯（店中小儿子）、焌糟（为客人换汤斟酒的街坊妇人）、闲汉（街坊百姓为店中少年客人殷勤提供买物命妓、取送钱物等供过使令者）、厮波（为客人提供换汤斟酒、果子香药、歌唱服务，客散得钱者）、札客（或称"打酒坐"，指自来筵前歌唱以谋客人小钱物赠的下等妓女）、撒暂（不问酒客买与不买即将香药、果实、萝卜等物散于坐客以索酬值者）。

二、《西湖老人繁胜录》、耐得翁《都城纪胜》［宋理宗端平二年（1235）］、吴自牧《梦粱录》［南宋亡后四年、元世祖至元十一年（1274）］、周密《武林旧事》（南宋亡后著）诸书所记南宋都城临安（杭州）之食事

1. 食物原料

（1）畜禽类：猪、猪肉名件（细抹落索儿精、钝刀丁头肉、条撺精、窜燥子肉、烧猪煎肝肉、膌肉、盦蔗肉）、猪骨名件（双条骨、三层骨、浮金骨、脊龟骨、球杖骨、苏骨、寸金骨、棒子、蹄子、脑头大骨）、豕、牛、羊、鸡（山鸡、家鸡、朝鸡）、竹鸡、鹊、鸽、鹇、雉、鹌鹑、鸥、鹘、鹭、鹳、鸠、鹰、鹔、鸱、燕、鹿、虎、狐、狸、兔、獭、玉面狸、犬、鹅、鹅蛋、猪羊蹄肉、鸭、鸭蛋（又作"鸭子"）、鸡子（卵）、雀、马、麂。

（2）鱼蛤类：鳞鱼、鳊鱼、鳢鱼、鳜鱼、鲻鱼、鳢鱼、鲈鱼、鳝鱼、黄颡、白颊、址绑、春鳖、鲨鱼、劬鱼、鲯鱼、鳕鱼、鳅、鳝、龟、黄甲、鬆蜞、鬆蜩、麞、蚬、鲜鱼、鲜鱼干、大鲟鱼、河鱼、白鱼、鲋鱼、鲫鱼、金鲫鱼、鲤鱼、鲚鱼、鳝鱼、沙鱼线、蟹鱼干、银鱼、银鱼干、望潮鱼、火珠鱼、蚵坡鱼、石首、组鱼、江鱼、鲍鱼、鲟鳇鱼、比目鱼、青鱼、鳗鱼、白鲤鱼、鲇鱼、蝤蛑、乌贼、江瑶、香螺、竦螺、蚶子、蛤蜊、淡菜、鲜蛤、车螯、水母线、蜜丁、白白类、螃蟹、黄螃蟹、白蟹、河蟹、虾（白虾、青斑虾）、大虾巨、青虾、白虾、河虾、螺头、龟、鳖、螺（螺蛳、海螺、田螺、海蛳）、蚌、海蜇、田鸡、白鱼干、金鱼干、梅鱼干、鲚鱼干、银鱼干、缗鱼干、郎君鲝、石首鲝、望春、春皮、片鳓、鳜鲝、鲑鲝、鳖鲝、鳗条弯鲝、带鲝、短鲝、黄鱼鲝、鲭鱼鲝、魠鲝、老鸦鱼鲝。

（3）菜蔬类：苔心矮菜、台心菜、黄芽（黄芽菜）、笋、矮菜、甘露子、菠菜（菠菠菜）、芋、芋头、芋妳（芳）、生芋子、山药、亢堰藕、葱、韭、大蒜、小蒜、薤、荽、转明菜花、苍术、茄、紫茄、水茄、梢瓜、黄瓜、葫芦、冬瓜、瓠（瓠子）、莲、异品菜蔬、干菜、干罗卜、莴苣、生菜、矮黄、大白头、小白头、夏菘、芥菜、生菜、苦荬、牛蒡、蕨菜、水芹、芦笋、鸡头菜、藕条菜、姜、姜芽、老姜、菌（黄耳蕈、玉蕈、芽蕈、竹菇）、竹笋、紫笋、边笋、凉笋（南路、白象牙、哺鸡、猫头儿、黄莺、晚篁）、栟榈笋、天花蘑菇。

（4）谷物类：黍、米面、白谷鸡头、解粥米、百谷、糯米、早米、晚米、

新破砻、冬春、上色白米、中色白米、红莲子、黄芒、上秆、杭米（早占城、红莲、礴泥乌、雪里盆、赤稻、黄籼米、杜糯、光头糯、蛮糯）、麦（大麦、小麦）、麻（赤、红、乌、黄）、箭子米、蒸米、红米、黄米、陈米、豆（大黑、大紫、大白、大黄、大青、白扁、黑扁、白小、赤小、兼豆、小红、楼子红、青豌、白眼、羊眼、白缸、白豌、刀豆）、粟（狗尾、金罌）、梁子。

（5）干鲜果品类：梨（雪糜、玉消、陈公莲蓬梨、赏花霄、砂烂）、雪梨、陈公梨、称公梨、鹅梨、条梨、桃（金银、水蜜、红穰、细叶、红饼子）、包家山桃、樗桃、新胡桃、水晶蒲桃、花红金银水蜜桃、太原蒲桃、串桃、金桃、樱桃、柑子、温柑、圆柑、乳柑、福柑、台柑、匰橘、橘、洞庭橘、蜜橘、匰橘、衢橘、金橘、大金橘、橙、晚橙、香枨、枨子、脆枨、柿（方顶、牛心、红柿、棹柿、牛奶、水柿、火珠、不帘、面柿）、绿柿、巧柿、红柿、檄柿、密云柿、松阳柿、方顶柿、柿心、梅、青梅、黄梅、杨梅（奉化项里）、紫杨梅、葴杨梅、红石梅、锦荔、福州荔枝、新荔枝、锦荔枝、杏（金麻）、金杏、银杏、相银杏、新银杏、李（透红、蜜明、紫色）、紫李、福李、水晶李、乌李、山糖乌李、瓜（金皮、沙皮、蜜瓮、笋筒、银瓜）、蜜筒甜瓜、土瓜、木瓜、木瓜豆儿、银瓜、豆角、木弹、榆柑子（余甘子）、数珠、香莲事件念珠、苦槌、旋胜番糖、糖丝、番松子、巴榄子、嘉庆子、人面子、春兰、栗子、顶山栗、槌栗、地栗、秋菊、蒲菊（黄而莹白者名"珠子"，又名"水晶"，最甜）、石榴子儿、玉石榴、陈州果儿、山里果子、酒果、反旋果、榧子、蜂儿榧、大圆眼、圆眼、蜂儿干、拣蜂儿、青沙烂、甘蔗、麝香、甘蔗、甘蔗奈香、荻蔗、茅洋、跳山婆、栗茅、蜜屈律、白及末、梨五花子枣、小枣、山里枣、京枣、盐官枣、南京枣、鸡头（古名"芡"，又名"鸡雍"，银皮子嫩者为佳）、莲（湖中生者为"绣莲"）、香莲、莲子、莲子肉、橄榄、枇杷、椒核枇杷、藕、沉香藕、聚景园秀莲新藕、菱（沙角、馄饨、古塘大红菱）、菱米、紫菱、碧芡、林檎（又名"花红"）、小橄榄、棋楂、番葡萄、新椰子、新椰子象牙板、新罗葛、宜母子、蜜薹、藕铤儿。

（6）调料类：米醋、红糟、麸乳、椒、炙椒、油、酱、生姜、姜芽、新姜、圣母姜、葱、大蒜、小蒜、骨盐豉、红姜豉、成豉、姜豉、蜜姜豉、诸色姜豉、波丝姜豉、窝丝姜豉、干咸豉、盐豉、金山咸豉、盐、蜜。

（7）原料行店：米市、城北米市、北关外黑桥头米市、湖州市米市桥米行、米铺、食米铺、菜市、城东菜市、新门外菜市、南土门菜行、北土门菜行、肉铺（杭城内外肉铺不知凡几）、大瓦肉市、坝北修义坊肉市（巷内两街皆是屠宰之家）、打猪巷北猪行、侯（当是候字之误）潮门外南猪行、鱼肉铺、鲞铺、鲞腊铺、便门外浑（又作混）水闸鲞团、城北鱼行（或作北关门外鱼行）、城东蟹行、新门外南土门蟹行、坝子桥鲜鱼行、候潮门外鲜鱼行、横河头鸡鹅行、犯鲊铺、犯鲜店、酒行、食饭行、下饭铺、油酱铺、姜行、菱行、候潮门内泥路青果团、后市街柑子团、五间楼泉福糖蜜。

2. 食品名目

（1）肴品名目

①羹汤类：李婆婆杂菜羹、肠血粉羹、瓠羹、造羹、头羹、海鲜头羹、三软头羹、十色头羹、闲细头羹、莲子头羹、锦丝头羹、枚叶头羹、杂菜羹、杂合羹、杂彩羹、杂辣羹、缕肉羹、肚羹、三色肚丝羹、粉羹、糊羹、香辣素粉羹、清汁田螺羹、血脏羹、羊血、羊血汤、血脏、豆腐羹、百味羹、百味韵羹、三软羹、四软羹、五软羹、集脆羹、双脆羹、三脆羹、群鲜羹、江瑶清羹、青虾辣羹、五羹决明、三阵羹决明、四鲜羹、石首玉叶羹、撺鲈鱼清羹、虮鳢假清羹、虾鱼肚儿羹、虾玉鳝辣羹、小鸡元鱼羹、小鸡二色莲子羹、小鸡假花红清羹、辣羹、蜎蚌辣羹、细粉小素羹、灌熬鸡粉羹、蚶子辣羹、石髓羹、诸色鱼羹、石肚羹、大小鸡羹、撺肉粉羹、三鲜大熬骨头羹、诸色造羹、笋辣羹、撺肉羹、骨头羹、蹄子清羹、鱼辣羹、鸡羹、耍鱼辣羹、猪大骨清羹、南北羹、诸色羹汤、麸笋素羹、鹌子羹、妳房玉蕊羹、螃蟹清羹、二色茧儿羹、茧儿羹、血粉羹、肚子羹、鲜虾蹄子羹、蛤蜊羹、菜羹一葫芦、二色茧儿、茧儿、乳茧、大碗百味羹、羊舌托胎羹。

②煮制类：白肉、白肉（熟肉）、哉、羊鹅事件、肚肺、灌肺、灌羊肺、香药灌肺、香辣灌肺、灌肠、连骨熟肉、羊肉（熟）、熟羊、零卖软羊、大骨龟背、羊杂火乌四软、羊撺四件、鼎煮羊、撺香螺、撺望潮清虾、清撺鹌子、撺小鸡、清撺鹿肉、科头撺鱼肉、撺粉、鼎煮羊麸、鹿肉、盐鸭子、猪羊大骨、大骨、鼎煮羊、片羊头、斩羊。

③蒸制类：羊头鼋鱼、锦鸡鼋鱼、夺真元鱼、盏蒸羊、羊血粉、猪舌头、涷白鱼、假鼋鱼、烂蒸大片、脂蒸腰子、酒正羊、酒蒸鸡、间笋蒸鹅、蒸软羊、酒蒸石首、酒蒸白鱼、酒蒸鲫鱼、酒吹鳙鱼、酒吹春鱼、蒸鱼、蒸果子、鳖蒸羊、蒸（全）羊、虾蒸假嫁、洗手蟹。

④炒类：炒鸡、蛤蜊肉、腰子假炒肺、炒鸡蕈、炒鳝、银鱼炒鳝、南炒鳝、炒白虾、炒螃蟹、双脆、燥子炒鱼丝儿、假炒肺羊熬、鸡脆丝、肚尖、肚胘、腰子、鳝鱼炒鲞、炒沙鱼衬汤、炒白腰子、生熟烧、江瑶柱、大片腰子、松花腰子、荔枝白腰子、萌芽肚胘、鳗丝、地青丝、蚶子明芽肚、假蛤蜊、银丝肚。

⑤煎炸炙类：煎事件、猪羊鸡煎煤、煎鸭子(卵)、煎鸭子、盐煎、煎白肠、煎豆腐、煎鱼、煎鱼肉下饭、煎鲞、煎茄子、煎鲚鱼、煎肉、煎肝、假煎白肠、煎假乌鱼、煎黄雀、煎小鸡、煎鹅事件、煎衬肝肠、肉煎鱼、荤素签、素签、肚丝签、双丝签、锦鸡签、鸡丝签、干签杂鸠、鹅粉签、蝤蛑签、到底签、抹肉笋签、签决明、妳房签、羊舌签、掌签、莲花鸭签、鸭签、白炸鸡、白炸春鹅、炸藕、油炸春鱼、鸳鸯炸肚、炸梅鱼、油炸鲂鱼、油炸石首、油炸蚝蛸、油炸假河豚、炸油河鲍、炸肚山药、鱼油炸鱼茧儿、江珧炸肚、香螺炸肚、牡蛎炸肚、假公权炸肚、蟑蚷炸肚、炸肚燥子蚶、水晶煤子、望口消、炙子骨头、群仙炙、炙金肠、炙鳗、炙鱼粉、炙鳅、炙鸡、炙鹅、炙鸭、炙鲤、炙鱼、羊炙焦、酒炙青虾、蜜烧膋肉炙、犯儿江鱼炙、润熬獐肉炙、下饭二色炙、五味炙小鸡、小鸡假炙鸭、蜜炙鹌子、野味假炙、假炙鸭、炙鸡鸭、炙骨头、炙肚胘、炙鹌子脯、炙炊饼裔骨、假炙鲨桄、假炙江瑶肚尖、旋炙荷包、五色米食、馉子、八餇鸥鸭、划子、虾鱼划子、玲珑划子、双条划子、皂角铤、小蒸作、油饱儿、炙焦。

⑥烧烤类：入炉炕羊、炕鸡、炕鹅、排炊羊、烧羊一口、烧羊头、烧羊。

⑦熬炖焙类：白熝肉、熝鱼、熝肝、熝小鸡、熬肝肉、假沙鱼、燶要鱼、罐里燶鸡丝粉、焗肠、蹄儿、灌熬大骨、熬螺蛳、焙腰子、荔枝焙腰子、鸡元鱼、羊头元鱼、笋鸡鹅、焙鸡、五味焙鸡、羊鸡焗、蚨鳜杂焗、羊蹄笋、酥骨鱼、熬野味、红熬鸠子、辣熬黄雀、软羊焙腰子、八焙鸡、红熬鸡、熬鸡、红熬大件肉、熬肉、熬鹅、熬肝事件、假熬鸭、笋焙鹌子、假熬蛤蜊肉、红熬小鸡、大熬燔鱼、葱焙油炸、熬膔熟食(头、蹄、肝、肺四件)、杂熬、杂熬蹄爪事件、红白熬肉、熬肝、罐里熬、熬鳗鳝、熬团鱼、灌熬软烂大骨科头、麸笋丝、笋丝麸儿、生熟烧、对烧、烧肉、烧麸、豉汁鸡、五味熬麸、煨牡蛎、大熝。

⑧犯鲊脯腊类：肉线条子、妳房、红羊犯、影戏犯、鱼肉影戏、算条犯、影戏算条、椒醋犯子、獐犯、旋炙犯儿、腊犯、线条、界方条、鹿肉犯子、云梦巴儿、胡羊犯、兔犯、獐犯、鹿脯、银鱼脯、槌脯、松脯、削脯、脯界、铤

松、脯鸡、脯小鸡、麻脯鸡、脯鸭、脯腊鸡、麻脯鸡脏、苷脯、皂角、骨鲜、鲟鲤鱼鲊、鲟鱼鲊、春子鲊、黄雀鲊、银鱼鲊、蝛鲊、玛瑙肉、鹅鲜、寸金鲜、鱼头鲊、大鱼鲊、雪团鲊、荷包鲜、玉版鲊、桃花鲊、三河(又作和)鲊、旋鲊、咸鲊、切鲊、饭鲊、蟹鲊、鲜鹅鲊、鲜鳇鲊、筋子鲊、鲜糕鹤子、海蜇鲊、犯脯蚱酱、法鱼、海腊、腊肉(肉腊)、虾腊、酒醋肉、鲞膘、千里羊、米脯鲜蛤、米脯淡菜、米脯风鳗、米脯羊、米脯鸠子、槌脯线条、紫鱼瞑脯丝。

⑨脍生类：庵生、甜瀣海蜇、细抹羊生脍、香螺脍、生丝江瑶、鱼鳔二色脍、海鲜脍、鲈鱼脍、鲤鱼脍、鲫鱼脍、群鲜脍、蚶子脍、生蚶子、生脍十色事件、蹄脍、淡菜脍、水晶脍、肚胘脍、沙鱼脍、五珍脍、鹤子水晶脍、水母脍、蛤蜊生、鲜虾蹄子脍、虾栟脍、江珧生、姜醋生螺、三珍脍、解鱼脍、红生水晶脍、七宝脍。

⑩醉糟腌渍类：五味酒酱蟹、酒泼蟹、酒烧蚶子、酒焰鲜蛤、酒香螺、酒烧香螺、酒烧江瑶、生烧酒蛎、酒江瑶、酒蛎、酒蛤蜊、酒浸红(红或是江字之误)珧、酒螺龟脚、姜酒决明、酒法青虾、酒法白虾、酒鲎、章举蛎肉、脆螺、酿笋、酿鱼、酿腰子、酿黄雀、糟羊蹄、糟蟹、糟鹅事件、糟脆筋、糟鲍鱼、糟决明、糟猪头、糟猪头肉、糟脏、八糟鸭、糟酱、美醋江虾、莲藕瀣、糖瓜瀣、湖壅、胡瀣、肉瓜壅、姜虾(又作姜煅米)、五辣醋羊、螺头瀣、盐酒腰子、就掇蛎、签糊壅蟹、辣壅粉、肉葱壅、血糊齑、鹅肫掌汤齑、虾鱼汤齑、鳟鱼拖壅、薤花茄儿、八糙鹌子、八糙鹅鸭、入糙鸡、醋赤蟹、栟醋洗手蟹、螃蟹酿栟、栟酿蟹、栟醋蚶、五辣醋蚶子、姜醋假公权、醋鲎、冻姜豉蹄子、姜豉鸡、冻波丝姜豉、酱蝛蛎、望潮卤虾、酱蜜丁润江鱼咸豉、十色咸豉、二色姜豉。

⑪其他类：软羊、铺羊、黄羊、獐肉、鹤子、鸠子、黄雀、三鲜、鱼子、鱼白、脱胎、妳房、扑刀鸡、河鲲、脯煏元鱼、虾鱼、燥子决明、江鱼玉叶、剪羊事件、龟背、窝绕疆豉、花事件、线条儿、科头、七宝科头、细粉科头、杂合细粉、生熟灌藕、筋子膘皮、乳糖鱼儿、美醋羊血、姜油两、芥辣蹄、鱼鲜、头希、索粉、灌藕、膘皮煠子、看菜(酒家出示给顾客的样品菜)、奈香新法鸡、鸡夺真、五味杏酪鹅、绣吹鹅、鹅排吹羊大骨、羊四软、绣吹羊、五味杏酪羊、细点羊头、蟑蚷、赤鱼分明、姜燥子赤鱼、清供沙鱼拂儿、清供野味、清汁鳗鳔、假团圆燥子、衬肠血筒燥子、麻菇丝笋燥子、潭笋、石首桐皮、石首鲤鱼、石首鳝生、石首鲤鱼兜子、两熟鲫鱼、鲀鲡满合鳅、江鱼假蝛、烧菜、

紫苏虾、水荷虾儿、虾包儿、查虾鱼、水龙虾角、虾元子、麻饮鸡虾粉、芥辣虾、麻饮小鸡头、汁小鸡、拂儿笋、五色假料头肚尖、野味鸭盘兔糊、赤蟹、白蟹、蛤蜊淡菜、改汁辣淡菜、鲜蛤、荤素水龙白鱼、水龙江鱼、水龙肉、水龙腰子、假淳菜腰子、下饭假牛冻、假驴事件、假羊事件、冻蛤蝤、冻鸡、冻三鲜、冻石首、冻耍鱼、冻鱼、冻鲞、冻肉、冻三色炙、白鱼、冻䱥鰡、三色水晶丝、下饭脀肉、鳌肉蹄子、膘皮炸子、三和花桃骨、鱼头酱、鳔鱼、柔鱼、虾茸、野味辣、海蜇、螺头、韵果、熟羊、鳅粉（又作粉鳅）、冻白鱼、茜鸡、煅（或是鰕字之误）茸、鳜干者、龟脚、锁管、蜜丁、鲨酱、法缎、子鱼、蛎鱼、脏驼儿、生羊蒻花八节、羊六色子、海里羊、瓦螺头、酒坠子、锁官鹹、小丁头鱼、紫鱼、鱼鳔、蚶子、鲭子、航子、海水团、鹹鲸鲞、红鱼、明脯、鲒干、比目、车鳌、江豣、蚕豣、鳔肠、膘皮、淮鱼干、鳌蝐、川饭、双峰、三峰、四峰、大段果子、三鲜夺真鸡、元鱼、元羊蹄、梅鱼、两熟鱼、乳水龙麸、骨头米脯、大片羊、江肉、簇钉下饭、花炊鹌子、鲫鱼假蛤蜊、猪肚假江珧、润鸡、润骨头、润兔、双下大膀子、大簇钉、切榨、马院醍醐、乳酪。

菜蔬制品：姜油多、蕹花茄儿、辣瓜儿、倭菜、藕鲊、冬瓜鲊、笋蚱、茭白鲊、皮酱、糟琼枝、莼菜笋、糟黄芽、糟瓜齑、淡盐齑、鲊菜、醋姜、脂（芝）麻辣菜、拌生菜、油多糟琼芝、四色辣菜、四时细色菜蔬、诸般糟淹、盐芥。

（2）馔品名目

①饼类：饼、烧饼、七色烧饼、糖蜜酥皮烧饼、蒸饼、秤锤蒸饼、炊饼、环饼、油饼、胡饼、春饼、旋饼、髓饼、猪胰胡饼、脏三猪胰胡饼、王宣旋饼、羊脂韭饼、宽焦饼、蜂糖饼、糖饼、天仙饼、莲花肉饼、蜜浮酥捺花、辣菜饼、芥饼、菜饼、甘露饼、肉油饼、菊花饼、乳饼、油酥饼儿、金银炙焦牡丹饼、荷叶饼、枣箍荷叶饼、芙蓉饼、月饼、团圆饼、鲜虾肉团饼、开炉饼、熟肉饼、焦蒸饼、金花饼、饼食炎、薄脆、宽焦薄脆、夹子、肝脏食夹子、细馅夹儿、笋肉夹儿、油炸夹儿、金铤夹儿、江鱼夹儿、素夹儿、诸色馂子。

②馒头类：馒头、剪花馒头、生馅馒头、独下馒头、炙焦馒头、灌浆馒头、杂色煎花馒头、四色馒头、糖肉馒头、羊肉馒头、太（又作大）学馒头、笋肉馒头、笋丝馒头、鱼肉馒头、蟹肉馒头、假肉馒头、裹蒸馒头、菠菜果子馒头、辣馅糖馅馒头、酸馅、肉酸馅、七宝酸馅、焦酸馅、沙馅、细馅、糖馅、豆沙馅、蜜辣馅、生馅、饭馅、笋肉馅、麸蕈馅、枣栗馅。

③包子类：鹅鸭包子、四色兜子、大包子、薄皮春茧包子、虾肉包子（虾肉包儿）、水晶包儿、笋肉包儿、江鱼包儿、蟹肉包儿、鹅鸭包儿、细馅大包子、荤素点心包儿、薄皮、蟹黄、灌浆、卧炉、诸色包子、枣大包子、七宝包儿。

④馄饨饺子类：馄饨、六部前丁香馄饨、㸇饳儿、鹌鹑馉饳儿、馉饳瓦铃儿。

⑤汤煮面类：冷淘、抹肉淘、肉㐸淘、末肉㵔淘、银丝冷淘、㐸淘、丝鸡淘、乳齑淘、笋齑淘、笋菜淘面、笋燥齑淘、熟齑笋肉淘面、面汤、齑肉菜面、笋淘面、素骨头面、大片铺羊面、三鲜面、炒鳝面、卷鱼面、笋拨刀、笋辣面、蝴蝶面、煎肉蝴蝶面、大熬虾蝴蝶面、贺四酪面、㐸面、铺羊面、庵生面、鲙鱼桐皮面、虾燥子面、鹅面、家常三刀面、菜面、鱼面、丝鸡面、猪羊盦生面、鱼桐皮面、笋拨肉面、炒鸡面、大熬面、子料浇虾面、㵔面、耍鱼面、血脏面、饦饳面（大熬饦饳、大燥子、料浇虾、蠓丝鸡、三鲜饦饳等）、饦饳、红㵔𩚑、燥子饦饳、桐皮、浇皮、饦饦、棋子、素棋子、百花棋子、虾鱼棋子、丝鸡棋子、七宝棋子、三鲜棋子。

⑥糕团类：糕、糕糜、望仙桥糕糜、献餐糕、糍糕、水滑糍糕、常熟糍糕、乳糕、丰糕、糖糕、糖蜜糕、蒸糖糕、生糖糕、蜂（又作丰）糖糕、线糕、间炊糕、干糕、社糕、雪糕、蜜糕、豆糕、豆儿糕（一作膏）、重阳糕（糖面蒸糕，上以猪羊鸭子为丝簇钉，插小彩旗）、狮蛮栗糕（蜜煎局以五色米粉壕成狮蛮，以小彩旗簇之，下以熟栗子肉杵为细末，人麝香糖蜜和之；此为东京之俗，杭城无之）、皂儿糕（或作"膏"）、市糕、花糕、拍花糕、栗糕、粟糕、麦糕、镜面糕、枣糕、肉丝糕、菊糕、小甑糕、澄沙膏、小蒸糕、澄沙团子、张家团子、水团、五色水团、十色沙团、沙团、豆团、汤团、汤丸、元子、蒸糍、红边糍、山药元子、真珠元子、金橘水团、澄粉水团、麻团、糍团、麝香豆沙团子、馓子、糕儿盘劝。

⑦其他煮蒸面食类：带汁煎、熬汁米子、虾抹肉、经带、粉羹、虾燥三刀、火（疑是"大"字）燠、金铤裹蒸（或后加"儿"字）、裹蒸、酥蜜裹食（天下无比，入口便化）、粽子、裹蒸粽子、栗粽、金铤裹蒸茭粽、巧粽、粟粽、角黍（天下有，惟是都城将粽揍成楼阁、亭子、车儿诸般巧样）、鱼兜杂合粉、改汁羊撺粉杂合粉、杂合细粉、珍珠粉、七宝科头粉、科斗细粉、三色团圆粉、转官粉、三鲜粉、二色水龙粉、鲜虾粉、肫掌粉、梅血细粉、铺姜粉、大片羊粉、大官粉、

仙桃、鸡头篮儿、鹅弹、枣浮图儿、豌豆枣塔儿、笑靥儿、寿带龟仙桃、子母龟、寿带龟、子母仙桃、仙桃龟儿、圆双喜、骆驼蹄、糖蜜果实、果实将军、肉果食、鹅眉夹儿、十色小从食、鹅弹、江鱼兜子、点子、晃灯拨刀、姜拨刀、拨刀、小蒸作、市罗角儿、诸色角儿、角子、驼峰角子。

⑧其他油瀹焙烤面食类：焦䭔、盐煎面、带汁煎、蜜酥、小蚫螺酥、馓子、蚫螺滴酥、烙面、千层儿、破麻酥、酥没辣、诸色油炸、玲珑双条、杂炸、螺头、枣饲、炙焦、肉油酥、火棒、小蜜食、米食、诸般糖食油炸、火烧角儿、子母茧、春茧、子母春茧、卖米薄皮春茧、活糖沙馅诸色春茧、炙炊饼。

⑨饭粥类：石髓饭、大骨饭、肉盒饭、泡饭、羊泡饭、淅米饭、白鱼辣羹饭、小头羹饭、下家从食、干饭、铺羊粉饭、铺姜粉饭、水饭、粥、腊八粥（五味粥）、赤豆粥（入口粥）、五味肉粥、七宝素粥、七宝姜粥、义粥、豆子粥、糖粥、润鲜粥、粟米粥、糖豆粥、糕粥、馓子粥、绿豆粥、滴粥。

⑩另类：太平毕罗、点心、四时糖色点心、萁（又作箕）豆、无色萁豆、乳糖浇、山黄、褐青豆、盐豆儿、海鲜头食、象眼头食、落索儿、欢喜、捻尖、翦花、鹅项、蜜剂、市罗、戈家甜食、巧炊、诸色果食、诸色从食。

（3）饯脯饴糖果制品类：

①饯脯类：诸色果木蜜煎劝酒、糕粉孩儿鸟兽、像生花朵、风糖饼、药渍鱼、梨花、梨条、梨肉、桃条、芭蕉干、大决明、豆蔻花、索果、饼果、嘉庆子诸色韵果、十色蜜煎蚫螺、诸般糖煎细酸、四时像生儿时果、罗浮橘、花木瓜、赏花甜、蜜煎（蜜金橘、蜜木瓜、蜜林檎、蜜金桃、蜜李子、蜜木弹、蜜橄榄、昌园梅、十香梅、蜜渍昌元梅、蜜枨、蜜杏、珑缠茶果，糖煎尤多）、琥珀蜜、蜜煎山药枣、蜜弹弹、糖蜜韵果、蜜枣儿、蜜姜豉、蜜薄脆、蜜麻酥、酿栗子、莲子肉、兔耳朵、酥枣儿、重剂枣、糖寿带、酸红藕、宝索儿、玉消膏、乌梅膏、韵梅膏、薄荷膏、香枨膏、橘红膏、皂儿膏、水荔枝膏、糖蜜乳膏浇、荔枝膏、杏仁糕、糖乌李、法豆、栗、炒椎栗、炒栗子、炒银杏、炒槌、枣塔、水蜜木瓜、韵果、像生花果、担水斛儿、五色法豆、小儿诸般食件、蒸梨儿、米食羊儿、米食狗儿、青皮、杏仁、半夏、缩砂、豆蔻、香药、韵姜、䂆香、糖叶子、宜利少、瓜蒌煎、蚫螺、裹蜜、糖丝线、炒团、甘露饼、玉屑糕、熬木瓜、糖脆梅、破核儿、查条、二色灌香藕、糖豌豆、芽豆、栗黄、酪面、蓼花、望口消、桃穰酥、重剂、天花饼、林檎旋、大蒸枣、雕花梅球儿、红消化、蜜瓜冬鱼儿、

雕花红团花、木瓜大段儿、雕花金橘、青梅荷叶儿、蜜笋花儿、雕花枨子、木瓜方花儿、诸色糖蜜煎。

②饴糖类：糖霜、戏剧糖果(如打娇惜、虾须、糖宜娘、打秋千、稠饧等；又作行娇惜、宜娘子、秋千、稠糖葫芦、火斋郎果子、吹糖麻婆子孩儿等)、糖狮儿、乳糖狮儿、乳糖槌、玉柱糖、薄苛(当是荷字)糖、乌梅糖、玉柱糖、韵姜糖、花花糖、乳糖、十般糖、麝香糖、杨梅糖、十色花花糖、十般膏子糖、果子糖、缩砂糖、五色糖、麻糖、小麻糖、铁麻糖、芝麻糖、锤子糖、十色糖、孔酥、标竿十样卖糖(效学京师古本十般糖)、虾须卖糖、福公个背卖糖、洪进唱曲卖糖、内鱼龟顶傀儡面儿卖糖、白须老儿看亲箭接闹盘卖糖、泽州饧、胶牙饧、轻饧、玛瑙饧、鼓儿饧、饧角、花饧、豆儿黄糖。

③果制品类：香药木瓜、椒梅、香药藤花、砌香樱桃、紫苏柰香、砌香萱花柳儿、砌香葡萄、甘草花儿、姜丝梅、梅肉饼儿、水红姜、杂丝梅饼儿、人面干、干京果、枣圈、御枣圈、雕花笋、雕花姜、荔枝甘露饼、荔枝蓼花、荔枝好郎君、珑缠桃条、酥胡桃、缠枣圈、缠梨肉、香莲事件、香药葡萄、缠松子、糖霜玉蜂儿、白缠桃条、茶果仁儿(榛子仁、括子仁、松子仁、橄榄仁、杨梅仁、胡桃仁、西瓜仁)。

3. 酒茶等饮料类

（1）酒品类：思春堂(又作思堂春)、有美堂、黄(又作皇)华堂、六客堂、中和堂、庆远堂、庆华堂、元勋堂、寿眉堂、清白堂、爰咨堂、爱山堂、静治堂、筹思堂、清心堂、思政堂、济美堂、御酒、梅花酒、煮酒、供给酒、和酒、游新煮酒、藩封府第酒、椰子酒、高酒、醴酒、孝仁坊口水晶红白烧酒、雪泡梅花酒、羊羔酒、羔儿法酒、香羔儿酒、常酒、醽醁沉香酒、无灰酒、皇都春、蓬莱春、留都春、十洲春、海岳春、蓬莱春、锦波春、浮玉春、秦淮春、丰和春、谷溪春、万象皆春、宣赐碧香、清碧香、内库流香、流香、珍珠泉、殿司凤泉、凤泉、蒙泉、萧洒泉、金斗泉、紫金泉、琼花露、蔷薇露、齐云清露、龟峰、江山第一、第一江山、兰陵、龙游、雪腴、雪醅、玉醅、太常、夹和、步司小槽、蓝桥风月、双瑞、得江、银光、清若空、北府兵厨、玉练槌、小思、错认水、胜茶。

（2）茶及其他饮料：

茶品：宝云茶、香林茶、白云茶、拣芽、雀舌、水芽、龙团、龙茶、雨前、擂茶、七宝擂茶、茶饼、小蜡茶、花茶、香茶。

凉水及诸般汤煎：甘豆汤、椰子酒、豆儿水、雪泡豆儿水、漉（又作鹿）梨浆、卤梅水、姜蜜水、木瓜汁、茶水、江茶水、沉香水、荔枝膏水、水荔枝膏水、苦水、金橘团、雪泡缩皮饮、梅花酒、香薷饮、五苓大顺散、五苓散、大顺散、紫苏饮；盐豉汤、梨浆、蔗浆、皂儿水、干豆糖、绿豆水、桥苏饮、缩脾饮、乳糖真雪、富家散暑药冰水、缩脾饮暑药、仙术汤、荔枝圆眼汤、二陈汤、糖水、慈茶、葱茶、麻饮芥辣、白醪凉水、春兰秋菊（以苏子微渍梅卤杂和蔗霜梨橙玉榴小颗）、香茶异汤、奇茶异汤、白水、冷水、香药。

4. 酒楼食店茶坊

（1）酒楼食店类型：正店、脚店（除官库子库脚店外余皆谓之"拍户"）。

（2）酒楼食店名目：

①正店名目：太和楼（太又作大，东库）、西楼（金文西库）、和乐楼（生赐宫南库）、春风楼（北库）、和风楼（风又作丰，武林园南上库）、丰乐楼、耸翠楼、太平楼、中和楼（银瓮子中库）、日新楼、南外库、北外库、西溪库、熙春楼、三元楼、五间楼、赏心楼、严厨、花月楼、银马杓、康沈店、翁厨、任厨、陈厨、周厨、巧张、沈厨、郑厨（只卖好食，虽海鲜头羹皆有之）、蛴蟆眼（只卖好酒）、荐桥丰禾坊王家酒店、圈门外郑厨分茶酒肆、中瓦子前武林园三园楼康家酒店、中瓦子前武林园三园楼沈家酒店、新街巷口花月楼施厨、大酒店、春融楼（湖州市）。

②各类拍户店名目：起店、大酒店、茶饭店、包子酒店、宅子酒店、直卖店（谓之角球店，仅散卖酒）、打碗头（零卖酒之小店）、散酒店、庵酒店、罗酒店、肥羊酒店（如丰豫门归家、省马院前莫家、后市街口施家、麻婆巷双羊店）、羊饭店、南食店（又称"南食"）、川饭分茶、面店、菜面店、菜羹饭店、粉食店、菜羹饭店、素食点心从食店、面食店（亦谓之"分茶店"）、蒸作面行、素食店、卖酥贺家、南瓦、界北、中瓦、大街处面食店、西坊西食面店、张卖面店、酒肆（除官库、子库、脚店之外，余皆谓之"拍户"）、南瓦子熙春楼王厨、融和坊嘉庆楼、聚景楼、融和坊俱康、融和坊沈脚店、金波桥风月楼严厨、灵椒巷口赏新楼沈厨、坝头西市坊双风楼施厨、碗头店（类直卖店，而以银台碗沽卖，仅杭城有）、荤素从食店、馒头店。

③瓦子勾栏（内皆卖食物）：清冷桥熙春楼南瓦、三元楼中瓦、三桥街大瓦（又名上瓦）、众安桥北瓦（又名下瓦）、蒲桥瓦（又名东瓦）、便门外便门瓦、

候潮门外候潮门瓦、小堰门前小堰门瓦、新门瓦（又名四通馆瓦）、荐桥门前荐桥门瓦、菜市旧门瓦、菜市门瓦、省马院前钱湖门瓦、后军寨前赤山瓦、行春桥瓦北郭瓦（又名大通店）、米市桥瓦、石板头旧瓦、嘉会门外嘉会门瓦、北关、关门瓦（又名新瓦）、艮山门外艮山门瓦、羊坊桥瓦、王家桥瓦、龙山瓦。

④杭城食肆传统有名者：杂买场前甘豆汤、戈家蜜枣儿、官（又作关）巷口光家羹、大瓦子水果子、寿慈官前熟肉、钱塘宋五嫂鱼羹、涌金门（或曰涌金门外）外灌肺、中瓦前职家羊饭、中瓦前皂儿水、杂货场前甘豆汤、张家元子、衢州饭店（又称"闷饭店"）。淳祐年间（理宗年号，1241—1252）有名相传者：猫儿桥魏大刀熟肉、五间楼前周五郎蜜煎铺、保佑坊前张卖食面店、张家元子铺、张家豆儿水、钱家干果铺、金子巷口陈花脚面食店、水巷口阮家京果铺、蒋检阅茶汤铺、太平坊南倪没门面食店、南瓦子北卓道王卖面店、腰棚前菜面店、熙春楼下双条儿划子店、太平坊大街东南角虾蟆眼酒店、朝天门戴家麐肉铺、朝天门朱家元子糖蜜糕铺、三桥街姚家海鲜铺、坝桥榜亭侧朱家馒头铺、石榴园倪家犯鲊铺，及里仁坊口游家漆铺、黄草铺温州漆器、黄草铺清白瓷器。

（3）茶肆：大茶坊、茶坊、人情茶坊（坊又作肆）、水茶坊、南茶坊、北茶坊、花茶坊（楼上安着妓女，如市西坊南潘节干、俞七郎茶坊、保佑坊北朱骷髅茶坊、太平坊郭四郎茶坊、太平坊北首张七相干茶坊）、黄尖嘴蹴球茶坊、中瓦内王妈妈家茶肆（又名一窟鬼茶坊）、大街车儿茶肆、蒋检阅茶肆（又作茶汤铺）、茶楼、浮铺（夜市大街以车担设临时茶摊）、市头、龊茶（街司衙兵百司中人以茶水点送门面铺席以乞觅钱物）。

5. 内廷与国家食事

（1）内廷食事：御膳所、御厨、蜜煎库、御醋库（均属殿中省）、太常寺、御宴、御酒、御前珍羞、蜜煎局、鹿鸣宴、御宴大堂（德寿宫中，匾曰载忻）、食品下饭、拨食（殿中省传膳人）、牙盘礼（景灵官祭）、挑菜御宴、赐胙。

（2）绍兴二十一年(1151)十月高宗赵构幸清河郡王府张俊所供奉之诸等筵式：

①进奉赵构之筵式：

绣花高饤一行八果垒：香园、真柑、石榴、柑子、鹅梨、乳梨、榠楂、花木瓜。

乐仙干果子叉袋儿一行：荔枝、园眼、香莲、榧子、榛子、松子、银杏、梨肉、枣圈、莲子肉、林檎旋、大蒸枣。

缕金香药一行：脑子花儿、甘草花儿、朱砂园子、木香丁香、水龙脑、史君子、缩砂花儿、官桂花儿、白术人身、橄榄花儿。

雕花蜜煎一行：雕花梅球儿、红消化、雕花笋、蜜瓜冬鱼儿、雕花红团花、木瓜大段儿、雕花金橘、青梅荷叶儿、雕花姜、蜜笋花儿、雕花枨子、木瓜方花儿。

砌香成酸一行：香药木瓜、椒梅、香药藤花、砌香樱桃、紫苏柰香、砌香萱花柳儿、砌香葡萄、甘草花儿、姜丝梅、梅肉饼儿、水红姜、杂丝梅饼儿。

脯腊一行：肉线条子、皂角铤子、云梦犯儿、虾腊、肉腊、妳房、旋鲊、金山咸豉、酒醋肉、肉瓜齑。

垂手八盘子：拣蜂儿、番葡萄、香莲事件念珠、巴榄子、大金橘、新椰子象牙板、小橄榄、榆柑子。

再坐，切时果一行：春藕、鹅梨饼子、甘蔗、乳梨月儿、红柿子、切枨子、切绿橘、生藕铤子。

时新果子一行：金橘、葳杨梅、新罗葛、切蜜蕈、切脆枨、榆柑子、新椰子、切宜母子、藕铤儿、甘蔗柰香、新柑子、梨五花子。

雕花蜜煎一行：同前。

砌香成酸一行：同前。

珑缠果子一行：荔枝甘露饼、荔枝蓼花、荔枝好郎君、珑缠桃条、酥胡桃、缠枣圈、缠梨肉、香莲事件、香药葡萄、缠松子、糖霜玉蜂儿、白缠桃条。

脯腊一行：同前。

下酒十五盏：

第一盏花炊鹌子、荔枝白腰子，

第二盏妳房签、三脆羹，

第三盏羊舌签、萌芽肚胘，

第四盏肫掌签、鹌子羹，

第五盏肚胘脍、鸳鸯炸肚，

第六盏沙鱼脍、炒沙鱼衬汤，

第七盏鳝鱼炒鲎、鹅肫掌汤齑，

第八盏螃蟹酿枨、妳房玉蕊羹，

第九盏鲜虾蹄子脍、南炒鳝，

第十盏洗手蟹、鲫鱼假蛤蜊，

第十一盏五珍脍、螃蟹清羹，

第十二盏鹌子水晶脍、猪肚假江珧，

第十三盏虾枨脍、虾鱼汤齑，

第十四盏水母脍、二色茧儿羹，

第十五盏蛤蜊生、血粉羹。

插食：炒白腰子、炙肚胘、炙鹌子脯、润鸡、润兔、炙炊饼、炙炊饼脔骨。

劝酒果子库十番：砌香果子、雕花蜜煎、时新果子、独装巴榄子、咸酸蜜煎、装大金橘小橄榄、独装新椰子、四十果四色、对装拣松番葡萄、对装春藕陈公梨。

厨劝酒十味：江珧炸肚、江珧生、蝤蛑签、姜醋生螺、香螺炸肚、姜醋假公权、煨牡蛎、牡蛎炸肚、假公权炸肚、蟑蚷炸肚。

准备上细垒四卓。

又次上细垒二卓。

②供赵构内侍各等筵式：

对食（女内侍）十盏二十分：莲花鸭签、茧儿羹、三珍脍、南炒鳝、水母脍、鹌子羹、解鱼脍、三脆羹、洗手蟹、炸肚胘。

对展每分时果子盘儿

知省、御带、御药、直殿官、门司晚食五十分各件：二色茧儿、肚子羹、笑靥儿、小头羹饭脯腊鸡、脯鸭。

直殿官大碟下酒：鸭签、水母脍、鲜虾蹄子羹、糟蟹、野鸭、红生水晶脍、鲫鱼脍、七宝脍、洗手蟹、五珍脍、蛤蜊羹。

直殿官合子食：脯鸭、油饱儿、野鸭、二色姜豉、杂熬、人糙鸡、广东鱼、麻脯鸡脏、炙焦、片羊头、菜羹一葫芦。

直殿官果子：时果十隔碟。

③准备薛方瓠羹备办外官食次：

第一等：供太师尚书左仆射同中书门下平章事秦桧筵式

烧羊一口、滴粥、烧饼、食十味、大碗百味羹、糕儿盘劝、簇五十馒头、

杭州全书·杭帮菜文献集成

烧羊头、杂簇从食五十事、肚羹、羊舌托胎羹、双下大膀子、三脆羹、铺羊粉饭、大簇订、鲜糕鹌子、蜜煎三十碟、时果一合、酒三十瓶。

又供少保观文殿大学士秦焙（桧子）筵式
烧羊一口、滴粥、烧饼、食十味、蜜煎一合、时果一合、酒十瓶。

第二等供参知政事余若水等六人
各食十味、蜜煎一合、切榨一合、烧羊一盘、酒六瓶。

第三等供左朝三郎礼部侍郎兼权吏部尚书陈诚之等侍从七员、管军二员、知合六员、御带四员、宗室三员、外官六员
各食七味、蜜煎一合、时果一合、酒五瓶。

第四等供环卫官九员、宣赞舍人十八人、合门祗侯二十人、看班祗侯八人、提点兼祗应行首五人、三省枢密房副承旨逐房副承旨六人、随驾诸局干办监官等十八人
各食五味、时果一合、酒两瓶。

第五等供合门承受十人、知班十五人、御史台十六人
各食三味、酒一瓶。

又供听使唤中官等五十分
各食五味、斩羊一斤、馒头五十个、角子一个、铺姜粉饭、下饭咸豉、各酒一瓶[1]。

（3）寿和圣福皇太后寿庆赐宰执亲王南班百官宴[2]

初八日，寿和圣福皇太后圣节，前一月，尚书省、枢密院文武百僚，诣明庆寺启建祝圣道场，……初八日，宰执亲王南官百官人内起居，……回诣紫宸殿宴，……第三四行黑漆矮偏凳坐物。每位列环饼、油饼、枣塔为看盘。若向者高宗朝，有外国贺生辰使副，朝贺赴宴……看盘如用猪、羊、鸡、鹅、连骨熟肉，并葱、韭、蒜、醋各一碟，三五人共浆水饭一桶而已。……第一盏进御

酒……宰臣酒……百官酒……第二盏再进御酒……第三盏进御酒，宰制百官酒如前仪。进御膳，御厨以绣龙袱盖合(盒)上进御前珍羞，内侍近前供上食……凡御宴至第三盏方进下酒咸豉、双下驼峰角子……第四盏进御酒，宰臣百官各送酒，……下酒杯：炙子骨头、索粉、白肉、胡饼。第五盏进御酒，……宰臣酒百官酒……再下酒：群仙炙、天仙并、太平毕罗、干饭、缕肉羹、莲花肉饼。……第六盏再坐，斟御酒，……宰臣酒……百官酒……下酒供假鼋鱼、蜜浮酥捺花。第七盏进御酒，……宰臣酒……百官酒……下酒供排炊羊、胡饼、炙金肠。……第八盏进御酒，……宰臣酒……百官酒……下酒供假沙鱼、独下馒头、肚羹。第九盏进御酒，宰臣酒……下酒供水饭，簇下饭。[3]

（4）国家食事

镇城仓、常平仓、糯米仓、盐事所、都盐仓、天宗盐仓(辖盐场十二)、粜场、卖酒局、公使酒库、提领犒赏酒库所、公使醋库、公使醋子库、点检所酒库(东库、西库、南库、北库、中库、南上库、南外库、北外库、西溪库、天宗库、赤山库、崇新痒、徐村库)、就小库(安溪、余杭、奉口、解城、盐官、长安、许村、临平、汤镇)、安抚司酒库(余杭闲林酒库、石濑步东酒库、石濑步西酒库、临安青山酒库、临安桃源酒库、德清正酒库、德清东酒库、德清西酒库、归安琏市东酒库、归安琏市西酒库、华亭上海酒库)、开煮迎酒候所(十三库、十马、上马)、鹿鸣宴、斋筵、御筵、夜筵、解换夜筵、掌膳、掌酒果、当食官、茶酒班、茶酒班殿侍、御酒库从物、御厨从物。

6. 社会食事

（1）官府春宴、乡会、文武官试同年宴、圣节满散祝寿公筵、富豪士庶吉筵凶席。

（2）宋宁宗嘉泰元年(1201)张约斋居士记杭城上层社会岁时食俗"赏心乐事"。

正月孟春：岁节家宴、立春日迎春春盘、人日煎饼会。

二月仲春：社日社饭、南湖挑菜。

三月季春：生朝家宴、曲水修禊、花院尝煮酒、经僚斗新茶。

四月孟夏：初八日亦庵早斋、随诣南湖放生、食糕糜，芯珠洞赏茶蔗、玉照堂尝青梅，餐霞轩赏樱桃。

五月仲夏：听鹂亭摘瓜、安闲堂解粽、重午节泛蒲家宴、夏至日鹅炙、水北书院采萍、清夏堂赏杨梅、艳香馆尝林檎、摘星轩赏枇杷。

六月季夏：现乐堂赏花白酒、霞川食桃、清夏堂赏新荔枝。

七月孟秋：从奎阁上乞巧家宴、立秋日秋叶宴、应铉斋东赏葡萄、珍林剥枣。

八月仲秋：社日糕会、中秋摘星楼赏月家宴。

九月季秋：重九家宴、珍林尝时果、景全轩尝金橘、满霜亭尝巨螯香橙、杏花庄篘新酒。

十月孟冬：旦日开炉家宴、立冬日家宴、杏花庄桃荠。

十一月仲冬：冬至节家宴、绘幅楼食馄饨。

十二月季冬：家宴试灯、二十四夜饧食果、除夜守岁家宴。

7. 餐饮行业组织与业中各类人物名目

四司六局(帐设司、厨司、茶酒司、台盘司、果子局、蜜煎局、菜蔬局、油烛局、香药局)、四司六局假赁、茶汤会、酒行、奇巧饮食社、花果社、闲人(又作闲汉,食客)、肉市、米市、米市桥瓦子、菜市瓦子、关东青门菜市、南猪行、北猪行、青果行、蟹行、鱼行、果行、笋行、赁茶酒器、厨局、灶头、当局者、店主、筵会、五间楼前大街坐铺中瓦前戴三朵花点茶婆婆、量酒博士(卖下酒食品厨子)、主管酒肆食店博士、铛头(又曰着案)、行菜、过卖、外出管儿、酒家人师公、厨子、庖人、火头、大伯(师公店中小儿)、卖客(酒楼中之招邀妓女)、擦坐(酒楼中之卖唱女孩)、赶趁(酒楼中卖艺谋资者)、香婆(酒店中向客人提供小炉柱香以谋资之老妪)、厮波、打酒座(又称"礼客")、撒暂(暂又作嘈,酒店中卖果实以谋资者)、家风(酒店中卖下酒荤食以谋资者)、醒酒口味(酒店中卖下酒荤食以谋资者)、行头(米市定价者)、行老、米市小牙子、春米、提茶瓶、市井弄水人、作坊(麸面、锄子、馒头、爊炕鹅鸭、熬炕猪羊、糖蜜枣儿、诸般糖、金橘团、灌肺、糤子、其豆)。

8. 烹饪与饮食器具

马杓、漏杓、火箸、火夹、铜匙箸、铜瓶、樽、榼、果盆、果合(当是盒字)、酒盏、注子、偏提、盘、盂、杓、马盂、屈卮、渣斗、箸瓶、桌、凳、面桶、木杓、研槌、食托、青白瓷器、瓯、碗、碟、茶盏、菜盆、油杆杖、烘盘、竹笊篱、蒸笼、荸箕、瓯笪、酒络、酒笼、食罩、瓷鬶、炒锌、砂盆、水缸、豆袋、金盘、玉壶、酒床、茶床、御酒船、水晶玻璃天青汝窑金瓶、紫番罗水晶注碗、水晶连索儿提壶、白玉双莲杯盘、金盆、匙箸刀子、御膳篋子、酒鳖子、饮水角。

三、结论

以上，我们不厌其烦地系统梳理了几部极具代表性的记叙两宋都城掌故典籍中的饮食文化史料，目的是将杭州这一独特的地区置于十三世纪南北饮食文化大融合的历史断限中，去考察其饮食文化的形态特征、成因与走势。毫无疑问，仅凭有限几部书的记录，我们不能奢望悉睹七百余年前的开封、杭州两城饮食生活全貌，就书中所记肴馔名目，恐怕也不过是历史真实的很少部分而已，叙述者也只能就"名件最多，姑言一二"[4]。又如南宋朝廷禁中腊月二十四日小节夜和三十日大节夜，后苑修内司所进"消夜果儿，以大合簇订凡百余种，如蜜煎珍果，下至花饧、其豆"[5]，而书中所记大约十不及一，其他只能是付之阙如，后人难知其详了。但同时我们也清楚，舍本文所征引的这几部书，我们几乎再难以找到记录两宋食事如此详备的其他典籍了。而我们也的确可以凭此略作居高俯瞰和遥感测定式的考察。于是我们有了以下初步的看法：

（一）直至十三世纪时，以杭州为代表的长江下游一带的江南地区（至少是城埠一类文化中心区位）在饮食文化领域似乎仍未脱离中原饮食文化挟政治、文化重力辐射的影响，"杭城食店，多是效学京师人"这一南渡一个半世纪以后的结论，正足表明我们的看法不谬，而恰是这一点为以往的研究者们所忽略。值得注意的是，这一历史性结论在我们所征引的典籍中是一种共性认识，既非某一学者的一时一事之见，亦非孤立一书的个人之见："汴京熟食店，张挂字画，所以勾引观者，留连食客。今杭城茶肆亦为之"[6]；"杭城风俗，凡百货卖饮食之人，多是装饰车盖担儿，盘合器服新洁精巧，以炫耀人耳目，盖效学汴京气象，及因高宗南渡后，常宣唤买市，所以不敢苟简，食味亦不敢草率也"。[7]举凡杭州城的各类正店、拍户等不可计数的大小酒楼食肆，无不以效步汴京为事，至南渡后，由于北人和贵人中的北人骤多，以至各类瓦子普通食铺都追步北俗，连推车食贩一律"都效京师声"，[8]以户招徕。"今街市与宅院，往往效京师叫声，以市井诸色歌叫卖物之声，采合宫商成其词也。"[9]这说明，南渡前，杭州文化是积极仿效汴京，"效学京师气象"，道出的是普泛的文化生息发展规律。比及南渡之后，北方人的朝廷星移斗转，一下子来到了杭州，则更极大地强化了这种"北馔"对"南烹"的以重射轻的文化态势。新开张的酒楼饭店都"效御厨体式，贵官家品件"，恰是极好证明。而这种情况，连杭州籍的学者也认为是合情合理的："填塞街市，吟叫百端，如汴京气象，殊可人意。"[10] 由此似乎可以认为，直至十三世纪时，"北馔"对"南烹"的文化优势仍是明显的，当然这种优势主要是心理和传统、习惯上的。

（二）食物原料和风味习尚的地域性是杭州饮食文化十三世纪时典型的时代特征。尽管资料和统计有很大的局限性，但慎重地使用这些资料，仍能从其中看到基本量和同质的问题，看到杭州对比开封肴馔品目近乎跨越时代的发展：

原料：禽畜类37:16、鱼蛤类106:11、菜蔬类57:12、谷物类53:6、调料类27:6、干鲜果类原料168:54、饯脯饴糖类73:15、果制品37:22。

肴品：羹汤类88:16、煮类33:4、蒸类25:3、炒类30:10、煎炸炙类101:20、烧烤类7:5、熬炖焙类59:4、犯鲊脯腊类78:9、脍生类31:3、腌渍类72:8、菜蔬类23:13、其它类182:42。

馔品：饼类54:20、馒头类33:4、包子类19:5、馄饨饺子类5:4、汤煮面类64:15、糕团类59:14、其他煮蒸面食类62:11、其他油瀹焙烤面食类29:5、饭粥类29:12、另类22:1。

酒茶等饮料类：酒品82:4、茶类15:1、其他饮料47:6。

酒楼食店茶坊：高级餐饮店36:35、其他类型饭店117(拍户43、瓦子22传统有名店33、茶铺19):37。

又：杭州原料行店37、杭州食肆传统有名店11、淳祐年间又有名者22。

餐饮行业组织与业中各类人物名目：62:12。

上述统计对比资料表明：

（1）食物原料中的鱼蛤类、干鲜果类、饯脯饴糖果制品类，以及菜蔬类、谷物原料类，杭州都以极高的比例超过开封。

（2）肴类食品中，犯鲊脯腊类以及生食的脍类，杭州同样远远高出开封之上。

（3）已列出的23种菜蔬类肴品中，鲜、糟、腌渍类竟占14品之多，这在同时期的开封则是很少见的。如果说犯鲊脯腊类的高比重主要是由于气候和保藏的需要，那么菜蔬类中甫鲜品种的特高比例则主要应当视为是口味偏嗜的原因了。并且在宋代，此类食品还被作为特优风味列入土贡进奉朝廷："贡糟藏瓜姜。"[11]

二、论文

（4）酒及茶饮的对比，排除《东京梦华录》记录编漏的因素，杭州远远高出开封也应当是不争的事实。

（5）《东京梦华录》记有羹菜肴品 137、馔品 91，《梦粱录》等则为729、376；这一对比数字无疑也可以证明杭州的肴馔丰盛远在开封之上，完全印证了南宋研究者的如下结论："圣朝祖宗开国，就都于汴，而风俗典礼，四方仰之为师。自高宗皇帝驻跸于杭，而杭山水明秀，民物康阜，视京师其过十倍矣。虽市肆与京师相侔，然中兴已百余年，列圣相承，太平日久，前后经营至矣，辐辏集矣，其与中兴时又过十数倍也。"[12]说杭州比开封"其过十倍"虽未免过于张大，但大体上还是有史实根据的。当时的研究者认为，杭州因自然与人文生态的优势，本即在食料与食品的丰饶方面胜过开封，所谓"江南之俗，火耕水耨，鱼稻富饶，不忧饥馁，……吴郡余杭，川泽沃衍，有安陆之饶，珍异所聚，商贾并凑……"[13]但其更长足的发展，则赖于偏安朝廷都城的特别政治因素。

（6）杭州的正店、脚店、拍户、传统名店、新开名店、茶铺、瓦子等各类店，仅有明确名目和确切地点的即有 190 个（处）之多，而比较之下《东京梦华录》只记录了 72 个（处），无论是饭店类型、格局，还是数量，都要比开封高出许多。而其原因，当然与上款同出一辙。

（7）由于同样的原因，杭州的行业组织与其食事分工也要比开封细密许多，这正是杭州餐饮业和社会饮食文化发展远过开封的又一明证。

（8）非常耐人寻味的是，开封、杭州两城比较，可以明确视为烧烤类的菜肴分别是 5 品和 7 品；而馄饨饺子类食品则是 4 品和 5 品。这一统计比较数字可能意味着我们的统计比较是能在相当程度上反映历史实情的。

（9）北南两宋餐饮业与色情业紧密结合，而南宋更甚于北宋。餐饮业与色情业本来有天然紧密的联系，因为两者作为市场经济，都是以有权、有钱和有闲人群为主要购买群体的。对此，笔者 12 年前的一篇文章中曾专题论及[14]。然而，值得深思的是，一个理学发达，高标名节的皇朝，不仅出最风流放浪的皇帝，而且还用行政手段将"食""色"两者紧密结合，并创造了以色情助推销的商业活动范例。如果说各类酒店的色情活动是业主为了助销而采取的自发与民间行为的话，那么两宋政府为了专卖酒的销售而鼓励色情活动则属于国家政策和政府行为。前者是："诸店肆俱有厅院廊庑，排列小小稳便合儿，吊窗

119

之外，花竹掩映，垂帘下幕，随意命妓歌唱，虽饮宴至达旦，亦无厌怠也。"[15] "庵酒店，谓有娼妓在内，可以就欢，而于酒阁内暗藏卧床也。……其它大酒店，娼妓只伴坐而已。欲买欢，则多往其居。"[16] "每楼各分小阁十余，酒器悉用银，以竞华侈。每处各有私名妓数十辈，皆时妆核服，巧笑争妍。夏月茉莉盈头，春满绮陌。凭栏招邀，谓之'卖客'。"[17] 后者则是："临安府点检所，管城内外诸酒店，每岁清明前开煮，中前卖新迎年，诸库呈副本所，择日开沽呈祥，各库预颁告示，官私妓女，新丽妆着，差雇社队鼓乐，以荣迎引。至期侵晨，各库排列整肃，前往州府教场，伺候点呈。首以三丈余高白布写'某库选到有名高手酒匠，酝造一色上等醺辣无比高酒，呈中第一。谓之'布牌'，以大长竹挂起，三五人扶之而行。次以大鼓及乐官数辈，后以所呈样酒数担，次八仙道人、诸行社队，如鱼儿活担、糖糕、面食、诸般市食、车架、异桧奇松、赌钱行、渔父、出猎、台阁等社。又有小女童子，执琴瑟；妓家伏役婆嫂，乔妆绣体浪儿，手擎花篮、精巧笼仗。其官私妓女，择为三等，上马先以顶冠花衫子裆裤，次择秀丽有名者，带珠翠朵玉冠儿，销金衫儿、裙儿，各执花斗鼓儿，或捧龙阮琴瑟，后十余辈，着红大衣，带皂时髻，名之'行首'，……虽贫贱泼妓，亦须借备衣装首饰，或托人雇赁，以供一时之用，否则责罚而再办。妓女之后，专知大公，皆新巾紫衫，乘马随之。……最是风流少年，沿途劝酒，或送点心。间有年尊人，不识羞耻，亦复为之，旁观哂笑。诸酒肆结彩欢门，游人随处品尝。追欢买笑，倍于常时。"[18] "其诸库皆有官名角妓，就库设法卖酒，此郡风流才子，欲买一笑，则径往库内点花牌，惟意所择，但恐酒家人隐庇推托，须是亲识妓面，及以微利啖之可也。"[19] "开煮迎酒候所，有十三库、十马、上马。每库有行首工人，载特髻，着干红大袖；选像生（艺妓）有颜色者三四十人，戴冠子花朵，着艳色衫子；稍年高者，都着红背子，特髻。每库各用丫环五十余人，执劝杯之类。或用台合故事一段；或用群仙，随时装变大公……"[20] 所有国家专卖各酒库例行此法，大约数千人的烟花女子，花枝招展，极力吸引人买沽，为的是国家的财政收入。而为了政府的腰包，宋朝是不惜以社会风化、民族教养的败坏为代价的，因为统治阶级的享乐需要钱，维护这种享乐对辽、西夏、金等国的岁币与供奉亦需要钱，所有这些钱自然都要出在百姓身上。这个"出"，主要是以税种强制执行，可谓之"豪夺"，豪夺不足，便行"巧取"。两宋的酒作为政府重要财源，其垄断专营便是豪夺，而行色情诱沽则是紧傍豪夺的巧取。

（10）两宋时代，内廷和政府比以往历朝与餐饮市场的关系都更为切近，这同样是饮食市场经济发展和时代饮食文化的典型历史性特征。这一点，南宋又更胜北宋。内廷"宣唤"市肆饮食已频繁成习惯，上至皇帝下至诸类内廷成员，都高度依赖杭州酒店食肆的食品供应。"大内……宝瑞之阁，建于六部山后，供进御膳，即嘉明殿，……相对东廊门楼，乃殿中省六尚局御厨，……如官禁买卖进贡，皆由此入。惟此处浩穰，每遇进膳，自殿中省对嘉明殿，禁卫成列，约栏不许过往。省门上有一人呼唱，谓之'拨食'。次有紫衣裹卷脚幞头者，谓之'院子家'，托一合，用黄绣龙合衣笼罩，左手携一条红罗绣手巾进入，于此样约十余合，继后又托金瓜各十余合进入。若非时取唤，名曰'泛索'。……和宁门外红杈子，早市买卖，市井最盛。盖禁中诸阁分等位，宫娥早晚令黄院子收买食品下饭于此。凡饮食珍味，时新下饭，奇细蔬菜，品件不缺。遇有宣唤收买，实时供进。如府宅贵家，欲会宾朋数十位，品件不下一二十件，随索随应，指挥办集，片时俱备，不缺一味。夏初茄瓠新出，每对可值十余贯，诸阁分、贵官争进，增价酬之，不较其值，惟得享时新耳。"[21] 又"其士人在贡院中，自有巡廊军卒斋砚水、点心、泡饭、茶酒、菜肉之属货卖。"[22]

（11）两宋宫廷和贵族饮食的奢侈在中国饮食史上是极具代表性的，他们对社会饮食风气的影响力无疑是不可低估的，整个社会尚食风气的厚重与之不无关系。张俊宴待赵构、秦桧的张大奢华宴席，理宗赵昀皇后谢道清六十大寿的铺张筵式，杭城上层社会岁时食俗"赏心乐事"的记录，都是有力的证明。

（12）赵宋政权南迁后的一个半世纪，亦是南迁北人群体食生活、食文化、食心理逐渐"南烹"化的过程。"入乡随俗"是一普泛和永恒的文化发展规律。数字最能说明问题：北宋时，宫廷主副食料是传统的面食和羊肉，神宗熙宁十年 (1077) 内廷用面粉 1110664 斤、米 557880 斤，面、米比例为 2:1；羊肉 434463 斤，猪肉 4131 斤，羊肉、猪肉比例是 100:1。[23] 而南渡之后，到了以米、猪、鱼蛤、菜蔬为主要食料的文化区，食料结构势不能不因之发生重大改变，此实时人所谓"南渡以来，几二百余年，则水土既惯，饮食混淆，无南、北之分矣"。[24] 时至南宋末年，看馔名目与食料结构已明显证明了这一点。

文中关于看馔的分类，鉴于一时难以完全准确甄别厘清的困难[25]，故不得已采取了品类名目和加工技法兼用的分类方法，同时开列了"其他"和"另类"

两栏将暂时难以明确形态与制作方法的品种收录其中。用意是不敢强猜古人，更不敢强不知以为知，以免误导时人、贻笑后人。

注释：

[1] 周密《武林旧事》卷第九"高宗幸张府节次略"。张俊 (1086—1154)，事见《宋史·张俊传》卷三百六十九，字伯英，凤翔府成纪人，起于诸盗。南渡后握兵最早，以靖内御外功着受赵构信用。"力赞和议，与秦桧意和，言无不从……岳飞冤狱，……俊独助桧成其事"，后人铸其与秦桧夫妇、万俟卨铁像共跪于杭州西湖岳飞墓前。

[2] 寿和圣福：理宗赵昀皇后谢道清 (1210—1283) 咸淳三年 (1267) 皇太后封号。太后台州临海 (今浙江临海) 人，祖父谢深甫宁宗朝宰相。咸淳十年 (1274) 以太皇太后临朝，德祐二年 (1276) 元军逼近临安，谢道清遣使投降，被迁至燕京，降为寿春郡夫人，元至元二十年 (1283) 死，终年七十四岁。此次圣节之贺，当在咸淳五年 (1269) 谢氏六十寿诞，即距其献玺投降的七年前。《宋史·后妃列传下》卷二百四十三有传。

[3]《梦粱录》卷三"皇太后圣节""宰执亲王南班百官入内上寿赐宴"。

[4]《梦粱录》卷十六"肉铺"。

[5]《武林旧事》卷第三"岁除"。

[6]《梦粱录》卷十六"茶肆"。

[7]《梦粱录》卷十八"民俗"。

[8]《梦粱录》卷十三"夜市"。

[9]《梦粱录》卷二十"妓乐"。

[10]《梦粱录》卷十三"天晓诸人出市"。

[11] 宋周淙《乾道临安志》卷二"土贡"引《两朝国史》。

[12] 宋耐得翁《都城纪胜》"序"。

[13]《隋书·地理下》卷三十一，又《乾道临安志》卷二"风俗"引。

[14] 参见赵荣光《青楼与中国古代饮食文化》，《赵荣光食文化论集》黑龙江人民出版 1995 年 11 月第 1 版。

[15]《梦粱录》卷十六"分茶酒店"。

二、论文

[16]《都城纪胜》"酒肆"。

[17]《武林旧事》卷第六"酒楼"。

[18]《梦粱录》卷二"诸库迎煮"。

[19]《梦粱录》卷十"点检所酒库"。

[20]《西湖老人繁胜录》"开煮迎酒候所"。

[21]《梦粱录》卷八"大内"。

[22]《梦粱录》卷二"诸州府得解士人赴省闱"。

[23]《宋会要辑稿》方域四之十"御厨"。

[24]《梦粱录》卷十六"面食店"。

[25] 邓之诚先生在《东京梦华录注》"序"中云"断句以伎艺饮食为最难",愚以为信然。

【文章来源】赵荣光：《十三世纪临安饮食文化特征述论》，《东方美食：学术版》，2003 年第 3 期

5. 南宋宫廷菜肴的特点与御菜举例

杭帮菜不仅在我国城市菜系中享有盛名，而且名闻亚欧，已成为杭州城市的金名片。杭帮菜的发展，是数千年努力的结晶。南宋时期的宫廷菜肴，又是杭帮菜发展史的里程碑，值得研究与发扬。

一、南宋宫廷菜的新特点

南宋宫廷菜肴，是北宋汴京（今河南开封市）宫廷菜的继承与发展，是大江南北烹艺的交流与融合，因此形成了新的特点：

• 烹饪技艺的南北交流

宋室南迁时，《宋史·食货志》载："高宗皇帝南渡，民之从者如市。"仅屯驻京城内外的军队就达十多万。北方大批餐饮店与厨师也流入杭州，这就促进了中原地域与长江流域烹艺的大交流与大融合。因此南宋都城受到北宋汴京（今河南开封市）饮食文化与烹饪技艺的影响。而南宋杭州的饮食店，多效学汴京的门面装修，十分华丽。

• 宫廷菜肴与民间菜肴的交流与融合

北宋汴京的宫廷厨师在宋室南迁的过程中，也多有失散与流落南宋杭州的民间，开店操作旧业；杭州本地的民间餐馆与厨师也效学汴京名菜或雇佣汴京厨师，这样，把汴京菜的技艺与杭州菜相结合，形成新特色。

• 形成了"南料北烹"与"北料南烹"的新式烹饪技艺

汴京的厨师流入杭州之后，只能采用杭州的烹饪原料，其方法仍沿用汴京的技艺，这就形成了"南料北烹"新特色，即使北方烹饪原料流入杭州，本地的餐饮店与厨师也仍沿用杭州的烹饪方法，又构成"北料南烹"的新特色。

• 南宋宫廷菜肴的结构出现了变化，形成了新格局

北宋汴京的宫廷菜肴的特色，多以羊猪肉与北方蔬菜为主。羊肉，是北宋宫廷菜肴首要的动物原料。但南宋定都临安（今杭州），"左江右湖"，是典型的水乡，又临近东海，因此淡水鱼虾与海鲜产品极为丰富，为南宋御厨提供了丰富

的新的烹饪原料，促使了宫廷御菜结构的变化，形成了以羊猪肉与淡水鱼虾、海鲜并举的局面；与此同时，淡水鱼虾与海鲜水产品为原料的菜肴大增，在数量上也超过羊猪肉的菜肴。据《宋史》《武林旧事》《梦粱录》等南宋诸书的记载，有名称可查的有数十百味，如宋嫂鱼羹、南炒鳝、水母烩（海蜇）、蛤蜊生、螃蟹清羹、洗手蟹、鲫鱼假蛤蜊、沙鱼烩、煨牡蛎、姜醋香螺、炒沙鱼粌汤、江瑶生、土步辣羹汤、青虾辣羹、酒吹淮白鱼、蟹酿橙、鱼虾山海兜等等。

二、五味御菜的记述

因南宋宫廷御厨的食谱没有留传下来，今只能从各方面的书籍中搜集，力求探索，因难度很大，有的只能引用仿烹记录，供大家参考：

《山家清供》是南宋文人林洪所撰。林洪，福建建泉南人，但在都城临安（今杭州市）太学中读书数年之久。相传他又是北宋隐逸大诗人林和靖的七世孙子，在杭州也生活过多年，对都城了解颇多。

● 虾鱼笋蕨兜：又名山海兜

这是宋代文人林洪《山家清供》书中记录的民间菜，后传入宫廷。书中的记载大意如下：春天采笋与蕨菜洗净，用沸水焯后控干。把鲜活的鱼虾与春笋、蕨菜一起切成小块，先在开水冲泡一下，后急火蒸熟，加酱油、麻油、盐、胡椒粉，同绿豆粉皮拌匀，滴上醋，即可供食。今皇宫御厨也上此菜，名叫"虾鱼笋蕨兜"。这是一道山海鲜相搭配的菜肴，故又名山海兜。

● 酒煮玉蕈

《山家清供》记录说："鲜蕈，净洗，约水煮，少熟，乃以好酒煮。或佐以临漳绿竹笋，尤佳。"原文的大意是：鲜蘑菇，洗干净，先少用水煮稍微熟，再用好酒煮。加上临漳出产的绿竹笋当佐料，尤其好。

皇宫御厨多用酥烤的方法烹制，仍保持它的风味。

南宋御厨烹制皇帝、太子、皇后、太子妃等人所吃的饭菜，都极严格按照御厨菜谱的规定操作，不能有丝毫改变与离谱。否则，就是欺君之罪，予以严厉惩罚；同时，御厨菜谱，又是严格保密的，不得外带、外传。因此，今天无法得到南宋御厨的菜谱。只能找到当时文武大臣参加宫廷御宴或皇帝款待老师菜点时的记录，其中也仅有菜肴名称或记其原料等，而缺乏烹制方法的记录。

因此只能根据当时文武大臣片言只语的记录或后代学者及今日厨师努力探索与仿制的成果，也介绍三例：

● **宋嫂鱼羹**

据南宋文学家周密《武林旧事》载，淳熙六年（1179）三月十五日，宋孝宗陪太上皇赵构与太上皇后坐龙舟游历西湖，在断桥附近，听见汴京妇人宋嫂叫卖鱼羹的话音，勾引起太上皇的回忆，便叫内侍召她的船靠近并询问情况。宋嫂回答说："东京人氏，随驾到此。"在西湖中，以烹制鱼羹为生。于是宋嫂就烹制鱼羹供太上皇品尝，受到了太上皇与太上皇后的称赞。此事很快传遍京城，许多人都去品尝皇帝吃过的名菜"宋五嫂鱼羹"，生意十分兴隆，宋五嫂很快地发财成"富媪"。因此，"宋五嫂鱼羹"成为京都名菜而留传至今。今据《中国杭州楼外楼》记录，供大家参考。

烹制法：将鳜鱼清洗干净，去掉头、尾及脊骨。将鱼肉皮朝下放在盘中，加入葱段、姜片、绍兴酒、精盐稍渍后，用旺火蒸熟出锅，卤汁滗在碗中，把鱼肉拨碎成片状，除去皮、骨头、葱姜，倒回原卤汁碗中，将熟火腿、熟笋、香菇、葱、姜均匀切成细丝，鸡蛋黄打散。置炒锅于旺火上，下入熟猪油，投入葱段煸香，放入清汤煮沸，加入绍酒、笋丝、香菇丝，待再沸，将鱼肉与原汁落锅，加入精盐、酱油、味精，烧沸后勾薄芡，然后将鸡蛋液淋入锅内搅匀，加入醋及熟猪油，起锅装入盆。撒上火腿丝、葱姜丝与胡椒粉即成。

特点：色泽油亮，鲜嫩滑润；有蟹肉滋味，故有"赛蟹姜"之称。

这里的烹制方法，是现代人的新创，内有加味精。其实南宋时还没有味精，最好是不放味精，试其南宋原味。

● **鼎煮羊羔**

鼎煮羊羔，即鼎炖乳羊。乳羊，即羊羔，肉嫩肥美。是南宋宫廷名菜之一。是孝宗皇帝最为称赞的菜肴之一，招待他的老师胡铨时，曾有两道羊肉为原料的菜肴，即鼎煮羊羔与胡椒醋羊头。据古书简单记录，今上海有餐饮店，曾仿制这味菜肴，其烹调方法大致如下。

原料：乳母羊一只，葱结、姜片各适量，甜酒酿 50 克、盐 15 克、醋 25 克、辣酱油 25 克，豆豉、茴香少许。

制法：先将乳母羊宰杀、去毛、除内脏，洗净，除去脚与头，剖成两片，切成若干大块，入锅中略焯，洗去血腥味。然后将乳羊肉放入炊鼎，加葱、姜、茴香与清水，以淹没羊肉为度，烧开后，去除浮末，加酒、醋、盐、豆豉，加盖再烧沸后，移至小火炖熟。汤浓、肉质酥烂即成。食用时，随醋和辣酱各一小碟。

特点：汤汁浓而乳白，羊肉酥烂肥鲜，香味浓郁。

● 土步辣羹

土步辣羹，是南宋宫廷名菜之一，是供太子、皇子的常菜。土步鱼，是杭州人历代所喜吃的传统菜。1988 年出版的《杭州菜肴》中有春笋步鱼、象牙步鱼、酱烧整步鱼等三味，今摘录"象牙步鱼"的烹制方法，供大家参考。

原料：新鲜大步鱼 1000 克。

制作方法：步鱼剖开洗净，去头、脊髓骨、肋骨，剥去皮，两片鱼肉对剖成象牙条，洗净，加上蛋清和味精一克，精盐 2 克，捏至有粘性，再加湿淀粉 15 克，拌匀上浆。熟火腿、水发香菇切成长条片，绿色蔬菜洗净。然后把炒锅置中火上，下猪油 25 克，先把菜炒熟，加精盐 0.5 克，出锅放在盘的周围，当中空出。中火热锅滑油后，下猪油炒至四成熟，放入步鱼肉，用筷子轻轻划散，约 10 秒钟倒入漏勺。锅内留油，放入葱略煸，加火腿和香菇片，下入步鱼肉，芡汁搅匀，入锅勾芡。起锅盛在绿色菜中即成。

特点：步鱼玉白似象牙，配料鲜艳悦目，肉质鲜嫩，是初春的时令菜肴。

【文章来源】林正秋：《南宋宫廷菜肴的特点与御菜举例》，《杭州（生活品质版）》，2010 年第 2 期

6. 南宋杭州民间名菜

南宋的菜肴，从大者分类，可分为宫廷菜、市民菜和乡村菜三大类，各有特色。现着重介绍都城市民菜肴的特点，简言之，特点有五。

一是海错河鲜，市民所嗜

杭州地处钱塘江下游，东海之滨，"左江右湖"，是典雅的江南水乡，水产资源极其丰富，因此淡水鱼虾与海鲜成为市民的主要烹饪原料。据南宋杭州文人吴自牧《梦粱录》所记载二百四十多味都城民间菜单，水产菜占了一半，每一种鱼虾的做法在唐代以前相当单一，南宋京城由于南北烹饪技艺的交流与融合，方法更加多样，如蟹就有醋赤蟹、白蟹辣羹、奈香合蟹、枨醋洗手蟹、五味酒醋蟹、酒拨蟹、糟蟹、溪蟹等十多味菜。又如虾，也有酒炙青虾、青虾辣羹、虾鱼肚儿羹虾蒸假奶、水龙虾鱼、虾园子、紫苏虾、水荷虾儿、虾包、望潮青虾、酒法青虾等十多味。

把鱼虾晒干或腊制后再吃食，也是都城市民流行的食法。如白鱼干、梅鱼干、银鱼干等多种。

二是禽畜下脚，烹调益精

猪羊畜类，也是京城市民菜肴的基本原料之一。但是吃食方法比唐宋之前大有进步。当时对禽畜类的烹饪原料，力求按不同部位，采用不同方法：如猪肉，粗分为肉、骨与下脚三大类，下脚类又可细分为头、蹄、肝、肺，称为"四件"，即今人误为"时件"。又如腰子有酒醋腰子、脂蒸腰子、荔枝腰子、水龙腰子、软羊焙腰子、大片腰子、酿腰子等十余味。由于腰子烹调法精雅而味美，其中酒醋腰子、人字腰子、荔枝腰子还成为宫廷菜。

三是鸡鸭烹法，日益精雅

家畜鸡鸭鹅类，历来是城市居民的常见好菜与招待客人贵宾菜。在唐宋以前，方法较为单调，招待客人时，往往是全鸡、全鸭上桌，而南宋时的吃法，已是十分多样，如食鸡，有五味焙鸡、八焙鸡、炉焙鸡、酒蒸鸡、冻鸡、炒鸡覃等。小鸡食法更多，有麻饮小鸡、汁小鸡、焕小鸡、撺小鸡、五味炙小鸡、红熬小鸡、脯小鸡十多味。鹅的食法也很多样，如八糙鹅鸭、白炸春鹅、炙鹅、鲜鹅、笋焖鹅、五味杏酥鹅、吹秀鹅、笋蒸鹅、羊鹅事件等。南宋鹅的食法，比鸭之食法更加丰富。

四是腌腊冷盘，方便顾客

腌腊食品，原是保存食品的方法，但后人发现腌腊之后，出现了新的味道，成为烹饪的新原料，也成为我国的传统菜。据《周礼》记载，已有"腊人"成为朝廷管理的官员。南宋时，腌腊类菜肴不仅是市民的常菜，而且还成为宫廷菜的组成部分。南宋名将张俊，在清明坊府第中招待宋高宗皇帝的二百多味高档菜肴中，就有十多味是腌腊冷菜，如云梦犯尔，虾腊，旋鲊（羊肉为原料），肉瓜齑，肉线条子等。

南宋京城的腌腊冷菜，主要分为鱼烩、冷冻酱菜与猪羊腊肉类等四大类。如鱼虾，生吃冷菜就酒法青虾、海鲜烩（海蜇肉）、鲈鱼烩、鲫鱼烩、枨醋虾等；生吃冷食时，多拌上酒、醋、胡椒粉、姜和橘皮等为调料，既能减毒，又能增味。

冷冻菜，有冻蛤蜊、冻鸡、冻石首鱼（黄鱼）、冻白、冻鲞、冻肉等，是市民常见菜肴。

酱菜，是市民常见的蔬菜，如酱瓜、腌菜、酱菜、香药木瓜、姜丝梅、水红姜等。

猪羊肥肉类，如脯界、方条、糟醋头肉、酱肉、算条、片羊头、脯腊鸡、脯鸭、兔脯肉等。

五是大江南北烹技的大交融

唐宋以前传统菜，多单一风味，或味咸，或味酸，或味甜等，而南宋都城中出现了咸中带甜的咸甜结合型、甜中带酸的甜酸结合型、咸中带辣的咸辣结合型，成为南北风味交融的风味，这是适应了都城中全国各地人口云集，对风味不同的需求。

民间各菜六味的烹调方法

• 黄金鸡

南宋文人林洪《山家清供》载有烹调方法："其法燖鸡净，用麻油、盐水煮之，入葱、椒，候熟擘钉，以元汁别供，或荐上酒，则'白酒初熟，黄鸡正肥'之乐得矣。"大意说：用开水把鸡毛褪干净，加麻油、盐和水，放葱和花椒，等烧熟了切成肉丁块。原汁则另用。再配上白酒，体会到李白诗句"白酒新熟山中归，黄鸡啄黍秋正肥"的快乐劲儿。

这味鸡菜，从汉代以来，一直是招待贵宾或孝敬父母长辈的传统菜。唐宋时，烹调方法日益精雅与多样。黄金鸡是色、香、味均好的上品菜，寓居杭州多年，故有杭州古菜的韵味。

• 东坡脯

大文豪苏东坡北宋时曾两任杭州的地方官，是对杭州有贡献的地方官，一直以来受到杭州的尊敬和纪念。苏东坡流传的名菜有东坡肉、东坡豆腐、东坡鱼等多种，东坡脯是其一。宋元之际的文人陈无靓在《事林广纪》书中作了记录："鱼取肉，切作横条。盐、醋腌片时，粗纸渗干。先以香料同豆粉拌匀。却将鱼(条)用粉为衣，抻手操开，麻油揸过。"大意是说：用鱼肉切成横条，以盐醋腌渍片刻，用粗糙纸把鱼条上的水吸干。另用香料与绿豆粉拌匀，在鱼条上涂上一层豆粉做外衣，轻轻地把鱼块分开，用麻油在上面涂上薄薄一层，放在油锅中煎熟可吃。

• 莲房鱼包

南宋林洪《山家清供》载有具体方法："将莲花中嫩房去蕊截底，剜蕊留其孔，以酒、酱、香料加活鳜鱼块实其内，仍以底坐甑内蒸熟；或中外涂以蜜，出碟，用渔父三鲜供之(三鲜指莲、菊、菱汤瀣也)。"大意说：去掉莲房中薹蒂杂质，切下底部。挖掉莲房中柔软的瓤，仅留洞孔。把用酒、醋、香料拌好的鳜鱼块肉，塞进洞孔之中。底朝下，放进蒸锅中蒸熟，再把莲房内外抹上蜜，再装盘供吃。

• 假羊眼羹

宋元之际文人陈元靓在《丰林广记》中记载了烹调方法："羊白肠一条，

洗净，用大螺熟煮。挑出，取螺头。以绿豆粉水调稀。拌和螺头，灌羊白肠内，紧系两头，煮熟取出，放冷，薄切，作羹。俨然羊眼无辨也。"大意说：把羊白肠一条，刷洗干净。把大螺蛳煮熟后，挑出螺肉，切下螺头。以水调稀绿豆粉，和螺头相拌后，塞入羊肠内。羊肠两头用线扎紧，在锅中煮熟。取出让它冷却，切成薄片，制成羹汤供食，好像是真的羊眼一样。

- 金玉羹

据林洪《山家清供》载，把山药与栗都切成片。放在羊肉汤中煮熟成羹汤，取名为"金玉羹"。

山药，性温味甘。中医认为有补肾气，健脾胃之效。宋代药书《政和奉草》说："久服，耳目聪明，轻身不饥。"并指出肉以白者为最佳。青黑色不堪用。栗，中医认为有"主益气，厚肠胃、补肾气，活腰脚无力"等功效，是百果中最有益者。从变饪原料与方法看，是一味健身的菜肴。

- 假煎肉

《山家清供》记录了它的烹饪方法："瓠与麸薄切，各和以料煎，麸以油浸煎，瓠以肉脂煎，加葱、椒、油、酒共炒。瓠与麸不惟如肉，其味亦无辨者。吴何铸晏客，或出此，吴中贵家，而喜与山林朋友嗜此清味，贤矣。"大意说：瓠（即葫芦）与麸（即面筋）切成薄片。分别加料后用油煎。面筋用大油锅煎，葫芦用猪油煎。葫芦与面筋不但炒得像肉，而且味道也难以辨别，同肉味相似。吴何铸（余杭人，官员）宴请宾客，或出此菜。吴中（指苏州一带）贵家，也同隐居山林的朋友一样，爱好这味清雅的素菜。

【文章来源】林正秋：《南宋杭州民间名菜》，《杭州（生活品质版）》，2010 年第 4 期

7. 繁盛的南宋临安饮食业

绍兴八年（1138），宋高宗赵构偏安江南，迁都于临安（今杭州）。自此，这座古城便成了南宋的政治、经济、文化中心。当时，由于大批臣民迁入临安，各种消费品的需求急剧增加，饮食业的繁荣更是势不可当。于是，各种酒楼茶肆纷纷应运而生。据载，那时临安的大小酒家数以百计，面食店和荤素点心店更是遍布街巷。其中，较著名的官、私高级酒家有二十余座。

这些豪华的酒家，"多是效学京师人，开张亦效御厨体式"，十分重视店面装点，陈设讲究，还备有乐队，以招徕顾客。这些酒家供应的御厨体式名肴有"五味烤鸭""鸡圆鱼""酒蒸鸡""百味羹""宋五嫂鱼羹"等一二百种。此外，还供应顾客酒后小歇助味的青皮、杏仁、半夏、豆蔻、香药、小蜡茶、橄榄、薄荷等。"醒酒口味"则有"酒浸江蟠、章举蛎肉、龟脚、锁管、蜜丁、脆螺、鲎酱、法虾、子鱼、塑鱼"等海味。经营的酒类有"琼花酒""蔷薇酒""蓬莱酒"等五十余种。

酒家的服务十分热情、周到。食客一进厅，伙计便迎上前去，提瓶献茗，待以上礼。店员业务娴熟，百多种菜名背得滚瓜烂熟；凡客点定，"传唱如流，便即制造供应"，十分及时。

小吃业也颇为发达。除"丝鸡面""三鲜面""炒鸡面"等名小吃外，还有各色羹汤、炒菜和米饭。市内还有为下层平民开设的低级面食店，以卖菜羹为主，亦兼煎豆腐、煎鱼、煎鲞、煎茄子、烧菜等。荤素点心店十分注意品种和服务质量，"市食点心，四时皆有，任便索唤，不该主顾"，其品种近百，其中的生馅馒头、月饼、寿桃、重阳糕、水晶包、油酥饼、春饼、粽子、洗沙包、梅花糕、烧饼、馓子、胡饼、蟹壳黄等品种，一直流传至今。

临安饮食业的经营方式灵活多样。据记载，"御街铺店，闻钟而起。卖早市点心，如煎白肠、羊鹅事件、糕、粥、血脏羹、羊血、粉羹之类"，且"晴雨霜雪皆然"。早市点心，还随节令变化。如冬售五味肉粥、七宝素粥，夏卖义粥、馓子、豆粥等。早点中还有"二陈汤"之类的疗效食品。

二、论文

在临安的闹市区，夜市"与日间无异"，面食店通宵买卖，交晓不绝；"酒楼歌馆，直至四鼓后方静"。摊贩们挑着装饰讲究的担儿架，在各处出售食品，皂儿膏、澄沙团子、乳糖浇、十色沙团、十色花花糖、雪泡豆儿、水荔枝膏、豆糕、麝香糖、蜜糕、薄荷膏、五色法豆等各有特色，叫卖之声，不绝于耳。即使寒冬雨雪之夜，仍照常顶盘出售。

临安的民间节食也十讲究。从农历正月至十二月，每逢节日均有"节食"应市。正月十五为元宵节，全城张灯结彩，节食品种繁多，如乳糖圆子、水晶脍、韭饼、南北珍果、澄沙团子、生熟灌藕、琥珀饧等。确是"贵客钩帘看御街，市中珍品一时来，帘前花架无行路，不得金钱不肯回"。

寒食节、清明节，家家门上插了柳条，祭扫祖墓。节食为麦糕、稠汤，民间则多用枣食姜豉。

端午节，"杭都风俗，自初一日至端午日，家家买桃、柳、葵、榴、蒲叶、伏道，又并市荬、粽、五色水团、时果、五色瘟纸当门供养。自隔宿及五更，沿门唱卖声，满街不绝"。

六月暑季，开始供应解暑饮料，如白醪凉水、冰雪、荔枝膏水、椰子酒、金橘团、冰团、麻饮芥辣、姜蜜水、豆儿水、梅花酒等。还有"香薷饮""五苓大顺散""紫苏饮"等疗效饮料。

九月重阳的节食为重阳糕。其制作讲究，有的用五色米粉捏成狮形，插上小彩旗，下层是用栗粉与蜜糖混合制成的饼糕，为馈赠佳品。

冬至则是贺冬节日，十分隆重，店市关门三日，"垂帘饮博"，谓之"做节"。节食为馄饨。

腊月节食最多。初八食"腊八粥"，二十四这天则不分贫富，皆备蔬食饧豆祀灶。市上还有五色斗食、花果、萁豆等节食。除夕美食更多，如十般糖、澄沙团、韵果、蜜酥、市糕等，皆置精巧果盘中，供"守岁"时食用。

【文章来源】张志明：《繁盛的南宋临安饮食业》，《食品科技》，1983 年，第 2 期

8. 试论南宋临安饮食业的繁荣及其原因

摘要：南宋的饮食业在我国饮食业历史中占有重要的地位，临安作为南宋的都城，饮食市场更是一片繁荣景象：饮食店铺分布广，营业时间长；食品种类繁多，别具特色；就餐环境及服务也极优质。探究其繁荣的原因，离不开广大的社会需求、丰富的物产、商业的进步和交通的便捷等多个方面。

关键词：南宋；临安；饮食业

我国的饮食文化源远流长、光辉灿烂，不仅是古代社会物质文明的反映，而且折射出当时人们的精神风貌，体现了社会的精神文明。宋代是我国历史上一个重要的历史时期，随着商品经济的发展、商业的繁荣，饮食业也迎来了发展的高潮，在我国饮食业史上占有重要地位。

一、南宋临安饮食业的繁荣

（一）饮食店铺分布广，营业时间长

南宋时期，商品经济发达，临安城内百业兴旺。吴自牧云："杭州城市外，户口浩繁，州府广阔，遇坊巷桥门基因辟去处，具有铺席买卖。"饮食业尤为如此，这里成为全国饮食业的集萃地，"处处各有茶坊、酒肆、面店"。[1]《都城纪胜·市井》就提到，在临安城大内和宁门外、新路的南北，花果、时令蔬菜、海鲜野味全聚集于此，以至朝天门、清河坊、中瓦前、灞头、官巷口、棚心、众安桥，食物店铺，人烟浩穰。这些店铺以酒店为主，同时又包括茶坊、面店等。

南宋临安酒业的销售以酒库楼店为主，从经营性质看，可分为官营和私营。官营酒库往往以酒楼的形式出现，资金雄厚、规模大、消费档次高，顾客多为社会中上层。它们大多集中在商业繁华的街区闹市，城门要道或风景优美的西湖边，其中较为著名的有太和楼、和乐楼、春风楼、中和楼、春融楼等。而私营店铺主要以酒店酒楼的形式出现，散布在各个坊巷乡野，星罗棋布，为人熟知的有熙春楼、三元楼、赏心楼、五间楼、五月楼、嘉庆楼、聚景楼等。还有

二、论文

一些小酒店，主要卖酒和价格低廉的下酒菜，多设在水陆交通便利、风景宜人的地方，如湖中有"撑船卖买羹汤、时果；掇酒瓶，如青碧香、思堂春、宣赐、小思、龙游新煮酒俱有"，[2] 可以说凡是有人烟的地方就有酒库楼店。茶在人们生活中是必不可少的饮品，"盖人家每日不可缺者，柴米油盐酱醋茶"。[3]南宋临安的茶坊遍布城内外，较有名的有张卖面店隔壁的黄尖嘴献球茶坊，又有中瓦内王妈妈家茶肆名一窟鬼茶坊，还有大街车儿茶肆、蒋检阅茶肆，皆为士大夫期朋约友会聚之处。面食店在饮食店中也占重要比例，"分茶店"是食店中规模最大的一种，也是综合性的食店，主要分布于街头闹市。而规模次于"分茶店"的羊饭店、南饭店、菜面店、素食店等规模较小的面食店如群星散布各坊巷。

与唐五代相比，这些店铺的营业时间明显加长。按当时集市时间看，可分为早市、日市、夜市。南宋临安早市、夜市比前代要热闹得多。早市从五更开始，"御街铺店，闻钟而起，卖早市点心……有卖烧饼、蒸饼、雪糕等点心者，以赶早市，直至饭前方罢……早市供膳诸色物件甚多，不能尽举。自内后门至关桥下，大街小巷……不论晴雨霜雪皆然也"。[4] 早市过后，各店铺开始正常营业，当日落西山、暮色降临，夜市便拉开帷幕。《梦粱录》卷十三《夜市》中提到，临安的桥道坊巷，夜市中有卖糖果等物品，卖挂的人沿街叫卖，到三更还络绎不绝。冬天即使碰到大雨雪天，依然有夜市盘卖者。还有不少店铺通宵达旦，临安"最是大街一两处面食店及市西坊面食面店，通宵买卖交晓不绝。缘金吾不禁，公私营干，夜食于此故也"。临安城的大街上，买卖昼夜不绝，夜晚直到三四更，行人才开始稀疏；到了五更时，卖早点的人们又开始忙着开店营业了。

（二）饮食品种繁多，别具特色

据徐吉军《中国风俗通史》统计，宋人的主食主要分为粥、饭、面条、饼、包子等，菜肴可分为肉禽类、水产类、蔬菜类、羹类、腌腊类，饮品主要有汤、茶、酒等。主食种类繁多，仅面条就有丝鸡面、三鲜面、大熬面、炒鸡面等十余种，馒头包子也是"市食点心，四时皆有"，饼的花式日益增多，当时著名的有芙蓉饼、菊花饼、月饼、梅花饼、春饼、烧饼等，此外还有用米面做的糕、粽子、麻团、汤丸。[5] 菜肴制作日趋多样，大型酒楼凭借雄厚的物力、财力使食坛上名菜佳肴大批涌现，仅分茶酒店就有二百四十道荤素菜肴出售。就算一般的食

135

店，其内的美味也是丰富多样的。《梦粱录》卷十六《分茶酒店》记载，当时流行的有四软羹、石髓羹、杂彩羹、软羊焙腰子、盐酒腰子……更有面食名件，像丝鸡面、三鲜面、鱼桐皮面、盐煎面，还有专卖的清鱼羹汤、川饭，并有多样煎肉鱼来下饭。

由于大江南北烹饪技艺的交流和城乡菜肴烧煮方法的融合，菜肴也出现了一些新特色。第一，水产品类菜比重上升。《梦粱录》中记有当时常见常吃的鱼肴，有赤鱼膘、脍鲈鱼、清汁鳗鳔、油炸春鱼、炒鳝、鲤鱼兜子、盆鳅江鱼等三十种，食虾蟹的方法也很多样。第二，素食菜肴品种也日益增多。在民间较为流行的有东坡豆腐、傍林鲜笋、满山香等十多种。其中一个重要特色是用麦麸面筋仿制各种肉类制品的滋味菜肴大批出现，比较有名的是假煎白肠、假煎乌龟、假牛冻等。[6]第三，宋代的腌腊冷盘菜肴大增，成为筵席桌上不可缺少的部分。宋代腌腊冷冻品种繁多，可分为脯腊、冷冻、鱼脍三类，在东南沿海盛行生食鱼肉片的情况下，冷冻菜肴的大批出现是宋代冷盘菜的重要特色和创新。而且冷冻菜肴便于拼盘造型，增添了形态美观。

（三）良好就餐环境，全方位优质服务

就餐环境分为内部环境和外部环境。从外部环境来看，酒楼都经过了一番精心装饰，以招徕顾客。"酒家事物，门设红杈子、绯绿帘、贴金红纱栀子灯之类，旧传因五代郭高祖游幸汴京潘楼，至今成俗。"[7]这样可以吸引顾客的眼球，使顾客立刻了解该店的主要服务项目，让他们对此店产生极大的兴趣。店铺的内部环境装修得更加精细。首先，店铺内部层次感明显，比如三元楼，厅院廊庑装饰的花木森茂，进入主门需沿着主廊前行一二十步，然后分出南北两廊，皆济楚阁儿，这才是坐席，到夜晚灯烛营煌，上下相照。这种布局，南北两廊，众多小间，可容纳更多的顾客，互不相扰。其次，酒楼绿化很到位，店堂内多放置花木，如茶肆将奇松异桧等物于花甲上，装饰店面。并且在各个小阁间，除吊窗之外，还有花竹相互掩映成趣。再次，店铺用文化艺术来增添食客的雅兴，"各大茶坊张挂名人书画，在京师只熟食店挂画，所以消遣久待也，各茶坊皆然"。[8]临安城中大多茶肆，插春夏秋冬四时各异之花，挂文人雅客字画，装饰店面。

临安饮食业经营者不仅将店堂设置的雅洁美丽，而且注重提高服务质量。

如"客至坐定，则一过卖执箸遍问坐客。杭人侈甚，百端呼索取覆，或热或冷，或温或绝冷，精烧熬烧，呼客随意索唤。各桌或三样皆不同名，行菜得之。走迎厨局前，从头唱念，报与当局者，谓之铛头，又曰著案。讫行菜，行菜指灶头，托盘前去，从头散下，尽合诸客呼索，指挥不致错误"。[9]分工极为分明，先有"僧儿"专门拉客，客人进店后，"过头"拿着菜单请客人点菜，又"铛头"烧制，再由"行菜"送到顾客面前。管理制度也很完善，店中的酒羹汤，可任意索取更换，即使十个客人各要一种口味，也会尽力满足。有的客人菜上齐举盅畅饮又要换不同菜品，店铺也极意奉上。由此可见，南宋临安酒楼食店的服务程序已形成较完整的体系。

二、南宋临安饮食业繁荣的原因

饮食业体现着不同阶级阶层、不同地区民族的价值观，是当时当地政治、经济、文化发展的结果，其原因也要从多方面多角度探求。

（一）人口众多，社会需求量大

由于南宋经济的恢复和发展，大量北方人的迁徙使得南宋城市人口急剧增加。杭州在孝宗乾道时二十六万多户，到南宋末年更增为三十八万户、一百二十多万人，这还不包括庞大的官府机构和军队人数。人口的增多必然刺激食品的需求，"每日街市食米，除府第、官舍、宅舍、富室及诸由该奉人外，细民琐事，每日城内外，不下一二千余百，皆需之铺家"。[10]作为行都，临安的流动人口也很多，士人应举、官员诠选都集中于此。三年一次的科举考试，每次赴临安应试的士人都不下万余人，而每次士人到京，平均一人带一仆，那十万人应试，就有十万仆人，总约为二十万人。这些士人云集临安，必然给临安饮食业带来大量的临时生活消费。

这与城市内的高消费也是分不开的。据记载，自从宋高宗赵构建都临安后，一共有九位帝王在此执政。只临安一地，全城就日需食面米上万石，以及数量巨大的肉、禽、蛋、水产、蔬菜等。当时的赵宋朝廷苟且偷安，不惜耗费国家财力，日夜酣饮歌舞，享受珍馐美馔。一些有识之士也对于社会内部黑暗、外部战乱的现状持消极态度，他们往往在纸醉金迷中逃避现实，以求暂时的解脱。《马可·波罗游记》指出，有专门为富人和大官们餐桌提供的肉食，至于贫苦的人民则不加选择的什么肉都吃。这些反映了当时饮食业的畸形发展，使饮食业过度地追求饮食精美、奢侈。

（二）物产丰富，货源供应足

临安位于东南繁华富庶之地，物产丰富。《梦粱录》就总结了当时临安附近地区的物产分为谷麦豆、桑麻、菜、果、竹、木、花、药、禽、兽、虫、鱼等十几个大类之多。具体表现在：第一，粮食产量高，供应足。由于南宋统治者采取了开垦荒地、兴修水利等措施，加之套种、轮种、防虫施肥种植技术的推广运用，《二老堂杂记》就指出，当时农业亩产一般是二石，最差也是一石。况且临安所在的杭嘉湖平原是著名的鱼米之乡，同时苏州、湖州、常州、秀州也为临安供应粮食。据书记载："然本州所赖苏、湖、唱、秀、淮、广等处客米到来，湖州市米市桥、黑桥，俱是米行……杭城常愿米船纷纷而来，早夜不绝可也。"[10] 第二，蔬菜一年四季都有供应。城郊的蔬菜种植十分发达，特别是城东，有大片的菜园，"车驾行在临安，士人谚云：东门菜、西门水、南门柴、北门米，该东门绝无居民，弥望皆菜园。"[11] 第三，鱼、肉的货源十分丰富。城市距海不远，每天都有大批海鱼从河道运到临安城中。湖中也产大量的淡水鱼，有专门的渔人终年从事捕鱼工作。鱼的种类随季节的不同而有差异。第四，水果也是供应充分。"一年四季，市场上总有各种各样的香料和果子。特别是梨，硕大出奇，……肉呈白色，和浆糊一样，滋味芳香。还有桃子，分黄白二种，味道十分可口。这里不产葡萄，不过其他地方有葡萄干贩来，味道甘美。"并且还有橙、梅、李、杏等，丰富的货源大量的物产为饮食业的繁荣奠定了坚实的基础。

（三）商业繁荣，交通网络通畅

临安随着南宋的建都，北方人口和资金大规模南下，迅速成为当时的天下第一大商业都会。旧的坊市界限逐渐被打破，商店和作坊面街而居，大街小巷到处都是商店。随着城乡贸易、宋金贸易的流行，交换商品也丰富起来，有粮食、海鲜、野味、珍果以及油盐酱醋之类。同时作为南宋的行都，得到了不少商业上的优惠措施，如减放商税。咸淳二年（1266）以后，"朝省每年五月一次照本府征额拨一十八界、一十七万五千贯文，以补郡费"，[12] 这就是说中央财政另外拨出相应的款项来代替临安的商税，临安的商税则全免了。这些举措促进了商业的发展，带动了饮食业的兴旺。

临安的地理位置优越，交通便利。临安近海临江有河，循海路可以到达台州、温州、泉州，又可以经过泉州到外国贸易。这些地区的海鲜鱼蟹、干湿海货可运抵临安。沿钱塘江上溯可以到达严、徽等柑橘、干湿果子丰富的州，各类船只都停泊在钱塘江。除南边濒临钱塘江外，在临安的北边，自北往南，还有一些河汊伸进临安城里，在临安城的北关水门内形成一个"存水数十里"的白洋湖。临安城的富家就在水边"起迭塌坊十数所，每所为屋千余间，小者亦数百间，以寄藏都城店铺及客旅物货"。[13] 各大城市交通都很便利，形成了东南以临安、建康、泉州等为枢纽、辐射乡村海外的网络，这使得全国各地的货物及珍馐美味都可到达临安，保证了饮食业的发展。

总之，南宋临安的饮食业十分的繁荣，这也进一步反映了古代都城文化的繁荣。饮食业的繁荣发展对当时社会的影响是非常巨大的，随着临安酒茶、牲畜水产的大量消费，刺激了其他地区粮食和农产品的商品化。全国的珍馐美味通过四通八达的交通运输线，由北向南、由西向东运往临安，加大了南北东西经济文化的交流。此外，临安饮食市场精细的分工、高超的加工工艺、逐渐增强的市场竞争意识，对于当今的饮食市场的建设也有很大的借鉴作用，在我国饮食发展史上占有重要的地位。

参考文献

[1] 吴自牧. 梦粱录 [M]. 北京：中华书局，1985.

[2] 吴自牧. 梦粱录 [M]. 北京：中华书局，1985.

[3] 吴自牧. 梦粱录 [M]. 北京：中华书局，1985.

[4] 吴自牧. 梦粱录 [M]. 北京：中华书局，1985.

[5] 徐吉军. 中国风俗通史（宋代卷）[M]. 上海：上海文艺出版社，2001.

[6] 林正秋. 宋代菜肴特点探讨 [J]. 商业经济与管理，1987，(1).

[7] 耐得翁. 都城纪胜 [M]. 呼和浩特：远方出版社，2001.

[8] 耐得翁. 都城纪胜 [M]. 呼和浩特：远方出版社，2001.

[9] 吴自牧. 梦粱录 [M]. 北京：中华书局，1985.

[10] 吴自牧. 梦粱录 [M]. 北京：中华书局，1985.

[11] 周必大 . 二老堂杂志 [M] 北京 : 中国农业出版社，2000.

[12] 漆侠 . 宋代经济史 [M]. 上海 : 上海人民出版社，1987.

[13] 耐得翁 . 都城纪胜 [M]. 呼和浩特 : 远方出版社，2001.

【文章来源】杜晶、张万鹏：《试论南宋临安饮食业的繁荣及其原因》，《传承》，2010 年第 8 期

二、论文

9. 南宋临安的水果消费及市场供应

摘要： 南宋都城临安，是当时世界上首屈一指的国际性大都市，集全国政治、经济、文化三个中心于一体。马可·波罗称其为"全世界最大而最名贵之城"。[1]商业十分发达。其中水果的消费和市场供应就充分说明了这一点。

关键词： 南宋；临安；水果；消费

南宋都城临安，"人烟稠密，城内外不下数十万户，百十万口"。[2]商业十分发达，远远胜过唐代的长安、北宋的东京。时人吴自牧在其所作的《梦粱录》一书中有载："大抵杭城是行都之处，万物所聚，诸行百市，自和宁门杈子外至观桥下，无一家不买卖者。"[3]又说："盖因南渡以来，杭为行都二百余年，户口蕃盛，商贾买卖者十倍于昔，往来辐辏，非他郡比也。"[4]其在中国、在世界的城市发展史上，均具有重大而深远的影响。法国著名汉学家贾克·谢和耐(Prof.JacquesGernet)在其所著的一本主要阐述南宋都城临安社会生活历史的著作中认为："十三世纪的中国，其现代化的程度是令人吃惊的：它独特的货币经济、纸钞、流通票据，高度发展的茶、盐企业，对外贸易的重要(丝绸、瓷器)，各地出产的专业化等等。国家掌握了许多货物的买卖，经由专卖制度和间接税，获得了国库的主要收入。在人民日常生活方面，艺术、娱乐、制度、工艺技术各方面，中国是当时世界首屈一指的国家，其自豪足以认为世界其他各地皆为化外之邦。"[5]而日本著名汉学家斯波义信将其列为"9—13世纪发生在中国的商业革命、城市革命的颇具代表性的一个范例"。[6]本文试图通过南宋临安的水果消费和市场供应，来进一步印证上述学者的论点。

---

[1] 〔意〕马可·波罗：《马可·波罗行纪》，〔法〕沙海昂注，冯承钧译，北京：中华书局，2004年，第591页。
[2] 吴自牧：《梦粱录》卷一六《米铺》。
[3] 《梦粱录》卷一三《团行》。
[4] 《梦粱录》卷一三《两赤县市镇》。
[5] 〔法〕贾克·谢和耐：《南宋社会生活史》，马德程译，台北：中国文化大学出版部，1982年。
[6] 〔日〕斯波义信：《宋代江南经济史研究》，南京：江苏人民出版社，2001年，第321页。

141

一、南宋临安的水果消费

南宋临安是当时世界上最大的消费中心，这种现象的出现，与其地的消费风尚是密不可分的，这种消费风尚可用两个字来概括，这就是"侈甚"。以饮食来说，凡缔姻、赛社、会亲、送葬、经会、献神、仕宦、恩赏等活动，都要操办丰盛的宴会，极尽铺张之能事，故杭谚有"销金锅儿"之号。[1]达官贵人和富商们更是在饮食上穷奢极欲，"食不肯蔬食、菜羹、粗粝、豆麦、黍稷、菲薄、清淡，必欲精凿稻粱，三蒸九折，鲜白软媚，肉必要珍馐嘉旨，脍炙蒸炮，爽口快意，水陆之品，人为之巧，镂篡雕盘，方丈罗列"。[2]"凡饮食珍味，时新下饭，奇细蔬菜，品件不缺。"[3]程卓指责说："罄中人十家之产，不足供一馈之需；极细民终身之奉，不足当一燕之侈。"[4]他们极力追求食品的丰盛，讲究精美可口。其时，当地的水果消费便充分体现了这一点。

水果是达官贵人和富商们日常食用的普通食品，食用水果一年四季不断。元夕有"传柑宴"[5]。正月十五元宵节，杭城"家家灯火，处处管弦"。[6]节日所尚的食品有"南北珍果"及生熟灌藕、诸色龙缠蜜煎、蜜果、糖瓜蒌等之类。[7]炎热的夏天，"贵戚士庶……恣眠柳影，饱挹荷香，散发披襟，浮瓜沉李，或酌酒以狂歌，或围棋而垂钓，游情寓意，不一而足"。[8]七月七日乞巧节，都人"七夕节物，多尚果食"。[9]"富贵之家，于高楼危榭，安排筵会，以赏节序，又于广庭中设香案及酒果，遂令女郎望月瞻斗列拜，次乞巧于女、牛。……又于数日前，以红燃鸡果食时新果品，互相馈送。禁中意思蜜煎局亦以鹊桥仙故事，先以水蜜木瓜进入"。[10]中秋节的晚上，市民们"醋酽橙黄分蟹壳，麝香荷叶剥鸡头，人在御街游"。[11]除夕夜，为了打发漫漫的长夜，消磨时间，每家每户都要准备

---

[1]《武林旧事》卷三《西湖游幸》。
[2]阳枋：《字溪集》卷九《杂著·辨惑》。
[3]《梦粱录》卷八《大内》。
[4]程卓：《论诸州公祭妄非费奏》，《全宋文》第287册第289页。
[5]王同祖：《京城元夕》，《江湖小集》卷二七。
[6]《梦粱录》卷一《元宵》。
[7]《武林旧事》卷二《元夕》。
[8]《梦粱录》卷四《六月》。
[9]《武林旧事》卷三《乞巧》。
[10]《梦粱录》卷四《七夕》。
[11]刘辰翁：《须溪集》卷八《望江南·秋日即景》。

一些消夜果子和一些玩具，供人消遣。如《梦粱录》卷六《除夜》载："是日，内司意思局进呈精巧消夜果子合，合内簇诸般细果、时果、蜜煎、糖煎及市食……"

达官贵人和富商们还时常举办各种名目繁多的果品宴会。以张镃为例，其家一年中以品尝水果为主题的宴会活动就有：

四月孟夏：餐霞轩赏樱桃。五月仲夏：听莺亭摘瓜，清夏堂赏杨梅，艳香馆赏林檎，摘星轩赏枇杷。六月季夏：霞川食桃，清夏堂赏新荔枝。七月孟秋：应铉斋东赏葡萄，珍林剥枣。九月季秋：珍林赏时果，满霜亭赏巨螯香橙。十月孟冬：满霜亭赏蜜橘。[1]

水果，特别是一些十分名贵的水果，还往往与美酒佳肴一起，被人们作为招待贵宾的必备品。绍兴二十一年 (1151) 十月，宋高宗赵构亲临清河郡王张俊府第，张俊设宴招待高宗一行。宴席的丰盛到了无以复加的程度，除 200 多道名贵菜肴外，首先供上筵席的是"绣花高钉一行八果垒：香圆、真柑、石榴、枨子、鹅梨、乳梨、榠楂、花木瓜"。接着，又上有"乐仙干果子叉袋儿一行：荔枝、团眼、香莲、榧子、榛子、松子、银杏、梨肉、枣圈、莲子肉、林檎旋、大蒸枣"；"雕花蜜煎：雕花梅球儿、红消花儿、雕花笋、蜜冬瓜鱼儿、雕花红团花、木瓜大段儿、雕花金橘、青梅荷叶儿、雕花姜、蜜笋花儿、雕花枨子、木瓜方花儿"；"砌香咸酸：香药木瓜、椒梅、香药藤花、砌香樱桃、紫苏柰香、砌香萱花柳儿、砌香葡萄、甘草花儿、姜丝梅、梅肉饼儿、水红姜、杂丝梅饼儿"；"珑缠果子：荔枝甘露饼、荔枝蓼花、荔枝好郎君、珑缠桃条、酥胡桃、缠枣圈、缠梨肉、香莲事件、香药葡萄、缠松子、糖霜玉蜂儿、白缠桃条"。[2]这数十道名贵果品和蜜饯，令人眼花缭乱，垂涎不已。

水果还被外地的官员当作交结权贵的礼品和馈送的礼品。关于前者，绍兴二十六年 (1156) 十二月二十一日，吏部员外郎续觱与高宗面对时的一场对话便有详细的说明：

"果州黄柑、广安紫梨、涪陵荔子、遂宁糖冰、合阳细茗、洋州香枨、左绵耿梨，抛科掊敛，动以千数，文移督促，过于税租。村疃穷甿，所产既竭，不免转市旁求。一果之直，率数百金；一夫之费，至十余千。其间又藁笼妆盦，

---

[1]《武林旧事》卷一〇《张约斋赏心乐事》。
[2]《武林旧事》卷九《高宗巡幸张府节次略》。

争（奸）[妍]巧，谈悦当路，幸掩己私。弊俗相承，民不堪命。望严赐诫敕，狃于旧态，重置典宪。"上曰："不知何用此物？"黼奏曰："多以更相馈送，殊以为扰。"上曰："如廉州采珠，联亦无用，惧伤人命，立诏禁止。"黼曰："如监司，岂可不上体圣意。"上曰："当严行禁止。"于是诏四川置制司，常切觉察，仍令御史台采访弹劾。[1]

据此可知，从绍兴末年起，远在千里之外的四川地方官，将当地所产的名贵水果带到京城，用来馈送权臣。但这种法令并没有取得多大的效果，几年以后又是老方一贴。绍兴三十二年(1162)六月十三日，孝宗在登基大典上再次提及这种风气：

应诸路出产时新口味、果实之类，所在州郡因缘贡奉，烦扰道上，疲费过所，至于数外取索，多归公库，更相馈遗，习以成风。或假贡奉为名，渔夺民利。果实则封闭园林，海错则强夺商贩，至于禽兽昆虫珍味之属则抑配人户，致使所在居民以土产之物为苦。不唯因口腹之故，广害物命，亦使斯民冒犯险阻，或至丧失躯命。岂不甚痛！太上皇帝已尝降诏禁约，窃虑岁久，未能遵奉。自今仰州军条其土产合贡之物申尚书省，下礼部参酌，天地、宗庙、陵寝合用荐献，及德寿宫甘旨之奉，当议指挥，止许长吏修贡外，其余一切并罢。如州县奉行灭裂，因缘多取，当以违制论。[2]

至于亲朋好友之间以水果作礼品馈送的现象，更是普遍。如朱翌《谢惠杨梅》诗：

杭州金氏越州楞，撒火飞星五月春。
百果若重推贡士，风流应不下平津。[3]

周必大《次韵阎刑部才元杨梅》诗：

炎官伞照涛江红，五月献果明光宫。
越人一枝古所重，蜀无他杨谱则同。

---

[1]《宋会要辑稿》崇儒七之六四。
[2]《宋会要辑稿》崇儒七之六五、六六。
[3] 朱翌:《灊山集》卷三,《丛书集成初编》本。

二、论文

> 玄珠更将赤水浴，流火呈祥复王屋。
>
> 下伴长安黑弹丸，杀吏惊人寒起粟。
>
> 新诗字字含芳鲜，大书遗我敦同年。
>
> 请君速访天竺老，食白追继仇池仙。[1]

而临安众多的寺院道观及祠庙，则常年用水果供奉神祇。如"崇新门外长明寺及诸教院僧尼，建佛涅盘胜会，罗列幡幢，种种香花异果供养"。[2] 二月八日祠山张真君生日，"其日都城内外，诣庙献送繁盛"。宫中"命大官排食果二十四盏，各盏呈艺"。[3] 三月二十八日，乃东岳天齐仁圣帝圣诞之日。"都城士庶，自仲春下浣，答赛心愿，或专献信香者，或答重囚带枷者，或诸行铺户以异果名花、精巧面食呈献者，或僧道诵经者，或就殿庑举法音而上寿者，舟车道路，络绎往来，无日无之。"[4]

当然，临安市民清明上坟祭祖或中元祀先等活动，水果也是必不可少的。周密《武林旧事》卷三《中元》载："此日祀先，例用新米、新酱、冥衣、时果、彩缎、面棋，而茹素者几十八九，屠门为之罢市焉。"

一些生产商和饮食店肆，更是利用水果配菜或制作饮料，从而形成了数量众多的、风味独特的食品。如荔枝焙腰子、蟹酿橙、枣糕、枣箍荷叶饼、金橘水团、椰子酒、漉梨浆、卤梅水、木瓜汁、荔枝膏、金橘水等等。特别是蟹酿橙，"橙大者截顶去穰，留少液，以蟹膏纳其内，仍以带枝顶覆之，入甑，用酒醋水蒸熟，加苦酒入盐供。既香而鲜，使人有新酒、菊花、香橙、螃蟹之兴"。[5] 此菜深受文人的喜爱，葛起耕《秋寓都城次赵君瑞韵》诗赞云："催破橙香荐蟹黄，快斟新酒润诗肠。"[6]

在临安这种水果消费的氛围下，还形成了一些与水果有关的习俗。如太学除夜各斋祀神，用枣子、荔枝、蓼花三果，盖取"早离了"之谶。[7] 而民间在

---

[1] 《宋诗钞》第2册《省斋集钞》。
[2] 《梦粱录》卷一《二月望》。
[3] 《梦粱录》卷一《八日祠山圣诞》。
[4] 《梦粱录》卷二《二十八日东岳圣帝诞辰》。
[5] 林洪:《山家清供》卷上《蟹酿橙》。
[6] 《江湖小集》卷九二。
[7] 周密:《癸辛杂识》后集《祠神》。

145

中和节时，尚以青囊盛百谷、瓜果子种互相遗送，为献生子。[1]

二、南宋临安水果的供应与来源

（一）南宋临安水果的批发和梢售

水果在临安有数处专业性的市场，"此种市场常有种种菜蔬、果实，就中有大梨，每颗重至十磅，肉白如麦，芬香可口。按季有黄桃、白桃，味皆甚佳。然此地不产葡萄，亦无葡萄酒，由他国输入干葡萄及葡萄酒"[2]。其中五间楼专售泉州、福州等地来的荔枝、圆眼等水果。[3] 此外，早市和晚市也都有水果供应。如《梦粱录》卷一三《天晓诸人出市》载："和宁门红权子前买卖细色异品菜蔬，诸般下饭，及酒醋、时新果子，进纳海鲜品件等物，填塞街市，吟叫百端，如汴京气象，殊可人意。"除早市外，晚市也有"金桃、陈公梨、炒栗子、诸般果子""时新果子"供应，"其余桥道坊巷，亦有夜市扑卖果子糖等物……至三更不绝。冬月虽大雨雪，亦有夜市盘卖"。[4]

至于水果商店更是遍布城内外。水果店在临安时称为果子店，为一种专售时鲜水果及果脯等的店铺。著名的如大瓦子的水果子、五间楼前周五郎蜜煎铺[5]、中瓦子前钱家干果铺、水巷（兰陵坊）口阮家干果铺、杂卖场前戈家蜜枣儿。它们经营的品种比较繁多，《西湖老人繁胜录》列举十五种"时果"（即时新果子）：罗浮橘、洞庭橘、花木瓜、余甘子、赏花甜、亢堰藕、青沙烂、陈公梨、乳柑、鹅梨、甘蔗、温柑、橄榄、匾橘、香栀。七种"茶果仁儿"：棒子仁、括子仁、松子仁、橄榄仁、杨梅仁、胡桃仁、西瓜仁。十二种"蜜煎"：蜜金橘、蜜木瓜、蜜林檎、蜜金桃、蜜李子、蜜木弹[6]、蜜橄榄、昌园梅[7]、十香梅、蜜栀、蜜杏、珑缠茶果。三十九种"糖煎"：香药灌肺、七宝科头、杂合细粉、水滑糍糕、玲珑划子、金铤裹蒸、生熟灌藕、水晶炸子、筋子膘皮、乳糖鱼儿、美醋羊血、澄

---

[1] 《梦粱录》卷一《二月》。
[2] 〔意〕马可·波罗：《马可波罗行纪》，〔法〕沙海昂注，冯承钧译，北京：中华书局，2004年，第579—580页。
[3] 《梦粱录》卷一三《团行》云："五间楼泉、福糖蜜及荔枝、圆眼汤等物。"
[4] 《梦粱录》卷一三《夜市》。
[5] 《梦粱录》卷一三《铺席》载有"五间楼泉、福糖蜜及荔枝、圆眼汤等物"。
[6] 《武林旧事》卷六《果子》作"蜜弹弹"。
[7] 《武林旧事》卷三《都人避暑》作"蜜渍昌元梅"。

二、论文

沙团子、天花饼、皂儿膏、宜利少、煎鸭子、酿栗子、莲子肉、爁肝肉、望口消、蜜枣儿、兔耳朵、酥枣儿、重剂枣、糖寿带、酸红藕、宝索儿、玉柱糖、泽州饧、玉消膏、乌梅膏、韵梅膏、薄荷膏[1]、香桩膏、橘红膏、糖乌李、杨梅糖、法豆、轻饧。此外，他在书中尚列有相银杏、炒椎栗、方顶柿、盐官枣、玉石榴、红石梅、晚橙、红柿、巧柿、绿柿、榄柿、雪梨、水晶葡萄、太原葡萄十四种干湿水果。

食店、酒店、茶楼、瓦子和妓院等处也兼营水果的销售。如《西湖老人繁胜录》载，食店出售的水果及其相关产品有："干京果、南京枣、番蒲萄、巴榄子、御枣圈、松阳柿、蜂儿榧、药泽鱼、锦荔枝、大圆眼、顶山栗、蜂儿干、莲子肉、糖霜、梨花、梨条、梨肉、桃条。""时果：罗浮橘、洞庭橘、花木瓜、余甘子、赏花甜、亢堰藕、青沙烂、陈公梨、乳柑、鹅梨、甘蔗、温柑、橄榄、匾橘、香桩。""茶果仁儿：棒子仁、括子仁、松子仁、橄榄仁、杨梅仁、胡桃仁、西瓜仁。蜜煎：蜜金橘、蜜木瓜、蜜林擒、蜜金桃、蜜李子、蜜木弹、蜜橄榄、昌园梅、十香梅、蜜帐、蜜杏、珑缠茶果。"

此外，小商贩们还将居民们日常所需的水果等食品，主动上门销售到临安城内外的千家万户之中。人口密集的巷陌街坊，是小商贩们竞往的地方，他们"盘街叫卖，以便小街狭巷主顾，尤为快便耳"。[2]而游人众多的西湖，同样可以见到一些流动叫卖水果等食品饮料的小贩。他们"撑船卖买羹汤、时果；掇酒瓶，如青碧香、思堂春、宣赐、小思、龙游新煮酒俱有"。[3]

由于官府和富贵人家经常要举办大型的筵席，于是临安出现了提供全方位的服务机构——"四司六局"。据耐得翁《都城纪胜·四司六局》载："官府贵家置四司六局、各有所掌，故筵席排当，凡事整齐，都下街市亦有之。常时人户，每遇礼席，以钱倩之，皆可办也。"其中与水果有关的有果子局和蜜煎局，"果子局，专掌装簇、钉盘、看果、时果、准备劝酒。蜜煎局，专掌糖蜜花果、咸酸劝酒之属"。

（二）南宋临安水果的价格

南宋临安的水果，绝大多数品种价格是非常低廉的，如本地所产的桃、梨、

---

[1]《武林旧事》卷六《果子》作"薄荷蜜"。
[2]《梦粱录》卷一六《鲞铺》。
[3]《梦粱录》卷一二《湖船》。

147

甘蔗等产品，平民百姓一般能够承受，家中经济富裕的能够天天享食，而经济条件稍差的，在节日时也能买一些享受一下。但水果中的鲜荔枝、鲜葡萄，由于来自遥远的福建、广东、太原等地，在当时保鲜困难、运价高的情况下，其在都城的售价格自然是十分昂贵的。刘克庄《和赵南塘离支五绝》诗中有"十颗千钱品最珍，北人鲐背未濡唇""辇毂尝新著价高，土人弃掷等弁髦"的诗句，并在诗中注云："皱玉盛时颗值百钱。"[1]杨梅在临安的售价也极其高昂，祖可《杨梅》诗云："五月杨梅已满林，初疑一颗价千金。味方河朔葡萄重，色比沪南荔子深。飞艇似闻新入贡，登盘不见旧供吟。诗成欲寄山中友，恐解楼头爱渴心。"[2]"一颗价千金"，其价则真可与闽广荔枝、西凉葡萄相比肩了。毫无疑义，这种天价的名贵水果则是达官贵人和富商们的专用品，平民百姓是无福消受的。

（三）南宋临安水果的供应

临安市民所食用的大量水果，绝大多数是由本地提供的。当时这里的水果种植业非常发达，城市周围分布着众多的果园，一些园林也竞相栽植果树以营利。如《武林旧事》卷三《都人避暑》载，聚景园就出产有秀莲新藕、蜜筒甜瓜、紫菱、碧芡、金桃等水果。另据《梦粱录》卷一八《物产·果之品》载："（林檎）邹氏园名花红，郭府园未熟时以纸剪花样贴上，熟如花木瓜，尝进奉，其味蜜甜。"在这种氛围下，水果的种植技术有了进一步的提高。周密《癸辛杂识》续集上《种葡萄法》便载："有传种葡萄法，于正月末取葡萄嫩枝长四五尺者，卷为小圈，令紧，先治地土松而沃之以肥，种之止留二节在外。异时春气发动，众萌竞吐，而土中之节不能条达，则尽萃华于出土之二节。不二年，成大棚，其实大如枣，而且多液，此亦奇法也。"水果的品种也较过去有了大幅度增加，其中仅吴自牧《梦粱录》卷一八《物产·果之品》所载，就产有橘、橙、梅、桃、李、杏、柿、梨、枣、莲、瓜、藕、菱、林檎、枇杷、木瓜、樱桃、石榴子、杨梅、葡萄、鸡头、银杏、栗子、甘蔗等24种。

但毫无疑义，本地所产的水果远远不能满足市场的需要，于是外地大量的名优水果源源不断地运到了临安。据《西湖老人繁胜录》"食店"条所载，都城中的外地名优水果有："罗浮橘、洞庭橘、花木瓜、余甘子、赏花甜、亢堰

---

[1] 刘克庄：《后村先生大全集》卷八《和赵南塘离支五绝》，《四部丛刊》初编本。
[2] 《御选宋诗》卷五六，文渊阁《四库全书》本。

藕、青沙烂、陈公梨、乳柑、鹅梨、甘蔗、温柑、橄榄、匾橘、香栟。"具体来说，主要有：广东的椰子，福建的柑橘、军庭李、荔枝、圆眼，温州的蜜柑，黄岩的乳柑，越州的樱桃，奉化项里的杨梅，苏州的洞庭橘、蜜林檎、韩墩梨，建康的枣，罗浮的橘，太原的葡萄，密云的柿，陈州的果子，等等。甚至还有一些来自海外或者本地引种的水果，如番栟桃、番葡萄、胡桃、新罗葛之类。[1]现根据文献记载，择要介绍十数种外地运入临安的水果：

1. 蜜林檎

来自苏州。范成大《吴郡志》卷三〇《土物下》："蜜林檎实，味极甘，如蜜。虽未大熟，亦无酸味。本品中第一，行都尤贵之。他林檎虽硬大且酣红，亦有酸味，乡人谓之平林檎，或曰花红林檎，皆在蜜林檎之下。"

2. 杨梅

越州会稽(今浙江绍兴)的杨梅名闻天下，临安的杨梅便主要来自这里。陆游《项里观杨梅》诗便对此作了说明："山前五月杨梅市，溪上千年项羽祠。小伞轻舆不辞远，年年来及贡梅时。""山中户户作梅忙，火齐骊珠入帝乡。细织筼笼相映发，华清虚说荔枝筐。"[2]

3. 荔枝及圆眼

宋代荔枝和圆眼的生产，以福建和广东地区为最盛。北宋蔡襄《荔枝谱》第三载：

福州种殖最多，延迤原野，洪塘水西，尤其盛处。一家之有，至于万株。……初著花时，商人计林断之以立券，若后丰寡，商人知之，不计美恶，悉为红盐者，水浮陆转以入京师，外至北漠、西夏，其东南舟行新罗、日本、琉球、大食之属，莫不爱好，重利以酬之。故商人贩益广，而乡人种益多，一岁之出不知几千万亿。

进入南宋，这种商业化的现象尤其明显，福建及广东一带所产的荔枝大量

---

[1] 《梦粱录》卷一六云："其浙江船只，虽海舰多有往来，则严、婺、衢、徽等船多尝通津买卖往来，谓之长船等只。如杭城柴炭、木植、柑橘、干湿果子等物多产于此数州耳。"卷一二："四时果子……福柑……福李、台柑、洞庭橘……衢橘……又有陈州果儿、密云柿儿……"又，《西湖老人繁胜录》云："罗浮橘、洞庭橘……温柑。"
[2] 陆游：《剑南诗稿》卷四三，载《陆游集》第3册，北京：中华书局，1976年，第1091页。

149

运往临安销售。如《西湖老人繁胜录》曰："福州新荔枝到进上御前送朝贵，遍卖街市。生红为上，或是铁色。或海船来，或步担到。直卖至八月，与新木弹相接。"而其中尤以福建泉州、福州荔枝在临安的买卖最大。范成大《新荔枝四绝》云：

> 荔浦园林瘴雾中，戎州沽酒擘轻红。
> 五年食指无占处，何意相逢万壑东。
>
> 海北天西两鬓蓬，闽山犹欠一枝筇。
> 鄞船荔子如新摘，行脚何须更雪峰？
>
> 甘露凝成一颗冰，露稼冰厚更芳馨。
> 夜凉将到星河下，拟共嫦娥斗月明。
>
> 赵泊飞来不作难，红尘一骑笑长安。
> 孙郎皱玉无消息，先破潘郎玳瑁盘。

并诗注云："四明海舟自福唐来，顺风三数日至。得荔子，色香都未减，大胜戎涪间所产。莆阳孙使君许寄蜜荔，过期不至。贰车潘进奏饷砒帽一种，亦佳。并赋之。"[1]

4. 柑橘

柑橘在临安有出产，如丰乐桥、丰乐楼酒肆一带多橘树，号橘园。高宗幸建康，于此登舟，作亭临河，故称橘园亭。富阳王洲出产的橘，更是临安橘中的最佳品。但总的来说，这种水果当地所产的产量有限，远远不能满足市场的需要，大量从温州永嘉、台州黄岩及衢州一带进口。

在南宋，温州永嘉、台州黄岩及衢州一带均是柑橘的重要产地。如韩彦直《橘录》序云："橘出温郡最多，种柑乃其别。种柑自别为八，种橘又自别为十四种，橙子之属。类橘者又自别为五种，合二十有七种，而乳柑推第一。故温人

---

[1] 范成大:《范石湖集·诗集》卷二一，北京:中华书局，2006年，第302页。

二、论文

谓乳柑为真柑，意谓他种皆若假设者，而独真柑为柑耳。然橘亦出苏州、台州，西出荆州，而南出闽、广，数十州皆木橘耳，已不敢与温橘齿，矧敢与真柑争高下耶？且温四邑俱种柑，而出泥山者又杰然推第一。"又，张世南《游宦纪闻》卷五曰："永嘉之柑，为天下冠。"《橘录》卷下《采摘》曰："岁当重阳，色未黄，有采之者，名曰摘青，舟载之江浙间。"洪迈《夷坚志》述临安贩卖温州黄柑云："李生将仕者，吉州人。入粟得官，赴调临安。舍于清河坊旅馆。……会有持永嘉黄柑过门者，生呼而扑之。输万钱，温形于色，曰：'坏了十千，而一柑不得到口！'"又，陈曹卿《嘉定赤城志》卷三六《土产》载台州乳柑运往临安云："乳柑出黄岩断土者佳。……未霜，以饷行都，贵游谓之青柑。"

此外，苏州洞庭山、衢州等地出产的柑橘也源源不断地运到都城临安。宋代的洞庭山是著名的柑橘产地，这里"地占三乡，户率三千，环四十里。民俗……皆以树桑栀甘袖为常产，每秋高霜，余丹苞朱实，与长松茂树相差间于岩壑间，望之若图绘，金翠之可爱"。[1]质量也极佳，据当地人所云："洞庭四面皆水，水气上腾，尤能辟霜。所以洞庭橘最佳，岁收不耗。"[2]如此多的水果，自然本地是无法消化的，必须运到外地去销售，而人口众多、消费力强的都城则是首选之地。庄绰《鸡肋编》卷中就载："平江府洞庭东西二山，在太湖，种柑橘桑麻，糊口之物尽仰商贩。"

5.樱桃

南宋时，绍兴为樱桃的重要产地。绍兴初年，来自中原的陈与义在食用了绍兴所产的樱桃后，专门作了一首名叫《樱桃》的诗，对此种水果极为赞赏，诗云：

> 四月江南黄鸟肥，樱桃满市粲朝晖。
> 赤瑛盘里虽殊遇，何似筠笼相发挥。

当时，临安城中出售的樱桃就来自绍兴。如田汝成《西湖游览志余》卷二云："董宋臣始为小黄门，稍进东头供奉官。极善逢迎。如樱桃宴，即于樱桃未出

---

[1] 苏舜钦：《苏学士集》卷一三《苏州洞庭山水月禅院记》。
[2] 潘永因编：《宋稗类钞》卷八《草木》，书目文献出版社，1985年，第757页。

151

时遣人往越州买得百颗，奏曰：'请赏樱桃！'"

6. 葡萄

葡萄在宋代已经开始大面积种植，其中尤以河东地区为最盛。《西湖老人繁胜录》记临安市场上有"太原葡萄"及"番蒲萄"等。《马可波罗行纪》说："此地不产葡萄，亦无葡萄酒，由他国输入干葡萄及葡萄酒，但土人习饮米酒，不喜欢葡萄酒。"[1]按：马可波罗所指的"他国"，即指金国的太原等处。鲜葡萄即使在今天，限于条件也难以保存，在近千年的南宋时期，是如何从外地运到临安的，可以说是一个谜。正因为如此，临安人将其视为珍果。时人用"名传马乳久，物比蚌胎稀""玉盘一朵直万钱"等诗句来形容它。[2]

7. 巴榄子

巴榄子，为宋代一种名贵水果。朱弁《曲洧旧闻》卷四载："巴榄子如杏核，色白，扁而尖长。来自西蕃。比年近钱人种之，亦生树，似樱桃。枝小而极低，惟前马元忠家开花结实，后移植禁御。予尝游其圃，有诗云'花到上林开'，即谓此也。"来自四川一带。绍兴二十一年（1151）十月高宗幸清河郡王张俊府第时，张俊便进奉了这种名贵水果。[3]另外，市场上也有这种水果出售。

8. 嘉庆子

嘉庆子，即李。如唐代韦述《两京记》云："东都嘉庆坊有美李，人称为嘉庆子。"但至宋代，人们始称干李为嘉庆子。[4]《御定佩文斋广群芳谱》卷五五《果谱·李》载其制法曰："嘉庆子取朱李蒸熟晒干。又糖藏、蜜煎皆可久留。"这种蜜饯在北宋东京极为常见，孟元老《东京梦华录》卷二《饮食果子》中载："又有托小盘卖干果子，乃旋炒银杏、栗子、河北鹅梨、梨条、梨干、梨肉、胶枣、枣圈、梨圈、桃圈、核桃、肉牙枣、海红、嘉庆子、林檎旋、乌李、李子旋、樱桃煎、西京雪梨、夫梨、甘棠梨、凤栖梨、镇府浊梨、河阴石榴、河阳查子、查条、沙苑榅桲、回马荸荠、西川乳糖狮子糖、霜峰儿、橄榄、温

---

[1] 〔意〕马可·波罗：《马可波罗行纪》，〔法〕沙海昂注，冯承钧译，北京：中华书局，2004年，第579-580页。
[2] 洪适：《盘洲文集》卷六《和景严咏新得蒲萄》；杨万里：《诚斋集》卷二七《初食太原生蒲萄时十二月二日》。
[3] 《武林旧事》卷九《高宗幸张府节次略》。
[4] 程大昌《演繁露》卷一五《嘉庆李》载："韦述《两京记》：东都嘉庆坊有李树，其实甘鲜，为京城之美，故称嘉庆李。今人但言嘉庆子，盖称谓既熟不加李。亦可记也。"

柑、绵柂、金橘、龙眼、荔枝、召白藕、甘蔗、流梨、林檎干、枝头干、芭蕉干、人面子、巴榄子、棒子、榧子、虾具之类。"南宋时，有官员出使大辽时携种子归，始在南方种植。南宋洪适《嘉庆子》诗述云："雪艳燕脂萼，京都核远来。游人初识面，不作李花猜。"并作诗注曰："壬午年仲弟使边，遇此果熟，带其核归种。"临安人将其视为珍果。据《武林旧事》卷八《宫中诞育仪例略》所载，宫中所送的礼物中即有嘉庆子五十斤。

9. 槟榔

槟榔来自广南(今海南一带)，尤其是琼州"以槟榔为命"。琼人云："其产于石山者最良。岁过闽、广者，不知其几。非槟榔之利，不能为此一州也。"[1] 郑刚中有"贾胡相衔浮巨舶，动以百斛输官场"的诗句[2]。

10. 金橘

据张世南《游宦纪闻》卷二所载："金橘产于江西诸郡。有所谓金柑，差大而味甜。年来，商贩小株，才高二三尺许，一舟可载千百株。其实累累如垂弹，殊可爱。价亦廉，实多根茂者，才直二三镮。往时因温成皇后好食、价重京师；然患不能久留。惟藏篆豆中，则经时不变，盖橘性热、豆性凉也。"南宋时，李纲《初食金橘》一诗对这种果中珍品作了高度的评价：

> 江湖种橘侔洞庭，于中小者如龙睛。
> 珊瑚枝干碧玉叶，结实璀璨罗繁星。
> 客持赠我意已重，贮以翠笼尤晶荧。
> 气含风露更高洁，色着霜日微红青。
> 匀圆入手讶磊砢，甘酸流颊凄芳馨。
> 金丸玉齿乍破碎，中有沆瀣凝清冰。
> 厥包忆昔贡官阊，潇湘远物来天扃。
> 争新效美不论直，万颗坐觉千金轻。

---

[1] 祝穆:《方舆胜览》卷四三《海外四州·琼州》。
[2] 郑刚中:《北山集》卷二一《广南食槟榔，先嚼蚬灰、蒌藤叶，津遇灰藤则浊，吐出一口，然后槟榔继进，所吐津到地如血，唇齿颊舌皆红。初见甚骇，而土人自若，无贵贱、老幼、男女，行坐咀嚼，谓非此亦无以通殷勤焉。于风俗珍贵，凡姻亲之结好、宾客之款集、苞苴之请托，非此亦无以通殷勤焉。余始至，或劝食之。槟榔未入口，而灰汁藤浆隘其咽嗽，濯逾时未能清。赋此长韵》。

美人转赐入怀袖，归来分饷同瑶琼。

只今八骏杳安在？此物亦尔无光精。

天涯相见两寂寞，敢以陋质伤飘零。

举觞为尔成一醉，醉中不省居蛮荆。[1]

金橘在临安有售。[2]绍兴二十一年（1151）十月，高宗幸张俊甲第，张俊供进御的"时新果子一行"中，就有金橘一品。此外，还有雕花金橘和大金橘等名目。[3]而皇帝也以这种珍果馈赠近臣，周必大有诗曰："昼卧玉堂殿，眼看金弹丸。禹包经岁月，郑驿助杯盘。黄带霜前绿，甘移醉后酸。江湖有兄弟，此日忆团亲。"[4]

11. 梨

临安饮食店铺中的梨，除一部分为本地出产外，还有一部分来自外地，苏州韩墩梨、秀州丑梨、四川广安的紫梨就是其中的代表。叶绍翁《四朝闻见录》戊集《韩墩梨》载："姑苏地名韩墩，产梨为天下冠，比之诸梨，其香异焉，中都谓之'韩墩梨'。后因光皇御讳，改为'韩村梨'。至诧宵专国，馈之者不敢谓'韩村'，直曰'韩梨'。因此皆谓韩梨矣，非诧胃意也。"又，范成大《吴郡志》载："韩梨，出常熟韩丘。皮褐色，肉如玉。每岁所生不多，价极贵。凡梨削皮切片，不移时，色必变。惟韩梨虽经日不变，所以独贵。"[5]

丑梨出崇德之东，"貌虽恶，而味绝胜"。陆垕《丑梨》诗赞曰："灰貌凝清古，霜津溢澹甜。面嫌汤后白，心慰邑中黔。美实钟寒谷，珍尝近御奁。彼姝徒冠玉，争得似无盐？"[6]

12. 真柑

临安市场上的真柑来自苏州。如绍兴二十一年十月，高宗幸清河郡王第，清河郡王臣张俊供进御筵中的"绣花高一行八果垒"，其中有一种水果便是真

---

[1] 李纲：《梁溪集》卷二二。
[2] 《梦粱录》卷一六《分茶酒店》。
[3] 《武林旧事》卷九《高宗幸张府节次略》。
[4] 周必大：《文忠集》卷七《内直以金橘送七兄》。
[5] 范成大：《吴郡志》卷三〇《土物下》。
[6] 《宋诗纪事》卷五三，第3册，第1359页，上海：上海古籍出版社，1983年。

二、论文

柑。[1] 这是一种名贵水果，范成大《吴郡志》一书对其有比较详细的介绍：

真柑，出洞庭东、西山。柑虽橘类，而其品特高。芳香超胜，为天下第一。浙东江西及蜀果州皆有柑，香气标格，悉出洞庭下。土人亦甚珍贵之。其木畏霜雪，又不宜旱，故不能多植及持久。方结实时，一颗至直百钱，犹是常品，稍大者倍价。并枝叶剪之，钉盘时，金碧璀璨，已可人矣。安定郡王以酿酒，名洞庭春色。苏文忠公为作赋，极道包山震泽土风，而极于追鸱夷而酌西子，其贵珍之至矣。又有"三日手犹香"之词，则其芳烈又不待言而知。[2]

【文章来源】徐吉军：《南宋临安的水果消费及市场供应》，《浙江学刊》，2009 年第 4 期

---

[1] 《武林旧事》卷九《高宗幸张府节次略》。
[2] 范成大:《吴郡志》卷三〇《土物下》。

10. 南宋临安饮食业概述

摘要：本文对南宋临安的饮食业，从经营项目及营业时间、货源及供应、经营特色等方面进行了全方位的考察与研究，指出临安的饮食业是十分发达的，它在宋代及中国饮食业发展史上占有重要的地位，达到了中国封建社会的高峰。

关键词：南宋；临安；饮食文化

南宋临安的商业十分繁盛，吴自牧说："盖因南渡以来，杭为行都二百余年，户口蕃盛，商贾买卖者十倍于昔，往来辐辏，非他郡比也。"[1] 而饮食业更是发达，"处处各有茶坊、酒肆、面店等饮食铺"。[2] "自大内和宁门外，新路南北，早间珠玉珍异及花果时新海鲜野味奇器天下所无者，悉集于此；以至朝天门、清河坊、中瓦前、灞头、官巷口、棚心、众安桥，食物店铺，人烟浩穰。"[3] 本文试就这一时期杭州饮食业的发展状况作系统的考察与研究，以求教于方家。

一、临安饮食业的经营项目及营业时间

南宋临安饮食店大致可以分为酒店、茶肆、食店、点心铺四种。

（一）酒店

酒店在临安饮食业中占有举足轻重的地位，从其经营的性质来看，可以分为官营和私营两大类：

官营酒店由官方酒府开办，属户部点检所管辖。据周密《武林旧事》和耐得翁《都城纪胜》等书记载，临安各官方酒库设立的酒楼有：

东酒库（简称东库）有太和楼，西酒库（又称金文库或金文西库）有西楼，南酒库（又称升旸宫）有和乐楼，北酒库（又称北库）有春风楼，南上酒库（又称武林园南上库）有和丰楼（又名正南楼），西子库有丰乐楼、太平楼，中酒库（又称银瓮子中库）有中和楼，北外库有春融楼。此外，南外库、东外库、西溪库、赤山九里松酒库也都设有酒楼，对外营业。

私营酒店遍布杭城内外，数目极多，其中著名的有熙春楼、三元楼、赏心楼、五间楼、花月楼、嘉庆楼、聚景楼、风月楼、赏新楼、双凤楼、望湖楼、涌金楼、

泰和楼、严厨、银马杓、康沈店、翁厨、任厨、陈厨、周厨、巧张、日新楼、沈厨、郑厨、屹螺眼、张花等。

从酒店经营的规模和项目来看，临安酒肆又可以分为以下数等：

第一等为"正店"，如上述所列举的官私酒楼便是。

第二等为"脚店"，或称"分茶酒店"。《梦粱录》卷十六《酒肆》说："大抵酒肆除官库、子库、脚店之外，其余谓之拍户，兼卖诸般下酒，食次随意索唤。"

第三等为"拍户酒店"，这是一种小型的零卖酒店，但在食品的经营上却各有特色：

包子酒店，"专卖灌浆馒头，薄皮春茧包子、虾肉包子、鱼兜杂合粉、灌煎大骨之类"。[4]

肥羊酒店，"如丰豫门归家、省马院前莫家、后市街口施家、马婆巷双羊店等铺，零卖软羊、大骨龟背、烂蒸大片、羊杂熝四软、羊撺四件"。[5]

备茶饭店，"谓兼卖食次下酒是也。但要索唤及时食品，知处不然，则酒家有单子牌面点选也"。[6]

宅子酒店，即将酒店装饰成官宦人家的宅舍，或者由过去仕宦人家所住的房子改造而成，试图借此吸引顾客。

花园酒店，就是将酒店设在花草繁多的地方，或者酒店装饰仿照城中的园林亭馆。[7]

直卖店，又称"角球店""不卖食次下酒"。[8]

散酒店，一般零沽散卖，"或百单四、七十七、五十二、三十八者是也"。[9]

碗头店，门首不设油漆杈子，只挂草葫芦，用银马杓、银大碗等酒具。也有的挂银裹直卖牌。店铺比较简陋，多是用竹栅布幕搭建而成，时人谓之为"打碗头"，意思是顾客多是只喝三二碗，甚至只喝一杯便走的人。酒店出售的下酒食品也非常低劣，如血脏、豆腐羹、熬螺蛳、煎豆腐、蛤蜊肉之类。到这种酒店喝酒的人大多是下层的劳动人民。"不甚尊贵，非高人所往。"

庵酒店，是一种以酒为名从事卖淫的场所。酒店设有娼妓，顾客可以在里面喝酒就欢。酒店在阁楼内暗藏有卧床。为了便于客人识别，酒店"门首红栀子灯上，不以晴雨，必用若籧盖之，以为记认"[10]。

罗酒店，原是山东、河北地区的一种酒店名称，随着宋室南渡，这种酒店名称也传到了临安，但已失去了昔日的风采，"今借名以卖浑头，遂不贵重也"[11]。

第四等为沿街串巷流动叫卖的小贩，如西湖中"撑船卖买羹汤、时果；掇酒瓶，如青碧香、思堂春、宣赐、小思、龙游新煮酒俱有"。[12]

（二）临安茶肆

茶肆饮茶是临安市民开门七件事之一，吴自牧说："杭州城内外，户口浩繁，州府广阔，遇坊巷桥门及隐僻去处，俱有铺席买卖。盖人家每日不可缺者，柴米油盐酱醋茶。"[13]在这里，茶虽列为七件事之末，但其地位与米盐相等，同样是市民们每日生活不可或缺的。

临安茶肆与酒店一样，也遍布杭城内外，据《梦粱录》《都城纪胜》《武林旧事》所载，有名可查的就有清东茶坊、八仙茶坊、珠子茶坊、潘家茶坊、连三茶坊、连二茶坊、潘节干茶坊、俞七郎茶坊、朱骷髅茶坊、郭四郎茶坊、张七相干茶坊、黄尖嘴蹴球茶肆、蒋检阅茶肆、王妈妈家茶肆（又名"一窟鬼茶坊"）、大街车儿茶肆等十多家。这些茶肆按其规模可以分为以下数等：

第一等为"大茶坊"，这类茶肆"四时卖奇茶异汤。冬月添卖七宝擂茶、撒子、葱茶，或卖盐豉汤；暑天添卖雪泡梅花酒，或缩脾饮暑药之属。"到这里饮茶者大多是富室子弟、诸司下直等人，他们会聚在这里"习学乐器、上教曲赚之类，谓之'挂牌儿'"。[14]

第二等为"人情茶肆"，这类茶肆有点像今天的俱乐部，本非以出售茶汤为业，只是以茶的名义多得一些茶钱。它的顾客可以分为两大类：一是专供娼妓弟兄（即假父）会聚，消遣娱乐；一是供城内各行借工卖伎人会聚行老处，谓之"市头"。[15]

第三等为"花茶坊"（又称"水茶坊"）。这类茶肆由娼家开设，在茶楼上安置有妓女，以茶为名勾引青年人。"凡初登门，则有提瓶献茗者，虽杯茶亦犒数千，谓之'点花茶'。登楼甫饮一杯，则先与数贯，谓之'支酒'，然后呼唤提卖，随意置宴。赶趁祗应扑卖者亦皆纷至，浮费颇多。"[16]妓女们在此"争妍卖笑，朝歌暮弦，摇荡心目"。[17]"后生辈甘于费钱，谓之干茶钱。"[18]他们在此争风吃醋，"多有吵闹，非君子驻足之地也。"[19]

第四等为普通茶坊。《梦粱录》卷十六《茶肆》载："更有张卖面店隔壁黄尖嘴蹴球茶坊，又中瓦内王妈妈家茶肆名一窟鬼茶坊、大街车儿茶肆、蒋检阅茶肆，皆士大夫期朋约友会聚之处。"

除上述四等茶肆外，巷陌街坊还有提着茶瓶沿门"点茶"（即用沸水泡茶）

的小商贩。"寻常月旦望，每日与人传语往近，或讲集人情分子。"[20] 如遇吉凶二事，他们往往还上门服务，为顾客运送茶水。[21]

（三）食店

食店包括饭店和面店二类，如从其经营的特色来看，它又可以分为羊饭店、南食店、饦饪店、菜面店、素食店、衢州饭店数种。

"分茶店"是食店中规模最大的一种，孟元老《东京梦华录》卷四《食店》载："大凡食店，大者谓之分茶。"由于它又是一种综合性的食店，因此时人又往往将面食店统称为"分茶店"。所谓"分茶"，即指食品、菜肴。《梦粱录》卷十六《面食店》载："若曰分茶，则有四软羹、石髓羹、杂彩羹、软羊焙腰子、盐酒腰子、双脆、石肚羹、猪羊大骨、杂辣羹、诸色鱼羹、大小鸡羹、撺肉粉羹、三鲜大熬骨头羹、饭食。更有面食名件：猪羊庵生面、丝鸡面、三鲜面、鱼桐皮面、盐煎面、笋泼肉面、炒鸡面、大熬面、子料浇虾蝾面、熬汁米子、诸色造羹、糊羹、三鲜棋子、虾蝾棋子、虾鱼棋子、鸡丝棋子、七宝棋子、抹肉银丝冷掏、笋燥齑淘、丝鸡淘、耍鱼面。又有下饭，则胡焙鸡、生熟烧、对烧、烧肉、煎小鸡、煎鹅事件、煎衬肝肠、肉煎鱼、炸梅鱼、虹鲫杂焐、豉汁鸡、焙鸡、大熬爊鱼等下饭。更有专卖诸色羹汤、川饭，并诸煎肉鱼下饭。"

规模次于"分茶店"的有羊饭店、南食店、饦饪店、菜面店、素食店、衢州饭店诸种：

羊饭店除出售米饭外，还兼卖酒，顾客如没有多少吃饭时间，则先上头羹、石髓饭、大骨饭、泡饭、软羊、淅米饭诸类的饭食。如顾客吃饭时间宽裕，则先上煎事件、托胎、奶房、肚尖、肚胘、腰子之类的菜肴，供顾客饮酒下饭，慢慢食用。

南食店，又谓川饭分茶店，是一种具有四川风味特色的饭店。吴自牧说："向者汴京开南食面店，川饭分茶，以备江南往来士夫，谓其不便北食故耳。南渡以来，几二百余年，则水土既惯，饮食混淆，无南北之分矣。"[22] 在临安，它实际上已名不符实，"所以专卖面食鱼肉之属，如铺羊面、盦生面、姜泼刀、盐煎面、鳝鱼桐皮面、抹肉淘、肉齑淘、棋子、虾蝾子面、带汁煎。下至拨刀鸡鹅面、家常三刀面皆是也。若欲索供，逐店自有单子牌面。"[23]

饦饪店专卖饦饪面，如大熬饦饪、燥子饦饪、料烧虾、蝾丝鸡、三鲜等饦饳，并兼卖馄饨。

菜面店专卖菜面、血脏面、素棋子、经带，或有泼刀面、冷淘出售。这种面店出售的食品比较低劣，所以耐得翁在《都城纪胜·食店》中说："此处不甚尊贵，非待客之所。"

素食店又称"素食分茶店"，这是一种专供佛教徒饮食的饭店，使他们"不误斋戒。"出售的菜肴有头羹、双峰、三峰、四峰、到底签、蒸果子、鳖蒸羊、大段果子、鱼油炸、鱼茧儿、三鲜、夺真鸡、元鱼、元羊蹄、梅鱼、两熟鱼、炸油河豚、大片腰子、鼎煮羊麸、乳水龙麸、笋辣羹、杂辣羹、白鱼辣羹饭。此外，如五味杂麸、糟酱、烧鼓、假炙鸭、干签杂鸠、假羊事件、假驴事件、假煎白肠、葱焙油炸、骨头米脯、大片羊、红熬大件肉、煎假乌鱼等亦是素食店常见的菜肴，专供下饭。素面则有大片铺羊面、三鲜面、炒鳝面、卷鱼面、笋泼面、笋辣面、乳齑淘、笋齑淘、笋菜淘面、七宝棋子、百花棋子等面，"皆精细乳麸，笋粉素食。"[24]

衢州饭店，又称"闷饭店"，这是一种专卖家常饭食的饭店，除出售盒饭外，还卖撺肉羹、骨头羹、蹄子清羹、鱼辣羹、鸡羹、耍鱼辣羹、猪大骨清羹、杂合羹、南北羹等羹汤。另外兼卖蝴蝶面、煎肉、大熬虾蝶等蝴蝶面，以及供下饭所用的煎肉、煎肝、冻鱼、冰鲞、冻肉、煎鸭子、煎蛴鱼、醋鲞等菜肴，"欲求粗饱者可往，惟不宜尊贵人。"[25]

菜羹饭店专售各种菜，兼卖煎豆腐、煎鱼、煎鲞、烧菜、烧茄子等菜肴。"此等店肆乃下等人求食粗饱，往而市之矣。"[26]

（四）点心店

点心店可以分为荤素从食店、素点心从食店、馒头店、粉食店数种。

荤素从食店是点心店中规模最大、品种最全的一种。出售的食品主要有四色馒头、细馅大包子、米薄皮春茧、生馅馒头、馉子、笑靥儿、金银炙焦牡丹饼、杂色煎花馒头、枣箍荷叶饼、芙蓉饼、菊花饼、月饼、梅花饼、开炉饼、寿带龟仙桃、子母春茧、子母龟、子母仙桃、圆欢喜、骆驼蹄、糖蜜果食、果食将军、肉果食、重阳糕、肉丝糕、水晶包儿、笋肉包儿、虾鱼包儿、江鱼包儿、蟹肉包儿、鹅鸭包儿、鹅眉包儿。十色小从食有细馅夹儿、笋肉夹儿、油炸夹儿、金铤夹儿、江鱼夹儿、甘露饼、肉油饼、菊花饼、糖肉馒头、羊肉馒头、太学馒头、笋肉馒头、蟹肉馒头、肉酸馅、千层儿、炊饼、鹅弹，合计五十余种点心食品。

160

二、论文

素点心从食店专售素食点心，如丰糖糕、乳糕、栗糕、镜面糕、重阳糕、枣糕、乳糕、麸笋丝、假肉馒头、笋丝馒头、裹蒸馒头、菠菜果子馒头、七宝酸馅馒头、姜糖馒头、辣馅糖馅馒头、活糖沙馅诸色春茧、仙桃龟儿、包子、点子、诸色油炸（如油条、油炸粽子等）、素夹儿、油酥饼儿、笋丝熬儿、果子、韵果、七宝包儿等。

馒头店除出卖各种馒头以外，兼卖江鱼兜子、杂合细粉、灌熬软烂大骨料头、七宝料头。

粉食店，专卖山药元子、真珠元子、金橘水团、澄粉水团、乳糖槌、拍花糕、糖蜜糕、裹蒸粽子、栗粽、金铤裹蒸菱粽、糖蜜韵果、巧粽、豆团、麻团、糍团及四时糖食点心。

除上述数种点心店外，沿街巷陌还多有小商贩挑担盘卖点心，日夜遍路歌叫，出售的点心品种主要有馒头、炊饼、糖蜜酥皮烧饼、夹子、薄脆、油炸从食、诸般糖食油炸、虾鱼划子、常熟糍糕、馉饳瓦铃儿（又称鹌鹑馉饳儿）、焦锤、羊脂韭饼、饼饻、春饼、芥饼、旋饼、澄沙团子、宜利少、元子、汤团、蒸糍、炙犯子、栗粽、裹蒸、米食等。此外还兼卖熬肉、炙鸭、熬鹅、熟羊、鸡鸭等熟食。以及羊血、灌肺、撺粉、科头等。

饮食店的营业时间可以分为早市、夜市以及正常的白日供应三种，各有分工。

早市每日从交五更开始，"御街铺店，闻钟而起，卖早市点心，如煎白肠、羊鹅事件、糕、粥、血脏羹、羊血、粉羹之类。冬天卖五味肉粥、七宝素粥，夏天卖义粥、馓子、豆子粥。……有卖烧饼、蒸饼、糍糕、雪糕等点心者。以赶早市，直至饭前方罢。及诸行铺席，皆往都处，侵晨行贩。和宁门红杈子前买卖细色异品菜蔬，诸般下饭，及酒醋时新果子，进纳海鲜品件等物。填塞街市，吟叫百端，如汴京气象，殊可人意。孝仁坊口，水晶红白烧酒，曾经宣唤，其味香软，入口便消。六部门前丁香馄饨，此味精细尤佳。早市供膳诸色物件甚多，不能尽举。自内后门至观桥下，大街小巷，在在有之，不论晴雨霜雪皆然也。"[27]

早市结束后，各大酒楼、茶肆、食店纷纷开门营业，开始了白日的正常饮食供应。

至日落西山，夜市开始。杭城夜市热闹非凡，尤以饮食为盛。吴自牧说："杭城大街，买卖昼夜不绝，夜交三四鼓，游人始稀；五鼓钟鸣，卖早市者又开店矣。大街关扑，如糖蜜糕、灌藕、时新果子、象生花果、鱼鲜猪羊蹄肉……"春冬卖"金

161

橘数珠，糖水"，夏秋售"金桃、陈公梨、炒栗子、诸般果子"。夜市出售的橘品也多有特色，如：孝仁坊红杈子卖皂儿膏、澄沙团子、乳糖浇，寿安坊卖十色沙团，众安桥卖澄沙膏、十色花花糖，市西坊卖蚫螺滴酥，观桥大街卖豆儿糕、轻饧，太平坊卖麝香糕、蜜糕、金铤裹蒸儿，庙巷口卖杨梅糖、杏仁膏、薄荷膏、十般膏子糖，内前杈子里卖五色法豆，通江桥卖雪泡豆儿、水荔枝膏、中瓦子前卖十色糖，瑜石车子卖糖糜乳糕浇，中瓦前车子卖香茶异汤，狮子巷口煎耍鱼，罐里熻鸡丝粉，七宝科头，中瓦子武林园前煎白肠、炲肠、灌肺岭卖轻饧，五间楼前卖余甘子、新荔枝，木檐市西坊卖焦酸馅、千层儿。又有沿街头盘叫卖姜豉、膘皮腺子、炙椒、酸犯儿、羊脂韭饼、糟羊蹄、糟蟹，又有担架子卖香辣灌肺、香辣素粉羹、腊肉、细粉科头、姜虾、海蜇鲜、清汁田螺羹、羊血汤、胡濯、海蜇、螺头濯、馉饨儿、濯面等。

顶盘担架卖市食的商贩，至深夜三更还不绝迹。冬天虽下大雨雪，亦有夜市盘卖。到三更以后，方有提瓶卖茶。有的"酒楼歌馆，直至四鼓后方静"[28]。

还有面食店实行"通宵买卖，交晓不绝。缘金吾不禁，公私营干，夜食于此故也"[29]。

临安饮食业还成立了奇巧饮食社、花果社、食饭行、酒行等组织，开展业务交流，切磋烹饪技艺，加强横向联系。

二、临安饮食店的货源及其供应

饮食业的发展必须要有充足的货源作为保证，这样才不会出现"巧妇难为无米之炊"的现象。临安是南宋都城所在，因此这里汇集了全国各地的物产，加上杭嘉湖平原又是全国经济最为发达的地区之一，是著名的鱼米之乡，所以货源十分充足。

粮食除本地提供一部分外，主要依靠苏州、湖州、常州、秀州以及安徽、广东等提供。吴自牧在《梦粱录》卷十六《米铺》中说："杭州人烟稠密，城内外不下数十万户，百十万口。每日街市食米，除府第、官舍、宅舍、富室，及诸司有该俸人外，细民所食，每日城内外不下一二千余石，皆需之铺家。然本州所赖苏、湖、常、秀、淮、广等处客米到来，湖州市米市桥、黑桥，俱是米行，接客出粜。……杭城常愿米船纷纷而来，早夜不绝可也。"米的品种也

162

二、论文

十分丰富，其中仅本地产就有早占城、红莲、礁泥乌、雪里盆、赤稻、黄籼米、杜糯、光头糯、蛮糯等九种。[30] 质量也可分为数等，如早米、晚米、新破碧、冬春、上等白米、中色白米、红莲子、黄芒、上秆、粳米、糯米、箭子米、黄籼米、蒸米、红米、黄米、陈米等。

肉的供应也十分充足。《梦粱录》卷十六《肉铺》载："杭城内外，肉铺不知其几，皆装饰肉案，动器新丽。每日各铺悬挂成边猪，不下十余边。如冬年两节，各铺日卖数十边。……至饭前，所挂之肉骨已尽矣，盖人烟稠密，食之者众故也。……坝北修义坊，名曰'肉市'，巷内两街，皆是屠宰之家，每日不下宰数百口，皆成边及头蹄等肉，俱系城内外诸面店、分茶店、酒店、犯鲊店及盘街卖熬肉等人。自三更开行上市，至晓方罢市。其街坊肉铺，各自作坊，屠宰货卖矣，或遇婚姻日、及府第富家大席，华筵数十处，欲收市腰肚，顷刻并皆办集，从不劳力。盖杭州广阔可知矣。"

鱼的货源亦十分丰富，《梦粱录》卷十八《物产》所载，临安市场上常见的鱼虾类有：鲤、鲫、鳜、鳢、鳊、鲈、鲚、鳝、鲇、黄颡、白颊、魟鲫、石首、蒲春鳖、鲨、鳓、白鱼、鲋、鲯、鳅、鳗、鲕、虾、龟、鳖、蛸蜓、黄甲、蟛蜞、彭蚏、蟹、蚬、蛤、螺（螺蛳、海螺、田螺、海蛳）等四十多种，温州、台州、宁波、绍兴等地的海鲜也纷纷运到杭州出售，数量庞大，仅鲞铺城内外就"不下一二百余家"，名件有郎君鲞、石首鲞、望春、春皮、片鳓、鳓鲞、鳖鲞、鳗条弯誉、带鲞、短鲞、黄鱼鲞、鲭鱼鲞、鲕鲞、老鸦渔鲞、海里羊十六种。[31]

蔬菜一年四季都有供应，货源充足，品种繁多。城郊，特别是城东的蔬菜种植业十分发达，周必大《二老堂杂志》说："车驾行在临安，士人谚云：东门菜、西门水、南门柴、北门米。盖东门绝无居民，弥望皆菜园。"菜农们将菜运到东门桥下出售，因此这里形成了临安最大的菜市，时称此桥为"菜市桥"，名称一直沿袭至今。品种更是丰富，据《梦粱录》卷十八《物产·菜之品》载，共有四十多种，它们是："苔心野菜、矮黄、大白头、小白头、夏菘。黄牙，冬至取巨菜，覆以草，即久而去腐叶，以黄的纤莹者，故名之。芥菜、生菜、菠菜、莴苣、苦荬、葱、薤、韭、大蒜、小蒜、紫茄、水茄、梢瓜、葫芦（又称蒲芦）、冬瓜、瓠子、芋、山药、牛蒡、茭白、蕨菜、萝卜、甘露子、水芹、芦笋、鸡头菜、藕条菜、姜、姜牙、新姜。菌，多生山谷，名'黄耳覃'，东坡诗云：'老楮忽生黄耳蕈，故人兼制白芽姜。'盖大者净白，名'玉蕈'，

163

黄者名'茅蕈'，赤者名'竹菇'，若食须姜煮，姜黑勿食。"此外，还有竹笋。"竹笋有数名，曰南路、白象牙、哺鸡、猫儿头、黄莺、晚篁，皆即凉笋。和靖有'烟崖早笋肥'之句。又有紫笋、边笋。"[32]

水果的供应也非常充足，货源丰富。仅本地就出产有"橘、橙、梅、桃、李、杏、柿、栗、枣、瓜、梨、莲、茨菰、藕、菱、枇杷、樱桃、石榴、木瓜、林檎、杨梅、鸡头、银杏、甘蔗"[33]等二十多种。此外，外地的水果也纷纷运往临安，如广东的椰子，福建的福柑、福李、荔枝、龙眼，南京的枣，罗浮的橘，泽州的饧，温州的柑橘，苏州的洞庭橘、密云柿，太原的葡萄等，甚至还有一些来自海外的水果，如番悖桃、番葡萄、胡桃、新罗葛之类。

野味的供应也不少，如鹌鹑、山鸡、竹鸡、鹿、獐、狸等。

饮食业所需的食用油和调味品的供应非常充裕。

食用油。临安有规模较大的官营油坊，专门供应皇家需要。此外，私营油坊也不少，《梦粱录》卷十二《团行》所载的"油作"，就是专门制作食用油的作坊。食用油的品种当时主要有麻油和菜油两种。由于临安的食用油需求量较大，所以巷陌街市常有挑担卖油的小贩以此营利。如居于临安观桥下的王良佐就是"负担贩油，后家道小康"。[35]

盐。宋代两浙的产盐量仅次于江淮，居全国第二位，而临安府又是两浙最重要的产盐区之一，设有盐事所、都盐仓、天宗盐仓。其中仅设在天宗水门内的天宗盐仓，就直接辖有汤镇、仁和、许村、盐官、南路、茶槽、钱塘、新兴、蜀山、岩门、上管、下管十二场。此外，新兴以下五场，西兴、钱清二场也属其管辖。产品除满足本地需要外，还大量向外地出口。

醋是临安市民开门七件事之一，需求量要大于酒，时有"欲得官，杀人放火受招安；欲得富，赶著行在卖酒醋"[36]的便语，可见它的地位。在当时，南宋中央政府和临安府分别设有"御醋库"和"公使醋库"，专门生产食醋。

酱油也是重要的调味品。在临安市民开门七件事中居第五位，也是每日不可缺少的。据吴自牧《梦粱录》卷十三《铺席》记载，临安城内处处设有"油酱"铺，供应酱油。

杭州有专门榨制蔗糖和糖霜的作坊，产量较大，对此，马可·波罗在他的游记中曾有记述，他说："应知此城（指行在临安）及其辖境制糖甚多。"[37]南宋政府籍贾似道第果子府，其中仅糖霜就有数百瓮。[38]

二、论文

此外，酒、胡椒粉、姜等也是临安饮食业常用的调味品，此不赘述。

三、临安饮食业的经营特色

临安饮食业的经营很有特色，它具体体现在以下几个方面：

第一，讲究环境布置。在商业经营活动中，顾客的第一印象便是商店的环境卫生、招牌设计、铺面风格、通道安排、橱窗陈列、内部装饰、营业器具、商品摆设等，顾客对这些事物的印象如何，直接影响着商店的经营。因此，如何布置一个环境优美、气氛良好的营业场所，并使其引人注目，诱发顾客的消费欲望，是中国历代饮食业经营者十分注意的问题。对此，临安饮食业的经营者在前代（特别是北宋汴京）的基础上进行了大胆的尝试和探索。

首先设立一些附有行业属性、标志主要服务项目或供应范围的商店标志物。如"酒肆门首，排设权子及杈子灯等"，[39] 食店门首"以仿木及花样沓结缚如山棚，上挂半边猪羊，一带近里门面窗牖，皆朱绿五彩装饰，谓之'欢门'"，等等。这样做的目的有二：一是起引导与方便顾客的作用，使顾客看到这种标志物就可以一目了然地知道该店的主营项目或服务范围，起着商业广告的传播作用；二是利用这些造型新颖独特、鲜艳醒目的标志物来引起消费者的极大注意和兴趣，从而促使顾客走进店铺。

其次，搞好店铺的内部装修。在商业经营活动中，理想的店铺装饰对促进顾客的消费行为和提高经营效率的心理功效是十分显著的。一方面，它对顾客的感觉器官有着较强的刺激力，使他们在选购和品尝食品的过程中，能够得到一种亲切、舒适、和谐的感觉，始终保持在兴奋的状态之中，从而完成消费活动；另一方面，它能使商店服务人员的精神更加饱满，有利于提高工作效率和服务质量。在这方面，临安各饮食店的作法是：一是尽量拓宽店堂，增加营业场所的空间感，使消费者有舒展开阔的良好感觉。如中瓦子前武林园，"入其门，一直主廊，约一二十步，分南北两廊，皆济楚阁儿，稳便坐席"[41]。二是利用灯光、色彩的调配来激发顾客的消费情绪，如武林园用"绯绿帘幕、贴金红纱杈子灯装饰厅院廊庑。"[42] 绿是青春、生命的象征，使用绯绿色的帘幕，自然给人以恬静、柔和、明快的感觉。而红色则是热情、喜庆的象征，它会促使顾客的心理活动趋于活跃，激发他们的情绪。绯绿帘幕与贴金红纱杈子灯的结合，

165

更使饮食店呈现出华贵、高雅、幽静的气氛。三是注意调节和控制好饮食店的气味、空气和声响等，使其适合饮食者的生理需要和心理需要。店堂内置放花木是临安饮食店的普遍做法，如茶肆插有四时花卉，又"列花架。安顿奇松异桧等物于其上，装饰店面。"[43]酒肆"花木森茂"。[44]在店堂内置放花草盆景，可以使空气清新宜人，使消费者一进饮食店就感到清新舒适，印象良好；同时也可以利用花草的芳香气味刺激顾客的感觉系统，使他们在饮食过程中精神爽快，心情舒畅，从而增强他们的购买欲和食欲。至于花园酒店更是临安饮食业经营者的一大创造。酒店采用园林式建筑，将餐厅置放于水榭花坛、竹径回廊之间，使顾客如同置身于大自然之中，清新的空气，幽静的环境，高雅的装饰，顿使顾客的食欲大兴。这种把饮食与优美的园林景色结合起来的设计方法，既符合科学道理，又富有较强的艺术感染力。此外，还要控制商店的声响。饮食店内人声嘈杂，走路声、谈话声、碗盏碰击声等交杂在一起，严重地影响着顾客的消费心理，使他们心情烦躁，不愿久留；另外，也使服务员分散注意力，工作效率降低。为了解决这一问题，各饮食店办法是"排列小小稳便阁儿，吊窗之外，花竹掩映，垂帘下幕"[45]，使消费者自成天地，互不影响。四是饮酒与娱乐相结合。如杭城茶肆往往在店堂内挂有名人书画，一方面给消费者以美的文化艺术享受，增添食客的雅兴；另一方面也企图借此引起消费者的极大注意和兴趣，促使其走进店铺"消遣久待"，[46]进而达到销售食品的目的。事实上，它确也收到了明显的效果。据《武林旧事》记载，淳熙年间（1174—1189），宋孝宗到西湖游幸，御舟经过断桥时，发现桥旁有一小酒店，非常雅洁，中饰素屏，上面书有太学生俞国宝醉笔《风入松》，宋孝宗看后颇为赞叹。这个故事说明，饮食店悬挂名人书画，确能吸引顾客。用歌舞娱乐来吸引顾客也是临安饮食店惯用的经营手段。如绍兴年间，临安的茶肆就以鼓乐吹《梅花引》曲来出售梅花酒。此后，一直用"敲打响盏歌卖"，[47]"朝歌暮弦，摇荡心目"[48]。这样做的目的，一是可以调节饮食店的环境气氛，使消费者的心理处于一种积极的、兴奋的状态之中，心情舒畅，精神焕发，对饮食店发生好感，满足他们的心理需要；同时还能提高营业员的服务热情和工作效率，使其对销售活动感到轻松愉快，富有节奏感。更有一些饮食店为了"勾引观者，留连食客"，还往往利用妓女为顾客佐酒助兴。官府开办的大酒楼，每库都设有官妓数十人。一些私营的大酒楼，每处也皆有私名妓数十辈，"皆时妆袨服，巧笑争妍。夏月茉莉盈头，春满绮陌，凭槛招邀，谓之'卖客'。又有小鬟，不呼自至，歌吟强聒，以求支分，谓之'擦坐'。又有吹箫、弹阮、息气、锣板、歌唱、散耍等人，谓之'赶趁'"。[49]顾客在酒店内，可以"随意令妓歌唱，虽饮宴至达旦，亦无厌怠也"。[50]这种将味、视、听、玩四者巧妙结合起来的做法，可见经营者的苦心所在。

第二，注重服务质量。临安饮食业的经营者深探懂得，如果仅仅拥有一个装饰美丽、雅洁的店堂，而没有好的服务质量，是无法吸引顾客的，更无法在激烈的商业竞争中求得生存和发展，因此他们十分注意服务质量，各种服务供应设施均以顾客为中心，服务主动，热情周到，"极意奉承"顾客，力求使顾客称心满意。以酒楼饭店为例：顾客一入门，便有专门服侍的店伙提瓶献茶，迎接入座，接着由精通业务、熟记数百菜肴的堂馆拿着菜牌，遍问坐客饮酒多少，请顾客点菜。一经点定，店伙便马上到"厨局"（即厨房）前，从头唱念，报与局内。当局者时谓为"铛头"（即厨师），又称"著案"。厨师将顾客所需的菜烧好后，再由行菜者用盘子将菜送到顾客食上，"从头散下，尽合诸客呼索，指挥不致错误。"食间，顾客可以随时要求增加菜肴。"或热，或冷，或温，或绝冷，精烧熬烧，呼客随意索唤。"[51]"虽十客各欲一味，亦自不妨。"[52]如果顾客所需的菜肴在菜谱中没有，顾客可以随时索唤，厨师根据顾客的要求制作，供其品尝，"不致阙典"，[53]真正做到了"顾客至上"。

为了满足顾客各方面的需要，临安饮食服务业还开展了多种服务项目。一是开设"筵会假赁"服务项目，出租茶酒器、盘合等，"凡吉凶之事，自有所谓'茶酒厨子'专任饮食请客宴席之事。凡合用之物，一切赁至，不劳余力。虽广席盛设，亦可咄咄办也。"[54]二是上门服务，临安饮食店还派出鬟儿"就门供卖"，以应顾客"仓促之需"。[55]至于登门承办筵席更是临安饮食业的一项重要服务项目。为了适应临安的奢侈风尚，临安饮食服务业中出现了"四司六局"这一新生事物，专门经营承办官私筵席的服务项目。"常时人户，每遇礼席，以钱倩之，皆可办也。"[56]这样一来，可以"省宾主一半力，故常谚曰：'烧香点茶，挂画插花，四般闲事，不许戾家。'"[57]三是提高工效，尽量缩短顾客的候餐时间。

为了保证服务质量，各饮食店都十分重视内部管理，职责分明，并有一套严格的奖罚制度。酒肆食店分量酒博士、铛头、行菜、过买、外出鬟儿数种。

量酒博士，简称量酒或博士，又称量酒人，是专门负责接待食客的酒保。《梦粱录》卷十六《分茶酒店》说："凡分茶酒肆，卖下酒食品厨子，谓之量酒博士。"铛头，又称着案师公，是专门负责烧菜的厨师。行菜为饮食店的堂倌，专门负责送菜，此外也兼任点菜之类工作。过买也是饮食店的堂倌、伙计，专门负责点菜。"外出鬟儿"又称"僧儿"，是饮食店中专门负责拉客或兜售食物的小厮，分工非常明确。如店伙"少忤客意"或"食次少迟"，食客将事情告诉店主后，则店伙必然要遭店主处罚，轻则责骂罚工，重则逐出[58]。

第三，品种繁多，别具特色。临安饮食店以品种繁多著称于世，大型饮食店凭借其雄厚的财力、物力，品种门类齐全、五光十色，精美菜肴、名点小吃、应时果品、高级茶酒，应有尽有。仅分茶酒店就有240多种荤素菜肴出售，酒则汇集了全国各地的名产，《武林旧事》卷六《诸色酒名》就列有54种名酒，一些中小型饮食店虽然在品种门类上无法与其匹敌，但在某一类食品上却尽力争取品种齐全，如糕点铺可以售数十种糕，馒头店也可以生产10多种各色各样的馒头。

为了在激烈的竞争中求得生存与发展，一些中小型饮食店还拼命地研究消费者的饮食需要和嗜好，创制出各种各样的风味食品，以求自己的买卖久盛不衰，由此形成了一大批富有特色的食品和饮食店，如内有卞家从食、街市王宣旋饼、望仙桥糕糜、后市街卖酥贺家酪面、李婆婆羹、中瓦前皂儿水、杂货场前甘豆汤、戈家蜜枣儿、官巷口光家羹、大瓦子水果子、寿慈宫前熟肉、钱塘门外宋五嫂鱼羹、涌金门灌肺、中瓦前职家羊饭、张家元子、猫儿桥魏大刀熟肉、五间楼前周五郎蜜煎铺、张卖食面店、张家元子铺、张家豆儿水、钱家干果铺、金子巷口陈花脚面食店、阮家京果铺、蒋检阅茶汤铺、太平坊南倪没门面食店、南瓦子北卓道王卖面店、腰棚前菜面店、熙春楼下双条儿划子店、太平坊大街东南角虾蟆眼酒店、朝天门戴家爊肉铺、朱家元子糖蜜糕铺、坝桥旁亭侧朱家馒头铺、石榴园倪家犯鲊铺、姚家海鲜铺、荐桥新开巷元子铺、小市里舒家体真头面铺等等，这些都是临安市肆中的名店与名食，深受市民喜爱。

第四，讲究饮食卫生，着重食品包装。饮食直接关系到人们的身心健康，所以自古以来，我国就非常讲究饮食卫生。临安饮食业的经营者更是深谙此道，所使用的饮食器具及食品包装都力求新洁精巧。《梦粱录》卷十八《民俗》载："杭城风俗，凡百货饮食之人，多是装饰车盖担儿，盘合器皿，新洁精巧，以耀人耳目，盖效学汴京气象，及因高宗南渡后，常宣唤买市，所以不敢苟简，食味亦不敢草率也。"尤其是那些高级的饮食店，饮食器具更为讲究。如官府酒楼，"各有金银酒器千两，以供饮客之用"。市楼也是这样，"酒器悉用银，以竞华侈"。[59]

此外，各饮食店还十分注意食品包装，如"内前树子里卖五色法豆，使五色纸袋儿盛之"。[60]又如端午时的"插食盘架，设天师艾虎，意思山子数十座，五色蒲丝百节霜，以大合三层，饰以珠翠葵榴艾花"。[61]

综上所述，我们可以看出临安的饮食业是十分发达的，它在宋代及中国饮食发展史上占有重要的地位，已达到了中国封建社会的最高峰。它的发展，把我国传统的饮食文化推到了一个新高峰，为明清时期地方菜系的形成奠定了良好的基础。

注释

[1] 吴自牧：《梦粱录》卷 13《两赤县市镇》。

[2]《梦粱录》卷 13《铺席》。

[3][28] 耐得翁：《都城纪胜·市井》。

[4][5][8][9][39][41][42][43][44]《梦粱录》卷 16《酒肆》。

[6][7][10][11]《都城纪胜·酒肆》。

[12]《梦粱录》卷 12《湖船》。

[13]《梦粱录》卷 16《鲞铺》。

[14][15][19][21][41][43][47]《梦粱录》卷 16《茶肆》。

[16][17][48] 周密：《武林旧事》卷 6《歌馆》。

[18][20][46]《都城纪胜·茶坊》。

[22][24][26][40][51][58]《梦粱录》卷 16《面食店》。

[23][25]《都城纪胜·食店》。

[27][29]《梦粱录》卷 13《天晓诸人出市》。

[30][32](梦粱录》卷 18《物产》。

[31]《梦粱录》卷 12《江海船舰》、卷 16《鲞铺》。

[33]《花道临安志》卷 2《今产》。

[34]《梦粱录》卷 13《诸色杂货》。

[35] 洪迈：《夷坚支志》癸集卷 3。

[36] 庄绰：《鸡肋编》。

[37] 冯承钧：《马可波罗行纪》第 154 章。

[38] 周密：《齐东野语》卷 16《多藏之戒》。

[45][50][53]《梦粱录》卷 16《分茶酒店》。

[49][52][59]《武林旧事》卷 6《酒楼》。

[54]《武林旧事》卷 6《赁物》。

[55]《梦粱录》卷 16《荤素从食店》。

[56][57]《都城纪胜·四司六局》。

[60]《梦粱录》卷 13《夜市》。

[61]《武林旧事》卷 3《端午》。

【文章来源】徐吉军：《南宋临安饮食业概述》，《浙江学刊》，1991 年第 6 期

二、论文

11. 南宋的饮食风尚

宋代是中国饮食文化繁荣的时期，特别是南宋，在中国饮食发展史上占有举足轻重的地位。在这一时期，饮食原料的来源进一步扩大，加工和制作技术也更加成熟。特别是在食品烹饪方面，取得了令人瞩目的成就，从菜肴的用料方面来说，比较突出的是海味菜和鱼菜的兴起以及菜点艺术化倾向的出现。后世出现的几大菜系，在宋代都已具雏形。饮食业在这一时期打破了坊市分隔的界限，出现了前所未有的繁荣景象，酒楼、茶坊、食店等饮食店肆遍布城乡各地，并流行全日制经营，其经营特色也更加显著。茶文化与酒文化，在南宋也有不俗的表现，尤其是茶文化在唐代的基础上又有了进一步的发展，成为一种高雅的文化活动。毫无疑义，这是文明进步的结果。

一、奢侈的饮食生活

南宋的饮食风尚，可用两个字来概括，就是"奢侈"。

封建统治者和富商大贾在饮食上穷奢极欲，片面追求世俗物质享受。绍兴二十一年 (1151) 十月，宋高宗赵构亲临清河郡王张俊府邸，张俊设宴招待高宗一行。宴席的丰盛到了无以复加的程度。据周密《武林旧事》卷九《高宗巡幸张府节次略》所载，仅皇帝席上的菜肴就达二百多道，其中有数十道是名菜，如花炊鹌子、荔枝白腰子、奶房签、三脆羹、羊舌签、萌芽肚胘、肫常签、鹌子羹、肚胘脍、鸳鸯炸肚、鲨鱼脍、炒鲨鱼衬汤、鳝鱼炒鲎、鹅肫常汤齑、螃蟹酿枨、房玉蕊羹、鲜虾蹄子脍、南炒鳝、洗手蟹、鲟鱼假蛤蜊、五珍脍、螃蟹清羹、鹌子水晶脍、猪肚假江鳐、虾枨脍、虾鱼汤齑、水母脍、二色茧儿羹、蛤蜊生血粉羹等。此外，还包括数十道果品和蜜饯、糕饼之类的食品。令人眼花缭乱，垂涎不已。秦桧家中亦是如此。隆兴元年（1163），宋孝宗曾对大臣披露道：

向侍太上时，见太上吃饭不过吃得一二百钱物。朕于此时，固已有节俭之志矣。此时秦桧方专权，其家人一二百千钱物方过得一日。太上每次排会内宴，

171

止用得一二十千；桧家一次乃反用数百千。[1]

这就是说，秦桧举办家宴的费用是宋高宗举办的宫内宴会的十多倍，足可证明其奢侈的程度。

不仅宗戚贵臣如此，普通官员也竞相以此为尚。南宋洪迈《夷坚志》一书载："绍兴二十三年，镇江一酒官愚駃成性，无日不会客，饮食极于精腴。同官家虽盛具招延，亦不下箸，必取诸其家，夸多斗靡，务以豪侈胜人。尝令匠者造十卓，嫌漆色小不佳，持斧击碎，更造焉。啖羊肉，唯嚼汁，悉吐其滓，他皆类此。"[2]他们在官场的应酬送迎上，出手极为阔绰。张九成《横浦心传录》卷中载当时虽"只一小官，相习成风，或一延客，酒不饮正数，而饮劝杯；食不食正味，而食从羹。果肴菜蔬，虽堆列于前，曾下不箸，而待泛供；酒皆名酝，物必奇珍，以至器皿之类，必务鲜洁。每作一会，必费二万钱"。如果上级官员光临，则请"客就馆用大牲，小则刲羊刺豕，折俎充庭，号曰献茶饭，令拱手立堂下，三跪进酒上食。客露顶趺坐，必醉饱喜动颜色，无不满，上马去。送必数里外而归"。这种现象，即使是"子事父，臣事君，不如是。其严甚于皂隶之奉主人翁也"。[3]小小的建阳县就是其中的典型，此"邑当广南江浙诸道之要会，省官御史宣慰按察多行部，邻郡守贰多假途，驿使将宸命来往，烦廪庖者无虚日。令尹迎必数十里外，遇霖霆积潦，瞻马首候至，跪拜泥淖马粪中，移时不敢兴焉，上人命之退则退"。[4]这种现象在当时人的一些诗歌中也可见到，如杨万里《小饮，俎豆颇备江西淮浙之品，戏题》诗云：

> 满盘山海眩芳珍，未借前筹已咽津。
>
> 鲎酱子鱼总佳客，玉狸黄雀是乡人。
>
> 味含霜气洞庭柑，鲊带桃花楚水螆。
>
> 春暖着人君会否？不教淮白过江南。[5]

一次小饮，竟然也是山珍海味俱全，可见其奢。有鉴于此，程卓指责说："磬

---

[1] 胡铨：《澹庵文集》卷二《经筵玉音问答》，文渊阁《四库全书》本。
[2] 洪迈：《夷坚志·丁志》卷六《奢侈报》，第2册，第583页。
[3] 谢枋得：《叠山集》卷二《送史县尹朝京序》，文渊阁《四库全书》本。
[4] 谢枋得：《叠山集》卷二《送史县尹朝京序》，文渊阁《四库全书》本。
[5] 《杨万里诗文集》上册，江西人民出版社2006年版，第340—341页。

二、论文

中人十家之产，不足供一馈之需；极细民终身之奉，不足当一燕之侈。"[1]

在他们的带领下，"富二代"更是穷奢极欲。时人阳枋说："俗言：'三世仕宦，方会著衣吃饭。'余谓三世仕宦，子孙必是奢侈享用之极。……食不肯蔬食、菜羹粗粝、豆麦黍稷、菲薄清淡，必欲精凿稻粱、三蒸九折、鲜白软媚；肉必要珍馐嘉旨、脍炙蒸炮、爽口快意。水陆之品，人为之巧，镂簋雕盘，方丈罗列。此所谓会著衣吃饭也。"[2]

他们时常要举办各种名目繁多的宴会，差不多每个月都要举行一两次宴饮活动。以张镃为例，其家一年四季的宴会活动如下：

正月孟春：岁凶家宴，人日煎饼会。

二月仲春：社日社饭，南湖挑菜。

三月季春：生朝家宴，曲水流觞，花院尝煮酒，经寮斗新茶。

四月孟夏：初八日亦庵早斋，随诣南湖放生、食糕糜，餐霞轩赏樱桃。

五月仲夏：听莺亭摘瓜，安闲堂解粽，重午节泛蒲家宴，夏至日鹅炙，清夏堂赏杨梅，艳香馆赏林檎，摘星轩赏枇杷。

六月季夏：现乐堂尝花白酒，霞川食桃，清夏堂赏新荔枝。

七月孟秋：丛奎阁上乞巧家宴，立秋日秋叶宴，应铉斋东赏葡萄，珍林剥枣。

八月仲秋：社日糕会，中秋摘星楼赏月家宴。

九月季秋：重九家宴，珍林赏时果，满霜亭赏巨螯香橙，杏花庄籍新酒。

十月孟冬：旦日开炉家宴，立冬日家宴，满霜亭赏蜜橘。

十一月仲冬：冬至日家宴，绘幅楼食馄饨，绘幅楼削雪煎茶。

十二月季冬：家宴试灯，二十四夜饧果食，除夜守岁家宴。[3]

是时，统治者的酒宴名目繁多，有所谓樱桃宴、赏荷池宴、挑菜宴等等。

理宗时，临安禁苑渐渐毁坏。因此，理宗赏荷宴只能张伞设屏戾于烈日之中，心中为此不乐。董宋臣默知理宗的意思后，没有花多少日子便在荷池旁造好了一座亭子。理宗再宴时，见后大喜。[4]董宋臣原来只是一个小小的太监，很长

---

[1] 程卓：《论诸州公帑妄费奏》，《全宋文》第287册第289页，上海辞书出版社、安徽教育出版社2006年版。
[2] 阳枋：《字溪集》卷九《杂著·辨惑》，文渊阁《四库全书》本。
[3]《武林旧事》卷一〇《张约斋赏心乐事》，浙江人民出版社1984年，第143—144页。
[4]《西湖游览志余》卷二《帝王都会》，上海古籍出版社1998年版，第26—27页。

173

杭州全书·杭帮菜文献集成

时间后才升为东头供奉官。他极善逢迎，如樱桃宴，即于樱桃未出时，派人到越州（治今浙江绍兴）买得百颗樱桃，向理宗奏曰："请赏樱桃。"二月二日，宫中排办挑菜御宴。先是，内苑预备朱绿花斛，下以罗帛作小卷，将各类蔬菜的名称书写在上面，系以红丝，上植生菜、荠花诸品。等到宴酬乐作，自中殿开始，各以金篦挑之。后妃、皇子、贵主、婕妤及都知等，皆有赏无罚，以次每斛十号，五红字为赏，五黑字为罚。上赏则成号真珠、玉杯金器、北珠篦环、珠翠领抹，次亦银铤、酒器、冠铤、翠花、缎帛、龙涎、御扇、笔墨、定器、官窑之类，用此以资戏笑。在理宗的影响下，王室贵邸亦多仿效。[1]

利用妓女陪酒的现象在南宋极为普遍，在士大夫阶层中尤其如此。周密《齐东野语》卷二〇《张功甫豪侈》载："张镃功甫，号约斋，循忠烈王诸孙，能诗，一时名士大夫，莫不交游，其园池声妓服玩之丽甲天下。尝于南湖园作驾霄亭于四古松间，以巨铁絙悬之空半而羁之松身。当风月清夜，与客梯登之，飘摇云表，真有挟飞仙、溯紫清之意。王简卿侍郎尝赴其牡丹会，云：众宾既集，坐一虚堂，寂无所有。俄问左右云：'香已发未？'答云：'已发。'命卷帘，则异香自内出，郁然满坐。群妓以酒肴丝竹，次第而至。别有名姬十辈皆衣白，凡首饰衣领皆牡丹，首带照殿红一枝，执板奏歌侑觞，歌罢乐作乃退。复垂帘谈论自如。良久，香起，卷帘如前。别十姬，易服与花而出。大抵簪白花则衣紫，紫花则衣鹅黄，黄花则衣红，如是十杯，衣与花凡十易。所讴者皆前辈牡丹名词。酒竟，歌者、乐者无虑数百十人，列行送客。烛光香雾，歌吹杂作，客皆恍然如仙游也。"

"富者炫耀，贫者效尤。"[2] 在他们的带动之下，临安市民们开始追求食品的丰盛，讲究精美可口，"食不肯蔬食、菜羹、粗粝、豆麦、黍稷、菲薄、清淡，必欲精凿稻粱、三蒸九折、鲜白软媚，肉必要珍馐嘉旨、脍炙蒸炮、爽口快意，水陆之品，人为之巧，缕簋雕盘，方丈罗列"[3]。"凡饮食珍味，时新下饭，奇细蔬菜，品件不缺"，购买这种稀缺的无价时新蔬菜，"不较其值，

---

[1]《西湖游览志余》卷二《帝王都会》，上海古籍出版社1998年版，第47页。
[2] 顾炎武著、黄汝成集释：《日知录集释》卷一三《宋世风俗》，花山文艺出版社1991年版，第596页。
[3] 阳枋：《字溪集》卷九《杂著·辨惑》，文渊阁《四库全书》本。

惟得享时新耳"[1]。他们的饮食消费毫不逊色，凡缔姻、赛社、会亲、送葬、经会、献神、仕宦、恩赏等活动，都要操办丰盛的宴会，极尽铺张之能事，故杭谚有"销金锅儿"之号。[2] 如在正月，"不论贫富，游玩琳宫梵宇，竟日不绝。家家饮宴，笑语喧哗"[3]。二月初八祠山圣诞日这一天，都城临安西湖要举行盛大的游湖活动，那时西湖"景色明媚，花事方殷，正是公子王孙、五陵年少赏心乐事之时，讵宜虚度？至如贫者，亦解质借兑，带妻挟子，竟日嬉游，不醉不归。此邦风俗，从古而然，至今亦不改也"[4]。六月六日显应观崔府君诞辰，这一天"贵戚士庶……俱舣堤边，纳凉避暑，恣眠柳影，饱挹荷香，散发披襟，浮瓜沉李，或酌酒以狂歌，或围棋而垂钓，游情寓意，不一而足"[5]。八月十五中秋节，"此际金风荐爽，玉露生凉，丹桂香飘，银蟾光满。王孙公子，富家巨室，莫不登危楼，临轩玩月，或开广榭，玳筵罗列，琴瑟铿锵，酌酒高歌，以卜竟夕之欢。至如铺席之家，亦登小小月台，安排家宴，团圞子女，以酬佳节。虽陋巷贫窭之人，解衣市酒，勉强迎欢，不肯虚度"[6]。而一些"贫下之人"亦不顾家境的窘迫和贫寒，极力追求起这种奢侈性的消费生活。以下饭的羹汤为例，"亦不可免"[7]。王迈对市民们的这种好尚虚荣的陋习记载说："今天下之风俗侈矣……士夫一饮之费，至糜十金之产，不惟素官为之，而初仕亦效其尤矣。"[8]

正因为如此，饮食商贩在售卖食品时也非常讲究时令性，希望能够卖个好价钱。具体说，就是夏天售卖夏天的食品，冬天售卖冬天的食品。如《梦粱录》卷一三《天晓诸人出市》云："冬天卖五味肉粥，七宝素粥。夏月卖义粥，馓子豆子粥。"又，同书卷一六《茶肆》载："今杭城茶肆……四时卖奇茶异汤。冬月添卖七宝擂茶，馓子葱茶，或卖盐豉汤。暑天添卖雪泡梅花酒，或缩脾饮暑药之属。"

需要指出的是，南宋饮食所体现出来的奢侈性特点，主要是针对统治阶级而言，占人口绝大多数的下层百姓，由于受到统治阶级的残酷剥削，因此在饮

---

[1]《梦粱录》卷八《大内》，浙江人民出版社1984年，第63页。
[2]《武林旧事》卷三《西湖游幸（都人游赏）》，浙江人民出版社1984年，第38页。
[3]《梦粱录》卷一《正月》，浙江人民出版社1984年，第1页。
[4]《梦粱录》卷一《八日祠山圣诞》，浙江人民出版社1984年，第8页。
[5]《梦粱录》卷四《六月》，第24页。
[6]《梦粱录》卷四《中秋》，第26页。
[7]《梦粱录》卷一六《羹铺》，浙江人民出版社1984年，第150页。
[8] 王迈：《臞轩集》卷一二《丁丑廷对策》，文渊阁《四库全书》本。

食生活上非常艰难，时常是吃了上顿没下顿。正如北宋司马光所说，"幸而收成，则公私之债交争互夺，谷未离场，帛未下机，已非己有矣。农夫蚕妇，所食者糠籺而不足，所衣者绨褐而不完"[1]。在此情况下，他们的不少日子是靠野菜、草根等维生。洪迈《送杨简迁国子博士》诗中便记载了这种现象："饥殍千百辈，上山争采薇。"[2]但这些野草、野菜等物实在难以下咽，须用水佐饮。有大量贫民因过量饮用生冷水，肚子膨胀而死。幸而未膨胀死，终也难逃一死。饥民饿死的现象，在南宋大量存在。乾道元年（1165）五月二十五日，洪适上札子云："城外饥民死者盈川，群目所视。"[3]另有札子云："小民艰食，或有携妻子赴井同死者；或有聚众强籴而相杀伤者；或有逢县尉而持刀拒抗，致宪司传以为贼，而出兵掩捕者。"[4]这种现象在京师及其附近地区也同样存在，袁燮《轮对陈人君宜达民隐札子》曰："近而京辇，米斗千钱，民无可籴之资，何所得食，固有饿而死者，有一家而数人毙者。远而两淮、荆襄，米斗数千，强者急而为盗，弱者无以自活，官给之粥，幸而存者，而无衣无褐，不堪隆冬，或以冻死。"[5]在有些地区，更是"县无完村，村无全户"，或"阖门饥死，相率投江"，[6]或"闭门绝食，枕藉而死，不可胜数。甚者路旁亦多倒毙，弃子于道，莫有顾者"。[7]

由于农民长期处于饥寒交迫的悲惨生活中，因此食人之风在一些地区沉渣泛起。据庄绰《鸡肋编》卷中云：

自靖康丙午岁，金狄乱华，六七年间，山东、京西、淮南等路，荆榛千里，斗米至数十千，且不可得。盗贼、官兵以至居民，更互相食。人肉之价，贱于犬豕，肥壮者一枚不过十五千，全躯暴以为腊……有持至行在犹食者。老瘦男子廋词谓之"饶把火"，妇人少艾者，名为"不羡羊"，小儿呼为"和骨烂"，又通目为"两脚羊"。唐止朱粲一军，今百倍于前世，杀戮、焚溺、饥饿、疾疫陷堕，其死已众，又加之以相食。杜少陵谓"丧乱死多门"，信矣！不意老眼亲见此时，呜呼痛哉！

---

[1] 司马光：《司马温公文集》卷四八《乞省览农民封事札子》，《丛书集成初编》本。
[2] 洪迈：《野处类稿·附集外诗》，载宋陈思编、元陈世隆补《两宋名贤小集》卷一五七，文渊阁《四库全书》本。
[3] 洪适：《盘洲文集》卷四八《再缴韩彦古札子》，文渊阁《四库全书》本。
[4] 《盘洲文集》卷四六《奏旱灾札子》。
[5] 袁燮：《絜斋集》卷一，文渊阁《四库全书》本。
[6] 《宋史》卷四〇七《杜范传》，第35册，第12285页。
[7] 《宋会要辑稿》食货六八之一〇六。

二、烹饪技艺的进步

南宋都城临安，是当时全国饮食业和烹饪技术的中心，这具体体现在以下几个方面：一是饮食行业在这一时期已经打破了过去坊市分隔的界限，出现了前所未有的繁荣景象，经营规模空前扩大，出现了许多超大型的酒楼和茶肆，能够承办千人以上的宴食。二是饮食行业经营多样化，除出现了馄饨店、饼店、馒头店、面店等专门的饮食店铺外，酒楼、茶肆、汤店、水果店等遍布城内外；风味更是集全国各地于一身，据《都城纪胜·食店》的记载，除本地风味外，还有北食、南食、川饭、衢州饭等。"如酪面，亦只后市街卖酥贺家一分，每个五十贯，以新样油饼两枚夹而食之，此北食也。""南食店谓之南食川饭分茶。……衢州饭店又谓之闷饭店，盖卖盒饭也。"档次高、中、低均有，品类齐全，可以适应不同层次、来自不同地区食客的需要。三是饮食行业的分工已经非常精细，除有上门服务的"四司六局"外，还出现了供贵家雇佣的厨娘。四是从菜肴的用料及制作来看，比较突出的是海味菜和鱼菜的兴起以及菜点艺术化倾向的出现。后世出现的几大菜系，在临安都已具雏形；烹饪方法极其丰富多样；调味品得到了充分的利用；食品菜肴的造型技艺也得到了很大的提高。[1]

在上述几点中，以"京都厨娘"的出现最为引人注目。洪巽《旸谷漫录》对此有详细的记载：

京都中下之户，不重生男。每生女，则爱护如捧璧擎珠。甫长成，则随其姿质，教以艺业，用备士大夫采拾娱侍。名目不一，有所谓身边人、本事人、供过人、针线人、堂前人、杂剧人、拆洗人、琴童、棋童、厨娘等级，截乎不紊。就中厨娘最为下色，然非极富贵家不可用。

予以宝祐丁巳参闱，寓江陵。尝闻时官中有举似其族人置厨娘事，首末甚悉。谩申之以发一笑。其族人名某者，奋身寒素，已历二倅一守，然受用淡泊，不改儒家之风。偶奉祠居里，便婢不足使令，饮馔且大粗率。守念昔留某官处晚膳，出京都厨娘，调羹极可口。适有便介如京，谩作承受人书，嘱以物色，价不屑较。未几，承受人复书曰："得之矣，其人年可二十余，近回自府第，有容艺，能算能书，旦夕遣以诣直。"不下旬月，果至。

---

[1] 参见徐吉军《南宋临安工商业》第十章《店铺和流动摊点》，人民出版社2009年版。

初憩五里头时，遣脚夫先申状来，乃其亲笔也，字画端楷。历叙庆新，即日伏事左右，末乞以回轿接取，庶成体面。辞甚委曲，殆非庸碌女子所可及。守一见之，为之破颜。及入门，容止循雅，红衫翠裙，参侍左右，乃退。守大过所望。少选，亲朋辈议举杯为贺，厨娘亦遽致使厨之请。守曰："未可展会，明日且具常食五杯五分。"厨娘请食品、菜品资次，守书以示之。食品第一为羊头签，菜品第一为葱韭，余皆易办者。厨娘谨奉旨，数举笔砚具物料，内羊头签五分，合用羊头十个；葱蒜五碟，合用葱五斤；他称是。守因疑其妄，然未欲遽示以俭鄙，姑从之，而密觇其所用。

翌旦，厨师告物料齐。厨娘发行奁，取锅铫盂勺汤盘之属，令小婢先捧以行，璀璨耀目，皆白金所为，大约正该五十七两。至如刀砧杂器，亦一一精致。傍观啧啧。厨娘更团袄围裙，银索攀膊，掉臂而入。据坐胡床，徐起切抹批窍，惯熟条理，真有运斤成风之势。其治羊头也，漉置几上，剔留脸肉，余悉掷之地。众问其故。厨娘曰："此皆非贵人之所食矣。"众为拾置他所，厨娘笑曰："若辈真狗子也！"众虽怒，无语以答。其治葱齑也，取葱彻微过汤沸，悉去须叶，视碟之大小分寸而裁截之；又除其外数重，取条心之似韭黄者，以淡酒醯浸渍；余弃置，了不惜。凡所供备，馨香脆美，济楚细腻，难以尽其形容。食者举箸无赢余，相顾称好。

既撤席，厨娘整襟再拜曰："此日试厨，幸中台意，照例支犒。"守方迟难，厨娘曰："岂非待检例耶？"探囊取数幅纸以呈曰："是昨在某官处所得支赐判单也。"守视之，其例每展会支赐，或至于券数匹，家娶或至三二百千，双足无虚拘者。守破悭勉强，私窃喟叹曰："吾辈事力单薄，此等筵宴不宜常举，此等厨娘不宜常用。"不两月，托以他事，善遣以还。其可笑如此。[1]

由于这段文字中记有南宋宝祐的年号，可知其中所说的"京都"及"京官"的"京"是就临安而言。她们从小便经过了非常严格的专业化职业培养，并形成了响当当的品牌——"京都厨娘"。她们有专门的厨房用具，行奁中除"璀璨耀目、皆白金所为"的"锅铫盂勺汤盘之属"外，"至如刀砧、杂器，亦一一精致"。烧起菜来，厨娘更是专业性十足："更围袄围裙，银索攀膊，掉臂而入，据坐胡床。徐起切抹批窍，惯熟条理，真有运斤成风之势。"当然，

---

[1] 陶宗仪：《说郛》卷七三，载《说郛三种》，上海古籍出版社1986年版，第1362—1363页。

对制作菜品的原材料也要求很高，"其治葱韭也，取葱彻微过汤沸，悉去须叶，视碟之大小分寸而裁截之；又除其外数重，取条心之似韭黄者，以淡酒醯浸喷；余弃置了不惜"。如此专业的厨娘，如此好的设备，如此精选的原材料，自然烧制出来的菜肴也是非常的美味可口，"凡所供备，馨香脆美，济楚细腻，难以尽其形容。食者举箸无赢余，相顾称好"。但付出的成本也是惊人的，以致位居太守的人家也无法供养，只能感叹："吾辈事力单薄，此等筵宴不宜常举，此等厨娘不宜常用。"

较之官府，宫廷的饮食制作更为精致繁杂，浪费消耗的食料也更加惊人。如陈世崇《随隐漫录》卷二云：

偶败箧中得上每日赐太子玉食批数纸，司膳内人所书也。如酒醋白腰子、三鲜笋、炒鹌子、烙润鸠子、燔石首鱼、土步辣羹、海盐蛇鲊、煎三色鲊、煎卧乌、焐湖鱼糊、炒田鸡、鸡人字、焙腰子、糊燠鲇鱼、蝤蛑签、麂膊及浮助酒蟹、江鳐、青虾辣羹、燕鱼干、燔鲻鱼、酒醋蹄酥片、生豆腐、百宜羹、燥子、煠白腰子、酒煎羊、二牲醋脑子、清汁杂㸆、胡鱼肚儿辣羹、酒炊淮白鱼之类。呜呼！受天下之奉，必先天下之忧，不然素餐有愧，不特是贵家之暴殄。略举一二：如羊头签止取两翼。土步鱼止取两腮。以蝤蛑为签、为馄饨、为枨瓮，止取两螯，余悉弃之地，谓非贵人食。有取之，则曰："若辈真狗子也！"噫，其可一日不知菜味哉！

按：陈世崇，为南宋末年人。他这段文字记载，描述的是临安的皇宫。在宫廷御厨中，厨师为了追求菜肴的鲜美无比，对于羊头签、土步鱼、蝤蛑等名贵材料，只取它们的两翼、两腮、两螯，余皆废弃不用。

三、温酒与分茶、斗茶技艺

在南宋，即使是温酒这样小的工作，在贵族家庭中也都有专人负责。元陶宗仪《辍耕录》卷七《奚奴温酒》云："宋季，参政相公铉翁，于杭将求一容貌才艺兼全之妾，经旬余未能惬意。忽有以奚奴者至，姿色固美，问其艺，则曰：'能温酒。'左右皆失笑。公漫尔留试之，及执事，初甚热，次略寒，三次微温，公方饮。既而每日并如初之第三次。公喜，遂纳焉。终公之身，未尝有过不及时。归附后，公携入京。公死，囊橐皆为所有，因而巨富，人称曰'奚娘子'者是也。"

179

宋代饮茶之风十分盛行，"上自官府，下至闾里，莫之或废"[1]。李觏说：茶，"君子小人靡不嗜也，富贵贫贱靡不用也"[2]。黄儒《品茶型录》云："自国初已来，士大夫淋浴膏汗，咏歌升平之日久矣。夫身世泄落，神观冲淡，惟兹茗饮为可喜。"宋徽宗《大观茶论》曰："本朝之兴，岁修建溪之贡，龙团凤饼名冠天下，婺源之品亦自此盛，延及于今，百废俱举，海内晏然，垂拱密勿，俱致无为。缙绅之士，韦布之流，沐浴膏泽，熏陶德化，咸以雅尚相推，从事茗饮。故近岁以来，采择之精，制作之工，品第之胜，烹点之妙，莫不咸造其极。"从这些记载中可以看出，饮茶是宋人每日不可或缺的活动。人们雅好在饭余酒后饮茶聊天，以解一天的疲劳。在此背景下，南宋盛行分茶、斗茶之风。

"分茶"这个词早在唐代中叶就已经出现了，例如当时诗人翰翃《谢茶表》中有"晋臣爱客，才有分茶"诗句。但在晋代，招待客人只是上茶的意思。那唐人为什么要将上茶说成是"分茶"呢？可能如陆羽《茶经》的煮法那样，用釜煮茶，几人分饮，故名。到宋代，"分茶"一词在社会上广为流行。然而此词"未必一定是分配在同一茶器中沏的茶的意思，而是像上面《谢茶表》的例子那样只是给客人上茶的意思。后来其意思再一次被局限起来，开始有了'茶会''茶礼'即我国茶道那样的特殊意思"。[3]由此可以看出，"分茶"就是指茶礼，为一种需要相当修炼的游艺。杨万里《澹庵坐上观显上人分茶》诗：

分茶何似煎茶好？煎茶不似分茶巧。

蒸水老禅弄泉手，隆兴元春新玉爪。

二者相遭兔瓯面，怪怪奇奇真善幻。

纷如擘絮行太空，影落寒江能万变。

银瓶首下仍尻高，注汤作字势嫖姚。

不须更师屋漏法，只问此瓶当响答。

紫微仙人乌角巾，唤我起看清风生。

---

[1] 佚名：《南窗纪谈》，文渊阁《四库全书》本。又，王安石《王文公文集》卷三一《杂著·议茶法》曰："茶之为民用，等于米、盐，不可一日以无。"（上海人民出版社1974年版，第366页）
[2] 《李觏集》卷一六《富国策第十》，中华书局1981年版，第154页。
[3] [日]青木正儿：《中华名物考（外一种）》，中华书局2005年版，第308页。

二、论文

京尘满袖思一洗，病眼生花得再明。

汉鼎难调要公理，策勋茗碗非公事。

不如回施与寒儒，归续《茶经》传衲子。[1]

从这首长诗的开头两句中的"分茶"与"煎茶"对举来看，分茶就是指沦末茶而饮。显上人能用兔毫纹的茶盏沦茶，从银瓶取来开水，注入在起沫的茶面上，竟然利用其水痕写出文字来，可见其高超而精湛的沦茶技巧。

较之清闲的僧人和道士，文人士大夫更是喜好此术。金盈之《醉翁谈录》卷二《荣贵要览》就载有一个文人士大夫在宫中御苑内举办茶礼的故事：嘉定元年（1208）六月，宁宗特许进士们在宫中御苑举办同乡会，其时进士一同在会芳堂先吃"素食五杯"，然后在凉观"分茶，劝酒七盏，荤食"。在这里宴会上，"分茶"已经作为一个独立的饮食活动，当是茶礼。至于他们在家中、旅馆中举行"分茶"，更是常见。

当然，一般人是无法达到上述水平的，只能是"戏"而为之。例陆游《临安春雨初霁》诗有"矮纸斜行闲作草，晴窗细乳戏分茶"[2]的句子，写的是诗人旅寓都城临安百无聊赖，要么漫不经意地在纸上写写草书，要么在晴窗之下玩玩"分茶"的游戏。

另据文献记载，都城临安的妓女在招待客人时还流行一种所谓"攧竹分茶"的游戏。如南宋末张炎《春从天上来》一词中有"难问钱塘苏小小，都不见擘竹分茶"[3]的句子。据日本学者青木正儿考证，所谓"攧竹"或"擘竹"，说的大概就是"投壶"，即投矢入壶的一种古典的文雅游戏。但译者范建明不同意这种解释，他认为："这种推测不够正确。'攧竹'虽也是一种博戏名称，但不是以矢投壶，而是颠动竹筒，使筒中某支竹签跌出，根据签上的标志决定胜负。'擘'有'分开''分配'等义，然没有'投掷'之义。'擘竹'不知何意。"[4]

---

[1]《杨万里诗文集》上册，江西人民出版社2006年版，第27页。
[2] 陆游：《剑南诗稿》卷一七，载《陆游集》第2册，中华书局1976年版，第502页。
[3] 张炎：《山中白云词》卷三。词中作者注曰："己亥春，复回西湖，饮静傅董高士楼，作此解以写我忧。"
[4] [日]青木正儿：《中华名物考》（外一种），中华书局2005年版，第309页。

斗茶之风在南宋也颇为盛行。《武林旧事》卷一〇《张约斋赏心乐事》中载有"经寮斗茶"。李嵩、刘松年、史显祖等均绘有多幅《斗茶图》。南宋初年王庭珪诗曰:"乱云碾破苍龙壁,自言鏖战无劲敌。一朝倒垒空壁来,似觉人马俱辟易。我家文开如此儿,客欲造门忧水厄。酒兵先已下愁城,破睡论功如破贼。惟君盛气敢争衡,重看鸣鼍斗春色。"[1]

【文章来源】徐吉军:《南宋的饮食风尚》,《第五届亚洲食学论坛论文集》,2015 年

---

[1] 王庭珪:《卢溪文集》卷四《刘端行自建溪归,数来斗茶,大小数十战。予惧其坚壁不出,为作斗茶诗一首,且挑之使战也》,文渊阁《四库全书》本。

二、论文

12. 论南宋临安市民的饮食生活

摘要： 南宋临安是十二三世纪的国际大都市，中世纪著名的意大利旅行家马可·波罗在《马可·波罗游记》中称赞它为"世界上最美丽、最华贵的城市"。在当时，随着临安商品经济的高度发展，市民们的生活也更加丰富多彩，而尤以饮食为突出。本文拟就这一时期临安市民的饮食生活作一考察，以求教于方家。

关键词： 南宋临安；饮食；内容；特征

1. 临安市民的日常饮食

1.1 主食

临安市民盛行一日三餐。如家庭条件较好，则加食点心之类的食品。米饭是临安市民最基本的饭物，通常由蒸、煮而成。有的还用石髓、大骨等和米合煮成石髓饭、大骨饭、淅米饭、麦笋素羹饭等，诸如今天的八宝饭、盒饭之类。饭食的方法也多种多样，泡饭是临安市民比较流行的一种饭食方法。吴自牧《梦粱录》卷二"诸州府得解士人赴省闱"条载："其士人在贡院中，自有巡廊军卒赍砚水、点心、泡饭、茶酒、菜肉之属货卖。"这种泡饭用开水浸泡而成，在当时它又被称作"赤饭"。周辉《清波杂志》卷上："（高宗赵构）自相州渡大河，荒野中寒甚，烧柴，借半破瓮盂，温汤饭茅檐下，与汪伯彦同食。"这种类似现代方便面的饭食，在临安食店中有售，如耐得翁《都城纪胜·食店》曰："都城食店……凡点索食次，大要及时。如欲速饱，则前重后轻；如欲迟饱，则前轻后重。"耐得翁注："重者如头羹、石髓饭、大骨饭、泡饭、软羊、淅米饭；轻者如煎事件、托胎、妳房、肚尖、肚胘、腰子之类。"至今，泡饭仍受杭州人所喜爱。

此外，一些外来的饭食方法也纷纷传到临安，其中主要有川饭和衢州饭两种。

关于川饭，《梦粱录》卷一六"面食店"条载曰："向者沐京开南食面店，川饭分茶，以备江南往来士夫，谓其不便北食故耳。南渡以来，几二百余年，

183

则水土既惯，饮食混淆，无南北之分类。大凡面食店，亦谓之'分茶店'……更有专卖诸色羹汤、川饭，并诸煎肉鱼下饭。"《都城纪胜·食店》亦载："都城食店，多是旧京师人开张……南食店谓之南食，川饭分茶。盖因京师开此店，以备南人不服北食者，今既在南，则其名误矣。所以专卖面食鱼肉之属。"由此可见，"川饭"乃是南方人饭食方法的总称，以四川风味为主。

"衢州饭"在《都城纪胜·食店》中也有记载："衢州饭店又谓之闷饭店，盖卖盒饭也，专卖家常虾鱼、粉羹、鱼面、蝴蝶之属。欲求粗饱者可往，非不宜尊贵人。"盒是古代一种盛食物的器皿。盒饭就是将米饭放在盒里，加上水，然后按烧干饭的方法焖熟。这是一种比较粗劣的饭食方法。

米粥是饭食中的一种，深受临安市民喜爱。据周密《武林旧事》卷六"粥"条所载，临安市民经常食用的米粥有七宝素粥、五味粥、粟米粥、糖豆粥、糖粥、糕粥、嫩子粥、绿豆粥、肉盒饭等若干品种。粥有养生延寿之作用，陆游诗道："世人个个学长年，不悟长年在目前。我得宛丘平易法，只将食粥致神仙。"宋人张来在《粥记》中亦说："每日起，食粥一大碗，空腹胃虚，谷气便作，所补不细，又极柔腻，与肠胃相得，最为饮食之妙诀也。"明代著名医学家李时珍在《本草纲目》中认为，"绿豆粥"有解热毒、止烦渴的功效，"栗子粥"有补肾气、益腰脚的功效……由此可见，临安市民早已深谙此道了。

除米食外，麦食亦是临安市民的主要食品。

南人食米，北人吃面，这在北宋时早已成为人们的生活习惯。但随着宋室的南迁，大批北方人寓居临安。陆游说："故都及四方士民商贾辐辏。"[1]庄绰说："江浙、湖湘、闽广、西北流寓之人编（遍）满。"[2]这些寓居临安的北方人以官僚士大夫居多，所以有"西北士夫，多在钱塘"之说。[3]北方人的大量迁入，使临安市民的饮食结构发生了较大的变化，吃麦面的人急剧增加。在他们的影响下，南方士民也竟踵此风。其影响所及，使附近的农民种麦获利优厚，以致"春稼极目，不减淮北"。[4]

麦食主要可以分为面条、馒头、麦饼、水饺和馄饨等类。

面条的制作在临安已臻成熟，品种繁多，据文献记载主要有铺羊面、盒生面、盐煎面、㸉肉菜面、笋淘面、素骨头面、大片铺羊面、炒鳝面、卷鱼面、笋泼面笋辣面、乳或淘、笋奋淘、笋菜淘面、七宝棋子、百花棋子、姜泼刀、带汁煎、棋子、三鲜棋子、虾燥棋子、虾鱼棋子、丝鸡棋子、鲜鱼桐皮面、虾燥子面、拨刀鸡鹅面、家常三刀面、菜面、血脏面、鱼面、猪羊庵生面、丝鸡面、三鲜面、笋泼肉面、炒鸡面、大熬面、子料浇虾燥面、耍鱼面、熟齑笋面、肉淘面、银丝冷淘、丝鸡淘、抹肉淘、冷淘、肉齑淘、齑淘、抹肉面等四五十种。这些面条既有热面也有冷面，辣、鲜、香等五味俱全，可以适应不同层次、不同口味的顾客食用。

馒头，在临安又称为"包子"。它用麦粉和水揉面做剂子，以甜、咸、荤、素、香、辣诸种食物配制成各种各样的馅心，夹在面剂子中间，收口做成个子较小的扁圆之状，蒸熟后便食用。据文献记载，临安城里包子的花色品种，名目繁多，仅著名的就有四色馒头、细馅大包子、生馅馒头、杂色煎花馒头、水晶包儿、笋肉包儿、虾鱼包儿、江鱼包儿、蟹肉包儿、鹅鸭包儿、鹅眉夹儿、细馅夹儿、笋肉夹儿、油炸夹儿、金铤夹儿、江鱼夹儿、糖肉馒头、羊肉馒头、太学馒头、笋肉馒头、鱼肉馒头、蟹肉馒头、肉酸馅假肉馒头、笋丝馒头、裹蒸馒头、波菜果子馒头、辣馅糖馅馒头、七宝包儿等数十种。

饼的花色品种绝不逊色于馒头，据文献记载，临安饼的品种甚多，主要有金银炙焦牡丹饼、枣箍荷叶饼、芙蓉饼、菊花饼、月饼、梅花饼、开炉饼、甘露饼、肉油饼、炊饼、乳饼、油酥饼儿、糖蜜酥皮烧饼、春饼、芥饼、辣菜饼、熟肉饼、鲜虾肉团饼、羊脂韭饼、旋饼、胡饼、猪胰胡饼、七色烧饼、焦蒸饼、风糖饼、天花饼、秤锤蒸饼、金花饼、睡蒸饼、炙炊饼、菜饼、韭饼、糖饼、髓饼、宽焦饼、蜂糖饼等三四十种。这些饼除个别品种为米饼外，绝大多数是用麦粉制成。

关于这些饼的制作方法，多已失传，但也有一些在后人著作中得以保留下来，如油酥饼、肉油饼、韭饼等就在元人韩奕所撰的《易牙遗意》一书有详细的记载：

酥饼的制作方法："油酥四两、蜜一两、白面一斤，搜成剂。入胧作饼，上炉。或用猪油亦可，蜜用二两尤好。"

肉油饼："白面一斤，熟油一两，羊、猪脂各一两，切如小豆大，酒二盏，与面搜和，分作十剂。淤开，裹精肉，入炉内煿熟。"

韭饼："带膘猪肉作燥子，油炒半熟，韭生用，切细，羊脂剁碎，花椒、砂仁、酱拌匀。擀薄饼两个，夹馅子煤之。"

由此可见，这些饼的制作都很讲究，风味独特。

馄饨，在临安又称"馉饳"。如《梦粱录》卷一三《诸色杂货》所载食品名目中就有"馉饳儿"，周密《武林旧事》卷六"市食"条亦有"鹌鹑馉饳儿"。在当时，十味馄饨和丁香馄饨是临安市民十分喜爱的面食制品，宋高宗时常食用。

饺子之类，据《梦粱录》《武林旧事》等书记载，主要有大燥子、料浇虾、燥丝鸡、三鲜等。以上这些麦食的制作方法，除一部分已根据南人的口味和当地的原材料作了一定的改进外，绝大多数仍然保持着北方的风味特色。如临安著名的市食小吃之一"太学馒头"的制作方法就是完全承袭汴京，同样用切好的肉丝，拌入花椒面、盐等佐料作为馅子，然后用发面作皮制成，蒸熟后表面光滑白亮，具有软嫩鲜香的风味特色，很受市民的欢迎，即使是没有牙齿的老人也乐于食用。时人岳珂在《馒头诗》中称赞道："几年太学饱诸儒，薄技犹传笋蕨厨。公子彭生红缕肉，将军铁杖白莲肤。芳馨正可资椒实，粗泽何妨比瓠壶。老去齿牙辜大嚼，流涎才合慰馋奴。"[5] 从这绘声绘色的描述中，我们可以想见当年市民喜食"太学馒头"的情景。

至于麦食的食法，亦来自北方。《都城纪胜·食店》说："如酪面，亦只后市街卖酥贺家一分，每个五百贯，以新样油饼两枚夹而食之，此北食也。"又如，《梦粱录》卷一三"蒸作从食"条所载的"胡饼"也是一种外来的食法，《都城纪胜·食店》载："如猪胰胡饼，自中兴以来，只东京脏三家一分，每夜在太平坊巷中，近来又或有效之者。"

由于南人不谙北方食法，以至出现了"东施效颦"的笑话。在北方，风尘较大，人们在吃笼饼、蒸饼时有去皮的习惯，但临安市民却依样画葫芦，仿效北人去皮而食。

1.2 副食

临安市民的副食品可以分为菜肴、调味品、水果、饮料四大类。

菜肴是临安市民"下饭"的辅助食品，它又可以分为禽肉、水产、素菜、羹汤、脯腊、腌菜六大类。

水产菜在临安菜系中占有举足轻重的地位，深受市民喜爱。季公端说："（杭）人喜食鲜，多细碎水类，日不下千万。"[6] 据初步统计，有名可查的便达120种以上，约占市民菜单中的一半。《马可波罗游记》说："每日自离城二十五里之大海中取鱼，运入城中以供食用，湖中产鱼亦多，专有一辈渔人，以此为业。

鱼之种类甚繁，因时令而异；而以城中污秽流入湖中，故湖鱼颇为肥美。周览市场者见鱼类之多，以为势难售尽，然而不数时即已告罄；盖以城中居民稠密，习于美食，食时鱼肉并用，自尔易尽也。"[7]

鱼类菜肴为水产系的大类，主要有赤鱼分明、姜燥子赤鱼、鱼鳔二色脍、海鲜脍、鲈鱼脍、鲤鱼脍、鲫鱼脍、群鲜脍、燥子沙鱼丝儿、清供沙鱼拂儿、清汁鳗鳔、酥骨鱼、酿鱼、两熟鲫鱼、酒蒸石首、白鱼、时鱼、酒吹鲜鱼、春鱼、油炸春鱼、鲂鱼、石首、油炸鲊鳅、油炸假河豚、石首玉叶羹、石首桐皮、石首鲤鱼、炒鳝、石首鳝生、石首鲤鱼兜子、银鱼炒鳝、撺鲈鱼清羹、鲫鱼假清羹、鲊鳝鳅满盒鳅、荤素水龙白鱼、江鱼假蜕、水龙江鱼、冻石首、冻白鱼、冻鲊鳅、大鱼鲊、鱼头酱、炙鳅、炙鳗、炙鱼粉、炙鳅粉、犯儿江鱼脍等。

蟹菜在水产菜肴中的地位仅次于鱼菜，主要有醋赤蟹、白蟹辣羹、蝤蛑签、蝤蛑辣羹、溪蟹、奈香盒蟹、签糊斋蟹、帐酿蟹、五味酒酱蟹、糟蟹、蟹鲊、炒螃蟹、蟹酿橙、赤蟹、辣羹蟹、帐醋洗手蟹等十多种。食蟹方法也日趋多样、精致，有蒸、炒、酿、糟等，而尤以"蟹酿橙"最具特色。据南宋林洪《山家清供》卷上所载，其具体制法是：选用已经黄熟的大橙子，切去顶部，挖去橙子里面的穰肉，仅留少量橙汁，然后用蟹黄蟹肉塞满，再把切下来的橙子顶部带着枝叶盖在上面，放进小蒸锅中，用酒、醋、水蒸熟。吃时再蘸上醋、盐等调料。这道菜属深秋风味菜，因其制作独特，味道香鲜，使人食后会产生新酒、菊花、香橙、螃蟹的情趣，所以很受文人士大夫的喜爱，并从民间进入南宋宫廷。

螺类菜肴在以前的基础上有了进一步的发展，有撺香螺、酒烧香螺、香螺脍、熬螺蛳、姜醋生螺、香螺炸肚等多种。这些菜深受下层市民的喜爱。一些市民亦专门以此为业，如"临安荐桥门外太平桥北细民张四者，世以鬻海螺为业。每浙东舟到，必买而置于家，计逐日所售，入盐烹炒"。[8]

虾菜品种多达 28 个，其中深受临安市民欢迎的有撺望潮青虾、酒法青虾、青虾辣羹、虾鱼肚儿羹、酒法白虾、紫苏虾、水荷虾儿、虾包儿、虾玉鳝辣羹、虾蒸假奶、查虾鱼、水龙虾鱼、虾元子、麻饮鸡虾粉、芥辣虾、虾茸、姜虾米、鲜虾蹄子脍、虾帐脍等。

此外，还有许多由江瑶、蛎、决明、蚶子、蛤蜊等为原料制成的水产菜，如江瑶清羹、酒浇江瑶、生丝江瑶、蟑蚷、酒掇蛎、生烧酒蛎、姜酒决明、五羹决明、三陈羹决明、签决明、四鲜奖、生蚶子、炸肚燥子蚶、帐醋蚶、五辣

187

醋蚶子、蚶子明芽肚、蚶子脍、酒烧蚶子、蚶子辣羹、酒焗鲜蛤、蛤蜊淡菜、冻蛤蜊、蛤蜊肉等，品种达 20 多种。

兽禽类菜的地位略次于水产菜。《马可波罗游记》载："居民食各种肉类，甚至狗肉等不洁兽类，亦供食用……"又说："每周市会期三日，来会者往往有四五万人，以购办日常需用之品，是以各种肉类及野物，如鹿、红鹿、黄鹿、野兔、家兔、鸠、雉、鹧鸪、鹌鹑、家禽、阉鸡，以及鹅鸭之属充牣市上；凡此诸物，湖中畜养甚多，用一威尼斯银币，可购鹅一对、鸭两对。此外尚有屠铺，专宰大小牛只、绵羊、山羊之属，富贵之家多食之。"[9]

羊肉被临安市民视为贵重食品。据宋代《政和本草》记载，羊肉有"补中益气、安心止惊、开胃健力、壮阳益肾"的功效，所以人们将其与人参同等看待，认为"人参补气，羊肉补形"，市民们都以嗜食羊肉为美事，以至在举行订婚大礼时，亦将羊列为必备的礼品之一。据《梦粱录》等书所载，以羊肉为主要原料制成的菜肴有蒸软羊、鼎煮羊、羊四软、酒蒸羊、绣吹羊、五味杏酪羊、千里羊、羊杂饤、羊头元鱼、羊蹄笋、细抹羊生脍、改汁羊撺粉、细点羊头、鹅排吹羊大骨、大片羊粉、红羊把、元羊蹄、米脯羊、五辣醋羊、羊血、入炉炕羊、糟羊蹄、熟羊、盏蒸羊、羊炙焦、剪羊事件、羊血粉等 20 多种。品种之丰富，远远超过北宋之汴京。

鸡在禽肉中的地位要次于羊肉，菜肴有麻饮小鸡头、汁小鸡、小鸡元鱼羹、小鸡二色莲子羹、小鸡假花红清羹、撺小鸡、燠小鸡、五味炙小鸡、小鸡假炙鸭、红熬小鸡、脯小鸡、冻鸡、炙鸡、八焙鸡、红熬小鸡、脯小鸡、大小鸡羹、焙鸡、煎小鸡、豉汁鸡、炒鸡、白炸鸡、炕鸡、鸡丝签、鸡元鱼、鸡脆丝、笋鸡鹅、奈香新法鸡、酒蒸鸡、炒鸡蕈、五味焙鸡等 30 多种。

猪、鸭、鹅等也是临安市民日常食用的美味，消费量极大。《梦粱录》卷一六《肉铺》载："杭城内外，肉铺不知其几，皆装饰肉案，动器新丽。每日各铺悬挂成边猪，不下十余边。如冬年两节，各铺日卖数十边……至饭前，所挂之肉骨已尽矣。盖人烟稠密，食之者众故也。"鹅与鸭菜肴主要有鹅粉签、五味杏酪鹅、绣吹鹅、间笋蒸鹅、鹅排吹羊大骨、八糙鹅鸭、白炸春鹅、炙鹅、糟鹅事件、鲜鹅鲊、煎鸭子、炙鸭、热鸭、熬鹅、炕鹅、鹅鲊等。

以飞禽走兽制成的野味亦非常丰富，菜谱中常见的有清撺鹤子、红熬鸡子、八糙鹌子、蜜炙鹤子、鸠子、黄雀、酿黄雀、煎黄雀、辣熬野味、清供野味、

二、论文

野味假炙、野味鸭盘兔糊、熬野味、清撺鹿肉、黄羊、獐肉、润熬獐肉炙、獐犯、鹿脯等 20 种左右。此外，蛙肉亦是临安市民喜爱的野味。范镇《东斋记事》卷五曰："杭人好食虾蟆。"由于需求量较大，因此一些城郊的市民以捕蛙为业，获利颇丰。[10]

素菜类菜肴名目繁多，当在百种以上，其中仅周密在《武林旧事》卷六《菜蔬》中就列举了姜油多、薤花茄儿、辣瓜儿、倭菜、藕鲜、冬瓜鲊、笋鲜、菱白鲜、皮酱、糟琼枝、莼菜笋、糟黄芽、糟瓜齑、淡盐齑、鲜菜、醋姜、芝麻麻辣菜、拌生菜、诸般糟淹、盐芥 20 道素食。而比较盛行的素食当推麻茹丝笋燥子、潭笋、酿笋、抹肉笋签、煎豆腐等菜。

值得注意的是，用素料仿制的鱼肉鸡鸭类菜肴有了较大程度的发展，出现了五味熬麸、假炙鸭、假羊事件、假驴事件、假熬腰子、下饭假牛冻、假熬蛤蜊肉、鸡夺真、鳖蒸羊、假炙江瑶肚尖、假煎白肠、假炒肺羊熬、假淳菜腰子、假熬鸭等十多种素菜，深受市民欢迎。羹汤菜和冷盘菜在临安亦得到了迅猛的发展，异军突起。据《梦粱录》《都城纪胜》等书所载，羹汤类菜肴主要有鹌子羹、妳房玉蕊羹、螃蟹清羹、二色茧儿羹、血羹、肚子羹、鲜虾蹄子羹、蛤蜊羹、薛方瓠羹、血羹、大碗百味羹、羊舌托胎羹、日百味羹、锦丝头羹、十色头羹、间细头羹、莲子头羹、百味韵羹、杂彩羹、枕叶头羹、五软羹、四软羹、三软羹、集脆羹、三脆羹、双脆羹、群鲜羹、豆腐羹、江瑶清羹、青虾辣羹、五羹决明、三陈羹决明、四鲜羹、石首玉叶羹、撺鲈鱼清羹、鮒鳜假清羹、虾鱼肚儿羹、虾玉鳝辣羹、小鸡元鱼羹、小鸡二色莲子羹、小鸡假花红清羹、辣羹、蝤蛑辣羹、辣羹蟹、蚶子辣羹、灌熬鸡粉羹、石髓羹、石肚羹、诸色鱼羹、大小鸡羹、撺肉粉羹、三鲜大熬骨头羹、诸色造羹、糊羹、头羹、笋辣羹、杂辣羹、撺肉羹、骨头羹、蹄子清羹、鱼辣羹、鸡羹、耍鱼辣羹、猪大骨清羹、杂合羹、南北羹等 60 多种。这些名目繁多的羹汤菜，表明它在当时已经占有非常重要的地位，成为市民日常饮食中不可或缺的菜肴。甚至宫廷御宴上也少不了它，如宋理宗谢皇后做寿，酒宴上就有肚羔羹、缕肉羹、索粉羹等。[11]

脯腊与腌菜是我国传统菜肴中的重要组成部分。在临安，它与新兴的冷冻、生食鱼脍等成为冷盘菜肴的重要组成部分。据《梦粱录》记载，临安脯腊菜肴主要有野味腊、海腊、糟脆筋、诸色姜豉、波丝姜豉、姜虾、海蜇鲊、鲜鹅鲊、

189

大鱼鲊、鲜鳇鲊、寸金鲊、筋子鲊、鱼头酱、银鱼脯、白鱼干、金鱼干、梅鱼干、鲦鱼干、银鱼干、紫鱼螟晡丝等。这些脯腊菜有许多已成为筵席上的珍品食物。如绍兴二十一年（1151）十月，宋高宗赵构巡幸清河郡王张俊府第，张俊设宴招待，筵席上就置有肉线条子、皂角铤子、云梦犯儿、虾腊、肉腊、奶房、旋鲊、金山咸豉、酒醋肉、肉瓜童这十味脯腊。[12]

冷冻茶肴在临安也迅速推广开来，品种主要有冻蛤蜊、冻鸡、冻三鲜、冻石首、冻鲑鳚、三色水晶丝、冻三色炙、冻鱼、冻鲞、冻肉等十多种，它极大地丰富了市民们的饮食生活。

1.3 食用油与调味品

吴自牧在《梦粱录》卷一六《金铺》条中说："杭州城内外，户口浩繁，州府广阔，遇坊巷桥门及隐僻去处，俱有铺席买卖。盖人家每日不可缺者，柴米油盐酱醋茶。"由此可见，油盐酱醋等在临安市民饮食生活中占有非常重要的地位。

食用油的供应十分充足，临安城里设有规模较大的官营油坊，专门供应宫廷。私营油坊更是遍布城内，《梦粱录》卷一三《团行》所载的"油作"，就是专门制作食用油的作坊。

盐是人类生存必需的基本食品，在临安及其附近地区大盈出产，产品除满足本地需要外，还可大量向外地出口。

醋在临安深受市民欢迎，需求量在酒之上。李公端说杭人"食醋多于饮酒"[13]，可为明证。由于临安人吃醋之风盛行，因此当时有"欲得官，杀人放火受招安；欲得富，赶著行在卖酒醋"[14]的俚语，可见其地位的重要。当时南宋中央政府和临安府分别设有"御醋库"和"公使醋库"，专门生产食醋。

酱油在临安市民的饮食生活中，也是每日不可或缺的。据《梦粱录》卷一三《铺席》记载，临安城内处处设有"油酱"铺，供应酱油。

糖在临安有专门榨制的作坊，生产蔗糖和糖霜，产量较大。《马可波罗游记》载："此城及其附属诸区产蔗搪甚多……仅就蔗糖一端而言，即为岁入之大宗，至于其他各物税率可以不谈，述其大概即足。"南宋政府籍没贾似道的果子库，其中仅糖霜就有数百瓮[5]。

酒在临安市民的饮食生活中，也普遍用作调味品，其中仅《梦粱录》一书所载的酒菜就有酒蒸羊、酒烧江鳐、酒炙青虾、酒法青虾、酒掇蛎、生烧酒蛎、姜酒决明、酿鱼、酒蒸石首、酒吹鲦鱼、酒法白虾、酿黄雀、五味酒酱蟹、酒泼蟹、酒烧蚶子、酒焙鲜蛤、酒香螺、盐酒腰子、酿腰子、酒蒸鸡、酒蛎、酒垅子等二三十种之多。

胡椒的消费量更是浩大，马可·波罗惊异地说："今举胡椒一事为例，以示此城消费之巨。马可君曾闻大汗征税官言及行在每日所消胡椒为四十三担，每担重量二百二十三磅。由此一端以推肉酒杂货等日常用品消费之量，亦可想见矣。"周密《武林旧事》卷六"小经纪"条搔槌下注云："俗谚云：杭州人一日吃三十丈木头。以三十万家为率，大约每十日吃搔槌一分，合而计之，则三十丈矣。"此事从另一个角度证实了马可·波罗的说法。

1.4 水果

水果是临安市民嗜好的食品，需求量极大。这些水果除本地供应一部分外，还大量依赖外地进口，如广东的椰子，福建的柑橘、李、荔枝、圆眼，温州的蜜柑，苏州的洞庭橘，南京的枣，罗浮的橘，泽州的饧，太原的葡萄，密云的柿，陈州的果子，甚至还有来自海外的桲桃、葡萄等。临安市民还喜欢将新鲜水果加工成干果食用，如当时市场上出售的干果子有锦荔、木弹、京枣、枣圈、香莲、串桃、修梨、旋胜番糖、糖霜、番桲桃、松子、巴榄子、人面子、嘉庆子诸色韵果、十色密煎蚫螺、诸般糖煎细酸、四时象生儿时果、春兰、秋菊、石榴子儿、马院醍醐、乳酪、韵果、密姜豉、皂儿膏、轻饧、玛瑙饧、十色糖、麝香豆沙团子、陈州果儿、蜜云柿饼、糖丝、梅、山糖乌李、反旋果、莴苣、生菜、笋姜、油多糟琼芝、四色辣菜、四时细色菜疏、糟藏、新银杏、香药、木瓜、枨子等。

蜜饯和果脯的品种亦比较丰富。蜜饯有蜜金橘、蜜木瓜、蜜林檎、蜜金桃、蜜李子、蜜木弹、蜜橄榄、昌园梅、十香梅、蜜枨、蜜杏、珑缠茶果。果脯有御枣圈、莲子肉、梨条、梨肉、桃条等。

此外，炒货的品种亦不少，如炒栗子、棒子仁、括子仁、松子仁、橄榄仁、杨梅仁、胡桃仁、西瓜仁等。

水果不仅是市民们日常食用的食品，而且往往被当作宴席上的珍品。如张俊宴请宋高宗时，首先供上筵席的是"绣花高饤一行八果垒：香圆、真柑、石榴、枨子、鹅梨、乳梨、榠楂、花木瓜"。接着又上有"乐仙干果子叉袋儿一行：荔枝、团眼、香莲、榧子、榛子、松子、银杏、梨肉、枣圈、莲子肉、林檎旋、大蒸枣"[6]。可谓排场讲究。

1.5 饮料

南宋临安的饮料,以茶、酒为主,次及"凉水"、牛奶等。

饮茶是临安市民开门七件事之一,每日不可或缺。人们雅好在饭余酒后饮茶聊天,以解一天的疲劳。上茶馆饮茶更是市民们的一大嗜好。据文献记载,城内茶肆遍布,仅著名的大茶坊就有清乐茶坊、八仙茶坊、珠子茶坊、潘家茶坊、连三茶坊、连二茶坊、潘节干茶坊、俞七郎茶坊、朱骷髅茶坊、郭四郎茶坊、张七相干茶坊、黄尖嘴蹴珠茶肆、蒋检阅茶肆、王妈妈家茶肆(又名"一窟鬼茶坊")、大街车儿茶肆等十多家。这些大茶肆十分注意门面装饰,在店内张挂名人书画,花架上安顿奇松异桧等物,插四时花卉,以"留连食客"。"四时卖奇茶异汤,冬月添卖七宝擂茶、馓子、葱茶,或卖盐豉汤,暑天添卖雪泡梅花酒,或缩脾饮暑药之属。"当然,能上这里吃茶的人大多是有身份的富家子弟和政府官吏,他们会聚在这里"习学乐器、上教曲赚之类,谓之'挂牌儿'",而商人们却大多集中在次一等品"人情茶肆",饮茶取乐,交流信息。[17]

临安市民饮用的茶叶大多出自本地及附近地区。在当时,临安以盛产茶叶著称,品种主要有宝云茶、香林茶、白云茶等。此外,宝严院垂云亭、径山等地亦出名茶。此外,政府在此设立榷茶场,专门收购茶叶。又由于临安是南宋都城所在,所以全国各地的名茶亦荟萃于此,如建安北苑茶,湖州顾渚茶,绍兴日铸茶,洪州双井、白芽茶,雅州蒙顶茶等,都在临安市场上有售。

临安市民的饮酒风气亦十分浓厚,盛况空前,这具体体现在以下几个方面:

一是名酒荟萃,品种繁多。据文献记载,临安流行的名酒有:蔷薇露、流香(一作内府流香)、宜赐碧香、思春堂、凤泉(一作殿司凤泉)、香羔儿酒、进酥酒、羔儿法酒、两殿酒、雪浸白酒、醹醁沈香酒、无灰酒、玉练槌、有美堂、中和堂、黄华堂、雪醅、雪腴、真珠泉、珍珠泉、皇都春、常酒、和酒、藩蒟府第酒、供给酒、龙游、太常、夹和、步司小槽、兰陵、皇华堂、爱咨堂、琼花露、六客堂、齐云清露、双瑞、爱山堂、得江、留都春、静治堂、十洲春、玉醅、海岳春、筹思堂、清若空、蓬莱春、第一江山、江山第一、北府兵厨、锦波春、浮玉春、秦淮春、银花、清心堂、丰和春、蒙泉、萧洒泉、金斗泉、

二、论文

思政堂、龟峰、错认水、谷溪春、庆远堂、清白堂、蓝桥风月、紫金泉、庆华堂、元勋堂、眉寿堂、万象皆春、济美堂、胜茶等六七十种。这些名酒分别来自扬州、湖州、苏州、秀州、越州、镇江、建康、温州、严州、常州、衢州、婺州、兰溪等地，几乎囊括了南宋各地的名酒。除上述这些以粮食酿制的黄酒外，临安市场上还有北方产的葡萄酒出售。据《马可波罗游记》记载，临安"不产葡萄及葡萄酒，良好之葡萄酒俱自外埠运来。当地人士嗜饮其地所有从米及香料制成之酒，于葡萄酒不甚措意"。

二是酒肆林立，生意兴盛。据文献记载，临安各类大小酒肆遍布城市内外，其中仅官私经营的大酒楼就有和乐楼、和丰楼、中和楼、春风楼、太和楼、西楼、太平楼、丰乐楼、熙春楼、三元楼、五间楼、赏心楼、花月楼、嘉庆楼、聚景楼、风月楼、赏新楼、双凤楼、望湖楼、涌金楼、泰和楼、日新楼、银马杓、康沈店、翁厨、任厨、陈厨、周厨等数十家。这些大酒楼资金雄厚，大多开设在繁华的大街和风景点上，装饰豪华典雅。"店门首彩画欢门，设红绿权子，绯绿帘幕，贴金红纱栀子灯，装饰厅院廊庑，花木森茂，酒座潇洒。"到了晚上，灯火辉煌，上下相照。置身其间，"宛如神仙"。除这些大酒楼外，临安还有大量的各具特色的茶酒店、包子酒店、宅子酒店、花园酒店、直卖店、散酒店和碗头店、庵酒店、罗酒店等，以满足各个层次的市民和顾客的需要。

除茶、酒外，冷饮和牛奶在临安市民的饮食生活中亦占有一定的地位。冷饮在临安称作"凉水"，主要供市民在夏季饮用。据《武林旧事》卷六"凉水"条及《西湖老人繁胜录·诸般水名》等记载，当时的冷饮食品有甘豆饧（又称甘豆糖、甘豆汤）、椰子酒、绿豆水（又称豆儿水）、鹿梨浆、卤梅水、姜蜜水、木瓜汁、江茶水、沆瀣浆、梅花酒、皂儿水、缩脾饮（又称雪泡缩皮饮）、沉香水、荔枝膏水、苦水、金橘团、香薷饮、五苓大顺散（又称大顺散、五苓散）、紫苏饮、白水、乳糖真（又称乳糖真雪）等二十多种。

牛奶亦开始进入市民家中。张仲文《白獭髓》曰："浙间以牛乳为素食。"由此可见，牛奶的营养价值已开始被人们所认识和重视。

2. 临安市民的节日饮食

临安市民十分重视节日饮食，差不多每个月都要举行一两次宴饮活动。正

193

月孟春：岁凶家宴，人日煎饼会。二月仲春：社日社饭，南湖挑菜。三月季春：生朝家宴，曲水流觞，花院尝煮酒，经寮斗新茶。四月孟夏：初八日亦庵早斋，随诣南湖放生、食糕糜，餐霞轩赏樱桃。五月仲夏：听莺亭摘瓜，安闲堂解粽，重午节泛蒲家宴，夏至日鹅炙，清夏堂赏杨梅，艳香馆赏林檎，摘星轩赏枇杷。六月季夏：现乐堂尝花白酒，霞川食桃，清夏堂赏新荔枝。七月孟秋：丛奎阁上乞巧家宴，立秋日秋叶宴，应铉斋东赏葡萄，珍林剥枣。八月仲秋：社日糕会，中秋摘星楼赏月家宴。九月季秋：重九家宴，珍林赏时果，满霜亭赏巨鳌香橙，杏花庄笞新酒。十月孟冬：旦日开炉家宴，立冬日家宴，满霜亭赏蜜橘。十一月仲冬：冬至日家宴，绘幅楼食馄饨，绘幅楼削雪煎茶。十二月季冬：家宴试灯，二十四夜饧果食，除夜守岁家宴。等等。下面具体加以阐述。

正月元旦为一年之首，这一天临安市民"不论贫富，游玩琳宫梵宇，竟日不绝。家家饮宴，笑语喧哗。此杭城风俗。畴昔侈靡之习，至今不改也"[18]。

正月十五元宵节，杭城"家家灯火，处处管弦"[19]。市民节日所尚的食品，主要有乳糖圆子、锤餂、科斗粉、豉汤、水晶脍、韭饼，及南北珍果，并皂儿糕、宜利少、澄沙团子、滴酥鲍螺、酪面、玉消膏、琥珀饧、轻饧、生熟灌藕、诸色龙缠蜜煎、蜜果、糖瓜蒌、煎七宝姜豉、十般糖之类[20]。

二月初八为祠山圣诞日，这天杭城热闹无比，在西湖举行盛大的游湖活动。西湖"景色明媚，花事方殷，正是公子王孙、五陵年少赏心乐事之时，讵宜虚度？至如贫者，亦解质借兑，带妻挟子，竟日嬉游，不醉不归。此邦风俗，从古而然，至今亦不改也"[21]。

三月清明节，城里"官员士庶，俱出郊省坟，以尽思时之敬。车马往来繁盛，填塞都门。宴于郊者，则就名园芳圃，奇花异木之处；宴于湖者，则彩舟画舫，款款撑驾，随处行乐……滞酒贪欢，不觉日晚……杭城风俗，侈靡相尚，大抵如此"[22]。

五月初五端午节，"其日正是葵榴斗艳，栀艾争香，角黍包金，菖蒲切玉，以酬佳景，不特富家巨室为然，虽贫乏之人，亦且对时行乐也"[23]。"巧粽之品不一，到结为楼台舫辂"[24]。

六月六日为显应观崔府君诞辰。"是日都人士女，骈集炷香，已而登舟泛湖，为避暑之游。时物则新荔枝，军庭李，奉化项里之杨梅，聚景园之秀莲新藕，蜜筒甜瓜，椒核枇杷，紫菱，碧芡，林檎，金桃，蜜渍昌元梅，木瓜豆儿，水荔枝膏，金橘，水团，麻饮芥辣，白醪凉水，冰雪爽口之物。"[25]"贵戚士庶……恣眠柳影，饱挹荷香，散发披襟，浮瓜沉李，或酌酒以狂歌，或围棋而垂钓，游情寓意，不一而足。"[26]

七月七日为"乞巧节"（或称"七夕节"）。"都人戴楸叶，饮秋水、赤小豆。七夕节物，多尚果食、茜鸡……妇人女子，至夜对月穿钟，饾饤杯盘，饮酒为乐，谓之'乞巧'"[27]。"富贵之家，于高楼危榭，安排筵会，以赏节序，又于广庭中设香案及酒果，遂令女郎望月瞻斗列拜，次乞巧于女、牛……又于数日前，以红熀鸡果食时新果品，互相馈送。禁中意思蜜煎局亦以鹊桥仙故事，先以水蜜木瓜进入"[28]。

八月十五中秋节。"此际金风荐爽，至露生凉，丹桂香飘，银蟾光满。王孙公子，富家巨室，莫不登危楼，临轩玩月，或开广榭，玳筵罗列，琴瑟铿锵，酌酒高歌，以卜竟夕之欢。至如铺席之家，亦登小月台，安排家宴，团亲子女，以酬佳节。虽陋巷贫窭之人，解衣市酒，勉强迎欢，不肯虚度"[29]。

九月初九为重九节，城中之人不论贵贱贫富皆以饮酒赏菊为乐事。"都人店肆以糖面蒸糕，上以猪羊肉鸭子为丝簇，插小彩旗，名曰'重阳糕'。禁中各分及贵家相为馈送。密煎局以五色米粉塑成狮蛮，以小彩旗簇之，下以熟栗子肉杵为细末，入察香糖蜜和之，捏为饼糕小段，或如五色弹儿，皆入韵果糖霜，名之'狮蛮栗糕'，供衬进酒，以应节序"[30]。

十一月冬至，是临安市民最为注重的节日之一，"如馈送节仪，及举杯相庆，祭享宗烟，加于常节"[31]。人们纷纷用馄饨祭享祖先。"三日之内，店肆皆罢市，垂帘饮博，谓之'做节'。享先则以馄饨，有'冬馄饨，年馎饦'之谚。贵家求奇，一器凡十余色，谓之'百味馄饨'"[32]。

十二月虽无重要节序，但饮宴活动仍然比较频繁。此月八日，为腊八节，城内外各寺院及市民们纷纷用胡桃、松子、乳蕈、柿栗之类做粥，谓为"腊八粥"。亦有的设红糟，以麦乳诸果笋竿制作，或供僧人食用，或作馈赠佳品。二十四日，市民们不论穷富皆备蔬食饧豆祀灶。二十五日，士庶之家煮赤豆粥祀食神，谓"人口粥"。如果天降瑞雪，豪门贵族人家还要开筵饮宴，诗人才子则以腊茶煎茶，到了"除夜"，城中市民家家户户举行守岁宴会，饮屠苏、百事吉、胶牙饧等。围炉火炉团坐，酌酒唱歌，直至天晓，时人称作"守岁"。"是日，内司意思局进呈精巧消夜果子合，合内簇诸般细果、时果、蜜煎、糖煎及市食，如十般糖、澄沙团、韵果、蜜姜豉、皂儿糕、密酥、小蚫螺酥、市糕、五色其豆、抄槌栗、银杏等品"[33]。

3. 临安市民的饮食风尚

南宋临安市民的饮食风尚，与住居、服饰及婚丧等习俗一样，可用两个字来概括，这就是"侈甚"。追求食品的丰盛，讲究精美可口，是临安市民奢侈性饮食消费的具体表现。据文献记载，早在南宋初年，临安市民就摈弃了北宋末年因战争而带来的"鱼虾屏断，鲜适莫朴，惟野葱、苦荬、红米作炊，炊汁少许，代脂供饮"[34]的艰苦生活，而极力追求过去那种奢侈的物质享受。"食不肯蔬食、菜羹、粗粝、豆麦、黍稷、菲薄、清淡，必欲精凿稻粱、三蒸九折、鲜白软媚，肉必要珍馈嘉旨、脍炙蒸炮、爽口快意，水陆之品，人为之巧，缕簋雕盘，方丈罗列"[35]。"凡饮食珍味，时新下饭，奇细蔬菜，品件不缺"[36]，"不较其值，惟得享时新耳"[37]。对此，马可·波罗颇感惊异，他在游记中写道："当你看到运来的鱼，数量是这样的庞大，或许会认为无法卖光，可是在几小时之内，竟一售而空。"[38]

封建统治者和富商大贾在饮食生活上更是穷奢极欲，片面追求世俗物质享受。绍兴二十一年（1151）十月，宋高宗赵构亲临清河郡王张俊府第，张俊设宴招待高宗一行。宴席的丰盛到了无以复加的程度。据周密《武林旧事》卷九《高宗巡幸张府节次略》所载，仅皇帝席上的菜肴就达200多道，其中有数十道是名菜，如花炊鹌子、荔枝白腰子、奶房签、三脆羹、羊舌签、萌芽肚胘、肫掌签、鹌子羹、肚胘脍、鸳鸯作肚、沙鱼脍、炒沙鱼衬汤、鳝鱼炒鲎、鹅腌常汤齑、螃蟹酿枨、房玉蕊羹、鲜虾蹄子脍、南炒鳝、洗手蟹、鳀鱼假蛤蜊、五珍脍、螃蟹清羹、鹌子水晶脍、猪肚假江蟠、虾枨脍、虾鱼汤齑、水母脍、二色茧儿羹、蛤蜊生血粉羹等。此外，还包括数十道果品和蜜饯、糕饼之类的食品。令人眼花缭乱，垂涎不已。市民们的饮食消费亦毫不逊色，凡缔姻、赛社、会亲、送葬、经会、献神、仕宦、恩赏等活动，都要操办丰盛的宴会，极尽铺张之能事，故杭谚有"销金锅儿"之号[39]。

临安市民的饮食生活中的这种奢侈性消费，滋生了好尚虚荣的陋习。王迈说："今天下之风俗侈矣……士夫一饮之费，至靡十金之产，不惟素官为之，而初仕亦效其尤矣。"[40] "富者炫耀，贫者效尤。"[41] 在他们的带动之下，一些"贫下之人"亦不顾家境的窘迫和贫寒，极力追求起这种奢侈性的消费生活，以下饭的羹汤为例，"亦不可免"[42]。

从上述的论述中，我们可以看出，临安的饮食文化已经达到了宋代的高峰，在中国饮食发展史上占有举足轻重的地位。此后，元明清三朝京城的饮食文化也大致维持在这样一个水平上，有的甚至还远远落后于南宋临安。即使像明初南京这样一个饮食业发达的大都市，亦同样没有超过南宋临安的水平。它所体现出来的奢侈性，不仅与当时社会的物质生产和生活条件的演变有着密不可分的联系，而且同市民的文化生活、审美情趣的变化息息相关。对当时社会的政治、经济和文化的发展，有着不可低估的作用和影响。它不仅有力地冲击了中国封建社会那种以不违背礼制为基本标准的崇俭抑奢的传统消费观念，而且促使南宋社会习俗日趋文明开化，大大提高了人们的审美意识，从而在一定程度上孕育和培植了资本主义社会早期的生活方式和消费观念，为日后中国封建社会资本主义萌芽因素的出现创造了良好的条件。

参考文献

[1] 陆游：《老学庵笔记》。

[2][4][14] 庄绰：《鸡肋编》卷上。

[3]《宋史》卷四三七《程迥传》。

[5] 岳珂：《玉褚集》。

[6][13] 李公端：《姑溪居士文集·后集》卷一九《胡公行状》。

[7][9][38] 向达译：《马可波罗游记》第2卷，第76—78章。

[8] 洪迈：《夷坚志》（丁）卷三《张四海螺》。

[10] 洪迈：《夷坚志》（甲）卷四《钱塘老僧》。

[11][23] 吴自牧：《梦粱录》卷三《宰执亲王南班百官入内上寿赐》《五月》。

[12][16] 周密：《武林旧事》卷九《高宗巡幸张府节次略》

[15] 周密：《齐东野语》卷一六《多藏之戒》。

[17] 详见徐吉军：《南宋临安饮食业概述》，载《浙江学刊》1992年第6期。

[18][19][21]《梦粱录》卷一《正月》《元宵》《八日祠山圣诞》。

[20]《武林旧事》卷二《元夕》。

[22]《梦粱录》卷二《清明节》。

[24][25][27][39]《武林旧事》卷三《端午》《都人避暑》《乞巧》《冬至》《西湖游幸》。

[26][28][29]《梦粱录》卷四《六月》《七夕》《中秋》。

[30]《梦粱录》卷五《九月》。

[31][33]《梦粱录》卷六《十一月冬至》《除夜》。

[32]《武林旧事》卷三《冬至》。

[34]袁褧：《枫窗小牍》卷上。

[35]阳枋：《字溪集》卷九《杂著·辨惑》。

[36][37]《梦粱录》卷八《大内》。

[40]王迈：《臞轩集》卷一二《丁丑廷对策》。

[41]顾炎武：《日知录》卷一三《宋世风俗》。

[42]《梦粱录》卷一六《鲞铺》。

【文章来源】钟儒、徐吉军：《论南宋临安市民的饮食生活》，《中国古都研究（第十辑）——中国古都学会第十届年会暨学术研讨会论文集》，1992年

二、论文

13. 论南宋都城临安的酒店

南宋都城临安（今浙江杭州），与唐代长安、北宋东京并称为中国古代三大国际性的大都城。[1] 其时这里"户口蕃盛，商贾买卖者十倍于昔，往来辐辏，非他郡比也"[2]。意大利旅行家马可·波罗称之为"世界最美丽名贵之城"[3]。

酒店是临安最赚钱的行业，当时社会上流行着这样一句谚语，这就是："欲得官，杀人放火受招安；欲得富，赶著行在卖酒醋。"[4] 这里说的"行在"，即是临安。其时，酒店在南宋临安的商业和饮食业中占有非常重要的地位。据吴自牧《梦粱录》所云，临安城内外"处处各有茶坊、酒肆……"[5] 由于开酒店在临安最赚钱，因此酒店的数量非常庞大，时人诗有"青楼酒旗三百家"之说。[6]

一、酒店的经营性质

从南宋临安酒店的经营性质来看，可以分为官营和私营两种。

（一）官营酒店

官营酒店由官府开办，一般多属官酒务经营。当时临安共有十三所官营酒库，其中七所设有酒楼，它们是：

南酒库，简称为南库，原名升阳宫（一作升旸宫），在清河坊南建有和乐楼。洪迈《夷坚志》丙志卷九《李吉鸡》所载，范寅宾自长沙调官于临安，与客买酒升阳楼上。

中酒库，又名银瓮子中库，简称为中库，在众乐坊北。王楙《野客丛书》卷一七载："都下有银瓮酒库，或问何谓？仆考《瑞应图》'王者宴不及醉，

---

[1] 特蒂乌斯·钱德勒（Tertius Chandler）、吉拉尔德·福克斯(Gerald Fox)：《城市成长的3000年》，纽约：学术出版社1974年版，第314—323页。
[2] 吴自牧：《梦粱录》卷一三《两赤县市镇》，浙江人民出版社1984年版，第114页。
[3] 〔意〕马可·波罗：《马可波罗行纪》第一五一章《蛮子国都行在城》，〔法〕沙海昂注，冯承钧译，中华书局2004年版，第570页。
[4] 庄绰：《鸡肋编》卷中，中华书局1983年版，第67页。
[5] 《梦粱录》卷一三《铺席》，浙江人民出版社1984年版，第118页。
[6] 陈允平：《西麓诗稿》之《春游曲》，文渊阁《四库全书》本。

则银瓮呈祥'，盖取此意。"造清界，有中和楼。

南上酒库，又名武林园南上库，简称为南上库，在睦亲坊建有和丰楼，该酒楼正对吴越两山，故民间又名正南楼。

北酒库，简称为北库，在鹅鸭桥东，处于小河（市河）街市的中段，建有春风楼。

东酒库，简称为东库，在太和桥东，处于大河（盐桥运河）街市的中段，建有太和楼。这在当时是一家著名的官营大酒楼。康与之（字伯可）曾监太和楼酒，盗库钱饰翠羽为妓金盼履，事发后坐罪免官，落魄无所与归。[1] 时人作的《题太和楼壁》一诗便用淋漓尽致的笔触详细地描述了这一酒楼的宏伟壮丽：

太和酒楼三百间，大槽昼夜声潺潺。
千夫承糟万夫瓮，有酒如海糟如山。
铜锅镕尽龙山雪，金波涌出西湖月。
星官琼浆天下无，九酝仙方谁漏泄。
皇都春色满钱塘，苏小当垆酒倍香。
席分珠履三千客，后列金钗十二行。
一座行觞歌一曲，楼东声断楼西续。
就中茜袖拥红牙，春葱不露人如玉。
今年和气光华夷，游人不醉终不归。
金貂玉麈宁论价，对月逢花能几时？
有个酒仙人不识，幅巾大袖豪无敌。
醉后题诗自不知，但见龙蛇满东壁。[2]

从这首诗中，可知太和楼设有三百间包厢，如果按今每一包厢十平方米来计算，则达三千平方米，再加上制作菜肴的厨房、酿酒存酒的作坊和仓库、走廊、大厅等，则其建筑面积至少在五千平方米以上，这在今日杭州也无疑是一个超大型的酒楼了，真可谓气势非凡。在这个酒楼里，有上千名工人在从事酿酒等工作，以至酒楼"有酒如海糟如山"。酒楼每天的高档客人达三千人左右，而要招待好这些挥金如土

---

[1] 周南：《山房集》卷四《康伯可传》，文渊阁《四库全书》本。
[2] 厉鹗：《宋诗纪事》卷九六，上海古籍出版社1983年版，第2312—2313页。

二、论文

的豪客，自然服务工作必须尽善尽美，让客人满意。为此，酒楼招聘了成百上千的年轻漂亮的美女，甚至酒楼的负责人也是"苏小当垆"。她们除殷勤为客人倒酒外，还唱歌跳舞，演奏各种乐器，为客人饮酒助兴。因此，这座酒楼在南宋盛极一时。陈著曾同梅山弟来此酒楼饮酒，并写有《梅山弟来同饮醉书本堂》诗：

> 谁将糟粕视诗书，兄弟何妨做拙儒。
> 流水青山同醉处，清风明月几归途。
> 樵歌相与为吟友，草市谁教见瑞夫。
> 宇宙如今惟有酒，太和楼下渺烟芜。[1]

可惜的是，在南宋后期，这座酒楼由于火灾被烧毁了。

西酒库，又称为金文库或金文西库，在丰豫门（即涌金门）外建有西楼，当时名人楼钥曾书榜，后为好奇者取去。西库分出有子库，时人称西子库，该酒库拥有太平楼和丰乐楼两大酒店，均在丰豫门外[2]。这里面临西湖，风景绝佳，故而游人众多，以至西库和西子库都要在此设立大型的酒楼[3]。其中，丰乐楼的前身为柳洲亭，北宋政和七年（1117），于湖堂右以众乐亭旧基建楼，扁"耸翠"。南宋建炎以后，高宗见嘉兴、湖州等地连年丰收，建此楼以与民共乐，故名。[4]曾一度被和王杨存中占有，改为耸翠楼。后张定叟兼领库事，将其收归国有，并将其再次作为西子库的酒楼。淳祐九年（1249），帅臣赵节斋再撤新创，使酒楼更加"瑰丽宏特，高接云霄，为湖山壮观"。《梦粱录》卷一二《西湖》载此楼"据西湖之会，千峰连环，一碧万顷，柳汀花坞，历历栏槛间，而游桡画舫，棹讴堤唱，往往会于楼下，为游览最。顾以官酤喧杂，楼亦临水，弗与景称"。楼旁"花木亭榭，映带参错，气象尤奇"。是官僚士绅设同年宴或乡会之处。"缙绅士人，乡饮团拜，多集于此"。[5]

南宋文人士大夫对丰乐楼极尽赞美之辞，留下了大量的优秀作品。淳熙十一年（1184）二月甲子，吴文英作《莺啼序·丰乐楼节斋新建》词，并大书

---

[1] 陈著：《本堂集》卷一八，文渊阁《四库全书》本。
[2] 《都城纪胜》"酒肆"条："西子库曰丰乐楼，在今涌金门外，乃旧杨和王之耸翠楼，后张定叟兼领库事，取为官库，正跨西湖，对两山之胜。西子库曰太平楼……其太平大和，因回禄后其楼悉废。"《武林旧事》卷六《酒楼》亦载有太平楼和丰乐楼。
[3] 朱彭《南宋古迹考·城郭考》"丰豫门外"引"知当日涌金门酒亦甚著名"。
[4] 张岱：《西湖梦寻》卷四《西湖南路·柳洲亭》，江苏古籍出版社2002年版，第48页。
[5] 《梦粱录》卷一二《西湖》，浙江人民出版社1984年版，第105页。

201

于壁。此词绘声绘色地描写了丰乐楼的宏伟与繁华，是当时此类作品中的杰作：

天吴驾云阆海，凝春空灿绮。倒银海、蘸影西城，四碧天镜无际。彩翼曳、扶摇宛转，雩龙降尾交新霁。近玉虚高处，天风笑语吹坠。

清濯缁尘，快展旷眼，傍危阑醉倚。面屏障、一一莺花，薜萝浮动金翠。惯朝昏、晴光雨色，燕泥动、红香流水。步新梯，藐视年华，顿非尘世。

麟翁衮舄，领客登临，座有诵鱼美。翁笑起、离席而语，敢诧京兆，以役为功，落成奇事。明良庆会，赓歌熙载，隆都观国多闲暇，遣丹青、雅饰繁华地。平瞻太极，天街润纳璇题，露床夜沉秋纬。清风观阙，丽日罘罳，正午长漏迟。为洗尽、脂痕茸唾，净卷曲尘，永昼低垂，绣帘十二。高轩驷马，峨冠鸣佩，班回花底修禊饮，御炉香、分惹朝衣袂。碧桃数点飞花，涌出宫沟，溯春万里。[1]

约南宋中后期，丰乐楼遭火灾，化为灰烬，在都城消失了。虽然其宏大的建筑不存于世，但其辉煌的历史却对后世产生了深远的影响，成为文人们追述其兴衰的典型物象，并感叹不已。例宋末元初的诗人方回，曾有多首诗述及此楼：

往年灯火醉樊楼，月落吹箫未肯休。
不惜黄金追胜事，肯回青眼顾时流。

来舆去马禁城空，丰乐楼消一炬红。
说与吴侬莫惆怅，龙墀犹化梵王宫。[2]

又，元杨载《题丰乐楼》诗：

峥嵘飞构压名邦，西望平湖东望江。
气合重玄蒙流瀣，标存九域莫洪庞。
朝来散雾萦朱栱，夜后流星透碧窗。
倚遍阑干愁目眩，飞鸢旋转故双双。[3]

---

[1] 吴文英：《梦窗乙稿》卷二。又见《全宋词》第4册，中华书局1965年版，第2907页。
[2] 方回：《桐江续集》卷一〇《次韵宾旸啼字犹字二首》、卷二三《记正月二十五日西湖之游十五首·丰乐楼》，文渊阁《四库全书》本。
[3] 《杨仲弘集》卷六，文渊阁《四库全书》本。

二、论文

北外库，在余杭门外左家桥北，接近米市，建有春融楼。

除上述外，更有碧香诸库，如钱塘门外上船亭南的钱塘正库，设有先得楼，此楼由过去的望湖楼演变而来。咸淳中，州里以三篆字揭之。董嗣杲《西湖百咏·先得楼》诗：

潋滟澄波漾彩椽，柳丝晴绊俊游鞭。

傍湖莫厌官楼小，得月无如此地先。

迎榜书生空绛帐，抱琴才子沃金船。

壶天萧爽人人醉，雪色屏风画谪仙。

造清界库，在睦亲坊北，有和丰酒楼。

（二）私营酒店

私营的酒楼，顾名思义是由私人经营，时人或称为"市楼"。

南宋临安的市楼甚多，其中最著名的是中瓦子前武林园的三元楼，此楼一向是由康、沈家开酤，店门首彩画欢门，设红绿杈子，绯绿帘幕，贴金红纱栀子灯，装饰厅院廊庑，花木森茂，酒座潇洒。从店门进去，一直是主廊，一二十步后才分南北两廊，全部是诸如今日包厢及"稳便坐席"。到晚上，灯烛辉煌，上下相照，如同白昼。数十名浓妆打扮的妓女，聚于主廊横面上，等待着酒客的呼唤，望之宛如神仙。[1]南宋叶绍翁《四朝闻见录》丙集卷三《悼赵忠定诗》还记载了与这一酒楼有关的一个故事：

庆元初，韩侂胄既逐赵忠定，太学诸生敖陶孙赋诗于三元楼，云："左手旋乾右转坤，如何群小恣流言。狼胡无地居姬旦，鱼腹终天吊屈原。一死固知公所欠，孤忠幸有史长存。九原若遇韩忠献，休说如今有末孙（渠家末世孙）。"陶孙方书于楼壁民，酒一再行，壁已不存。陶孙知诗必为韩所廉得，捕者将至，急更行酒者衣，持暖酒壶下楼。捕者与交臂，问以"敖上舍在否？"敖对以"若问太学秀才？即饮方酣"。陶孙亟亡命归闽。捕者入闽，逮之入都。至都，以书祈哀于韩，谓诗非己作。韩笑而命有司复其贯，敖陶孙旋中乙丑第，由此得诗名。《江湖集》中诗最多，予尝以其卷示杜忠可，杜谓典实。其诗率多效陆

---

[1]《梦粱录》卷一六《酒肆》，浙江人民出版社1984年版，第141页。

203

务观，用事终不肯效唐风。初识南岳刘克庄，得其诗卷，曰所欠典实尔。南岳集中诗率用事，盖取其说。后得南岳刻诗于士人陈宗之，喜而语宗之曰："且喜潜夫已成正觉。"陶孙，字器之，号癯翁，福唐人。

稍次于三元楼的，有南瓦子的熙春楼（此楼由王厨开酤），新街巷口的花月楼（施厨开酤），融和坊的嘉庆楼、聚景楼（此两店均为康、沈脚店），金波桥的风月楼（严厨开酤），灵椒巷口的赏新楼（一作赏心楼，沈厨开酤），坝头西市坊的双凤楼（施厨开酤），下瓦子前的日新楼（郑厨开酤），荐桥以东丰禾坊的王家酒店等。与三元楼一样，这些酒店大多也设有妓女，以供风流酒客买笑追欢。[1] 此外，还有银马杓、翁厨、任厨、陈厨、周厨、巧张、张花等酒店，它们都是以著名厨师来号召的，各具特色。如暗门（清波门）外郑厨分茶酒肆，"只卖好食，虽海鲜头羹皆有之"。又如御街中段太平坊大街东南角有虾蟆眼酒店，"只卖好酒"。[2]

二、酒店的等级

南宋临安的酒店，分正店、脚店、拍户酒店数等。

（一）正店

正店为第一等，为大型的酒店，如前述的众多大型酒店便属于此等。这等酒店建筑雄伟壮观，装饰富丽堂皇，环境优美典雅，并备有各式各样的精美餐具，特别是酒器更是如此，全部用银制作而成。主要为上层顾客服务，基本上集中在闹市区。不管是官营酒楼，还是私营酒楼，都有大量的妓女为客人服务，前者往往设有官妓数十人，后者亦有私妓数十人。客人刚至酒店坐定，酒家人便先给看菜几碟，问酒多少，然后送上上面写有各式各样菜肴名称的单子和牌面供客人点唤好酒好菜。如煮酒，或可先索到十瓶，逐瓶开饮，多余可退回酒店。如下酒品件，其钱数不多，谓之"分茶""小分下酒"；客人如要召唤妓女服务，就得索唤高价的细食，酒店借机高抬价钱。[3] 需要说明的是，这些大酒店，"娼妓只伴

---

[1]《武林旧事》卷六《酒楼》；《梦粱录》卷一六《酒肆》。

[2]《武林旧事》卷六《酒楼》，浙江人民出版社1984年版，第94页。

[3] 如《梦粱录》卷一六《酒肆》："或命妓者，被此辈索唤珍品、下细食次，使其高抬价数，惟经惯者不堕其计。"《都城纪胜·酒肆》："若命妓，则此辈多是虚驾骄贵，索唤高价细食，全要出著经惯，不被所侮也，如煮酒，或有先索到十瓶，逐旋开饮，少顷只饮五六瓶佳者，其余退回，亦是搜弊之一诀。"

从而已"[1]。洪迈《夷坚志补》卷七《丰乐楼》对妓女伴酒的现象便有描述：

临安市民沈一，酒拍户也。居官巷，自开酒庐，又扑买钱塘门外丰乐楼库，日往监沽，逼暮则还家。淳熙初，当春夏之交，来饮者多。一日，不克归，就宿于库。将二鼓，忽有大舫泊湖岸，贵公子五人，挟姬妾十数辈，径诣楼下，唤酒仆，问何人在此，仆以沈告，客甚喜，招相见，多索酒，沈接续侍奉之。纵饮楼上，歌童舞女，丝管喧沸，不觉罄百樽。饮罢，夜已阑，偿酒直，郑重致谢。

（二）脚店

第二等为"脚店"，或称"分茶酒店"。这种店在规模上要小于"正店"，但大于"拍户酒店"，可以说是一种中型的酒店。专卖上等的名酒及下酒菜肴，其客人以中等收入的市民为主。

（三）拍户酒店

第三等为"拍户酒店"。《梦粱录》卷一六《酒肆》载："大抵酒肆除官库、子库、脚店之外，其余谓之拍户，兼卖诸般下酒，食次随意索唤。""拍户"一词是由买扑制度而起的，指官、私营的酒务、酒库、酒坊买酒销售的人户。这些私商小贩从官酒务或大酒户中按批发价买酒，再至指定地界内设店销售，从批发价与市场零售价的差额中获取利润。这类"拍户酒店"在南宋临安极多，遍布城内外。

拍户酒店虽是一种小型的零卖酒店，但其经营却颇具特色，又可分为以下几种：

1. 包子酒店

包子酒店是一种以兼卖包子、肠血粉羹等下酒小菜为特色的酒店。据《梦粱录》卷一六《酒肆》载，这种酒店"专卖灌浆馒头、薄皮春茧包子、虾肉包子、鱼兜杂合粉、灌煎大骨之类"。《都城纪胜·酒肆》则谓其"卖鹅鸭包子、四色兜子、肠血粉羹、鱼子、鱼白之类，此处易为支费"。

2. 肥羊酒店

肥羊酒店是一种兼卖羊肉食品为特色的酒店。据《梦粱录》卷一六《酒肆》载，南宋都城临安"丰豫门归家、省马院前莫家、后市街口施家、马婆巷双羊店等铺，

---

[1] 耐得翁：《都城纪胜·酒肆》，载《南宋古迹考》（外四种），浙江人民出版社1983年版，第82页。

零卖软羊、大骨龟背、烂蒸大片、羊杂𬌗四软、羊撺四件"。

3. 茶饭店

关于茶饭店,《都城纪胜·酒肆》载:"谓兼卖食次下酒是也。但要索唤及时食品,知处不然,则酒家亦有单子牌面点选也。"

4. 宅子酒店

所谓宅子酒店,就是将酒店装饰成官宦人家的宅舍,或者由过去仕宦人家所住的房子改建而成。这种酒店使人有一种宾归至家的感觉,颇受文人士大夫及普通官吏的喜爱[1]。

5. 花园酒店

所谓花园酒店,就是指一种园林式的酒店。这种酒店大多设在城郊景色秀丽、花草繁多的地区;个别设在城内,其建筑设计仿照园馆装饰[2]。范成大有诗述道:

九陌缁尘满客襟,钱塘门外有园林。

胡床住处梅无限,酒旆垂边柳未深。

晴日暖风千里目,残山剩水一人心。

元方伯始皆吾党,解后清游直万金。[3]

6. 直卖店

直卖店又称"角球店",是一种专卖酒而不供应下酒食品的酒店。如《都城纪胜·酒肆》曰:"直卖酒,谓不卖食次也。"《梦粱录》卷一六《酒肆》:"有一等直卖酒,不卖食次下酒。"

7. 散酒店

散酒店是一种零沽散卖的小酒店,《都城纪胜·酒肆》:"谓零卖百单四、七十七、五十二、三十八,并拆卖外坊酒。"

8. 碗头店

碗头店,门首不设油漆杈子,只挂草葫芦。用银马勺、银大碗等酒具。也有的挂银裹直卖牌。店铺比较简陋,多是用竹栅布幕搭建而成,时人谓之为"打

---

[1] 耐得翁:《都城纪胜·酒肆》,载《南宋古迹考》(外四种),浙江人民出版社1983年版,第82页。
[2] 耐得翁:《都城纪胜·酒肆》,载《南宋古迹考》(外四种),浙江人民出版社1983年版,第82页。
[3] 范成大:《石湖居士诗集》卷九《与胡经仲、陈朋元游照山堂,梅数百株盛开》,载《范石湖集》,上海古籍出版社2006年版,第108页。

碗头"，意思是顾客多是只喝三二碗酒，甚至只喝一杯便走的人。酒店出售的下酒食品也非常低劣，如血脏、豆腐羹、熬螺蛳、煎豆腐、蛤蜊肉之类。到这种酒店喝酒的人大多是下层的劳动人民。"不甚尊贵，非高人所往"[1]。

9. 庵酒店

庵酒店是一种以卖酒为名，主营妓业的酒店。耐得翁《都城纪胜·酒肆》曰："庵酒店，谓有娼妓在内，可以就欢，而于酒阁内暗藏卧床也。门首红栀子灯上，不以晴雨，必用箬盖盖之，以为记认。其他大酒店，娼妓只伴坐而已。欲买欢，则多往其居。""箬盖"是用箬叶制成的防雨的灯罩。毫无疑义，这种庵酒店实质上就是一种下等的妓院。

10. 罗酒店

罗酒店在北宋时流行于山东、河北地区。后随着宋室的南渡，这种酒店形式也传至南方，但已失去了往日的风采。耐得翁《都城纪胜·酒肆》云："罗酒店……今借名以卖浑头，遂不贵重也。"

三、酒店的分布

这些酒店除大量分布在城内外，还有一些分布在西湖周围。据《武林旧事》卷三《西湖游幸》记载，孝宗有一次游湖经过断桥，见桥旁有一小酒店，十分雅洁，遂入内休息。酒店中有一素屏，上面书有太学生俞国宝的"醉笔"《风入松》一词："一春长费买花钱，日日醉湖边。玉骢惯识西泠路，骄嘶过、沽酒楼前。红杏香中歌舞，绿杨影里秋千。东风十里丽人天，花压鬓云偏。画船载取春归去，余情在，湖水湖烟。明日再携残酒，来寻陌上花钿。"孝宗观赏后说："此词甚好，但末句未免儒酸。"认为应把"明日再携残酒"改为"明日重扶残醉"。又，《西湖游览志馀》卷一〇《才情雅致》载："林外，字岂尘，泉南人。词翰潇爽，谈论不羁，饮酒无算。在上庠，暇日独游西湖幽寂处，坐小旗亭饮焉。外丰姿都雅，角巾鹤氅，飘飘若神仙。置虎皮钱箧数枚藏腰间，每出其一，命酒家倾之，视钱计酒直。酒且尽，复倾一箧。迨暮，凡饮数斗不醉，而箧中之钱若循环无穷，肆中人惊异。将去，索笔题壁间云：'药炉丹灶旧生涯，白云深处是吾家。

---

[1] 《都城纪胜·酒肆》，载《南宋古迹考》（外四种），浙江人民出版社1983年版，第82页。

江城恋酒不归去，老却碧桃无限花。'明日，都下喧传某肆有神仙至饮云。"《齐东野语》卷一三《西林道人》载："端平间，周文璞、赵师秀数诗人，春日薄游湖山，极饮西林桥酒垆，皆大醉熟睡。"

西溪也有酒店，如《西溪梵隐志》载："西溪留下西南三里，东有宋人禁酒牌。高宗过西溪，入酒肆，喜其供奉精洁，御书界牌以赐曰：'不为酒税处。'"[1]

四、酒店的装饰及经营风俗

临安的酒店，建筑和装饰极具特色。耐得翁《都城纪胜·酒肆》载："酒家事物，门设红杈子绯绿帘贴金红纱栀子灯之类。旧传因五代郭高祖游幸汴京潘楼，至今成俗。酒阁名为厅院，若楼上则又或名为山，一山、二山、三山之类。牌额写过山，非特有山，谓酒力高远也。"即大型酒店沿袭北宋东京潘楼的风俗，在门口设立杈子，上面的绯绿帘贴金，挂着醒目的红纱栀子灯。酒店为多层的大型建筑，底层为大厅，楼上设立有众多的酒阁（即今日所称的包厢），《武林旧事》《梦粱录》等书名为"厅院"，上面往往标有一山、二山、三山之类的牌额。牌额写过山，并非指有山，而是说"酒力高远也"，即酒量大小。酒量不好的一般只在楼下所设的散坐中饮酒，不可轻易登楼上阁。

当然，绝大多数的中小型酒店在装饰上并没有这样气派，而是简单实用得多。据《搜采异闻录》记载："都城酒肆皆揭大帘于外，以青白布数幅为之。或挂瓶瓢帚秆，时人多咏于诗。"

在当时的都城临安，还有一种"迭构如井"的井字楼酒楼，民间俗称为"井字楼"。[2]

临安酒店的用词颇具特色，耐得翁《都城纪胜·酒肆》载："大抵店肆饮酒，在人出著如何，只如食次，谓之下汤水。其钱少，止百钱五千者，谓之小分下酒。若命妓，则此辈多是虚驾骄贵，索唤高价细食，全要出著经惯，不被所侮也。如煮酒，或有先索到十瓶，逐旋开饮，少顷只饮五六瓶佳者，其余退回，亦是搜弊之一诀。"如果客人买酒不多、只就楼下散坐的，谓之为"门床马道"。

---

[1] 吴本泰：《西溪梵隐志》卷一《纪胜》，杭州出版社2006年版，第14页。

[2] 《西湖游览志》卷二〇《北山分脉城内胜迹》，上海古籍出版社1980年新1版，第257页。

二、论文

此外，临安的酒店还形成了一定的行规。客人刚坐下，酒家人先是送上下酒的样菜，供客人点菜所用。然后，问客人需要多少酒。当客人选定下酒的菜肴品种和酒的份量后，再正式送上下酒的菜肴。于是，一些不懂行规的，看到酒家人送上的"看菜"便匆忙下箸，被人当作笑料。

【文章来源】徐吉军：《论南宋都城临安的酒店》，《浙江旅游职业学院学报》，2011 第 1 期

14. 南宋临安馒头食品考

摘要：南人食米，北人吃面，这在北宋时早已成为人们的生活习惯。但随着宋室的南迁，定都临安(今浙江杭州)，大批北方人寓居临安，使临安市民的饮食结构发生了较大的变化，吃麦食的人急剧增加。其中馒头食品便深受市民的喜爱。在当时，临安馒头店遍布城内外，其品种极其繁多，并对后来杭州人的饮食生活产生了深远的影响。

关键词：南宋；临安；馒头；考证

南人食米，北人吃面，这在北宋时早已成为人们的生活习惯。但随着宋室的南迁，大批北方人寓居临安。陆游说："故都及四方士民商贾辐辏。"[1] 这些寓居临安的北方人以官僚士大夫居多，所以有"西北士夫，多在钱塘"[2]之说。北方人的大量迁入，使临安市民的饮食结构发生了较大的变化，吃麦食的人急剧增加。在他们的影响下，南方士民也竟踵此风，麦食成为临安市民除米食外的主要食品。对此，庄绰《鸡肋编》卷上有感云："南人罕作面饵，有戏语云：'孩儿先自睡不稳，更将擀面杖拄门，何如买个胡饼药杀着。'盖讥不北食也。建炎之后，江、浙、湖、湘、闽、广，西北流寓之人遍满。绍兴初，麦一斛至万二千钱，农获其利倍于种稻，而佃户输租只有秋课，而种麦之利独归客户。于是竞种春稼，极目不减淮北。"

临安的麦食，主要可以分为面条、馒头、麦饼、饺子和馄饨等类。因篇幅所限，下面择要对馒头加以阐述。

馒头，是指用发酵面团做成半球形蒸制而成的面食，无馅。包子在宋代又称为包儿、馒头等，它用麦粉和水揉面做剂子，以甜、咸、荤、素、香、辣诸种食物配制成各种各样的馅心，夹在面剂子中间，收口做成个子较小的扁圆之状，蒸熟后便可食用。两者在南宋时往往混称，但馒头大多指包子，如朱熹曾

---

[1] 陆游：《老学庵笔记》卷8。
[2]《宋史》卷437《程迥传》。

二、论文

以此作例："譬如吃馒头，只吃些皮元，不曾吃馅，谓之知馒头之味可乎？"[1]又，《朱子家礼·附录》载："今后可与墓前一样菜果，鲊脯共十器，肉鱼馒头各一大盘。凡所具之物，悉陈之羹饭，茶汤各一器，以尽吾宁亲事神之意，勿令少有隆杀。"这里的"肉鱼馒头"，当是包子。朱熹弟子陈淳也云："如吃馒头，只撮个尖处，不吃下面馅子，许多滋味都不见……"[2]宋刘清之《戒子通录》卷七："又饮食蒸饼去皮，馒头去蒂肉、去脂皮之类，皆非成人所为，乃痴无知而已。自非生硬臭恶与犯已宿疾之物，岂有不可食之理！"时人还认为，"饭客饮食中最美者，无如馒头、夹子"。[3]

据文献记载，临安城里包子的花色品种，名目繁多，仅著名的就有四色馒头、细馅大包子、生馅馒头、杂色煎花馒头、水晶包儿、笋肉包儿、虾鱼包儿、江鱼包儿、蟹肉包儿(蟹肉馒头)、鹅鸭包儿、糖肉馒头、羊肉馒头、太学馒头、笋肉馒头、鱼肉馒头、肉酸馅假肉馒头、笋丝馒头、裹蒸馒头、波菜果子馒头、辣馅糖馅馒头、七宝包儿等数十种。灞桥榜亭侧朱家馒头铺，为都城中最著名的馒头店。[4]

羊肉馒头，又称为羊肉包、羊馒头[5]，是一种以羊肉为馅的包子。北宋王安石就非常喜欢这种包子，宋陈文蔚《克斋集》卷七载："介甫每得新文字，穷日夜阅之。喜食羊馒头，家人供至，或正值看文字，信手撮入口，不暇用箸，过食亦不觉，至于生患。"东京开封饮食店铺中多有出售。又，《东京梦华录》卷八《是月巷陌杂卖》载"是月时物"中有"羊肉小馒头"，可见这种馒头为北食。南宋时传入临安，《武林旧事》卷六《蒸作从食》及《梦粱录》卷一六《荤素从食店(诸色点心事件附)》中均记载有羊肉馒头。

太学馒头，一作大学馒头[6]，指宋代太学厨房中烧制的包子。早在北宋时，太学馒头便著名于时。如《上庠录》云："两学公厨，例于三八课试日设别馔，春秋炊饼，夏冷淘，冬馒头。而馒头尤有名，士人得之往往转送亲识。询前辈，云：元丰初，神庙留神学校，尝恐饮食菲薄，未足以养士。一日有旨诣学，取

[1]《朱子语类》卷32《论语十四》。
[2] 王懋竑：《朱子论学切要语》卷2。
[3] 周紫芝：《太仓稊米集》卷66《书徐师川诗后》。
[4]《梦粱录》卷13《铺席》。
[5] 明代吕毖《明宫史》卷4《饮食好尚》便载有"羊肉包"之名。
[6]《武林旧事》卷6《蒸作从食》。

211

学生食以进。其日食馒头，神庙尝之，曰：'朕以此养士，可无愧矣！'自是饮食稍丰洁，而馒头遂知名。"[1] 南宋临安的太学，馒头的制作也同样精细，味道可口。元刘一清《钱塘遗事》卷一〇《丹墀对策》载廷试结束后，皇帝以太学馒头等赐士子食用：

廷试之日，士人由和宁门入，徐行执号，乐卫士收数成行而入。至集英殿门外，中官展视而收之，殿外挂混图于露天，甚高。良久，天大明，了然分明，知位次。士人聚于殿门外，待百官常朝毕，方引士人进拜，列于殿下。宰臣进题上览焉。天子临轩，天颜可瞻，起居赞曰：省元某人，以下躬拜、再拜，又躬身而退，各依坐图行列而坐。每位有牌一枚，长三尺，幂以白纸，已书某人某乡贯，或东西廊第几人，不得移动及污损。坐定，中官行散御题，士人皆以御题录于卷头草纸上，以黄纱袋子垂系于项上。若有损污，谓之不恭，纳卷所不受。散题后，驾已兴入内进膳，赐食于士子太学馒头一枚，羊肉泡饭一盏。食毕，不见。……

因太学馒头风味独特，闻名于都城内外。点心铺中争相以太学馒头为招牌吸引顾客，[2] 时人岳珂在《馒头》诗中赞道：

几年太学饱诸儒，余伎犹传笋蕨厨。
公子彭生红缕肉，将军铁杖白莲肤。
芳馨正可资椒实，粗泽何妨比瓠壶。
老去齿牙辜大嚼，流涎聊合慰馋奴。[3]

从这绘声绘色的描述中，我们可以想见当年市民们喜食"太学馒头"的情景。

灌浆馒头，即今日的汤包。在《武林旧事》卷六《蒸作从食》中有载。当时临安城中的包子酒店，就专卖灌浆馒头。[4]乾道五年(1169)十月，楼钥出使金国时，曾在金兵占领的开封吃过这种灌浆馒头。[5] 由此可以看出，这是一种北食。

---

[1] 胡仔：《渔隐丛话后集》卷28。
[2] 《梦粱录》卷16《荤素从食店(诸色点心事件附)》。
[3] 岳珂：《玉楮集》卷3。
[4] 《梦粱录》卷16《酒肆》。
[5] 楼钥：《北行日录》上，《攻媿集》卷111。

二、论文

糖肉馒头，为一种以糖和肉为馅子的包子。

笋丝馒头，为一种素包子，以笋丝为馅子制成的包子。与此相关的食品，尚有"笋丝麸儿"。笋丝假肉馒头，也是一种素包子，以笋丝和假肉为馅子制成的包子。以上这些包子，在《梦粱录》卷一六《荤素从食店(诸色点心事件附)》中有载。

裹蒸馒头，是一种利用荷叶或竹叶等裹蒸方法烧制而成的包子。裹蒸在古代指一种食品或烧制食品的方法[1]。如梁萧子显《南齐书》卷六《明帝本纪》载："太官进御食，有裹蒸。帝曰：'我食此不尽，可四片破之，余充晚食。'"这里的裹蒸，当是一种饼。《十国春秋》卷四二载有"麻虫裹蒸"的制法，可对我们了解裹蒸馒头有所帮助："裹蒸者，乃取麻蕨蔓上虫，如今之刺猬者，以荷叶裹而蒸之，故名。"又，元代学者胡三省《资治通鉴音注》曰："今之裹蒸，以糖和糯米入香药、松子、胡桃仁等物，以竹箬裹而蒸之，大才二指许，不劳四破也者。"[2]明代高濂《遵生八笺》卷一三《饮馔服食笺下》载有"裹蒸方"："糯米蒸软熟，和糖拌匀，用箬叶裹作小角儿，再蒸。"在南宋，裹蒸在文献中有载，如郭彖《睽车志》卷四曰："苏州昆山慧聚寺僧如远，善医，多受谢遗致富，而不守戒律。一日，遇寒食节，邑人陈监食裹作裹蒸百枚，分半馈之。远发器食，解包尽成泥块。俄而远卒。"从这条文献中，可知宋代裹蒸为荤食，而不是上述胡氏、高氏所云的为甜食。临安饮食中利用裹蒸方法制成的食品还有不少，如太平坊便出售有一种名叫"金铤裹蒸儿"的裹蒸馒头，[3]而荤素从食店中出售的诸色点心中，也有裹蒸粽子、金铤裹蒸茭粽、裹蒸米食等。[4]

波菜果子馒头、七宝酸馅姜糖辣馅糖饭馒头，均见载于《梦粱录》卷一六《荤素从食店(诸色点心事件附)》中，但在其他文献中未见记录。前者因以波菜、果子为馅，故名；后者或因作者笔误，或因刻本有误，恐怕指的是七宝馒头、酸馅馒头、姜糖馒头、辣馅馒头、糖饭馒头。

---

[1] 这种裹蒸的烧制方法，至清代犹存。如《钦定八旗通志》卷93《典礼志十六·满洲祭神祭天典礼五》载："六月，供苏叶饽饽。以穄米为面，以小豆为馅，用苏叶包裹蒸之，盛于盘内供献。"
[2] 司马光：《资治通鉴》卷140《齐纪六·高宗明皇帝中》。
[3] 《梦粱录》卷13《夜市》。《武林旧事》卷6《市食》中的"金铤裹蒸"，即此。
[4] 《梦粱录》卷16《荤素从食店(诸色点心事件附)》。

213

杭州全书·杭帮菜文献集成

七宝馒头，又称七宝包儿[1]，是指以七种配料为馅的包子，具体配方未见文献记载。云其为"七宝"，想必其配料也不一般。在南宋，与其相应的食品，有七宝素粥、七宝棋子、七宝擂茶、七宝姜豉等。

水晶包儿，因其蒸熟后状如水晶，故名。在《梦粱录》卷一六《荤素从食店（诸色点心事件附）》中有记载，是临安的一种市食点心。

笋肉包儿，因以竹笋和肉末为馅，故名。在《梦粱录》卷一六《荤素从食店（诸色点心事件附）》中有记载，是临安的一种市食点心。周密在《武林旧事》卷六《蒸作从食》中的"笋肉馅"，恐是"笋肉包儿"的别称。

虾鱼包儿，是一种以虾和鱼为馅料的包子。其制法，从陶宗仪《说郛》中"莲房鱼包"可以得知一二：

> 将莲花中嫩房去穰截底，剜穰，留其孔，以酒浆、香料加活鳜鱼块实其内，仍以底坐甑内蒸熟；或中外涂以蜜，出碟用渔父三鲜供之。三鲜，莲、菊、菱汤齑也。向在李春坊席上曾受此供。得诗云："锦瓣金蘘织几重，问鱼何事得相容。涌身既入莲房去，好似华池独化龙。"李大喜，送端砚一枚、龙墨五笏。[2]

江鱼包儿，是一种以江中鲜鱼肉末为主馅的包子。在《梦粱录》卷一六《荤素从食店（诸色点心事件附）》中有记载，是临安的一种市食点心。

蟹肉包儿，是一种蟹肉为主馅的包子。其中最为名贵的当推蟹黄包，当然其价也贵，非常人所能享受。宋人曾敏行《独醒杂志》卷九便对此有载：

> 蔡元长为相日，置讲议司，官吏数百人，俸给优异，费用不赀。一日，集僚属会议，因留饮，命作蟹黄馒头。饮罢，吏略计其费，馒头一味为钱一千三百余缗。

《武林旧事》卷六《蒸作从食》中也载有这种蟹黄包子。而普通市民当然只能食用价格一般的蟹肉包，这种包子在《梦粱录》卷一六《荤素从食店（诸色点心事件附）》中有载，是临安的一种市食点心。

鹅鸭包儿，是一种以鹅鸭肉为主馅的包子。据《都城纪胜·酒肆》记载，"包

---

[1] 周紫芝：《太仓稊米集》卷66《书徐师川诗后》。
[2] 陶宗仪：《说郛》卷74上。

子酒店谓卖鹅鸭包子"。《梦粱录》卷一六《荤素从食店 (诸色点心事件附)》中也有记载，是临安的一种市食点心。

薄皮春茧包子，简称薄皮或薄皮春茧，《武林旧事》卷六《蒸作从食》中有载。临安的包子酒店，专卖这种包子，供酒客作为点心食用。[1] 其他饮食店也出售有这种包子。[2]

生馅，为生馅馒头的简称。《梦粱录》卷一六《荤素从食店 (诸色点心事件附)》中载其是临安的一种市食点心。

酸馅，即酸馅馒头的简称。因其以酸类食物作馅，故名。是一种北食，南方人不明其为何物，故多有议论。如宋代曾慥编的《树萱录·俊叨》载："京师食店卖酸馅，大书牌榜。俚俗转酸从食，馅从臽。有云：'彼家卖俊叨，不知何物也？'"[3] 南宋后，随着中原人士的大量南迁，这种食品遂在南方流行开来。洪迈《夷坚志》中便载有相关的故事：

南城张迁善知县家仆姚卓，次子为景德寺僧，一孙年十许岁，间至叔处。淳熙丁酉三月望夜，梦如常日嬉游到佛殿前，遇长身僧，与之一酸馅，纳于袖中。睡觉，俨然在手，以告母，欲食之。母疑其异，转语卓，卓颇骇，亟携孙往直其事。乃昨夕张提刑来塔院设水陆供食也，他僧取余者比校，无少差，卓复怀归，置佛堂香合内。而次夜，孙又梦前僧来责曰："我与汝酸馅，何故不吃？汝既无用，当以还我。"孙不能答。迨旦，视合中，失之矣。[4]

作为都城的临安，自然少不了这种食品。[5]《梦粱录》卷四《解制日》载，临安每年七月十五日中元节，市民们给鬼上供的祭品中就有酸馅。其品种较多，市西坊夜市上有一种名叫"焦酸馅"的食品出售。[6] 荤素从食店出售的诸色点心事件中，则有肉酸馅、七宝酸馅。[7]

枣栗馅，是一种以枣和栗子两种果品为馅的包子。枣和栗均是北方的特产，

---

[1]《梦粱录》卷16《酒肆》。
[2]《武林旧事》卷6《蒸作从食》。
[3]《类说》卷13。
[4] 洪迈：《夷坚志》卷5《景德寺酸馅》。
[5]《武林旧事》卷6《蒸作从食》中载有此种食品。
[6]《梦粱录》卷13《夜市》。
[7]《梦粱录》卷16《荤素从食店(诸色点心事件附)》。

尤其以燕、晋两地所产最多而胜。故此，北人的饭食上常以这两种水果作为辅食品。如楼钥《北行日录》下载："二日癸丑，晴。张铉赐分食，图克坦通赐酒果，分食二盘。一盛大肉山，以生葱、枣、栗饰之，其中藏一羊头；一盛茶食、糖糯粥、粟饭、麦仁饭，皆以枣栗布其上。"[1]南宋时，人们还以这两种水果祭祀祖宗。如黄榦《与金陵制使李梦闻书》："小儿辈排枣栗以为牲牢，列瓦砾以为俎豆，匍匐俯仰。"[2]因此，《武林旧事》卷六《蒸作从食》中记载的这种食品，当是北食之一。

姜糖馒头，又称姜糖包子，即以生姜和糖为馅的包子。豆沙馅，即今日的豆沙包子。蜜辣馅，是一种以蜂蜜和辣料为主馅的包子。糖馅，又称糖包、糖包子、糖包儿，因以糖为主馅，故名。这是一种甜食，以上这些馒头，在《武林旧事》卷六《蒸作从食》中均有记载。

子母茧、探春茧也是一种用面粉制作、类似包子的食品，周密《武林旧事》卷六《蒸作从食》中有载。这种面茧的起源较早，五代后周王仁裕《开元天宝遗事》卷下《探官》云："都中每至正月十五日，造面茧，以官位帖子卜官位高下，或赌筵宴，以为戏笑。"至宋代，这种食品盛行于世。陈元靓《事林广记》卷九《造面茧》引《岁时杂记》述其制作方法和风俗云：

人日，京都贵家造面茧，以肉或素馅，其实厚皮馒头馂馅也，名曰探官茧。又立春日作此，名探春茧。馅中置纸签或削木书官品，人自探取（贵人或使从者），以卜异时官品高下。街市前期卖探官纸，言多鄙俚，或选取古今名人警策句，可以占前程者，然亦但举其吉祥之词耳。灯夕亦然。

【文章来源】徐吉军、林莉：《南宋临安馒头食品考》，《浙江学刊》2012 年

---

[1] 楼钥：《攻媿集》卷112。
[2] 黄榦：《勉斋集》卷11。

二、论文

15. 南宋时期的名酒

自从宋室南迁之后，临安便成为宋王朝的政治经济文化中心。随着经济的繁荣，临安一时之间成为世界上最华贵的城市。相应的，饮食业也随之飞快地发展起来：海鲜野味、名肴佳馔，天下所无者皆悉集于此地。在南北风味交汇的过程当中，除产生了中国烹饪史上独具一格的南宋风味菜肴外，各种南宋名酒也应运而生。

说起酒，在我们这个文明古国已有悠久的历史。四五千年前的仰韶文化遗址中已有酒具出土。古籍记载的"仪狄作酒""尧酒千钟"以及《神农本草》中关于酒的性味及药用价值的记载都说明我国酒史的源远流长。

在此基础上，我们有了关于酒的重要科技发明——酒曲。有了酒曲，便能使粮食中的淀粉发酵糖化、酒化，制成香醇可口的美酒。最初的酒都是以麦曲用粮食制成的。到汉代开始以葡萄酿酒，故唐诗中有"葡萄美酒夜光杯"之名句流传于世。到唐宋时，果子酒、药酒等先后问世。酒的花色品种又增加了一些。在这些前提条件下，到了南宋，北方的酿酒技师们随宋室南下，将北国的酿酒技术与江南的酿酒技术相结合，产生了许多独具风味的南宋名酒。

按种类来说，当时主要已有黄酒、果子酒、药酒、花酒四大类，至于花色名目则更多。据南宋人士周密所著《武林旧事》一书记载，据不完全的估计，当时光江浙两地有据可查的名酒，就有五种之多。其中有皇室御制的"流香""凤泉"等酒，达官贵人内府精制的"紫金泉""蓝桥风月""万象皆春"等酒，扬州产的"琼花露"酒，苏州产的"双瑞"酒，湖州产的"六客堂"酒，嘉兴产的"清若空"酒，绍兴产的"蓬莱春"，温州产的"蒙泉"，兰溪产的"谷溪春"，梅城产的"萧酒泉"，等等。这些名酒的制作，都十分精细考究，颇具特色，而且具有一些神奇的功效。因而上至帝王，下到平民，以及远道而来的阿拉伯商人们都对其非常喜爱和欢迎。具体来说，可以分为六个方面：一是用麦曲发酵，用糯米制成，酒精含量较低，口味甘和，老少皆宜；二是大多味甜，甘美可口，妇幼喜爱；三是酿酒之水，大多选用当地名泉、佳水，故清冽润喉；四是由于酒度低，夏季冰镇后还可以当避暑饮料(如椰子酒、雪泡梅花酒等)；五是花酒，用自然花汁调制酒味，芬芳扑鼻，且色泽悦目；六是药酒，一酒两用，

217

开胃健身，继承了祖国医学的宝贵遗产。

由于都城这些名酒的存在，很多售卖饭菜的店家都供应酒类。不但可以零沽，还可以坐堂小饮。当时除了有官库酒楼外，还有私厨酒店。官库酒楼，规模都很大，装饰华丽，酒器皆用金银、名瓷所制。私厨酒店，根据供应的菜肴、点心、小吃的不同，分为茶酒店、包子酒店、宅子酒店、花园酒店、散酒店等八九种。都城市民，不但爱饮各种风味的南宋名酒，而且根据北宋风味特色，爱用各种名酒当作主料，烹制各种海陆肴馔，如盐酒腰子、酒蒸鸡、酒蒸羊、酒烧香螺、酒烧江瑶、酒炙青虾、生烧酒舫等几十种，不同于现在，酒仅作为调料而已。

那么，南宋名酒的风味又如何呢？我们可以从遍游南方的南宋大诗人陆游的众多的饮酒诗中，找到一些记载。例如绍兴产的名酒"蓬莱春"，可能是一种果子酒，其色绿如翠玉，他有诗道："蟹肥暂孽馋涎堕，酒绿初倾老眼明。"可见此酒风味十分甘美迷人。另外，当时绍兴农家酿的糯米黄酒，虽然制作时在过滤方面稍有不足，正如陆游在《游山西村》诗中所说"莫嫌农家腊酒浑，丰年留客足鸡豚"，但用地方风味的菜肴佐之，仍深得人们喜爱，并久饮不厌。陆游在四川眉州（即今眉县）仕宦时，见到当地有一种"玻璃春"的名酒，看来是不用焦麦芽上色的，又过滤得较清，且又用清泉之水酿制，故透明如玻璃，其有诗可证："玻璃春满琉璃中，宦情苦薄酒兴浓。"（《凌空醉归作》）陆游在汉中时，又尝了当地所产的名酒"鹅黄"，也可能是一种果子酒或花酒，甘美芬芳，故他有诗赞云："叹息风流今未泯，两川名酿避鹅黄。"

历经七八百年，南宋名酒大多湮灭不可知，有的后来经当地名师改良，可能不同程度地转化为今之地方名酒。但以杭州、绍兴一带来说，只有黄酒仍然保留着南宋名酒的酿造方法和传统风味，较丰富地体现着南宋酒的一些特色，而其他酒都因不同原因被淘汰。值得人欣慰的是，今日黄酒已列入全国八大名酒之一。而且黄酒仍然具有南宋名酒的一个独特优点，即最宜做菜肴的调料，一经使用，锅中之鱼肉、野味顿时透出一阵鲜香之味。凡名厨高手，无一不知黄酒调味胜似诸酒。酒之文化，有精华，亦有糟粕，我们应该辩证地去看待，力求取其精华去其糟粕，为传承中华文化尽一份绵薄之力。

【文章来源】宋宪章：《南宋时期的名酒》，《烹调知识》，1998 年第 7 期

二、论文

16. 南宋饮食服务的创新——四司六局

南宋时期的临安，皇亲贵戚、官僚权臣、富商豪绅云集，奢侈之风日益严重。朝廷国宴不断，官场觥筹交错，文人学士吟咏往来，民间家宴风行一时。由此催生了"四司六局"，一个专为宴席服务的新行业。从业人员各司其职、工作高效，为宴主筹办筵席提供了诸多方便。

杭州，南宋的京都，是皇亲贵戚、官僚权臣、富商豪绅云集之地，风俗奢侈，讲究吃喝，南宋时，筵宴之风极为盛行。

皇宫朝廷，国宴不断，如大朝会（元旦、冬至兴行），皇帝宣赐百官宴、外国使节拜会皇帝宴、皇帝千秋（生日）宴、皇帝登基宴、皇帝会见状元宴、册立皇后宴等。官场之中，又有同僚应酬宴、荣升谢恩宴、接风洗尘宴、省亲敬祖宴等。文人学士中也有鹿鸣宴、同年宴（同年中举）、会文宴、花宴、龙门宴等。上行下效，民间家宴也极为风行，如婚丧宴、寿庆宴、花甲宴、团年宴、中秋宴、迎春宴，店铺也有升业志喜宴等。各种饮宴，数不胜数，粗略统计，也有 100 种左右。

记录南宋杭州宴席最详细、最珍贵的史料，就是家住杭州癸辛路的南宋著名学者周密的《武林旧事·高宗幸张府节次略》。该书记述绍兴二十一年（1151）十月，南宋大将张俊在家府中宴请高宗皇帝、宰相秦桧的盛况，摆席百桌之多，仅高宗席上菜点就多达 250 多道。小小餐桌上，汇集了全国各地的珍肴。随着公私饮宴的广泛流行，京城之中登门为筵席服务的新行业——四司六局便应运而生，顺势而兴，成为南宋都城饮食业中独有的特色。

周密《武林旧事》载："凡吉凶之事，自有所谓'茶酒厨子'专任饮食请客宴席之事，凡合用之物，一切赁至，不劳余力，虽广席盛设，亦可咄嗟（顷刻）办也。"元人陶宋仪《南村辍耕录》对"四司六局"也做详细的记录。

所谓"四司"，就是指帐设司、茶酒司、厨司、台盘司。帐设司，专门掌管仰尘、录压、桌帏、搭席、帘幕、屏风、书画等布置环境的事务；茶酒司，专管邀请宾客、送迎亲友、传语取复、上茶斟酒等协助主家招待宾客的事项；

219

厨司，掌管筵宴之上菜点的放料批切、烹饪菜肴；台盘司，专管菜肴上桌与盘碗清洗等事项。

所谓"六局"，即指果子局、蜜煎（饯）局、菜蔬局、油烛局、香药局和排办。果子局负责采办新鲜水果、南北京果、海腊肥脯和烛盘看果等；蜜煎局，采办供应蜜饯一类干果食品；菜蔬局，负责采办席桌所需的时新蔬菜、异品菜蔬等；油烛局，掌管灯火照明以及竹笼，灯台等；香药局，掌管提供香料如龙脑、香球与醒酒汤，药饼儿等；排办局，掌管凳椅桌子及拭抹、扫帚等事。

总之，四司六局的人员动作熟练、办事稳妥，"不致失节，可省主者之劳也"，为筹办筵席的主人提供了方便。

【文章来源】林正秋：《南宋饮食服务的创新——四司六局》，《杭州（生活品质版）》，2011 年第 10 期

二、论文

17. 南宋杭州酒楼

南宋杭州，城市经济十分繁荣，大街小巷，店铺林立。酒楼饭馆，是其中数量最多的店铺之一，它是南宋都城饮食繁荣的重要标志。不仅有官办酒楼，且有民间楼宅，酒楼饭馆的门面装饰、经营方法，多有仿效北宋都城汴京 (今河南开封市) 的商贸风情。四司六局登门为顾客操办酒宴，服务十分周详，这是南宋杭州的创新，对今天仍有重要的启迪作用。

1. 官办酒楼

唐代以前，饮食店铺大多开设在居民住宅的坊内或山乡交通要道之处，一般都是规模较小的食肆。史料笔记中偶见酒楼，也是规模不大的。而两宋都城汴京 (今河南开封市) 与临安府 (今杭州市) 却出现了规模宏丽、设备精良的大型酒楼，时人称为"正店"。汴京有正店七十二家之多。

南宋行都临安府的酒楼，大都仿效汴京，重视门楼装潢宏丽与店内摆设精致。无论是官办酒库还是民办酒楼，其规模宏丽者，各有数十家之多。据宋人周密《武林旧事》卷 6《酒楼》记录，朝廷户部点检所开办的酒楼十余家，或称楼或名库：

和乐楼，升旸宫南库，在清河坊。

中和楼，银瓮子中库，在众乐坊。

太和楼，又名东库，在崇新门外。

和丰楼，武林园南上库，在睦亲坊北。

春风楼，又名北库，在鹅鸭桥东。

西楼，又名金文西库，在三桥南惠仙桥畔。

太平楼，在清河坊。

丰乐楼，在涌金门外。

南外库，在便门外清水闸。

北外库，在武林门外江涨桥南。

西溪库，在九里松大路。

这些官办酒楼 (库)，"每库设官妓数十人，各有金银酒器千两，以供饮客之用。每库有祗直者数人,名曰'下番'。饮客登楼,则以名牌点唤侑樽,谓之'点花牌'。元夕,诸妓皆并番互移他库。夜卖各戴杏花冠儿,危坐花架。然名娼皆深藏邃阁,未易招呼。凡肴核杯盘,亦各随意携至库中。初无庖人,官中趁课,初不藉此,聊以粉饰太平耳。往往皆学舍士夫所据,外人不易登也。"

2. 民营大酒宅

据《武林旧事》载,民营大酒楼的豪华,不亚于官办酒楼,著名的大酒楼有熙春楼、三元楼、赏心楼、花月楼、日新楼、五间楼与沈厨、周厨、郑厨、翁厨等十多家,遍布京师城内。这些民营酒楼,规模较大,经营灵活,服务周全,品位很高。据载:

每楼各分小阁,类似十余包厢,酒器悉用银,以竞华侈。每处各有私名妓数十辈,皆时妆沽服,巧笑争妍。夏月,茉莉盈头,春满绮陌。凭栏招邀,谓之"卖客"。又有小鬟,不呼自至,歌吟强聒,以求支分,谓之"擦坐"。又有吹箫、弹阮、息气、锣板、歌唱、散耍等人,谓之"赶趁"。及有老姬以小炉炷香为供者,谓之"香婆"。又有卖玉面狸、鹿肉、糟决明、糟蟹、糟羊蹄、酒蛤蜊、虾茸、鱐干者,谓之"家风"。

凡下酒羹汤,任意索唤,虽十客各欲一味,亦自不妨。过卖铛头,记忆数十百品,不劳再四,传喝如流,便即制造供应,不许小有违误。

酒未至,则先设看菜数碟;及举杯则又换细菜,如此屡易,愈出愈奇,极意奉承。

由此可见,当时民营大酒宅楼,服务是十分周全的。今举三元楼为例:中瓦子前,是杭城民办的大酒楼,据《梦粱录》卷16《酒肆》记载:"店门首彩画欢门,设红绿杈子、绯绿帘幕,贴金红纱栀子灯,装饰厅院廊庑,……约一二十步,分南北两廊,皆济楚阁儿,稳便坐席。向晚,灯烛荧煌,上下相照,浓妆妓女数十,聚于主廊椽面上,以待酒客呼唤,望之宛如神仙。"

一般酒楼:"酒家事物,门设红杈子、绯绿帘、贴金红纱栀子灯之类,旧传因五代郭高祖游幸汴京潘楼,至今成俗。酒阁名为厅院,若楼上则又或名为山,一山、二山、三山之类。牌额写过山(即美酒名),非特有山,谓酒力高远也。"

"大凡入店,不可轻易登楼上阁,恐饮燕浅短。如买酒不多,则只就楼下散坐，谓之'门床马道'。初坐定，酒家人先下看菜，问买多少，然后别换菜蔬。亦有生疏不惯人，便忽下著，被笑多矣。"

"大抵店肆饮酒，在人出著如何，只如食次，谓之下汤水；其钱少，止百钱五千者，谓之小分下酒。若命妓，则此辈多是虚驾骄贵，索唤高价细食，全要出著经贯，不被所侮也。"

"如煮酒，或先索到十瓶，逐旋开饮，少顷只饮五六瓶佳者，其余退回，亦是搜弊之一诀也。"

3. 民办中小酒店

除上述豪华酒楼之外，临安还有众多的普通酒店，宋人称为酒肆或酒家，这些酒肆，大都是官库、子库的分店或零售为主的酒店，也"兼卖诸般下酒（即佐酒的菜肴果品）食饮，随意索唤"。（《梦粱录》卷16《酒肆》及《都城纪胜·酒肆》）这些酒家，经常是官库或豪华酒楼的分店，称为"拍户"。

此外，还有各种特色的小酒店，满足京都各方人士的需求。据《都城纪胜·酒肆》载：

包子酒店，谓卖鹅鸭包子、四色兜子、肠血粉羹、鱼子、鱼白之类，此处易为支费。

宅子酒店，谓店门面，装饰如仕宦宅舍，或是仕宦家宅改为酒店而得名。

花园酒店，城外多有之，或城中效学园馆装饰。

直卖店，谓不卖下酒食次，又名"角球店"，多是售卖整盘饭菜的食店。

散酒店，谓零卖零沽散卖百单四、七十七、五十二、三十八等不同规格的价格较低的酒食，并折卖外坊酒。

肥羊酒店，零卖软羊、大骨龟背、烂蒸大片、羊杂鸡四软、羊择四件等。

庵酒店，谓有娼妓在内，可以就欢，门首红栀子灯上，不论晴雨，必有箬簟盖之，以为记认。其他大酒店，娼妓只伴坐而已；欲买欢，则多往其居。

罗酒店，在山东、河北有之，今借名以卖浑头，遂不贵重也。

4. 四司六局登门操办酒宴

四司六局，是登门操办酒宴的服务机构，这是南宋京都的创新。南宋京都，宴会众多，如春宴、乡会、鹿鸣宴、同年宴、寒食、清明、端午、重阳乃至弥月祝寿以及红白喜事等，连续不断，而且名目繁多。为适应这种需要，京都临安，出现了"筵会假（借）赁"的"四司六局"的新行业。据《武林旧事》卷6《赁物》记述："凡吉凶之事，自有所谓茶酒厨子，专任饮食请客宴席之事。凡合用之物，一切赁至，不劳余力。虽广席盛设，亦可咄嗟（顷旋）办也"。

所谓"四司"，就是帐设司、茶酒司、厨司、台盘司。帐设司，专掌仰尘、录压、桌帏、搭席、帘幕、屏风、书画、画帐等布置、打扫事项；茶酒司，或名宾客司，专管邀宾宴会、送迎亲姻、传语取覆、请坐、斟酒、上食和喝揖等，协助主家招待宾客的事项；厨司，掌筵会时放料批切、烹制菜肴；台盘司，专管菜肴上桌与碗般清洗等项。

"六局"，即果子局、蜜煎（饯）局、菜蔬局、油烛局、香药局和排办局。果子局，负责筹办装点时新水果、南北京果、海腊肥膊等；蜜煎局，供应蜜饯盘果等物；菜蔬局，采办异品菜蔬、时新品味等；油烛局，掌管灯火照明工作；香药局，提供香料龙涎、沉脑、清福异香、香球与醒酒汤药饼儿等；排办局，掌管椅桌与洒扫、拭抹等事。

【文章来源】林正秋：《南宋杭州酒楼》，《杭州通讯》，2008 年第 4 期

二、论文

18. 南宋过年的吉祥食品

辞旧迎新的过年风俗，自古以来在杭州十分隆重。每逢节日，饮食最为讲究，除了丰盛的饮食外，还极注意讨个吉利，这个习俗至今未变。

古人所讲的吉利，主要包含着三方面意思：一是合家团聚，和睦过年；二是少生疾病，健康长寿；三是新年顺利，百事大吉。

合家团聚，和睦过年。这在古代是十分讲究的，凡是出差在外的人都力争回家团圆过年。全家团聚在大桌子旁，按辈分大小入席，敬老爱幼，在欢笑中聚餐宴会。南宋朝廷也在正月初一由皇帝赐宴文武百官和外国使者，欢庆国家大吉。总之，全家、全国都呈出团聚、和睦过新年的气氛。

少生疾病，健康长寿。在辞旧迎新的日子里，家家户户都在年前自酿屠苏酒或椒柏酒，在新年聚餐家宴上饮用。屠苏酒，据唐代药学家孙思邈《千金方》记载：酒内浸有蜀椒、桔梗、桂心、防风、白水、虎杖等八种中药，在除夕晚放在水井之中，大年初一早上取出，全家聚在厅堂内分饮。按规定，年龄少者先饮，长者后饮，强调年少者更需得寿。按当时信仰，如正月初一饮了屠苏酒，新的一年便可"不病瘟疫"，故把屠苏酒称为长命酒。此外，吃索饼（即面条），因面条长如绳索故名索饼，也有祝贺大家长寿之美意。

新年顺利，百事大吉。聚餐宴饮椒柏酒，"椒"与"吉"谐音，"柏"与"百"谐音，以讨个"百事大吉"的口彩。新年的水果、干果大都以橘子、柿饼为多。往往在柿饼上插上柏枝，放置在大橘子上，构成一种新食品。"柏"与"百"音近，"柿"与"事"音近，"大橘"与"大吉"音同，形成"百事大吉"的读音，讨个大吉利。也有备隔年饭的，除夕晚煮好饭，上面摆上小红橘。当中插上柏枝，旁边再放年糕，供新年初一吃食之用，故称"隔年饭"。红橘、柏枝的寓意已说，不再赘述。年糕，古称"年年糕"，后来简称"年糕"，"糕"与"高"谐音，意思说吃了年糕就会年年高升。此外还吃春卷，古称春卷为面茧或春茧，是大年初一和立春日所吃，春卷含有祝愿来年蚕业丰收的美好意愿。

南宋的最高学府太学（即大学）的学生，读书时间往往很长，有"十年寒窗"

225

之苦。太学生们每逢除夕或新年初一，往往大家聚会，吃食红枣、荔枝、桂圆等果品。"枣"与"早"谐音，"荔"与"离"谐音，都希望实现早早离开太学去做大官的美好愿望。这个习俗在杭州流传至今，过年前后往往送红枣、荔枝、桂圆，表示对亲友的良好祝愿。

【文章来源】林正秋：《南宋过年的吉祥食品》，《杭州（生活品质版）》，2017年第1期

二、论文

19. 南宋宫廷菜史话

　　杭州是南宋的都城，是一个百余万人口的大都市，饮食行业十分繁荣，大小酒楼饭馆遍布大街小巷，是京城十大行业中店铺数量最多的一个行业。大江南北厨师云集，美味佳肴层出不穷，不断创新，给都城市民生活带来了极大的方便。另一方面，南宋菜肴中最精华的一支却是宫廷菜肴。南宋宫廷菜肴也因都城从汴京（今河南开封市）迁到临安府（今杭州市），原料结构、风味等都出现了较大的变化，在技艺方面形成了"南北交融"的新特点。

　　关于宋代宫廷菜谱，未有文献流传，已无法详细叙述，今只能从《梦粱录》《武林旧事》《都城纪胜》和《司膳内人玉食批》等南宋文人所记录的零星史料，勾稽南宋宫廷菜的大致结构与特点。

一、肉类以猪、羊肉为多

　　秦汉以来，猪、羊肉等肉类食料日益普遍，已成为宫廷菜的重要组成部分。北宋时，宫廷菜肉类以羊肉为主，北宋开国皇帝赵匡胤，在北宋之初宴请定都杭州的吴越国钱弘俶时，便命御厨"取肥羊肉为醢"，一夕制成"旋鲊"，作为首味款待吴越王。宋代史学家李焘《续资治通鉴长编》载，元祐八年（1093）正月，辅臣吕大防对哲宗皇帝讲述"祖宗家法"的传统时说："饮食不贵异品，御厨止（只）用羊肉，此皆祖宗家法所以致太平者。"北宋大臣魏泰《东轩笔录》载，仁宗平时喜吃烧羊，有一夜睡不着，感到饥饿，因而"思食烧羊"。因此，仁宗一朝，羊肉所耗之量较大，御厨每日宰羊多达280只（《孔氏谈苑》卷2）。

　　但宋室南迁，定都临安之后，宫廷菜的肉类食物结构有较大的改变，猪肉的使用比重大为上升。据《梦粱录》卷3《皇太后圣节》载，宴会中的菜单有猪、羊、鸡、鹅等，把猪肉放在羊肉之上。猪肉，已成为宋代都市生活中最常见的肉类。不仅市民普遍食猪肉，连猪之下脚料如头、脚爪、肚、血、肝等以前称为时件的，也被人们所珍视，其中尤以腰子最为突出，采用多种烹饪方法，创造出十多种不同风味的佳肴：用刀工切成不同形状的，有人字焙腰子、荔枝白腰子、大片

227

腰子；以调料不同的有酒醋白腰子、盐酒白腰子；或以烹饪方法不同的有炒白腰子、脂蒸腰子、软羊焙腰子；或以菜品成色不同的有白腰子、二色腰子等。由于京都民间的普遍推广，烹饪技艺日益精湛，也被宫廷所采用。如《司膳内人玉食批》（以下简称《玉食批》）菜单中有酒醋三腰子。据《武林旧事》载，绍兴三十一年（1151），南宋名将张俊在府邸（今杭州清河坊）宴请高宗皇帝的菜单中便有荔枝白腰子、炒白腰子。又如猪肚，在都城市民中也被视为佳肴。据《梦粱录》《武林旧事》载，民间食肆菜单中已有肚儿辣羹、炙肚胘、猪肚假江瑶、鸳鸯炸肚、胘胲、萌芽肚胘、牡蛎炸肚、蟑蚷炸肚、肚羹、香螺炸肚、假公权炸肚等十多种菜品为市民所喜爱，成为佳肴。由于猪肚在京师的普遍推广，也被宫廷菜单所吸收。如《玉食批》中就有肚儿辣羹。张俊宴请高宗的菜单中有江瑶炸肚、肚胘胲、鸳鸯炸肚、炙肚雍等九味之多，《梦粱录》载皇太后圣节的宴会菜单中也有肚羹一味。

此外，猪头、骨头、脚蹄也进入宫廷宴席菜单之中。南宋初，张俊宴请高宗的菜单中便有斋骨一味，而南宋后期的皇太后圣节宴席又有连骨熟肉、炙骨头二味。《玉食批》菜单中有酒醋蹄酥和张俊宴请高宗皇帝中的鲜虾蹄子脍一味。

二、海鲜类菜肴增多

北宋建都汴京，宫廷菜以羊肉、鸡、猪肉为主，水产类主要是河鱼为主，而海味仅从东南沿海诸州郡向朝廷上供而来，品种不多，数量有限。据《能改斋漫录》载：绍圣三年（1096）"始诏福唐（今福建福清县）、明州（今浙江宁波市）岁贡车螯肉柱五十斤，俗位子红蜜丁"。南方的蛤蜊传入汴京后，深受京师人的称赞。宋人王巩《闻见近录》记载，"京师旧未尝食蚬蛤，自钱司空始（北宋大臣钱惟济，杭州人，官至检校司空，故名）访诸蔡河（在汴京）不过升勺，以为珍馔。自后土人稍稍食之，蚬蛤亦随之增盛。其诸海物，国初（指北宋初）以来未尝多有，钱司空以蛤蜊为酱，于海错悉醢以走四方。"北宋宰相欧阳修曾作《京师初步车螯》诗记述汴京臣民初次尝食车螯的感叹，指出海鲜传入汴京，改变了"鸡豚为异味，贵贱无等差"的原来的食物局面。北宋的《嘉佑本草》《政和本草》均对蛤蜊、车螯的食疗效用有记载。

宋室南迁，定都杭州后，附近州郡的海鲜源源不断地涌入京师。唐宋以前海鲜已成为杭州民间之家常菜。南宋时期，随着烹调方法的日益精湛，海鲜也大批涌入宫廷菜单中，改变了宫廷菜料的结构，日益成为"南食为主的食物结构"。

据《梦粱录》载，民食辅菜单计 242 种，而水产鱼这类菜有 120 余种，占总数的一半，是典型的南食菜单。以蟹料为例，饮食店铺的菜单中有枨醋赤蟹、白蟹辣羹、蝤蛑签、蝤蛑辣羹、奈香盦蟹……

定都长安的隋唐两朝的宫廷菜单仅有糖蟹、糟蟹二味，是吴中（今江苏苏州市）所贡。而至南宋定都杭州后，宫廷菜单《玉食批》中有：蝤蛑签、酒蟹。张俊宴请高宗菜单中有：螃蟹酿枨、螃蟹清羹、洗手蟹三味。

据《宋人轶事汇编》载，孝宗嗜食湖蟹，一次因贪食过量而患痢疾，御医调治不愈。高宗深为忧虑，遍访民间名医秘方，最后请了一位住在杭州的药铺郎中，用"新鲜藕节细研，以热酒调服"才被治愈。高宗十分欣喜，赐民间郎中一枚金杵臼。从此这位姓严的郎中满誉京城，其药店人称金杵臼严防御家药店，即今天杭州严官巷。

蟹料中螃蟹酿橙一味最具特色，也深受民间欢迎，从宫廷流向杭州民间，从杭州传入沿海州郡，成为浙闽一带的名菜。宋人林洪《山家清供》记录了具体的烹制方法："橙用黄熟大者，截顶剜去穰，留少液。以蟹膏肉实其内，仍以带枝顶覆之。入小甑，用酒醋水蒸熟，用醋盐供食。香而鲜，使人有新酒、菊花、香橙、螃蟹之兴。"这味名菜，也被今杭州八卦楼、梦粱楼菜馆的仿宋菜所仿烹与创新，至今屡食不厌。

以虾为例，隋唐时宫廷中少见，韦巨源《烧尾宴食单》中仅有光明虾炙一味。而南宋时期，杭州食虾较为普遍。菜肴品种多达 28 种，均占杭州饮食店铺菜单十分之一多。受到民间欢迎的有酒炙青虾、青虾辣羹、虾包儿、虾茸、姜虾米、鲜虾蹄子脍、虾枨脍、水龙虾鱼等。

张俊宴请高宗菜单中有：虾枨脍、虾鱼汤虀、鲜虾蹄子脍、鲜虾蹄子羹四味。《玉食批》中有青虾辣羹一味。孝宗在宫中款待老臣胡铨的菜单中有明州虾脯。

水产类中江瑶、水母、鳝鱼、鲨鱼、淮白鱼、牡蛎等也是宫廷中常见菜。如江瑶为料有江瑶羹、江瑶炸肚、江瑶生。以鲨鱼为料的有鲨鱼脍、炒鲨鱼衬汤。以牡蛎为料的有煨牡蛎、牡蛎炸肚。以鳝鱼为料的菜有南炒鳝、银鱼炒鳝等。淮白鱼又是宫廷喜食的常菜，《玉食批》中有酒饮淮白鱼。《西湖游览志余》卷 4《佞倖盘荒》载，宪圣皇后召秦桧夫人入宫，赐宴席。上淮白鱼时说："夫人曾食此否？"秦桧夫人对曰："食此已久，其鱼视此更大，容臣妾翼日供进。"秦氏回府向秦桧谈及此事时，秦桧深怕暴露僭越之图，连忙阻止说："明天换进青鱼数十尾。"宪圣皇后见此笑秦氏为村妇，连淮白鱼与青鱼也不分。这说明秦桧在杭州也常食淮白鱼。

鳝鱼为南方民间所喜爱，但唐宋之际吃法较为单调，剖洗后整条盘踞在碗或盘中蒸熟而食。当北方人初入江南时，看见盘中鳝鱼如蛇，吓得不敢尝味。后来知道鳝鱼不仅味鲜美，而且有利于食疗养生。大多北方人把鳝鱼剖洗后切片、条，落油锅爆炒而食，称为"南炒鳝"，成为名菜。黄鳝是南方之料，油炸是北方常见的烹饪方法，因此，南炒鳝成为南北饮食交流的见证。南宋宫廷中也仿效而常见于菜单。

土步鱼也是江南土产。杭州民间普遍喜食，尤其是清明节前后是食此鱼的最佳节候。土步鱼或炒鱼块或制鱼羹，居民喜吃。《玉食批》中列入土步辣羹，为太子菜肴。

江瑶，是一种海鲜珍品，定都长安的唐代开始诏令明州进贡，路途极为遥远，后来因大臣极力反对而停止朝贡。定都汴京的北宋宫廷所食江瑶也由明州上供。宋室南迁，定都杭州后，海鲜品从明州（包括舟山）、台州、温州等地源源不断运入京师，不仅民间多见，宫廷中皇帝、后妃、太子也是常食的。以江瑶为原料的菜肴烹制方法也日益多样与求精，如有江瑶生、江瑶清羹、江瑶炸肚等。

此外，宫廷菜单中的水产品尚有鳌鱼炒黄鳝、鳜鱼假蛤蜊、鲨鱼脍、炒鲨鱼、石首鱼、鲇鱼糊糗、水母脍、蛤蜊生、煨牡蛎、牡蛎炸肚、姜醋生螺、香螺炸肚等。

三、家禽、飞禽也成为宫中常见烹饪原料

鸡鸭等家禽是北宋宫廷的常菜。南宋时除鸡鸭外，鹌鹑、鸠子、田鸡、兔子、鸽子等飞禽野味也为常食。如以鹌鹑为料的就有花饮鹌鹑、炙鹌鹑脯、鹌鹑羹、鹌鹑水晶脍、炒鹌子等。建炎四年（1130），高宗驻跸越州（今浙江绍兴市），城中食物供不应求，百物昂贵。一次，高宗问内侍他与太后盘中的兔肉、鸽子的价格时，内侍回答说："一兔至直午六千，鹌鹑亦三四百。"（李心传《建炎以来系年要录》卷38：建炎四年十月癸未条）

二、论文

《玉食批》中有烙润鸠子、糊炒田鸡、海盐蛇鲊、炒鹌子、润兔等菜。

四、蔬菜也是宫廷菜谱的组成部分

宫廷菜点历来重视山珍海味，以奢侈浪费为特点。一般只在天灾人祸严重影响朝廷统治之时，或在皇室丧礼期间作点姿态，吃两三天斋菜而已。因此，吃蔬菜素食多为象征性的。

南宋诸皇，相对来说，高宗、孝宗还是比较重视素食吃些蔬菜的。平日，为了体察民情，南宋皇宫曾规定每月三日吃斋。光宗规定初一、十五、十七三日早晚餐及点心以素菜供或改为初八、十八、二十八三日早晚餐及点心供素。高宗逝世后，孝宗居丧，食素长达半年之久。《齐东野语》卷1《孝宗圣政》说：孝宗居高宗丧百日之后尚进素食，形体消瘦。吴夫人"秘谕"尚食局每天早晚，潜以鸡汁汤调味素食上供。孝宗发现之后大怒，说坏了他的孝心，把吴夫人赶出宫外。

由于素食较为经常，御厨中专设御膳素厨，专管素食之事。南宋时，凡是遇到天灾人祸，皇帝、皇妃都要吃素数天不等，表示与民同艰苦，表示接受天神的惩罚。

高宗退位后称太上皇，在宣诏汴京老臣入德寿宫时，款宴时多有素菜，其中最有名是"李婆婆杂菜羹"。孝宗登基不久，为表示艰苦奋斗、恢复中原，据南宋文学家陆游《老学庵笔记》载：规定自己每月初三、初七、十七、二十七四天吃素，诏令御厨"皆进素膳"。

《梦粱录》卷8《大内》载，每逢"夏初，茄瓠新出，每对可值十余贯，诸阁分、贵官争进，增价酬之，不较其值，惟得享时新耳"。二月一日中和节，南宋宫廷还要举行"挑菜御宴"，品尝生菜、荠菜。

孝宗淳熙元年（1174），安南国（今越南一带）大使往天竺寺烧香，朝廷便在天竺寺设素食招待。

据《玉食批》记载，东宫太子菜单中也有三鲜笋、生豆腐两味素菜。

【文章来源】林正秋：《南宋宫廷菜史话》，《杭州（生活品质版）》，2008年，第1—2期

20. 试论两宋都城汴京、临安的饮食市场

宋代都城汴京（今河南开封）和临安（今浙江杭州），由于都市工商业的发展，大街小巷四处开设商店，冲击了沿袭1000多年之久的"前朝后市"的格局，打破了生活区与商业区严格分开的旧传统。这既扩大了商业市场，又方便了市民生活，是古代城市商业经济中出现的重大变革。当时饮食店铺林立，饮食市场空前繁荣，成为宋代都市商业改革的重要内容之一，在中国几千年饮食发展史上具有重大作用。

一、饮食店铺增多，遍及大街小巷

唐代以前，商业活动限于白天进行，都市的商业区与居民区分开，不能混杂。唐宋之际都市商品经济发展，扩大了市场，在一些坊内增设店铺。另外，在交通要道、人口聚集之地亦出现了一些店铺，逐渐打破了坊市分制的界限。北宋汴京饮食业的繁荣远远超过了唐代长安，不但出现了饮食店铺与民宅混杂，而且出现饮食店铺与达官府第混杂，贵族不近商贾的界线也被打破了。皇宫左右、军营附近、御街两旁、官府前后也都出现了热闹的饮食市场，形成饮食店铺遍及大街小巷的新布局。《东京梦华录》卷二《御街》载："自宣德楼一直南去，约阔二百余步，两旁乃御廊，旧允市人买卖于其间。""御廊西，即鹿家包子，余皆羹店、茶店、酒店。"皇宫东面的马行街就是汴京饮食店铺集中之地。《东京梦华录》卷一《大内》载："皇宫东华门外的饮食市场，以时新为贵，主要对象是皇宫中贵妃王子。""东华门外市井最盛，盖禁中买卖在此，凡欲饮食时新花果、鱼虾鳖蟹、鹑兔脯腊……无非天下之奇，其品味若数十分，客要一二十味下酒，随索目下便有之，其岁时果瓜蔬薯新上市，并薯茄瓠之类新出，每对可值三五十千。诸阁（后妃所居称阁）分争，以贵价取之。"

综上所述，汴京饮食店铺四处林立，各类食店星罗棋布，方便了市民的饮食生活。

南宋都城临安的食铺数量之多，密集程度之高，又超过北宋汴京。在都市

的商业中，饮食业已成为当时最大的行业，饮食店铺约占各类店铺总数的三分之二。据吴自牧《梦粱录》卷十三《铺席》载："杭城市肆有名者，如中瓦前皂儿水、杂货场前甘豆汤、戈家蜜枣儿、官巷口光家羹、大瓦子水果子、慈宫前熟肉、钱塘门外宋五嫂鱼羹、涌金门灌肺、中瓦前职家羊饭……"皇宫和宁门外及三省六部官署附近也是饮食店铺的集中地。此处饮食市场尤以珍味为主，顾客多为皇宫贵妃王子，官僚贵戚。这是高级饮食市场，尚重赏新，如《南宋古迹考》载："福州新荔枝到进上，御前送朝贵，遍卖街市。"南宋临安皇宫附近饮食店更盛，除了赏新外，南宋皇帝常常宣押市食，招待旧臣。《都城纪胜》记载："孝宗皇帝孟享回，就观灯买市，帘前排列内侍官帙行，堆垛见钱，宣押市食，歌叫支赐钱物，或有得金银钱者。"

饮食店铺的四处开设，促进了宋代饮食业的发展，又给都市居民的饮食生活带来方便。

二、食店种类众多，经营分工益细

唐都长安以食肆饭店为多。到了宋代，许多食店各自形成了经营特色，或以菜肴为主，或以酒菜为主，或以喝茶为主，饮食店铺数量众多，经营分工更细。汴京的饮食店，按《东京梦华录》列为小标题记的有酒楼、食店、肉行、饼店、鱼行、饮食果子等六类；南宋临安的饮食店铺，据《梦粱录》载，增为茶肆、分茶酒店、面食店、荤素从食店、米铺、肉铺、鲞铺等八大类。

饼店：宋代饼店，一般是"每案用三五人擀剂、卓花入炉，自五更卓案之声，远近相闻"。规模是以"武成王庙前海州张家、皇建院前郑家最盛，每家自五十余炉"。饼店的生意兴隆，是汴京饮食市场的重要特点。汴京饼店以经营品种不同又可分油饼店、胡饼店等。油饼店卖蒸饼、糖饼等。胡饼店专卖髓饼、满麻、油锅等。饼的品种主要有环饼、馒头、猪胰胡饼、鸭饼、茶饼等10余种。到南宋临安时，饼的品种更多，制作精细，著名的有芙蓉饼、菊花饼、月饼、开炉饼、肉油饼、炊饼、油酥饼、芥菜饼、春饼、烧饼、羊脂蒸饼等20多种。饼糕不仅成为饮食的方便食品，而且成为馈赠礼物，在市民饮食生活中占有重要地位。上寿、婚娶、节序、育子等多用饼糕为礼品。

糖果子店：主要经营干果与水果。干果有炒栗子、银杏、梨干、胶枣等，水果有橄榄、河北鹅梨、温橘、河阳查子、卫州白桃、南京金桃等。还经营糖，有四川乳糖、狮子糖等。单就枣而言，有灵枣、牙枣、青州枣、亳州枣等。

食店：南宋时又名分茶酒店。而且又细分为饭店、馄饨店、瓠羹店、素食店等。南宋临安，从食店里分出面食店、从食店。食店因经营品种不同，分为10余种。食品分类越细越促进了食品种类的增加与食物的精制。

面店：宋代面条的品种日益多样，面上浇有各种配料，有猪羊庵生面、鸡丝面、三鲜面、鱼桐皮面、笋泼肉面、子料浇虾臊面、三鲜棋子面、虾燥棋子面等。

馄饨店：重要品种有椿根馄饨、十味馄饨、二十四节馄饨、丁香馄饨等多种。丁香馄饨是南宋临安中央官署前六部桥旁闻名京师的名点，有"丁香馄饨，精细尤著"之称。

点心店：有蒸作面行，十色小从食，素点心、从食店、粉食店等。

茶肆：又名茶邸、茶坊。唐代茶肆规模小，或在坊内，或在市内。汴京茶肆规模较大，开始注意装潢门面，张挂名画，"勾引观者"。南宋临安尤为讲究，"插四时花""安顿奇松异桧"，或"以鼓乐吹《梅花引》，曲破卖之"，有时"敲打响盏歌卖"，以招引顾客，把音乐与饮食结合起来，别具一格。茶肆大都设在繁华大街上，在汴京，朱雀门外街巷最多；在临安，以御街两旁最为集中。

宋代茶肆经营范围比唐代广，往往兼营其他饮料，还兼营浴堂。经营品种也因季节不同而异。"冬，添卖七宝擂茶、馓子、葱茶，或卖盐豉汤，暑天添卖雪泡梅花酒，或缩脾饮暑药之属。"宋代茶肆还有一个重要特色，不光饮茶，而且还是社交场所。各行业的行头、牙人常常聚集于此，沟通行情、信息，洽谈生意，或雇工、技艺之人在此会聚，交流情况，寻找主顾等。还有一种高级茶肆，为士大夫期朋约友，寻欢作乐之处。《梦粱录》卷十六《茶肆》载："大凡茶楼，多有富室子弟，诸司下直等人会聚，习学乐器、上教曲赚之类，谓之'挂牌儿'。人情茶肆，本非以点茶汤为业，但将此为由，多觅茶金耳。又有茶肆，专是五奴打聚处，亦有诸行借工卖伎人会聚行老，谓之'市头'。大街有三五家开茶肆，楼上专安著妓女，名曰'花茶坊'……大街车儿茶肆，蒋检阅茶肆，皆士大夫期朋约友，会聚之处。"

除了茶肆外，一些大街还设有浮铺（固定茶担）和"提茶瓶沿门点茶"服务，方便市民。

二、论文

酒楼：可算是宋代新兴的饮食店铺。宋代酿酒的迅速发展，为酒楼发展提供了良好的条件。无论是汴京还是临安，酒肆的繁荣是都市饮食市场最重要的特点。宋代酒楼一般规模较大，设备精良，服务周到。汴京大酒楼有白帆楼、潘楼、仁和楼、嘉庆楼、欣乐楼、会仙楼等。最著名的白帆楼又名丰乐楼，位于东华门外景明坊口，"宣和间更修三层相高，五楼相间，各用飞桥栏槛，明暗相通、珠帘绣额、灯烛晃耀……内西楼后来禁人登眺，以第一层下祀禁中"，"楼内又分酒阁子，饮者较为方便"。南宋临安酒楼有官私之分、大小之别，高级酒楼与一般酒楼之差。他们的经营内容各有所重，据《都城纪胜》，普通酒店又可细分九种：茶酒店，以卖酒为主，兼营添饭配菜。包子酒店，专售灌浆馒头、薄皮春卷、包子等。直卖酒店，专售各色黄白诸酒，有本地酒，也有外地酒。肥羊酒店，专门零售软羊、羊杂碎、羊掉事体、大骨龟背等。散酒店，以零拆散卖一两碗酒为主，兼营血脏、豆腐羹、熬螺丝等廉价佐酒菜。这种酒店，外挂镀金招牌，门遮竹帘布幕，是"不甚善贵"的"小辈"常光顾的地方。此外还有宅子酒店、花园酒店、庵酒店、罗酒店，以适应各类顾客的不同需要。临安酒楼多以百计。著名的官家酒楼有十余家，如和乐楼、和丰楼、中和楼、春风楼、太和楼、西楼等，这些酒楼门面装潢和室内陈设豪华，饮具精致，所用壶、碟、盘等全饰金银、干净锃亮。官家酒楼属于户部掌管。"每库设官妓数十人，各有金银酒器千两，经供饮客之用。"民办名酒楼也很豪华，每楼各分小阁十余；酒器悉用银；酒楼备有乐队，为顾客奏乐助兴，使其畅怀痛饮。酒楼服务周到，从顾客进酒楼到入座直至酒后小歇助味，尽力使顾客满意。

三、营业时间延伸，早市夜市繁荣

增开早市、夜市，延长饮食经营时间，是宋代饮食市场繁荣的特点。

唐以前，市内店铺的营业时间大都在上午，过中午渐散。营业限于白天，夜间实行宵禁。唐代后期，宵禁渐次松弛，早市、夜市开始零星出现。北宋汴京早市夜市相当繁荣，汴京人称"至晓即散"的夜市为"鬼市子"。早市夜市上最常见的是小吃饮食。《东京梦华录》卷三《马行街铺席》载：马行街的饮食"夜市直至三更尽，才五更又复开张，如要闹去处，通晓不绝"。汴京夜市最盛的是川桥附近，最早出现于太祖时期，夜市经营的主要是饮食业和卖风味

235

小吃的摊贩，夜市从入夜开始，至三更或四更鼓能结束。汴京早市，"每日交五更，诸门桥市井已开，如瓠羹店门首坐一小儿，叫饶骨头，间有灌肺及炒肺，酒店多点灯烛沽卖，每分不过二十文，并粥饭点心，亦间或有卖洗面水，煎点汤茶药者，直至天明"。

到南宋临安，其早市、夜市遍及的地方更广，时间进一步延长。早市比汴京早一个时辰，即四更时分开始。城门未开，就有"无数经纪行贩，坐在门下等开门"。临安御街两旁的早市以饮食最闹。据《梦粱录》载：早市"最是大街一两处面食店，及市西坊西食面店，通宵买卖，交晓不绝，缘金吾不禁，公私营干，夜食于此故也。御街铺席，闻钟而起，卖早市点心，如煎白肠、羊鹅事件、糕粥、血脏羹、羊血粉羹之类"。"杭城大街，买卖昼夜不绝，夜交三四鼓，游人始稀，五鼓钟鸣，卖早市者又开店矣。"临安城里，皇室、贵族、豪门、富商经常于夜间到酒楼茶肆寻欢作乐，加上瓦子、勾栏内百戏汇集，戏散之后，观众多需夜餐，故夜市十分兴盛，沿街顶盘或挑担叫卖夜宵点心的小商贩，穿梭于坊巷间，深夜不辍。

四、饮食贸易团市，汇集各地货源

随着都城的繁荣与商业贸易的发展，各地食品和农副产品的大批输入都城，在都市内外形成许多行业街市与团行。饮食贸易集市的繁荣，为各类饮食店铺提供了充足的货源，这又是都城饮食市场的重要特色。

汴京的货源来自全国各地，饮食贸易市集有青鱼市、果子行、姜行、鱼行、肉行等。以水果为例，《东京梦华录》卷二《饮食果子》述，汴京有西京雪梨、镇府浊梨、河阴石榴、河阳查子、四川乳糖、温州柑等。又据全汉开《北宋汴梁的输入贸易》说，因京师中做官的南方人仍喜欢南方水产、水果之故，商人把淮甸的虾米、吴郡的蛤蜊、温州的柑子、江西的金橘、福建的荔枝、闽广的橄榄等输入京师。当时临安人口近百万，食物耗量大，货源依赖外地更为突出。如城内居民每日所需的四五千石官私食米，主要来自苏州、湖州、秀州、镇江等地。《梦粱录》卷十六《食铺》载："每月街市食米，除府第、官舍、宅舍、富室及诸司有该俸之外，细民所食，不下一二千石，皆需之铺家。"南宋大臣楼钥所说："江河运输京师，岁以千万石计。"临安所需的数十万斤海鲜水产，

二、论文

从明州（宁波市）、越州（绍兴）、温州、台州等处运入，如候潮门外的鲜鱼行、崇新门外的蟹行、便门外的南海行、城角浑水闸的鲞团等。单鲞铺在临安城里外就不下一二百家，品种繁多。鱼鲞已成市民生活不可缺少的食品。

五、经营方法灵活，重在招徕顾客

经营品种因时而变。都市经营的饮食品种随季节的不同而更换，以适应不同顾客的需要，招徕生意。《东京梦华录》卷二《州桥夜市》载："夏月，麻腐、鸡皮麻饮、细粉素签、沙塘冰雪冷元子……冬月，盘兔、旋炙猪皮肉、野鸭肉……"《梦粱录》卷十六《肉铺》载：杭城"冬间添卖冻姜豉蹄子、姜豉鸡、冻白鱼、冻波斯姜豉等"。以茶肆为例，有的茶肆"冬月添卖七宝擂茶、馓子、葱茶，或卖盐豉汤；暑天添卖雪泡梅花酒，或缩脾饮暑药之属"。

装饰门面，招引顾客。据《东京梦华录》卷二《酒楼》条载："九桥门街市酒店，彩楼相对，绣旆相招，掩翳天日"，"凡京师酒店门首，皆缚彩楼欢门。"可见，汴京的酒楼重视门面装潢。南宋临安的酒楼的门面装饰也仿效汴京遗风，但胜过汴京，"店门首彩画欢门，设红绿杈子，绯绿帘幕，贴金红纱栀子灯。装饰厅院廊庑，花木森茂，酒楼潇洒"。

饮食店内，分阁设座。入酒楼店门，便是一二十步长主廊，南北两廊外，"皆济楚阁儿，稳便坐席"，分阁设座，互不相扰，阁内或设二三座位，或设十余座位不等，座位宽敞舒适。器皿多用金银制作。《东京梦华录》卷四《会仙酒楼》条载："止两人对坐饮酒，亦须用注碗一副，盘盏两副，果菜碟各五片，水菜碗三五只，即银近百两矣。虽一人独饮，碗盏亦用银盂之类。"

服务周到，宾至如归。《东京梦华录》卷四《食店》和卷二《饮食果子》载，如客光顾登门，便有人"提瓶献茗"，以上礼招待之，称"点花茶"。上楼入座，先上几碟冷菜，饮酒一杯，称为"支酒"。然后招呼点酒点菜，店伙精通业务，一百来样菜名背得很熟，一经顾客点定，传喝如流，并且很快烹制端上供客，不让顾客久候。店内品种齐全，任人点唤。卖醒酒口味的杏仁之类的干果食品，供顾客饮间小歇时助味，时称"撒哈"。如面食店，"每店各有厅院东西廊庑，称呼坐须。客至坐定，则一过卖执箸遍问坐客。杭人侈甚，百端呼索取覆，或热、或温、或冷、或绝冷，精浇、熬烧，呼客随意索唤"，使顾客有宾至如归之感。

237

六、四司六局机构，登门代办酒宴

我国筵宴历史悠久，两宋都城饮食宴庆之风十分盛行。宫廷中频频举行宴会，元旦与冬至的大朝会，外国使节拜见皇帝宴，皇帝生日宴、皇帝登基宴、册立后妃宴、会见状元等饮宴不断。这种风尚影响很广，如文人学士中流行鹿鸣宴、同年宴、会文宴、花宴等。又如官场中的有省亲敬祖宴、接风洗尘宴、同僚应酬宴、荣开谢恩宴等。市民商贾中的花灯宴、婚嫁宴、寿庆宴、花甲宴、团年宴、中秋宴会。当时都城饮食之风不仅盛行，而且规模很大，如绍兴二十一年（1151）名将张俊宴请高宗皇帝，其菜肴多达250多种，赴宴人数很多，一般数十人至数百人不等，甚至上千人。

为适应名目繁多，饮宴连续不断出现的需要，都市便出现了专门为"筵会"服务的"四司六局"的新行业，成为临安和汴京都市饮食业发展的独有特色。据《武林旧事》卷六《赁物》记述，"凡吉凶之事，自有所谓茶酒厨子，专任饮食请客宴席之事。凡合用之物，一切赁至，不劳余力。虽广席盛设，亦可咄嗟（顷刻）办也"。

所谓"四司"即帐设司、茶酒司、厨司、台盘司。帐设司专掌仰尘、录压、桌帏、搭席、帘幕、屏风、书画、画帐等布置、打扫事项；茶酒司，专管邀宾宴会、送迎亲婚、传语取复等协助主家招待宾客的事项；厨司，掌筵会时放料批切、烹制菜肴；台盘司，专管菜肴上桌与碗盘清洗等事项。所谓"六局"即果子局、蜜煎（饯）局、菜蔬局、油烛局、香药局和排办局。果子局负责筹办装簇钉盘香果、时新水果、南北京果、海腊肥脯等；蜜煎局供应蜜饯盘果等物；菜蔬局采办菜蔬、时新品味等；油烛局掌管灯火照明工作；香药局提供香料龙涎、沉脑、清福异香、香球与醒酒汤药饼等；排办局掌管椅桌与洒扫拭抹等事。

【文章来源】林正秋：《试论两宋都城汴京、临安的饮食市场》，《商业经济与管理》，1993 年第 4 期

二、论文

21. 从"两梦"看北、南宋都城饮食风俗的异同

古今中外的各个朝代，都城的风俗都比较集中地反映着全国的社会生活状况，其中饮食风俗更是当地经济生活水平的窗口。透过宋都汴梁、临安的饮食风俗这个窗口，更能看到"宋代的农业、手工业、商业和科学技术都取得了前所未有的成就"[1]（P2）。宋人孟元老所撰的《东京梦华录》和吴自牧所撰的《梦梁录》，两书中较详尽地记载了北宋都城汴梁（今开封）和南宋都城临安（今杭州）的城市风貌，对研究宋代的饮食风俗有极其重要的价值，本文以上述"两梦"资料为主，参照《都城纪胜》《武林旧事》等古籍的记载，对两宋都城饮食风俗的继承和变异，作一浅析。

1 "两梦"真实反映了宋代都城的饮食习俗

宋代的烹饪著作颇丰，孟元老《东京梦华录》和吴自牧《梦梁录》不是烹饪专著，也不是食疗专著，而是时人笔记，故书中不溢美、不贬损，更真实地反映着那个时代的生活风俗。

1.1《东京梦华录》较完整地保留了汴梁的市井风习

孟元老在其序中落款幽兰居士，称"仆从先人宦游南北，崇宁癸未到京师，卜居于州西金梁桥西夹道之南"，"靖康丙午之明年，出京南来，避地江左……"。于"绍兴丁卯岁除日"为写成的《梦华录》作了序。据上述年号、干支及序中崇宁癸未到开封后"渐次长立"，以及定居江南后，"渐入桑榆"的自述，可知该书作者于公元 1103 年宋徽宗崇宁二年随其做官员的父辈入住北宋京城，公元 1127 年从汴梁南迁，公元 1147 年宋高宗绍兴十七年作序[2]（P1）。如以年逾 60 岁为桑榆晚年，其入京师时尚未及成丁之年。

孟元老在北宋都城生活时，看到的是歌舞升平的一派繁华景象，"举目则青楼画阁，绣户珠帘，雕车竞驻于天街，宝马争驰于御路，金翠耀目，罗绮飘香。新声巧笑于柳陌花衢，按管调弦于茶坊酒肆。八荒争凑，万国咸通。集四海之珍奇，皆归市易。会寰区之异味，悉在庖厨。花光满路，何限春游，箫鼓喧空，

239

几家夜宴"[2](P1)。孟元老撰写此书的目的就在于存记其少年至青年阶段所见的京城社会风情，"暗想当年，节物风流，人情和美，但成怅恨。近与亲戚会面，谈及曩昔，后生往往妄生不然。仆恐浸久，论其风俗者，失于事实，诚为可惜，谨省记编次成集，庶几开卷得睹当时之盛"[2](P1)。

此书抄本一出，在南宋当代就产生影响，淳熙丁未年即公元1187年赵师侠为其刊本作跋，向世人宣传了《东京梦华录》，认为其价值在于真实完整地保留了昔日北宋京师的市井风习。赵认为"礼乐刑政，史册俱在，不有传记小说，则一时风俗之华，人物之盛，讵可得而传焉"。赵还认为书中所记"其间事关宫禁典礼，得之传闻，不无谬误，若市井游观，岁时货物，民风俗尚，则见闻习熟，皆得其真"[2](P71)。

孟元老在十卷《东京梦华录》中记载了三大板块的内容：一是卷一至卷三，以东都外城、大内、相国寺、上清宫等地名、区域为主线记录了这些地区的景貌事象；二是卷四至卷五，以皇太子纳妃、公主出降、食店、肉行、娶妇、育子等社会上层和下层的事象为主线记录了宫室风俗和行业生活民俗；三是卷六至卷十，以正月至十二月、除夕的时间线索为主记录了北宋都城的岁时节令风俗。

1.2《梦粱录》较集中地记录了临安的饮食习俗

吴自牧自序钱塘人，即南宋都城临安之附廓县人士，生平较孟元老更为不详。吴自牧所作《梦粱录》序过于简略，不足100字，还费笔墨感慨一番"时异事殊，城池苑囿之富，风俗人物之盛，焉保其常如畴昔哉！缅怀往事，殆犹梦也，名曰《梦粱录》云"。唯一的线索是其序日期为"甲戌岁中秋日"[3](P1)。根据《梦粱录》书中有关记载及年号、干支计算，笔者推断，吴自牧成书时间在元顺帝元统二年，公元1334年。

《四库全书总目提要》记《梦粱录》"是书全仿《东京梦华录》之体，所记南宋郊庙宫殿，下至百工杂戏之事，委曲琐屑，无不备载"[3](P183)。其实"委曲琐屑"恰恰是后人了解宋代饮食风俗所需的。

《梦粱录》对南宋都城临安的风俗记录相对集中，在卷一至卷六中集中记录了临安的茶肆、酒楼等饮食风貌及岁时节日风俗。其卷十六茶肆、酒肆等，卷十八民俗、物产，集中记录临安的日常食俗。卷二十嫁娶、育子等涉及人生礼仪食俗，较之《东京梦华录》更有参考价值。

二、论文

2. 宋代两都城饮食习俗的特色

2.1 饮食行业打破坊市分隔，空前繁盛，经营特色更加显著

2.1.1 饮食店铺规模宏大，遍布京城的禁中和市井

汴京"东华门外，市井最盛，盖禁中买卖在此"[2]（P10），宣德楼前"御街一直南去，过州桥，两边皆居民。街东车家炭、张家酒店，次则王楼山洞梅花包子、李家香铺、曹婆婆肉饼、李四分茶。……（曲院街）街南遇仙正店，前有楼子，后有台，都人谓之'台上'。此一店最是酒店上户，……街北薛家分茶、羊饭、熟羊肉铺。……御廊西即鹿家包子。余皆羹店、分茶、酒店、香药铺、居民"[2]（P13）。"在京正店七十二户，此外不能遍数，其余皆谓之'脚店'"[2]（P16）。称为正店的大酒楼气势轩宇，富丽堂皇。

临安虽于南宋朝廷而言是偏安之都，但由于地处经济富庶的江浙地区，餐饮业规模比北宋汴梁更有过之，"自大街及诸坊巷，大小铺席，连门俱是，即无虚空之屋。……处处各有茶坊、酒肆、面店、果子、彩帛……油酱、食米、下饭鱼肉、鲞腊等铺"。酒肆除宏楼轩宇外，还带有江南园林特色，以中瓦子前武林园为例。"店门首彩画欢门，设红绿权子，绯绿帘幕，贴金红纱栀子灯，装饰厅院廊庑，花木森茂，酒座潇洒。但此店入其门，一直主廊，约一二十步，分南北两廊，皆济楚阁儿，稳便坐席。"[3](P131)

2.1.2 都城中遍设经营茶饮为主的各式茶肆

宋代都城茶肆盛行，汴梁的朱雀门以南的东西两教坊、马行街、曲院街、寺东门大街、东十字大街均各有茶坊酒店；临安的茶肆比汴梁的茶肆更有特色，有四时茶坊、人情茶坊、色情茶坊等等专业茶肆。四时茶坊"卖奇茶异汤，冬月添卖七宝擂茶、馓子、葱茶，或卖盐豉汤，暑天添卖雪泡梅花酒，或缩脾饮暑药之属"。"人情茶肆，本非以点茶汤为业，但将此为由，多觅茶金耳"[3](P130)。有学者认为临安人情茶肆更像今天的沙龙、俱乐部之类。色情茶坊"大街有三五家开茶肆，楼上专安著妓女，名曰'花茶坊'，……盖此五处多有炒闹，非君子驻足之地也"[3](P130)。茶肆名称也颇多怪异。

2.1.3 饮食行业分工细密，南北原料各有千秋

宋都的饮食店已有专业分工，从汴梁食店的经营品种来分类，有茶店、羊饭店、瓠羹店等；从其风味来分又有南食店、北食店、川饭店之说。分茶店，

241

规模最大，大凡食店，大者谓之"分茶"，经营各式北方菜肴。吃套整桌酒席，赠送齑头羹。分茶店既供应菜肴，也供应面食，是综合经营的酒店。川饭店，是供应西南地区风味食品的酒店，经营"插肉面、大燠面、大个抹肉淘、剪燠肉、杂煎事件、生熟烧饭"。南食店，经营"鱼兜子、桐皮熟脍面、煎鱼饭"。素分茶，如寺院斋食也，经营菜面、胡蝶齑屉腥，及卖随饭、荷包、白饭、旋切细料馂拙儿、萝卜之类。饼店，"有油饼店，有胡饼店。若油饼店，即卖蒸饼、糖饼、装合、引盘之类。胡饼店即卖门油、菊花、宽焦、侧厚、油锅、髓饼、新样满麻"[2](P30)。

在汴梁，集中的饮食原料专业店铺有肉行、鱼行。肉行遍布坊巷桥市，肉品中以猪肉、羊肉、鸡鸭为主；而鱼品不多，用柳枝串鱼鳃，浅放在水桶中出售。"每日早惟新郑门、西水门、万胜门，如此生鱼有数千檐入门。冬月即黄河诸远处客鱼来，谓之'车鱼'。"[2](P30) 临安可见"杭城内外，肉铺不知其几，皆装饰肉案，动器新丽，每日各铺悬挂成边猪，不下十余边。……坝北修义坊，名曰'肉市'，巷内两街，皆是屠宰之家，每日不下宰数百口。""城内外鲞铺，不下一二百余家"。[3](P139) 兼有各鱼市，经营数十种鱼品，咸海鲜、淡水鱼、鱼干腊、虾螺蟹籽，应有尽有。北都之羊肉，南都的鱼禽水鲜各具特色。

2.1.4 饮食店铺经营已有规范的服务程序，分工井井有条

孟元老记汴京食店内"客坐，则一人执箸纸遍问坐客。都人侈纵，百端呼索，或热或冷，或温或整，或绝冷、精浇、臕浇之类。人人索唤不同。行菜得之，近局次立，从头唱念，报与局内。当局者谓之'铛头'，又曰'着案'讫。须臾，行菜者左手权三碗、右臂自手至肩驮叠约二十碗，散下尽合各人呼索，不容差错"[2](P29)。"凡店内卖下酒厨子，谓之'茶饭量酒博士'。至店中小儿子，皆通谓之'大伯'。更有街坊妇人，腰系青花布手巾，绾危髻，为酒客换汤斟酒，俗谓之'焌糟'"[2](P17-24)。

宋都南迁后的新都临安，在完整保留汴梁的各类食店服务程序的基础上更进一步。《梦粱录》记"杭城食店多是效学京师人，开张亦效御厨体式，贵官家品件。凡点索茶食，大要及时"[3](P132)。

过去在汴京开南食店主要为了照顾南方在北方为官的士大夫，现都城处于南方地区，故饮食混淆，无南北之分矣。饮食店仅列分茶酒肆、面食店、荤素

从食店。"分茶"大综合酒店，供应各类菜肴细点数百种，山珍海味、牛羊豚鹿、鱼禽水鲜，四时蔬果应有尽有；大凡面食店，亦谓之"分茶店"，仅门面规模小于分茶酒肆，经营各类羹汤、菜面、家常饭菜；荤素从食店才专营"市食点心"，馒头、包子、糕团、元子、果子、夹子、饼子，兼营肉杂碎熟食。从临安饮食店供应的菜肴数目看，比北宋汴京时丰富得多，且鱼虾河鲜是汴梁的若干倍；面点中糕团和包子品种亦超过北方十倍。

东京汴梁还形成了类似后世专业礼仪公司的包干服务的"四司人"：凡民间吉凶筵会，椅桌陈设，器皿合盘，酒檐动使之类，自有茶酒司管赁。吃食下酒，自有厨司，以至托盘、下请书、安排坐次、尊前执事歌说劝酒，谓之"白席人"。总谓之"四司人"。欲就园馆亭榭寺院游赏命客之类，举意便办，亦各有地分，承揽排备，自有则例，亦不敢过越取钱。虽百十分，厅馆整肃，主人只出钱而已，不用费力。[2](P28)

都城南迁，上述分工情况在临安的饮食行业中保留着，且将"白席人"等转化为官府差遣。"凡官府春宴，或乡会，遇鹿鸣宴，文武官试中设同年宴，及圣节满散祝寿公筵，官府各将人吏，差拨四司六局人员督责，各有所掌，无致苟简。"[3](P170)四司为帐设司、茶酒司、厨司、台盘司，六局为果子局、蜜煎局、菜蔬局、油烛局、香药局、排办局。四司六局形成专业化的宴席全套服务。"省主者之劳也。"[3](P170)

2.1.5 都城吃风炽盛，饮食消费促进了酒宴规模和夜市的发展

汴梁人忙于公务，忙于应酬，忙于商贸，时间紧张，同时也怕家庭举炊麻烦，径往酒店就餐。"市井经纪之家，往往只于市店旋置饮食，不置家蔬。"[2](P22)都人讲究吃喝推动了消费水平，"凡饮食、时新花果、鱼虾鳖蟹、鹑兔脯腊、金玉珍玩衣着，无非天下之奇。其品味若数十分，客要一二味下酒，随索目下便有之"[2](P10)汴梁盛行夜市，《东京梦华录》"马行街铺席"记载："夜市直至三更尽，才五更又复开张。如要闹去处，通晓不绝。寻常四梢远静去处，夜市亦有燋酸豏、猪胰、胡饼、菜饼、灌儿、野狐肉、果木翘羹、灌肠、香糖果子之类。冬月虽大风雪阴雨，亦有夜市。"[2](P16)"酒楼"记载："大抵诸酒肆瓦市，不以风雨寒暑，白昼通夜，骈阗如此。"[2](P16)因官府和私家都喜欢宵夜，餐饮业的经营方式也更加丰富。

南宋临安的饮食夜市更胜汴梁，《梦粱录》和《都城纪胜》均有专载"杭

243

城大街，买卖昼夜不绝，夜交三四鼓，游人始稀；五鼓钟鸣，卖早市者又开店矣"[3](P108)。有记载，宋高宗驾幸张俊府第，张府备宴，菜肴达100道，点心、水果、干果达120款。富人们每作东主宴请，耗资上万。每作一会，必费二万钱。

2.2 宋代汴梁、临安的节令食俗和人生仪礼食俗大同小异

2.2.1 岁时节令食俗

一是春令食俗。春季是一年中最令人愉悦的季度，在都市内又是事务相对清闲时期，社会上流和下层均在节令庆日吃喝玩乐。正月初一，汴梁的"贵家妇女纵赏关赌，入场观看，入市店饮宴，惯习成风，……小民虽贫者，亦须新洁衣服，把酒相酬尔"[2](P36)。南宋迁都临安后仍一如旧俗，"游玩琳宫梵宇，竟日不绝，家家饮宴，笑语喧哗"[3](P1)。临安继承汴梁旧俗的还有正月初七的人日、正月十五元宵以及寒食和清明。人日时，蒸制厚皮馅心馒头，在立春时制作"春盘"赠送。比较两京都的元宵食品，可见民风差异。汴梁"都下卖鹌鹑骨细儿、圆子、䭔拍、白肠、水晶鲙、科头细粉(绿豆粉类)旋炒栗子、银杏、盐豉、汤鸡、段金橘、橄榄、龙眼、荔枝"[2](P41)。临安"节食所尚，则乳糖圆子、䭔拍、科斗粉、豉汤、水晶脍、韭饼，及南北珍果，并皂儿糕、宜利少、澄沙团子、滴酥鲍螺、酪面、玉消膏、琥珀场、轻饧、生熟灌藕、诸色龙缠、蜜煎、蜜果、糖瓜篓、煎七宝姜豉、十般糖之类"[4](P37)。可以看出南方节令食品比北方多糕团和水果。临安将二月朔日称"中和日"，"民间尚以青囊盛百谷、瓜、果子种互相赠送，为献生子"[3](P5)。

清明日都城中士庶均到郊外春游，各带干粮，尽情饱餐春色。"各携枣䭔、炊饼、黄胖、掉刀，名花异果，山亭戏具，鸭卵鸡刍，谓之'门外土仪'"[2](P43)。

二是夏令食俗。比起汴梁人，临安人在端午节更重粽子的制法。汴梁的端午食物有香糖果子、粽子、白团。紫苏、菖蒲、木瓜，并皆茸切，以香药相和，用梅红匣子盛裹。自五月一日及端午前一日，卖桃、柳、葵花、蒲叶、佛道艾，次日家家铺陈于门首，与粽子、五色水团、茶酒供养。[2](P52)临安人这类习俗与汴梁大体雷同，但粽子的制法除了菰叶包糯米及加入枣、粟、桃仁等和竹筒灌米蒸煮外，还有角粽、锥粽、茭粽、秤锤粽等，"糖蜜巧粽，极其精巧"，甚至将巧粽拼扎成各种楼阁亭台，当街陈列。

农历六月汴梁"时物，巷陌路口，桥门市并，皆卖大小米水饭、炙肉、乾脯、

二、论文

莴苣笋、芥辣瓜儿、义塘甜瓜、卫州白桃、南京金桃、水鹅梨、金杏、小瑶李子、红菱、沙角儿、药木瓜、水木瓜、冰雪、凉水荔枝膏。……沙糖菉豆、水晶皂儿、黄冷团子、鸡头穰、冰雪、细料馉饳儿、麻饮鸡皮、细索凉粉、素签、成串熟林檎、脂麻团子、江豆碢儿、羊肉小馒头、龟儿沙馅之类"[2](P53)。临安六月也不乏"冰雪爽口之物"和各种汤水饮料。

三是秋令食俗。秋季是丰收季节，民间除隆重过中秋、中元节令外，还于七夕和立秋日举行活动。汴梁士庶在七月七夕，"以瓜雕刻成花样，谓之'花瓜'。又以油面糖蜜造为笑厣儿，谓之'果食花样'，奇巧百端"[2](P54)。"果食花样"论斤两出售，其中藏有身披甲胄的'"果食将军"，幸运买中的被他人羡慕不已。临安虽不见此记载，但富贵人家在高楼危榭安排筵席，在庭院中设香案、食果，拜月乞求星宿。民间在数日前，以红熬鸡、果食、时新果品互相馈送。宫室购入水蜜木瓜，以蜜饯制作鹊桥相会的故事图案。家家烹制鹅鸭食品，也成为一俗。[3](P23)七月十五日中元节时，汴梁都城热闹处卖果饼、壳果之类。"中元前一日，即卖练叶，享祀时铺衬卓面。又卖麻谷窠儿，亦是系在卓子脚上，乃告祖先秋成之意。……十五日供养祖先素食，才明即卖穄米饭，巡门叫卖，亦告成意也。又卖转明菜、花花油饼、馂馅、沙馅之类。"[2](P55)临安比起汴梁，在食品中增加了乳糕、丰糕之类。

汴梁人八月非常重视立秋和秋社，"是月，瓜果梨枣方盛"[2](P55)。"八月秋社，各以社糕、社酒相赍送贵戚。宫院以猪羊肉、腰子、奶房、肚肺、鸭饼、瓜姜之属，切作棋子片样，滋味调和，铺于饭上，谓之'社饭'，请客供养。人家妇女皆归外家，晚归，即外公姨舅皆以新葫芦儿、枣儿为遗，俗云宜良外甥。……归时各携花篮、果实、食物、社糕而散。春社、重午、重九、亦是如此。"[2](P56)"中秋节前，诸店皆卖新酒，重新结络门面彩楼花头，画竿醉仙锦旆。市人争饮，至午未间，家家无酒，拽下望子。是时鳌蟹新出，石榴、榅勃、梨、枣、栗、孛萄、弄色枨橘，皆新上市。"[2](P56)

农历九月初九重阳节，"前一二日，各以粉面蒸糕遗送，上插剪彩小旗，掺钉果实，如石榴子、栗黄、银杏、松子肉之类。又以粉作狮子蛮王之状，置于糕上，谓之'狮蛮'"[2](P56)。临安为都后，上述社会风情照旧，仅将重阳糕的粉面改为糖面，在狮蛮栗糕上也"皆入韵果糖霜"，主要是江浙人喜爱甜食的原因。

245

四是冬令食俗。汴梁天气较临安冷，冬季有收藏蔬菜的习俗，"上至宫禁，下及民间，一时收藏，以充一冬食用。于是车载马驼，充塞道路。时物：姜豉、剩子、红丝、末脏、鹅梨、蛤蜊、螃蟹"[2]（P62）。临安虽无藏菜风俗，但进腊月后喜欢腌制咸猪咸羊，或腌咸腊鱼。

北宋、南宋的京师都重视冬至，"虽至贫者，备办饮食，享祀先祖"。临安人还盛行冬至的馈送节仪。十二月，汴梁街市尽卖撒佛花、韭黄、生菜、兰芽、勃荷、胡桃、泽州饧。初八日，"诸大寺作浴佛会，并送七宝五味粥与门徒，谓之'腊八粥'。都人是日各家亦以果子杂料煮粥而食也"[2](P6)。临安人与之不同的是在腊月二十五日"士庶家煮赤豆粥祀食神，名曰'人口粥'，有猫狗者，亦与焉"[3](P45)。另外，临安人除夕日由内司意思局进呈精巧消夜果子盒，内装各种细茶食、蜜饯，如十般糖、澄沙团、韵果、蜜姜豉、皂儿糕、蜜酥、小跑螺酥、市糕、五色萁豆、炒槌栗、银杏等。

2.2.2 人生礼仪食俗

入宋以后，儒家礼教已渗入全社会，故婚姻、寿诞、育子、丧葬的仪式、程序都已定型，汴梁、临安这方面的差异不大。而在这些人生礼仪中，饮食已成为聘礼、成为财产、成为地位身份的象征。

汴梁人"凡娶媳妇，……次檐许口酒，以络盛酒瓶，装以大花八朵、罗绢生色或银胜八枚，又以花红缴檐上，谓之'缴檐红'，与女家。女家以淡水二瓶，活鱼三五个，箸一双，悉送在元酒瓶内，谓之'回鱼箸'。……遇节序，即以节物头面羊酒之类追女家，随家丰俭。……女家亲人有茶酒利市之类"[2](P32-33)。结婚时，至家庙前参拜毕，扶入洞房，男女各争先后对拜毕，女向左，男向右坐床上，妇女以金钱彩果散掷，谓之"撒帐"。然后用两盏以彩结连之，互饮一盏，谓之"交杯酒"。[2](P34)婚后，第二天或三日七日内，男方也带着女方送亲时的"茶酒利市之类"去拜见女方父母，"女家送彩缎油蜜蒸饼，谓之蜜和油蒸饼"[2](P34)。

凡孕妇入月，于初一日父母家以银盆，或錂或彩画盆，盛粟秆一束，上以锦绣或生色帕复盖之，上插花朵及通草，帖罗五男二女花样，用盘合装，送馒头，谓之"分痛"。并作眠羊、卧鹿羊、生果实，取其眠卧之义。并牙儿衣物绷籍等，谓之"催生"。就蓐分娩讫，人争送粟米炭醋之类。三日落脐灸囟。七日谓之"一腊"。"至满月，……亲宾盛集，煎香汤于盆中，下果子彩钱葱蒜等，用数丈彩绕之，名曰'围盆'。……盆中枣子直立者，妇人争取食之，以为生男之征"[2](P34)。

南宋都城临安的婚姻食俗和生育食俗在食品的精细程度、馈赠的数量上均超过汴梁，如催生中除银盆锦盖，寓意五男二女，眠羊卧鹿外，"并以彩画鸭蛋一百二十枚、膳食、羊、生枣、栗果，……送至婿家"。女儿生子后，娘家七日为一腊，三腊中"女家与亲朋俱送膳食"[3](P175)。这种习俗也是南方经济实力影响而形成的。

参考文献

[1] 朱瑞熙.辽宋西夏金社会生活史[M],北京：中国社会科学出版社，1998.

[2] 孟元老.东京梦华录合刊本[M],北京：中国商业出版社,1982.

[3] 吴自牧.梦粱录合刊本[M],北京：中国商业出版社,1982.

[4] 周密.武林旧事合刊本[M].四水潜夫辑.北京：中国商业出版社,1982.

【文章来源】华国梁：《从"两梦"看北、南宋都城饮食风俗的异同》，《扬州大学烹饪学报》，2002年第4期

22. 南宋时杭州的饮食业

"上有天堂，下有苏杭。"自古以来，人们一直这样赞美杭州。北宋著名诗人柳永在《望海潮》一诗中描绘杭州是"东南形胜，三吴都会""市列珠玑，户盈罗绮"的繁华之都。

宋靖康二年（1127），金兵攻陷开封，徽钦二帝等一千二百多君臣、妃子被金兵俘虏了去。钦宗之弟康王赵构狼狈南逃，由韩世忠等大臣拥立为帝。建都临安（即杭州）以后，杭州成为南宋统治一百多年的都城。

南宋偏安杭州后，由于成为帝王之都，一时皇室贵族、巨贾富商麇集，出现了经济发展，消费扩大，生活豪奢的"升平盛世"。当时有人形容为"五更市卖何曾绝，四远方言总不同"。特别是饮食业，异军突起，门面翻新，摆设讲究，环境雅致，竞显豪华。据南宋吴自牧《梦粱录》描述"自大街及诸坊巷，大小铺席，连门俱是"。不但白天如此，夜市也与日间无异。"坊巷市井，买卖关扑，酒楼歌馆，直至四鼓方静。而五鼓朝马将动，其趁早市者，复起开张。"当时杭州有丰乐楼、武林园、熙春楼、花月楼、风月楼、聚景园等近百家酒楼、歌馆、茶坊，供人宴饮游逛。其中以涌金门外的丰乐楼，规模最大最热闹，这些大菜馆仿效御厨体式，供应"五味烤鸭""鸡元鱼""酒蒸鸡""百味羹"和珍馔"宋嫂鱼"等菜肴一二百种之多。酒类也有"琼花酒""蔷薇酒""蓬莱酒"等五十余种。他们服务周到，"凡下酒羹汤任意索唤，虽十客各饮一味，……传喝如流，便即制造，供应不许少有违误"，虽饮宴达日，亦无厌怠。同时还设有"立办"即戒的酒席，名曰"嗟咄可办"的快餐比比皆是，有的菜肴就名为"嗟咄脍"。看来，我国最早的方便快餐，可能就出现在南宋杭州。

除酒楼菜馆外，当时的小吃也"熟食遍列，众物杂味，花式繁多，品种纷呈"。有熟食的蒸作面行、素点心从食店、馒头店、粉食店、元子铺、蜜蒸铺、菜面店、地鲜铺（卤味），以及兼营小吃的茶肆、酒店等。还有走街串巷叫卖的饮食担子，"早有卖徽子、小蒸糕，日午卖糖粥、烧饼、炙焦馒头"。又有小儿诸般食件：麻糕、沙团、盐豆儿、榧子、白果、枣儿、稚糕、麻团……

二、论文

南宋饮食业除私人经营外，还有官营的。据《都城纪胜》载，杭州官酒库有"东酒库"叫大和楼，"西酒库"叫西楼。

此外，如往湖上游，不仅舟楫很多，而且服务良好。游船中考究的一种叫"画舫"，有大小百余只，各有名称。大的长五十多丈，可坐百余人，小的长二三十丈，可坐三五十人。船上食品皆备，可设宴饮酒，吟诗作对。湖中还有专门供应酒菜茶食的小卖船，流动往来，供人随意购买。

"暖风熏得游人醉，直把杭州作汴州。"南宋杭州的畸形繁华，为饮食业创造了有利条件。至今，杭州不少酒楼菜馆如"八卦楼"等的建筑格局仍保持着南宋风貌。

"从此安心师老圃，青门何处向穷通。"这精彩的描述，绘声绘色地勾勒出了当时佳人丽妇吃西瓜时，欢声笑语，液沾衣衫，食后大快朵颐的情景。明人李东阳有诗："汉使西还道路赊，至今中国有更瓜。香浮碧水清洗透，片逐鸾刀巧更斜。"清代爱国诗人丘逢甲亦有："蕴雪含冰沁齿凉，两团绿玉许分尝。"读后使人有身历其境之感。

现今，人们吃西瓜一般是在夏秋季节，但在不同地区，却各有不同，吃法也多种多样。新疆素有"围着火炉吃西瓜"之说。海南人一年四季吃西瓜，而且喜欢在瓤里撒盐、涂辣椒吃，一块西瓜竟能吃出甜、咸、辣、脆几种滋味。甘肃民勤农家的西瓜泡馍更是别具特色，他们食瓜不用刀，以大拇指在瓜中间轻轻掐两下，再顺着掐痕拍几下，西瓜便整整齐齐地一分为二，用筷子将瓜瓤左旋右转地搅成瓜汁。再把馍掰碎，放进瓜汁中泡软，就成了风味独特的西瓜泡馍。吃起来有干有稀，清甜可口，一顿饭吃得既简便又实惠。

【文章来源】胡熊飞、韩宗宪：《南宋时杭州的饮食业》，《中国食品》，1992 年第 7 期

23. 浅谈南宋时期两浙地区饮食制作的特点

摘要：南宋时期，两浙地区作为全国经济最发达的地区，饮食业也随之繁荣起来。在食品制作方面呈现出以下特点：食品制作力求新鲜洁净；腌腊加工发达，调味品消费量大；南北风味互相融合；素食成为重要的组成部分；食疗思想贯穿于食品制作当中。

关键词：南宋；两浙；饮食制作

南宋绍兴和议以后，南方比较安定，北方人民纷纷南迁，使南方增加了大量的劳动人手，也为南方提供了先进的生产技术，南方社会经济很快恢复并发展起来。社会的安定和农业的发展，为饮食业的发展提供了先决条件。两浙地区处于亚热带，气候温暖湿润，农作物一年两熟乃至三熟，蔬菜瓜果时鲜不断，加之濒临东海，内河网密布，养殖业发达，水产品种类繁多，为饮食业的发展提供了充足的原料。而气候的温度、湿度相对较高，又要求食品必须新鲜洁净。同时食品难以常态保存，腌腊加工业随之发展起来。大量北方居民的南迁，也使两浙地区的饮食风味出现了南北融合的趋势。佛教进入中国以后，在经历了与中原文化长时间的冲突与整合以后，到宋代逐渐为政府扶植和利用而得以发展。中国土生土长的道教，此时也在全国兴盛起来。宗教的发展及其世俗化对社会生活的影响是不言而喻的，因此，人们的日常生活带有一定的宗教气息。宋代是古代教育事业空前兴盛的时期，在全国各地中，两浙地区的教育又一直处于领先位置，民众的文化水平有较大提高，这又为医药知识的普及和应用提供了条件，为民众在日常饮食中广泛使用药品奠定了基础，促进了食疗事业的发展。这些都构成了南宋两浙地区饮食颇具特点的历史背景。具体说来，这一时期饮食制作的特点可以包括以下几个方面。

一、食品制作力求新鲜

两浙地区的人们对于食物的新鲜程度要求很高，在烹制菜肴时，原料必须

二、论文

新鲜，不计较价格。即使是平常百姓，也极力追捧刚上市的新鲜蔬果，一旦大批上市，即使价格便宜也不购买，惟恐为人耻笑。《增补武林旧事·灾异》记载："杭民尚淫奢，男子诚厚者十不二三，妇人多以口腹为事，不习女工。至如日用饮膳，惟尚新出而价贵者，稍贱便鄙之，纵欲买又恐贻笑邻里。"[1]尤其是食用鱼禽类食品时，无论是官宦人家还是普通百姓都有现杀现烹的习惯，有的人为追求新鲜，特地赶到产地去品尝美味，"鲈鱼生松江尤宜鲙，洁白松软又不腥，在诸鱼之上。江与太湖相接，湖中亦有鲈，俗称江鱼四鳃，湖鱼止二鳃，味辄不及。秋初鱼出吴中，好事者竞买之，或有游松江就鲙之者"[2]。当时进餐是先上果盘，水果也务必新鲜，《鸡肋编》记载："京师卖生果，凡李子必摘其蒂，不敢触其实，必留上衣，令勃勃然，人方以新而为好。至食者须雪去之。"[3]"绍兴壬子夏，随侍先公应副都督驻军建康，寓保宁寺，登凤凰台，有小碑在亭上，云：'金桃带叶摘，绿衣和李嚼。'"[4]这些记载都说明当地食用水果时务求新鲜。

对食品的卫生状况十分关注。从饮食用具、食品制作到服装发式都力求完美，不敢草率。厨房的旁边一般都挖有水井，也是出于卫生的考虑。由于卫生状况的好坏关系到顾客的健康，影响到生意的兴衰，厨师的卫生就更加重要。宋代画像砖中绘制的几个厨娘，高挽发髻，身穿窄袖上衣，显得干净利落，厨房分工细致各司其职。有些临时进入酒店打杂的妇女，也争相仿效，都腰系青花布手巾，头挽危髻。加上此时市民购买现成食品已经蔚然成风，甚至连高高在上的皇帝也经常地从市场购买食品，"中瓦子前卖十色糖，更有瑜石车子卖糖麋乳糕浇，亦曾经宣唤"[5]"孝仁坊口水晶红白烧酒，曾经宣唤，其味香软，入口便消"[6]。由于皇帝传唤的食品品种很多，挑选的随意性很强，而且挑选的标准是新鲜洁净，对确保饮食卫生起到了强有力的促进作用。因此，"杭城风俗，凡百货卖饮食之人，多是装饰车盖担儿，盘盒器皿，新洁精巧，以炫耀人耳目。盖效学汴京气象，及因高宗南渡后，常宣唤买市，所以不敢苟简，食

[1] [宋]周密：《增补武林旧事》，《四库全书》版。
[2] [宋]范成大：《吴郡志》，《四库全书》版，卷29。
[3] [宋]庄绰：《鸡肋编》，北京：中华书局，1983年，第2页。
[4] [宋]姚宽：《西溪丛语》，北京：中华书局，1993年，第50—51页。
[5] [宋]吴自牧：《梦粱录》，哈尔滨：黑龙江人民出版社，2003年，第123页。
[6] [宋]吴自牧：《梦粱录》，哈尔滨：黑龙江人民出版社，2003年，第122页。

251

味亦不敢草率也"[1]。说明宋室南渡后，杭州一带的食品卫生水平比以前有了较大的提高。

二、腌腊加工发达调味品消费量大

虽然从周代以降历代都不乏腌腊食品，但是直到南宋，腌腊加工才达到繁盛时期。两浙地区直到南宋以后才有沿海大户人家的食品存冰以保鲜，以备不时之需。但市井间还不具备这种条件，由于保鲜的技术比较落后，所以，为了防止食品变质，无论是蔬菜还是肉、禽、水产品，都普遍使用了腌腊和糟等方法。腌是用盐酒糖酱等加工食品使之能够长久保存；糟是用酒或者酒糟腌制食品；腊是将腌制后的食物风干或熏干。《梦粱录·十二月》介绍："腊月内可盐猪羊等肉，或作腊鲊法鱼之类，过夏皆无损坏。……亦设红糟，以麸乳诸果笋芋为之供。"[2]《赤城志》记载："蝤蛑俗呼蟹，螯跪带毛，糟之可致远。"[3]就说明容易变质的食品，经过糟制后可以长时间保存，也就是所谓的"致远"。有的鱼鲊甚至可以十年不坏。腌制的食品由于风味独特，很受欢迎。《赤城志》中就说："银鱼口尖身锐如银条，以为鲊极鲜美。"[4]《武林旧事·市食》中记载的二十种菜蔬中采用腌腊方法制造的有11种，占了一半以上，另外单独列举的犯鲊类食品有30种，肉类、禽类、水产品类，甚至皂角、荔枝、梨、桃、芭蕉、豆蔻、黄雀都制成犯鲊，可谓无物不腌。临安城内制造腌腊食品的店铺很多，"城内外数十万户口，莫知其数，处处各有茶坊酒肆面店、果子、彩帛、绒线、香烛、油酱、食米、下饭鱼肉、鲞腊等铺"。当时有名的制造商是"石榴园倪家犯鲊铺"[5]。腌制食品也是宴会必不可少的食品，宋高宗到张俊府中做客，食品即有脯腊一类。接待金国的使臣时，宴席上也有咸豉、旋鲊、瓜姜等。可以看出腌制食品作为主要的下饭菜已经登上了大雅之堂。

---

[1] [宋]吴自牧：《梦粱录》，哈尔滨：黑龙江人民出版社，2003年，第163页。
[2] [宋]吴自牧：《梦粱录》，哈尔滨：黑龙江人民出版社，2003年，第58页。
[3] [宋]陈耆卿：《赤城志》，《四库全书》版，第923页。
[4] [宋]陈耆卿：《赤城志》，《四库全书》版，第921页。
[5] [宋]吴自牧：《梦粱录》，哈尔滨：黑龙江人民出版社，2003年，第122页。

二、论文

《梦粱录·鲞铺》中说："盖人家每日不可或缺者，柴米油盐酱醋茶。"[1] 盐、酱、醋成为最主要的调味品，此外还有各种香料。醋被誉为"食总管"。李之仪说："杭人食醋多于饮酒。"[2] "建炎后，俚语云：'欲得官，杀人放火受招安。欲得富，赶着行在发酒醋'。"[3]《乾道临安志》中记载了临安城中 30 个重要的仓场库务，与粮仓、盐仓、茶场和税务并列的就是醋库，有御醋库、公使醋库和公使醋子库。都说明醋在当地的消费量之大，需求量在酒之上，是不可或缺的调味品。

香料类的有胡椒、姜、葱、花椒、茴香、砂仁等，消费量十分惊人，仅以胡椒这一小宗物品销量为例，马可波罗从一个在大汗海关工作的官吏那里得悉，这里每日胡椒的销售量竟达 43 担，每担重 90 公斤[4]。由此可以推算出临安每天胡椒的消费量有 3870 公斤。足见在食品行业中香料使用的广泛。由于姜在烹调中广泛使用，品质好的姜就成为贡品，《赤城志》中说临海章安城门黄杜出产的姜质量最好，制作方法是用水淹三天之后去皮，再放到流水中 6 天，再去皮然后晒干放在瓮中储存。从南朝开始该地出产的干姜就是贡品[5]。足见当地有使用香料的悠久传统和丰富的制作经验。浦江吴氏《中馈录》记载的 76 例菜肴，无论肉食类还是蔬菜类的菜肴都非常注重调味配料的使用，如茴香、砂仁、花椒、葱、姜等，油、盐、酱、醋自然不在话下，反映了江浙地区调味品广泛而大量使用的饮食风貌。

三、南北风味互相融合

《清异录》载："孙承佑在浙右尝馈客，指其盘筵曰：'今日坐中南之蝤蛑，北之红羊，东之虾鱼，西之果菜，无不必备，可谓富有小四海矣。'"[6] 文中介绍的是北宋各地的代表性菜肴。南宋高宗绍兴末年，金人进攻失败后北撤，遗弃大量粟米，但是宋军多为福建江浙人，不能吃粟米，结果每天都有饿死的士

---

[1] [宋]吴自牧：《梦粱录》，哈尔滨：黑龙江人民出版社，2003年，第151页。
[2] 徐吉军、方建新、方健等：中国风俗通史宋代卷，上海：上海文艺出版社，2001年，第525页。
[3] [宋]庄绰：《鸡肋编》，北京：中华书局，1983年，第67页。
[4] [意]马可·波罗：《马可波罗游记》，福州：福建科学技术出版社，1981年，第178页。
[5] [宋]陈耆卿：《赤城志》，《四库全书》版，第908页。
[6] [宋]陶谷：《清异录》《说郛》，上海：上海古籍出版社，1988年，第66页。

兵[1]。说明在北宋和南宋初期，南北方在饮食方面有很大的差异。宋室南渡之后，北方移民不仅给南方带来了麦种，还带来了小麦的生产技术和麦子的食用习惯。这种情况在南宋初年表现得尤其明显。当时北方人聚集的临安（今浙江杭州），面食种类不下汴梁，仅蒸制食品就有五十多种，其中大包子、荷叶饼、太学馒头、羊肉馒头、各种馅饼、千层饼、烧饼、春饼等都是典型的北方面食。食用习惯在其中的作用不言而喻。范成大有诗云："二麦俱秋斗百钱，田家唤作小丰年。饼炉饭甑无饥色，接到西风稻熟天。"[2]可见，南方人在接受麦子的同时，也接受了北方人的面食习惯。随着长江流域稻麦两熟制的更加普遍，面食逐渐进入南方人的餐桌，尤其是在春季青黄不接的时候，不少地方的农民四月间就吃麦饭。《梦粱录·面食店》中就介绍了南宋以后，南北饮食差异逐渐缩小的情况："向者汴京开南食面店、川饭分茶，以备江南往来士夫，谓其不便北食故耳。南渡以来，凡二百年，水土既惯，饮食混淆，无南北之分矣。"[3]《都城纪胜·食店》在介绍南食店时说："南食店谓之南食川饭分茶，盖因京师开此店以备南人不惯北食者。今既在南则其名误矣。所以专卖面食鱼肉之属。"[4]说明随着时间的推移，南北饮食已经没有差别，南食店已经兼容南北风味于一身。

四、素食加工日益发达

素食的发展首先与佛教的传播有着密切的联系。早在五代时期，两浙路就有"东南佛国"之称。百姓信奉佛道二教蔚然成风，使该地区成为全国最具代表性的佛道二教繁荣区。由于佛教严禁杀生提倡食素，普通百姓中也兴起了吃素食之风。少数人是常年吃斋，大多数人是只在特定的时间吃斋，"今人以月一日、八日、十四日、十五日、十八日、二十三日、二十八日、二十九日、三十日不食肉，谓之'十斋'，释氏教也"[5]。同时，追求素食也是养生的需要。《食色绅言》提出：醉脓饱鲜昏人神志，若蔬食菜羹则肠胃清虚，无滓无秽，

---

[1] [宋]徐梦莘：《三朝北盟会编》，《四库全书》版，卷246。
[2] [宋]范成大：《石湖居士诗集》，台北：商务印书馆，1983年，第79页。
[3] [宋]吴自牧：《梦粱录》，哈尔滨：黑龙江人民出版社，2003年，第147页。
[4] [宋]耐得翁：《都城纪胜》，《四库全书》版，第5页。
[5] [宋]赵与时：《宾退录》，《四库全书》版，卷3。

二、论文

是可以养神也。[1] 社会的需要使得素食店应运而生，为素食者提供方便。"素食店卖素签、头羹、面食、乳茧、河鲲、元鱼、脯鲊，凡麸笋乳蕈饮食，充斋素筵会之备。"[2]《梦粱录》记载临安市面上的素食店有素菜 36 款，素糕点 26 种。还有专卖素点心的素食店，卖各种素菜馅和甜馅馒头、糕、饼、包子等。还有介绍素食的书籍，南宋杭州人林洪所著《山家清供》记载素食达到一百多种。而该书最具特色的并不在于介绍了大量的蔬食烹饪方法，而在于记载了不少以花果为原料的花馔和果馔。我国花卉资源丰富，花馔是古代素菜中别具风味的菜色。在此之前，花馔很少列入食谱，主要是散见于本草类书籍之中，《山家清供》开创了把花馔列入饮食经籍的先河，书中列举了十几种花馔，如梅花汤饼、紫英菊、牡丹、生菜、雪霞羹等；果馔也有一些，如樱桃煎、橙玉生、蟠桃饭等，果馔清新美味，至今仍然广为流传[3]。陈达叟的《本心斋食谱》介绍的20道素菜，有两大突出的特点，一是以山菜为主，二是与民间通常食法不同，制作和吃法都比较简单，重在清淡[4]。书中说蔬食"无人间烟火气"，认为"雪藕，中虚七窍，不染一尘，岂但爽口，自可观心；采杞，丹实累累，绿苗菁菁，饵之羹之，心开目明；绿粉，碾破绿珠，撒成银缕，熟蠲金石，清澈肺腑"[5]。《中馈录》为浦江吴氏所作，记素食类的有 39 条，制作精细。有很多的素菜因为味道鲜美，形状酷似肉食，足以乱真，故往往以荤菜名之。比如玉灌肺就是将"真粉、油饼、芝麻、松子、胡桃、莳萝六者为末拌和入甑，蒸熟切作肺样块，用枣汁"[6]。这些都反映了素菜制作工艺的新发展。佛寺菜是素食的重要组成部分，制作的主要原料是新鲜蔬菜果子、蘑菇、木耳和豆制品，这些蔬菜鲜嫩、素净、清爽，一洗尘世浊重之气，非常受欢迎。在苏州还有一种寺院有名食松花饼，制作方法是，在"春夏之交，山人取松花调蜜作饼，颇为佳胜，僧人尤贵之"[7]。由于宋代寺院经济加强了与世俗经济的互动，佛寺食品逐渐走出山门，流传到市井间，促进了民间的素食加工。

---

[1] [明]龙遵叙：《食色绅言》，《四库全书》版。
[2] [宋]耐得翁：《都城纪胜》，《四库全书》版，第5页。
[3] 戴云：《唐宋饮食文化要籍考述》，《农业考古》，1994年第1期，第228-229页。
[4] 戴云：《唐宋饮食文化要籍考述》，《农业考古》，1994年第1期，第228-229页。
[5] [宋]陈达叟：《本心斋食谱》，载《说郛》，上海：上海古籍出版社，1988年。
[6] [宋]林洪：《山家清供》，载《说郛》，上海：上海古籍出版社，1988年。
[7] [明]王鏊：《姑苏志》，《四库全书》版，卷14。

五、食品药用比较普遍

到了南宋时期，由于医药知识的普及工作做得比较好，民众普遍具有药物常识，并且将其运用于日常生活中，因此食品药用十分普遍。杭州早市上出售的药食有："有浮铺早卖汤药、二陈汤及调气降气并凡剂安养元气者。"夜市中有仙姑卖食药[1]，茶肆中也有卖清热解毒之暑药者："暑天添卖雪泡梅花酒，或缩脾饮，暑药之属。"[2]《西湖老人繁胜录》载：缩脾饮、五苓散、大顺散、紫苏饮是夏季经常出售的消暑药饮。[3]香药也成为宴会中不可缺少的食品，宋高宗驾幸大将军张俊府邸，张府进呈的御宴中就有缕金香药一款，有脑子花儿，甘草花儿，朱砂圆子，木香，丁香水龙脑，使君子，缩砂花儿，官桂花儿，白术人参，橄榄花儿等[4]。这些药物都有不同的保健作用，有益于人体健康。另外，从皇帝到普通民众都有赠送药品的习惯。比如，在腊月各行业都会赠送主顾一些礼物，感谢一年来的光顾，礼物之一就是药物。铺席百货送苍术小枣、避瘟丹，道士们也送檀越仙术汤，医生赠送屠苏袋、诸品汤剂。市井坊巷间叫卖苍术小枣的声音不绝于耳[5]。皇帝赏赐大臣暑药和腊药。《山家清供》也介绍了一些以中草药为原料的食品，比如青精饭就是以旱莲草为原料，加米煮成，还有牛蒡脯、麦门冬煎、地黄馎饦等，美味与药用价值兼具，真正做到了食疗同源食疗同用。饮食中广泛地使用药材，成为当地百姓日常食疗的一大特色。

综上所述，两浙地区作为南宋时期全国经济最发达的地区，饮食业非常繁荣，食品制作精良，加上气候、人口流动、饮食保健思想的普及等因素，使得该地区的饮食制作具有了鲜明的地区特色。

参考文献

[1] [宋] 周密. 增补武林旧事 [M]. 《四库全书》版

[2] [宋] 范成大. 吴郡志 [M]. 《四库全书》版

---

[1] [宋]吴自牧：《梦粱录》，哈尔滨：黑龙江人民出版社，2003年，第123页。
[2] [宋]吴自牧：《梦粱录》，哈尔滨：黑龙江人民出版社，2003年，第143页。
[3] [宋]无名氏：《西湖老人繁胜录》，北京：中国商业出版社，1982年。第11页。
[4] [宋]周密：《武林旧事》，哈尔滨：黑龙江人民出版社，2003年，第387页。
[5] [宋]吴自牧：《梦粱录》，哈尔滨：黑龙江人民出版社，2003年，第58页。

[3] [宋] 庄绰 . 鸡肋编 [M]. 北京：中华书局，1983

[4] [宋] 姚宽 . 西溪丛语 [M]. 北京：中华书局，1993

[5] [宋] 吴自牧 . 梦粱录 [M]. 哈尔滨：黑龙江人民出版社，2003

[6] [宋] 陈耆卿 . 赤城志 [M].《四库全书》版

[7] 徐吉军、方建新、方健等 . 中国风俗通史宋代卷 [M]. 上海：上海文艺出版社，2001

[8] [意] 马可·波罗 . 马可波罗游记 [M]. 福州：福建科学技术出版社，1981

[9] [宋] 陶谷 . 清异录 [A]. 说郛 [C]. 上海：上海古籍出版社，1988

[10] [宋] 徐梦莘 . 三朝北盟会编 [M].《四库全书》版

[11] [宋] 范成大 . 石湖居士诗集 [M]. 台北：商务印书馆，1983

[12] [宋] 耐得翁 . 都城纪胜 [M].《四库全书》版

[13] [宋] 周密 . 癸辛杂识后集 [M]. 北京：中华书局，1988

[14] [宋] 赵与时 . 宾退录 [M].《四库全书》版

[15] [宋] 罗大经 . 鹤林玉露 [M].《四库全书》版

[16] 戴云 . 唐宋饮食文化要籍考述 [J]. 农业考古，1994（1）

[17] [宋] 陈达叟 . 本心斋食谱 [A]. 说郛 [C]. 上海：上海古籍出版社，1988

[18] [宋] 林洪 . 山家清供 [A]. 说郛 [C]. 上海：上海古籍出版社，1988

[19] [明] 王鏊 . 姑苏志 [M].《四库全书》版

[20] [宋] 无名氏 . 西湖老人繁胜录 [M]. 北京：中国商业出版社，1982

[21] [宋] 周密 . 武林旧事 [M]. 哈尔滨：黑龙江人民出版社，2003

【文章来源】董杰、曹金发：《浅谈南宋时期两浙地区饮食制作的特点》，《皖西学院学报》，2009 年第 3 期

24. 从"宋嫂鱼羹"到"花边月饼"——宋以来笔记所记载饮食之情趣摭谈

摘要：宋代是中国饮食文化飞跃发展时期，盖由于城市经济之繁荣，士人境遇之优渥，享乐需求之郁勃，乃穷极想象调制之工，以满足口腹之欲。观《东京梦华录》《武林旧事》《旸谷漫录·京师厨娘》等，可见一斑。而宋之士大夫率多饱学之士，兼通释道，喜谈性理，其论饮食，亦往往钩玄致远，达于形上。故宋人笔记涉及饮食者，每每超越于饮食，常有关乎品格、性情之妙论。若东坡之"毳饭"、山谷之"品食"，皆非徒论饮食者可以窥其涯略。至若《武林旧事》与《枫窗小牍》所载之"宋五嫂鱼羹"，则已牵带家国兴亡之感、黍离麦秀之悲矣。明清两代，哺啜者益众。笔记亦篇帙浩繁，且往往谈及饮食。而士大夫之情趣高下、品鉴之精粗雅俗，足可于短章片言中玩味揣摩，亦知人之一途也。又明清笔记所涉地域极广，涉及饮食，自极北之新疆以迄南部之闽广，可以广见闻、助博物、资考证、辨风俗。如一西施舌，即有陈懋仁《泉南杂志》、李渔《闲情偶寄》、周亮工《闽小记》等多部笔记涉及；一河豚，自宋之苏轼、元之陶宗仪、明之谢肇淛以迄清之《调鼎集》，记录不绝如缕。然评骘此类笔记，当以有无人文价值及文学性为取舍标准。若漫逞口腹之欲，徒作烹调之谱，如袁枚之《随园食单》（"花边月饼"即出此书）者，实不足多。

关键词：饮食文化；笔记；士大夫

一

先哲陈寅恪先生尝云："华夏民族之文化，历数千载之演进，造极于赵宋之世。"[1]此诚千古不易之定论，仅以饮食文化观之，天水一朝即有绚烂多

---

[1] 陈寅恪：《邓广铭宋史职官志考证序》，《金明馆丛稿二编》，上海古籍出版社，1980年，第245页。

二、论文

姿、穷极想象之诸般造作，而令汉、唐、明、清瞠乎其后者。泛览宋人笔记，十九皆涉及饮食，或藉烹庖以谈玄理政治，或假酒馔以喻人生哲学，或寄黍离麦秀之悲于市食，或倾文采诗心之巧于哺啜，精彩迭出，不一而足，容分而述之。

"炒"之一字，《广韵》释："燴，熬也，初爪切。炒……煼，并上同。"[1]北魏贾思勰《齐民要术·做酱法》："临食，细切葱白，著麻油炒葱，令熟，以和肉酱。"[2]此殆与今日吾人炒菜炝锅之法无大差异，区别唯在前者"以和肉酱"，而今人为烹菜肴也。又唐人刘恂之《岭表录异》言及粤东海夷卢亭食牡蛎，"大者醃为炙，小者炒食"[3]。是唐人亦已知食物之炒法。然《齐民要术》所言炒葱，乃鲜卑拓跋氏统治之北方地区做酱之添加物，《岭表录异》所言之炒蚝乃海峤边民权宜之法，皆不能代表中国饮食文化之特色也。若唐、五代人之炊爨，今所能知者，似仍以蒸煮炙煎为主要手段，"炒"则多用之于制茶与夫制药。菜肴炒制之兴盛当始于宋代，观宋人笔记，炒制之食物屡见不鲜，若《东京梦华录》《武林旧事》《梦粱录》《都城纪胜》《西湖老人繁胜录》等，所记炒食不胜枚举，如：生炒肺、炒蛤蜊、炒蟹、炒鸡兔、炒羊（以上《东京梦华录》）；炒鳝、腰子假炒肺、炒鸡蕈、炒鸡面、炒鳝面、炒白虾（以上《梦粱录》）；炒沙鱼衬汤、鳝鱼炒鲎、炒白腰子、南炒鳝（以上《武林旧事》）。又《东京梦华录》卷九"宰执亲王宗室百官入内上寿"载："凡御宴至第三盏，方有下酒肉、咸豉、爆肉、双下驼峰角子。"[4]其中"爆肉"，实亦将生肉爆炒，与今日之"爆三样""芫爆里脊"并无二致。然则宋人于口感之爽脆嫩滑殆有独造之趣，盖炒之用于烹饪，贵在取其火候，旺火烹油，生鲜撮入，点化盐豉，翻覆即成，妙在脆嫩适口，可以咄嗟立办。比之绘事，有如泼墨写意，痛快淋漓。此又与宋代市井商业之勃兴密切相关，宋代城市经济繁荣，市井文化丰富多彩，市民之情趣观念借娱乐饮食表露无遗，且五行八作已初具品牌意识与广告功能，凡酒店食肆，例有招牌，且多以店

---

[1] [宋]陈彭年：《钜宋广韵·上声三十一·巧韵》，上海古籍出版社，1983年。
[2] [北魏]贾思勰：《齐民要术》卷八《做酱法第七十》，四部丛刊景明钞本。
[3] [唐]刘恂：《岭表录异》卷下，清武英殿聚珍本。
[4] [宋]孟元老：《东京梦华录》卷九，《东京梦华录笺注》，伊永文笺注，中华书局，2006年，第833页。

主姓氏及独擅之物冠名，如钱塘门外宋五嫂鱼羹、官巷口光家羹、张家酒店、王楼山洞梅花包子、曹婆婆肉饼、李四分茶、鹿家包子、薛家分茶……[1]宋人《枫窗小牍》云：

旧京工伎固多奇妙，即烹煮桊案，亦复擅名。如王楼梅花包子、曹婆肉饼、薛家羊饭、梅家鹅鸭、曹家从食、徐家瓠羹、郑家油饼、王家乳酪、段家爊物、不逢巴子，南食之类，皆声称于时。若南迁湖上，鱼羹宋五嫂、羊肉李七儿、奶房王家、血肚羹宋小巴之类，皆当行不数者。[2]

以上所列宋人市食不过九牛一毛，然已可见品类之丰与商家知识产权意识之初兴。尤可注意者，乃在宋之食肆庖人不惜炫奇斗智，以假乱真。宋人笔记载录市食，屡见标示假名者，如：假河豚、假元鱼、假蛤蜊、假野狐、假炙獐（《东京梦华录》）；假江珧、姜醋假公权、假公权爆肚（《武林旧事》）；假沙鱼、假团圆燥子、油爆假河豚、杜布假清羹、虾蒸假奶、小鸡假花红清羹、小鸡假炙鸭、五色假料头肚尖、假炙江珧肚尖、假爊鸭、野味假炙、假炙鲨枨、假爊蛤蜊肉、假淳菜腰子、假炒肺、假牛冻、假驴事件、假炙鸭、假羊事件、假煎白肠、煎假乌鱼、假肉馒头（《梦粱录》）；夺真鼋鱼（《西湖繁盛录》）。明知有真物在，而公然示之以假，则不独见胆略气魄，更可得知宋代市民之美学趣味。盖此类假物，妙在色、香、味、形俱仿真物，甚至直夺真物之美，使哺啜者于含玩咀嚼之际，得似真非真、半假半真之趣。此正与书、画、戏曲乃至一切中国艺术之义理相通。由是以观，宋人之饮馔，实已超越果腹之基本生存需要而达于审美层面，对美味之追求，渐成全社会之风气，自上而下，服用僭侈。王栐《燕翼诒谋录》谓："咸平、景德以后，粉饰太平，服用寝侈，不惟士大夫之家崇尚不已，市井间里以华靡相胜，议者病之。"[3]是自真宗始，奢靡之风已起于青蘋之末。《东京梦华录》云：

大抵都人风俗尚侈，度量稍宽，凡酒店中，不问何人，止两人对坐饮酒，

---

[1] [宋]孟元老：《东京梦华录》卷九，《东京梦华录笺注》，伊永文笺注，中华书局，2006年，第82页。唯"宋五嫂鱼羹"见《都城纪胜·诸行》，清武林掌故丛书本。
[2] [宋]袁褧：《枫窗小牍》卷上，文渊阁四库全书本。
[3] [宋]王栐：《燕翼诒谋录》卷二，诚刚点校，中华书局，1981年。

亦须用注碗一副、盘盏两副，果菜碟各五片，水菜三五只，即银近百两矣。虽一人独饮，碗遂亦用银盂之类。其果子菜蔬，无非精洁。[1]

南渡以后，此风有增无已。庄绰《鸡肋编》谓："两浙妇人皆事服饰、口腹，而耻为营生。故小民之家不能供其费者，皆纵其私通，谓之'贴夫'。公然出入，不以为怪。"[2] 陶宗仪《辍耕录》卷十一亦云："杭民尚淫奢，男子诚厚者十不二三。妇人则多以口腹为事，不习女工。至如日用饮膳，惟尚新出而价贵者。稍贱便鄙之，纵欲买，又恐贻笑邻里。"所述虽系元末事，然风气之成，实肪自赵宋。宋士人于此，颇著讽喻。罗大经《鹤林玉露》载："有士大夫于京师买一妾，自言是蔡太师府包子厨中人。一日，令其作包子，辞以不能。诘之曰：'既是包子厨中人，何为不能作包子？'对曰：'妾乃包子厨中缕葱丝者也。'"[3]与此则异曲同工者有洪巽《旸谷漫录》所载"京师厨娘"事：

京都中下之户，不重生男，每生女则爱护如捧璧擎珠。甫长成，则随其资质教以艺业，用备士大夫采拾娱侍。名目不一，有所谓身边人、本事人、供过人、针线人、堂前人、剧杂人、拆洗人、琴童、棋童、厨子，等级截乎不紊。就中厨娘最为下色，然非极富贵家不可用。予以宝祐丁巳参阃寓江陵，尝闻时官中有举似其族人置厨娘事，首末甚悉，谩申之以发一笑。其族人名某者，奋身寒素，已历二倅一守。然受用淡泊，不改儒家之风。偶奉祠居里，便嬖不足使令，饮馔且大粗率。守念昔留某官处，晚膳出京都厨娘调羹，极可口。适有便介如京，谩作承受人书，嘱以物色，价不屑教。未几，承受人复书曰："得之矣。其人年可二十余，近回自府地，有容艺，能算能书，旦夕遣以诣直。"不二旬月，果至。初懑五里头时，遣脚夫先申状来，乃其亲笔也，字画端楷。历叙庆新，即日伏事左右，千乞以回轿接取，庶成体面。辞甚委曲，殆非庸碌女子所可及，守一见为之破颜。及入门，容止循雅，红衫翠裙，参侍左右乃退，守大过所望。少选，亲朋皆议举杯为贺，厨娘亦遽致使厨之请，守曰："未可展会，明日且具常食五杯五分。"厨娘请食品菜

[1] 《东京梦华录笺注》，第420—421页。
[2] [宋]庄绰：《鸡肋编》卷中，丛书集成初编本，第58页。
[3] [宋]罗大经：《鹤林玉露》卷六，王瑞来点校，中华书局，1983年，第337页。

杭州全书·杭帮菜文献集成

质量次，守书以示之，食品第一为羊头签，菜品第一为葱薤，余皆易办者。厨娘谨奉旨，数举笔砚具物料。内羊头签五分，合用羊头十个也；葱薤五碟，合用葱五斤，他称是。守因疑其妄，然未欲遽示以俭鄙，姑从之，而密觇其所用。翌旦，厨师告物料齐，厨娘发行奁，取锅铫盂勺汤盘之属，令小婢先捧以行，煜灿耀目，皆白金所为，大约正该五七十两。至如刀砧杂器，亦一一精致，傍观啧啧。厨娘更围袄围裙，银索攀膊，掉臂而入，据坐胡床。徐起，切抹批斋，惯熟条理，真有运斤成风之势。其治羊头也，漉置几上，剔留脸肉，余悉掷之地。众问其故，厨娘曰："此皆非贵人之所食矣。"众为拾置他所，厨娘笑曰："若辈真狗子也。"众虽怒，无语以答。其治葱薤也，取葱彻微过汤沸，悉去须叶，视碟之大小分寸而裁截之，又除其外数重，取条心之似韭黄者，以淡酒醯浸渍，余弃置，了不惜。凡所供备，馨香脆美，济楚细腻，难以尽其形容。食者举箸无赢余，相顾称好。既彻席，厨娘整襟再拜曰："此日试厨，幸中台意，照例支犒。"守方迟难，厨娘曰："岂非待检例耶？"探囊取数幅纸以呈，曰："是昨在某官处所得支赐判单也。"守视之，其例每展会支赐或至千券数匹，嫁娶或至三二百千双匹，无虚拘者。守破悭勉强，私窃唶叹曰："吾辈事力单薄，此等筵宴不宜常举，此等厨娘不宜常用。"不两月，托以它事善遣以还。其可笑如此。[1]

此段所述京都厨娘，服饰携带之奢华，仪态举措之矜持，技艺之出神入妙，条理之秩然有度，与"守"之寒酸俭鄙、支吾勉强适成鲜明对照，而描摹之委曲，笔意之跌宕，实已颇有小说家风致。今之学者李剑国氏收此篇入《宋代传奇集》，良有以也。是篇与上文"缕葱丝者"一繁一简，适可见宋代达官贵胄饮食之穷奢极侈，亦可知宋代烹饪技艺之精巧殊绝。

与"京师厨娘"可互相印证者，又有宋末陈世崇《随隐漫录》所记理宗赐太子玉食批事：

偶败箧中得上每日赐太子玉食批数纸，司膳内人所书也，如酒醋白腰子、三鲜笋炒鹌子、烙润鸠子、燖石首鱼、土步辣羹、海盐蛇鲊、煎三色鲊、煎卧乌、

---

[1] [宋]洪巽：《旸谷漫录》，《说郛》卷二十九，中国书店1986年影印涵芬楼本。

鵁湖鱼、糊炒田鸡、鸡人字焙腰子、糊煤鲇鱼、蝤蛑签、麂脾及浮助、酒蟹江瑶、青虾辣羹、燕鱼干、爋鲻鱼、酒醋蹄酥、片生豆腐、百宜羹、燥子煤白腰子、酒煎羊二牲、醋脑子清汁、杂烩胡鱼肚儿辣羹、酒炊淮白鱼之类。呜呼，受天下之奉，必先天下之忧。不然，素餐有愧，不特是贵家之暴殄。略举一二，如羊头签止取两翼，土步鱼止取两腮，以蝤蛑为签、为馄饨、为枨瓮，止取两螯，余悉弃之地，谓非贵人食。有取之，则曰：若辈真狗子也。噫，其可一日不知菜味哉！[1]

此食单，江鲜野味，海错山珍，穷极水陆之精异。而羊头只取两靥，土步鱼只取两腮，蝤蛑（梭子蟹）则只取两螯，余皆委弃。理学家真德秀尝"论菜"曰："百姓不可一日有此色，士大夫不可一日不知此味。"[2] 宋之亡，正与居上者恣纵口腹之欲，而不知菜味攸关。

二

宋之朝廷，优礼文官，前世所无。魏晋以降之门阀势力，至宋已荡然无存。士大夫出身寒素，奋发蹈厉者多，又喜高谈义理，彪炳气节。饮馔虽小道，宋之士人则往往于品鉴哺啜之余，发为玄远窅渺之论，以见性情之卓然不群，甚且以饮食论治道人生，颇寓寄托。赵令畤《侯鲭录·序》云："夫天下有有味之味，有无味之味。有味之味，能味乎一时，而不能味于时时与天下后世。无味之味细咀而始知，愈嚼而愈美，达可以调商家之鼎，穷可以乐颜巷之瓢，其天下之至味乎！"[3] 此语之哲理直可与孟子"治大国若烹小鲜"等量齐观也。

至若宋人以饮食见性情趣味之例，尤不胜枚举。孙奕《示儿编》云：

江淮有河豚，吴人目其腹为西施乳（《雌黄》）。福州岭口有蛤，闽人号其甘脆为西施舌（《诗说隽永》）。东坡居常州，颇嗜河豚，而里中士大夫家有妙于烹是鱼者，招东坡享之。妇子倾室闯于屏间，冀一语品题。东坡下箸大嚼，

---

[1] ［宋］陈世崇：《随隐漫录》卷二，明稗海本。
[2] ［宋］罗大经：《鹤林玉露》甲编卷二，中华书局，1983年，第35页。
[3] ［宋］赵令畤：《侯鲭录·序》，中华书局，2002年，第31页。

杭州全书·杭帮菜文献集成

寂如喑者。闻者失望相顾。东坡忽下箸云："也直一死。"于是合舍大悦。噫，东坡诚有味其言，使嗜色如嗜河豚者而不知戒，皆不免于死。噫，东坡诚有味其言。[1]

按，东坡论食河豚值得一死事，宋人记载不一，较早者尚有《邵氏闻见后录》所云："经筵官会食资善堂，东坡盛称河豚之美，吕元明问其味，曰：'值那一死。'"[2]两者相校，一在野，一在朝，相去不可以道里计，且《示儿编》所述颇近小说家言。然东坡之嗜河豚，大抵可无疑议。"也值一死"与"值那一死"语义相埒，悬揣东坡虽腹笥充厚，于河豚之美竟难赞一词，殆恐唐突此至美之味欤！遂以死许之。此正与清人李笠翁视螃蟹同。笠翁《闲情偶寄》云："予于饮食之美，无一物不能言之，且无一物不穷其想象，竭其幽渺而言之，独于蟹螯一物，心能嗜之，口能甘之，无论终身一日皆不能忘之，至其可嗜可甘与不可忘之故，则绝口不能形容之。"[3]然则东坡与笠翁真可谓知味而能幽默者矣。有关东坡饮食之趣闻，尚有朱弁《曲洧旧闻》所载"毳饭"事，可发一粲：

东坡尝与刘贡父言："某与舍弟习制科时，日享三白，食之甚美，不复信世间有八珍也。"贡父问三白，答曰："一撮盐，一碟生萝卜，一碗饭，乃三白也。"贡父大笑。久之，以简招坡过其家吃皛饭。坡不省忆尝对贡父三白之说也，谓人云："贡父读书多，必有出处。"比至赴食，见案上所设唯盐、萝卜、饭而已，乃始悟贡父以三白相戏，笑投匕箸，食之几尽。将上马，云："明日可见过，当具毳饭奉待。"贡父虽恐其为戏，但不知毳饭所设何物，如期而往。谈论过食时，贡父饥甚索食，坡云少待。如此者再三，坡答如初。贡父曰："饥不可忍矣。"坡徐曰："盐也毛，萝卜也毛，饭也毛，非毳而何？"贡父捧腹曰："固知君必报东门之役，然虑不及此也。"坡乃命进食，抵暮而去。世俗呼无为模，

---

[1] [宋]孙奕：《示儿编》卷十七"杂记西施乳舌"，元刘氏学礼堂刻本。
[2] [宋]邵博：《邵氏闻见后录》卷三十，中华书局，1983年，第237页。
[3] [清]李渔：《闲情偶寄》卷十二"饮馔部"，江苏广陵古籍刻印社1991年影印康熙刻本，第271页。

264

二、论文

又语讹模为毛，尝同音故，坡以此报之，宜乎贡父思虑不到也。[1]

　　文中刘贡父名攽，与兄敞皆登进士，抵斥王安石新法。邃于史学，尝与司马温公同修《资治通鉴》，与苏轼为好友，为人极善谐谑。此文所述"毕饭"与"毳饭"，于游戏雅谑之间，颇可知宋士人之精神气质。游目骋怀，禅心涉世，小节不拘，举动成趣。此境非学殖深湛、襟怀磊落、谙熟性理、达观阅世者不能造焉。与"毳饭"事可以互相映衬者，有《侯鲭录》所载黄山谷品食："黄鲁直云：烂蒸同州羊羔，沃以杏酪，食之以匕不以箸，抹南京面，作槐叶冷淘，掺以襄邑熟猪肉，炊共城香稻，用吴人鲙松江之鲈。既饱，以康王谷帘泉，烹曾坑斗品。少焉，卧北窗下，使人诵东坡赤壁前、后赋，亦足少快。"[2]此语《曲洧旧闻》以为出自东坡，观其词意，仍以山谷为是。同州为陕晋沿河交界之要冲，在汉属左冯翊，其地所产羊羔味美。"槐叶冷淘"，清卢元昌《杜诗阐》注杜甫《槐叶冷淘》诗云："以槐叶为面，冬取其温，夏取其凉。又有槐芽温淘，水花冷淘。""制冷淘者，以槐叶为主，相之则以新面汁与滓化，宛然相俱，如一色然。"[3]曾坑斗品，为宋代建茶之上品，沈括《梦溪笔谈》谓："古人论茶，唯言阳羡、顾渚、天柱、蒙顶之类，都未言建溪。然唐人重串茶，粘黑者则已近乎建饼矣。建茶皆乔木，吴蜀淮南唯丛茇而已，品自居下。建茶胜处曰郝源、曾坑，其间又岔根、山顶二品尤胜。"[4]叶梦得《避暑录话》亦云："北苑茶正所产为曾坑，谓之正焙，非曾坑为沙溪，谓之外焙。二地相去不远，而茶种悬绝。沙溪色白，过于曾坑，但味短而微涩，识茶者一啜，如别泾渭也。"[5]至于松江四鳃鲈鱼，向为食中珍品，早经晋人张翰揄扬渲染，脍炙人口，不假我一二谈也。山谷此言，意气豪宕，熔西北之粗放与江南之都雅于一炉，集文章之妙品与食物之珍奇为一境，缘品食而至论道，由口腹而至精神，正是宋人玄谈之典型风范。

　　余尝谓华夏美食命名之最色情者曰"西施乳"，曰"西施舌"，而二物之

---

[1]　[宋]朱弁：《曲洧旧闻》卷六，知不足斋丛书本。
[2]　[宋]赵令畤：《侯鲭录》卷八，孔凡礼点校，中华书局，2002年，第200页。
[3]　[清]卢元昌：《杜诗阐》卷二十六，康熙二十一年刻本。
[4]　[宋]沈括：《梦溪笔谈》卷二十五，四部丛刊续编景明本。
[5]　[宋]叶梦得：《避暑录话》卷下，津逮秘书本。

得名皆出宋人，赵彦卫《云麓漫钞》谓："《艺苑雌黄》亦云：'河鲀腹胀而斑状甚丑，腹中有白曰讷，有肝曰脂。讷最甘肥，吴人甚珍之，目为西施乳。'东坡云腹腴者是也。"[1] 古人食鱼，视腹下肥白处为最美。周密《齐东野语》曰："余读杜诗'偏劝腹腴愧年少'，喜其知味。坡诗亦云：'更洗河豚烹腹腴。'黄诗亦云：'故园渔友脍腹腴。'……按《礼记·少仪》云：'羞濡鱼者进尾，冬右腴。'注云：'腴，腹下也。'《周礼·疏》：'燕人脍鱼方寸，切其腴以啖所贵。引以证膴，膴亦腹腴。'《前汉》：'九州膏腴。'师古注云：'腹下肥白曰腴。'"[2] "西施舌"之名，亦宋人首创。胡仔《苕溪渔隐丛话》云："《诗说隽永》云：福州岭口有蛤属，号西施舌，极甘脆。其出时天气正热，不可致远。吕居仁有诗云：海上凡鱼不识名，百千生命一杯羹。无端更号西施舌，重与儿曹起妄情。"[3] 居仁乃两宋之交著名诗人、词人吕本中字，此诗见于其《东莱诗集》。由此可见，西施舌之得名，应在北宋。南宋初状元王十朋《梅溪集》有诗咏此物："吴王无处可招魂，惟有西施舌尚存。曾共君王醉长夜，至今犹得奉芳尊。"[4] 明人陈懋仁《泉南杂志》于此物之形色有翔实载记："西施舌，壳似蛤而长，外色若水蚌，壳内色如孔翠，肉白似乳，形酷肖舌，阔约大指，长及二寸，味极鲜美，无可与方。舌本有数肉条如须然，是其饮处。"[5] 清初李渔由此而发绮思，谓："所谓西施舌者，状其形也。白而洁，光而滑，入口咂之，俨然美妇之舌，但少朱唇皓齿，牵制其根，使之不留而即下耳。"[6] 同时之周亮工亦仿画论之语，列此物于"神品"[7]。"食色性也"[8]，因食物之珍稀感悟美人之难得，因食物之形状联想及美人之身体，因而名之，进而饫甘餍肥，并美色与美味含玩咀嚼，极口腹与艳想之欲。或终生无缘一见此二物，然亦可因其名而兴绮思丽情，寄无穷之感慨于诗文笔记。此诚吾国饮食文化之一大关楗也。二物之得名，初不必由文人学士，然揄扬彰表，用为谈资，乃至

---

[1] [宋]赵彦卫：《云麓漫钞》卷五，商务印书馆民国二十五年(1936)丛书集成初编本，第149页。

[2] [宋]周密：《齐东野语》卷十六，中华书局，1983年，第302页。

[3] [宋]胡仔：《苕溪渔隐丛话后集》卷二十四，乾隆刻本。

[4] [宋]王十朋：《梅溪先生后集》卷二十，四部丛刊景明正统刻本。

[5] [明]陈懋仁：《泉南杂志》卷上，宝颜堂秘笈本。

[6] [清]李渔：《闲情偶寄》卷十二，江苏广陵古籍刻印社1991年影印康熙刻本，第274页。

[7] [清]周亮工《闽小记》卷二，上海古籍出版社1985年影印瓜蒂庵藏明清掌故丛书本。

[8] 《孟子·告子·上》，清阮元《十三经注疏》本，《孟子注疏》卷十一。

二、论文

悬想寄托，欲餐秀色，则非文人学士莫办。

三

宋之市食，亦有平常之物而牵系一代兴亡之感，引发禾黍铜驼之怨者，如"宋嫂鱼羹"。周密《武林旧事》卷三"西湖游幸"条记淳熙间，孝宗乘龙舟游幸西湖，"小舟时有宣唤赐予，如宋五嫂鱼羹，尝经御赏，人所共趋，遂成富媪"[1]。前引《都城纪胜》言宋五嫂鱼羹设肆钱塘门外，又《枫窗小牍》撰者云："宋五嫂，余家苍头嫂也。每过湖上，时进肆慰谈，亦他乡寒故也。悲夫！"[2] 是宋嫂鱼羹在汴京时已有名于市肆，靖康之变，随宋室南渡至钱塘，竟蒙御赏，乃成暴富。明人冯梦龙氏《古今小说》卷三十九《汪信之一死救全家》之入话即就此敷衍：

话说大宋乾道淳熙年间，孝宗皇帝登极，奉高宗为太上皇。那时金邦和好，四郊安静，偃武修文，与民同乐。孝宗皇帝时常奉着太上乘龙舟来西湖玩赏。湖上做买卖的，一无所禁，所以小民多有乘着圣驾出游，赶趁生意，只卖酒的也不止百十家。且说有个酒家婆姓宋，排行第五，唤做宋五嫂。原是东京人氏，造得好鲜鱼羹，京中最是有名的。建炎中随驾南渡，如今也侨寓苏堤赶趁。一日太上游湖，泊船苏堤之下，闻得有东京人语音，遣内官召来，乃一年老婆婆。有老太监认得他是汴京樊楼下住的宋五嫂，善煮鱼羹，奏知太上。太上题起旧事，凄然伤感，命制鱼羹来献。太上尝之，果然鲜美，即赐金钱一百文。此事一时传遍了临安府，王孙公子，富家巨室，人人来买宋五嫂鱼羹吃。那老妪因此遂成巨富。有诗为证：一碗鱼羹值几钱，旧京遗制动天颜。时人倍价来争市，半买君恩半买鲜。[3]

吾国制羹之历史甚久远，"三礼"中屡见，祭祀朝聘以迄庶民之食，几无不有羹，且鱼肉虀藿无不可为羹。今韩国中年以上人进餐，仍持"无羹不饭"

---

[1] [宋]周密：《武林旧事》卷三，民国景明宝颜堂秘笈本。
[2] [宋]袁褧：《枫窗小牍》卷上，文渊阁四库全书本。
[3] [明]冯梦龙：《古今小说》卷三十九，许政扬校注，人民文学出版社，1958年，第624页。

267

之古意。是羹于古人，乃正餐中须臾不可离之寻常食物。唯宋嫂之鱼羹，始以五味调和之妙享誉于汴京市井，旋又迤逦南渡，转徙于杭州钱塘门外，虽所取材已非河、汴旧物，而鲜美或反胜于曩时。尤可注意者，乃在斯人斯物所凝结象征之故国情怀。"时人倍价来争市"，固有"曾经御赏"之广告效应，而"旧京遗制"所牵连北地一代移民麦秀之悲方为此羹不寻常处。

宋人于饮食，能创造、富想象，新意迭出，穷极精妙。宋人谈饮食，重机趣，参玄理，咀味人生，时见性情。略如上述。

两宋以降，笔记篇帙浩繁，谈及饮食者曷胜枚举。明人顾起元《客座赘语》云："陶秀实学士《清异录》载金陵七妙：齑可照面，饭可打擦台，馄饨汤可注研，湿面可穿结带，饼可映字，醋可作劝盏，寒具嚼著惊动十里人。今犹有此数物，起面饼以城南高座诸寺僧所供为胜，馄饨汤与寒具市上鬻者颇多，寒具即馓子，醋绝有佳者，但作劝盏恐齿龂，不禁一引耳。秀实又言，金陵士大夫颇工口腹，至今犹然，而哺啜家又竞称吴越间。世言天下诸福，唯吴越口福，亦其地产然也。"[1]顾起元系江宁（今南京市）人，万历二十六年（1598）会元，殿试探花，累官至国子祭酒、吏部左侍郎兼翰林院侍读学士，学识赅博。陶秀实即陶穀，历晋、汉、周至宋初，为礼、刑、户三部尚书，宏博隽辩。此段引文涉及齑、饭、馄饨汤、湿面、饼、醋、寒具（馓子），皆寻常市食，而制法形质迥异于他处。"齑可照面"，云腌菜之汤极清，可映面。"混沌汤可注研"言馄饨汤清澈可以研墨。"湿面可穿结带"言捞出之面条筋道可以打结。"饼可映字"，谓饼薄如纸，若今日全聚德烤鸭店所制薄饼，可以透视。"醋可以劝盏"，言醋味甘，可以劝杯代酒。"寒具嚼著惊动十里人"，谓馓子极酥脆，咀嚼之声可传远。唯"饭可打擦台"未审其义，不敢妄为申说。然则自五代至晚明，金陵之饮食代有传承，愈趋精妙。盖以其既能得东南之地利，复因六朝金粉、文章俊彦之聚集，遂使烧尾之宴，珍错罗列；郇公之厨，花样翻新。

明清之际，述饮馔而具文采辞章者，当推张宗子与李笠翁，二者门第交游固有高下清浊之异，于哺啜一道则识见相同，孤标自赏。宗子《陶庵梦忆》云：

---

[1] [明]顾起元：《客座赘语》，谭棣华、陈稼禾点校，中华书局，1987年，第22页。

二、论文

食品不加盐醋而五味全者，为蚶，为河蟹。河蟹至十月与稻粱俱肥，壳如盘大，坟起，而紫螯巨如拳，小脚肉出，油油如蝤蛑衍虫。掀其壳，膏腻堆积如玉脂珀屑，团结不散，甘腴虽八珍不及。一到十月，余与友人兄弟辈立蟹会，期于午后至，煮蟹食之，人六只，恐冷腥，迭番煮之。从以肥腊鸭、牛乳酪。醉蚶如琥珀，以鸭汁煮白菜如玉版，果蓏以谢橘、以风栗、以风菱。饮以玉壶冰，蔬以兵坑笋，饭以新余杭白，漱以兰雪茶。鰫今思之，真如天厨仙供，酒醉饭饱，惭愧惭愧。纯生氏曰：昔有嗜蟹者曰，愿来世蟹亦不生，我亦不食。一僧精禅理，尤好嗜蟹。蟹投，百沸作郭索状，触釜铮铮有声。僧频而祝曰：汝莫心焦，待汝一背红，便不痛楚也。[1]

此言阀阅人家之食蟹，所配饮馔皆精洁至极。纯生氏为清乾隆时浙江仁和人王文诰字，王于乾隆五十九年（1794）编刻乡先辈张岱《陶庵梦忆》，屡有点评。此段尤为生动，将老饕嘴脸刻画无遗。笠翁之嗜蟹，已于前文述及。其品鉴点评，精微卓荦，有他人不能及处：

蟹之为物至美，而其味坏于食之之人。以之为羹者，鲜则鲜矣，而蟹之美质何在？以之为脍者，腻则腻矣，而蟹之真味不存。更可厌者，断为两截，和以油盐豆粉而煎之，使蟹之色，蟹之香与蟹之真味全失。此皆似嫉蟹之多味，嫉蟹之美观，而多方蹂躏，使之泄气而变形者也。世间好物，利在孤行。蟹之鲜而肥，甘而腻，白似玉而黄似金，已造色香味三者之至极，更无一物可以上之……凡食蟹者，只合全其故体，蒸而熟之，贮以冰盘，列之几上，听客自取自食，剖一匡，食一匡，断一螯，食一螯，则气与味纤毫不漏，出于蟹之躯壳者，即入于人之口腹。饮食三味，再有深入于此者哉！[2]

笠翁于生存起居之道，每多睿智独到之见，且娓娓道来，机锋四溢，雅俗共赏。此并张宗子之品蟹，可谓双美。

清人袁枚，于饮食男女亦皆有偏嗜，且不独躬自享乐，复能笔之于书册。

---

[1] [明]张岱：《陶庵梦忆》卷八，乾隆五十九年王文诰刻本。
[2] [清]李渔：《闲情偶寄》卷十二，江苏广陵古籍刻印社1991年影印康熙刻本，第272页。

其《随园食单》即专谈饮食之作也。按其体例，可依《遂初堂书目》入"谱录"类。其序云："《说郛》所载饮食之书三十余种，眉公、笠翁亦有陈言。曾亲试之，皆阕于鼻而蜇于口，大半陋儒附会，吾无取焉。"[1]观其序，可窥其人于饮馔一道自视甚高，于陈继儒、李渔皆啧有烦言，颇不屑焉。而观其"食单"，实乃今日所谓"烹饪大全""经典菜谱"一类日用之书耳，依法炮制，或能有益于厨艺，而去天道神思则远矣哉。试举"花边月饼"，以见一斑：

明府家制花边月饼，不在山东刘方伯之下。余常以轿迎其女厨来园制造，看用飞面拌生猪油子团百搦，才用枣肉嵌入为馅，裁如碗大，以手搦其四边菱花样。用火盆两个，上下覆而炙之。枣不去皮，取其鲜也；油不先熬，取其生也。含之上口而化，甘而不腻，松而不滞，其工夫全在搦中，愈多愈妙。[2]

知堂（周作人）曾评曰："若以《随园食单》来与'饮馔部'（按，即李渔《闲情偶寄》卷十二）的一部分对看，笠翁犹似野老的掘笋挑菜，而袁君乃仿佛围裙油腻的厨师矣。"[3]此语堪可谓定评。

结语

吾中国饮食文化精深博大，含蕴无穷，可以喻政治，体人生，参玄理，明道术，资博物，供品评。窃忖欲以哺啜家（今称美食家）名世者，当先具四质素。一者，识见广博，兼采并蓄。须味觉灵敏，足践四方，雅俗精粗，亲尝遍历。二者，腹笥稍丰，涉笔成趣。须读书多且杂，善言谈而有味，擅属文而能尽饮馔之趣。三者，穷达亨困，谙练世情。须命途有舛，曾经沉浮。若一生闲处于钟鸣鼎食之家，不知世间疾苦，终只是"何不食肉糜"之辈。四者，心境冲和，无欲之欲。须斥去功利，但求审美。若生意场上，官宴之席，心怀觊觎之念，情限尊卑之阻，

---

[1] [清]袁枚：《随园食单·序》，《袁枚全集》第五册，江苏古籍出版社，1993年。

[2] [清]袁枚：《随园食单·序》，《袁枚全集》第五册，江苏古籍出版社，1993年，第91页。

[3] 周作人：《苦竹杂记》，岳麓书社1987年据1936年上海良友图书出版公司初版校点重印本。

二、论文

纵炮凤烹龙，珍馐罗列，亦不免味同嚼蜡矣。

【文章来源】陶慕宁：《从"宋嫂鱼羹"到"花边月饼"——宋以来笔记所载饮食之文化情趣摭谈》，《文学与文化》，2013年第2期

25. 啖荔枝与东坡肉——苏轼诗文中的饮食文化

在中国乃至在世界，很难找到有如此多以一位作家、文人的名字命名的食品：东坡肉、东坡鱼、东坡方肉、东坡羹、东坡豆腐等；也很难找出一位写过20来首（篇）直接咏饮食的诗和散文的作家。

所以，苏轼（字子瞻，号东坡居士）的名字就格外引人注目。他对中国和对整个人类的贡献是大师级的，也突出地表现在他有关饮食文化的诗文上。无怪乎苏轼的文章在北宋中叶成为应第举子的必读课时，生员中流传着"苏文熟，吃羊肉；苏文生，吃菜羹"的谣谚。用饮食来形容读苏东坡文章的生熟程度，也是别有意味的。

"日啖荔枝三百颗，不辞长作岭南人。"苏轼《食荔枝》中的这一句是人们最熟悉的，人们用它来作赞美荔枝那神奇的魅力。确实，苏轼对荔枝是极感兴趣、十分赞赏的，他先后写过至少四首有关荔枝的诗，其内容除了欣赏荔枝的精巧美妙的形态、色泽和滋味外，更多的还是由荔枝引起的对社会、时代、历史的感慨、批判和议论。让我们来吟诵和鉴赏一下其中的一些精彩片段。

"海山仙人绛罗襦，红纱中单白玉肤。不须更待妃子笑，风骨自是倾城姝。不知天公有意无，遣此尤物生海隅。云山得伴松桧老，霜雪自困楂梨粗。先生洗盏酌桂醑，冰盘荐此赪虬珠。似闻江鳐斫玉柱，更洗河豚烹腹腴。我生涉世本为口，一官久已轻莼鲈。"这是《四月十一日初食荔枝》中间部分的诗句。作者将荔枝比作是海山仙人（因产于广南海滨），其外壳如大红棉袄，内皮如红纱的内衣，果肉莹白如玉。它无须等待杨贵妃的鉴赏，本具有倾国倾城的品格风采和漂亮身姿。荔枝像特别美的女子一样。它与松树、桧树一同生长，不像山楂、梨子因困于霜雪而味道粗涩。先生们小酌新酿的桂酒时，果盘中盛献的是如赤龙珠的荔枝。荔枝的美味好似煮熟了的蛤蜊一类的海味，更像烹好的河豚腹腴。我这一生渡世只为了一张口，为了求得一官，早已把乡土之念看轻了（莼鲈，指黄菜羹和鳞鱼脍。晋代张翰见秋风起，思念起吴中的莼羹、鲈鱼脍，便弃官归乡）。

二、论文

如果说《初食荔枝》基本还是赞美荔枝本身的品质与滋味,只是流露出些丝感慨和愁思的话,那么《荔枝叹》则完全是另一番主旨,文笔由优雅、亮丽变为沉重、灰黑,情感由轻盈、舒缓变得厚实、急切。请看苏轼的这一"叹":"十里一置飞尘灰,五里一堆兵火催,颠坑仆谷相枕藉,知是荔枝龙眼来。……永元荔枝来交州,天宝岁贡取之涪,至今欲食林甫肉,无人举箸酹伯游。我愿天公怜赤子,莫生尤物为疮痏,雨顺风调百谷登,民不饥寒为上瑞。……"诗的前半部,作者都是借助联想,抨击历史上汉唐两代不顾百姓死活而进贡荔枝的弊害,同时表达了关切普通人民生活疾苦的拳拳之心。省略的后半部是指斥北宋当代贵族官僚贡花贡茶争新买宠的卑劣可耻的行径。通篇的格调和主题,都使人想到唐代杜牧的"一骑红尘妃子笑,无人知是荔枝来"的佳句,只是更突出了苏轼对当时趋炎附势为奉养皇帝的口体之欲行径的揭露与鞭挞。"我愿天公怜赤子,莫生尤物为疮痏"与《初食荔枝》中的"不知天公有意无,遣此尤物生海隅",形成了强烈的对比,表现了作者以百姓为重而婉拒美味食品的高尚品格。

寄托类似情感的诗,在苏轼的即兴创作中较多。例如《得豌豆大麦粥》诗,就是在是年水旱之灾,作者过汤阴市所作:"逆旅喝晨粥,行庖得时珍。青班照匕箸,脆响鸣牙龈。"作者以此诗示儿,咏道时世之艰难与辛苦。

较有平民意识的苏轼,不仅有同情百姓之心,也有参与劳作、体验耕种生活的实践,虽然不过是种点蔬菜、吃点素食,但在名望颇大的当时,历任过多处地方官的这位士大夫身上,能表现出这一点,也并不容易,也正因如此,我们才能看到苏轼的多首咏菜诗。他的一首《种菜诗》,写出了他种了半亩菜,夜半解酒,撷菜而煮的感受。他觉得,虽然蔬菜味含土膏,气饮晨露,却是梁肉也及不上的。难怪后人题其庐为"安蔬"。他的另一首《春菜》诗,如《初食荔枝》一样,内容更为丰富,情感更为细腻。其中有对各类菜蔬形态的描绘:"蔓菁宿根已生叶,韭菜戴土拳如蕨,烂蒸香荠白鱼肥,碎点青蒿凉饼滑。"也有踏田和品尝采趣的摹写:"宿酒初消春睡起,细履幽畦掇芳辣。茵陈甘菊不负渠,脍缕堆盘纤手抹。"更有他由佳蔬生发的联想和对乡民生活的复归心态的抒发:"北方苦寒今未已,雪底波棱如青甲。……明年投劾径须归,莫待齿摇并发脱。"

当然,从总体上说,苏轼还不是个政治家,他只是个较关心政治、社会和时事的大文豪,所以,在他的饮食诗文中,大部分还是直接描绘烹调的技巧和

273

艺术、佳肴的美味和精致。"我生涉世本为口",是他的集中写照。《老饕赋》形象而具体地勾画了他作为美食家和烹饪者的一些独特的感受和实践。"庖丁鼓刀,易牙烹熬,水欲新而釜欲洁,火恶陈而薪恶劳,九蒸暴而日燥,百上下而汤鏖。"说的都是烹调的花样、器具的要求和厨庖的技巧。"尝项上之一脔,嚼霜前之两螯;烂樱珠之煎蜜,溜杏酪之蒸羔;蛤半熟而含酒,蟹微生而带糟,盖聚物之夭美,以养吾之老饕。"这说的是品尝各类食品的方法。苏东坡此诗后,许多文人雅士一涉豪饮和精馔,便自称为老饕。

在饮食上,苏轼有着三重的身份:美食家、烹调师和咏食文人。这三重身份又都在他的诗词上体现出来,当然有时又很难将三者截然分开。例如《菜羹赋》中,前面的一段序,讲的是菜羹的总体特征、品位,着眼的是烹煮方法:"东坡先生卜居南山之下,服食器用称家之有无,水陆之味,贫不能致,煮蔓菁芦菔苦荠而食之,其法不用醯酱,而有自然之味,盖易具而可常烹。"赋中前半部描述的也是菜羹的制作特点与手法:"汲幽泉以揉濯,搏露叶与琼根。爨铏锜以膏油,泫融液而流津。汤蒙蒙如松风,投糁豆而谐匀。"后半部则着眼于菜羹的甘美滋味和自己品尝后的感受:"助生肥于玉池,与五鼎其齐珍。鄙易牙之效技,超传说而策勋。""先生心平而气和,故虽老而体胖,……忘口腹之为累,似不杀而成仁,窃比予于谁欤,葛天氏之遗民。"(易牙是古代善烹饪的官员,葛天氏是原氏部落的名称)。

苏轼所歌咏的食品一般都是比较普通的,下层人民饮用的,但像上面这样的诗赋,总觉有点卖弄才华,用词造句较艰涩生疏,普通的老百姓是很难读懂的。苏轼另外的像《鳗鱼行》(鳗鱼即石决明,生于海岩礁间,肉鲜美)等咏食物诗,也存在同样的问题。但苏轼的诗文中被人们长久赞赏,较为通俗易懂、生动活泼的作品也不在少数,在他的咏食物诗中,较典型的是《咏环饼》《春菜》《食猪肉》等。

《咏环饼》是苏轼被贬官海南时所作。当地(儋县)有一老妇人,制作的一种形如玉环的饼,味道脆香可口,形态奇特。苏东坡写了《咏环饼》描绘了一番:"纤手搓来玉色匀,碧油煎出嫩黄深。夜来春睡知轻重?压匾佳人缠臂金。"平白中有优雅,叙述中含夸张,情趣盎然。前面举过的《春菜》诗也是类似的风格。

无论是饼也好,菜也好,都比不上东坡肉那么出名。苏东坡与猪肉的关系,真是有情有缘。他知道怎么吃,也知道怎么烧,美食家与烹饪师在这方面得到

二、论文

了完美的统一，诗文和传说也在这上面得以垂世。

先从东坡吃猪肉说起。他在杭州做官的时候，听说东阳猪肉的味道非常鲜美，于是就派差人到东阳县去买猪。这个差役是个酒鬼，买完猪，在回来的路上喝醉了酒，将东阳猪弄丢了。为了应付差事，他就在杭州附近买了几只猪回去交差。苏东坡发了许多请帖，请大家来品尝东阳猪，宴会上客人们吃着猪肉齐声赞道："东阳猪的肉的确美！""东阳猪肉比起杭州猪肉，又香又肥哩！"苏东坡举筷一尝，皱起眉头说："这怕不是东阳猪肉吧！"唤来差人，他还不承认，正好门口有人禀报，几个老百姓把逃走的东阳猪送回来了。这时，那差人才认了错。此后，大家更佩服苏东坡的美食水平了，而肉美味佳的东阳猪在国内也更闻名了。

与东坡吃猪肉几乎同时发生但流传更广的就是赫赫有名的东坡肉的故事。此故事大家都比较熟悉，这里就不详叙，只是想再强调一下，它是因为苏东坡任杭州太守时，亲自动手烧煮猪肉赠给修浚西湖的民工，故被人们亲切地称之为东坡肉。它实际就是红烧肉，但因用慢火煨制，酥而不腻，味道佳美，成为浙江的一道名菜。后来，苏轼被贬谪居黄州（现湖北省黄冈市），当地人不善烧制猪肉，他又将在杭州的烹煮专法加以推广，并作《食猪肉诗》一首以咏之："黄州好猪肉，价贱如粪土。富者不肯吃，贫者不解煮，慢着火、少着水，火候足时它自美。每日起来打一碗，饱得自家君莫管。"这首诗的语言平易得像顺口溜，"慢着火，少着水，火候足时它自美"，就成了烹煮东坡肉方法中的关键用词。

除了东坡肉外，还有东坡鱼，也有典故与传说，只不过没有东坡肉那么著名，但却另有一番滋味，这另一番滋味可从有关东坡鱼的两则解释和典故中品尝出。

东坡鱼的一种说法纯粹是从烹饪角度着眼的，据《饮食文化辞典》（张哲永等主编，湖南出版社1993年版）介绍说，东坡鱼即在"东坡肉"的制作基础上演变而来。制法是将活鱼刮鳞去肠洗净，在鱼身两面制成垄形花纹，并在刀花上插上葱段和姜片，再加上精盐和味精等调料，上笼蒸约10分钟后取出，去掉葱姜，再把冬菇片、冬笋片、火腿片等入锅，加上适量高汤和调味料，勾流水芡出锅，浇在蒸好的鱼身上即成。其味美可口，风味独特，是一道传统名肴。

东坡鱼另一典故则完全是一则文学和文化的创作。出自上面同一本辞典的这则故事是这样说的：一次，东坡好友佛印禅师知道东坡要来，就将西湖鲜鱼

275

洗净剖开，鱼身割了5刀，清蒸好放在磬里。苏东坡事后已知道了，却故意装作不知，叹口气说："我早上写对联，上联写好，下联却一直写不出。"佛印问他上联是什么。苏答道："向阳门第春常在。"佛印马上对了下联："积善人家庆有余。"苏哈哈大笑说："你磬里有鱼啊，拿出来吃吧！"佛印拿出鱼来，对苏东坡说："吃鱼不难，不过你要说出这鱼的名目来。"苏说："这不是五柳鱼吗？"佛印笑着回答："这不是五柳鱼，这叫东坡鱼，你看长长的、白白的鱼身，不是像你的长脸吗？那5道刀痕，不是像你的五柳长须吗？"东坡举筷一尝说："苏东坡吃东坡鱼，味道好鲜啊！"从此，"五柳鱼"又名东坡鱼，成为一道名菜，流传至今。

严格说来，这两则解说和典故有点矛盾，特别在地点上不相合，要考证准确和仔细，还有待于饮食文化专家和苏东坡研究学者的进一步努力。但因为东坡饮食内容太多，也许难以细究。

【文章来源】朱希祥：《啖荔枝与东坡肉——苏轼诗文中的饮食文化》,《食品与生活》，1999年第1期

二、论文

26. 《乡味杂咏》研究

摘要：《乡味杂咏》是目前尚未行世的一本描述 19 世纪前半叶杭州饮食生活的诗集。通对作者生平的考证，稿本的流传梳理，确认中国国家图书馆所藏的稿本确为施鸿保亲笔所书。现存《乡味杂咏》上卷收录美食 172 款，每款都以七言绝句记录，内容包括食材、烹饪制作方法、饮食风俗等。《乡味杂咏》是研究清中期江南社会生活，尤其是杭州饮食生活的重要一手资料。

关键词：饮食古籍；《乡味杂咏》；施鸿保；杭州美食

《乡味杂咏》是清末在外谋生的杭州文人歌咏家乡美食风味的一部手稿本。此稿本现藏于中国国家图书馆古籍部，只存上卷。《中国烹饪文献提要》[1] 未收录，《中国烹饪古籍概述》[2] 收录了这部著作，才使得《乡味杂咏》常被烹饪界提及。但因是国家图书馆馆藏孤本，从未点校印行，见过此书的人甚少。笔者多次利用赴京之机，每次抄录一点，前后几年去过六次，总算抄录完毕。

1 施鸿保其人

1.1 施鸿保著述

《乡味杂咏》的作者施鸿保（1804—1871），字可斋，晚年号榕甫，清代浙江钱塘人。施鸿保名不见经传，查阅大量同期文人作品，未见其名。施鸿保的著述有多种，但生前从未刊刻，遗稿流落四方，但还是有惜才之士收藏了其手稿，有些还付诸出版。《闽杂记》是最早刊行的一种。1874 年，会稽人朱埰到三山（福清）借到稿本，遂抄写，只抄到约三分之一处，就被藏家索回。回绍兴后，朱将抄本送申报馆作为申报馆丛书出版。[3]《闽杂记》原稿现在可能已佚。

施鸿保的其余书稿寄存于在福建当县令的杭州人宋湘亭手上，但宋湘亭也不久亡故。与张友鸾、张恨水被合称为"三个徽骆驼"的张慧剑（1906—1970）在 20 世纪 50 年代的杭州丰乐桥边的书肆里购得《读杜诗说》稿本，觉

277

得颇有价值，遂将其整理，交由中华书局于 1962 年出版。[4]

另据了解，施鸿保还有两部残存稿本存世，一部是《可斋诗钞》二十卷，有十六卷藏在广州中山大学图书馆，缺第八、十三、十四、十六卷，收诗 7000 余首；一部就是《乡味杂咏》，上卷存于北京的中国国家图书馆，下卷缺失。施鸿保的《春秋左传注疏五案》六十卷，以及《秉烛纪闻》十六卷，不知佚否。

1.2 施鸿保生平考

根据《闽杂记》正文前朱堄写的《施可斋先生传》，结合目前可见的施鸿保著述，可以大概地描述施鸿保的生平。

施鸿保，字可斋，浙江钱塘（今杭州）人。因为朱堄和施鸿保并不相识，关于施鸿保的事迹主要来自朋友所言，所以《施可斋先生传》里并没有给出施鸿保的出生日期。在《可斋诗抄》[5] 卷首，有施鸿保自撰的《自题三穷民图》，后署"同治三年甲子六月望后九日钱塘施鸿保自识于福建仙游县幕时年六十有一"。同治三年即 1864 年，其年施鸿保 61 岁，而古时人说虚岁，杭州本地人至今仍爱用虚岁，因此推测施鸿保生于 1804 年，即清嘉庆九年。

施鸿保兄弟三人，他排行最小。三岁丧父，寡母辛勤抚育。嘉庆庚辰（1820）四月，施鸿保应童生试，被当时任浙江杭嘉湖道的林则徐拔擢为"童生第一"，另外加赠手书对联"是故君子诚之为贵，夫惟大雅卓尔不群"[6]。道光壬午（1822），在湖上德生庵读书备考，道光甲申（1824）录取为生员，即中秀才。后又经考试取得廪生，享受廪膳补贴。

道光壬辰（1832），彭芝楣督学江南，修复诂经精舍，选高材生 36 人肄业，施鸿保是其中之一。但施鸿保十四次乡试，均告铩羽。施鸿保无奈放弃科举，1844 年，到江西从事幕府。1845 年后一直在福建作幕。其平生的爱好只有读书、写作。只要听说有秘籍善本，必借观之。在寓居福州东南大儒陈恭甫（1711—1874）家时，为其藏书倾倒，"手摩口诵，之语头面俱黑，人传为笑，先生夷然不顾也"。

同治辛未（1871）三月，在泉州往福州的旅途中，施鸿保因病客死他乡。因无子嗣，由乡人宋湘亭殓葬。

二、论文

2《乡味杂咏》其书

2.1 稿本的确定

检视国家图书馆所藏《乡味杂咏》[7]，首页自序署名旁钤一篆字阳文方印"施鸿保印"；第二页目录亦有署名，上钤篆书阳文方印"可斋"，下钤篆字阴文方印"施鸿保印"。在名号上钤印，是作者的手稿的可能性很大。

另施鸿保有两稿本被有心人点校出版，其中《读杜诗说》[4]扉页上也有手稿影印。中山大学藏有《可斋诗抄》的稿本。将《乡味杂咏》《读杜诗说》《可斋诗抄》的字迹放在一起比较，基本可断定笔迹是同一人，也就是作者施鸿保所书写。

《乡味杂咏》存在作者大量删改的痕迹。一般的抄本即便写错，也只是简单涂抹重写。改动字句一般是文字作者所为。如《凉生白酒》条："香客归来带醉迟"，原句是"香客归来栗盈肤"，其中"栗盈肤"改作"带醉迟"，后面又把解释"栗肤，本苏诗注"划去，在天头上改作"栗肤，见《飞燕外传》"。如不是作者所为，很难做这样的改动。可以看出，解释的修改是作者在第一次誊抄时发现用典有误而为。而诗句的修改则时间上在后，因为修改完诗句，并没有把诗句中删除语句的解释一并删除。可能在第二次修改时，作者着重于文本的重点诗句的修改，而对后面的注释应随着正诗的删改而同时删除并没有太为在意。

由上述可以确定，国家图书馆所藏《乡味杂咏》确是施鸿保手书的稿本。

2.2 稿本的流传

《乡味杂咏》稿本前有施鸿保自己写的两条序，从第一条序署"咸丰八年戊午夏六月可斋自识于闽县署之蔗亭"可知，该文稿初写于1858年，地点是当时其作幕的"闽县署之蔗亭"，即今天的闽侯县城甘蔗街道。第二条序署"咸丰十年庚申秋九月仙游县署雪鸿重印室可斋载识"，这时文稿基本完成，时间是1860年，地点在仙游县署。也就是说，此书稿成书于1858—1860年间，写作历时两年多。

在检视《乡味杂咏》稿本时，发现末页上钤篆书印一方："长乐郑氏藏书

279

之印"，这是我国著名藏书家郑振铎 (1898—1958) 的藏书印。据郑振铎藏书编辑的《西谛书目》中，有"《乡味杂录》一卷，清施鸿保撰，稿本，一册"[8]，由此看来，《乡味杂录》乃《乡味杂咏》之误。至于郑先生何时何地如何将《乡味杂咏》收入囊中，在郑振铎的《西谛书话》里并无记载。

《乡味杂咏》的稿本上，发现数条不同于施鸿保字迹的批注，在"老菱"条批上了日期"光绪戊子"，即 1888 年；在"家乡肉"条批："鄙意'家乡'当是'加蒩'之误。若别于金华之谓，不应于杭州本乡作此名。""鱼"条批："岂当时杭城少此物耶？"可以看出，批注者是杭州本地人，熟悉杭州及周边风俗，并且在 1888 年读过此稿。批注多数署"二南"，有一条署"胡"，难道是一个叫胡二南的人？

根据"二南"署名，我们大胆推测此人可能是王二南 (1853—1931)。郁达夫曾为王二南作传，因为二南是其妻王映霞的祖父。王二南是杭州人，七岁时，随在福建沙县作幕的父亲王六平读书。王二南的父亲王六平和施鸿保既是同乡，又同在福建作幕，相识的可能性极大。王二南"廿一岁时……一生功名潦倒的开始。其后十余年中丧母丧父"，"虽则所入甚微，但先生却葬了双亲"。[9]这段文字说明其父去世在母后，也就是王二南三十多岁的时候。据此推测，很有可能是施鸿保直接把这本写家乡美食的"游戏之作"交给了同作幕府的同乡王六平。王六平去世后，二南见到父亲收藏的稿本，在 1888 年阅读并批注。那么在"鲜虾子"条的批注中为什么署"胡"呢？王二南夫人姓胡，且批注为"磨锡箔'磨'字似应作'摩'，未知当否？胡识"，更像是一种转述语气，应是转述其夫人读书时的一种疑问。王二南 1931 年去世，郁达夫曾翻捡他的遗箧，其遗物非常有条理性。有可能这时《乡味杂咏》手稿落入郁达夫之手。而这时郁达夫与郑振铎交好，[10]更有可能转赠给了大藏书家。

至于《乡味杂咏》稿本下卷流落到何处不得而知，或已佚失。

3《乡味杂咏》的文本

3.1 写作缘起

施鸿保在序里道出了其写作的目的。人都要靠吃饭活下去，虽然年轻的时候家里穷，吃过的东西不多，但和一些饱学之士交往，也见识过一些。离开家乡到福建已十余年，每当想起家乡杭州的吃食，都会口舌流涎。把家乡的风味记录下来，抽空翻阅，也相当于精神会餐了。

详细记录吃食的文字，如果从一个久居杭州的人手上写出来，在当时的文人圈子里如果是少量有趣的，还能获得同侪的喝彩，如果是大量这样的文字，可能会失之无趣，毕竟"熟悉的地方没有风景"。施鸿保久居福建，朋友圈是福建的文人，一来验证了那句"家乡的美食最可解思乡之情"的真谛，二来可以在同乡中传阅博得思乡者的喝彩，三来使得福建文人对于杭州的美食心生向往。

3.2 食物种类

现存《乡味杂咏》上卷收录食品 172 款。每款食品都以七言绝句记录。按照施鸿保的说法，刚开始写的时候，仅百首左右，后来随忆随咏，多到三百余首。因此分为上下两卷。上卷收录的食品基本上是福建没有的，或者福建有制法但和杭州不同。如果杭州、福建都有，做法也一样的，就放到下卷，而且不再分类。

上卷的食品，稿本里并没有用文字明确分类，只是把相近的食品放在一起。本文把此稿本的食品试分为这么几类：

茶酒 3 款：虎跑水龙井茶、生白酒、凉生白酒。

饭食 2 款：焖饭、菜饭。

畜肉菜 8 款：家乡肉、腌猪头肉、猪头肉火烧饼、东坡肉、湖羊、羊汤饭羊杂碎、芝麻羊肉鲞炜羊肉、肉鲊。

禽蛋菜 8 款：鸟腊、烧鹅烧鸭、热锅块鸡、黑油鸭蛋、九熏、蝙蝠鸡、桶鸭、酱鸭酱猪蹄。

水产菜及其他 26 款：醋搂鱼、春笋炒土布鱼、鞭笋穿虫儿、糟青鱼青龙白虎汤、鱼生、鳝鱼、乌骨甲鱼、雪里蕻煎鲳鱼、水鲝潮鲝鳓鲝、鲻丁儿、鲚儿鲝、毕剥鲝、淮蟹、醉蟛、火撞煨蚌肉、土蚨、鲜虾子、菜卤螺蛳、海蛳、蚬肉、熏田鸡、海鲜、糟小鱼、面糊勒鲝面糊虾、蚕茧、鲦鱼。

蔬菜 40 款：莼菜羹、长梗白、油菜薹心菜、黄芽菜、果子雪里蕻、荠菜、马兰头、蒿菜、水芹菜、腌冬菜、霉干菜、苋菜根、香椿干、瓢儿菜、润板青、敲扁豆儿、醉毛豆、豇豆炒肉、寒豆、煮熟豆儿、兰花豆、烘青豆、炒红葡卜丝、酱小萝卜、萝卜干、园笋、猫儿头、白晡鸡、黄头儿、青笋尖、鞭笋、笋衣笋油、素火腿、菉笋丝、烧芥菜、酱莴苣、腌小茄儿、糖醋拌紫芽姜丝、青菜瓜、

281

酱烧核桃。

豆制品 11 款：冻豆腐、盐粽搂豆腐、豆腐渣、酒脚腐乳、臭腐乳、千层包、霉千层、糖烧面筋、五香干茶干、黄豆腐干回汤豆腐干、风干豆腐干。

面条 3 款：清汤面、凉拌面、雪里蕻笋丝面。

点心 38 款：面老鼠、馄饨、羊肉馒头、蟹馒头、松毛包子、烫面饺、水饺、挂粉汤团、青白汤团、钮儿汤团、芝麻团、蓑衣饼、月饼、松花撞糕、回炉烧饼、南瓜饼、空壳烧饼金刚蹄、软锅饼、侧高饼、年糕、蒸粉鸡蛋糕、栗糕、寿字糕、木糕、蒸儿糕、黄条糕枣糕、乌饭糕、水晶糕、茯苓松子糕、雪花糕洗沙糕、丁头糕、状元糕、喇吗糕、如意卷、饭团儿、水粉、素烧鹅、倭缠麻花儿。

街头小吃 8 款：藕、糖芋艿、毛芋艿、糖炒栗子、老菱、现炒白果儿、鸡头豆、油炒瓜子。

水果 20 款：紫葡萄、沙果花红、寿星桃夫人李、糖梅梅酱、虎爪儿、方柿火柿、水团儿羊官枣、酥梨、杨梅、紫钵盂、刺菱儿、永嘉柑、王菱肉、风菱、枇杷、樱桃、衢橘、风干栗子、枣儿瓜香瓜、洋王瓜。

干果 5 款：梅食儿、榄仁、葱管糖椿儿糖、石花、不焦。

3.3 内容

既然是"乡味杂咏"，首先是乡味，对象是 19 世纪上半叶杭州市面上流行的美食；其次是杂咏，表现形式是七言绝句的歌咏。然而诗歌是语言凝练的艺术，用限定的字数表现纷繁复杂的饮食生活，难免丢失许多信息。如果仅是诗句，那可能就是作者留作孤芳自赏的压箱底之作了。但作者还是有强烈的文人气质，在诗后有大量的文字注释，较为详细地描述杭州风味食品的状况，其实是为潜在的读者考虑。

3.3.1 食材

3.3.1.1 动物性食材

畜肉食物主要提到的是猪肉和羊肉。猪肉是主要的动物性食物，除加工出东坡肉、家乡肉外，猪头肉也是年节祭祀常用之物，九熏摊上有猪肚、肺、肝、酱猪蹄，未见提猪心、肠等。湖州出湖羊，湖州有秋冬吃羊肉的习俗，羊汤饭直到今天还是杭州特色美食，冬天有羊血卖，但芝麻羊肉、鳖炜羊肉现在已不见。牛肉未见提及，因衙门以保护农耕为名禁止食用。

二、论文

禽类里鸡、鸭、鹅均有，鸡为"食补之王"，也是出现最多的动物食材。烧鸭烧鹅即今日之烤鸭烤鹅，另外市场上还有桶鸭酱鸭。当时环境多未遭破坏，一些野生禽类餐桌上也未缺席。

水产食材种类繁多，江南水乡自产的鱼虾本来就多，还有海鲜和外地的河鲜运进来。

3.3.1.2 植物性食材

笋是杭州人一日不能少的食物，惟其产量多，价格便宜，因此稿本中提到的笋菜众多。稿本提到的蔬菜基本当今还在食用。但今日最常见的番茄、土豆尚未在此稿本出现。

瓜有冬瓜、菜瓜、南瓜、黄瓜、香瓜等，西瓜只提到从北方运来西瓜子。

菌菇类有香菇、木耳。

果品有葡萄、李子、杨梅、柿子、枣、梨、永嘉柑、枇杷、樱桃、衢橘等。

豆制品种类繁多，有豆腐、冻豆腐、油豆腐、油灼豆腐条、臭豆腐、豆腐渣、千层等，还有豆腐皮制作的素烧鹅。豆腐干就有许多种。

3.3.2 制法

清中期，杭州菜肴烹制法已多样。炒多次出现，如春笋炒土布鱼、豇豆炒肉、炒红萝卜丝等。蒸是江南保持食物原汁原味的一种重要方法，有蒸粉鸡蛋糕、清蒸甲鱼、蒸苋菜根，很多传统的点心要蒸，河鲜保持原味也要蒸。水煮的食物较多，炸制的食物较少，只提到素火腿要油炸。卤制的食物大多在市场出售。烧菜也较多，但烧鸭烧鹅实为"烤"，就像北京今天还有人把烤鸭叫做"烧鸭子"，是习惯叫法，即便是当时的清宫御膳也是把烤鸭叫做"烧鸭子"。熏制的食物在街上摆摊卖，所谓"九熏摊"，烧木屑熏制的有鸡、鸭、猪肚、肺、肝及鱼、蛋、田鸡等，但实际不止这九味。夏天也有凉拌菜，甚至于鱼片也可生吃，这对外地的人来说可谓是"惊世骇俗"之举。

3.3.3 风俗

《乡味杂咏》稿本还展示了清中期杭州饮食风俗的画卷。试举几例：

八宝菜：将红萝卜、豆腐干、千层、冬笋、香菇、木耳、金针菜、油灼豆腐切丝同炒，是除夕的团圆筵必备。今杭州仍有此俗。

讲到月饼，当时杭州有五仁、细沙、玫瑰、椒盐、水晶、干菜、火腿等十余种。而三场乡试也安排在中秋日，点名时，每名给月饼三个，号"三元饼"，都是

283

细点心店做的。当官者发的是以红糖黄豆粉为馅的月饼,因为不好吃,多带归家,分给儿童。

在"酱烧核桃"条,提到杭州人吃素的习俗。杭州人吃三官素,有大三官,正月、七月、十月要吃三个月;有小三官,每月的初一、初七、初十、十一、十七、二十、廿一、廿七、三十共九天。

稿本中还有采用鱼内脏作食材的杭州的青龙白虎汤记载:"青鱼食螺蛳,故号螺蛳青。冬月买长三四尺者,破洗微腌,加酒糟封坛中,夏日蒸食,其肠、肺等煎煮豆腐,名青龙白虎汤,亦俗所尚。"

"猪头肉火烧饼"条则生动地再现了当时的饮食生活图像,其诗云:"大东门切蔡猪头,荷叶摊包不漏油。带得褚堂火烧饼,晚风觅醉酒家楼。"其后的注释为:"猪头以红曲烂煮切卖。大东门蔡家最有名。缪艮消夏诗及之,首句即其诗也。火烧饼,捍面迭三层,内糁椒盐,面上加白芝麻,就炉烘熟。刀破其半,嵌肉食之,亦可佐饮。凡卖熟食,多以荷叶包,夏则鲜者,冬则枯者。大东门近东城,地名,褚堂亦地名,有昭忠祠祀唐褚遂良,去大东门半里许。"杭州大东门猪头肉在清末叶非常有名,从以下与施鸿保同一时代的诗作窥见一斑。乾嘉年间人周绍蕙《杭城消夏词》:"残霞绮丽火云收,吟侣谈心大白浮。学做鄙人差有味,大东门切蔡猪头。"乾嘉年间人姚思勤《大东门市熟脯者称蔡猪头戏而作歌》:"长鬣大耳肥含膘,嫩荷叶破青青包。市脯不食戒不牢,出其东门凡几遭。下蔡群迷快饮酒,大嚼屠门开笑口。鹅生四掌鳖两裙,我愿亥真有二首。"丁立诚(1850 — 1912)《大东门猪肉》:"大东门口传蔡家,市脯独以蒸豚夸。三日三夜无绝火,烂煮割鬣头颗颗。脑满现出寿字文,莹然红玉罗膻荤。日过屠门养口腹,艮山更买萧羊肉。"[11]从施鸿保的描述中更能看到,火烧饼夹猪头肉无异于古代中国的"汉堡包"。

4 结语

《乡味杂咏》在当时可能只是对日常生活的描摹,并不稀奇,然而近二百年后的今天再看,这本书是研究清中期江南社会生活,尤其是杭州饮食生活的重要一手资料。作者以亲身体验饱含深情地写下了170多款美食,其可信度远比道听途说、辗转抄袭要高,更真实生动。在很多同时代的人笔下也有类似的描述，更加证实了其真实性。但我们所见毕竟是稿本，作者毕竟是手写体，有些字比较模糊，不易辨认，有些用字不规范，如"鸡"字，时而作"鶏"，时而作"雞"，甚至在同一条中也出现两种不同写法。另外，也有作者的主观臆断，如有名的高邮咸鸭蛋，作者认为是"膏油"："膏油，黄中凝脂也，俗误作高邮，遂谓高邮州人制者尤佳。"事实上，确实是"高邮州人制者尤佳"。但瑕不掩瑜，如果《乡味杂咏》能点校刊行，必为饮食史研究增添一份不可多得的珍贵资料，也为餐饮业界继承杭州的饮食非物质文化遗产，挖掘杭州老味道提供一手参考依据。

参考文献

[1] 陶振纲．中国烹饪文献提要 [M]．北京：中国商业出版社，1986．

[2] 邱庞同．中国烹饪古籍概述 [M]．北京：中国商业出版社，1989:175．

[3] 施鸿保．闽杂记 [M]．上海：申报馆，清光绪四年 (1878)．

[4] 施鸿保．读杜诗说 [M]．上海：上海古籍出版社，1983．

[5] 施鸿保．可斋诗抄 [M]．稿本．中山大学图书馆藏．

[6] 施鸿保．闽杂记 [M]．福州：福建人民出版社，1985:64．

[7] 施鸿保．乡味杂咏 [M]．稿本．中国国家图书馆藏．

[8] 北京图书馆．西谛书目·子部谱录类 [M]．北京：北京图书馆出版社，2004．

[9] 郁达夫．王二南先生传 [M]// 达夫散文集．上海：北新书局，1936:277-290．

[10] 陈福康．郁达夫与郑振铎的交往和友谊 [J]．新文学史料，2007(1):126-136．

[11] 丁立诚．武林杂事诗 [M]．杭州：嘉惠堂藏版，光绪庚子年 (1900).

【文章来源】何宏、赵炜：《〈乡味杂咏〉研究》，《美食研究》，2018年第 1 期

27. 民国时期杭州素食研究

摘要: 民国时期,杭州素食极富特色。因经济原因,下层市民多以素食为主;僧尼和道士形成的庞大人群,也延续着上千年来的素食习惯;民间的宗教信仰者和修行者的素食已经成为一种自觉。因此,杭州出现了一些专门供应素食的餐馆,这里的素食精致、繁盛,更为世俗化。

关键词: 民国时期;杭州;素食;饮食文化

1 劳苦大众"被"素食

据 1931 年统计,杭州人口总数为 523569 人。农民(以实际从事耕种的为限)占总人口的 12.35%,工人占 16.45%,商人占 11.28%,教育者占 0.54%,自由职业者占 0.2%,公务人员占 1.54%,其他占 5%,失业者 (1.1 万人)与无业者 (26.6 万人,包含家庭妇女、老弱、学生、无业游民及僧人道士等)占 52.64%。[1] 生活在杭州的 90% 以上的人口处于中下阶层。对于大多数底层民众来说,满足基本生存的需求是当时主要的需求,收入基本上都用以购买食物。大致来说,在二十世纪三十年代初,杭州一般男性工人(非技术工)的月收入大约为 15 元,一般女性工人为 12 元。"而当时最差的晚米 1 斤也需要近 0.1 元。据 1930 年的统计,杭州市每斤白米价格在 0.16 元左右,一般布匹的价格在每尺 0.8 元左右,猪肉的价格在每斤 0.31 元左右。"

杭州号称"鱼米之乡",而《杭市府月刊》载,"1928 年共销鱼类 1244700 斤,1929 年据《杭市社会经济统计概要》载,共销鱼类 1154520 斤,杭市人口 40 余万,平均每人年合 3 斤左右。鹅与鸭也为杭州市民所喜食,(至亲死后百日,过年等类,均送鹅、鸭等物;浙俗食鹅者众)而 1928 年宰鹅之数,与鸭等,各合 36503 只,不到每 10 人 1 只。1928 年共宰猪 26801 只,每月计宰猪 2233 只而强,每只平均 80 斤,共销肉 178673 斤,年均每人半斤。"[2] 从以上数据可以看出,当时杭州下层的收入主要用以购买食物,其中主要是粮食。

二、论文

由于荤食较贵，他们在日常生活中只能被迫以素食为主。

2 寺庙（观）素食

杭州在宋时已被称作"江南佛国"。到民国时，寺庙林立，繁盛一时。弘一法师李叔同在《我在西湖出家的经过》中写道："杭州这个地方，实堪称为佛地，因为那边寺庙之多，约有两千余所，可想见杭州佛法之盛了。"[3]民国著名作家郁达夫也感叹地说："杭州西湖的周围，第一多若是蚊子的话，那第二多的当然可以说是寺院里的和尚尼姑等世外之人了。……你若上湖滨去散一回步，注意着试数它一数，大约平均隔五分钟总可以见到一位缁衣秃顶的佛门子弟，漫然阔步在许多摩登士女的中间。"[4]

据 1932 年统计，杭州市共有僧尼 3298 人，其财产有：田，4634 亩 6 分零 7 毫；地，389 亩；山，3457 亩 6 分；荡，305 亩；房屋，145 所，计 437 间；凉亭 5 座，戏台 2 座，楞严坛 1 座。此外，尚有寺院 676 所。杭州僧尼众多，大型的寺院设有香积厨。香积厨有专门的火头、饭头、菜头、水头、碗头、柴头、茶头、炭头、炉头、锅头等僧。小型的寺庵自己开火做饭。[5]

佛家对饮食有几个独特的重要观念：一是食为药观。佛家不但把药叫做药，饮食也叫药，一切食物通称为药。原因在于佛家认为，我们头痛、眼肿、肚子胀等种种痛苦，称之为病，治疗病苦的是药；同样，肚子饿是饥病，饮食能治疗之，当然可以称为药了。二是素食观。佛家"素食"包括不吃荤腥两类食物，荤是指葱、蒜、薤、韭、兴渠等 5 种刺激性很强的植物，腥是指肉食。三是斋观。所谓斋，佛家是指"午前食"的意思。佛教信众都坚持过午不食的规定，称之为"持午"，也就是吃斋。如果在中午后吃饭，就叫做"非时食"，戒律是不允许的。但对大多数人来说，每天都"午后不食"是有困难的。于是佛家便规定了六斋日，每个月的初八、十四、十五、二十三、二十九、三十为吃斋日。

带发修行的居士及女居士在饮食上略可宽宥。佛家弟子的素食在蛋和奶上是有分别的，即不吃蛋，可喝奶，只是中国传统食物结构中并不饮乳。有些居士虽是素食，却也吃蛋。1925 年，陈学昭记有"这个庵里只有两个尼姑，一个五十多岁，一个三十多岁，是带发修行的，并不绝对吃素，像鸡蛋这类东西，她们是吃的"[6]。即便是八月十五，尼姑庵里的伙食也是简简单单："一盒素火腿，一碗酱油汤，一盆豆芽菜与雪里蕻"。[7]

"在西湖游山的人，随地可以见到庙宇，也就随时可以进入禅房。最少，可以喝一杯用本山茶叶新泡的好茶。需要进餐时，也可以随时嘱咐准备素斋。因为沿途的庙宇很多，走累了就随时可以有地方休息，并且有茶、有面、有菜、有饭。所以游山，真是并不费力，也更不费事"[8]。当然这是有钱人才能得到的享受，因为庙宇里的饭菜虽然不直接出售，但一般需布施。其中，烟霞洞的素菜久负盛名。烟霞洞的盛名是在清同治、光绪年间，有一僧人名学信，不仅文才出众，还有一手烹调手艺。烟霞洞在他主持下，一时文人如陈豪、俞曲园等都乐于与他相交，而更多的游人是慕名这里的素菜、素面而来。每逢客至就餐，不论面菜，学信都亲自下厨。他圆寂后，徒弟金复三，人称"金和尚"，实是避世修行的居士，也善蔬肴，直至二十世纪三十年代末，烟霞洞的素蔬，在西湖享有盛名。当时的西湖游览书上说："西湖诸寺多备素菜，以烟霞洞之僧厨为最著，价亦极昂，四碟六碟，须酬三四元或五六元，盛馔更无论矣。次如灵隐、风林、云栖、理安则稍减"[9]909。涧园主人从北京到杭州旅游，路过金复三修行处，"主人留饭，亲自烹饪，均是素菜，极是精美"[10]。但想必涧园主人地位尊贵，且花费不少，才有如此待遇。除烟霞洞外，风林寺、虎跑寺的素菜也很出名，"本来没正价的，随施主们打发，不过四碟六碟，须三四元或五六元之数"[11]。

城内不少尼庵，主持的尼姑都能烧出各种好素菜，为酬谢施主，开筵劝酒。据说一席之费，有时要超过荤菜筵席。所以一般老饕，有时虽然要垂涎三尺，也不敢轻易前去问津。[12]

道观里的素菜也有出名的。玉皇山福星观的李道士于抗战前后在山上开设素菜馆，也非常有名。1946年初夏，蒋经国邀当时的上海市长吴国桢同游玉皇山，在山顶福星观品尝了素筵，大约素菜味美宜人，蒋经国当即乐助1000元，吴国桢也捐助了500元，帮助福星观维修及维持日常开支。[13]

3 市民素食

受到佛教的影响，杭州家庭妇女中信佛的人较多。虽不常年吃素，但是每逢初一、十五要食素三五天，最多达7天。每逢二月十九、六月十九、九月

二、论文

十九观音香期还有"观音素"。二十九日观音菩萨生日甚至成为杭州一个不成文的"素食日","杭人茹素者殆十家而九"[14]。七月三十被认为是地藏菩萨的生日，信佛者要吃"地藏王素"。

道教节日，杭州许多人也会吃素。正月初八是玉皇上帝诞日，这天吃素的人多。六月初一至初六，要吃六皇斗素。九月初一是斗姆星君诞辰，杭州人在九月初一至初十持斋茹素，称"九皇素"。另外，上元（正月十五）、中元（七月十五）、下元（十月十五)3日，都是斋期，杭州妇女多吃所谓"三官素"。

比较独特的是杭州人还要在四月二十四这天天帝圣诞日吃"朱天素"。朱天帝，又称为朱天君，朱大天君，实是明末崇祯皇帝的隐蔽说法。明亡，杭州的遗民恐触犯清廷的忌讳，故隐约以为表示。四月二十四日实为崇祯三月十九日自缢煤山的五七祭日。民国时供奉朱天帝的庙宇不止一处，以下城仓桥香火最盛。葛岭上的抱朴道院内也供奉朱大天君。塑像为手执一环，象征自缢之环；长发盖面，是因崇祯死前在衣襟上留下了这样的话："朕死，无面目见祖宗，自去冠冕，以发覆面。"

与此相类似的是，三月十九日，杭州人要为太阳菩萨过生日，这一天也要专为此吃素的。三月十九日是明崇祯皇帝自缢煤山的日子，故江南遗民纪念之。但怕清政府追究，假言太阳菩萨生日，防止触犯清廷。时间久了，又未明言，很多人不知其起源，还真以为是所谓太阳生日[15]。

还有一个全民食粥的日子，即腊月初八日，农历十二月初八是佛陀成道纪念日，俗称"腊八节"，在佛教称"法宝节"。杭城市民以胡桃、松子、莲子、枣儿、芡实、桂圆、荔枝等煮粥，馈赠亲友，叫腊八粥。喝腊八粥起源于南宋，本为僧家斋供之品，名曰七宝五味粥，民国时期市民阶层还延续着过去的习俗。

发生旱灾时，府衙官员要向灵隐、天竺进香祈雨，必须事先3天沐浴斋戒，以示对神明的虔诚敬意。民间子女诞生后，有的吃3年"报娘恩素""报爹恩素"，有的认为"八字"不好，要吃3年素，以修下世。另有年老体弱者也往往素食。

过去的昭庆寺，专为有钱人死后开吊时做功德道场，一日、三日、七日不等，在规定时间，亲戚朋友都要送礼吊唁，类似追悼会，但没有一定的追悼仪式。开吊之日，主人都要备办素席，接待来宾。有时一餐竟有上百桌的。

4 素食餐厅

289

由于杭州历来寺院众多，素食影响民间。南宋作为京城的杭州，出现了不少素菜馆、素食面店，当时供应的素菜已十分丰富。清末民初，西湖四周素菜馆不下几十家。除天竺、灵隐、虎跑、净慈、六和塔各寺院、房头办有斋堂与素食店外，寺院周围也有民办的素食。但寺院周围的素食一般卖得较贵，还经常"宰客"，杭州话称"刨黄瓜儿"。民国初年洪如嵩偕友游灵隐，就食于饭馆，有一段对"宰客"精彩的描写[16]。因寺院周围的素食卖得贵，因此在当时的旅游指南书上都会提醒游客"出游时自带干粮及热水壶，只进市镇茶食饮茶解渴，不可在寺观品茗进餐 (烟霞寺之素餐尤贵)，因寺观每人一杯茶需二角，一餐饭需一元也"[9]。

寺院周围的素菜给梁实秋留下深刻的印象。"究竟笋是越鲜越好。有一年我随舅氏游西湖，在灵隐寺前一家餐馆进膳，是素菜馆，但是一盘冬菇烧笋真是做得出神入化，主要的是因为笋新鲜"[17]。谢国桢 1943 年到杭州访书，晚上也曾一个人在韬光庵山门外的小饭铺里，吃了一碗素菜，一碗竹笋汤，吃得"别有风味"。

市区著名素食店有功德林、素春斋、素香斋、素馨斋 4 家。

功德林历史悠久，为标准素食处。功德林位于延龄路 (今延安路) 与平海路交叉口龙翔桥邮局的楼上。经营素菜，代表菜：银丝卷。功德林店堂布置清洁，价目稍昂。功德林由佛教居士钟康侯所主持，股东都是居士、和尚和尼姑，可以承办素席，蔬食中的精美菜肴都仍仿荤菜命名。例如素鱼翅是用上等络笋精制的，素火腿、素烧鹅，则用豆腐皮所制，素食中主要辅料，就靠豆腐、麻油与味精这三样东西。"其实这里的素菜未必好，他是重用豆芽汤和味之素出名的。"[11]1928 年 7 月，鲁迅乘夜班火车从上海到杭州。13 日晚上，川岛请鲁迅及友人到功德林吃饭。鲁迅通常不愿意到素菜馆吃饭，但那天鲁迅吃了还说那些素菜做得好，尤其称赞那碗笋油清炖笋干尖[19]。

杭州有名的素菜馆还有"三素斋"之称誉的素香斋、素馨斋、素春斋，均位于延龄路上，为杭城道地素菜馆。另外位于三元坊的浙一处的素面也颇有影响，其冬菇笋面有名[16]。

素香斋创建最早；素春斋则始于 1919 年；素馨斋稍晚。这三家素菜馆三足鼎立，各有绝招。新中国成立后，只有素春斋保留了下来。素春斋烹制以鲜嫩、清淡、略甜、爽滑见长的无锡、扬州风味素菜。在扬、锡风味的基础上又融入杭菜特色，形成了独有的烹调特色，尤其"以素托荤"的素鹅、素鱼、素翅等，形象逼真，精于调色，香味诱人，鲜嫩软糯。"以素托荤"是将素菜做成荤菜模样，这样可以吸引更多的非素食者光顾，使得原本为素食人群准备的素菜趋于精致化、世俗化。

参考文献

[1] 建设委员会调查浙江经济所统计科．杭州市经济调查（下）[R]．1932：645-647．

[2] 童振藻．浙民衣食住问题之研究[M]．杭州：木砚斋，1932：20—21．

[3] 弘一．我在西湖出家的经过[C]//名人笔下的老杭州．北京：北京出版社，2000：390．

[4] 郁达夫．玉皇山[C]//名人笔下的老杭州．北京：北京出版社，2000：328.

[5] 干人俊．民国杭州市新志稿[C]//杭州市地方志资料（第一二辑）．杭州：杭州市地方志编纂办公室，1987：238.

[6] 陈学昭．天涯归客[M]．杭州：浙江人民出版社，1980：20．

[7] 陈学昭．白云庵[C]//名人笔下的老杭州．北京：北京出版社，2000：162．

[8] 阮毅成．三句不离本杭[M]．香港：未来中国出版社，1993：140．

[9] 陆费执．实地步行杭州西湖游览指南[c]//西湖文献集成（第10册）．杭州：杭州出版社，2004．

[10] 涧园主人．游杭日记[M]，1925年写本，中国国家图书馆藏．

[11] 王兰仲．小说的杭州西湖指南[M]，1929：48．

[12] 韩祖德．杭州旧话[C]//杭垣旧事．杭州：杭州出版社，2001：194．

[13] 宋宪章．集前人大成创杭系名肴[C]//民国时期杭州．杭州：浙江人民出版社，1997：237．

[14] 钟毓龙．说杭州[C]//西湖文献集成（第11册）．杭州：杭州出版社，2004：488-611．

[15] 赵世瑜．狂欢与日常[M]．北京：生活读书新知三联书店，2002：297.

[16] 范述祖. 杭俗遗风 [M]. 洪如嵩补辑. 杭州：六艺书局，1928：107-108.

[17] 梁实秋. 笋 [C] // 雅舍谈吃. 济南：山东画报出版社，2005：88.

[18] 谢国桢. 西泠片羽 [C] // 名人笔下的老杭州. 北京：北京出版社，2000：548.

[19] 钦文. 鲁迅在杭州 [C] // 鲁迅在杭州. 杭州：《西湖》文艺编辑部，1979：8.

【文章来源】何宏：《民国时期杭州素食研究》，《扬州大学烹饪学报》，2011 年第 4 期

二、论文

28. 民国时期杭州人的餐桌

摘要：民国时期杭州人的餐桌和现在的状况有较大的不同。每日三餐中，十之七八的市民通常以一粥两饭为多；至于贫民，则以玉米、荞麦果腹，腌萝卜皮下饭。笋、鱼、咸肉是民国时期杭州及其周边地区普通居民喜食的菜肴，普通蔬菜、豆制品也是杭州人餐桌上的日常食品，时而餐桌上也出现一些"洋菜"等。杭州人食牛肉、羊肉与猪肉相对较少。杭州的一些家庭还自制果脯、汽水等。

关键词：民国时期；杭州；餐桌；食品

饮食生活是经济、文化、政治的缩影。民国时期杭州居民的饮食生活是怎样的？他们是如何进行吃饭这一日常最普通不过而又必不可少的生活的？我们试图通过探究民国时期杭州人的餐桌，来还原民国时期普通的杭州居民的饮食状态。

1 饭食

民国时期的杭州，居民中贫富差异很大。每日三餐中，通常以一粥两饭为多，占市民十之七八。一粥两饭，即早餐用泡饭代粥，中晚餐吃米饭。大户殷实，兴眠不能按时，多食两点两饭。穷苦之家，则食两粥一饭，但为数甚少[1]136。杭州商界，民国初时尚俭。每月初二、十六两日膳菜始有肉，故有"初二、十六，店官吃肉"之说。米店、钱庄一日必三饭。米店旧习如此。钱庄多绍兴人，还保留着绍兴早晨也吃米饭的习惯。菜肴以两荤两素最普遍。三荤三素只在银行业有。出苦力的泥木工人整日工作，多是一粥三饭，早中晚三餐之外，下午三点食粥一顿。

至于贫民，则以玉米、荞麦果腹，腌萝卜皮下饭。以一根油条两个大饼过一日的，为数也不少。赤贫者常因工作不定，奔波终日，有时到饭馆用便饭一餐，所挣的零钱便所剩无几，每日辛劳，还不能自己填饱肚皮，更不要提养家了。

293

我们主要看看以一粥两饭为主，占杭州人口十之七八的普通市民的餐桌。

杭州人早晨吃的一般是泡饭。《梦粱录》里就有"其士人在贡院中，自有巡廊军卒赍砚水、点心、泡饭、茶酒、菜肉之属货卖"[2]。可见杭州人吃泡饭至少在南宋时就有了，而且是在科举考场上所卖，与点心、菜肉并列，当属不错的食物。所谓泡饭，就是早上起来把头晚吃剩或故意吃剩的冷米饭用开水一淘，弄一锅不像饭也不像粥的食物。要是赶时间，通常也就免了加热的程序，借着开水的温度，配上些腐乳、酱菜或者油条。民谣说："冷饭头儿茶泡泡，霉干菜儿过一吊。"意思是泡饭配霉干菜。

不吃泡饭的地方对吃泡饭有很深的误会，说泡饭饭不像饭，粥不像粥，给人以苟且、寒酸的印象，究其原因，基本上是由"隔夜饭"以及"开水泡"所造成的。但对于江南人而言，泡饭却是早晨的美味。隔夜的冷饭一旦被早晨第一壶滚烫的开水泡醒，非但全无粥的那种黏糊和缠绵，反而条理清晰。食之，虽不可谓醍醐灌顶，也有大梦初醒的感觉。当然，要获得这种愉快的感受，须做到心中无饭，亦不可有粥。泡饭不是粥，也不是饭，这就是泡饭，泡的就是饭。这主要是生活习惯的问题，生活习惯有地域性的差异。

中餐、晚餐也着重在饭，而不在菜。杭州粮食以米为主，用米煮饭，籼米较为普通，而蒸谷米饭档次高一些。蒸谷米是以稻谷为原料，经清理、浸泡、蒸煮、干燥等处理后，再按常规稻谷碾米加工方法生产的大米制品，稻谷经水热处理后，皮层内的维生素、无机盐类等水溶性营养物质扩散到胚乳内部，增加了蒸谷米的营养价值，在米饭干烂程度相同的情况下，出饭率比同等质量的白米高出37%—76%。蒸谷米由于经过浸泡、蒸煮、烘干等水热处理，外观与普通米大不一样，呈现浅黄色，但蒸谷米的售价相对较昂。用机器加工的米由于脱壳干净，颜色白，在三十年代盛行一时，用机白籼米做出的饭，甚至俗称"神仙饭"[3]。家庭烧煮干饭前，习惯在米中铺以"饭娘"（冷饭），既节约大米，又能使饭松香软。

从霜降开始到次年清明，有些富贵人家煮每顿饭时必放一两只大萝卜，煮时将大萝卜一切为二，合在饭上，使其汁水流入饭中，据说可以防止冬季感冒、喉痛、咳嗽。饭后还要喝一碗不放任何调味品的橄榄萝卜汤，医书上称之为"青龙白虎汤"，据说也来自中医古方，与饭里放萝卜有同等功效。

在铁锅里做米饭，锅底很难刮净。饭盛完后，锅底留有一层米饭。这时候

二、论文

会在灶里添上一点柴草，让火苗不要着起来，用灶底的余热把锅底的米饭炕焦，称为"锅焦"，即锅巴。杭州的小伢儿非常喜欢把锅焦当做零食来吃。

小伢儿吃饭，碗里不可留剩饭粒，饭粒也不可落在桌上地上，否则男伢儿将来会娶麻脸媳妇，女伢儿会嫁个麻脸丈夫。杭州人就是通过这种方式教育后代要爱惜粮食的。

2 菜肴

杭州人极喜欢吃笋，几乎到了"无日不笋，无食不笋"的地步。春夏之交食春笋，夏秋食鞭笋。鞭笋是从土中掘出的竹根的旁支。十月以后，则食冬笋。各种荤素菜肴也加笋为配料。这与杭州周边产笋极多而且价格较廉有关。梁实秋的母亲是杭州人，梁实秋回忆小时候在北京"最爱吃的一道菜，就是冬笋炒肉丝，加一点韭黄木耳，临起锅浇一勺绍兴酒，认为那是无上妙品——但是一定要我母亲亲自掌勺"。"笋尖也是好东西，杭州的最好。在北平有时候深巷里发出跑单帮的杭州来的小贩叫卖声，他背负大竹筐，有小竹篓的笋尖兜售。他的笋尖是比较新鲜的，所以还有些软。肉丝炒笋尖很有味，羼在素什锦或烤麸之类里面也好，甚至以笋尖烧豆腐也别有风味。笋尖之外还有所谓'素火腿'者，是大片的制炼过的干笋，黑黑的，可以当做零食啃。"[4]88

可见笋对于杭州人的重要性和杭州人对笋的钟爱以及烹调加工的上乘水平。琦君家里的饮食水平在杭州可算高的，她提到家里面的日常菜肴有：冬笋炒鱼片、干菜焖肉、虾米炒芥菜[5]。可见"无日不笋，无食不笋"并不是句虚话。

其他各种常吃的蔬菜有油菜、蚕豆、白韭菜、青韭菜、苋菜、大蒜、包心菜、莴苣、辣椒、茄子、豇豆、毛豆、丝瓜、火白菜、南瓜、冬瓜、青黄瓜、葫芦、甜菜、四季豆、菠菜、蒿菜、茭白、萝卜、秋大蒜、黄芽菜、大白菜、芥菜和黄豆芽等。豆制品也是家庭里的普通食品，有豆腐、豆腐花、豆腐浆、豆腐干、豆腐乳、千层、豆皮等十几种，在杭州人食品中所占比例之高，与笋相等[1]136。鱼则喜食黄鱼、青鱼、草鱼、土步鱼、鲞鱼、带鱼。鲞鱼、带鱼均为咸鱼。土步鱼又名沙鳢、塘鳢，产于小池塘中，价格较廉，外地人吃起来嫌这种鱼泥腥味太重。江南许多地方都有土步鱼，但没有哪一个地方的人像杭州人一样似乎对土步鱼特别情有独钟。可以说，土步鱼是杭州人吃的具有代表性

295

杭州全书·杭帮菜文献集成

的极具地方特色的鱼类。清代文人陈璨写了一首《西湖竹枝词》："清明土步鱼初美，重九团脐蟹正肥，莫怪白公抛不得，便论食品亦忘归。"[6]诗中所提到的"白公"，即唐朝著名诗人白居易。长庆四年（824）春天，白居易在杭州任刺史，期将满时，写了一首题为《春题湖上》的诗，最后两句是"未能抛得杭州去，一半勾留是此湖"。陈璨的竹枝词将"白公"对杭州的留恋惜别，引渡到对清明步鱼、重九湖蟹的喜爱而忘归，这尽管不是白公的原意，却也有些道理。杭州人袁枚的《随园食单》中也记有："杭州以土步鱼为上品，而金陵人贱之，目为虎头蛇，可发一笑。肉最松嫩，煎之、煮之、蒸之俱可。加腌芥作汤、作羹尤鲜。"[7]85杭州人夏曾传为《随园食单》所做的《补证》中也有："土步鱼以正月为佳，其肉固鲜，而其腮旁肉结两枚如棋子大者，味尤隽妙，惜未有单取此物作羹者。"[8]131杭州人做土步鱼有多种做法，如"春笋烧土步鱼""酱烧土步鱼""象牙土步鱼""土步鱼烧豆腐"等都是杭州人餐桌上常见的菜式。杭州人还喜欢用土步鱼做羹：把土步鱼洗净后切成两三段，再把春笋切丝作辅料，配些胡萝卜增色，经过一番煮、焖、勾芡后，一道色香味齐全的"春笋土步鱼羹"就可以大快朵颐了。杭州毕竟是江南水乡，吃鱼的方法很多，鱼丸就是杭州人喜食的食物。"做鱼丸的鱼必须是活鱼，选肉厚而刺少的鱼。像花鲢就很好，我母亲叫它做厚鱼，又叫它做纹鱼，不知这是不是方言。剖鱼为两片，先取一片钉其头部于木墩之上，用刀徐徐斜着刃刮其肉，肉乃成泥状，不时的从刀刃上抹下来置碗中。两片都刮完，差不多有一碗鱼肉泥。加少许盐，少许水，挤姜汁于其中，用几根竹筷打，打得越久越好，打成糊状。不需要加蛋白，鱼不活才加蛋白。下一步骤是煮一锅开水，移锅止沸，急速用羹匙舀鱼泥，用手一抹，入水成丸，丸不会成圆球形，因为无法搓得圆。连成数丸，移锅使沸，俟鱼丸变色即是八九分熟，捞出置碗内。再继续制作。手法要快，沸水要控制得宜，否则鱼泥有入水涣散不可收拾之虞。煮鱼丸的汤本身即很鲜美，不需高汤。将做好的鱼丸倾入汤内煮沸，洒上一些葱花或嫩豆苗，即可盛在大碗内上桌。当然鱼丸也可红烧，究不如清汤本色，这样做出的鱼丸嫩得像豆腐。"[4]99

杭州人喜欢吃咸肉，咸肉在杭州叫"家乡肉"。袁枚的《随园食单》提到："杭州家乡肉，好丑不同。有上、中、下三等。大概淡而能鲜，精肉可横咬者为上品。放久即是好火腿。"[7]60《随园食单补证》引《药鉴》："家乡肉金华属邑俱有之，秋即腌，给客贩入省城市卖，其肉皮白肉红，鲜气香美，不似他处腌猪肉色少鲜泽也。但一入杭城店便加硝卤，投缸中，浸透，然后出售。不尔则肉味淡反不美。而秋时暖，不渍透硝卤易臭腐也。"[8]75

杭州人徐珂编撰的《清稗类钞》有："家乡肉，一作加香，又作佳香，盐渍之猪肉也。出金华者良。冬日上市，杭人每煮而片切之。以其汁煮白菜亦甚佳，亦有加笋煨之者。"[9]咸肉是采用东阳、义乌两县交界的"东阳花猪"肉制作。杭州的家乡肉既有从金华及所属各县直接运来的，也有从东阳、义乌两县交界处的农村收购农民自宰的猪肉，用船运回杭州，在自设的工场内加工的。杭州人食牛肉、羊肉与猪肉相比相对较少。食用牛肉的习惯在民国以后渐起，以前中国农业社会有惜牛传统，只有老牛才会宰杀，肉质较粗，烧煮起来费柴，因此多不愿食用。羊肉食用倒是颇具南宋遗风，相比其他江南地区，杭州在秋冬吃羊肉的风气颇盛。冯亦代（1913—2005）的祖父在嘉兴盐公堂当师爷，退休后回到杭州后市街老宅。冬天，每天要喝一两盅五加皮或虎骨酒，冯亦代回忆儿时在放学途中每每要给祖父带白切羊肉[10]。

菊花开时，杭州人多喜食蟹。秋风起后，无肠公子满街满巷，皆标为嘉兴南湖大蟹，实则多来自附近水乡，不可能尽为南湖蟹[1]136。冬天天冷，蔬菜少而且贵。杭州人要在初冬开始"踏冬菜"。在冬至节半月之前，买白菜数百斤，洗净晒干，用盐腌于大缸内，约需半月之久，即可食。腌菜之法：凡菜一层，铺盐一层，须用人踏，故名"踏菜"。冬至开缸，先请神及灶司，然后切菜花炒肉片作享[11]。切菜花炒肉片未必家家都做，但无论贫富，家家都要腌冬菜，一来是因为冬春蔬菜供应品种数量都偏少，二来杭州人会根据冬菜腌得好坏来占卜新的一年的运气。冬季每餐必有一碗腌菜，既可以生吃，也可以用来炒冬笋或煎鱼。春季则用雪里红菜腌制，用来炒小蚕豆、豌豆，都其鲜无比。多余的腌菜晒干就成霉干菜，几年陈的霉干菜据说还可以治喉痛，所以常有人寻来做药。

杭州菜虽说以清淡、鲜嫩为主，但也不排除肥浓，有的还有特殊风味，比如有一种菜叫腌笃鲜（"笃"即"炖"，意思是用文火炖）。所谓"腌"是指咸肉，而"鲜"就是新鲜猪肉。把咸肉和新鲜猪肉加上冬笋或春笋一起用文火炖，就成了腌笃鲜。腌笃鲜混有三种配料的鲜味，这是杭州的独特做法[12]270。

杭州还有一种做蹄髈的方法，做出来的蹄髈叫"水晶蹄髈"。做水晶蹄髈不能用长江以北产的猪，因为江北猪太瘦。一定要用百斤以上的大猪，皮薄膘厚。

猪肉以文火清炖，加入葱、姜和上等黄酒，亦可配以笋嫩头，增加鲜味。火候到功时，只要用筷试之即可。水晶蹄髈的肉酥嫩不韧，入口即化。煮时还须注意让汤水略多，因鲜腴滋味，半在汤中也[12]271。

青鱼可以晒成青鱼干，在店里买得到。将青鱼干用茶籽油浸入坛内，过一年以上取出蒸食，鱼干色如琥珀，油润而酥。也可把青鱼干放在甜酒酿中浸半年，取出蒸食，鱼肉甜而酥，也别有风味[12]270。

杭州的一些家庭还自制果脯。梅子上市时，可以用一只瓷缸，把梅子切成块，放入瓷缸内，一层白糖，一层紫苏叶，一层茭白片，装满一瓷缸。然后用丝绵包在缸上面，放在太阳里晒一个月左右，缸内的梅子就变成碧绿，茭白则变成雪白，而紫苏却变成血红，真是又好吃又好看，这种糖食名叫"梅舌儿"。清朝大诗人龚定庵也是杭州人，在他的《己亥杂诗》（1839）中特别提到"杭州梅舌酸复甜，有笋名为虎爪尖"，就是指"梅舌儿"，可见由来已久[12]268。

除了梅子可以做梅舌儿，金橘、红果也可以做果酱和果脯。金橘买来之后，用小刀在皮上割出条纹，放在开水中泡几分钟，再把里面的酸水和核挤出，放在黄铜锅内加水少许，和入冰糖，与金橘同煮，煮到汤浓皮软就成。金橘酱吃时香甜带酸，老人食之开胃通气。红果也可做果酱，或用冰糖熬成一颗颗的糖红果，作甜品吃。据说，红果还有降血压的功效[12]268。

杭州市民家里的大学生会利用在学校里学到的知识，自己制造"荷兰水"，即汽水。高阳（1926—1992）还是小学生的时候，就喝到过家里大学生自制的"荷兰水"。用特别制造、内有一粒玻璃珠的厚玻璃瓶，灌以冷开水，加上小苏打、糖精等等，产生气体，自动将玻璃珠顶起来封住瓶口；到喝时，用筷子将玻璃珠戳了下去，倾水入杯[13]。

3 普通人的餐桌

首先看一下普通的杭州人餐桌上的饮食：陈树周民国初年在杭州省长公署当收发员，月薪16元大洋，收发兼文书，1916年未被裁撤，但亦未被提升，可谓绝无仅有。其月薪一直是16元大洋，如不精打细算，一家四五口可能将无米下炊。

除柴米油盐之外每日菜钱只能是16枚铜元（100枚合1元），一月约合5元。

二、论文

柴米油盐及每日买菜由衙门工友邱公公帮忙，邱公公是同乡，其差事由陈树周见引荐，其余家务全由其夫人料理。多年以后，他们的孩子回忆起他们在杭州的饮食生活，有苦也有乐："凡是新鲜好菜，一菜三吃是娘的习惯，中心烧汤，中部单炒，下脚则腌了自己吃。……伯长年在外工作，不免有应酬。到了过年，伯就在家请客。娘开菜单，邱公公采购，临时再请一位工友，烧锅端菜。通常是先上四碟冷盘，再上四个热炒，中间是一道点心，就是娘做的百宝饭或细米白果橘子羹，比'聚丰园'的还好看好吃；再是四道大菜和汤，是鸡鸭鱼肉和莼菜清汤，饭前又是两碟小菜，席散人人赞不绝口，说伯请的是'聚丰园'的大师傅呢。我们小时候没有空调。每逢炎夏伏暑，伯就会买两担西瓜，放在大厅西间画桌底下，再买一斤台湾生产的洋菜，是一种半软半硬洁白透明比挂面长一半的植物，用红丝扎成小把捆在一起很是好看。娘每次用一小把在开水里煮，溶化后倒入容器，再放在大木盒里不断用冷水降温，使其凝固。吃时切成小方块，加适量的酸醋白糖，是很好的冷饮。

"我们一天吃西瓜，一天吃洋菜，降温消暑。每逢礼拜，邱公公来，娘就让他捡一个大西瓜，用篮子沉到井底，吃时更凉爽。夏天的下午实在闷热，娘做不动事，就上楼休息。一条大大的席子铺在中间楼板上，放两个枕头靠着南窗，一小杯外婆做的杨梅酒和一小碟笋豉豆，另有几条咸香糕。"[14]

再看一看杭州周边农村里的餐桌。越剧《何文秀》里有一段唱词："第一碗白鲞红炖天堂肉，第二碗油煎鱼儿扑鼻香，第三碗香芹蘑菇炖豆腐，第四碗白菜香干炒千张，第五碗酱烧胡桃浓又浓，第六碗酱油花椒醉花生。白饭一碗酒一杯，桌上筷子又一双。"《何文秀》故事背景虽说是明代嘉靖年间，但编剧却是在民国时期，里面提到的菜肴是民国时期杭州及其周边地区普通居民常吃的菜肴。唱词中所提到的花生，原产于南美洲，是在嘉靖稍晚的时候传入中国的，而且开始时种植并不普遍。晚清和民国时期，花生已经从"洋"食物蜕变成一身"土气"的本土食物了。可见，唱词虽然把故事背景放在了明朝，但反映的却是民国时期的饮食状况。不过，这只是在一年中最隆重的祭祀时出现的最高水平的菜肴，切不可把这当成农民饮食的常态。

年幼的夏衍住在杭州城外的严家弄，那里如今已是杭州的闹市区了。他虽然出身于一个日趋破落的富户家庭，但还是记得儿时杭州城外"难得吃到肉，但是小鱼和虾，是可以很便宜地从乡下孩子手里买到的"[15]。这还是方圆几里

299

的富户，那些为了换些铜板，把捞上来的小鱼、小虾出卖掉的乡下孩子，恐怕连小鱼、小虾都难得吃到，他们的家庭还得等他们手里的铜板积攒稍多一些，来换食盐和其他必需的日用品。

杭州农民的饮食生活状况，除自耕农还能勉强自给外，其余佃农、雇农终岁勤劳，收获的农产品除交租外，实在不足温饱。因此杭州农村的男子在农闲之际必再找挣钱的门路，女子除做饭、养蚕之外，甚至有像男人一样荷锄耕地，从事农业生产的。即便这样，仍然是饮食粗粝，衣服破敝。日常必需品，除盐必须购买，其余全由农产中供给，生活极为简单。据浙江大学农学院在20世纪30年代初的调查，皋塘、会堡一带的农村，每个农户每年平均支出393.44元，其中饮食占62%，穿着占22%，交租占8%，肥料占5%，其他占3%。每个农户花在吃上要240多元，保守估计，每个农户五口人，每人每月4元钱，除了粮食而外，几乎没有其他食物。这样穷苦的生活还能死撑活挨，缘于把命运的不公归于上天的安排，因此迷信之风盛行，其实也是一种精神的解脱[1]266—267。

参考文献

[1] 建设委员会调查浙江经济所统计科. 杭州市经济调查 (上)[Z]. 杭州：建设委员会调查浙江经济所，1932.

[2] 吴自牧. 梦粱录 [M]. 杭州：浙江人民出版社，1980:10.

[3] 建设委员会调查浙江经济所统计科. 杭州市经济调查 (下)[Z]. 杭州：建设委员会调查浙江经济所，1932:608.

[4] 梁实秋. 雅舍谈吃 [M]. 济南：山东画报出版社，2005.

[5] 琦君. 琦君散文 [M]. 杭州：浙江文艺出版社，1994:211.

[6] 陈璨. 西湖竹枝词 [M]. 杭州：丁氏正修堂刻印，光绪戊子 (1888):6.

[7] 袁枚. 随园食单 [M]. 北京：中国商业出版社，1984.

[8] 夏曾传. 随园食单补证 [M]. 北京：中国商业出版社，1994.

[9] 徐珂. 清稗类钞：第十三册 [M]. 北京：中华书局，1986:6435.

[10] 冯亦代. 绿的痴迷 [M]. 北京：大众文艺出版社，2000:19.

[11] 范述祖，洪如嵩. 杭俗遗风 [M]. 杭州：六艺书局，1928:27.

[12] 高诵芬，徐家祯. 山居杂记 [M]. 海口：南海出版公司，1999.

二、论文

[13] 高阳．高阳杂文 [M]．海口：海南出版社，1997:36．

[14] 陈亚先．杭州头发巷一号 [M]//老照片：第25辑．济南：山东画报出版社，2002:106-115．

[15] 夏衍．懒寻旧梦录 [M]．北京：三联书店，2000:11．

【文章来源】何宏：《民国时期杭州人的餐桌》，《扬州大学烹饪学报》，2013年第2期

29. 民国时期杭州西餐研究

摘要： 在对杭州西餐历史回顾的基础上，考察了民国时期杭州西餐业经营状况，人们对于西餐的态度，分析了西餐文化对杭州饮食的影响。

关键词： 西餐；民国；杭州；饮食史

西餐是中国人对欧美各国菜肴的总称。西餐曾被称为"番菜""西菜""大菜""大餐"等不同的名称。"番菜"自然带有某种贬义，因为在传统中国人看来，"番"即西方，因为中国居于世界的中心，是中央之国，周边的其他国家和地区一般被说成是"夷""蛮""胡"或"番"，所谓"番菜"即西餐。

一、杭州西餐历史回顾

西方人从马可·波罗那里知道了杭州，但马可·波罗是否到过中国在学术界是有争议的，至少在他的游记里没有提到杭州人对西餐的好奇。从南宋开始，已经有一些西方人到过杭州，但是否吃西餐而使一些杭州人也见识过他们的食物，我们不得而知。1611年，意大利神父郭居静（1560—1640）在杭州建立传教所，结识李之藻、杨廷筠、张赓虞等一批明朝官员。郭居静到杭州传教时先后住在李之藻、杨廷筠家里，交往如此之近，极有可能让这些人领略过西餐的风味。[1]85 也许他们就是最早接触到西餐的杭州人。

清末，杭州已经开始有西餐供应。开设于十九世纪九十年代初的聚丰园也兼售西餐。"聚丰园西式菜，山珍海味，外洋格式。西人吃者俱多。有人试之要熊掌一味，银价须五十多两。楼下亦卖华菜。（又三元坊添一品香）"[2] 西餐初入杭州，杭州人并不能接受，还是以在杭州的外国人或是来杭州游览的外国人为主要顾客。当然光靠卖西餐看来生意并不好，因此是华洋兼顾。这则史料还有一个信息，就是当时三元坊还有个名叫"一品香"的西餐店，"一品香"是晚清时期上海西餐名店，甚至出现在《海上繁华梦》等以上海为背景的晚清小说中。虽然上海的"一品香"非常有名，但看来三元坊的"一品香"生意并

二、论文

不兴旺。

西餐在晚清时就进入杭州，其中受到上海的影响很大。清末，上海的西餐馆已较普遍。和上海相比，杭州对西餐的接受程度显然要保守许多。但杭州一来是富裕的浙江省省会；二来距离上海并不远，尤其是1909年沪杭铁路开通后，更是加快了两者之间的交流；三来作为旅游城市，餐饮市场面对形形色色的外来客人，也有一定的需求。

二、民国杭州西餐

1918年时，杭州售西餐的就有：协顺兴（新福缘路）、大利公司（城站路）、福利公司（迎紫路）。[3]729 位于西湖边、葛岭下的新新旅馆，是当时为数极少的"涉外"旅馆，接待外国人较多，"饮食一项，既备中西"。[3]724

1929年西湖博览会开幕前，为宣传杭州旅游，有一本《小说的杭州西湖指南》以小说的形式介绍杭州的衣食住行，对当时杭州的西餐状况有细致地描绘[4]17—18。

菊侬道："杭州大菜，还是杭州新市场协顺兴好一些，究竟是老牌子，不会走绸儿的。"焕如道："如今新兴的大菜馆，什么延龄路、迎紫路的玛丽哩，劳伦斯哩，福禄寿哩，湖滨的天真消闲社哩，青年路的女子职业社哩，多得海外，又有仁和路新开的新利查，规模较大些，女子职业社，而今又开着，不招盘了，其中好丑不一。地点便些，还是天真消闲社。其次还是青年会，不过没有烟酒卖的。另外还有迎紫路的粤家香，是广东人开的点食铺，也能做菜。其余亦家香、十里香、异家香这些，无非是冰店的变相：那捧盘盏，侍巾栉的，都是些二八妖女，醉翁之意不在酒，和上海的神仙世界仿佛，倒也别有风趣的。另外如新新旅馆、西湖饭店等，也聘请厨司，中西餐也都可口。"说到这里，旁边有个乘客接口道："而今大一些的旅馆，大都有大菜可叫，就是新兴的汪庄，也都有房间座头，酒菜兼卖。"焕如道："我曾闻人说，净慈寺相近，有个新兴的汪庄，兼售西菜，却未曾去领教过。"

二十世纪三十年代初，杭州的西餐业总体营业规模颇大。规模最大的首推

303

杭州全书·杭帮菜文献集成

延龄路协顺兴，每年营业额在 6 万元以上，位居当时杭城第二。

表 1　1931 年杭州西餐菜馆 [5]292—294

字号	地址	性质	职员数	资本额（万元）	营业额（万元）	备注
协顺兴	延龄路	独资	20	0.5	6.8	西菜兼售西点及罐头食物
天真	湖滨路	独资	15	0.4	3.2	西菜
五朵云	延龄路	合资	21	0.4	3.2	杭菜兼营西菜，已歇业
劳伦斯	延龄路	独资	13	1.1	3.1	西菜，夏季兼售冰淇淋

1932 年青年路开设中央西餐社，规模较大。抗战以后，以蝶来饭店、久隆西餐社 [6]54 最著名。蝶来饭店是陈小蝶在杭州西湖风景区葛岭山麓西泠桥凤林寺旁开设的。正面是两层楼，后面依山而上，盖了三层楼，飞檐翘角，典雅古朴，走廊宽阔，庭柱粗大，漆上了朱红，一派东方建筑风格。内设 32 个房间，布置豪华，陈设高雅，旅客一进大门，即有清雅艳丽的感觉。这里背山面水，空气清新，景色迷人。店内盆花满架，旅客一进房间，几疑置身仙境，远离尘寰。蝶来饭店设有中餐、西餐两部分，请的都是上海师傅，共有 40 多人。做西餐的名厨有严承标、胡宇永等 7 人；中餐名厨有 10 余人，无论中餐西餐，都是色香味形俱备的，备受旅客赞赏。[7]443

但和上海相对"正宗"的西餐相比，杭州的西餐显得并非那么纯粹，是所谓的"中国式西菜"。烹调投味，虽适中国人的胃口，但本地人多不欢迎。故此项营业称未称发展。价目有点菜、公司菜之别。公司菜大都自七角起至二元，光顾者大都是外来人物为多。[8]111

让我们看一张新新旅馆 1930 年元旦的新年晚宴菜单：

汤：冷冻番茄清汤，菠菜奶油汤，中式面条汤

开胃小菜：水榄，黄瓜片，嫩芹

主菜：面包配烧汁，炸奶酪球，栗子结力（果冻）

土豆类：爱达荷州焖土豆，蘑菇土豆派

蔬菜类：深扒茄子，奶油烩豌豆，熏油炒刁豆

面包：晚宴面包，全麦面包

二、论文

沙拉：新年沙拉

饮料：薄荷露酒，鲜榨啤酒，酸奶

甜品：冰镇盒蛋糕，南瓜馅饼，格司布丁，橘子，托考伊葡萄，果仁巧克力

菜单里甚至有"中式面条汤"，可见这是一个迎合中国人口味的"中国式西餐"的菜单。对于西餐，杭州人如何看呢？当时的沪杭铁路上就有西餐，而长期从事农耕生产的中国人对西餐中常见的牛肉忌讳莫深，当时以西湖旅游为背景的小说就借农民阿美之口说："大菜里有牛肉，牛是种田人的祖宗，万万吃不得。"[4]17 施蛰存也感叹即便是茶食店里，真正的中国风的茶食也愈来愈少了。茶食店里可以买到的都是朱古律、葡萄干、果汁牛肉之流的东西，洋化的上海固然如是，中国本位的杭州也未尝不如是。[9]446

外国人对杭州的西餐也未必看好。1925 年 7 月，德国同善会传教士卫理贤(Richard Wilhelm) 到杭州旅游，他对西湖边西式旅馆的看法颇有意思，其中也提到了西餐：

将一个丑陋的上海兵工厂式的宾馆设在西湖边上，这实在是一个拙劣的想法，而事实上又并非独此一处。这些现代外来工业的阴暗色调经常侵犯一些天然美景，因为他们往往是以一种居高临下的高级文明形式而出现的。由工业展销会、青年妇女协会等组成的生活宾馆公司，在湖边建了一座粗俗的建筑。经过一个小时的雨中漫游，黄包车终于将我们送到了这座"最现代的宾馆"。这是个二流的宾馆，我们在东方受到了西餐的招待，而卫生条件却不敢恭维，饭菜味道也不尽人意，这难道就是西湖，传奇和神话的天堂？背后的工厂烟囱并不比莱茵河边的好到哪里。[10]124

而新中国成立后独领杭菜西餐独领风骚三十多年的海丰西餐社，在民国时期仅是一个以经营广东茶点为主的茶楼，老板是广东海丰人，因此命名为"海丰茶楼"，开设在延龄路上，以经营广式早茶为主。在民国的资料上没有记载。只是在 1956 年公私合营后才开始经营西餐。[11]585

西餐对于杭州人而言，是一种全新的饮食方式，开始时并不习惯，只是"间而往食"。中西方饮食之间存在着较大的区别。在口味方面，西餐都是火烤的

305

牛羊鸡鸭肉，非酸辣即腥膻，不合中国人的口味；在饮食方式方面，西人分食，华人聚食；由于大多数杭州人对西人的饮食规矩十分陌生，因此在餐桌上不免窘态百出。但时间久了，亦就渐渐习惯了。民国时期请吃西餐已成为杭州人与朋友应酬、谈生意、谈政事的一项常规节目。

三、西餐对杭州饮食的影响

西餐业在杭州迅速发展，产生了重要的影响，表现在以下几个方面。

（一）促使了杭州饮食业的多元化

杭州是一个移民城市，接受外来文化的能力较强。杭州又是一个旅游城市，游客来自全国甚至世界各国，菜系种类繁多。自成体系的西餐为杭州增添了浓郁的异国情调。杭州饮食市场的传统格局是中国地方名产荟萃的一统天下。不管是作坊、饮食店、饮食品，还是食品加工人员，都是地道的"国货"。但是自 19 世纪末期，西餐馆等"舶来品"，渐渐地出现在杭州饮食市场上，最初的大型餐馆聚丰园就增设了西餐，成为中西餐皆备的时髦"饮食店"。杭州饮食市场的传统格局被打破了，西方饮食成为杭州饮食市场的一个有机部分，杭州人的饮食观念也悄然发生了变化，食用西洋食品已经不算稀奇，过生日买西式糕点、点蜡烛庆贺者也非凤毛麟角。

（二）影响了传统的饮食方式和餐制

中国传统的饮食方式是聚餐制，无论是宴会还是家庭进餐，均是大众杂坐，把食物放在桌子的中央，供人们共食。而西餐是人各一器的分食。有人比较中西的餐制后认为，众人在一个盘里取而食之的方式并不卫生，于是倡导折中的"中菜西吃法"，即以中国之菜，仿西餐吃法，也用刀叉等餐具分食。此外传统的餐制是早、中、晚三餐，也有只吃中、晚两餐的。但到民国时期，一些旅馆常参照西式分为五餐制。最早为牛奶、饼干；八九点钟是早餐，有煎蛋、麦粥、炸鱼和咖啡等；中午为午餐；傍晚有小食；夜里才是富丽的大餐。西餐传入后，传统的宴席制度也有所改良。传统的宴席制度为"一席之间，水陆珍馐，多至数十品"。西方饮食传入后，中国知识界参照中西宴席的规格，用中菜组成新式的"改良宴席"，在席面布置、菜点品种和数量、上席顺序、食用方式等方面集中西特点于一身。整个宴席，菜肴、点心、水果不过十五六种，有的中菜如牛肉丝炒洋葱等还改为热炒冷吃。

（三）完善了食品卫生及餐馆管理制度

民国时期杭州颁布的有关公共卫生的法规涉及食品、屠宰等方面。1936年，对各饮食店食物制作空间的设计作出规定，并予以核查。"以本市各茶酒菜饭馆之炉灶概设于店屋之前部，颇不雅观，应予改良，请本府以后对于各饮食店店屋构造，应将厨房规定在屋之后部等语，本府当以本市饮食店之开设，大都租用普通市屋，临时安设炉灶，其建筑房屋时送审图样，确定为饮食店者，系属少数，故仅从店屋构造方面取缔，恐鲜成效，经另行规定办法。嗣后市内开设饮食店，其厨房之地位及布置，须经本府工务卫生两科审定后，方得向社会科领照营业，当将此意函复该会，并训令省会公安局转饬所属一体知照。""以本市各酒菜馆对于厨房清洁素多忽略，有妨顾客卫生，经提干事会议决定，厉行饮食店厨房之清洁，除函请贵府卫生警时加检查，并印制请顾客先行参加厨房而后入座之标语，发交各饮食店张贴，及指定各劳动服务团团员赴各店担任指导外，请转令本市各酒菜馆同业，于十一月一日起，一律将厨房加以改善。其标准可参照杭州市茶酒菜饭馆厉行新生办法，所定甲乙两项办理等语，当经本府函复照办，随时派员检查，并令茶酒菜饭馆各业公会转知同业一体知照。"[13]177 杭州的牲畜屠宰也是关系到百姓健康的大事，抗战前杭州就着手准备集中屠宰，但直到抗战胜利后才部分实现了集中屠宰。这些与饮食相关的卫生制度的完善推动了杭州饮食业的近代化历程。

参考文献

[1] 路易吉·布雷桑：《西人眼里的杭州》，北京：学林出版社，2010年。

[2] 不著撰人：《杭俗怡情碎锦》，台北：成文出版社有限公司，1983年。

[3] 徐柯：《增订西湖游览指南》，《西湖文献集成》（第10册），杭州：杭州出版社，2004年，第页。

[4] 王兰仲：《小说的杭州西湖指南》。

[5] 建设委员会调查浙江经济所统计科：《杭州市经济调查》，杭州：建设委员会调查浙江经济所，1932年。

[6] 中国旅行社：《杭州导游》，上海：中国旅行社，1947 年。

[7] 章达庵：《杭城旧事四则》，《杭州文史丛编》（经济卷，下），杭州：杭州出版社，2002 年。

[8] 张光钊：《杭州市指南》，杭州：杭州市指南编辑社，1935 年。

[9] 施蛰存：《玉玲珑阁丛谈》，《名人笔下的老杭州》，北京：北京出版社，2000 年。

[10] 卫礼贤：《中国心灵》，北京：国际文化出版公司，1998 年。

[11] 杭州市地方志编纂委员会：《杭州市志》(第 4 卷），北京：中华书局，1999 年。

[12] 张信培:《十年来之卫生》,《民国时期杭州市政府档案史料汇编(1927—1949)》，杭州：杭州市档案馆，1990 年。

【文章来源】何宏：《民国时期杭州西餐研究》，《扬州大学烹饪学报》，2013 年，第 2 期

二、论文

30. 意外的鲜味：民国时期杭州游客饮食

　　民国时期的杭州，因西湖及其周边的山水、城市、寺庙等的号召，成为以上海为代表的长江三角洲地区旅游者青睐的旅游目的地。旅游者多为官宦、商贾和文化人，也有一些是有钱人家的子弟和普通市民。来自浙北杭州、嘉兴、湖州三地和来自苏南苏州、松江、常熟等地的乡民也为数不少，主要是春季里到杭州进香的香客，其中农村妇女占了相当比例。他们在杭州的饮食自然和杭州当地人不同。除了在餐饮场所的消费，所住的旅店多数都代办伙食，旅游景点附近的小吃，都成为他们杭州印象的一部分。

一、香客

　　民国时期的杭州，寺庙众多。在杭州还有一支庞大的烧香队伍，这是民国杭州固定不变的一道风景。每到春天，沿湖环山的条条道路上满是朝山香客，约有几万人，大部分是来自嘉兴、湖州和苏南各地乡间的村姑蚕妇。她们身背香袋，自带米饭、干粮，一群数十人乃至一两百人地结队而行。杭州人把那些春天里成群结队来烧香拜佛的乡村妇女们，统称"烧香老太婆"。

　　西湖香市起于花朝，尽于端午。《杭俗遗风》记载：西湖香市可分"天竺香市""下乡香市"和"三山香市"三种，香客也各不相同。其中以"天竺香市"为最早，因农历二月十九日为观音圣诞，"全城老的少的，丑的俏的，无不云集，途为之塞。有忏会者，十八日晚即许出城，自茅家埠起，一路夜灯，至庙不绝。""三山香市"，三山即天竺山、小和山、法华山。苏杭各地都有"香会"组织，由长者领队带路，数百十成群，肩挂黄香袋，腰系红带，头裹白巾，结伙而行，要在一天之内，来回百余里，烧遍三山之香，名叫"翻三山"。"下乡香市"，以苏常锡、杭嘉湖种桑养蚕各乡村村民男女为主，一乡一村，结伙成队，乘坐香船来杭，停泊于松木场、拱宸桥一带，多时达千百只，河道堵塞无隙。有的

309

以船为家，自带糕、粽为食。香期延续一个多月。[1]

至民国时期香市已成为固定节日。其中又以春市最盛，"四处老少云集，途为之塞……而游人往往不屑金钱，以示阔绰"，灵隐一带的茶楼、饭馆等，"莫不利市三倍"。[2]

1925 年，南北湖堤改建马路，汽车可直达灵隐，每天有汽车往返数十次，大大便利了香客的烧香和赶集。每年春秋两季，杭城游客络绎不绝，尤以春季香汛期间（每年农历二月至五月），庙会、香市接踵而至，大批香客从四方云集，市场庙宇，特别热闹，"商品销售激增，商业极形发达，杭市商人有云'三冬靠一春'，诚非虚语也"。[3]当时有人感慨道："连整个杭州的经济生命，都还叨这个香市的光呢。要是没有这个香市，杭州的市面乃至市府的收入，都是不可想象的。"[4]

每年有几万甚至十几万人在很短一段时间内涌入杭州，除一些自带干粮者外，许多人要在杭州吃饭，极大地刺激了杭州的饮食业，尤其是寺庙周围的素食店。除此之外，好不容易有一次旅游经历的香客，还会带一些特产回去，其中不乏杭州的小食品。"有小而方之豆腐干一种，芳香可口，烧香者莫不购之，以归贻儿童。即此一端，销数亦惊人也。"[5]常熟人时希圣记道："乡人每于春二三月，有杭州进香之举。"让少年时希圣最不能忘怀的一件事，就是等到进香归来，吃亲眷朋友馈赠的礼物———糯米藕。[6]

二、其他游客

除了以进香为目的来杭州的外，杭州作为东南著名的故都、浙江省的省会，也多有生意人的贸易旅游、普通居民的探亲旅游等，其中最为突出的是以上海为主要客源地市场的观光旅游，而这是其他城市所不具备的优势。专门来杭州观光旅游的游客经济条件一般而言都在中等或以上。

---

[1] 范述祖著，洪如嵩补辑：《杭俗遗风》，杭州六艺书局，1928年，第8—11页。
[2] 钟毓龙：《说杭州》，浙江人民出版社，1983年，第316页。
[3] 浙江省商务管理局：《杭州之特产》，1936年印本，第35页。
[4] 任振泰主编：《杭州市志》(第2卷)，中华书局，1997年，第302—303页。
[5] 钟毓龙：《说杭州》，浙江人民出版社，1983年，第316页。
[6] 时希圣：《家庭新食谱》，上海中央书店，1935年，第11页。

二、论文

如吃，原以满足生理需求、简单娱乐交往为主，现更注重吃的交游娱乐之道，追求舒适高档，结果引得餐馆竞相提价。二十世纪三十年代初，"杭市社会因商贾较多，游客接踵，酒馆饭店之所供应者多山肴海味。西餐每客价格，自一元至一元七角半。中餐每席，自六元至二十四元。和菜一客，则须一元起码。炒菜一盆，亦非二三角不办。住家商铺日常口腹之所恣，亦不离鸡鸭鱼肉。上层者之享用，与在京沪者相等，每人每月所费约在十元以上。中等社会之膳食，大约每月自五六元至八九元不等。一家五口计，日常食用所费，约一元左右"。[1] 而据统计，1930 年杭州丝织、棉织、印刷、钟、表、锡箔等 28 个行业工人月均收入 13.83 元 [2]。可见旅游者若非中产阶级，来杭州旅游恐怕就很难尝到颇具杭州特色的杭帮菜了。

来杭州旅游的游客，能在烟霞洞品尝素菜的，非富即贵。但杭州其他的酒楼、菜馆，均是旅游者经常光顾的吃饭场所。其中楼外楼可能在外地游客的心目中最为知名，也是文人记录最多的。

1915 年，南社社员高燮和柳亚子夫妇等游西湖孤山，登楼外楼午餐，因举目美景，鱼嫩莼肥，而酣然甚乐。1928 年出版的《旅行杂志》，刊载了上海游客火雪明写的《六月中的杭州》。游记写了在赤日炎炎的夏日，他们到玉泉看大鱼，紫云洞避暑，西泠印社观赏文物，在楼外楼"食鳢鱼三大篮共六尾"，各人带着醉意，在湖上狂叫的情景。著名金石书画家吴昌硕每到杭州西泠印社，便会到楼外楼去品味一番。洪氏兄弟见昌老莅临，就拿出事先备好的文房四宝，请昌老书点菜肴，这张菜单便成了楼外楼的珍宝。徐志摩在 1923 年 9 月 29 日的日记里记录：八月十五晚和胡适等友人到楼外楼赏月，"吃得很饱，喝的很畅"，还吃了"过时"的桂花栗子。10 月 21 日，从家乡返杭的徐志摩和胡适等同寓新新饭店，到楼外楼吃蟹，并在月光下看湖心亭的芦花和三潭印月夜景 [3]。类似的例子不胜枚举。

1921 年 5 月，日本著名作家芥川龙之介和友人到杭州。芥川龙之介和友人乘着画舫回到了孤山东岸。"那里槐树与梧桐的树阴下，有家打着'楼外楼'旗帜的餐馆。"因为看过刊登在《读卖新闻》上的日本小说家武林盛一的杭州游记，

---

[1] 建设委员会调查浙江经济所统计科编：《杭州市经济调查（下）》，建设委员会调查浙江经济所，1932 年印本，第 608 页。

[2] 浙江省建设厅第六科编：《杭州市工人生活状况》，载《浙江省建设月刊》，1930 年第 4 期。

[3] 沈关忠、张渭林主编：《楼外楼》，杭州出版社，2005 年。

311

知道他与新婚妻子蜜月旅行于一年前来到杭州，曾在楼外楼用餐。于是，芥川龙之介和友人也在船老大的推荐下，在店前的槐树下吃了顿中餐。在芥川龙之介的记述中，只知道他们吃了道生姜清煮的鲫鱼，并喝了老酒。难得的是，芥川龙之介的友人村田乌江为芥川龙之介在楼外楼门前吃饭的画面拍了照片。这也是日前发现的最早的楼外楼的照片。楼外楼门前"包办全席"的招牌清晰可见[1]。

除了楼外楼，其他餐馆旅游者也是频频光顾。1928年7月13日，鲁迅到杭州的第一天中午，"介石邀诸人往楼外楼午餐"，"矛尘邀诸人至功德林夜饭"。14日午，"钦文邀诸人在三义楼午餐"。15日，中午"邀介石、矛尘、斐君、小燕、饮文、星微、广平在楼外楼午饭"[2]。1926年，丰子恺（1898—1975）和夏丏尊（1886—1946），一起到杭州看望弘一法师（李叔同，1880—1942）时，在汽车上谈起午餐，准备吃一天素，但到了旗营（即今湖滨一带），"终于进王饭儿店去吃了包头鱼"[3]。谢国桢1943年到杭州访书，晚上一个人到王顺兴酒楼吃烧豆腐、件儿肉，喝了三杯老酒[4]。类似的例子同样不胜枚举[5]。

外地的游客在餐桌上把外面的最新信息通过餐桌迅速地传递给杭州。1919年5月8日中午，浙江省立第一师范学校校长经亨颐在新新饭店作陪宴请美国著名哲学家杜威（1859—1952），席上有一个美国人从俄国来，"述过激党情形，颇可研究"[6]。这可能也是杭州较早的间接了解俄国十月革命的事。

西湖上泛舟，游客们又常吃些什么呢？最多的可能是瓜子、糖菱角和水果。"这些是游船必备的，我凭着过去的经验忙着购办。"[7]看来，游船上吃的大抵是这些在湖边码头上的摊贩那里购买来的零食。也有把酒席带到游船上的，其中包办酒席最有名的，属位于羊坝头的娄湮记，点的菜肴可送到湖上，甚为方便。大和（丰家兜）、庆和（新官桥衖）等菜馆，也可点菜送到西湖船上，但菜做得稍差些[8]。

---

[1] [日]芥川龙之介：《中国游记》，中华书局，2007年，第80页。
[2] 钦文：《鲁迅在杭州》，载《鲁迅在杭州》，《西湖》文艺编辑部，1979年印本，第8页。
[3] 丰子恺：《丰子恺散文全编（上）》，浙江文艺出版社，1992年，第23页。
[4] 谢国桢：《西泠片羽》，载《名人笔下的老杭州》，北京出版社，2000年，第548页。
[5] 吴战垒主编：《名人笔下的老杭州》，北京出版社，2000年。
[6] 经亨颐：《日记》，载《名人笔下的老杭州》，北京出版社，2000年，第26页。
[7] 陆晶清：《西湖莼菜》，载《忆杭州》，上海画报出版社，2003年，第105页。
[8] 徐柯：《增订西湖游览指南》，上海商务印书馆1918年，载《西湖文献集成》（第10册），杭州出版社，2004年，第729页。

二、论文

杭州的土特食品也是旅游者选购的对象。其中，以龙井茶、金华火腿、莼菜等选购的较多。

1922年4月，日本汉学家青木正儿（1887—1964）到杭州旅行，他在杭州的购物体验也许可以代表一部分来杭旅游的外国游客的购物喜好吧。

西湖特产除了剪子还有竹筷、藕粉和龙井茶，如果在京都一带就会有店家聒噪不休地推销，而西湖的店家连"买不买"也不问，只是默默地把商品陈列出来。竹制的圆筷好像南宋道学先生玩的空竹一样束成一把，我感到乏味，我不能想像虢国夫人曾经用这种筷子吃着御厨八珍，而且在上海我已经买了一束象牙筷子，在此便作罢了。听说藕粉是从西湖藕根提取的像淀粉一样的东西，我便无意品尝了。至于久仰大名的龙井名茶是要买上一罐的。

风栗不知为何物，便买来品尝。用马粪纸包着，那标签我很中意，在撒金纸上写着"浙省魏记栈风干珠栗"，风雅的名字使人认为一定是美味，回去一尝才知道原来就是去皮干栗子。真不愧是文字大国，如此说来我们小时候也经常到山里捡过天然的"风干珠栗"吃了。

杨贵妃酷爱的大名鼎鼎的荔枝，虽然不是鲜的，也果然十分美味。外观比龙眼肉稍大，果肉比葡萄干颜色稍红，味道则远胜于葡萄干，如果是鲜果应该更加让人垂涎，所以杨贵妃怎能不让玄宗皇帝命飞马千里迢迢、劳民伤财地从岭南运来呢！

我曾在日本的中国餐馆见过希奇的西瓜仁和南瓜仁，但令我惊讶的是这里还有杏仁，品尝一下非常好吃。而且居然还有桃核在卖，想来是东方朔的遗法了。我以为那一定比杏仁更胜一筹，不想坚硬得打不开，无奈翌日向公使馆的翻译询问，才知那竟是核桃。[1]

1946年10月，茅盾和友人到杭州，专门到市场买金华火腿，茅盾指点友人看如何挑选上好的，当时他自己就买了两段上腰峰。归途中还曾说怎样用来烧汤或蒸切才够滋味[2]。

---

[1] [日]青木正儿：《江南春》，载《两个日本汉学家的中国纪行》，光明日报出版社，1999年，第101页。
[2] 葛一虹：《回忆，在那些似该忘却的日子里——敬悼茅盾同志》，香港《新晚报》，1981年6月2日。

游客还可在风景区的地摊上买到时鲜的食物。

徐志摩在三潭印月买过栗子、莲子吃 [1]；产在三潭印月的莼菜，一般有装着绿瓶子出卖的，专门售给茹素的香客们 [2]。俞平伯在西泠桥顶买过一对小兄妹卖的甘蔗 [3]；谢国桢在孤山后面放鹤亭吃过一碗藕粉 [4]；许杰的朋友蒋君在平湖秋月买了两个铜板的红菱 [5]；施蛰存在街巷中买过"五个龙连一串！"的"山里果儿" [6]；郁达夫和友人沿九溪上行，到一茶庄，喝了一壶茶，吃了桌上的四碟糕点，喝了两碗"看起来似鼻涕，吃起来似泥沙"但"竟嚼出了一种意外的鲜味"的藕粉。游人的心境与吃的心情紧密相连。连老翁算账的话听着都觉得有诗意："一茶，四碟，二粉，五千文。"郁达夫竟给出了和西湖景点关联的上对："三竺，六桥，九溪，十八涧。" [7]

1921 年 5 月，芥川龙之介和友人到杭州。在楼外楼门口用餐时，见过"一个手臂挎着个大篮子的、毫无诗意的糖果小贩。他一来到我们这边，就劝我们买他的糖果" [8]。

1933 年 10 月，上海的中学生到杭州游览一星期，写了篇游记，写到吃处只有一处：到保俶塔游览时，附近有人挑筐卖青菱，"吃了一次之后，不忍放弃，两三个游山人把一筐青菱全部吃完，这是到了西湖之后第一次尝得的鲜美的果品" [9]。

在风景区天竺，有一种天竺豆腐干出售，约三分见方，十块一札，有五香味而咸淡适宜。游客坐汽车去灵隐，可在这家店门口停下，总要顺便买几札回家，或者即在灵隐溪边茶室里喝茶时作茶食。灵隐溪水边、大松树下有一排藤躺椅和小桌子，游客可以躺在藤椅上一边听潺潺的溪水声，一边喝龙井茶，吃五香豆腐干或瓜子、花生 [10]。

---

[1] 徐志摩：《西湖记》，载《名人笔下的老杭州》，北京出版社，2000年，第68页。
[2] 倪锡英：《都市地理小丛书：杭州》，中华书局，1936年，第167页。
[3] 谢国桢：《西泠片羽》，载《说不尽的西子湖》，杭州出版社，2001年，第30页。
[4] 谢国桢：《西泠片羽》，载《名人笔下的老杭州》，北京出版社，2000年，第548页。
[5] 许杰：《平湖秋月的红菱》，载《名人笔下的老杭州》，北京出版社，2000年，第129页。
[6] 施蛰存：《玉玲珑阁丛谈》，载《名人笔下的老杭州》，北京出版社，2000年，第445页。
[7] 郁达夫：《半日的游程》，载《名人笔下的老杭州》，北京出版社，2000年，第310页。
[8] [日]芥川龙之介：《中国游记》，中华书局，2007年。
[9] 王仲鄂：《湖上旧梦》，载《旅行月刊》1938年12卷7期，第25页。
[10] 高诵芬、徐家祯：《山居杂记》，南海出版公司，1999年，第265页。

二、论文

三、"刨黄瓜儿"

杭州有"刨黄瓜儿"之说。杭州话"黄""王"不分，因此，也叫"刨王瓜儿"，其意即敲竹杠。旅游地游客甚多，有些不良店主、商贩，不遵守公平买卖原则，欺负外地人，使劲要价，也使其他奉公守法的杭州饮食经营者遭受不白之冤。

为什么把敲竹杠称为"刨黄瓜儿"？身兼实业家和作家的杭州人陈蝶仙（1878—1940）曾有过考证：

凡市物故昂其值，称之为"刨黄瓜儿"，亦有所本，相传南巡驻跸时，亲贵大臣，多穿黄马褂者，侍从游湖，上辄微服入肆，呼酒自酌，而六部堂官，则多青衣小帽以司承值，平民与之对席而不知为堂官，则亦呼之曰"来"。或告之曰，此堂官也。上适闻之，颐指令为执役，以示与民同乐，遂相传为杭州酒肆之佣，皆称堂官。实则堂官，亦同其宜。酒肆应客之佣，本称"跑堂"，盖其执事有别。当门者称为"招待"，照料者称为"看清"，是皆规行矩步而彬彬有礼，独于伺应食堂者，则以跑为能事，楼梯上下，碌碌如白鼠，盖表示其勤与忙也。跑黄褂儿者，得赏必规其同人，必羡称曰，其人今日"跑着了黄褂儿"，盖言其所得必倍于常耳。至于黄瓜刨皮而食，则为乡下人笑城里人之不识货也。黄瓜本不值钱，宜带皮吃，小酒店常列于冰盘中，普通以糖醋拌食，而黠者则去皮刨丝，以糖醋拌之。当垆有女，往往误认为佳人雪藕，询其价，则一钱二分，实只小钱八十四文，而以千三百八之库平银计，则需板方大钱一百六十六文矣，故成笑话。乡下人谓城中人"黄瓜儿刨皮吃"，城中人谓乡下人"麻荔子带壳吃"，盖亦同为不识货之笑谈耳。[1]

虽说"刨黄瓜儿"仅是少数，但是对游客的伤害不小。游客们在对西湖山水盛赞之余，却对杭州行商坐贾的"宰客"行为深恶痛绝。

寺院周围的素食一般卖得较贵，还经常"宰客"，杭州话称"刨黄瓜儿"。民国初年洪如嵩偕友游灵隐，就食于饭馆，有一段精彩描写：

---

[1] 天虚我生：《杭谚隽谈》，载《越风》半月刊15期，1936年，第22—23页。

315

时方盛夏，客欲食生豆腐及拌边笋二味，呼堂倌至，嘱往备。堂倌应声去，余唤之回，问豆腐价若干？彼曰："多放作料足矣。"言时欲走。余曰："不言价，则不吃，须知我辈囊中钱不多也。"彼始言曰："豆腐大碗二角八分。"余曰："中碗若干？"彼曰："一角六分。"余又询曰："起码若干？"彼乃嚅嚅而言曰："先生老游客，不敢多索价，吃一钱头如何？"所谓一钱头者，盖七十文也。余曰："我辈尚嫌太贵，吃五十六文足矣，笋亦如之。"彼首肯，徐徐又言曰："近来笋价贵，须一钱起码，请二位原谅。"余始允之。甫就食，忽有二女客至，亦点豆腐、边笋二味，伊辈先余食毕。迨会账，堂倌索价八角有奇。其欺生客如此，可见一斑矣。饭碗之小，尤其次也。[1]

因寺院周围的素食卖得贵，因此在当时的旅游指南书上都会提醒游客"出游时自带干粮及热水壶，只进市镇茶食饮茶解渴，不可在寺观品茗进餐（烟霞寺之素餐由贵），因寺观每人一杯茶须二角，一餐饭须一元也"[2]。

"刨黄瓜儿"的地方多是一些旅游风景区。有个上海来的客人到城隍山四景楼品茗，吃吴山酥油饼吃上了瘾，频频称佳，连吃了六七个，一算钱要五千余文，掏空了口袋也不够，直到把衣服押上才让走人。如果是杭州本地人买的话，仅数百文而已[3]。

不仅外地人会被杭州人"刨黄瓜儿"，杭州的城里人也会被乡下人"刨黄瓜儿"。1937年，杭州人施蛰存（1905—2003）到满觉陇赏桂，找了一个茶座，吃茶赏桂。"桂花并不比十五年前多些，茶也坏得很，水好像还未沸过。有卖菱的来兜卖菱，给两角法币只买得二十余只，旁边还有一位雅人在买桂花——不许你采，你要就得花钱买——一毛钱只得盆景黄杨那么的一小枝。我想，桂花当然是贵的，桂者，贵也，故中状元曰折桂。又俗曰'米珠薪桂'，足以与珠抗衡，宜乎其贵到如此地步了。"施蛰存对满觉陇周围的"铜臭"味意见很大，但他似乎没吃菱角，也没买桂花，只是在笔端发发牢骚而已。

---

[1] 范述祖著，洪如嵩补辑：《杭俗遗风》，杭州六艺书局，1928年，第108页。
[2] 陆费执：《实地步行杭州西湖游览指南》，1937年，见《西湖文献集成(第10册)》，杭州出版社，2004年版，第904页。
[3] 中国旅行社：《杭州导游》，中国旅行社，1947年，第58、59页。

等到他付茶钱的时候，他的牢骚大概都写在脸上了："我招呼那临时茶店的老板兼堂倌，预备付他茶钱。他说：'先生，每壶大洋两角。'我嘴里无话，心中有话，付了他两角法币就走。但那老板兼堂倌很懂得心理学，似乎看出了我满肚皮的不愿意，接着茶钱说道：'先生，一年一回，难得的。'"城里人施蛰存因被乡下人刨了黄瓜儿，发出感叹："外乡人到过杭州，常说杭州人善'刨黄瓜儿'，但他们却不知道杭州乡下人还会得刨城里人的黄瓜儿，如满觉陇桂花厅诸主人者也。可是被刨了黄瓜儿的外乡人，逢人便说，若惟恐人不知自己之被刨；而这些被杭州乡下人刨了黄瓜儿的杭州城里人却怡然自得，不以被刨之为被刨也。所以我也懂了诀窍……"当别人问他满觉陇怎么样时，他"怡然自得"地告诉别人很好，很热闹。当别人表示明天也要去时，他有了一种恶作剧似的快乐。[1]

"刨黄瓜儿"是民国杭州旅游业的痼疾，杭州人"刨黄瓜儿"之名，流传远近。外地游客一闻"刨黄瓜儿"，莫不谈虎色变。民国以来，革新市政，这种"刨黄瓜儿"恶习，经过政府整治，以及商会自律，在城里一些较大的酒楼、饭店基本消除。然而抗战以后，物价飞涨，价格每日一变，甚至一日几变，这已经不是杭州一个地方的问题了。因此，中国旅行社的《杭州导游》上就提醒游客几个要注意的事项："无论大小菜馆，于点菜时须先问明价格。有若干种菜，最好须先看明，例如红烧大鱼头、醋熘活鱼，先看后，便不至吃亏。""环湖诸山，均产名茶，而龙井、虎跑、韬光、玉泉等处又有名泉以配合之……旅客到以上各地游览，如不品茗，未免美中不足。茶资听客给予，大概须较新市场茶馆高出一倍。其他寺院，如请坐进茶，倘不拒之，同时即进果盘，又不拒之，即送缘簿要求捐款。如不照捐，便立遭白眼；捐则白遭损失。故游览一般寺院以不品茗为上策。"谈到到景区周围的素菜馆吃饭，"最好须先询明价格，或示以大约数目，俾有范畴，可免饭后争执。但至比较著名之天外天等处可免此争执。至各处寺院，往往招呼食斋，以最简单蔬菜数味，食后便送上缘簿，大打秋风。事前应加拒绝，以免上当。""每当春秋佳日或香汛时节，游客拥挤，各菜馆常乘机增价，或名虽不增价而实减料，食客应事前注意，若为时间经济，便于游览计，则早饭、中饭可以简单面食充饥。至晚间有充裕时间，可以选点

---

[1] 施蛰存：《玉玲珑阁丛谈》，载《名人笔下的老杭州》，北京出版社，2000年，第447页。

名菜，以快朵颐。"[1]

【文章来源】赵炜、何宏：《意外的鲜味：民国时期杭州游客饮食》，《浙江学刊》，2012 年第 6 期

---

[1] 中国旅行社：《杭州导游》，中国旅行社，1947年。

二、论文

31. 近代杭州饮食业的兴起、发展及特点

一、近代杭州饮食市场的发展、繁荣及原因

杭州近代饮食市场初兴于清光绪、宣统年间，繁荣于辛亥革命后至抗战前夕。

众所周知，清咸同年间，杭州曾两度遭到战争破坏，人口骤减，城市经济几乎瘫痪。清中期著名的饭馆酒楼如五柳居、闲福居、闲乐居等战后俱已消失。此后，直至光绪中叶，城中才出现酒楼，"自是以降，踵事增华"。《杭俗怡情碎锦》中记载当时陆续新增的菜面饭馆有缪同和、醉翁居、聚丰园，还有各种广东店、苏州店、南京店、揭绍店(野味店)、羊肉羊汤店。[1] 至清末，杭州饮食业商店总数增加到394家，至民国二十年（1931），杭州饮食业共拥有商店3876家，在商业中占有举足轻重之地位。[2] 名店名馆大量涌现，仅1929年《杭州西湖游览指南》列举的著名酒楼饭馆就有聚丰园、小有天等26家。[3] 抗日战争爆发后，杭州饮食业再度萧条。直到抗战胜利后，杭州饮食业才得以恢复，市场趋于繁荣。此后因国民党统治腐败无能，经济崩溃、物价飞涨，饮食业终未能恢复战前全盛时期的水平。

近代杭州饮食业发展经历过几次起落，其繁荣与发展，很大程度上取决于政治、经济、交通诸方面因素交互作用，以及由此引起的城市社会结构的变化。特别是近代杭州由政治都市向工商业旅游城市的演变，对饮食业的拓展起了决定性作用。

近代前期，杭州是府治所在地、清政府重点把守的"江海重地"，受到严厉的封建军事化统治，城市经济地位及功能远不及宋元，饮食业发展颇受钳制。洋务运动兴起后，上海的崛起对杭州产生了辐射与影响，杭州的民族工商业也发展很快。1898年，杭州被迫开埠后，饮食业受到洋货的冲击，失去了部分市场，但另一方面却因出口茶叶、火腿等扩大了经营市场，获得了可观的利润，并因商业配套发展有了较快的发展。辛亥革命后，重农抑商政策被鼓励工商业

319

政策所取代，杭州旗营拆废，湖滨方圆九里辟建新市场，客观上为饮食业提供了一个良好发展环境。[4]同时由于杭沪、浙赣铁路及京杭、沪杭、杭平、杭富、杭塘公路陆续建成，极大地促进了杭州由政治都市转化为商业旅游城市的进程。商人在城市中的政治地位与经济实力上升，成为城市中不可忽视的阶层。近代杭州社会团体以商会为主，并呈逐年递增态势，就说明了这一点。城市流动人口也大幅度上升，游人客商四时不绝，刺激了饮食业的发展。

二、近代杭州饮食业发展特点

由于政治、经济、交通、社会变化诸因素影响，近代杭州饮食业较之古代有了许多新的变化，形成了自己鲜明的特色。

1. 饮食业分类日趋精细，新的行业不断涌现。区别于宋代杭州"东门菜、西门鱼、南门柴、北门米"的单纯商业结构。近代以来，随着商品生产渐趋发达和商业旅游业的发展，杭州饮食业分工渐趋行业化、精细化，各类专营商店应需而设，按地区初步形成综合功能的商业网点。干人俊著《民国杭州市新志稿》将1931年时杭州饮食业分成二十类，其中经营烹饪原料、农副产品的有米业、面粉业、南北货业、油业、酱业、酒业、鲜肉业、火腿腌腊鱼鲞业，鸡鸭野味业、水作业、茶叶业、烟业、水果业。经营其他的有菜馆业、饭店业、面店业，糕团业，烧饼馒头业、茶食糖果业、茶馆业。这还是最粗略的分类，事实上各业内部又分许多小类别。例如米业分批发、零售两种，而专营批发的米行又分为大袋行、小袋行。大袋行专营本市业务，小袋行专做绍属地区业务等等。整个近代，随着饮食业之勃兴，分工更趋专精，新的行业不断从旧类中分化出来，例如清后期南北货业既经营南北货，又经营茶食糕点，水果炒货、火腿蜡烛，之后先后发生行业分化，分成茶食糕点、食糖、炒货、水果、腌腊鱼鲞业。新的饮食行业也不断出现，饮料业自杭州自来水厂建立以后，分成专售茶水热水的老虎灶店，专售冷饮的汽水厂、制冰厂、棒球厂门市部。近代杭州还出现牛乳业，工商合一的企业，抗战前颇具规模，不仅日供鲜奶，还兼制奶粉、炼乳销售外埠。豆腐业也是新出现的行业，经营豆制食品，位于金钱巷的金泉社还制造瓶装豆汁，可定送预约。小菜行业也在民国时建立，1934年计建有公营菜场3个，商营菜场7个，共计设摊位726个。[5]这标志着杭州饮食业已逾越古

二、论文

代商业原始粗略的结构，而向现代商业迈进。

2. 饮食业之地理分布发生变化。饮食业由老商业区向新商业区扩散，并逐渐形成以新市区迎紫路（今解放街）、延龄路（夸延安路）为中心，南至江干、北至拱宸桥、东至城站、西至环湖四周的饮食商业网点。近代杭州商业中心地区事实在中山中路。从鼓楼至官巷口百货辐辏、各业繁兴。但这条街上多银号钱庄、百货店、绸庄、布店、药店、鞋店、扇店、剪刀店、纸店、文具店、钟表眼镜店。饮食业除南北货店外，餐馆茶室仅西乐园、王润兴、六聚馆、状元馆寥寥数家，且多属中低档餐馆。与之相比，湖滨新市场就迥然不同。1929 年中华书局版的《杭州旅游指南》载著名酒饭馆共 26 家，其中有 17 家分布在新市区内。当时该区内著名餐馆天香楼、奎元馆、功德林、素香斋等等均未载入此书，可见饮食业之中心在新市区，高档餐馆大多分布于该区内。东市区城站因占交通要道、客运枢纽之优势，该地小有天、聚丰园、协兴、吴山第一楼菜馆，亦是门庭若市。湖滨向为临湖风景绝佳处，居于南北游湖线路之交叉点。惜旗营霸占数百年之久，游湖仅能绕道从涌金门、钱塘门迂回而去，杭州的饮食业也只能在南北市区间狭长地带发展。民国后，新市场建立，为适应游客商贾需求，酒楼餐馆日设日多，一些原在老市区营业的店馆亦纷纷迁来此地，或开设分店，如天香楼、王润兴分店。著名酒楼聚丰园原在吴山麓大井巷，民国初期也迁来新市场。环湖餐馆亦有增加，先是岳坟前有杏花村、高庄后有自然居、刘庄侧有壶春楼，后来外西湖又增"山外山""太和园"，城中雅园则迁至灵隐北山深处，更名为"天外天"。

3. 饮食服务层次发生变化。有人将中国古代饮食文化结构分为果腹层、小康层、富家层、贵族层、宫廷层，认为只有小康层及富家层问津饮食市场。而近代由于工商业经济及交通各方面条件改善，杭州饮食业由以为封建阶级及其附从服务为主导，转向为游客商贾及全体市民服务为主导。上层官吏及封建地主不再被作为饮食业服务的特殊阶层看待。游客中光顾酒楼餐馆的，春季以香客居多，夏季以避暑之富室大户多，秋季以观潮客居多。[6]此外南北行商贾客，文人墨客、教师职员、工伎小贩、绅士名流、过境官吏也是饮食业的服务对象。

行商贾客是杭州南北城区饮食业的主要服务对象。北市区拱宸、湖墅一带，是杭州经营土纸、大米、铝箔、生猪、鱼虾的大型商业集散市场。来自福建、江西、安徽及本省金华、衢县、龙游等地贩纸的商人称山客，来自镇江、无锡、

321

苏北等地购纸的商人称水客，还有贩运锡箔的绍兴、苏南、苏北、天津的商人，贩生猪的无锡、泰兴老板，浙西各市镇的鱼贩，称万商云集不为过。这些商贾交易之余，吃喝玩乐者不在少数。近代湖墅的茶楼、酒店、饭菜馆规制甚大，楼上均设雅座，供贾客吃喝谈生意。如珠儿潭曲江茶楼，楼下供市民啜饮，楼上则是米商交易场所。华光桥畔的补经茶楼则为土纸、锡箔商服务，早晚营业，热闹非凡。大酒店有王恒豫酒店、万年丰、朱万茂、恒裕泰酒店，供商人豪饮燕谈，品尝佳酿。菜馆则有丰和馆、民乐园、义和园、开开看等，楼上均设雅座，为客商服务，点菜下锅，大菜小吃，呼唤立至。位于北市区北端的拱宸桥租界内饮食业则畸形繁荣。商人多趋该区吃喝嫖赌。时有天仙茶园，荣华茶园，供人赏剧饮茶。大马路一品香、二马路四海春、永宁街万家春酒楼主供妓女嫖客设宴请客，四美泰、樊克冒酒店以绍酒名盛一时。

南市区江千是东南四省及本省上八府航运集散港，经营过塘行、木行、缸磁瓷器、柴炭杂货之商多集于此地。盐商、木客多巨商富贾，是该区饮食业主要服务对象，酒楼饭馆也为数不少。

4. 寺院僧人大量参与饮食经营，素食业十分发达。近代杭州素菜业承明清之遗绪，继续向前发展。除湖滨地区先后开设素香斋、素馨斋、功德林、善税斋等著名素菜馆，供应净素鸡、素火腿、素烧鹅、炒素鳝丝、炒冬菇、炒什锦、口蘑豆腐、麻菇汤、菇巴汤等名素菜外，环湖各寺院也大多设僧厨备素菜招待游客、香客。大者如灵隐、凤林、云栖、理安、昭庆寺，小的如"塔儿头上善院、里湖之兜率院、招贤寺、葛岭之抱朴寺、玉泉之清涟寺、虎跑之定慧寺均已建高楼大厦"，"春季住香客，夏季则住富户之避暑者，地极幽雅，饮食亦精洁"。[7]三天竺至灵隐山门沿途有许多餐馆供应素菜素面，少数几家荤菜馆亦兼营素菜。环湖寺院，以烟霞洞僧厨烹调技艺最佳，声名最著。因选料上乘、烹调精致，普通素菜四碟八碗，即须酬付三四元或四五元，盛馔素筵高达数十元。一些僧厨为吸引游客，也备荤菜供客。光绪年间查明府《西湖游记》中即提到："登葛岭未及巅……宿拖朴山房，呼僧共(供)饭。僧善庖，蔬精斋方，料酌椒姜，比家厨为良。"该书还提及金鼓洞道人善治肴，黄龙洞"香厨蔬笋自是山中滋昧"。这种僧人广泛参与饮食经营的盛况是其他山水胜地所不及的。西湖历来寺院众多，淫祀风气浓。近代寺院虽有减少趋向，但至1929年尚有寺院945所，1933年还剩寺院890所。要维持这样庞大的宗教设施及队伍，在风气渐开，迷

二、论文

信渐渐破除的近代，依靠举行宗教仪式、信徒布施、出售锡箔香纸、田产等收入已不足开销，因此，各寺院视饮食收入为利薮，经营饮食日趋普遍，香客游客入寺，僧人便争着款待茶点，出售素菜素饭。当时净慈寺厨有大铜锅数口，每口能煮数担米饭，可见旅游旺季，寺院供饭规模是相当大的。故时人有"春香一季生意，要安享坐吃一年"之叹。

注释

[1] 佚名：《杭俗怡情碎锦》。

[2] 干人俊：《民国杭州新志稿》，见《杭州地方志资料》第一、二合集。

[3] 陆费执辑、舒新城编：《杭州西湖游览指南》。

[4] 张大昌：《杭州八旗驻防营志略》，卷一五《营制》。

[5] 张光钊：《杭州市指南》，民国二十三年（1935）版，第238页。

[6] 范祖述著，洪如嵩补辑：《杭俗遗风》。

[7] 查明府：《西湖游记》《武林掌故丛编》第39册。

【文章来源】严军：《近代杭州饮食业的兴起、发展及特点》，《商业经济与管理》，1991年第2期

32. 东坡肉的源流

东坡肉，是宋代食坛上一味名菜，流传至今已有900年的悠久历史。

苏轼（1037—1101），字子瞻，号东坡居士，四川眉山人。他不仅是我国古代一位多才多艺的大文豪，还是著名的懂得烹饪的美食家。他在各地为官的二三十年间，总是兴致勃勃地品尝各地名菜佳肴，玩味之余，又赋诗称述，有时还亲自动手仿烹，一旦成功，即上桌招待客人与朋友。

他一生中多次担任地方官，先后在杭州、密州、河中府、湖州、黄州、汝州、登州、常州、惠州、徐州等十多个州府为官，足迹踏遍大半个中国，但在杭州最长，两任共五年。因此，他在诗中说："自忆本杭人。"把杭州作为他的第二故乡。今四川、湖北、浙江、江苏、海南等地流传以东坡命名的佳肴有东坡肉、东坡鱼、东坡羹、东坡甲鱼、东坡鲷、东坡羊骨肉羹等三十多味，相传都是东坡所烹而流传至今的传统名菜。我曾指导杭州梦粱楼菜馆创烹东坡宴菜点，受到中外旅客的欢迎。

说到东坡肉，在杭州已是一味家喻户晓的传统名菜，因纪念东坡而名。但东坡肉始于何地，目前尚有多种说法，简言之，以黄州与杭州两地最有说服力。

苏东坡因乌台诗案被贬官至黄州，当地猪肉多价又便宜，只是因烹饪方法单调而未成为当地喜食的佳肴，正如东坡《食猪肉》诗中说："黄州好猪肉，价贱如粪土。富者不肯吃，贫者不解煮。"这为"喜食猪肉"的苏东坡提供了方便，以猪肉为常菜。在长期烹饪实践中，他把四川老家烧法与黄州烹法结合起来，逐渐形成了新的烹调特点，这就是东坡《食猪肉》诗中所总结的十三字："慢着火，少着水，火候足时它自美。"这种"慢火炖肉"，清淡酥烂，适合中老年人的口味。黄州人称它为"煮肉十三字诀"。当时四十余岁的苏东坡，刚刚步入中老年的行列，适合他的口味。他在诗中最后说："每日起来打一碗，饱得自家君莫管。"后来，东坡还常以此肉招待客人朋友，受到人们称道而普遍流传。

过了七八年，即元祐四年（1089），他第二次为杭州地方官，担任知州（相当于市长），因疏浚西湖、兴筑苏堤而受到百姓的称赞。老百姓纷纷抬猪挑酒

二、论文

来慰劳。而东坡却认为浚湖之功应归于河工民夫，便吩咐家厨切成大块，用杭州人喜欢的红烧方法烹制，肉香味甜，肥而不腻。民工在品尝之后，取名为东坡肉。

综合上述，东坡肉这道名菜是四川眉山、湖北黄州、浙江杭州三地烹饪方法交流融合的结晶，是古代烹调猪肉的最佳方法之一，具有强大的生命力。据我搜集资料所及，全国各地有十多种东坡肉，其中以杭州东坡肉、黄州东坡肉、开封东坡肉、四川东坡肉、云南东坡肉、山西东坡肉、浙江海盐东坡肉等为著名。

【文章来源】林正秋：《东坡肉的源流》，《杭州：生活品质》，2011 年第 3 期

33. 钱江鲻鱼考述

鲻鱼是生活在浅海及淡、盐水交界处的洄游性鱼类。鲻鱼以其味美自古以来被誉为佳品，自唐代以来见诸许多历史文献。钱江鲻鱼由于生活在钱塘江下游独特的地理位置，其肉质及风味有别于其他产地，成为杭州饮食文化中的鲜明特色之一。可以说，钱江鲻鱼承载着历史和文化。

1 鲻鱼史考

鲻鱼（Mugilcephalus）是一种灰色的鲻科鱼，它与红色的鲻科鱼有着明显的区别，汉文称"鲻"，俗名乌头鲻、鲚鱼等，体形较长，前部近圆筒形，后部侧扁。马志的《本草》曰："鲻生江河浅水中，似鲤，身圆头扁，骨软，性善食泥。"

李时珍曰："鲻色黑，故名。粤人讹为子鱼。生东海，状如青鱼，长者尺余。其子满腹，有黄脂味美，獭喜食之。吴越人以为佳品，腌为鱼腊。"

《六书故》曰："鱼兹，今咸淡水中者，长不逾尺，博身椎首（即身大头尖）而肥，俗谓之鱼兹，海亦有之。"

《闽志》："鲻目赤而身圆，口小而鳞黑。其鱼至冬能牵被而自藏。"《物产志》："凡海中鱼多以大噬［噬：咬（吞噬）］小，惟鲻鱼不食其类。一名鱼资，一名鱼兹。"《异物志》曰："鲻鱼，形如鲩，长七尺，吴会稽临海皆有之。"宋朝吴自牧的《梦粱录·卷十八·物产》："鳊、鳢、鲻……"《谱》曰："鲻甘，平。补五脏，开胃，肥健人，与百药无忌。湖池所产无土气者良，腹中有肉结，俗呼算盘子，与肠脏皆肥美可口，味亦鲜嫩，异于他鱼。江河产者逊之，但宜为腊。"

明代黄省吾《鱼经》曰："鲻鱼，松之人于潮泥地凿泥。仲春潮水中捕盈寸者养之，秋而盈尺。腹背皆腴。为池鱼之最。是食泥。与百药无忌。"

《清稗类钞·动物志》曰："鲻体圆头扁，状类青鱼，而色黑口小，骨软如鲳，有黄脂，长者尺许，产近海。"鲻鱼在唐朝已经作为贡品进贡朝廷，当时苏州献给朝廷的土贡中就有"鲻皮"。古时鲻鱼有个奇怪的名字叫"跳",《岭表录异》曰："捕鱼者,仲春于高处卓望,鱼儿来如阵云,阔二三百步,厚亦相似者,既见,报渔师,遂桨船争前而迎之,船冲鱼阵,不施罟网,但鱼儿自惊跳入船,遂巡而满,以此为艇。"

2 有关钱江鲻鱼的记述

传说孙权曾与术士介象讨论什么鱼做生鱼片最好,介象推荐鲻鱼。孙权叹息道,鲻鱼出在东海,可望而不可即(当时孙权的大本营设在武昌)。介象让人在大殿中央挖出一个小坑,灌满清水,随即从水坑中钓出鲻鱼来。鲻鱼俗称子鱼、乌鱼,鱼肉与鱼子都以鲜美闻名。中世纪,鲻鱼在中国已经很有名气而且深受食客的喜爱,在唐代,沿海各地张网可以捕得。鲻鱼曾是南宋御膳房中的珍肴,但在古代捕获量稀少,平民百姓难得品尝。

据《仁和县志》："鲻,土人于仲春捕盈寸者养之,秋而盈尺,腹背皆腴,为河鱼之最。"仁和,即现在的杭州。至清代,杭州东河还产鲻鱼,厉鹗有《食鲻鱼》诗："一尺银鲻美,东河亦水乡。跃时过暑雨,肥处近秋光。收得西施网,调成介象姜。吴船通酒市,风味付厨娘。"东河是一条与钱塘江相连的城河,鲻鱼由钱塘江逆流进入东河。当时因为钱塘江水质好,鲻鱼盛产,曾有书记载,鲻鱼盛产期,钱江、东河水面上不断地响起啪啪的水浪花,开始渔民还以为是鳙鲢和大跷嘴鱼,后来才知是大鲻鱼在水面上抢食。鲻鱼像草鱼,是中层鱼,会吸河泥,又会在水上面抢食。大的鲻鱼捕钓上来重足有五公斤以上,一米左右长,河中的鲻鱼比原生鳙鲢鱼还多,情况可想而知。钱塘江海涂鲻鱼非常多,渔民下网的时间要刚好赶在涨潮时分,潮水卷过,江里的鱼也随着上下翻滚,每当退潮时,渔民纷纷抢捕鲻鱼,场面非常壮观。鲻鱼有海水中的,也有淡水中的。如此之大如此之多的鲻鱼,难于想象。

据1993年水产资源调查:除钱塘江、苕溪水域外,共有水面8049公顷,可养7232.8公顷,占89.86%。其中池塘2923公顷,外荡4057公顷,水库118.27公顷。下半年捕鳗鱼、鲻鱼、海鲈鱼等;12月份捕雪压鲻鱼。多年在外海捕鱼的渔民,天气最冷也只穿一件"膀身",虽然抢潮头鱼时,身体会暖起来,但毕竟是寒冬腊月,这种耐寒的本能,都是从小练就的。刀鱼、大野鲫不少。

3 鲻鱼生物习性

鲻鱼为广盐性鱼类，生命力强，主要生活在浅海和河口咸、淡水的交界处。喜栖于近岸浅海、河口或内湾，亦进入淡水水体，适盐范围0—40。感觉灵敏，受惊即逃，性急躁，活动力甚强，游泳迅速力大善跳，跃向空中可高达1米，能连续跃出水面6—7次多。稚鱼、幼鱼趋光，喜结群，对低盐度水流有强烈的趋流性，喜逆流上溯到咸淡水交汇处的河口区生活，以浮游动物为主。每当春暖花开之季，正是捕捞鲻鱼的大好时节。杭州自古有"春鲻夏鳎"之说，即春天当食鲻鱼，而夏天应吃鳎目鱼。鲻鱼以丰富的海藻为食，肉质丰腴，春季是鲻鱼产卵期，故春食鲻鱼，肥美鲜嫩至绝。

4 鲻鱼生长的钱塘江水系鱼类资源

钱塘江是中国东南沿海主要河流之一，是浙江省的最大河流，由于河道在浙江附近曲折成"之"形，故又名之江、曲江、浙江、钱江，古称浙江、罗刹江和之江。钱塘江全长605公里，流域面积48887平方公里，流经杭州市闸口以下注入杭州湾。江口呈喇叭状，与东海相连，海潮倒灌，成为著名的"钱塘潮"。钱塘江干流在杭州市境内，建德梅城以上泛称新安江，自梅城以下，分别称为桐江、富春江、钱塘江。钱塘江流域鱼类资源丰富，全江共有鱼类203种，分属55科，以鲤科最多，为79种，占总数的39%。除平原区鱼类外，主要有紫斑三线鳎、鲈鱼、鲻鱼、圆吻鲴、斑条光唇鱼、花鳍等。特有种有银飘、黑尾鳘条、方氏密鲴等29种。按鱼类生活环境条件，全流域的鱼类资源可分为上游山溪性鱼类、中游河川性鱼类和下游回游性鱼类，以及河口的海洋鱼。

上游山溪型河段：此区饵料相对较贫乏，鱼类较少。主要鱼类有圆吻鲴、光唇和厚唇鱼类，大眼华鳊、蛇、马口鱼、鲎类和鳗鲡等。

平原水网区：此区主要有育珠河蚌、河蟹、鳜花鱼、四鳃鲈鱼、鳗鲡、罗非鱼等。

中游河段及富春江、新安江水库区：此区浮游生物、水草、水生昆虫、小杂鱼等丰富。主要鱼类有银鲴、银鲫、细鳞斜颌鲴、三角鲂、赤眼鳟、鲢、鳙、草鱼、鲤、鲫、鳊、鳜类、银飘鱼、虹鳟鱼、银鲫、锦鲤等。

下游河段及河口区：此区水质肥沃，浮游生物较丰富，还有半咸水饵料生物。

二、论文

鱼类组成比较复杂，主要有鲢、细鳞斜颌鲷、银鲴、似鳊、鲻、凤鲚、中华鲟、银鱼、青鱼、黄鳝、鳗鲡、鲫、鳘条、海蜇等种类。还有鳗苗、鲻苗、鲈苗、蟹苗等苗种资源。

钱塘江珍贵的土著鱼有三角鲂、翘嘴红鲌、长吻鮠、鲥鱼、鲈鱼、鲻鱼、船丁鱼、白鱼、紫斑三线鳎、圆吻鲴、斑条光唇鱼、花鳍等，这些土著鱼是淡水中的珍品，肉质异常鲜美，是杭帮菜不可多得的原料。

5 钱江鲻鱼特色与烹调

钱江鲻鱼性味甘平，对于医治脾虚、消化不良、小儿疳积和贫血等症都有一定疗效。鲻鱼肉质口味鲜美，营养丰富，含蛋白质高达22%，脂肪4.27%，无肌间刺，无细骨，肉质醇而不腻，市场价比四大家鱼高几倍，卵巢可晒干制成"乌鱼籽"。

鲻鱼入馔方法在古代有记载，南方人喜用盐将鱼腌好，"生擘点醋下酒，甚是美味"。杭州萧山民间流行的钱塘江特产"鲻鱼"，根据鲻鱼肉质的特性，将鲻鱼通过腌、晒等多道工艺，加工成土味十足的"鲻鱼"，在二十世纪七十年代还能品尝得到，可惜此美味现在已经失传！

目前，钱塘江鲻鱼已成为新杭帮菜中的地方特色名馔而享誉中外，"清蒸鲻鱼"是杭州湾平湖乍浦的传统名肴。乍浦位于杭嘉湖平原的东端，杭州湾的北岸，这里土地肥沃，河港密布，兼有海滨之利。杭州菜式的鲻鱼烹调方法以蒸、煮、氽、烩、烧等水传热法为主，以最大限度地保存鱼肉的鲜美，很少采用过油的方法。杭帮菜中鲻鱼菜式主要有葱油鲻鱼、清蒸鲻鱼、红烧鲻鱼、醋熘鲻鱼、浓汤鲻鱼、生拌鱼片、鲻鱼鱼圆等。葱油鲻鱼：将0.5公斤左右的鲻鱼切对开，加姜片、葱段，浇豉油汁蒸上6分钟就可以了。鲻鱼肉质丰厚、肥美，鱼肉香醇而不腻。杭州农家宴席的八碟冷菜：凉拌马兰头、酒醉铜钿蟹、香椿腐干丁、清蒸鲻鱼干、腌莴苣笋、荠菜春卷、白切羊肚、蕨菜干丝。其中清蒸鲻鱼干最富有特色也最受食客赞赏。

【文章来源】陈永清：《钱江鲻鱼考述》，《中国食品》，2007年第5期

329

34. 杭州名菜东坡肉的荤菜素做

摘要： 东坡肉是杭州名菜，历史悠久，享有盛誉。这道菜肴根据苏东坡的诗句"慢着火，少着水，火候足时它自美"而烹调，主要选用猪五花肉与绍兴黄酒焖制而成，色泽红亮，味醇汁浓，酥烂而形不碎，香糯而不腻口。但是东坡肉中的脂肪含量明显过高，脂肪摄入过多对人体造成的危害很大，不符合现代人平衡膳食、营养保健的饮食观念。经过数次实践和研究，素东坡肉对选用的原料进行了改革，采用豆制品和蔬菜进行仿制，菜肴外形逼真，制作简便易行，营养合理，对教学实习和实际菜肴创新都大有裨益。

关键词： 素东坡肉；制作；创新

东坡肉是 1956 年浙江省认定的 36 种杭州名菜之一，相传为北宋诗人苏东坡所创制。因其味美香醇，脍炙人口，自古倍受人们喜爱，主要体现在杭州各大饭店东坡肉的点单率一直位居前列。但东坡肉是否还能适应现代社会人们的饮食保健理念，值得思考。

一、东坡肉的由来及制品特点

东坡肉起源于北宋大文学家苏轼（1037—1101）。苏轼，字子瞻，号东坡居士，所以人们都称他苏东坡。因他曾两度做过杭州的地方官，并为当地人民群众做了些实实在在的好事，所以苏东坡的事迹在浙江民间流传极广，至今人们仍称西湖那条湖堤为"苏堤"。相传"东坡肉"的流传还与修"苏堤"有关。

苏东坡早年曾在北宋京城做官，因与当时的革新派王安石政见不同，自发请调到地方做官，1071 年到杭州做通判，以后还到密州、徐州和湖州等地当过知州。1079 年因所谓的"乌台诗案"受到弹劾，被捕入狱，几个月后被贬谪到黄州（今湖北黄冈），做了"团练副史"这样一个挂名小官，其实质是流放。在这个时期苏东坡心境之悲凉、门庭之冷落、生活之清苦是不言而喻的。不过那时黄冈一带猪肉比较便宜，苏东坡在贫寒境遇中常亲自煮猪肉与友人共同品味，曾作诗一首介绍他煮猪肉的经验，诗云："黄州好猪肉，价贱如粪土，富者不肯吃，贫者不解煮。慢着火，少着水，火候足时它自美。"可见"东坡肉"的研究工作是在谪居黄州时开始的。

1085 年宋哲宗即位，司马光一派重新执政，次年苏东坡奉调回汴京做官。但这时他与保守派在对待王安石新法的积极意义上看法发生分歧，于是再次被贬为地方官。1090 年再次出任杭州地方官，那时苏东坡发动杭州数万民工疏浚西湖、修筑湖堤、兴修水利。老百姓为感谢这位太守，便把猪肉、绍兴酒（黄酒）等送给苏东坡。苏东坡则吩咐家人：把猪肉烧好后连黄酒一起送到工地慰劳民工。谁知家人误认为将猪肉和黄酒放在一起煮，于是产生了意想不到的结果：用这种办法炖出来的肉格外香醇味美，别有一种风味！此事一时传为佳话，消息不胫而走，人们纷纷传颂苏东坡的功德，同时也纷纷仿效他的烹调技法，从此，"东坡肉"也就成了杭州的传统名菜，名扬四海。

二、东坡肉的传统制作过程

（一）原料

猪五花肋条肉 1500 克、绍酒 250 毫升、酱油 150 毫升、白糖 100 克、葱结 50 克、姜块 50 克。

（二）制法工艺

1. 初步加工及刀工处理

选用皮薄、肉厚的猪五花条肉（以金华"两头乌"为佳），刮尽皮上余毛，用温水洗净，放入沸水锅内氽五分钟，煮出血水，再洗净，切成 20 块方块。

2. 烹调

取大砂锅一只，用小蒸架垫底，先铺上葱、姜块，然后将猪肉整齐地排在上面，加白糖、酱油、绍酒，再加葱结，盖上锅盖，用旺火烧开后密封边封，改用微火焖两小时左右，至肉到八成酥时，启盖，将肉块翻身，再加盖密封，继续用微火焖酥。然后将砂锅端离火口，撇去浮油，皮朝上装入两只特制的小陶罐中，加盖，用桃花纸封罐盖四周，上笼用旺火蒸半小时左右，至肉酥嫩。食用前将罐放入蒸笼，用旺火蒸十分钟即可上席。

（三）菜肴特点

色泽红亮，味醇汁浓，酥烂而形不碎，香糯而不腻口。

三、东坡肉菜品存在的不足之处

（一）长时间烹制对肉的营养价值有影响

以绍兴酒长时间焖制此菜，焖蒸结合，因此薄皮嫩肉，色泽红亮，味醇汁浓，酥烂而形不碎，香糯而不腻口，其独有的"焖香"是最大的特点。但也因长时间焖制猪肉，产生羰氨反应（美拉德反应），虽然肉的色、香、味改善了，但猪肉的营养价值降低了，因为羰氨反应使氨基酸受损。羰氨反应对食品中最重要的必需氨基酸——赖氨酸有很大的破坏作用，而且蛋白质分子被交联粘结，营养吸收受到阻碍。羰氨反应中产生的各种物质特别是可能产生对人体有致突变作用的杂环胺，是对人类健康最大威胁之一。

（二）高脂肪是人类健康的最大祸首

猪五花肉中的脂肪含量过高，平均每 100 克五花肉含 67 克左右的脂肪，能产生 603 千卡能量。东坡肉以 75 克为一份，其脂肪所产能量就有近 450 千卡。如果脂肪摄入过多，会造成身体肥胖，会造成脂肪肝、高血脂、高血压等疾病，同时身体肥胖也会给体内的各个器官带来压力，比如气喘、心肺不适等。由于脂肪摄入过多，身体肥胖还会引起人的心理变化，比如自卑、孤僻等。脂肪摄入过多对人体造成的危害很大，它会妨碍身体对其他营养的吸收，影响体内的代谢功能、内分泌功能等。何况现在已不是从前缺乏"油水"的年代，现代人提倡合理饮食，所以不符合现代人的饮食观念。

为此，我们创新素东坡肉，以素托荤，既可以解人们之馋，又可以提高人体营养。

四、东坡肉的创新制作

（一）原料

素鸡 500 克、冬瓜 200 克、茶干（卤味豆腐干）100 克、萝卜 1 根、芦笋 5 根、酱油 60 克、盐 3 克、糖 30 克、料酒 30 克、蚝油 25 克、鸡精 5 克、色拉油 20

克，湿淀粉、猪油少许。

（二）制作工艺

1. 刀工处理

将素鸡改刀成 3×3×3 厘米的正方块，冬瓜去皮改刀成 3×3×1 厘米的方块，茶干改刀成 3×3×0.2 厘米的片，胡萝卜削成大小均匀的橄榄球型。

2. 初步熟处理

将改刀的素鸡用酱油调成的卤汁卤上色后，入 150℃油中定型捞出。冬瓜用沸水略焯。

3. 造型

把素鸡、冬瓜、茶干（卤味豆腐干）按序由下往上叠好，用竹签穿好成"东坡肉"。

4. 烹调

锅置中火上，下色拉油及猪油，把素鸡一面向下入锅略煎，下酱油、料酒、蚝油加水烧煮 2 分钟后，加入糖和鸡精烧上色，用湿淀粉勾芡出锅。

5. 装盘

将烧好的"东坡肉"放入盘中，浇上芡汁，配上焯熟的胡萝卜球和芦笋即可。

（三）创新之处

1. 原料创新

本菜采用荤菜素做的仿制做法，用豆制品和蔬菜做出这道外形逼真的杭州传统名菜。此菜做法简单、材料简单。营养方面选用无脂肪的冬瓜和富含植物蛋白的素鸡与茶干。

中医学认为，冬瓜味甘而性寒，有利尿消肿、清热解毒、清胃降火及消炎之功效，对于动脉硬化、冠心病、高血压、水肿腹胀等疾病，有良好的治疗作用。冬瓜还有解鱼毒、酒毒之功能。经常食用冬瓜，能去掉人体内过剩的脂肪，由于冬瓜含糖量较低，也适宜于糖尿病人"充饥"。

茶干（卤味豆腐干）营养丰富，含有大量蛋白质、脂肪、碳水化合物，还含有钙、磷、铁等多种人体所需的矿物质。茶干在制作过程中会添加食盐、茴香、花椒、大料、干姜等调料，既香又鲜，久吃不厌，被誉为"素火腿"。

茶干中含有丰富的蛋白质（每 100 克茶干含有 12.1 克蛋白质，比牛奶高 3

倍），而且属完全蛋白，不仅含有人体必需的8种氨基酸，而且其比例也接近人体需要，营养价值较高。茶干含有丰富的卵磷脂。卵磷脂可清除附在血管壁上的胆固醇，防止血管硬化，预防心血管疾病，保护心脏。

茶干还含有多种维生素和矿物质微量元素。

2.制作工艺方便快捷

与传统制作相比工艺更简便快速。传统东坡肉制作往往需花3个小时左右的时间，经过繁琐的工艺程序才能完成。而创新制作从开始到成菜只需10分钟，工序简便，更能适合现代社会快速饮食的节奏。

3.装盘手法创新

素东坡肉采用西餐的装盘手法，美观又实用。增加配菜，丰富营养，增加色彩，而不像过去用陶罐盛装，缺乏色彩和营养搭配。

五、创新东坡肉的应用与推广

创新东坡肉在原料上以素料代替传统制作的五花肉，外形和色泽逼真，营养更为科学合理。取料方便，制作简单，既符合中国传统养生学对食物性味、功能的要求，也符合现代营养学对营养素合理配比的要求。

（一）适用人群广

创新素东坡肉因鲜香软嫩、滑润可口、营养丰富，男女老幼皆宜。特别适用于冠心病、肥胖症及高胆固醇等人群。如果摒弃调料中的猪油、蚝油和鸡精，添加少许素汤和黄酱提鲜，这就成了一个真正的素菜，可以满足素食主义者的需求。因为杭州有着众多的佛教寺院和深厚的佛教文化，民间信徒较多，因严格的佛教教义，众信徒对东坡肉只听其名，而未尝其味，如用豆制品和蔬菜做的"东坡肉"却可以一尝其味。

（二）菜肴成本低

创新东坡肉的主要原料是冬瓜和豆制品，价格低廉。如果饭店能推广此菜将会获较高的利润空间，并且菜肴形状美观，色、香、味俱佳，适用各类宴席和点菜。同时因方便快捷，也适用家庭制作。

（三）符合现代饮食要求

创新菜烹调方法快速，用短时间煎烧成菜，既防止营养流失，又节约能源。传统菜因需长时间的焖制，易发生羰氨反应，使肉中的蛋白质受到影响，不易被人体消化吸收。创新菜在装盘上进行了改进，配以绿色蔬菜和胡萝卜加以点缀，既丰富了营养又增加色彩，改变了传统菜那样用陶罐盛装，缺乏色彩和营养搭配的情况。

此菜经原料创新后，取材方便、制作快捷、造型逼真、价廉物美，适合人群更广，也更符合现代人的饮食营养的习惯。

参考文献

[1] 戴宁 . 杭州菜谱 [M]. 杭州：浙江科学技术出版社 .2000.

[2] 杨东起 . 中国名菜谱 [M]. 北京：中国财政经济出版社 .1994.

[3] 彭景 . 烹饪营养学 [M]. 北京：中国轻工业出版社 .2000.

[4] 凌强 . 食品营养与卫生 [M]. 大连：东北财经大学出版社 .2002.

【文章来源】吴强：《杭州名菜东坡肉的荤菜素做》，《浙江旅游职业学院学报》，2009 年第 4 期

35. 杭州名点——吴山酥油饼的制作创新

摘要：吴山酥油饼是杭州名点，历史悠久，外形美观，制作精细，传统的制作方法在制作过程中容易出现失误，并且制品不够精致。经过不断的研究，在配方、制作过程、成型及成熟等方面进行创新，产品的精致度有很大的提高，成功率高且比较稳定，产品造型更为美观，制作简便易行，对教学实习和实际制作都大有裨益。

关键词：吴山酥油饼；中式点心；烹饪工艺

吴山酥油饼是杭州传统名点，至今已有七八百年历史，号称"吴山第一点"。吴山酥油饼也是烹饪教学中中式点心油酥制品中的一个典型产品。中式点心一般按面坯性质的不同可以分为水调坯、膨松坯、层酥坯和其他坯。层酥坯是在几种面坯制品中制作难度系数比较高的一种。吴山酥油饼属于层酥制品中的明酥制品。

1 吴山酥油饼的由来及制品特点

吴山酥油饼的起源有两种传说。一说源于宋初问世的名点"大救驾"。相传五代十国末，赵匡胤与南唐李升交战，被困于今安徽寿县的地方，当地百姓用栗子粉制成酥油饼，给赵军充饥。赵匡胤建立宋朝后，为纪念此事，命御膳房照样仿制，取名"大救驾"。后南宋迁都杭州，世人为借故讽政，便仿制"大救驾"，希望南宋朝廷记住开国的艰难，不要丧权辱国。此点必吴山所制最为有名。吴山一带百姓还将栗子粉改成麦粉，使油饼酥层清晰，味道更佳，故得"吴山酥油饼"的美名。二说起名于北宋苏东坡。当时，苏东坡任杭州知州。一天，他身披蓑衣，脚着芒屦，冒雨游吴山，见众人争购油饼，也买几只，解下酒葫芦，坐在野花丛中，品尝起来。一口下去觉得此饼香脆松口，味道特佳。问店家有何美名？店家回答："山野小吃，无什么美名。"苏东坡细观此饼，一层层、一丝丝，像身上蓑衣一样，便随口说道："好，既无雅名，就叫它蓑衣饼吧！"

二、论文

由于苏东坡为此饼取名，从此，吴山"蓑衣饼"，生意兴隆，声名远扬。后来因为"蓑衣饼"与"酥油饼"字音相谐，又加此饼本身又油又酥，就改称为"酥油饼"。

吴山酥油饼选用精白面粉为原料，加入食油和成油面，经造型入油锅炸成。食时，加上细绵白糖。成品起酥，层层叠叠，色泽金黄，脆而不碎，油而不腻，又香又甜，入嘴即化。此饼在吴山一带常年供应，相传清乾隆游吴山时曾品尝过。民间称它为"吴山第一点"。

2 吴山酥油饼的传统制作过程

2.1 配方、制作工艺、产品特点

配方：小麦粉 500 克，花生油 150 克，白砂糖 100 克，糖桂花 10 克，玫瑰花 5 克，梅脯 10 克。制作工艺：取面粉 1/3，加油拌匀、揉透，制成酥面；其余面粉加沸水 110 毫升，搅拌搓散成雪花状的片，摊开冷却；冷却后，甩上冷水 15 毫升左右，加油，拌揉至柔软光滑，调制成水油面；油酥面、水油面两块面团各摘成 10 个剂子；取水油面剂 1 个，按扁圆形，裹入酥面剂子 1 个，包拢后擀成长片，从一端卷拢，再按扁擀成长片，再从一端卷拢，顺势搓成粗细均匀的长条，再擀成宽约 3 厘米的长片，顺长卷拢，对剖成 2 只圆饼，刀纹面朝上，用面杖擀成直径约 8 厘米的圆形酥油饼坯，按此法将全部饼坯擀制好。锅内放油，用旺火烧到六成热时，将锅端离火，用手勺搅动使油面旋转，然后将饼坯分批投入（每锅炸 5 只左右为宜）。将锅置到中火上，油面继续用手勺轻轻推旋，以防油饼焦底；待油饼炸至浮起，两面成玉白色时，即捞起沥尽油，装盘；每只酥油饼放上绵白糖、青梅末、糖桂花少许及玫瑰花瓣碎片即可。

产品特点：成品酥层清晰，色泽淡雅，香脆酥松，甜而不腻，入口即化。

2.2 原有制作过程中的主要难点及产品存在的不足之处

其一，原有的配方对原料的要求不够明确，配方的原料比例也不够精确，原配方中油酥面团比例较低，使产品口感相对偏硬，但油酥面团比例过高，则会造成制作不易，而且制品过于酥散，形状不美观。其二，原先制作采用的小包酥制作速度较慢，一次成型两个，不能适应现代生产的需求。制作难度较高，不易掌握，容易使初学者产生畏难情绪。其三，制品形状主要靠油炸来控制，形状不统

337

一，对美观程度有影响。原制作过程中如果油温控制不当，非常容易出现或是形状不佳或是酥层飞掉的情况，因而造成产品失败。该产品新手制作时，极易失败。用于生产中则成功率不高次品多，造成浪费。其四，原有的制品层次较粗而且不够均匀，产品规格较大，不够精致，而目前的消费习惯，消费者对于点心的要求是精致小巧，食用方便，因此点心规格过大会影响消费者对于产品的选择。如果参加比赛和用于宴席点心则让人觉得档次不高。

总之，吴山酥油饼虽然是杭州的名点心，但是由于制作不够细腻，仍处于大众化的成品档次上，知名度不够高。希望能通过制作上的创新，增加产品的精细度，减低制作的难度，提高制品的成功率。这样一是可以帮助学习者尽早掌握制作过程，提高学习兴趣；二是可以在生产过程中提高生产效率；三是可以减少浪费，降低成本；四是明确了原料的合理配比。

3 吴山酥油饼的制作创新

3.1 配方（10 个产品）

水油皮：中筋粉 200 克，温水 80—90 克，色拉油 40 克。干油酥：中筋粉 180 克，猪油 90 克。油炸用油：色拉油 2000 克。装饰料：糖粉或绵白糖 100 克，糖桂花 10 克，玫瑰花 5 克，梅脯 10 克。创新之处：配方原料选择明确，用量准确，原料配比更为合理。水油皮与干油酥的比例为 5.5:4.5，既适合包制擀皮也利于产品层次清晰、美观，并且口感酥松。其中干油酥采用猪油，可以使产品色泽更为美观，同时猪油的凝固点高，其干油酥呈片状，润滑面积比较大，成品起酥性强，利于制品的造型和酥层产生。而选用中筋粉调制水油皮，可以使水油皮既有一定的筋性，又不是太强，可以包住油酥面团，利于制品的操作，同时又层次清晰，口感酥松。

3.2 制作过程

3.2.1 水油皮调制采用温水（50℃）调制水油皮，要求皮层软硬度适宜，面团宜揉透，揉匀，略为静置片刻。创新之处：选用温水来调制水油皮而不是选用热水来调制面团，主要原因是温水调制可以使水油皮既可以产生一定的面筋，又可以形成较好的韧性。一定的面筋可以产生一定的筋性，在制作过程中便于

二、论文

产品的擀制和折叠。如果筋性过强则会造成擀制困难，而过弱的筋性则会造成在制作时干油酥从水油皮中漏出，行业称破酥。一定的韧性可以使水油皮较好地包住干油酥，而且制作时便于操作。

3.2.2 干油酥调制将猪油与面粉拌匀后，擦成油酥，要揉透。干油酥可以提前制作，经过放置的干油酥在制作前再度擦软即可。这样的干油酥制作效果更佳。创新之处：提前制作干油酥可以加快制作速度，油酥经过放置后起酥效果更好。

3.2.3 包酥：可采用一次成型5个的方法，规格每只25克。水油皮80克，干油酥65克，将水油皮擀成四边薄中间厚的圆皮，然后将干油酥包入，收口。注意将空气排出，收口要紧。创新之处：一次成型数量多，提高了生产效率。排出空气可以使产品的层次更为清晰均匀。

3.2.4 开酥：将包好油酥的面团擀开成长方形，注意要擀得均匀，要薄一些，然后从长向一个三折，折好后，继续将面团往长向擀开擀薄；然后用快刀将一头斜刀切去少许，直至看见均匀的油酥层次。最后将面团卷起，注意卷时要先松后紧。卷到最后将面团擀薄后，粘上少许蛋液卷起。创新之处：包酥擀叠次数减少，也就减少酥层不清晰的可能性。制作过程相对更为简单。制作中去除边皮，使层次更清晰。

3.2.5 成型：将卷成圆筒型的面团用快刀切去两头少许边皮，然后按规格切成5个剂子；将层次清晰的一面朝上，擀成厚薄均匀的圆片，注意圆心要正中；取一个鸡蛋，将圆片顶在鸡蛋上呈宝塔形，层次清晰的一面朝上；然后将蛋黄均匀地涂抹在宝塔型酥油饼的内层。创新之处：成型时选用鸡蛋帮助造型，可以使制品形态一致，造型更美观。涂抹蛋黄液可以避免制品在油炸过程中层次飞酥，提高成功率。

3.2.6 成熟：油温加热至140—150℃，开中小火，将宝塔塔尖倒着放入油锅中，炸至浅黄色，即捞出。创新之处：确定了油炸温度，使初学者易于掌握油温。大批量生产时可以选用电炸炉。新的制作方法的油温较传统制作方法要低，因而产生的对人体的危害物质也相对较少，产品更健康。

3.2.7 装饰：撒上糖粉或绵白糖，再点缀上其他的装饰料。创新之处：装饰采用绵白糖或糖粉，使吃口甜美、滋润，色泽美观。

4 在学习过程中出现的主要问题与对策以及生产中的应用

4.1 初学者容易出现的问题与对策

4.1.1 调制水油皮和干油酥。初学者在调制水油皮和干油酥时容易对两者的软硬度掌握不当，水油皮过硬则在包酥时容易出现发硬、难包甚至破裂，以至于后面的成型出现困难，水油皮过软则制作时会发黏而需要使用干粉导致制品在成熟时易变形和层次不清晰。应对措施：水油皮的调制好坏直接影响制品的质量，要求软硬度适中，要控制好加水量，加水量要随着天气和原料的变化而变化，天热可以适当减少加水量，天冷则增加。原料则要根据具体情况而定。面团务必要揉透并适当地静置。

4.1.2 包酥擀叠。包酥擀叠时手法掌握不当，容易出现厚薄不均，导致制品的层次不均，或是并酥。应对措施：学习擀油酥面团的手法，主要要求使用虚劲道，不要把油酥的层次给擀死了。

4.1.3 卷制。初学者容易出现吴山酥油饼的顶部层次不明显而合并在一起的情况。应对措施：在卷制时要先松后紧，即前面三分之一要松松地卷起，而后面开始慢慢卷紧，最后卷好后再卷几下。

4.1.4 油温控制。油温控制较难掌握，容易使初学者产生畏难情绪。应对措施：用制作过程中的边皮在油锅中实验，根据产生的气泡的大小和速度来判断油温，可以较快地掌握和控制油温。

4.2 生产中的应用

在生产实践中可以用两倍的量来制作，即每次制作 10—11 个制品，正好是一份的量。因为制作过程的简化，使制作速度提高，更能适应饭店的需求。同时，运用新的制作方法大批量生产在成熟时可以适当提高油温，增加每锅成熟的产品的数量。

【文章来源】应小青、金晓阳：《杭州名点——吴山酥油饼的制作创新》，《扬州大学烹饪学报》，2008 年第 2 期

二、论文

36. 杭州羊肉文化的古往今生

  杭州羊肉文化古而有之,并伴随着社会的变迁生活水平的提高和文化的积累而不断发展。据资料表明,杭州一带羊肉美食有据可查的为始于吴越,兴于宋代,盛于元朝,胜于当代,且生生不息,源远流长。羊产品也随着羊肉文化的影响而更加多姿多彩。挖掘和整理沉淀在历史中琐碎的羊肉文化,有利于我们"以史为鉴",古为今用,营造品牌,开拓未来和复兴"百年老店、百年品牌"的"老字号"产品,丰富消费和旅游产品,跟上忆旧和多元消费的时代节拍。另外也有利于开展烹饪文化的交流,做大做强餐饮文化,更是经济社会发展的需要。下面把收集的散落在各个书籍和民间的有关杭州一带的羊肉文化梳理如下。

一、羊肉文化始于吴越

在典籍中查到最早杭州一带见诸记载的羊肉文化，为五代至北宋人陶榖（903—970）撰的《清异录》。该书载曰："孙承佑在浙右，尝馔客，指其盘筵曰：今日坐中，南之蝤蛑，北之红羊，东之鰕鱼，西之粟，无不毕备，可谓富有小四海矣。"这个烹制成的"红羊"应当是北方输入的绵羊，这在《十国春秋》卷81《吴越五忠懿王世家》里有两处"北羊南下"的记载：一是"显德五（958）春……三月……丙午周（指五代后周）遣翰林学士都承旨陶榖、司马监赵修己赐王（指吴越王钱弘俶）羊马、骆驼；每岁班赐，自此始也。"二是吴越国与宋王朝贡奉关系密切，礼尚往来，互通有无，"建隆二年(961)春三月，宋遣丁德裕送王弟信（指吴越钱王弘俶之弟钱弘信）回，仍赐马二百匹、羊五百口、骆驼二十头"（《宋史》作羊五千、骆驼三十，从《备史》）。

二、羊肉文化兴于南宋

南宋建都临安（今杭州）后，北人南迁，也带来了北方的饮食文化，相互交融，"南烹北馔"以为餐桌的大势。当时杭州酒楼、食店林立，大菜小吃数不胜数，羊肉食品有几十种之多。从官府到市井，羊肉肴馔花式繁多，烹饪方法各异。据《梦粱录》（南宋·吴自牧）记载：南宋都城临安各大饭店和面食店的菜肴中，有"鹅排吹羊大骨、蒸软羊、鼎煮羊、羊四软、红煨羊肉、全羊、酒蒸羊、绣吹羊、五味杏酪羊、千里羊、羊杂、羊头鼋鱼、羊蹄笋、细抹羊生脍、改汁羊撺粉、细点羊头、大片羊粉、灌肺羊、软羊腰子、猪羊大骨、鳖蒸羊、元羊蹄、大片羊羊羹、羊肚羹、羊血汤、羊肉馒头"等，由肥羊酒店和分茶酒店及面食店经营。其中，肥羊酒店有"丰豫门归家、省马院前莫家、后市街口施家、马婆巷双羊店"等铺，主要零卖"软羊、大骨龟背、烂蒸大片、羊杂四软、羊撺四件"等，其他的由各分茶酒店及面食店买卖。

官府仍承袭东京时的羊肉为上的北人饮食消费，据《武林旧事》（南宋·周密）记载：南宋皇帝赵构临幸张俊（清和郡王）府御膳的菜谱上就详尽记载，其中第三盏（共十五盏菜，一盏就是一轮，两道菜）就是羊肉签，此外，宴席上还有供随从人员食用的"烧羊、烧羊头、斩羊等。据史料记载，宋高宗绍兴

二、论文

年间规定，皇太后每月食料羊 90 只，且每每宴赏都有大量的羊肉消费。为保障皇宫的羊肉御膳，宋孝宗乾道年间，官方还养了一些胡羊，"御马院所养胡羊，每遇断屠，则一口奉太上，一口奉寿圣"。南宋杭州最有名的羊肉店家为"薛家羊饭"和"羊肉李七儿"，与当时的"湖上鱼羹宋五嫂"齐名［据《枫窗小牍》（宋·百岁寓翁）］。

三、羊肉文化盛于元清

元朝时，杭州渗入了蒙古族的饮食文化，而且由于当时东西陆海交通畅通，阿拉伯商人大量来到杭州，羊肉吃货比起宋朝来毫不逊色。

当然当时的羊肉佳肴，主要还是以特定群体消费为主，据《马可波罗游记》对杭州的描写："城内有许多屠宰场，宰杀家畜，如牛、小山羊和绵羊，来给富人与大官们的餐桌提供肉食。至于贫苦的人民，则不加选择地什么肉都吃。"

清朝，虽然猪肉已取代了羊肉的主打地位，坊间羊肉消费仍然有元朝遗风。当时杭州羊肉专卖店较有名气为开办于清乾隆五十三年（1788）的西乐园（属羊汤饭店系列，今位于清河坊仿宋古街中山中路 64 号）。据西乐园的历史沿革记述："当时的羊汤饭店属普通饭店之列……专卖羊货，其羊剥皮剔骨，焖烂切片，有椒盐、淡件之分；又卖羊汤面、羊杂碎，小吃有肝、腰、舌、肚、肠蹄爪等，点心有羊肉烧卖、羊肉水饺、羊肉煎包、羊肉丝春饼"等，至今又推陈出新"满汉羊腿、鱼羊同喜、蒜爆羊片、红烧羊肉"等十几道菜肴新品应市，羊汤"百年飘香"，盛而不衰。当时市井还有笋壳蒸煮的羊肉，据《东郊土物诗》（清·朱点辑著）记载："羊去皮割肉为方块，以笋箬扎而蒸之。"清代把羊肉烹饪更加理论化：清代诗人、诗评家、美食家袁枚（钱塘人，今杭州）撰有《随园食单》，书中详细记载了"羊头、羊蹄、羊羹、羊肚羹、红煨羊肉、炒羊肉丝、烧羊肉、全羊"等烹饪要领，写得清清楚楚、明明白白，完全是临灶指南。这本书不仅流传今世，且一直被厨师奉为经典，英、法、日等语种均有译本。

343

四、羊肉文化胜于当代

杭州除西乐园等数家传统老店仍接力羊汤"百年飘香"外，近几年来又有一批新疆、内蒙古等地的老板来杭州开设各种独特风味的羊肉店，每当秋冬季节来临，杭城多处羊肉飘香。"城内羊肉城外香，余杭羊肉飘万里"，这是杭州羊肉文化的又一个特点。杭州市余杭区政府为发扬光大传统羊肉的文化，打造羊肉品牌经济，采取"政府搭台，市场唱戏"的办法，分别于2006年在余杭区的仓前街道（章太炎故里）举办了"羊锅节"（名曰掏羊锅，即原为农家把卖剩的羊肉、羊头、羊脚和内脏等杂碎，配上高汤，用火长煮，聚家人或亲朋好友，边烧边掏边吃边喝，现演变为整只羊煮熟按部位分割和盘托出，供客食用）和2009年在余杭区的运河街道举办"鱼羊美食节"，并每年一届，一以贯之，引导羊肉消费向产业化发展，既彰显了羊肉文化，又带动了地方旅游经济发展，更让消费者饱了口福。

当地政府为举办"羊锅节"特地建立羊锅村，共投入30万资金，把分散在千家万户的"掏羊锅"集中一地，实行规范有序管理。"羊锅节"迄今已是第十届，在过去的 9 个"羊锅节"，累计接待各地游客近 330 万人次，营业收入 2.8 亿元，获得"中国美食节庆产业特别奖"等荣誉，成为长三角地区规模大、参与度高、影响力广的一项节庆活动；运河街道的"鱼羊美食节"，则按照"一街三馆十店加农家乐"的美食布局，集中展示红烧羊肉和"鱼羊同烹"的传统美食。据近 5 年的不完全统计，"鱼羊美食节"共吸引游客 120 万人次，营业额达 1.8 亿元。政府办"羊锅节"，农户"发羊财"成为当地的新常态。

除了美食，两个红、白羊肉节还开展了民间菜的挖掘、剪纸、绘画、摄影、征文、讲典故大赛和看斗羊、抬小羊、小羊快跑、玩山羊拉车等系列活动，在传统饮食文化基础上注入现代文化元素，丰富了饮食文化内涵，更引得无数游客竞相前来观光和品尝。余杭区运河镇由于红烧羊肉的独特风味和烹饪技术，目前正在积极申遗中；西乐园为挖掘和开发老字号品牌，相继恢复和推出了享誉杭城内外的南宋时期的"怀胎鲫鱼"(即取 3 两以上的鲫鱼剖腹洗净，把调好味的羊肉馅填入鱼腹，下锅红烧而成)和"鳖蒸羊"，并注册了"西乐园羊汤"商标；杭州市上城区政协文史委专门编辑出版了《品味南宋饮食文化》一书。纵观杭州羊肉文化脉络，不仅蕴藏着浓厚的古代文明的底蕴，同时还彰显了现代文明的气息，更透射出北方饮食文化长长的影子。

【文章来源】吴秋萍、朱建芬:《杭州羊肉文化的古往今生》,《中国畜牧业》,2016 年第 5 期

37. 从西湖醋鱼看杭州饮食

　　杭州菜馆除了一些大城市外，分布不算广，但是名声却很大。究其原因，杭州是个旅游城市，全国各地到杭州来旅游过的人很多，在西湖边的楼外楼品尝了正宗的杭州名菜后，便将其盛名传遍四方。还有，杭州的历史文化悠久，是中国著名的古都，千百年来的饮食故事代代相传。杭州吃食的故事最多最全，从这个角度来说，中国没有一个地方可以比得上它。

　　唐代以前，杭州还只是江南一个不出名的山中小县，唐以后其地位才渐渐重要起来。但南宋以前限于史料的匮乏，饮食的细节难以推定。南宋时期，杭州作为名义上的首都，饮食生活十分发达，有着远比其他地方多得多的记载。

　　南宋时著名的菜肴"宋嫂鱼羹"，有说是当今炙手可热的西湖醋鱼的雏形。根据宋人吴自牧的《梦粱录》记载，当年"杭城市肆各家有名者"，其中就有"钱塘门外宋五嫂鱼羹"，可见宋嫂鱼羹在南宋时期就已经成为杭州的一种名菜了。又，宋人周密的《武林旧事》记载，宋嫂鱼羹在杭州起始于南宋的淳熙年间。南宋淳熙六年 (1179) 三月十五日，太上皇宋高宗赵构登御舟闲游西湖，来至钱塘门外。"时有卖鱼羹人宋五嫂对御自称东京人氏，随驾到此。太上特宣上船起居，念其年老，赐金钱十文、银钱一百文、绢十匹，仍令后苑供应泛索。"这段故事在明代话本《西湖二集》第二回里也演绎了一回。从以上记载可以看出，宋五嫂是从东京汴梁 (今开封) 随高宗逃难来到杭州的，而且在钱塘门外西湖边经营多年，制作的鱼羹已经很有名气了。宋五嫂制作鱼羹的手艺很可能是从河南老家带到杭州的。这说明早期杭州的饮食接受了大量外来的饮食文化，是多种饮食文化交流的产物。钱塘人施鸿保写于咸丰八年 (1858) 的《乡味杂咏》有"醋搂鱼"诗："最爱西湖醋搂鱼，酸咸滋味起锅初。作羹宋嫂今何在？过客惟寻五柳居。"诗中似将宋嫂鱼羹与另一种杭州名吃"醋搂鱼"弄混了。那么，西湖醋鱼究竟来源为何，也就有了疑问。羹是一种糊状的食物，和现在西湖醋鱼从形态到做法都相差甚远，相同的只是原料"鱼"，是不是同一种鱼也不能确定，因此说西湖醋鱼源于宋嫂鱼羹实在牵强附会。其实，西湖醋鱼是由清代的醋搂鱼演变而来。

杭州人袁枚著的《随园食单》上就记有醋搂鱼："用活青鱼切大块，油灼之，加酱、醋、酒喷之，汤多为妙。俟熟即速起锅。此物杭州西湖上五柳居有名。而今则酱臭而鱼败矣。甚矣!……鱼不可大，大则味不入;不可小，小则刺多。"

可能是寓居扬州的绍兴人童岳荐编撰的《调鼎集》也有"醋搂鱼"条，但基本是《随园食单》的翻版："用活青鱼切大块，油泡之，加酱、醋、油蒸之，俟熟，即速起锅。此物杭州西湖上五柳居最有名，而今则酱臭而鱼败矣。"乾隆或更早之前，西湖上就有名叫"五柳居"的餐馆，以制作"醋搂鱼"而闻名。清人方恒泰有《西湖》诗咏之，云："小泊湖边五柳居，当筵举网得鲜鱼。味酸最爱银刀鲙，河鲤河鲂总不如。"可见五柳居的醋搂鱼已经很有名了。而当时的"醋搂鱼"的制作手法，不但用的是青鱼，鱼要切块，而且要用油煎或炸，可能还要蒸。

《调鼎集》还提到一款"醋搂鲩鱼"："取活鱼去鳞肠，切块略腌，多加醋、油、酱烹，味鲜而肉松。"鲩鱼，即草鱼。这从原料上已经接近现在的西湖醋鱼了，虽现在制作西湖醋鱼的原料虽有鳜鱼，但以草鱼为最本色。在今苏州图书馆保存的《俞曲园先生日记残稿》中，俞樾（1821—1907）在光绪十八年（1892）三月初八的日记中记载醋熘鱼："初八日，吴清卿河帅、彭岱霖观察同来，留之小饮，买楼外楼醋熘鱼佐酒。"

同是杭州人的徐珂辑录的《清稗类钞》里有"杭州醋鱼"条目："杭州西湖酒家，以醋鱼著称。康、雍时，有五柳居者，烹饪之术尤佳，游杭者必以得食醋鱼自夸于人。至乾隆时，烹调已失味，人多厌弃，然犹为他处所不及。会稽陶篁村茂才元藻尤嗜之，尝作诗云：'泼剌初闻柳岸傍，客楼已罢老饕尝。如何宋嫂当垆后，犹论鱼羹味短长。'脍鱼时，以醋搂之。其脍法，相传为宋嫂所传。陈子宣《西湖竹枝词》有'不嫌酸法桃花醋，下箸争尝宋嫂鱼'句是也。"这里，"醋搂鱼"的叫法被"醋鱼"取代了。

民国时西湖醋鱼最时尚的吃法称为"醋鱼带柄"。"柄"是杭州方言音，意思是生鱼片。《清稗类钞》有"醋鱼带柄"："西湖酒家食品，有所谓醋鱼带柄者。醋鱼脍成进献时，别有一篷之所盛者，随之以上。盖以鲩鱼切为小片，不加酱油，惟以麻油、酒、盐、姜、葱和之而食，亦曰鱼生。呼之曰柄者，与醋鱼有连带之关系也。"杭州人高阳把"柄"写作"鬓"，他认为"鬓者鱼片

347

大小似鬓脚，故以为名"。而天虚我生把"柄"写作"冰"，他认为"醋鱼论碗，鱼生论盘。杭人对于当垆人，每喜作射覆之谜，以博诨笑。盖以冰盘小饮之盘字，用一冰字覆之耳"。民国《家庭新食谱》中"柄"也写作"饼"："湖上酒家，多以竹笼蒙之，沉于水次，谓之鱼箱。有呼醋鱼者恒带饼。所谓饼者，以生鱼去鳞，披为极薄片，以麻油、花椒、胡椒粉拌之，味极鲜美，以毫无骨刺者为能手，人家庖厨中所不能也。其状如饼，薄贴于陈盘中，故称曰饼。必谓醋鱼带饼者，因特杀一鱼，惟中段骨少，可作醋熘鱼用，市称'醋鱼中段去头尾'，若不带饼，则鱼但去头，劈其半扇以供，尾肉多刺，殊不能食，故必带饼，庶其尾有用处，可切片为鱼生，也有单嗜饼者，则呼鱼生盘儿。吃西湖醋鱼及带饼，须酌加麻油、胡椒末儿于碗面，以增香味。"

清中期对醋搂鱼的记载中，还未见同时带"柄"的记载。较早记载鱼生的是《乡味杂咏》："薄片鱼生去骨头，登盘滋味赖麻油。笑他时道学京样，泡粥不嫌腥气留。生鱼去头、尾、皮、骨，以快刀批作薄片，加盐微腌，拌麻油、葱花、椒末食之，号'鱼生'。京师人有以泡粥者，近多效之。凡事物效京师者谓之京样。时人所尚者谓之'时道'。"稍晚夏曾传则记道："杭法生切鱼片，宜薄，用盐花、麻油、葱姜拌之，生食最佳。否卖与醋鱼相连，则谓之带柄，市语也。近日京师亦有仿为者，惟吴人不食者多。"前者说吃鱼生是杭州学北京，后者说是北京学杭州。相比较而言，南方天气较热，有吃生食的习惯，杭州吃鱼生更可信些。江南做官者多，把鱼生的吃法带到北京，而北京在学习吃鱼生时吃法可能走了样。可见带柄的吃法是在民国开始出现并且盛行的。

民国时期的中国旅行社向游客们极力推荐醋熘鱼："杭州各菜馆均能烹制，而以西湖楼外楼和杏花村为最佳。以其养活在湖中。鱼以每尾尺许为适合，过巨或小均欠佳。"当然同时也忘不了推荐鱼生："取湖中所蓄鲜鱼脊肉，切片如薄纸，食时和以姜葱、麻油、胡椒，味至极美。"

中华人民共和国成立后，推行爱国卫生运动，"醋鱼带柄"所带的生鱼片由于缺乏冷藏设备，极易变质，使人食用后出现不适症状，因此，"带柄"彻底退出餐桌。人们只知道西湖醋鱼，已忘了醋鱼的最初吃法。

1956年，西湖醋鱼在杭州名菜的评比中脱颖而出，成为三十六道杭州名菜中的佼佼者。如今，西湖醋鱼已经成为杭州的一张金名片。到杭州不吃醋鱼似乎总觉得缺了点什么。西湖醋鱼算得上是杭州菜的代表：选料是江南水乡最常

二、论文

见的水产品，制作方面仅是用水煮，调味方面也仅是醋，连盐也不放。简单的烹调却制作出独特的美味，这也许是西湖醋鱼乃至杭州菜的共有特征，一切看似平淡，但平淡后面却是妙不可言。

【文章来源】何宏：《从西湖醋鱼看杭州饮食》，《文史知识》，2004 年第 1 期

38. "杭帮菜"故事的民间叙事特征及模式

摘要： "杭帮菜"不仅与杭州地区老百姓的日常生活息息相关，更是人们了解杭州地方风土人情的"活化石"。"杭帮菜"故事具有典型的民间叙事特色，它们是老百姓的集体创作，又以口头传播的形式流传开来，来源于民众，被民众传承又被民众所接受，在叙事过程中体现了普通百姓的精神信仰。按其模式，"杭帮菜"故事又可细分为名人逸事式、皇亲国戚式、神话传说式等，它使得"吃"在杭州不是一件小事，而把饮食提升为了一种文化。

关键词： "杭帮菜"；民间叙事；特征；模式

1 前言

作为江浙菜系的一个独特分支，"杭帮菜"以其众多的故事而知名。但当下这些故事大多只是用于研究在现代企业文化建设中的作用，很少有人把"杭帮菜"故事作为文本进行分析。本文则收集了油炸桧、宋嫂鱼羹、叔嫂传珍等19个"杭帮菜"故事，通过这些故事，我们以民间视角探索其内在的特征与模式。"杭帮菜"由饮食而变为文化，其背后的故事起到了关键性的作用，而"杭帮菜"故事的民间叙事特征与模式，也为这种饮食文化的传承与传播起到了良好的助推作用。

2 民间叙事概述

"民间叙事"是老百姓的口头叙事活动。民间叙事来源于广大百姓，口头创作与流传使得其创作具有口头性与集体性；它取材于人们的日常生活，具有一定真实性，但同时在创作与流传过程中，其内容又会产生增减、散失或夸大，因此又具有虚化与灵活性的特点。

二、论文

2.1 民间叙事及其特征

"民间叙事是指生活于社会底层的老百姓的口头叙述活动，主要指他们的艺术叙事。"[1] "叙事"指的是阐述一些事件，或是通过事件来抒情，而不同于直接的抒情，直接来说就是在"讲故事"，由此来说我们所知的传奇、小说、故事、叙事诗等都可算作是叙事。此外，叙事的方式很多，既有口语和书面之别，又有集体和个体之分，可出自官方或是平民百姓。通过叙事，许多当事人或是历史会在陈述者的编排下呈现在大众面前。而"叙事"的手段则又涉及"民间"与"非民间"，即"民间"与"官方"之间的区别。顾名思义，"官方"是指叙事的主体是统治者一方，例如司马迁的《史记》，"二十四史"等这些。而对于"民间"叙事，因其主体是普通老百姓，叙事内容往往保留了当时许多平民百姓的日常点滴，然后通过百姓广泛的传播又被人民接受，例如杭州"梁山伯与祝英台"的故事、元杂剧《窦娥冤》等。"民间叙事"与"官方叙事"还体现于传播的模式上的差异，"官方叙事"主要通过载入史册，而"民间叙事"由于其创作主体的局限性，在口口相传的方式下，叙述者往往会无意中将故事进行增加、删减、夸大或神话等，因而在历史的流传过程中常出现两个或是两个以上的故事文本。

2.2 "杭帮菜"故事的民间叙事性

"民间叙事"所包括的种类多而杂，如此说来，"杭帮菜"故事是否属于民间叙事呢？其实我们可以根据"民间叙事"的特征来辨别。"杭帮菜"故事，它产生于普通百姓之中，是一种口头性的叙事创作，并以口头的叙事方式流传于民间。例如"油炸桧"与"葱包烩儿"，我们很难在史册中找到其产生的记录文本，但在杭州街头巷尾的人们口中可以听闻它们是与抗金英雄岳飞与卖国贼秦桧有关的故事。此外在"杭帮菜"故事流传过程中还体现出"民间叙事"灵活性的特点，在口头传播之中往往会因为各种原因容易出现故事的改动，或是同一种菜色出现两种不同的故事。可见，"杭帮菜"故事具有民间叙事性是无疑的。

---

[1] 董乃斌：《民间叙事论纲》，《湛江海洋大学学报》，2003年第2期，第1页。

杭州全书 · 杭帮菜文献集成

3 "杭帮菜"故事的叙事特征及模式

3.1 "杭帮菜"故事的叙事特征

3.1.1 创作主体的民间性与集体性

"杭帮菜"故事的创作来源于民间,具有很强的民间性。由于创作的主体是广大人民群众,创作的故事或是历史事实,讲述真实所发生的事情,或是事实与虚构相结合的方式展示,例如"片儿川"故事中加入了"八仙之一铁拐李"的部分,而后这个故事在当地流传并使得"片儿川"声名远扬。另外有些"杭帮菜"故事的创作是产生于历史传说与现实相结合,例如说"杭帮菜"之一的"叫化童鸡",杭州的"叫化童鸡"故事承接于历史上关于"叫化童鸡"的地方传说,并以此为基础再加入了明朝大学士"钱牧斋"和名妓"柳如是"的故事,可见"杭帮菜"故事产生的过程也是一个不断加工、改造和重新整合的过程,一旦故事得以稳定,便在百姓中流传开来,接着再有新的元素与内涵加入,这使得"杭帮菜"故事具有集体创作的性质。

3.1.2 口头传播的灵活性与变异性

在传播过程中,人们通过口耳相传的形式传递故事,不同的叙事者,都会根据自己的精神渴求或是自身叙事的风格与特点进行下一轮的叙事活动,因而故事的流传往往具有灵活性与易变性。同一个故事,在历史传播的过程中就会被加入各种因素。以一个"杭帮菜"故事为例,"西湖莼菜汤"故事,原本是与晋朝的张翰有关,因张翰在洛阳做官而思念吴中菰菜、莼羹、鲈鱼脍的美味,而形成的"莼鲈之思"的一个思乡故事,但这个故事流传到清朝时,又加入了有关清朝皇帝乾隆喜食杭州地区"用莼菜、鸡丝、鸡汤和鱼圆制作"的"西湖莼菜汤"的故事内容,同一道菜,在不同的历史时期加入的文化内涵亦是不同的。前者反映了人们对思乡之情的寄托,而另一种则一定程度上是体现了百姓对皇帝的推崇、敬仰之心。

3.1.3 与读者、受众的互动性与价值观的相近

"杭帮菜"故事通过百姓得以流传,其传播的终点又是在于普通百姓,许许多多的"杭帮菜"故事,又是什么原因为普通大众所认可呢?根据笔者所收集的 19 个"杭帮菜"故事来说,其共同点不外乎于:内容与皇上有关、与神仙有关、与名人名士有关、与民间正义有关。例如杭州名菜"龙井虾仁"的故事,

主要人物的设置中就有乾隆皇帝。同样，"笋干老鸭煲""猫耳朵""鱼头豆腐"这些故事也都以皇帝为人物中心展开的叙事。可见当时老百姓的皇帝崇拜思想的浓厚。此外还有"片儿川"故事中"铁拐李"的内容，体现了百姓对神仙的崇尚；"东坡肉"故事中对苏东坡的描述则表达了人们对名人名士的敬重之情；"叔嫂传珍"中宋家叔嫂坚持正义、不畏强权的精神等。故事的设置在一定程度上包含了当时人们的精神信仰或是内心需求，所以也才使得这些故事深受人们推崇而流传不息。

3.2 "杭帮菜"故事的叙事模式

不同的"杭帮菜"故事的民间叙事却有很多相似的特征，这些我们已经在上一部分进行了阐述。在此，笔者试从"杭帮菜"故事民间叙事模式着手，把19个"杭帮菜"口头叙事文本整理归为以下几类：

3.2.1 名人逸事式

在"杭帮菜"故事的民间叙述中，有一类叙事模式与古代的名人逸事有关，这里的名人逸事，指名人过去的一些未见史经书记载的事情，而这些名人的小事情散落在民间，成为人们茶余饭后的谈资，也通过人民大众的叙述世代相传至今。从这来说，19个"杭帮菜"故事的民间叙事中，"东坡肉"的叙事模式是属于这一类的。"东坡肉"是以苏东坡的名字被杭州百姓所命名的，苏轼是北宋一位著名的诗人，但他在烹调菜肴方面也很有研究，特别是对猪肉的烹调。他在杭州任职期间，百姓送猪肉给苏轼以表感谢，他收到肉后便将肉切成方块经过细心烹调分给杭州百姓，烹调后的猪肉醇香而不腻，大家便把这烧肉称为是"东坡肉"，还有杭州名菜之一的"糟烩鞭笋"，故事也和苏东坡有很大关联。除此之外，"叫化童鸡"也与历史名人有关，据说明末清初时期，有个叫花子得到了一只鸡，但是没有炊具，他只好将鸡活杀放血用绳子缚紧，外面抹上黄泥，抛入火堆中煨烤。不料煨好后浓香扑鼻，明朝大学士钱牧斋散步路过被香味所吸引，差人打听制作的方法，有一次江南名妓柳如来钱家，钱就是以此叫化童鸡款待。现在很多人慕名来到杭州，吃着"东坡肉""叫化童鸡"，但并非所有的人都知道其背后的故事，这也是现在杭州美食文化发展之路上应该注重的方面。

3.2.2 皇亲国戚式

"杭帮菜"故事的民间叙事中，有一类叙事模式占了很大比例，即皇亲国戚式。从"杭帮菜"故事的民间叙事来看，皇帝是"杭帮菜"故事产生的永恒话题，或是店家因看到皇帝紧张、愤怒或偶然而阴差阳错促成的美食，而涉及的皇帝有秦始皇、乾隆、康熙等。例如"鱼头豆腐"，乾隆微服私访来到吴山，饥饿不已而找店家吃饭，经营小吃的店家王润兴看他如此模样，便将没卖出去的一个鱼头和一块豆腐加调料炖给乾隆吃，乾隆觉得面前的菜美味无比，第二次来到这里时还赠送了他"皇饭儿"三个字。"笋干老鸭煲"是有关于乾隆皇帝一次下江南的事，乾隆到郊外的一家农舍填肚子，但农舍只有鸭子，村姑在情急之下抓了把笋干一起煮，成就了一种杭州名菜。"猫耳朵"也是类似的情况，除这些杭州菜，还有吴山酥油饼、龙井虾仁、八宝豆腐、斩鱼圆，民间叙事的内容都与皇帝有关。而从这方面来看，也体现了民间对皇帝的崇拜、尊敬或者是怨恨，而带着一种民众情感的菜才得以不断流传下来。

3.2.3 神话传说式

"杭帮菜"的民间叙事一般都以历史事实为依据，但也有一些加入了神话传说，具有虚化成分，其中"桂花鲜栗羹"和"片儿川"的民间叙事中就有加入神话传说，或是想象的成分。"桂花鲜栗羹"，讲述的是唐明皇时期，有个中秋之夜，寂寞的嫦娥在广寒宫中跳舞，吴刚手击桂树为她伴奏，震得桂子掉落人间。杭州灵隐寺中的德明师傅在厨房烧栗子粥，桂子掉落粥中，大家尝了都觉得特别好吃。明德师傅便把多的桂子种了起来，成了树，开了花，从此"桂花鲜栗羹"也就流传下来了。而"杭帮菜"中的"片儿川"，则讲述的是八仙之一的铁拐李曾经吃过此面，因而增加了"神仙口福"色彩的故事。在杭州，一直以来流传着不少爱情神话，比如许仙与白娘子，梁山伯与祝英台等，而杭州有一样小吃也是和爱情有关，就是"幸福双"，是一种甜馅包子，相传源于梁祝的故事，一般成双供应，寓意天下有情人能心心相印。这些民间叙事中加入神话传说，表达出当时百姓对神仙的信仰，以及希望在日常的生活中得到神仙的眷顾与庇佑的心态，使得人们在品味这些杭州菜时，了解到其缘由，也颇有种神秘色彩。

4 结语

"杭帮菜"作为杭州一种特殊的饮食文化，不仅需要我们关注它的色香味，还需要我们更加注重其故事的文化内涵，"杭帮菜"故事不仅仅是杭帮菜流传发扬出去的重要原因之一，具有实际的效用，更是杭州地区一种具有别样特色的民间文学，通过对其研究，我们了解了"杭帮菜"故事在民间叙事中的口头性、民间性和不稳定性等特点及其各式各样的叙述模式。这也鼓励我们要注重观察生活中点点滴滴的生活现象与文化内容，我们所忽略的往往正是当下很多值得细细探讨的问题。

参考文献

[1] 施立松 . 杭州葱包桧 [N]. 饮食科学，2010(12).

[2] 振中 . 杭州名菜小吃趣闻 [J]. 食品与健康，1994(4).

[3] 王圣果 . 杭州味觉的天堂 [J]. 风景名胜，2007(1)

[4] 苏恩如 . 品味杭州地方小吃 [J]. 温州瞭望，2007(8).

[5] 洪烛 . 杭州的吃 [N]. 杭州周刊 .2009(4).

[6] 万建中 . 寻求民间叙事 [J]. 民族文学研究 .2004(4).

[7] 董乃斌 . 民间叙事论纲 [J]. 湛江海洋大学学报 .2003(2).

【文章来源】翁雅青：《"杭帮菜"故事的民间叙事特征及模式》，《青年文学家》，2017 年第 2 期

39. 杭州民家年祭中的饮食习俗

摘要： 以杭州民家年祭仪式的调查记录为基础，并结合史料对年祭中的饮食习俗的演化进行记录梳理，对相关的祭祀文化进行了评论。

关键词： 杭州；民家；年祭

祭祀是人类文化中的一个古老习俗。现代社会中，此类行为多被视为愚昧的迷信活动，但人文学者对此不应简单地一弃了之。因为人的需求是多方面的，尤其是心灵或者说精神层面的东西，不是华衣美食、豪车丽屋甚至子孙绕膝就能满足的。地球是孤独的蓝色星球，人是地球上孤独的物种，几乎所有的动物，在属下都有几个种（近现代被人为灭绝的不算），但人属下却只有智人这一个种（曾经人属下也有十几个种，可惜他们都在旧石器时代先后灭绝了，陪伴智人走到最后的是尼安德特人，距今三万年前后也灭绝了）。这种源自宇宙的孤独感与生俱来，带给人类迷茫、不安、焦躁、无助等所谓的负面情绪，尤其是遇到困惑和灾难的时候，这种情绪就会爆发，这个时候人们自然地会需要一种高于人类自身的"伟大"力量，给予人类帮助和安慰，这或许就是人类文化会出现神灵世界的根本原因。因此，从积极的意义上讲，神灵世界就是人类精神的慰藉剂，其功能相当于现代的心理医生，缓解人的焦躁和不安，给人慰藉和希望。我们要做的就是了解它，然后发挥它的正能量，控制它的负面影响，尤其要避免其被邪恶的人控制，成为欺蒙拐骗甚至反人类活动的工具。

人类鉴于人与人的交往经验，相信人与神灵的交往也一样。天下没有白吃的午餐，只有彼此得利，关系才能长久维持，因此，向神灵求福佑，自然也需祭祀回报，即所谓的人情往来也。杭州祭祀的类型很多，本文要论述的是现代杭州民间仍然存在的一系列家庭年祭仪式，可以看作是一篇小小的人类学田野调查纪录。杭州偏安一隅，社会环境较稳定，随着浙东运河和江南运河的开通渐成水路交通要道，加之良好的气候地理条件，唐宋以来已逐渐显现出区域经济的优势，南宋更以此地为驻跸之地，因此历来移民众多。移民的地域和族群

二、论文

不同，其年祭仪式自会有所区别。本文记录的年祭中的饮食仪式已无法确定最初的地域或族群来源，唯一可以确定是现在主要流行于杭州萧山一带。整个年祭仪式共有六场，包括送灶神、接灶神、祭神、祭祖、敬天地菩萨和祭太岁。

一、杭州民家的年祭仪式

（一）送灶神、接灶神

送灶神仪式在腊月廿三日下午举行。先在黄表纸上写上"东厨司命之宝座"七字作为神牌，将此纸牌立插在杯碗之类的盛器内，安放在灶台上。然后对着神牌放祭品：第一排是三杯糖开水；第二排是三碗饭，饭盛得越满越好，堆出一个高尖，然后每碗饭插上一双筷子；第三排是六碗素菜，要用素油烹饪。素菜随意，但洋葱、大蒜、姜、薤、香菜之类带有特殊气味的"荤菜"不能用，最好有豆腐干和青菜。豆腐干代表大块的肉，青菜象征生命长青。素菜整煮或切大块烹煮，忌细切，不知何意。这三排祭食旁边可以随意放些糖果糕点。最后一排是一对烛台中间放个香炉。准备就绪后，先在烛台上点燃一对红蜡烛，然后就着烛火点三根香。香点燃后，合掌握在手里，向神牌鞠躬或跪拜致敬，并呼神之名号：东厨司命。告之：今日送你上天庭聚会，感谢你一年来对我家的保佑，希望你上天庭后，多向玉帝说说我们的好，平日有怠慢不周之处要多多原谅，不要在玉帝面前告我们的状。中心意思就是要他"上天言好事，下界保平安"。然后将香插入香炉，请灶神吃喝。给他喝糖开水，有甜其嘴让其多说好话的意思。如果对此灶神满意，还可以和他约定，来年仍来我家，我会早早接你下界。在灶神享用祭食之时，还可以和他讲讲你的苦恼和希望，以求神的帮助和保佑。和神说话时，要张嘴出声，可小声，但不能只在心里默语。据说你不出声，神是听不见的。当香快燃尽的时候，还要烧 12 付一堂的元宝（锡箔制成）给灶神。先在烧纸盆里堆放几付元宝垫底，然后对着神牌说：你吃好喝好，现在要送你上路了，上路前还有很多元宝要送给你，请收好。然后取下神牌，铺在烧纸盆中事先放好的那几付元宝上，再将三根残香取下压在神牌上，接着点燃元宝。黄表纸轻薄，一燃就成灰飘起，候其飘起，就可陆续添入剩余的元宝，边添边将你要说的话再告诉神一遍。盆中的元宝灰不要去翻动，一翻动就代表元宝成了无用的破钞。元宝烧完，送灶神仪式就结束了。

357

接灶神在除夕下午，据说以前都是晚上接的，但民间相信灶神有好坏，早点接可以挑个好的，接晚了弄个酒糊涂或者无能之辈就完了，故提早到下午接。接灶神的仪式和送灶神一样，唯一不同是将三杯糖开水换成三杯酒。

（二）祭神和祭祖

先祭神再祭祖，这两场祭祀在同一天进行。无固定祭祀日，根据老皇历在送灶后、除夕前挑个标志有宜祭祀而且与家人生肖都不冲的日子就行。祭祀在早上举行，估算好时间，前后两场祭完最好不要超过中午12点。祭神的仪式比较复杂，祭品要摆在堂屋（客厅）的饭桌上，桌旁的凳子全部撤掉。用黄表纸写就的神牌有三张：第一张上的都是家神，即常住家里的神，包括青龙五圣、家堂五圣、财宝五圣、和合二仙、五福财神；第二张上的是家外神，包括平安福主、张老相公、当境土地、太岁帝君、五路财神。家里有车的，还要摆一张车神和乐的神牌。摆祭桌时，先在餐桌主位（一般指对着大门的座位）上摆上三个神牌：家神这张居中，然后对着神牌放六杯茶，杯中只放茶叶，不冲水，说是神嫌弃人间的水脏，故不喝人间的水；第二排是六杯酒，不要倒满，仪式中陆续添三次加满；第三排是六碗饭，和祭灶一样，堆出尖，插上筷；第四排是鸡、猪肉、鱼三牲，肉要买连皮带骨的一刀条肉，约一掌宽，以便煮熟时能拱起立住，代表一头猪。鸡最好是公鸡，用母鸡的话要在鸡旁放个蛋。鸡煮前就用绳索缚扎好，呈跪姿。鸡肚肠要清洗干净，而且不能断，肝、心、肫也都要洗净留着，杀鸡时放出的血最好也留着（现在菜场、超市只供应杀白鸡，所以没有血），一般还会预留三根尾羽。鱼最好是鲤鱼或鲢鱼，去内脏的切口要尽量小些，以保证装盘时鱼身看起来完整美观。鸡（包括肠等鸡内脏和鸡血）和猪肉加盐煮半熟就可起锅，以示血牲。鱼先油煎一下，再红烧，亦半生。摆桌时肉盘放中间，鸡盘放左边，鱼盘放右边。鸡和猪肉身上分别插两双筷子，然后用鸡肠在这四双筷子上环绕一周，绕时要非常小心，肠不能断而且一周的头尾要相接。如果肠断了，就要重新买只鸡再做过。其他鸡内脏及煮好的鸡血凝块都要放在鸡身旁。如果留了尾羽，此时就将其插在鸡屁股上。

第五排和第六排是各三碗素菜，烹饪要求和祭灶的蔬菜一样。然后在鱼盘旁放一碟盐，堆得越高越好。在鸡盘旁放一把刀，意思是让神自己随意切肉吃。糖果糕点则随意放在祭桌空处。仪式开始时，先点上红烛，然后点三支香请家神，合掌握香对着神牌将神牌上的名号念一遍，告之请其喝酒吃饭谢其一年的保佑，然后将三支香插入香炉，并记住香的位置，以免最后烧元宝时将神牌和相应的残香拿错。

家外神要点三支香开了门在门口请，也要将神牌上的名号念一遍请其进来。车神属于家外神，也要点三支香叫其名号从门外请进。上完香后，就请他们开怀畅饮，和祭灶时一样，要感谢他们一年的保佑，希望他们来年仍然保佑。有什么特别的愿望也可以陆续和他们说。当香快燃尽时，和祭灶时一样，也要送元宝给他们。先在烧纸盆中放几付元宝垫底，然后对着神牌告诉他们：吃好喝好，现在要送元宝给你们了。接着取下家神神牌，铺在烧纸盆的元宝上，再将敬家神的三根残香取下压在神牌上，点燃元宝，边添元宝边将你要说的话再告诉神一遍。给家神的元宝烧完后，再给家外神和车神烧元宝。家神烧 36 付一堂元宝，家外神和车神合烧 36 付一堂的元宝，但家神的元宝要在供桌前烧，家外神和车神元宝要拿到门口烧，同时还要单独给门神烧 2 付元宝，在大门两侧各烧一付。

祭神仪式结束后，就用祭神的食物接着祭祖，但三牲要切开重烧一下，茶要泡上水，插在饭碗上的筷子及以桌上的盐碟和刀都要拿掉。而且祭桌上祭食的摆法与祭神时完全不一样。摆好后，将祭神后吹灭的残烛重新点上，然后点香请祖宗 (指男方已逝先辈，不能请女方的祖宗)。从最亲的一辈请起，如父母已逝，就拿两支香一起请父母 (如只有一人去世，就拿一支香请)，然后是爷爷奶奶，再上面就统称列祖列宗了，最后再拿一支香请地主阿太。要记住每支香代表的哪个祖宗，以免烧元宝时拿错。请好香后，与敬神一样，可以和祖宗说些愿望，唠唠家常，祈愿他们在那里过得好，也能有余力保佑我们家人及子孙。香快点完时，按请香的次序烧给元宝，但这种元宝和烧给菩萨的元宝不同，是一种专门烧给鬼的元宝。购买时一般直接买一捆，俗称"六斤四两"，由许多"吊" (即一串) 组成。每支香烧一吊，地主阿太的最后烧。如果元宝有多余，最后就一起烧给地主阿太，让他将多余的元宝合理分配给各位祖宗。

(三) 敬天地菩萨

元旦起床后，即在露天庭院 (现代人家大多只能放在阳台上) 敬天地菩萨，仪式简单，无神牌，供一碗糖年糕，一碗麻心汤团 (如为白眼汤团，则在煮好的汤团上加一勺糖)，再点上一对蜡烛，三支香，请天地菩萨来享祭品即可。

和祭其他神一样，仪式中可以和菩萨说说自己的愿望，祈求菩萨的保佑。

（四）祭太岁

正月十七日上午祭太岁，在露天庭院或阳台上祭祀。祭桌上，"太岁帝君"的神牌面朝外，神牌前先放四杯酒，每二排是四碗饭，每碗饭上插一双筷子，第三排是六碗素菜。边上可随意放些糖果。再点上一对蜡烛，三支香。同理，仪式中可以和菩萨说说自己的心愿，祈求神佑。最后烧12付一堂的元宝给太岁，俗称"全家福"。如果当年家里有生肖冲太岁者，要为此人再单独烧一堂元宝。

二、与杭州传统年祭仪式的对比分析

（一）祭灶

有关杭州的祭灶习俗，最早见记于南宋吴自牧著《梦粱录》(周百鸣标点本)，云：腊月(即农历十二月)"二十四日，不以穷富，皆备蔬食、饧豆祀灶"。[1](P477) 这条记录只说祭灶，未说明是送灶还是接灶，而且与除夕日有关的条目中也未提到接灶，说明当时送、接灶的仪式可能还未分离，年底只祭一次灶。至迟在明朝，送灶和接灶仪式已经分离，而且年中还有一次祭祀，即一年有三祭。万历《钱塘县志》(陈志坚、蔡帆标点本)对此有详细的记载：六月"二十四日夕，男子祀灶，女子不至，品用饴糖、米团、炒豆，并祀土神(盖礼夏祀灶之意)"；腊月"二十四日，祀灶，与六月同，亦并祀土神(丐者装貌灶公、灶母，鸣锣叫跳，索乞财物，至此日止)"；元旦"先夕，扫堂室，五鼓，盛陈花彩糕果于神祠。先以糖豆米团祀灶，谓之'接灶'。[2](P490、488)"(祀神毕，以米团分饷家众，谓之欢喜团。) 明田汝成著《西湖游览志余》(施尚民点校本)记腊月廿四送灶，"十二月二十四日，谓之交年，民间祀灶，以胶牙饧、糯米花糖、豆粉团为献。丐者涂抹变形，装成鬼判，叫跳驱傩，索乞利物"；又记除夕"更深人静，或有祷灶请方，抱镜出门，窥听市人无意之言，以卜来岁休咎"。[3](P780) 明沈明德的《蝶恋花·元旦》写杭州元旦："接得灶神天未晓，炮仗喧喧，催要开门早。新褙钟馗先挂了，大红春帖销金好。炉烧苍术香缭绕。黄纸神牌，上写天尊号。烧得纸灰都不扫，斜日半街人醉倒。"[4](P327) 从"接得灶神天未晓，炮仗喧喧，催要开门早"可见，当时已出现元旦凌晨接灶的现象。"黄纸神牌，上写天尊号"，说明现代杭州民家年祭用黄表纸书写神之名号作为神牌的做法，至少可以追溯到明代。

二、论文

清朝杭州的祭灶仪式更加复杂。清范祖述《杭俗遗风》(影印本)"年市喧哗"条云："俗例家家谢灶司，竹灯为轿纸糊之。煎糕炒豆糖兼果，惹得儿童得意时。"其新年即景诗云："床中橘荔已先尝，冠带开门见吉祥。接罢三天接灶主，烧香迎走喜神方。"其"祀神日期"条云："二月初二，煎糕炒豆谢灶"；六月"念三谢灶司土地，用炒豆麦糕"；"十二月念三谢灶"。[5](P26、31)不论多复杂，年祭中的送灶、接灶已成定例。例如清吴存楷描写杭州节俗的《江乡节物诗》(顾希佳点校本)，对送灶和接灶仪式均有记载，送灶日当时亦称"醉司命日"，其《灶糖》诗序云："醉司命日，皆以糖祀灶，或分染五色售之。"诗云："春饧着色烂如霞，清供还斟玉乳茶。不用黄羊重媚灶，知君一摸已胶牙。"其《接灶》诗序云："除夜祀灶，曰'接灶'，言灶神自天上归来也。"诗云："迎神薪突正衣冠，灶马纷纷乍解鞍。来复只须占七日，笑他人说上天难。"[6](P606—607、608)民国洪岳为《杭俗遗风》所作案语亦云："十二月念三，送灶上天。……其所供祀之糖果，分与儿童食之。至除夕夜，再烧香烛，谓之接灶。"[5](P28)但和明朝时一样，也有在元旦凌晨接灶的，清顾光编《武林新年杂咏》(顾希佳点校本)"接灶"条即云："元旦接灶。俗谓灶神于腊月二十四日上天奏人间事，至是始归也。其神号曰'东厨司命'。"所录吴锡麟诗云："司命归来日，神牌妇子迎(自注：灶牌上销金纸马，一岁一换)。黄羊仍岁供，黔突喜春生。如我炊常断，知君职亦清。笑斟淑酒戏，联为解余醒。"其"开门"条的记载亦可佐证当时是元旦凌晨接灶的："俗传吾乡项霜田有《拜节黄莺儿》四阕，首云：'接灶便开门。'"[7](P492)其中，明朝时出现的由丐者扮灶神乞财的习俗，清时已有了专门的称谓，称"跳灶王"，《江乡节物诗》之《跳灶王》诗序即称："丐者至腊月下旬，涂粉墨于面，跳踉街市以索钱米，谓之'跳灶王'，或即《戴记》'季冬大傩'之遗意欤。"[6](P606)送灶时要给灶神制备轿子和年终在灶上挂花元宝则是清朝新出现的习俗。吴存楷《江乡节物诗》之《善富轿》诗序云："善富，竹灯檠名，贯以箸，于祀灶时焚之，为灶神之舆，亦土俗之可笑者。"诗云："插箸烧灯焰未残，不须龙跷蹑仙坛。天街一路咿哑过，列宿还应带笑看。"[6](P607)清《武林新年杂咏》对"善富灯"的记载更详细："以竹为之，旧避灯盏，盏字音锡，名'燃釜'。后又为吉号，曰'善富'。买必取双，俗以柄环微裂者为雌善富，否者为公善富。腊月送灶司，则取旧灯载印马，穿细薪作扛，举火望燎，曰'灶司乘轿上天矣。'"[7](P501)民国洪岳给《杭俗遗风》

361

所作的案语中，则提到民国时已出现专制纸轿，不一定用善富灯，"十二月念三，送灶上天。用善富竹灯一，糊以红纸，以竹筋（引者注：应为箸字）一双为轿扛，置灶神于其上，举火焚之。焚时，于火中拣取一二火竹，藏灶中，名曰财香。……善富即竹灯盏，送灶时用之。查近日送灶，竟有用纸糊轿子者，不必拘于善富竹灯也。"[5](P28) 花元宝是一种彩绘的纸元宝，吴存楷《江乡节物诗》之《花元宝》诗序云："剪纸为银，绘以彩色，市人多悬之，为来年获利之兆。"[6](P607)清丁丙撰《续东河棹歌》（王其煌标点本）讲到杭州金洞桥章庵所制花元宝最佳，"花元宝卖岁将除，制出章庵价独殊。好与胶牙饧一碟，醉来司命送东厨"（自注：金洞桥章庵制卖花元宝，专业也。通城皆购之，以送灶司）。[8](P383)

民国洪岳为《杭俗遗风》所作案语中也讲到："岁终，街头巷尾均有呼卖花元宝者，家必购一副，用以悬于灶神堂之左右。"[5](P28) 不知受哪里风俗的影响，近现代杭、绍一带又出现了四月四为灶神生日的说法，而且这天祭灶是荤祭。《杭州十二月风俗歌》："四月四，买条鲫鱼敬灶司。"《绍兴风俗歌谣》："四月四，杀鸡请灶司。"[9] 从这些史料可以看到，历代杭人祭灶的次数、日子、仪式和祭食种类都有不同，说明民间信仰在传承过程中的变异率很高。本文只论述与年祭有关的送灶和接灶。从接送灶的日子看，多在腊月廿四和除夕，也有在元旦凌晨者。腊月廿三送灶的记载直到清朝的《杭俗遗风》中才有记载，现代杭州民家在腊月廿三送灶的习俗应传承于此。过去除夕接灶都是在晚上，说是迟点接可以接个年纪大点的，传统社会崇拜"经验"，故喜年长者。清《武林新年杂咏》所引无名氏的《接灶》诗就讲到："七日占来复（自注：年前送灶多在廿四），焚香克暮迎。暖光生曲突，甜味簇春饧。俗竟论年纪（自注：俗传接得早，灶君年纪小；接得迟，灶君年纪老），谁凭问姓名。翻怜一杯水，同表在山清（自注：接时供净水于灶山上）。"[7](P530) 现在杭州民家则多在下午接灶，说是要趁早下手抢个年富力强而且能干的灶神来。主持和参加祭祀的人，也不同，宋时似乎是由男子祭灶，范成大写苏州民俗的《祭灶祠》就提到"男儿酌献女儿避"，[10](P411) 杭州至明朝也有"男子祀灶，女子不至"（《万历钱塘县志》）的记载，但至清朝已出现"神牌妇子迎"（《武林新年杂咏》）的记载，女子也参加祭灶仪式了。

从祭灶仪式看，最初只是供奉祭食，烧"善福""跳灶王"等都是明清时期才陆续出现的仪式内容。从现代杭州民家的祭灶仪式看，人们认定灶神是吃素的，故所供均为素食，而且强调炒菜的油也要用素油。但从传统记载看，灶神有吃荤也有吃素的。例如，最早记载祭灶之事的《后汉书》，就讲到汉宣帝时候南阳新野的阴子方用黄羊祀灶，"宣帝时，阴子方者，至孝有仁恩，腊日晨炊而灶神形见，子方再拜受庆。家有黄羊，因以祀之。自是已后，暴至巨富，田有七百余顷，舆马仆隶，比于邦君。……故后常以腊日祀灶，而荐黄羊焉。"[11](P318) 至宋朝时，我们看到范成大写江苏苏州风俗的《祭灶词》，仍以灶神为荤食者，祭食中就有"猪头烂热双鱼鲜"。[10](P411) 但杭州人似乎从南宋开始已视灶神为素食者。例如《梦粱录》讲杭州人祭灶时只用蔬食和饧豆(即糖豆)，明《万历钱塘县志》所记祭食也仍是饴糖、米团、炒豆或糖豆。这或许和杭州佛教兴盛有关，杭州民间也称灶神为灶头菩萨，既然被认归为菩萨当然只能吃素了。

但年祭之外的祭灶，如上述四月四灶神诞辰日的供祭中又要有荤食。民间信仰的杂合和混乱由此可见一斑。但从送灶和接灶的祭仪看，糖和酒至迟在宋代已成为祭灶的基本祭食，杭州和其他地区都是如此，例如《梦粱录》和《万历钱塘县志》《西湖游览志余》记杭州祭灶有饧豆(糖豆)、饴糖(即胶牙饧)、糯米花糖，《东京梦华录》记北宋都城汴京(即今开封)十二月二十四日，"帖灶马于灶上，以酒糟涂抹灶门，谓之'醉司令'"。[12](P943) "灶马"即灶君画像，旧时贴在灶上，送灶时烧掉旧灶马，接灶时贴上新灶马，一年一换。范成大《祭灶词》记苏州祭灶有酒："猪头烂双鱼鲜，豆沙甘松粉饵团。男儿酌献女儿避，酹酒烧钱灶君喜。"[10](P411) 清时杭州仍是如此，例如丁丙《续东河棹歌》记杭州："花元宝卖岁将除，制出章庵价独殊。好与胶牙饧一碟，醉来司命送东厨。"[8](P383) 饧读 táng 时，同"糖"；读 xíng 时，是糖稀或糖块的意思。胶牙饧即麦芽糖，很黏，胶牙就是形容把牙齿都黏牢了。俗谓请灶神吃胶牙饧，或将胶牙饧涂在灶神画像的灶神嘴上，可以让灶神上天时嘴甜得只能说这家人的好。给灶神喝酒或涂酒糟，是为了让他醉得说不了话，或说错了话玉帝也当他是醉话而不当真。现代杭州民家祭灶用糖开水和酒，就来自这个传统。

(二)祭神

清范祖述《杭俗遗风》记十二月："年二十后，择日烧年纸。凡烧纸，用三茶、六酒、三果、素菜、盐碟、米碟、糖碟、豆腐碟，各一。三牲鸡、鱼、肉等。

如不用鸡，可以鸡蛋代之。三牲鸡、鱼、肉等，如添羊肉、腌肉，即为五牲。"民国洪岳案："岁终，家家必祀年神，俗谓之烧年纸，视家道之丰俭以为多寡，亦有用五牲者。五牲即鸡、鱼、肉、羊肉、腌猪头是也。送神而后，合家团聚饮食，名曰散福，亦有邀亲朋入座者。"[5](P31、28)《武林新年杂咏》也讲到杭人祭神时用腌猪头："岁终祀神，尚猪首至年外，犹足充馔。……定买猪头在冬至前，选皱纹如寿字者，谓之'寿字猪头'。屠人肩送至门者，曰'送元宝来'。于是腌透风干，以备敬神之用。"[7](P505)对照现代杭州民家年终祭神的仪式，鸡鱼肉三牲、茶、酒、素菜、盐碟等因素都在，只是祭食上简略了很多。现代祭神时，供祭的糖果糕点是随意选择的，但明清时期似乎特别看重柿子、橘子和荔枝。明《西湖游览志余》已提到正月朔日有"签柏枝于柿饼，以大橘承之，谓之'百事大吉'"的习俗，[3](P776)以"柏"谐音"百"，柿谐音"事"，"橘"谐音"吉"，但还未专用于祭神祭仪。清朝时已用其为祭神供果，清《武林新年杂咏》"橘荔"条即云："堆盘供神，名曰'决利'，或称'吉利'。"[7](P510)

（三）祭祖

一年中不止一次祭祖，例如《万历钱塘县志·纪事·风俗》记载："夏至，乡村设奠祀祖先。（城郭则否）。"[2](P490)明《西湖游览志余》记载，"十月朔日，人家祭奠于祖考，或有举扫松、浇墓之礼者"，冬至则"舂粢糕以祀先祖"。[3](P780)《杭俗遗风》"祀祖日期"条云："正月十三、十五、十七，清明，立夏，端午，七月十三、十五、十七，中秋，十月朝，冬至，新春，其余各祖先生殁忌辰。此外，扫墓分清明、新年、十月朝三次。"[5](P32)但本文只论述岁末时的祭祖。从史料看，以前杭人岁终祭祖要比现在隆重得多，仪式也复杂得多。据清《武林新年杂咏》记载，年终要挂祖先图像，从除夕一直挂到元宵，时间长达半月，而且要在画像前摆供祭食。"岁终悬祖先像，新年晨夕设供，至落灯而罢"，并引金介山《落灯夜收神子》诗云："若非除夜何能见？才过灯宵不可留。"自注："俗称祖先遗像为神子。今神之神姿。其三五世合绘一幅者，则曰代图。亦曰三代容、五代容。"又引吴锡麒诗云："祖祖更宗宗，高瞻遗挂中。簪缨传奕世，色笑俨春风。半月辛盘供，连乡甲第同。新元看聚拜，蛰蛰赋斯螽。"[7](P491)

（四）敬天地菩萨

民国洪岳为《杭俗遗风》所作案语中提到过元旦一早祭天地神之事，元旦"起身后，用茶、酒祀神，名曰接天地。盖取受天之福而拜天、受地之利而拜地之义"。[5](P28)与现代杭州民家敬天地菩萨的祭仪比较，时间相同，但祭品不同，现代用的是加糖的年糕和汤团。

（五）祭太岁从史料看

过去祭太岁是官方行动，声势浩大，主要目的似乎是迎春。清《杭俗遗风》所记的"太岁上山"，就属于这种类型，与迎春神（勾芒）活动一起举行。当时的太岁庙在杭州吴山，故有"上山"一说。"立春前一日，杭府暨总捕总理事水利三厅，仁和、钱塘二县，着朝服，坐轿宪，全副执事，亲往庆春门外迎请勾芒之神。其神先期查取姓名年貌，或老中少，即将旧年神亭迎去，毁而新塑，彩画端整，仍供于亭，长约二尺许。头塑双髻，立而不坐。迎时，神亭之前，有彩亭若干，供瓷瓶于中，插富贵花及天下太平、五谷丰登等执事，大班鼓吹，台阁，地戏，秧歌等类，纸牛活牛各一只。进城先往抚宪衙门报春，官即各回本署。神再行往各衙门毕，供于府大门外懊来桥。该处搭厂挂灯结彩，是夜烧香者，通宵闹热。次日，立春前一时，由此动身上殿，名曰太岁上山。吴山有太岁庙，庙大殿中，供至德帝君，两旁列供六十花甲值年太岁，殿左边每年轮供本甲子太岁一位，殿右边即供勾芒之神为对。是时上山各对门，均行元宝炉。护送元宝炉者，以锡造元宝式大香炉一座，用四人抬。此外尚有高照灯牌，大班鼓吹堂名以及拐灯等类，开锣喝道，音乐洋洋。每起以敬神牌为毕。若在夜间，灯球火把，更加热闹，沿途迎驾之人，各执线香，即置于元宝炉内，以故香烟缭绕，直透云霄，一起一起，鱼贯徐行。山上关旁庙前，设供行台茶会，又以年糕、黄豆夹煮，任人取食，名曰元宝汤，以取发财顺聚而已。经过门口，家家设祀，爆竹之声不绝。行春大典，天下通行，果有如吾杭之胜会者乎。"[5](P1-2)民家只在迎神队伍经过家门口时设祭，可见这种祭祀与现代杭州民家祭太岁的祭仪，不仅在时间上不同，在祭仪和祭祀目的上也不相同，无可比性。

三、结语

年祭属于民间信仰的一部分，民间信仰是个复杂的宗教现象，它的来源非常繁杂，它的演进过程也同样繁杂。

世界各地的宗教，都脱胎于原始信仰，但一旦形成宗教，都会有自己的主神和等级分明的神谱，有自己的经典，有自己的宗教组织和专职人员。但原始信仰没有这些，它相信万物（包括人）有灵，而且将万物之灵设置在大致相同的地位上，认为彼此的区别只是能力和特长不同。万物之灵可以互相伤害也可以互相帮助，但因为各自的"灵"依附在不同的生命形态上，甚至处于不同的时空，因此要通过特殊的方式才能沟通。道教是中国的本土宗教，与中华民族的原始信仰有着千丝万缕的联系，因此，上述年祭中，"道教"的色彩特别浓重。年祭所祭神祇的名号基本都来自道教神谱，有东厨司命（即灶神）、太岁帝君（即太岁）、青龙五圣、家堂五圣、财宝五圣、和合二仙、五福财神、平安福主、张老相公、当境土地、五路财神、车神和乐，只有天地菩萨用的是来自佛教的"菩萨"名号。但不论来自道还是佛，其根源都可以追溯到原始信仰，例如，东厨司命源于对火的崇拜，当境土地源于对土地的崇拜，天地菩萨源于对天、地的崇拜，这在原始信仰中都可归入自然崇拜的类型，只是原始信仰中人们是对着火、天、地（土）等自然物直接祭拜，但进入所谓的"文明"社会后，这些自然物陆续被人格化，被赋予了人形，还有了各自的名号和职责，并如同人类社会一样开始出现等级。灶神要上天向玉皇大帝汇报"工作"，就是这种等级化的一个表现。祭祖也源于原始信仰。原始人认为人死为鬼，但灵魂不灭，亡灵生活在另一个世界，和人一样，也需要吃东西，也需要用钱，当然在这一点上，其他神灵也一样。年祭中供祭食物、烧元宝都是基于这样的认识。

人与人之间，互惠互利的交往，关系才能稳固和长久，像铁公鸡那样"一毛不拔"，谁会理你呢？这种所谓的"人情世故"也同样适用于人与神灵的交往，有祈愿就应该有还愿。年祭就是这种人神交往原则的体现，年年祈愿还愿，彼此"友好"相处，互惠互利。历史上的中国人，常常处于食物匮乏状态，最大的愿望就是好好吃一顿，而且随着人地矛盾日趋激化、社会等级分化日趋严重，这个现象似乎越来越明显。例如，中国的节俗，早期大多有丰富的内涵，但发展到近现代几乎所有的节日，都只剩下"吃"这个内容了。正因为人自身处于这样一种境况，因此，与神的交往中，人首先能想到的也就是请神吃喝。因此，可以看到，在这些年祭中，供祭食物成了最主要的祭祀内容。因为原始人经常看到人和动物失血过多就会死掉，因此相信血是生命能量的载体，血因此成了原始人眼中最珍贵的东西，并想当然地认为血也是神灵最喜欢的东西，故重大祭祀中都要使用血牲，当场击杀牺牲，洒血而祭，最高等级的祭祀甚至以人为牲。

二、论文

年祭中三牲要煮得半熟带点血腥，应该就是这种习俗的遗风。

猪（亦称彘），杂食、繁育率高、易育肥、适宜圈养而不占耕地，因此很早就成为农业民族的首选家畜。因为养得多，猪从新石器时代开始就成了祭祀的主要牺牲，《淮南子》就解释过这一点："夫飨大高而彘为上牲，非彘能贤于野兽麋鹿也，而神明独飨之，何也？以为彘者，家人所常畜而易得之物也，故因其便以尊之。"[13](P149)

最初，人们用的是整猪，后来多以猪头代替整猪。杭人以腌猪头祭神就是这个习俗的延续。但因清代晚期，人地矛盾越来越尖锐，食料生产逐渐陷入种植业一支独大的恶性循环之中，肉食供给严重不足，以至一般的民间祭祀，连猪头都难得了，多用一刀肉替代。一般认为神灵和鬼魂享用食物，吸食的只是食物的精气，因此气味不佳的东西是不能上桌的，否则神灵鬼魂会生气。传统观念中一般把葱、蒜、洋葱、薤等有特殊气味的东西称为"荤菜"，这类菜是不能上供桌的。这个观念还影响到了后来的宗教，成为不少宗教的戒律。所以年祭蔬菜中不能用这些"荤菜"，烹煮三牲时也不能放这些"荤菜"调味。在传统观念中，神或者说菩萨的等级是高于祖宗（祖宗属于鬼魂类）的，因此祭神后的供祭食物可以让祖宗继续享用，而且认为这是一种恩宠，而非怠慢。因为人们相信这些东西被神享用过之后，一定沾染了神的能量，因此食用或拥有这些东西就能得到神的能量，也即神的护佑，社祭中分享祭神的胙肉、佛教法事后分送开光物品、藏传佛教的活佛摩顶等，反映的都是这种沾点神光的观念。但祭祖仪式中，只能请男方祖先，不论岳父母生前对女儿女婿家多好，死后仍上不了女儿家的祭桌，这点非常违背人的自然情感，体现了强大的男权威势，可能受到过较多儒家和理学的影响。从杭州民家年祭的祭祀对象看，所祭之神很杂乱，这反映的正是民间信仰的特点。

它没有一个特定的神谱，只祈报对自己有用的神灵，家里有车才祭车神，没车就不祭了。当然，平安、财富是人人渴望的，故和这两项沾边的神灵都会祭到，说明中国人在精神层面和现实生活中一样很务实。

与史籍记载相对比，我们可以发现，一切祭祀方式都在趋于简化。猪牲从整猪至猪头再到一刀肉就是一个很好的例证，这不仅是食物供给是否充足的问题，其根本原因在于社会的进步。这种进步提升了人的理性，并让人在与世界的相处中掌握了越来越多的主动权。例如，古人祈雨、祈晴、祭潮神、求子等

367

等都是为了解决实际问题，但现代人会通过各种技术、通过寻求专业人士的帮助来解决这些问题而非求神。因此，人们对神的虔敬自然就会趋于淡漠。可以说，现代人做年祭，并不真的指望神灵能帮助他们解决生活中的什么实际问题，更多的只是为了寻求一种精神或者说心灵的慰藉和宁静。或许可以把这种民间信仰比喻成一个心理医生，它慰藉和修复的是人的心灵世界。但作为一个"医生"，首先自己要"正派"，要清醒，而且要有合适的引导和"治疗"方法，这点倒是当今文化工作中应该特别注意的。

参考文献

[1] 王国平. 杭州文献集成 (第 7 册)[Z]. 杭州：杭州出版社，2014.

[2] 王国平. 杭州文献集成 (第 8 册)[Z]. 杭州：杭州出版社，2014.

[3] 王国平. 杭州文献集成 (第 10 册)[Z]，杭州：杭州出版社，2014.

[4] [明] 郎瑛. 七修类稿 [M]. 上海：上海书店出版社，2001.

[5] [清] 范祖述原著，[民国] 洪岳补辑. 杭俗遗风 [M]. 上海：上海文艺出版社，1989.

[6] 王国平. 杭州文献集成 (第 4 册)[Z]. 杭州：杭州出版社，2014.

[7] 王国平. 杭州文献集成 (第 4 册)[Z]. 杭州：杭州出版社，2014.

[8] 王国平. 杭州文献集成 (第 11 册)[Z]. 杭州：杭州出版社，2014.

[9] 莫高. 风俗歌谣集锦 [J]. 浙江民俗，1983(4).

[10] [宋] 范成大. 范石湖集 [M]. 富寿荪标校. 上海：上海古籍出版社，2006.

[11] （南朝宋）范晔. 后汉书 [M]. 张道勤点校. 杭州：浙江古籍出版社，2002.

[12] [宋] 孟元老撰，伊永文笺注. 东京梦华录笺注 [M]. 北京：中华书局，2006.

[13] [汉] 刘安等编著，[汉] 高诱注. 淮南子 [M]. 上海：上海古籍出版社，1990.

【文章来源】俞为洁：《杭州民家年祭中的饮食习俗》，《楚雄师范学院学报》，2016 年第 10 期

二、论文

40. "西湖文化漫谈"教学有感——以"宋嫂鱼羹，乡愁一碗"为例

摘要："西湖文化漫谈"作为通识课，是对大学生和普通民众进行以西湖为重要舞台的杭州文化、吴越文化解读、宣传的重要渠道。主要阐述西湖文化的内涵、品质、要素、历史发展、保护与开发等，涉及西湖的自然面貌、政治影响、军事活动、民俗风情、宗教、文学艺术、文化名人等诸多层面。

关键词：西湖；文化；通识课

一、课程的立意与基本情况

"西湖文化漫谈"是浙江省杭州市下沙高教园区的一门校际公选课，也是浙江理工大学的通识课，自 2008 年开设以来，已近六个年头，每学期 1—2 个教学班，每个班选修人数基本保持 130 人左右。2012 年建立了 4A 平台课程（高等教育出版社开发的课程软件平台），先后完成了两轮全程教学录像。

第一，课程定位与教学实践。"西湖文化漫谈"立足以西湖文化为中心的杭州文化和以杭州文化为代表的吴越文化，围绕西湖展开对于所处吴越文化的解读。作为江南最著名的山水人文总相宜的 5A 级风景区，西湖本身也是一个文化的缩影，拥有极其丰厚的历史文化内涵。了解西湖文化、熟悉杭州文化，对于大学生和普通民众，具有特殊的意义。其目的也在于使大学生和社会公众通过西湖文化了解杭州文化、吴越文化，增强作为杭州市民的主人翁意识，为西湖的保护和开发做出新的努力，为杭州提升城市建设品位作出新的贡献。"西湖文化漫谈"面向大学生、普通社会民众、知识层、劳工层，它属于文化素养课，同时兼具地理学、旅游学、文化学、社会学和历史学等多学科多层面的内容，属于典型的综合性和交叉性课程。它没有固定的教材，也没有内容比较充实、汇聚性较强的参考书。"西湖文化漫谈"的教学力图使听众逐步达到：（1）高品质地游览西湖、品读杭州；（2）自觉成为文化

369

西湖的知音和游览西湖的文化型非职业化导游（服务于家庭和亲朋好友）；（3）掌握一定的历史学、文化学和旅游学等方面的基础知识；（4）认识全国其他地方的区域文化，在此基础上，通过对多种区域文化如岭南文化、中原文化、齐鲁文化、三秦文化等的比较研究，更加深入地了解以西湖文化为中心、为标志的杭州文化的特色、历史内涵、发展历程和历史命运；（5）通过了解西湖文化，进而了解杭州文化、吴越文化，增强作为杭州市民的主人翁意识，为杭州提升城市建设品位做出应有的贡献。当然，也为宣传西湖、杭州尽一份绵薄之力。

第二，课程主要内容。本课程的常规教学安排一般是这样的：本科教学32学时，10个专题，从形成历史、自然状貌、山水景观、与全国其他三十多座西湖的异同、政治、经济、军事、民俗、宗教、名人等多个方面，进行全面介绍，展示西湖文化丰富多彩的构成和发展变化，比如其中的五个重要专题。基本内容是：专题一，情满西湖苏小小。苏小小是西湖柔美婉约的化身，千百年来的传说、令人神往的感情、坚贞不移的生活态度、凄凄惨惨的情感悲剧，都超不过苏小小崇尚自由、尊重个体生命价值、热爱生活的品性，同时，透过苏小小，也可以感受到杭州多彩的民间传说、名人故事等世俗文化和吴越江南宽容、豁达的文化神韵。专题二，宋嫂鱼羹，乡愁一碗（略）。专题三，"三"字神奇透西湖。西湖的形成和发展既有大自然的鬼斧神工，又有文人墨客的风流韵事，更有现代旅游事业的"添油加醋"——三塔、三岛、三堤、三怪、三雄……众多以"三"字相聚的自然景观和文化因子，是西湖的特色甚至名片。其中，既有千百年来的自然造化，也有时人的添附和唱和。一系列"三"连起来的风物文明，增厚了西湖的品位，拓展了西湖的内涵，由其展开去，可以更加细致地观察西湖、品读西湖。专题四，十葬秋瑾，风雨世纪。经过不亚于十次的来来往往，鉴湖女侠秋瑾终于魂归西湖之前，她曾经下葬过绍兴、萧山、长沙岳麓山等地。这反反复复的葬、迁，让西湖多了一些悲凉和壮丽。专题五，颜色如花命如叶：西湖词人朱淑真。朱淑真，一代词人，旷世才女，却红颜薄命，不幸的婚姻、对爱情的渴望、凄惨的人生结局……朱淑真的故事，一方面揭示封建时代中国妇女的基本人生轨迹，另一方面，体现了西湖亘古不变的爱情色彩，以及所谓的"精灵"、"妖冶"、诗情画意的风采。西湖文化的内涵是深厚的，内质是高贵的，内容是丰富的。它既是动态的，变化中的，也是静态的，具有相对的稳定性。它在人的性格心理、语言特征、建筑风格、山水风光、生活习性、活动方式，以及社会交往、风俗时尚等诸多方面都有深厚的蕴藏和广泛的流露。通过对这种文化的历史形成、辐射传播、生长发育、积累提升等各个环节的考察、分析，阐释该文化与众多的区域文化的区别与联系，寻找该文化的历史脉络和未来发展趋势，并且作出自我批评，探求自我发展的新动力新空间，是该课程研究和开设的重要立足点。在此基础上，和现代的西湖开发、杭州发展结合起来，做未来的文化预测和筹划，促进具有更加鲜明个性的西湖文化的提升。

二、从"宋嫂鱼羹，乡愁一碗"说开去

西湖文化繁盛多彩，绝不是靠几次座谈、课堂所能够达到其万一的，也不是我们三天两夜凭着某一个故事就能展示其中巨大、丰厚的内容的。仅就衣食住行的"食"说起，西湖文化就是一个博大精深的世界。

第一，宋嫂鱼羹是一道美味的杭帮菜，也是杭帮菜的经典之一。杭帮菜有东坡肉、龙井虾仁、西湖醋鱼等，不胜枚举，其中宋嫂鱼羹占有特殊的位置。它有一个统一的做法，口味却是因人而异。原料是鳜鱼一条，配料有火腿、笋、蛋黄，佐料、调料更多，如葱段、姜块、姜丝、黄酒、盐、醋、猪油，大概有20种。宋嫂鱼羹的美名不仅仅在于其鲜美的味道，主要还在于其中浓浓的乡情乡愁。主要是因为宋嫂鱼羹所产生的年代——南宋，一个在中国历史上令人感到凄惶的年月。传说宋高宗退休后，泛舟西湖上，后来弃舟登岸，登上苏堤，遇到宋五嫂主动献食，高宗倍感可口，与宋五嫂聊了起来。二人不约而同地表现出远走他乡后对故乡回忆和留恋。他乡遇故知啊，高宗为之题诗一首，物以人名，人助物贵，宋嫂鱼羹从此逐渐传扬开去，并成杭城美味一品，一直到如今。

第二，宋嫂鱼羹是一碗乡愁。1127年，康王赵构继位于应天府（河南商丘），北宋转而成为南宋，金兵继续大举南下，一直追到江南。高宗仓皇南逃，一直到温州海面，可谓狼狈至极。大批北方民众随之南逃，无论达官贵人，还是黎民百姓，无不栖栖遑遑远离故土。到江南重新开辟生活，是一个巨大的挑战。语言、饮食、气候、人际关系等诸多问题，成为顺利适应下来的重大障碍。其实，最大的牵制还是对故乡的魂牵梦绕，君臣难以忘记当初的荣华富贵，老百姓呢，

难忘记自己的家园、故土、祖坟、亲属。但这一切都只能够是不堪回首的故国而已。在金兵的追击下，虽有李纲、宗泽、岳飞等主战派力主驱逐鞑虏、恢复故国，并曾展开了一系列抵抗，无奈还是胜少败多，南宋王朝的统治范围、地域空间被压得越来越小。于是，人们的思乡情结愈来愈浓，高宗南逃，路过杭州，却一不小心爱上了西湖，就此留了下来。杭州名之临安，何意？临时安顿下来的地方。但是，江南美景、吴侬软语，诱惑力极强。当高宗来到杭州城西西溪湿地的时候，抑制不住对西溪的惋惜，不得不继续南逃，还留下了"西溪且留下"的交代，因此也成就了今天杭州城的一个名镇——留下镇。老百姓对于离开家园、远遁南方而生的乡愁似乎更浓烈。高宗赵构，江南人往往把他称作小康王，一个"小"字，有一种浓郁的情感。民间还流传着很多关于康王南渡的故事，大多蕴含着渴望康王振臂一呼，举起抗金大旗，众志成城把敌人赶跑的拳拳之心，如"泥马渡康王""半山娘娘救康王""香积寺奇梦"等，老百姓更是采用了多种生动的方法，饮食文化就是其中之一。宋嫂鱼羹，就是这样的一碗乡愁，当然，大排面、油条等食物也基本出于这样的情怀。

第三，乡愁是一柄双刃剑。作为一个游子，远离故土的时候，乡愁可以变成一股强大的凝聚力，让人常怀故土的眷恋，希望成功时回到家乡，为桑梓尽力。这时，乡愁是一股催人奋发向上的动力，一股正能量。但是，乡愁情结在催人奋进的同时，也可能耽误人，把握不好，会变成一把伤人的剑。乡愁，蕴含、承载了对家乡的怀念和追思。遗憾的是，南宋王朝特别是高宗时期，没有很好地利用这种能量。事实上，南宋初期，人们大多怀着一腔热血，要收复中原，恢复故国，这个力量汇聚起来是一股洪流，不可阻挡。高宗也许看到了，也许根本没有看到，也许就是无视。他没有把握住。当时，虽然南北分庭抗礼，宋王朝并不是国库空虚，依然在江南的富足之地凝聚了巨大的国力，他没有很好地动用这份国库资源，没有很好地整合民力、财力、人心，形成合力，奋勇抗金。南宋王朝的唏嘘再三，永远刻在杭州的历史上，也永远留在了西湖的历史上。

参考文献

[1] 孙跃，宋涛. 西湖文化 [M]. 杭州：西泠印社出版社，2005.

[2] 杭州文化局. 西湖民间故事 [M]. 杭州：浙江文艺出版社，2000.

[3] 杭州市地方志办公室. 西湖志 [M]. 杭州：西泠印社出版社，2014.

[4] 顾希佳. 西湖风俗 [M]. 杭州出版社，2004.

【文章来源】渠长根、贺伟：《"西湖文化漫谈"教学有感——以"宋嫂鱼羹，乡愁一碗"为例》，《教育教学论坛》，2015 年第 11 期

41. 杭州饮食类非物质文化遗产的现状、保护及传承研究

摘要：中华饮食文化源远流长数千年，从"治大国若烹小鲜"到"民以食为天"，饮食类的非物质文化遗产与日常生产生活密不可分，不仅将我国源远流长的饮食文化表现得淋漓尽致，而且还是我国几千年文明的重要结晶。国际上对于饮食类非物质文化遗产的研究和立项进展迅速，但由于我国饮食类非物质文化遗产的可变性和流动性，以及受到的现代化冲击，我国对饮食类非物质文化遗产的研究和保护难度大，进度也比较慢。杭州作为南宋都城和东南人文经济重镇，当地人民在生产生活中传承和保留了许多非物质文化遗产。其中如传统杭帮菜烹饪技艺、奎元馆面食制作技艺等饮食类非物质文化遗产在今日仍在以老字号企业为载体传承和延续。但是如今非物质文化遗产的生态环境已与以往不同，许多根植于农业的饮食类非物质文化遗产的传承和保护出现了一定的问题，其真实性和准确性难以得到保障。同样，在申报保护过程中也发现了部分负面倾向，诸如重课题申报，轻项目保护；政府主导，行业跟进；专家建言，领导拍板；以品牌效益为目的；单一地保护传承人等。如果这些问题不解决，饮食类非物质文化遗产保护将丧失原有特性甚至导致破坏和消亡。

基于上述背景，本文确立了分析杭州饮食类非物质文化遗产的保护及传承现状的研究目的，并通过对政府引导成效、传承现状和保护现状的分析形成了较为直观的认知。本文首先构建了基于研究背景、意义、内容、方法、理论现状的研究框架；进而对杭州市现有饮食类非物质文化遗产体系进行了梳理，并对其价值进行了分析；其次，又从杭州市现在的非物质文化遗产保护状况、对杭州饮食类非物质文化遗产传承人的认知两个方面形成对杭州饮食类现存的非物质文化遗产的直观感受；再次，对其保护和传承中出现的问题进行了分析，并针对性地提出了相应的解决策略。各级政府应加强对饮食类非物质文化遗产保护的投入，推动其开始自我生产性保护，保障其有序的传承。民众也应增进对饮食类非物质文化遗产的认知，让这一祖先创造的历史文化瑰宝得以延续。

关键词：饮食类非物质文化遗产；非物质文化遗产保护；非物质文化遗产传承；传承人

二、论文

1 引言

1.1 研究背景

遗产最早指的是祖先留下的物质财富，文化遗产则是人类在生产生活中创造并以文化的形式流传下来的财富。非物质文化遗产的界定一般采用 2003 年联合国教科文组织颁布的《保护非物质文化遗产公约》（Convention for the Safeguarding of the Intangible Cultural Heritage）中的界定：无形文化遗产是指"被各群体、团体、有时为个人视为其文化遗产的各种实践、表演、表现形式、知识和技能及其有关的工具、实物、工艺品和文化场所"[1]。既然被称为遗产，就不是产生于现代，而是某个历史时期的文化财富，其价值在于蕴含着人类某一发展阶段在某一领域的真实信息，这些信息能够还原该历史阶段人们的生存和发展样态。

我国非物质文化遗产的类别有：口头文化遗产、传统表演艺术、民俗礼仪、民间传统理念知识以及传统手工技艺等。最大的特点是以人为本，这是一种流动着的活态文化遗产，最为注重的是以人为基础的技术、工艺和精神，它不是一成不变的，是可变的、流动的以及能够传承的。[2] 这也是它和物质文化遗产的不同之处，但是也是对其进行研究和保护时的重难点。国务院在 2005年 3 月正式对外发布了《关于加强我国非物质文化遗产保护工作的意见》文件，2005 年 5 月文化部出台了《国家级非物质文化遗产代表作申报指南》，之后各省、市、县等政府也紧接着颁布了保护、评审非物质文化遗产的相关文件，随着《中华人民共和国非物质文化遗产法》这一法条的颁布和每一年的中国文化遗产日的进行，表明了国内在保护非物质文化遗产方面已然步入了规范化的时期。

中华饮食文化源远流长数千年，从"治大国若烹小鲜"到"民以食为天"，饮食类非物质文化遗产 [3] 不仅将我国源远流长的饮食文化表现得淋漓尽致，而

---

[1] 联合国教科文组织：《保护非物质文化遗产公约》，2003年10月在联合国教科文组织第32届大会上通过。

[2] 王文章.非物质文化遗产概论[M].教育科学出版社，2013.

[3] 注：根据《中华人民共和国非物质文化遗产法》，目前我国的非物质文化遗产分为民间文学、传统音乐、传统舞蹈、传统戏剧、曲艺、杂技与竞技、传统美术、传统技艺、传统医药、民俗十个大类，本文所探讨的饮食类并不是官方分类之一，而是目前主要划分在传统技艺和民俗两个官方大类中与饮食有关的非物质文化遗产项目，包括传统食品的制作技艺、食器的制作技艺以及与饮食相关的各种民俗活动。

375

且还是我国几千年文明的重要结晶。但由于饮食类非物质文化遗产的可变性和流动性，以及受到的现代化冲击，我国对饮食类非物质文化遗产的研究和保护难度大，进度也比较慢。

2010年，法国把"法餐"成功申报为人类非物质文化遗产项目，当年列入人类非物质文化遗产名录的还有墨西哥"传统美食"。此后，2011年土耳其"小麦粥"、2013年日本"和食"和韩国"越冬泡菜贮存文化"也同样成功申报了人类非物质文化遗产。饮食类非物质文化遗产项目申报的热情在中国也日益高涨，在国家和省市两级非物质文化遗产项目中，饮食类非物质文化遗产占有的比例也有进一步提高。

杭州作为南宋都城和东南人文经济重镇，当地人民在生产生活中传承和保留了许多非物质文化遗产。其中如传统杭帮菜烹饪技艺、奎元馆面食制作技艺等饮食类非物质文化遗产在今日仍在以老字号企业为载体传承和延续。但是如今非物质文化遗产的生态环境已与以往不同，许多和农业生产有直接关系的饮食类非物质文化遗产也出现了危机。[1]

1.2 研究意义

1.2.1 理论意义

饮食类非物质文化遗产是人们在长时期的饮食生活中饮食经验的总结，也反映了人类饮食生活与自然生态和社会之间的关系。从我国现存的非物质文化遗产名录上可以看出，我国如今的主要保护对象还是舞蹈、戏曲以及美术等，而饮食类非物质文化遗产在相比之下，受保护力度以及受重视程度要小得多。在国内，浙江省是开展非物质文化遗产研究以及保护工作较早的省市之一，目前已成功申报国家级非物质文化遗产项目221种（含联合申报），但其中与人民日常生活息息相关的饮食类非物质文化遗产比例较小。同时浙江省也在省内积极号召开展非物质文化遗产申报保护工作，截至目前，浙江省共公布了四批省级非物质文化遗产，共609种。

---

[1] 注：本文所研究样本杭州市饮食类非物质文化遗产指的是杭州市未进行行政区域调整前的辖区（上城区、下城区、西湖区、拱墅区、滨江区、江干区、余杭区、萧山区共8个区）国家级、省级、市级三种级别的与饮食有关的非物质文化遗产项目。

二、论文

表1-1 已公布的四批国家级非物质文化遗产中的饮食类项目

批次	项目名称	占浙江省项目比重
第一批国家级非遗	绍兴黄酒酿制技艺	1.7%
第二批国家级非遗	婺州举岩茶制作技艺、西湖龙井茶制作技艺、金华火腿腌制技艺、象山的海盐晒制技艺、金华酒传统酿造技艺	7.2%
第三批国家级非遗	五芳斋粽子制作技艺、安吉白茶制作技艺、径山茶宴、紫笋绿茶制作技艺	6.5%
第四批国家级非遗	义乌红糖制作技艺	3.3%

数据来源：中国国家级非物质文化遗产名录

从表1-1可以看出，浙江省已成功申报的属于饮食类的国家级非物质文化遗产的只有12种，仅占总数的5.4%，这与饮食生活与人民日常生活的密切程度不匹配。12种饮食类非物质文化遗产中属于杭州地区的更是仅仅只有径山茶宴和西湖龙井茶制作技艺2种，仅占浙江省国家级非物质文化遗产总数的0.9%，这与杭州市厚重的历史积淀和人文底蕴不相匹配，也与一般大众对于杭州美食、杭州传统小吃的印象相去甚远。

表1-2 已公布的四批省级非物质文化遗产中的饮食类项目

批次	项目名称	占总比重
第一批省级非遗	无	0%
第二批省级非遗	象山晒盐技艺、杭帮菜烹饪技艺、金华火腿传统制作技艺、木车牛力绞糖制作技艺、邵永丰麻饼制作技艺、婺州举岩茶传统制作技艺、西湖龙井茶采摘和制作技艺、严东关五加皮酿酒技艺、金华酒酿造技艺、绍兴黄酒酿制技艺、绍兴花雕制作技艺	4.5%
第三批省级非遗	松门白鲞制作技艺、普陀山佛茶茶道、径山茶宴、柳市保嗣酒、百家宴、松阳端午茶、香菇砍花技艺、天竺筷制作技艺、大洲厨刀制作技艺、豆制品传统制作技艺等36种	14.2%
第四批省级非遗	奎元馆宁式大面传统制作技艺、严州府菜点制作技艺、宁波汤团制作技艺、瓯菜烹饪技艺、湖州小吃制作技艺、平湖糟蛋制作技艺等25种	12.4%

数据来源：浙江省非物质文化遗产名录

从表1-2可以看出，浙江省内各地区对省级饮食类非物质文化遗产保护发展迅速，从第一批省遗中没有相关项目，到第二批中的11种，再到第三批的

377

36 种，饮食类非物质文化遗产作为与生活息息相关、更为接地气的非物质文化遗产种类，得到了较好的关注和发展。虽然相比于民间曲艺戏剧等类别所占比重还是稍显不足，但也占据了一定的比重。

本文欲为杭州市饮食类非物质文化遗产研究拓展新思路，提高人民对饮食类非物质文化遗产的认知，促进人们对饮食类非物质文化遗产的重视，并积极开展有关的研究和保护工作。

1.2.2. 实际意义

饮食类非物质文化遗产作为人民生产生活的一部分，其研究和保护都具有一定的经济价值。从外部环境来看，在市场经济的大环境下，将部分具有鲜明地方特色、文化内涵丰富的饮食类非物质文化遗产开发起来。通过向人们展现传统的制作工艺、销售传统工艺的产品，不但可以获得一定的收益，在经济条件上延续这一饮食类非物质文化遗产，而且还能提高该饮食类非物质文化遗产的知名度，利用其文化影响力，为进一步开展生产和吸引传承人打下基础，为饮食类非物质文化遗产在民间的传播拓展新渠道。最后，还可以利用电商作为新平台，为产品的销售和宣传注入新的活力。在内部因素上讲，饮食类非物质文化遗产是代代先民在生产生活中智慧的结晶，是活的历史承载体，其所代表的是当时社会的生产力和文化层次。这些饮食类非物质文化遗产，其古老的精致对于现代快节奏生活下的人来说有着别样的吸引力。可以在保持其原有真实性和准确性的情况下，根据其与现代社会的联系基础，发掘出有效的元素，进行自我创新，提升饮食类非物质文化遗产本身的再生活力。

研究饮食类非物质文化遗产，根据不同类型饮食类非物质文化遗产的特性进行区分。对于有一定活力的项目开展生产性保护，以保持非物质文化遗产的真实性、整体性和传承性为核心，在将非物质文化遗产工艺传承下去的前提下，通过生产、销售、流通等方法，有效地将其打造成文化产品。对于走向消亡、受众面狭窄，与社会脱节明显的饮食类非物质文化遗产，应及时做好整理记录工作，以影像资料、书面资料和口述资料等形式将其记录保存。

在人民生活水平逐渐提高的同时，消费者对于"过去的味道""小时候的味道"也越来越渴望，这带给了一些饮食类非物质文化遗产新的增长空间。但由于部分产品工艺落后、卫生条件不过关、产量小等局限，消费者的需求难以得到满足。

二、论文

应加大对饮食类非物质文化遗产的保护力度，重视其研究成果，帮助人们进一步开发、利用传统的手工技艺，满足人民群众对绿色、健康食品的需要，也有利于改善饮食类非物质文化遗产传承和保护的生态环境。

将部分饮食类非物质文化遗产与旅游开发相结合，比如筹建饮食类非物质文化遗产博物馆，既可以打开一扇新的窗口，增进公众对于饮食类非物质文化遗产的了解和体验，也可以通过博物馆为载体使一些饮食类非物质文化遗产得到及时记录和保存，还有利于促进农业和旅游业产业化和结构调整。

对于饮食类非物质文化遗产的开发也应遵循适度原则，针对其不同的类型展开保护和开发，不能对其造成破坏。国际上有很多国家如法国、日本在开发无形文化财产上取得成功。杭州也可从中吸取一定的经验，积极发掘各种传统产品和生产技艺，弘扬本土民族文化，增强民族自豪感，打造杭州专属的城市名片，提升杭州的城市品牌和竞争力，促进经济、社会和文化的可持续发展。

1.3 研究内容

本论文根据现有的研究成果，对杭州市饮食类文化遗产所处的文化生态环境进行系统分析，根据各个不同类别的非物质文化遗产的特征，结合田野调查所得其保护、传承和发展中存在的问题，提出一定的对策建议。在写作过程中坚持理论联系实际，言之有据。尽自己所能，从新的视角诠释当前杭州饮食类非物质文化遗产存在的缺陷，并给出了相应的解决思路。对已经实施的保护措施、动态特征等进行考察。在此基础上选取有代表性的相关饮食类非物质文化遗产研究和保护的案例进行分析，从点到面扩展到当前的所有饮食类非物质文化遗产的研究和保护。

全文一共分为 6 个部分，第一部分绪论主要为全文的研究背景和研究意义，并阐述了国内外对于非物质文化遗产保护的进展和相关学者对于非物质文化遗产和饮食类非物质文化遗产的研究。第二部分对杭州市现存 17 种饮食类非物质文化遗产做了阐述，探究其历史渊源并分析主要价值。第三部分通过对杭州市饮食类非物质文化遗产传承人访谈获取信息，并用数据和表格的形式呈现，以此说明目前的保护和传承现状。第四部分在对第三部分所获取信息进行提炼分析的基础上，发现目前在杭州市饮食类非物质文化遗产保护和传承中出现的问题。第五部分根据第四部分提出的问题寻找相应的解决方案。第六部分为结

379

论和展望。

1.4 研究方法

1.4.1 阐释法

论文通过实例举证、引用以及解释等手段，对国内饮食类非物质文化遗产的理论界定进行阐释说明，并通过找寻问题深入辨析，进一步厘清和阐释在饮食类非物质文化遗产保护和传承中应予关注及解决的问题。

1.4.2 文献研究法

通过对该领域相关研究文献的查阅，对国际上各国对此展开的研究和保护进行了探讨，通过研究文献来了解国际上对此类非物质文化遗产的探索及维护进程。国内此类研究起步时间不长，而国外如意大利等国相关研究相对发达，在方法上有很多可借鉴之处。结合中国的历史条件和实际情况进行研究。

1.4.3 节庆调查法

我国许多饮食类非物质文化遗产通过传统技艺和节庆活动的形式保留下来。而实地考察节庆活动更能与当地的风土人情相对应，调查结果更贴近实际。随机调查杭州市民对饮食类非物质文化遗产保护的看法，并提供机会让他们用自己的语言和概念来表达他们的观点。

1.4.4 访谈有关人物法

具体来说，就是面对面采访那些饮食类非物质文化遗产的继承者或者公司主管，并及时地将对话记录下来，以此获得最新资料，了解饮食类非物质文化遗产的现状，咨询非物质文化遗产项目立项后带来的变化和他们的感受，听取他们对饮食类非物质文化遗产保护的建议。

1.5 保护研究状况

1.5.1 国外保护研究状况

日本是全球范围内最先提出要重视非物质文化遗产的国家，也是首次将此提到政府层面的国家，该国认为对非物质文化遗产进行保护是日本政府承担的责任之一。此种理念在世界范围内都可谓是较先进的，它最早提出"无形文化财"这一理念，基本上和现在的非物质文化遗产有关理念是相似的，随着该国《文化财保护法》的出台，标志着其将保护非物质文化遗产列入了基本国策。日本的"文化财"可概括为不动产、动产和无形文化三大类别。日本非常重视传承

二、论文

群体和传承人的保护，对于手艺高超的匠人，日本政府在给予经济补贴的基础上还赋予他们相当的社会地位，有力的调动了匠人们的积极性。[1] 同时日本学者青木正儿的《中国的面食历史》、篠田统的《中国食经丛书》、石毛直道的《东亚饮食文化论集》、松下智著的《中国的茶》、中山时子的《中国食文化事典》等也对中国的饮食类非物质文化遗产有过深入探讨。

为了保护在现代化进程中受冲击的传统民间文化，在一大批学者的倡议下，韩国在 1962 年 1 月出台《文化财保护法》，把文化财分为有形文化财、无形文化财、纪念物和民俗资料。韩国从二十世纪中叶时期就开始投入大量的财政支出去保护、支持和弘扬该国的无形文化财，精心挑选出各种被视为"人间国宝"的能人巧匠，每年拨出专款来培养、磨炼、提高这些工匠的技艺，也确定了各个传承人的责任和义务。[2]

美国国会在 1976 年 1 月 2 日通过了《民俗保护法案》，法案认为："美国民俗所固有的多样性对丰富国家文化做出了巨大贡献，并培育了美国人民的个性和特征。""美国民俗对美国人民的思想、信仰、观念和性格的形成有着根本性的影响，对于联邦政府而言，支持研究和探讨美国民俗对理解美国城乡社会的基本思想、信仰及观念等复杂问题非常适合且十分必要。"[3]《民俗保护法案》通过，美国国会图书馆也建立了美国民俗中心，极大推动了美国的民俗研究，也为保存、展示美国民俗提供了便利。

在保护非文化遗产这一方面，Harriet Deacon 指出，这一工作的意义非比寻常，他认为非物质文化遗产和物质文化遗产同样重要，在对其进行保护时必须要制定完善的管理规章制度，相关人员要严格按照此制度进行[4]。Kenji Yoshida 则着重强调在这一工作上博物馆的作用，他指出，在博物馆中将这些有着物质载体的非物质文化遗产进行展览，能够激发民众对其的保护意识[5]。Rex

---

[1] 王晓葵. 日本非物质文化遗产保护法规的演变及相关问题[J] 文化遗产. 2008(2): 135-139.
[2] 刘承华主编.守承文化之脉 非物质文化遗产保护特殊性研究[M].南京：南京大学出版社，2015.
[3] 顾军,苑利.文化遗产报告——世界文化遗产保护运动的理论和实践[M].北京:社会科学文献出版社，2005:86-87.
[4] Harriet Deacon.Intangible Heritage in Conservation Management Planning [J]. International Journal of Heritage.Studies,2004(5):68-70.
[5] Kenji Yoshida. The Museum and the Intangible Cultural Heritage[J]. Museum International, 2004, 56 (5): 8-10.

Nettleford 指出，在非物质文化遗产进行迁移时，如果在这一过程中发生了改变、衰亡等现象，会给其带来巨大危害，并认为在这一过程中需要加强保护[1]。

1.5.2 国内保护研究状况

我国是一个有着五千年历史的文明大国，在这悠久的历史中，非物质文化遗产也得到了长足的发展，它们种类各异，内容充实，在物质文明飞速发展的21世纪，生活方式也发生了巨大的变化，许多根植于传统生活的非物质文化遗产受的冲击巨大，一方面机器正在逐渐取代人在生产过程中的角色，另一方面许多非物质文化遗产面临着后继无人的窘境。为此，2003年来，政府创立了中国非物质文化遗产保护工程，开展了许多的保护工作。

在项目调查方面，文化部于2005年6月在全国范围开展了普遍大调查，在调查过程中，各地项目组选取了一些民间艺人和民间艺术之乡，还保护了一批非物质文化遗产的实物载体和重要资料，为日后进一步开展保护和开发工作奠基。

在名录体系上，2006年5月，国务院颁布了首批国家级非物质文化遗产名录共518个项目。该里程碑式的举措标志着国家级非遗保护体系的正式确立，表明我国的保护非遗的工作进入了科学性有体系的新阶段。

在非物质文化遗产传承方面，2007年6月，文化部颁布了首批226位国家级非遗项目传承人名单，给予一定的生活补贴，保障非物质文化遗产的合理有序传承。

在非物质文化遗产保护宣传教育方面，文化部2008年提倡非物质文化遗产走进教学，将国民非遗教育纳入现有体系，增加下一代的参与和体验。同时有计划地建立非遗展示中心和博物馆，收集保存非遗项目的相关资料。[2]

国内对非物质文化遗产保护的关注和探究始于改革开放后，于2006年后开始蓬勃发展，一直到目前仍然是国内研究学者关注的重点，而饮食类非物质文化遗产的发展比较迟缓，所占比重不高。如图1-1所示。

---

[1] Rex Nettleford.Migration,Transmission and Maintenance of the Intangible Heritage[J]. Museum International,2004,40(5):178-190.
[2] 刘承华主编. 守承文化之脉 非物质文化遗产保护特殊性研究[M].南京：南京大学出版社，2015.

二、论文

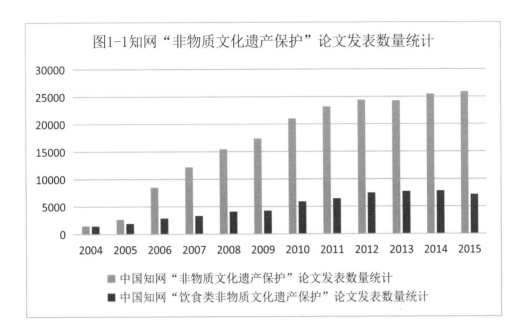

每一种不同的非物质文化遗产都有着其自身的特点,国内的专家学者从其各异的特质出发进行了相关研究。在研究内容上,保护工作方面,王宁对这一工作的难易程度进行了探讨,认为非物质文化遗产的界定是抢救和保护工作的关键。[1]贺学君认为,在非物质文化遗产保护实践中,要注意区分"保护"与"保存"两个概念。"保存",重点在"存",针对的主要是那些在现实中已濒临灭亡又无法继续传承的民俗事象。"保护",以"养"为目标,以生命、创新、整体、人本、教育、主体协调为基本原则,着眼于对象生命系统生态整体的保养与呵护,意在推动传统的延续与发展[2]。宋俊华指出,保护非物质文化遗产这一工作是极为特殊的,这种特殊存在于其内容和形式等多个层次上,不管是对其进行保护还是传承,都要注意它的无形化、活态化,了解其多元性及社会性。应倡导一种"参与式数字化保护"理念,赋予传承人和拥有者参与数字化保护的权利。让他们参与进来,数字化保护才有可能完成非遗保护与传承的历史使命[3]。

---

[1] 王宁.界定:非物质文化遗产保护的第一步[J].中国民族,2003(3).
[2] 贺学君.非物质文化遗产"保护"的本质与原则[J].民间文化论坛,2005(6).
[3] 宋俊华,王明月.我国非物质文化遗产数字化保护的现状与问题分析[J].文化遗产,2015(6).

在饮食类非物质文化遗产层面，赵荣光根据其对衍圣公府饮食、满汉全席等内容的研究，认为应把握饮食类非物质文化遗产的三大主要内容，即品种为重点的内容、工具与技术内容和侧重文化展示过程的内容[1]。姚伟钧认为老字号餐饮是饮食类非物质文化遗产的重要组成部分，也是地域饮食文化的承载体，具有深刻的文化价值、技术价值和市场价值[2]。谢定源认为饮食类非物质文化遗产主要通过人的活动得以保存、发展和传承，许多知识、技艺通过代代口传心授得到延续，因此在生产实践中才能实现真正的保护和传承[3]。

在非遗保护中政府职能研究上，王文章指出政府要在非物质文化遗产保护中发挥有效的职能就必须做到以下三点：一，要建立、健全保护非物质文化遗产的机制；二，要建立权威、全面、科学的决策机构，为非物质文化遗产提供决策方案；三，要培养群众的文化自觉。[4] 丁永祥认为政府是非物质文化遗产保护中的行政主体，应承担主导作用，所以政府应该积极行动、努力寻找，在保护中充分履行职责，全面、深入、正确地对非物质文化遗产开展保护。[5]

针对杭州地区特定非物质文化遗产项目的保护，王真慧认为杭州地区的非物质文化遗产保护可以和旅游业发展形成良性互动，在保护和开发的同时促进杭州旅游国际化。[6] 张侠燕认为应从杭州本身的区位因素出发，根据江南水乡沿河而居，靠水而作的特点，形成江海文化为特色的非物质文化遗产保护战略。[7] 姚颖则以西泠印社为例，认为文化空间对非物质文化遗产保护意义重大，并从地理景观、历史、产业经营和文化内涵等多方面论证了文化空间对非遗保护和继承的重要性。[8]

---

[1] 赵荣光.《衍圣公府档案》食事研究[M].济南:山东画报出版社,2007:294-296.

[2] 姚伟钧.武汉饮食老字号与非物质文化遗产保护[J].武汉文博，2012(3).

[3] 余明社，谢定源.中国饮食类非物质文化遗产生产性保护探讨[J].四川旅游学院学报,2014,(第6期).

[4] 王文章.非物质文化遗产概论[M].教育科学出版社,2008

[5] 丁永祥.论非物质文化遗产保护的责任主体[J].广西:广西师范学院学报(哲学社会科学版),2008.

[6] 王真慧,张佳.杭州非物质文化遗产保护与旅游业发展互动探讨[J].现代物业(中旬刊),2010(9).

[7] 张侠燕,潘昌初.江海文化背景下的杭州非物质文化遗产保护传承现状及对策建议[J].文化月刊(下旬刊),2015(12).

[8] 姚颖,于小涵,孔灵敏,沈艳梅.文化空间对非物质文化遗产的保护与传承：以杭州西泠印社例[J].管理学家,2014(5).

二、论文

2 杭州饮食类非物质文化遗产综述及价值分析

2.1 传统手工技艺类

2.1.1 菜肴制作类

2.1.1.1 杭帮菜

（1）历史渊源

《史记》中就有对江浙一带食俗"饭稻羹鱼"的概括[1]。南宋定都临安，北人大量南迁，出现南北烹饪技艺的大交融。据《武林旧事》[2]《梦粱录》[3]等书记载，南宋时的临安（今杭州）酒楼林立，设施豪华，供应菜肴之多，令人眼花缭乱。

元代，杭城菜馆供应牛肉等菜肴、食品、小吃，亦应有尽有，享誉海内外。

明清二代，此风有增无减。杭州文人中还出现了一些美食家，精心策划，推波助澜，著书立说，蔚然成风。著名的有《遵生八笺·饮馔服食笺》《随园食单》等。其中袁枚所著《随园食单》更是中国古代社会食事的总结和集大成者。

《随园食单》所记食谱，汇集南北精华，其中提到"杭州菜"者甚多，诸如杭州家乡肉、蜜火腿、蒋鸡、唐鸡、挂卤鸭、干蒸鸭、连鱼豆腐、醋搂鱼、鳝面、蓑衣饼等名目，绵延至今，大多都是"杭帮菜"中的著名菜肴。

民国时期，杭城已有300余种菜肴和数十种名点小吃。除了前面提到的连鱼豆腐等菜之外，高桥巷郭七斤的鸡汤鱼圆、太平坊巷的文龙酱鸭、清泰街老南安酒家的荷叶粉蒸肉、梅花碑"老奶"的咸菜卤豆腐，均有较高的知名度。

（2）主要特征

"杭帮菜"烹饪技艺在我国菜系中独树一帜，表现出浓郁的江南水乡文化特色。菜品风格醇正、鲜嫩、细腻、典雅。烹调精巧，尤以清鲜脆嫩，口味纯真见长。讲究"两轻一清"，即轻油、轻浆和清淡，注重"鲜咸合一"。炒菜以滑炒为主，炸菜力求外松里嫩，烧法则强调柔软入味，浓香适口。外观上讲究色彩和谐，清秀雅丽，追求色、秀、味俱佳的境界。

---

[1] 《史记》卷一二九《货殖列传》："楚越之地，地广人稀，饭稻羹鱼，或火耕而水耨，果隋蠃蛤，不待贾而足，地埶饶食，无饥馑之患，以故呰窳偷生，无积聚而多贫。"
[2] 《武林旧事·卷六·诸市》.
[3] 《梦粱录·卷十三·铺席》.

杭州全书·杭帮菜文献集成

（3）主要价值

实用价值：民以食为天，任何人都离不开饮食。孔子"食不厌精，脍不厌细"的追求，发展至今，则愈演愈烈。"杭帮菜"从原来更多被酒楼大厨所掌握的烹饪手法，逐步融入杭城百姓家，原有的酒楼菜甚至宫廷菜现在也转化为了家常菜，成为杭城居民日常生活中必不可少的组成部分。

经济价值：2015 年杭州市住宿和餐饮企业餐饮收入 164.43 亿元，相比去年同期增长 3.5%，占杭州市住宿和餐饮法人企业营业收入的 69%。"杭帮菜"已成为杭州旅游餐饮行业振兴发展的一个重要手段，因而受到格外重视。

文化价值：在我国历史悠久的文化中，饮食文化是非常重要的一部分，"杭帮菜"作为非物质文化遗产之一，更具有弘扬民族精神，维系民族传统和乡土情结的价值。远离家乡的游子，只要一吃到"杭帮菜"，就马上会产生一种回归故里的强烈情感。

学术价值："杭帮菜"在饮食文化史、民俗史上，也具有不可替代的学术研究价值。2013 年，位于杭州上城区江洋畈生态公园内的杭帮菜博物馆开馆。此博物馆集展示、体验、经验、科研、培训于一身，标志着杭帮菜的研究迈入一个产学研结合的新时代。

2.1.2 面食点心制作类

2.1.2.1 奎元馆面条

（1）历史渊源

奎元馆始创于清代同治六年（1867），距今已有 150 余年历史。旧址在杭州鼓楼附近的望仙桥，1911 年迁至中山中路三元坊路口，1958 年迁到现址。最早是安徽人开的徽州面馆，面条粗而硬，主要供应"小碗面"及小羊面、素丝面等。在民国时期，祖籍宁波的李山林在杭州开奎元面馆时，在面的制作中加入了家乡的味道，他在浇头里引入了水产品，这样制成的浇头非常美味，获得了口味讲究的杭州人的青睐。面的风味特色也由徽式大面演变为宁式大面。1926 年，李山林以八千铜钱将店盘给了伙计章顺宝。后来章年事渐高，又将面店交女婿陈秀桃。当时正是杭州各种风味菜点定型出名的时候，奎元馆的宁式大面此时也崭露头角，生意越做越大，固定资产已达一千块银元之巨。奎元馆的拳头产品——虾爆鳝面，亦逐渐蜚声海内外，成为杭城的百面之冠，被百姓美誉为"江南面王"[1]。

杭州奎元馆自创始以来，历经一百四十余年沧桑，嫡派传人共计十四位，但其经营面点的创业初衷未变，在传承传统工艺的基础上，目前最为著名的是虾爆鳝面、片儿川面、红油八宝面等。

（2）主要价值

历史价值：奎元面馆中所用的宁派大面制作工艺，是对近千年来江南一带面条制作工艺的传承，是这种制作手法的精髓。同时有浓郁的杭州地方特色，代表了杭州面条烧制技艺的最高水平。

工艺价值：奎元馆面条制作集多种工艺于一身，在面条的配料和汤料上下大工夫，具有独特的手工艺价值。

文化价值：杭州奎元馆创始于1867年，距今已有一百五十多年的深厚历史，文化底蕴丰厚。

2.1.2.2 知味观点心

（1）历史渊源

1913年，在如今的杭州西湖一公园旁边，旧城墙拆除后，人们将那一片建成了临湖公园，使其成为彼时市里最繁华的地带之一。那一年，来自绍兴的孙翼斋和义阿二合伙做起了小本生意，两人在那里的仁和路、湖滨路交叉口卖起了汤团、馄饨，其间孙翼斋想起《礼记·中庸》中"人莫不饮食也，鲜能知味也"对于了解食物美味的描述，又想到隋朝有位会稽人名叫杜济，烹饪功夫十分了得，能够使人记住他家菜肴的味道，在这些启发下，孙翼斋在保证汤团、馄饨的馅料饱满、货真价实的前提下，开始追求"能别味"这一境界。为此，他在大红纸上写下"欲知我味，观料便知"几个字，将纸悬挂在摊上。这一招吸引了不少顾客，他的摊子也声名鹊起，生意兴隆了起来。过了一段时间，孙翼斋就在旁边盘下了一家店面正式做起了餐饮店，在取店名时，孙翼斋想到了自己大纸上的那八个字，便从中取"知""味""观"三字，使得知味观这一招牌沿用至今[2]。

---

[1] 宋宪章.人文荟萃话杭州[M].上海：东方出版中心，2015.
[2] 梁建军主编.百年老号知味观[M].杭州：浙江古籍出版社，2014.

（2）主要价值

历史价值：知味观杭式点心继承了南宋以来传统点心制作技艺的精髓，有浓郁的杭州地方特色，代表了杭州点心制作技艺的最高水平。

手工艺价值：传统的点心制作技艺采用独特的传统纯手工技艺，经过多年来不断改良和创新，如今又选用多种绿色食品来制作健康的营养点心，并且综合传统的图案和做法，在点心上做字做花、画龙画凤，集多种工艺于一身，具有独特的手工艺价值。

文化价值：知味观杭式点心传统手工技艺以其难以掌握的复杂工艺使其蕴含并积淀了深厚的民族精神和民俗文化。

2.1.3 酿酒技术类

2.1.3.1 梅花泉酒酿造技艺

（1）历史渊源

留下自古产酒，南宋高宗赵构过西溪，入酒肆，尝酒味醇正香洌，佣保招待殷勤。酒后兴起，便御书"不为酒税处"五字赐予酒肆。后刻石树碑，即为有名的"禁酒界碑"。从此留下的"九间楼"和碑后的"陶家酒厢"可免酒税。留下更有用梅花泉水酿制的美酒，号称"梅花泉酒"。梅花泉在柏家园左，泉水涌起时，每作五瓣梅花状，故称"梅花泉"。好水出好酒，留下酿酒传承了梅花泉酒的历史，清代吴祖枚著《西溪联吟》有《梅花泉酒》诗：平生癖性傲梅花，犹爱梅花酿酒嘉。甘洌独堪供隐逸，清真不许醉豪华。浅斟月下杯凝白，细嚼林间脸衬霞。始信惠泉名可胜，品醇弥觉雅情赊。

（2）主要价值

历史价值：具有近千年的传统技艺。地域特征明显，梅花泉是留下独特的古泉，称为虎跑第二泉。

人文价值：南宋高宗赵构过西溪，入酒肆，尝梅花泉酒味醇正香洌，酒后兴起，便御书"不为酒税处"五字赐予酒肆。后刻石树碑，即为有名的"禁酒界碑"。从此留下的"九间楼"和碑后的"陶家酒厢"可免酒税。

2.1.4 茶叶采摘制作类

2.1.4.1 径山茶炒制技艺

（1）历史渊源

明嘉靖《余杭县志》记载："钦师尝手植茶数株，采以供佛，逾年蔓延山谷，其味鲜芳，特异他产，今径山茶是也。"[1]"钦师"，即法钦禅师，他于唐天宝元年（742）来径山结茅传教时开始人工种茶，可见径山茶已有1200多年的历史了。宋时品茶大家叶清臣于《述煮茶泉品》中也有对径山茶的记载[2]。南宋咸淳四年《临安志》记载"茶，岁贡，见《旧志》载：钱塘宝云茶、香林茶、白云茶，近日径山寺僧采谷雨前者，以小缶贮送"。自宋到清，径山茶为皇家御用"贡茶"，列为"六品"之一。开庆元年（1259），日僧南浦绍明入宋，后将径山的茶种和茶具带回日本，为日本茶道之先祖。至清代末期，茶贱伤农，茶农不得不弃茶改行，致使茶园荒废，制作技术难以传承。1978年在有关部门的重视支持下，径山茶得以恢复。

（2）主要价值

径山茶真香真味，茶叶纤细苗秀，显露芽峰，色泽翠绿，香气清幽，回甘鲜醇，茶汤莹亮，叶底嫩匀，经饮耐泡。1985年的全国名茶展评会对径山茶下了"品质优异，风格独特"的评语。具备较高的经济价值。

2.1.4.2 西湖龙井茶采摘和制作技艺

（1）历史渊源

杭州产茶，始于唐代以前。《茶经》就曾记载杭州天竺、灵隐产茶[3]。五代宋初，杭州就有宝云庵产的宝云茶、天竺香林冈产的香林茶，上天竺白云峰产的白云茶，龙井茶尚不出名，至明初，龙井产茶已渐增，明嘉靖年间《浙江通志》记载："杭郡诸茶，总不及龙井之产。而雨前细芽，取其一旗一枪，尤为珍品，所占不多，宜其矜贵也。"明万历年间《杭州府志》载："老龙井其地产茶为两山绝品。"万历《钱塘县志》又记载："茶出龙井者，作豆花香，色清味甘，与他山异。"[4]

清高宗皇帝乾隆与龙井茶的情缘更为值得一提。乾隆十六年（1751）乾隆初到杭州时，在上天竺观看龙井茶的采摘和炒制过程后，作诗30余首。其中《观采茶作歌》诗曰："火前嫩，火后老，惟有骑火品再好。西湖龙井旧擅名，适

---

[1] 明嘉靖《余杭县志·卷三十八·物产》。
[2] 叶清臣《述煮茶泉品》："大率右于武夷者为白乳，甲于吴兴者为紫笋，产禹穴者以天章显，茂钱塘者以径山稀。"
[3] 陆羽《茶经》："杭州临安、於潜二县生天目山于舒州同。钱塘生天竺、灵隐二寺。睦州生桐庐县山谷。"
[4] 王建荣，张佳，朱阳编.杭州全书西湖丛书·西湖茶文化[M].杭州：杭州出版社，2013.

来试一观其道，村男接踵下层椒，倾筐雀舌还鹰爪。地炉文火续续添，乾釜柔风旋旋炒。慢炒细焙有次第，辛苦功夫殊不少。王萧酪奴惜不知，陆羽茶经太精巧。防微犹恐开奇巧，采茶曷鉴民艰晓。"乾隆二十二年（1757），乾隆复巡杭州，游览云栖胜境，又作《观采茶作歌》诗一首，诗中曰："前日采茶我不喜，率缘供览官经理。今日采茶我爱观，关民生计勤自然。云栖取近跋山路，都非吏备清跸处。无须回避去采茶，相将男妇实劳劬。嫩荚新芽细拔挑，趁忙谷雨临明朝。雨前价贵雨后贱，民艰触目陈鸣镰。由来贵诚不贵伪，嗟我老幼赴时意，敝衣粝食曾不敷，龙团凤饼真无味。"乾隆二十七年（1762），乾隆又作第三次南巡，畅游龙井，并上老龙井品茶，又作《坐龙井上烹茶偶成》诗一首。乾隆三十年（1765）第四次南巡杭州，再上龙井游玩，写下《再游龙井作》诗。诗曰："清跸重听龙井泉，明将归跸启华辀。问山得路宜晴后，吸水烹茶正雨前。入目景光真迅尔，向人花木似花然。斯诚佳矣予兊梦，天姥那希李谪仙。"[1]

新中国成立后党和政府十分重视农业生产，关心农民生活，特别是党和国家领导人多次深入龙井茶区进行视察，与茶农促膝谈心，鼓励茶农不断发展茶叶生产。1963年毛主席在西子湖畔亲自采茶；周总理五次到梅家坞村关注茶叶生产发展情况；朱德委员长六上老龙井；刘少奇、陈云也到龙井参观视察茶园；党的第二代、第三代领导人邓小平、江泽民、乔石等先后来到龙井村、视察茶叶生产发展情况，鼓励当地茶农多种茶、多产茶，为社会主义现代化建设多作贡献。

（2）主要价值

医疗保健价值：喝茶是中国特有的生活方式，日常饮茶具有医疗和保健作用，有安神、明目、止渴、清热消暑、解毒、治心痛、坚齿、益气力、延年益寿等多种功能。

中外交流价值：茶叶是中西文明交流的重要使者，19世纪茶叶风靡欧洲之后，成为清朝对外出口的主要商品之一，一定程度上也改变了西方饮食文化的进程。西湖龙井茶向来是茶中绝品，朝廷中的贡品，现在也是国家赠送贵宾的国礼，享誉世界。茶为国饮，也是当今国人最普遍的主要饮料。西湖龙井茶还

---

[1] 张远桃.乾隆三结茶缘[J].养生月刊,2012,(8).

二、论文

是友谊的纽带、文明的象征。1972年美国总统尼克松访华到杭州，周总理陪同并邀尼克松一起品尝龙井茶，还用"龙井茶炒虾仁"款待美国总统一行，受到美国客人的一致好评。离杭时，周总理特意赠送尼克松总统特级西湖龙井茶作为礼品，从此架起了中美两国友谊交往的桥梁。

品牌价值：1959年，西湖龙井茶被评为"全国十大名茶"第一名。1988年在希腊雅典举行的第二十七届优质食品评选会上荣获最高荣誉金棕榈奖。璀璨夺目的西湖龙井茶，不仅是杭州历史文化中的传奇，也是中华民族文化中的瑰宝。

2.1.4.3 "九曲红梅"红茶制作工艺

（1）历史渊源

著名茶学专家庄晚芳认为："从较为科学的角度来看，福建武夷山的九曲应是九曲红梅这种功夫茶的发源地。在太平天国时期，福建武夷山经受了不少战乱，民众死伤、迁徙者有半，农民们开始逐渐向北流散，最开始有13户人在大坞山筑房居住，开山种地，砍林植茶，并以此谋生，这些从南方迁来的农民们知晓如何制茶，他们做出来的红茶在沪杭一带很受欢迎，卖的价钱也很高，附近的农民见此景也纷纷效仿。"[1]那个时候农民们制作的是属于半发酵茶的"九曲乌龙茶"，后来，住在大坞山那里的农民们改进了采摘茶叶、制作茶叶的技巧，使得新的红茶逐渐形成。

因为这茶的前身是九曲乌龙茶，所以在命名时保留了"九曲"二字，又因为这茶叶形状弯曲、性质柔和，所泡的茶汤颜色红艳、味道香甜，品起来有一种独特的梅花香，故将其命名为九曲红梅。这茶是国内罕见的用文化进行命名的名茶，更有李叔同先生用"白玉杯中玛瑙色，红唇舌底梅花香"这样的雅句来描写此茶的韵味。

（2）主要价值

人文研究价值："九曲红梅"红茶的历史虽然不能算长，但其形成的过程与历史事件的发生和社会的发展紧密相关。特别是乌龙茶流传到推崇清新淡雅的龙井茶的杭州来，逐渐变成了色艳丽而香淡雅的新式红茶，其间蕴含了很多

---

[1] 庄晚芳著，浙江农业大学茶学系编.庄晚芳茶学论文选集[M].上海：上海科学技术出版社，1992.

391

的人文因素，具有一定的研究价值。

医药研究价值："九曲红梅"红茶跟其他红茶一样，具有一定的医药和保健作用，因此，必然也具有更深层次的医药研究价值。

品牌价值：浙江省产出过许多名茶，而九曲红梅茶是其中仅有的红茶，更是被人们称为浙江茶区的"万绿丛中一点红"。其在巴拿马国际食品博览会上获得了金质奖章，在1929年举办的西湖博览会上，该茶被评为中国十大名茶之一。

保健价值：红茶在加工过程当中产生了以茶多酚酶促氧化为核心的化学反应，鲜叶中的化学成分变化较大，茶多酚减少90%以上，产生了茶黄素、茶红素等新成分。香气物质比鲜叶明显增加。红茶能够帮助胃肠消化、促进食欲、可利尿、消肿，并强健心脏功能。红茶的抗菌力强，用红茶漱口可防滤过性病毒引发的感冒，并预防龋齿与食物中毒，降低血糖值与高血压。

旅游开发价值："九曲红梅"红茶原产地双浦镇，地处杭州风景旅游的延伸区灵山风景区内。以"九曲红梅"为龙头，实行基地、产业、茶产品、副产品、饮食、博览以及文化、民俗等整合配套、立体开发，对于建设观光旅游、休闲旅游、原产地旅游、购物旅游等经济产业及社会发展具有重要的促进和推动作用。

2.1.5 脯腊腌渍类

2.1.5.1 江干蔬菜腌制技艺

（1）历史渊源

"庆春（太平）门外粪担儿""望江（螺蛳）门外菜担儿"，杭州城东种植蔬菜历史悠久。宋周必大就曾记录："车驾行在临安。土人谚云：'东门菜，西门水，南门柴，北门米。'盖东门绝无人居，弥望皆菜圃。西门则引湖水注城中，以小舟散给坊市。严州、富阳之柴聚于江下，由南门入。苏、湖米则来自北关云。"[1]宋潜说友也有相关记录"城东横塘一境，种菜最美，谚云'东菜西水，南柴北米'。"[2]特殊的江干蔬菜研制技艺便发源于此，流传于江干区各个乡镇街道。

（2）主要价值

有腌制成的缸踏菜、酸雪菜、倒笃菜、雪干菜及霉苋菜梗等加工菜投放农

---

[1] 周必大《周益文忠公集》卷一八二《临安四门所出》。
[2] 潜说友《咸淳临安志》卷五八《物产·菜之品》。

二、论文

贸市场或上集市销售，群众反映及经济效益良好．产品爽口，老少皆宜，是农家日常菜桌上家常菜的主料。

2.1.5.2 万隆火腿制作技艺

（1）历史渊源

早在 1864 年，杭州万隆火腿庄就已经创立了，其店址位于杭州城内最繁华的中山中路与河坊街的交叉口处，是杭州市内最著名的百年老店之一。起初由宁波、鄞县、绍兴、杭州等地 11 人合资，创办人陈国华，原籍宁波。该店最精于制作包括精制火腿、家乡南肉、腊肠以及酱鸭等在内的腌腊食品，其中的火腿、香肠更是有名，声名远播至整个东南亚，一直被人传颂至今，更是有人提出了"腌腊上品推万隆"这样的话。该店制作的"法兰西"火腿在 1929 年的西湖博览会上获得了特等奖。现今的腌腊传统制作手艺依然像一个世纪以前那样，由师傅亲手将手艺传授给徒弟，这一手艺不仅要求人将其技巧熟练于心，还需要学徒有足够的领悟能力去掌握其中的奥秘，难于言表和形成文字。[1]

（2）主要价值

历史价值：杭州万隆火腿庄至今已有 150 余年的悠久历史。其生产的腌腊食品是极富有民族特色和杭州地方特色的纯手工业食品。

商业价值：传统的万隆腌腊食品是采用独特的传统纯手工工艺又经过多年来不断改良的纯手工业食品，百年来严格遵循"货真价实""童叟无欺"的经营理念，秉承"万隆"优良传统工艺，结合现代生产设备和管理技术，生产出能带给人们无限美味和健康的产品。

文化价值：由于万隆在杭州开创至今有 150 余年的历史，其纯正的口味已经深入人心了，经过不断的创新和发展，万隆食品受到了杭州及江浙沪等地市民的欢迎和好评，万隆已成为腌腊食品中的一块金字招牌。

2.1.5.3 西兴豆腐干制作技艺

（1）历史渊源

西兴自古是钱塘江南岸重要渡口，浙东运河的起点，向来流动人口大过往客商多，商业繁忙，服务行业尤其占主要地位，饭店、旅馆林立。传统食品豆

---

[1] 冯骥才总主编．中国非物质文化遗产百科全书·代表性项目卷下[M].北京：中国文联出版社, 2015.

腐和豆腐干，价廉物美，"生"熟可吃，最受小商、小贩、船工轿夫们的青睐。

（2）主要价值

丰富的营养价值：李时珍《本草纲目》卷二五"豆腐"条目下记载："主治，宽中益气，和脾胃，消胀满，下大肠浊气，清热散血。"豆腐的蛋白质含量丰富，也有各种人体所需的氨基酸、不饱和脂肪酸、微量元素和维生素。而且不含胆固醇，低脂肪，含钠量低。豆腐及其制品容易被胃肠吸收，是理想的补益食品。

色美味佳：特别是臭豆腐和五香豆腐干，吃起来别有风味。

经济实惠：价廉物美，经济实惠并营养丰富。

2.1.5.4 萧山萝卜干制作技艺

（1）历史渊源

公元前 6 世纪萝卜就已在黄河流域广泛种植。王祯《农书》载："老圃云：萝卜一种而四名。春曰破地锥，夏曰夏生，秋曰萝卜，冬曰土酥。故黄山谷云：'金城土酥净如练'，以其洁也。"[1] 对于萝卜的吃法，李时珍也有生动的评价："可生可熟，可菹可酱，可豉可醋，可糖可腊，可饭，乃蔬中之最有利益者。"萧山萝卜干，便是可菹可酱的鲜明写照。萧山萝卜干源于百年前的萧山河庄镇，勤劳的河庄人在沙地上收获了大量萝卜之后吃不完，便切成条置于芦苇帘子上任其风干，风干后放入坛子中腌制一年。如此便产生了萧山特色的风干萝卜干。

（2）主要价值

萧山萝卜干是萧山的地理标志之一，也曾是当地的支柱产业，2014 年销售萝卜干产品 50 万吨，销售额 22 亿元，具有相当的品牌价值和经济价值。

2.1.6 蜜饯类

2.1.6.1 蒋村柿产品制作技艺

（1）历史渊源

杭州植柿已久，白居易在《杭州春望》中就写道："红袖织绫夸柿蒂，青旗沽酒趁梨花。"[2] 蒋村一带土质细密，河道纵横，柿树多在较高河堤，离水面一尺左右，无须灌溉，又方便排水，因此栽柿最宜。蒋村农民在河边堤旁栽柿，也有护堤固堤的作用。民国二十六年（1937）出版的《中国植物学刊》上，刊

---

[1] 王祯.农书[M].北京：农业出版社,1963.102-103
[2]《杭州春望》：望海楼明照曙霞，护江堤白踏晴沙。涛声夜入伍员庙，柳色春藏苏小家。红袖织绫夸柿蒂，青旗沽酒趁梨花。谁开湖寺西南路，草绿裙腰一道斜。

登有金维坚所著的《中国古荡方柿之调查》一文，内有对蒋村一带柿子树的详尽调查。民国《杭县志稿》载柿数种，小者名火珠，先熟；大者如铜盆，极大者名方柿。须经半熟采之，熟则摇枝即落。西溪产柿最多，每年处暑至寒露出产，畅销上海宁波等地。[1]

（2）主要价值

文化价值：蒋村人世代过着水下养殖鱼、岸边栽植柿的"柿基鱼塘"模式的恬淡的乡间生活。蒋村柿子，是蒋村文化的活化石，是与蒋村人生活、生产、商贸、娱乐无法分离的一个部分。

旅游经济价值：西溪湿地公园设立后，旅游业兴盛，游客慕名纷至沓来，柿子不再是蒋村村民的主要经济来源。但是现在，西溪国家湿地公园内举办的火柿节，每年也吸引了大批解口馋解眼馋的游客，带动了蒋村旅游业的发展。

2.1.6.2 三家村藕粉制作技艺

（1）历史渊源

白居易《余杭形胜》诗中"绕郭荷花三十里"[2]的句子，说明早在唐代，余杭一带已遍植莲藕。清《杭州府志》记载"藕粉出自塘栖及艮山门为佳"[3]。清光绪《塘栖志》对"藕粉"条亦有载："藕粉者，屑藕汁为之，他处从伪，掺真赝各半，唯塘栖三家村出此者以藕贱不必假他物为之也。"20世纪70年代初，法国总统蓬皮杜、美国总统尼克松访华时，品尝了三家村藕粉后，赞不绝口，周恩来总理也将三家村藕粉作为国礼赠给两位总统。

（2）主要价值

历史价值：三家村藕粉历史悠久，早在唐代就有关于普遍种植莲藕的记载，食圣袁枚在《随园食单》中对藕粉也有所提及，清朝《杭州府志》明确记载三家村藕粉品质最佳。

工艺价值：三家村藕粉以传统手工制作，制粉师傅所掌握的技巧经验直接影响到藕粉品质的好坏。每道工序都需要把握分寸，在长期的生产制作中积累了丰富的经验，整套工艺流程一丝不苟。

---

[1] 杭县志稿编委会：《杭县志稿》。
[2] 《余杭形胜》：余杭形胜四方无，州傍青山县枕湖。绕郭荷花三十里，拂城松树一千株。梦儿亭古传名谢，教妓楼行道姓苏。独有使君年太老，风光不称白髭须。
[3] 《杭州府志》，1925年清稿本排本。

经济价值：十里藕乡三家村，种植莲藕1000余亩，并成为国家旅游局指定的航空旅游食品，出口日本、马来西亚等国家，有效促进当地农业增效、农民增收，具有明显的经济价值。

2.1.7 制盐类

2.1.7.1 钱塘江板盐制作技艺

（1）历史渊源

许慎《说文解字》中称："古者宿沙初作煮海盐。"[1]元代陈椿绘制的《熬波图》、明代的《盐井记》、清代的《四川盐法志》等都详细记录了民间手工技艺制盐的过程。钱塘江边的制盐业，主要利用钱塘江两岸的滩涂沙地，晒制涨潮时吸储含盐分的江水而产生的盐。

吴越国钱镠主持修建的海塘，挡住钱塘江潮水的同时在石塘外又留出了广阔滩涂，为以江水制盐创造了新的自然环境。钱塘江畔滩涂沙地富含盐碱，不宜农作物的生长，但各地移民利用这白花花的盐土，成为钱塘江制盐的原料。聪明的萧山先民用盐土制盐，创造了煮（晒）海水为盐以外的新工艺。

早先，制盐的方法一直为刮泥、淋卤、灶煎，称"煎盐"。至咸丰年间，草荡日贫，才改成刮泥、淋卤、板晒，俗称"板盐"。

（2）主要价值

在制作时，钱塘江板盐不会接触到沙地，与海盐相比更加洁净，食用起来鲜味更浓，不仅有着较高的经济价值，也有着其独特的文化价值。

2.1.8 食器类

2.1.8.1 天竺筷制作技艺

（1）历史渊源

天竺筷最早出现在清朝中期，因为产地在天竺山所以得此名，其被认为是我国的名筷之一，更有着江南名筷的美誉，当时的天竺是杭州的佛国胜地，天竺山上的法镜法净法喜三寺香客盈门，香火甚旺。为供应众多香客素斋，僧人以当地小竹削取为筷，香客餐后带回纪念。当地农民在农闲时也取小竹削筷，修饰筷头，并在筷身上烙花，出售给香客游人。经二百多年来的沿革发展，逐渐成为名扬中外的天竺筷。

---

[1]《说文十二上·卤部》。

（2）主要价值

环保性：天竺筷保存了生态的竹青色，天然不失野趣、轻巧易用还易漂洗，作为不需要使用油漆的绿色环保原生态的产品，区别于其他筷子。

艺术价值：天竺筷上的烙花图案不会随着时间的推移而磨损，这些图案美轮美奂，具有古典气息，上面的装饰从用料到造型都别具一格，淡雅大方。

民俗价值：在天竺筷上常常可以看到美丽的西湖图案，上面还绘着花鸟诗文、龙凤呈祥以及活佛济公等图案，这正是对杭州人文景致以及当地民俗文化的生动刻画。

经济价值：天竺筷已经有了百年的历史，它也是杭州著名的特色产品，它不但实用，而且具有相当的纪念价值；产自东南佛国杭州的天竺筷，是进香客与旅游者来杭必购的纪念品。

2.2 民俗类饮食文化遗产

2.2.1 径山茶宴

（1）历史渊源

径山茶宴自唐朝开山祖师法钦禅师植茶采制以坐禅供佛而逐渐被人们所知晓。至两宋时代，因为径山寺的发展以及临济宗的兴盛而红极一时，寺庙中的各项规定也对其起到了一定的规范作用，这种茶宴有着完善的制度，庄重的礼法和规范的程序，在这种状态下其发展得越来越兴盛。特别在南宋时期，临济宗的杨岐派在江南地区呈一枝独秀的态势，令径山茶宴在江南一带大受欢迎，甚至远渡至东瀛，这种独具一格的饮茶仪式得到了传承，如今已经有1200多年的历史了。明清时期，随着饮茶方式改以撮泡清饮为尚，径山茶宴逐渐式微，但仍在径山寺及其下院中以十方住持法系流传的方式传承下来。[1] 晚清民国时期，随着径山寺的衰落，径山茶宴更加式微，仅在寺僧和周边农户传承。在日本东福寺等临济宗径山派寺院，迄今仍在每年祖师忌日等举行茶宴法会。径山茶宴历经千年兴衰变迁，迄今犹存。

（2）主要价值

佛学价值：径山茶宴在举办过程中，最核心的内容就是以茶宴的形式来继承发扬大慧宗杲提出的"看话禅"，来宾与主人、师父与徒弟之间借助"参话头"

---

[1] 韩冰.禅茶一味 佛教与茶道[M]. 郑州：中州古籍出版社，2014.

的形式，在一问一答、对话中参禅悟道，使茶宴变成法事法会，成为修持的课堂。

文化价值：径山茶宴有着长达1200多年的发展历史，它早已经与中国禅茶文化发展史紧紧融为一体了，其自身承载着沉甸甸的文化底蕴，有着历久弥新的历史价值以及深厚的文化积淀。

艺术价值：径山茶宴把清规戒律、身心修行和儒家的礼法、茶艺高度地融合到了一起，借助茶宴这种形式令寺庙的清规戒律更为程序化，令更多的人可以参与、欣赏这样的禅茶会。

科研价值：有着一千余年历史的径山茶宴是一种古老的禅茶礼仪，我国的茶文化是中华文化重要的组成部分之一，而径山茶宴是我国茶文化中最为璀璨的明珠，它有着丰富的文化价值以及科研价值，能够帮助学者们更好地研究禅文化、茶文化以及礼俗文化，对现代的禅学、茶学等也都有一定的科学研究价值。

对外交流价值：日本茶道的起源就是径山茶宴，所以在中日文化交流中，径山从来都是重要的桥梁。在中日文化交流第二个鼎盛时期，径山临济禅僧就是推动其发展的主要力量，中日进行文化交流，径山茶宴是其中不可缺少的部分。在被传播至日本后，径山茶宴和日本的本土文化相融合了，逐渐发展成既具有汉文化特色，又具有和文化特征的独特的日本茶道，这正是中华文化对外交流所产生的果实。如今全球化的发展令各国之间的交流日益频繁，径山茶宴具备的对外交流价值将会日益凸显出来。

2.2.2 吃咸茶

（1）历史渊源

咸茶，又称"烘豆茶"。它采用本地炒青茶叶，加以烘过的青豆以及盐渍橙子皮、芝麻、香干丁等原料冲泡而成，是一种色、香、味齐全又可解馋的茶。清代诗人韩应湖在《栖溪风味十二咏》中就对烘豆作过如下描绘："莫笑冬烘老圃俦．豆棚骚属话深秋。匀圆剥出纤纤手，新嫩淘来瑟瑟流。活火焙干青玉脆，盈盆赠到绿珠投。堆盘正好消寒夜，细嚼诗情一种幽"。吃咸茶的习俗与缲丝习俗中的"剥茧衣"是分不开的。流行吃咸茶习俗的良渚、塘栖一带均是水网地带，过去是蚕桑的主要产地，乡民们家家户户都栽桑养蚕，蚕熟茧成后便自行缲丝。蚕茧外面有一层"毛茧"外衣，缲丝之前必须将其剥除，这一手续在乡间称为"剥蚕衣"。而"剥蚕衣"大多采用邻里互助形式，互换做工，也是女子的活计。老底子"剥茧衣"时，女主人出于待客礼仪往往会给大家泡上一杯茶，可帮忙者大多是妇道人家，不喜欢喝茶，嫌淡茶无味。于是，女主人便想方设法使那茶增加些味道，今日撮两颗盐，明日放点用盐渍橙子皮，后日又放入点炒香的芝麻，天长日久，就演变成现在的烘豆茶。到现在，也有不少地方因茶中放盐的缘故，称烘豆茶为"咸茶"。[1]

（2）主要价值

"吃咸茶"是杭州地区的一种独特的喝茶习俗，这种喝茶方式在杭州市下辖的其他县市并无流传，极具地方性。所以，这一习俗对于研究杭州的民俗极具价值；一方水土养一方人，"吃咸茶"习俗的流传，对于流传区的社会地理研究也有着一定的价值。这独特的"咸茶"也可开发成相关产品，有一定的经济价值。

2.3 杭州饮食类非物质文化遗产的价值分析

2.3.1 经济价值

饮食类非物质文化遗产的保护并不是纯粹地、僵化地对这些进行收集整理，而是要强调对其进行的保护、为其做出的努力对构筑当代社会文化的作用。认识到杭州市此种非物质文化遗产的经济价值，能够促进人们开发、利用吴越文化资源，并逐步将此种文化资源转变成文化资本。杭州市内有着很多特色鲜明的饮食类非物质文化遗产，加以适度的开发利用，相信会给继承者及当地民众带来较为可观的收入，除此之外，杭州饮食类非物质文化遗产的知名度也会被进一步提高，有利于保护与传承。

2.3.2 文化价值

除了审美价值以外，此种非物质文化遗产还有着较高的文化价值。中国有一句古话叫"民以食为天"，这说明了饮食文化的重要性，其不仅存在于发展着的文化中，还在自身适应能力、多样化的影响下，自发形成了一套生存于其他环境，却同时有着自我调适功能的文化系统。从各民族地区的这种非物质文化遗产之中，我们都可以看出鲜明的民族特色，它饱含了该民族的文化精粹，向世人展示着该民族的审美理念，能令人从中发现民族文化的发展走向，有着较高的文化价值。

---

[1] 中共杭州市余杭区委宣传部编.民间艺术[M].杭州：西泠印社出版社.2007.

2.3.3 教育价值

饮食类非物质文化遗产包含丰富的科学内涵、当地民俗和审美理念，这些因素在进行民族文化教育时都是不可或缺的。一方面，杭州饮食类非物质文化遗产体现出独特的文化教育价值。另一方面，在高校进行民俗教育时，引入饮食类非物质文化遗产教育会极大地丰富这部分内容。杭州饮食类非物质文化遗产作为一种地域文化，涵盖了吴越地域的历史背景、地理知识以及节日民俗这些内容，和民族学、历史学、文化学等学科紧密联系。

2.3.4 审美价值

莫里茨·盖格尔是德国有名的现象美学家，他指出，审美的价值其实完全就是艺术的价值。各民族的不同，人与人之间的不同使得其所知所感都是不同的，这也直接造就了各不相同的审美标准，进而令各民族的文化也产生了较大差异[1]。饮食类非物质文化遗产有着多元化的审美价值，不仅给人的味蕾带来极高的享受，还会在视觉上给人以美感。如杭州天竺筷制作技艺，在悠久的历史发展中，既融合了外域的习俗和风情，又吸取了杭州民间习俗和饮食文化的精华，向世人展现出杭州的地方特色及典雅之美。

3 杭州饮食类非物质文化遗产保护及传承现状

3.1 杭州市非物质文化遗产保护现状

3.1.1 方法说明

通过对该领域相关研究文献的查阅，对杭州市相关非物质文化遗产研究与保护进行梳理，以了解其中饮食类非物质文化遗产的研究和保护状况。

3.1.2 现状阐述

当前，全市范围内已形成了种类相对齐全的民间传统工艺精品体系，传统餐饮、名优特产等产业链较完整的非物质文化遗产产业集群，而且出现了杭州万隆食品有限公司等一批代表性企业。截至 2014 年，仅余杭区目前就共有与非物质文化遗产项目相关的民营生产性企业 151 家，民间非物质文化遗产传承作坊 56 个，省级民营老字号企业 3 家。同时余杭仅社会创办的非物质

---

[1] 刘志华.莫里茨·盖格尔的美学思想[J].武汉理工大学学报(社会科学版),2011,(2).

二、论文

文化遗产展览馆就有 15 个，有 10 所学校进入第一批非物质文化遗产传承教学基地行列。

同时，各地把非物质文化遗产生产性保护与开发区域的经济有机结合到一起，帮助当地农民增加收入，并将其纳入当地特色旅游体系中去，这种形式已经取得了初步的成功，开发地区的经济在文化特色产业的驱动下得到了明显的提升，同时进行的文化保护事业也在不断发展着，令文化遗产在良好的状态中发展下去。举例来说，杭州市的下城区向民众推出了体验非物质文化遗产项目的试验点，余杭区集结了社会志愿力量来保护非物质文化遗产，使其能够在市场化的条件下良好发展下去，借助文化的力量发展其自身，令其保护和传承都能够良性循环下去。

为进一步探索出如何更好地在市场经济条件下保护非物质文化遗产，杭州市政府在全市内积极地树立成功典例，以促进该项活动的深入开展，2014 年 8 月底，市文广新局向外宣布了 17 家首批市内非物质文化遗产生产性保护的示范基地，还在下城区举办了相关的经验交谈会，市政府预计于 11 月份将相关指导意见制定并颁发下来。经过非物质文化遗产生产性保护，市内众多的非物质文化遗产在发展中得到继承，改变了其寸步难行的旧状，逐渐开始借助自身的力量进行发展。

3.2 杭州饮食类非物质文化遗产传承现状

3.2.1 研究方法说明

杭州市饮食类非物质文化遗产传承现状是以访谈提纲《杭州市饮食类非物质文化遗产传承访谈提纲》为基础，通过信息数据获取和分析，对杭州市饮食类非物质文化遗产传承现状进行总结和梳理。其中，访谈提纲是以传承人基本信息、传承人生存状况、饮食类非物质文化遗产项目生存状况以及饮食类非物质文化遗产的承袭状况，4 个方面展开调查。由于每个非物质文化遗产保护项目传承人数量不一，因此选取其代表传承人为访谈对象，总计访谈人数 17 人，以形成对杭州市饮食类非物质文化遗产传承状况的直观认知。

3.2.2 传承人年龄分布

其中下表 3-1 分别反映了杭州饮食类非物质文化遗产代表性传承人的年龄分布情况。

杭州全书 · 杭帮菜文献集成

表3-1　杭州饮食类非物质文化遗产代表性传承人年龄分布

年龄	＜ 40 岁	40—55 岁	55—70 岁	＞ 70 岁
人数 / 人	2	5	9	1
比例 /%	11.76	29.41	52.94	5.89

从上表 3-1 中可知，55—70 岁的饮食类非物质文化遗产传承人占到了调查人数的 52.94%，而 40 岁以下的饮食类非物质文化遗产传承人仅占到调查人数的 11.76%，说明世代先人创造的无形财富后继无人或濒危的现实，也彰显了保护工作的重要性和紧迫性。

3.2.3 传承人生存状况

下表 3-2 反映了杭州市饮食类非物质文化遗产传承人的年收入情况。

表3-2　杭州饮食类非物质文化遗产代表传承人的年收入分布

年收入	＜ 3 万	3—5 万	5—10 万	＞ 10 万元
人数 / 人	5	2	4	6
比例 /%	29.41	11.76	23.52	35.31

从上表 3-2 中可知，在杭州市饮食类非物质文化遗产代表传承人的年收入分布中，年收入在 3 万元以下的占到了调查人数比例的 29.41%，而年收入在 10 万元以上的也占到了 35.31%，呈现一种两极分化的态势，其中原因是部分代表性传承人已经通过创立企业、担任企业管理者而获取较高收入。据统计，杭州市 2015 年的人均可支配收入约为 4.8 万元，由此可见，杭州市饮食类非物质文化遗产代表传承人的整体收入尚可。部分传承人收入偏低，影响正常生活和经营。

3.2.4 项目生存状况

按照项目的实际发展，本文将杭州市饮食类非物质文化遗产项目的生存状态划分为三种类型：

第一种：抢救保护型，这一类型是指具有较高的现实社会意义，但是整体处于濒危状态，有待于社会抢救和保护。

第二种：保存整理型，这一类型是指项目本身与现代社会存在一定的脱节，因此项目的保护方式以档案记录和文化宣传为主。

第三种：活力发展型，这一类型是指项目本身适合生产性保护，同时具有

二、论文

较好的规模化发展趋势，具备较高的社会接受度和现实意义。

其中，下表 3-3 反映了访谈的杭州市饮食类非物质文化遗产代表传承人对项目的生存状况的认知分布。

表 3-3　杭州饮食类非物质文化遗产项目生存状况

生存类型	抢救保护型	保存整理型	活力发展型	总计
人数 / 人	4	4	9	17
比例 /%	23.52	23.52	52.96	100.0

从上表 3-3 中可知，在杭州市饮食类非物质文化遗产代表传承人的认知中，开展生产性保护并且具有一定活力的项目占到了总访谈人数的 52.96%，说明杭州市饮食类非物质文化遗产的保护工作整体开展良好。但也存在部分饮食类非物质文化遗产需要抢救和保护，情况不容乐观。

3.2.5 项目承袭状况

下表 3-4 反映了杭州市饮食类非物质文化遗产项目承袭状况。

表 3-4　杭州饮食类非物质文化遗产项目承袭分布

学艺初衷	继承家业	生活生计	兴趣爱好
人数 / 人	8	7	2
比例 /%	47.05	41.17	11.78
传承方式	师徒形式	家族学习	社会学习
人数 / 人	7	6	4
比例 /%	41.17	35.29	23.54

从上表 3-4 中可知，那些学习杭州市饮食类非物质文化遗产项目的人的最初动机主要是继承家业和为了生活生计，出于兴趣爱好的初衷学习的仅占到了总人数的 11.78%，如此说明杭州市饮食类非物质文化遗产对于新传承人的兴趣吸引仍显不足，不利于饮食类非物质文化遗产的良好有序传承。在杭州市饮食类非物质文化遗产项目的传承方式访谈中，师徒形式的传承占到了总比例的41.17%，这说明杭州市饮食类非物质文化遗产的传承仍然是以传统的师徒方式为主，而社会性的学习仅仅占到了总比例的 23.54%，这说明杭州市饮食类非物质文化遗产项目的学习仍然固有的保持了"传男不传女""不传外人""师徒相授"等传统的保守传承方式，而开放式的社会学习仍然有待于提高。

403

表3-5 杭州市饮食类非物质文化遗产项目未来传承情况

下一代传承人	5 个以下	5 个以上
人数 / 人	6	11
比例 /%	35.29%	64.71%

从表3-5可知，大部分杭州市的饮食类非物质文化遗产保有5个以上的下一代传承人，可以保证未来稳定有序的传承和发展。但是部分饮食类非物质文化遗产传承人较少，未来面临着失传的风险。

3.2.6 传承人对本项目未来期望

表3-6 传承人对本项目未来发展所持态度

传承人态度	乐观	一般	悲观
人数 / 人	7	4	6
比例 /%	41.17	23.54	35.29

从表3-6可知，大部分杭州饮食类非物质文化遗产传承人对于未来发展持乐观态度，认为其非遗项目未来还可以有更好的发展。但是值得注意的是也有部分饮食类非物质文化遗产传承人对未来发展持悲观态度，认为如果缺少合适契机或政府扶持，其项目将走向衰落甚至灭亡。

4 杭州饮食类非物质文化遗产保护中出现的问题

4.1 重艺术轻生活

饮食类非物质文化遗产是杭州繁茂的文化内涵中的关键内容，沉淀着江南地区的历史和文化，是江南地区民族发展的脉络，与该地区人民的生活紧密地联系在一起。但是，在目前的非物质文化遗产立项中，饮食类非物质文化遗产项目所占比重远远没有艺术类(包含舞蹈、戏曲、音乐、美术四个类别)非物质文化遗产大。

表4-1 浙江省四批非物质文化遗产中艺术类和饮食类所占比重对比

批次	艺术类	所占比重	饮食类	所占比重
第一批省遗	36 种	56.2%	0 种	0%
第二批省遗	103 种	47.1%	11 种	4.5%
第三批省遗	66 种	26.8%	36 种	14.2%
第四批省遗	36 种	17.8%	25 种	12.4%

数据来源：浙江省非物质文化遗产名录

二、论文

从表4-1可以看出，在目前浙江省已公布的四批非物质文化遗产名录中，艺术类所占比重非常大，而饮食类所占比重较小。在省级非物质文化遗产目录中，我们发现艺术类等非物质遗产较多，而饮食类非物质遗产较少。这样的数目对比足以说明在对非物质文化遗产的保护中，相关部门对前者的保护及传承给予了足够的重视，却忽视了与群众生活紧密相关的后者。究其原因，还是对饮食类非物质文化遗产的生存状况认识不够深刻。部分饮食类非物质文化遗产项目确实运营良好，如百年老店知味观，历久弥新。1999年根据其贴近生活、实惠利民的特点开始连锁经营，如今已拥有80余家门店。同时围绕传统点心制作技艺，开展生产性保护和创新研发，专攻中式餐饮，目前在杭州已拥有数家"味庄"餐厅，满足消费者的中高端餐饮需求。从政府层面考虑，与这类自我发展良好的饮食类非物质文化遗产相比，确实还是一些后继无人、受众面狭小的艺术类非物质文化遗产更加需要重视。但是同样，饮食类非物质文化遗产中也有一些项目面临着同样的问题，岌岌可危。如钱塘江板盐制作技艺，在市场经济蓬勃发展的今天，食用盐不再是稀缺物资，购买食用盐的成本要远远低于制作钱塘江板盐的成本。在几乎不占有市场份额的情况下，萧山板盐的生产几乎停滞。萧山大规模围垦造田后，原有的老盐民也已转为农民。在没有下一代传承人的情况下，在最后一批老盐民百年之后，此项历史悠久的板盐制作技艺就将消亡。

同样，艺术类的非物质文化遗产相对稳定，可变性小，数百年坚持着原有的唱腔、剧目和画工。但饮食类非物质文化遗产本身来源于生活贴近生活，非常容易受到生活方式变化的影响。全球化的盛行使得这些原本特色鲜明的饮食类非物质文化遗产面临着同质化的风险，而且还可能会产生不良的"变异"，特别是在杭州这样的旅游城市，一方面，旅游业会给当地居民增加收入，改善经济，另一方面，也会给当地的传统饮食文化带来不小的冲击。值得庆幸的是，在笔者的调查中我们发现，有些部门已经注意到了这一现象，并开始着手去解决这一问题，举例来说，杭州市专门成立了"非物质文化遗产保护中心"，各下属县市、乡镇也对非物质文化遗产进行研究及调查。然而，杭州市的这些措施还是远远不够的，其对饮食类非物质文化遗产的重视还稍显不足。

4.2 经营方式的变化与经营危机

对饮食类非物质文化遗产进行保护，不像保护文物古迹、风景名胜等物质遗产那样实体化，对其进行保护有着较高的不可控性、可变性，在工作的过程中几乎没有一套具体的规章制度可循，这些都令保护工作困难重重。如今，世界经济一体化的浪潮越来越凶猛，不甚坚固的饮食类非物质文化遗产能经得起此番冲击吗？再加上旅游经济产业的日益兴盛、市场经济的日益发展和全球化的不断加速，饮食类非物质文化遗产能否完好？旅游经济、市场经济和全球化是饮食类非物质文化遗产的潜在影响因素，在这之下，饮食类非物质文化遗产的发展及保护情况肯定也会发生改变。

现在我国主要以市场经济为主导，部分饮食类非物质文化遗产开始以市场为导向，面向社会需求来调整经营策略，极大地增强了经济发展活力。如百年老店万隆火腿庄就于1999年组建杭州万隆肉类制品有限公司，2004公司又斥巨资在杭州市良渚经济园区购地33亩建成现代化的厂房。维持香肠、酱鸭等老产品的同时，公司采用现代化生产技术和传统手工技艺相结合的生产加工模式，研究开发出了风鸡、板鸭、鸭脯等各种新的腌腊制品，投放市场后获得消费者的一致好评。

原来的农业逐渐被旅游业所取代，在这种第三产业中，传统文化可谓是最为关键的产业资源，对饮食类非物质文化遗产进行适度的加工和发展后，它就会成为文化旅游中的一张王牌，如西湖龙井茶加工采摘制作技艺，通过创立茶叶公司和采用新技术新品种，维持足够产能的情况下，龙井茶已经成为全国知名的绿茶产品，远销海内外。龙井茶产地梅家坞等地也成了知名旅游地，每年吸引大批游客到访的同时也为茶农增添了可观的经济收入。但同样西湖龙井茶叶面临着一系列的问题：如市场上假冒伪劣产品层出不穷；发展建设征用土地致使茶园面积日渐缩小；采摘季节雇不到足够的采茶工人等。

由于性质的不同，饮食类非物质文化遗产的完整及真实很难被保存下来。在全球化的态势下，各种技术的交流会令其逐渐被同质化，其根本的特性也很难被保留住。由于西湖龙井茶的制作周期短，经济收益高，部分九曲红梅茶产区的茶农已经开始转向生产西湖龙井茶，致使九曲红梅茶的产量缩减。同时九曲红梅茶的制作过程中所需工序更多，人力投入更大，同样面临着后继无人的

二、论文

危险局面。

这种大环境的变动、市场的迁移会令饮食类非物质文化遗产的继承人不得不开始在选用材料、制作手法以及经营方式等方面上随波逐流，围绕着消费者的需求进行改变，变化的幅度虽然可能会很小，然而，随着市场的变化及服务对象的改变，与群众生活关系密切的饮食类非物质文化遗产将会更大程度的被顾客主导，进而会令其商业化气息更浓，同质化现象更为明显。如奎元馆面食制作技艺和知味观杭式点心制作技艺，拥有种类繁多的配方，而目前主要生产和销售的品种却相当集中，许多配方被搁置乃至失传。同时面食点心的工艺复杂、技术要求高、原材料价格高，产品的市场价格却相对较低，难以拓展新的市场。杭帮菜制作技艺也面临着同样的情况，现代社会快节奏的生活使得部分精细的烹饪手法面临失传。比如杭州名菜油爆虾，传统的做法需要过两遍油，第一遍中油温炸熟，滴油晾凉之后第二遍高油温炸酥脆。但是在现今顾客对于上菜时间的严苛要求下，为了提高翻台率保证经济收益，这种耗时长但是口味更好的传统做法已逐渐被废弃，改为过一遍油直接浇汁上桌的做法。

4.3 经济价值挖掘不充分

在市场经济为主导的情况下，作为一种特殊商品，饮食类非物质文化遗产没有合规的市场定价，极易造成标价和价值失衡，甚至是商品价格不明，这一外在因素大大地增加了对其进行保护的难度。现今我国虽然非常重视对非物质文化遗产的保护，并于 2011 年颁发了《中华人民共和国非物质文化遗产保护法》，但是关于饮食类非物质文化遗产的保护条例还是相当缺乏的。令对其进行的保护工作无法可依、无理可循，缺失科学的指导。除此之外，因为其变动性较强，制作人的手艺、喜好、审美理念、文化水平等各因素都将直接影响到其价值，所以对其价值、文化效益进行评价、估测也是具有较高难度的，也就不能对它具有的经济价值进行准确的计算，这一内在因素造成了饮食类非物质遗产的缺陷。

传统的饮食类非物质文化遗产由于其部分工序复杂，投入人力成本大，生产周期长，导致其总成本居高不下，而同时产品附加值不高，价格卖不上去。以径山茶为例,绿茶原本就是劳动投入大的产业,顶级的径山茶更是需要采3万—4万个新鲜茶芽才能炒制一斤，其成本可想而知。但部分茶企为了多赚取利润，

407

不在宣传销售上想办法，不考虑如何提高径山茶的产品附加值，反而打压茶农的茶叶收购价。如此一来，茶叶生产中最重要的生产者被置于不平等地位，生产积极性受到打击，同时消费者也难以从中获取真正的实惠。如此一来，生产者会退出茶叶生产行业，或因为收益低而选择高产的新型品种，而放弃原有高品质的老茶种，消费者也难以买到真正的好茶。

在走访调查中笔者得出这样一个结论：经营传统饮食的商户在定价时主要是按照其成本来进行的，根本没有考虑到传统饮食的文化价值。定价主要包含店面租金、原料成本等因素。诚然，商户们的最终目的就是获取利润，但是如果在经营这种具有文化价值的饮食类非物质文化遗产时，定价只考虑到经营成本，必然会令其价值随着市场的波动而起伏。所以，保护饮食类非物质文化遗产仅仅依靠市场经营是行不通的，因为这样不能保证其真实性和完整性。

4.4 科技进步的负面影响

在所调研的杭州市，许多特色鲜明的地方特色食品已经进入规模化生产，传统的手工制作被机器化生产取而代之，在那些功能强大的机器面前，传统的手工作坊越来越难以生存。如江干蔬菜腌制技艺，原有的蔬菜种植区成了经济开发区，失去了赖以生存的土地后，掌握蔬菜种植腌制技艺的农民也变成了城市居民，主要生产劳作也转向工业或第三产业，致使以这项技艺为生的人日渐减少，逐渐失传。同时，科技的进步也使得腌制蔬菜的规模化生产变得更容易。成本更低的同时，精确管控下腌制的蔬菜品质更稳定，消费者也更放心。这样一来，江干蔬菜腌制技艺的生存条件更加令人担忧。

西湖龙井茶贵为曾经的名茶之首，明前西湖龙井更是一茶难求，过去的头道明前西湖龙井茶在特地举行的拍卖会上更是拍出了堪比黄金的价格。如此一来，追求早产、追求量产的风气更甚。在农业科学的研究下，科研工作者相继推出了乌牛早、龙井43等新品种。而正宗西湖龙井的产地受法律严格管控保护，为了追求更大的经济利益，许多茶农铲除了唐代以来就在本地种植的老品种换种新品种。在炒制技艺上，传统的龙井茶炒制技艺也受到机器炒制的影响。原有的西湖龙井炒制技艺需要时间积累，"三年青锅，五年辉锅"，很多老茶农炒了一辈子茶才练就今天的好手艺。产品上来说，相比于机器炒制，传统手工炒制西湖龙井，香味更浓郁，口感也更甘醇，但是价格上却无法比机器炒制的高太多。机器炒制省事省时，在追求产量的今天，坚持手工炒制的茶农已所剩无几。西湖龙井茶制作技艺传承人樊生华曾在媒体上招学徒，最后坚持下来的，也就只有 2 个人。科技进步在短时间内看来确实使产量增加销售额上升，但从长远来看，其对传统工艺、农业物种甚至原有声誉的损害都是难以估量的。

4.5 政府职能不够完善

市场经济的作用下，部分饮食类非物质文化遗产能够借助旅游业等第三产业，开拓新的市场，焕发新的生机。但是也有一部分与市场脱节的饮食类非物质文化遗产，市场日渐萎缩，自身已经没有能力做出大的变革，需要借助政府的力量来实现保护的目的。政府作为社会管理的主体，需要在非物质文化遗产保护中承担其应有的责任和义务。

部分饮食类非物质文化遗产，正逐渐走向衰亡，如西兴豆腐干制作技艺。西兴曾是古时杭州南部繁华的商业小镇，西兴古渡也是南来北往商旅云集的重要商埠。在这样繁荣的商贸条件下，直到半个世纪前，西兴仍有数十家豆腐作坊。但是到目前为止西兴镇所剩只有章海明最后一家豆腐店。据章所述，其余的豆腐店有的因店主改行而关张，有的并入祖名豆制品有限公司，有的因为店主年老无人继承而歇业。而章也已五十九岁，多年制作豆腐的辛劳使其落下一身老毛病，无力承担制作豆腐的繁重体力劳动，其子又有残疾无法继承，故豆腐店雇佣学徒金敏经营。目前西兴豆腐店仍在西兴老街内租用西兴街道的一间 26 ㎡ 店面经营，售卖豆腐干和臭豆腐两种产品，而且根据笔者在调查期间所见，消费者多为当地中老年人，年轻人较少。西兴豆腐干制作技艺传承算上金已是第四代，而金是安徽人，如果其另谋高就，在章找不到其他人愿意继承的情况下，此项技艺就将失传，开了近百年的西兴豆腐店也将就此关张。由此看来，西兴豆腐店亟待政府有关部门伸出援手，助其维持生产和有序传承。

但是据西兴豆腐干制作技艺传承人章海明所述情况，政府对于这项技艺的传承保护所做的工作远远低于本人预期。章曾是工人，在二十世纪八十年代下岗，子承父业继承了豆腐制作技艺，一干就是近 30 年，近几年才因为年老无力承担豆腐制作的辛苦而退休。为满足政府对豆腐店的管理要求，章花费了许多时间和金钱，将老店重新装修，又接通了水电，想维持豆腐店的正常经营。但 2000 年当地政府因为其店面狭小卫生条件不过关，还是没收了其环保卫生执照，直到今日章申诉数次也没能拿回。今年暑期，为 G20 峰会在杭州召开做准备，西兴豆腐店又被当地政府勒令停业。正因为如此，当问起完成了市级非物质文化遗产立项之后的变化，章摇摇头表示没有任何变化。完成了非遗立项对于章来说，除了多了张证书和邀请他参加了滨江区的非遗展示，另外并没有任何的扶持措施，甚至连原有的执照问题也未能解决。

5 杭州饮食类非物质文化遗产的保护与发展措施

5.1 加强政府的扶持和引导

第一，这些传统饮食类非物质文化遗产终将消失。许多消逝了的非物质文化遗产启示我们，要充分认识到其存在的价值，并从多角度、多层次出发设立嘉奖办法。特别是部分价值特别珍贵的，所处生存环境相对恶劣的民族饮食类非物质文化遗产，不仅要对其制定具体的奖励措施，还应该在政府的各级预算中设立专门的保护资金，并用具体的规章制度令其合法化。对列入等级的饮食类非物质文化遗产给予固定的经费支持，用于保障对饮食类非物质文化遗产收集、整理、研究和申报工作，令其可持续发展。表彰、奖励那些在保护、研究工作中有突出贡献的学者和专家，激励他们在研究工作继续前行。

第二，在杭州市饮食类非物质文化遗产的保护工作方面，有关部门应该要构建完善的审批体系，令保护工作更为有序，将经营行为拘束在制度之下，用制度指导经营活动的开展。有效控制住违反饮食类非物质文化遗产真实性和完整性的经营活动。

第三，与实际情况相结合，根据地区特色来开展保护工作。其一，地方人大及政府应联手制定相关的法律条例，借助法律的约束力来对饮食类非物质文化遗产的使用进行规范，对那些破坏行为进行惩处。其二，强化对其知识产权的保护力度。饮食类非物质文化遗产有着极为丰富的文化资源，类型多样。应借助行政法律程序，建立非物质文化遗产的知识产权保护制度，对那些文化遗产的继承者们给予适度的行政帮扶和法律援助。其三，政府应该要因地制宜地制定相关规章制度，构建起相应的评估机构，该机构应该是由相关专家、专业技术人员、法律界人士以及传承人等组成，该机构的主要职责为评估饮食类非物质文化遗产的价值，并给出科学合理的法律鉴定依据。其四，制定相关规章制度，确定继承者们的责任义务，将继承者的选拔条件确定下来，以此令饮食类非物质文化遗产的发展更为良性。

第四，杜绝光说不练，真正对非物质文化遗产开展保护。从以上西兴豆腐干制作技艺传承人章海明的情况来看，当地政府将其作为非遗立项、宣传，甚至可能成为政绩的一部分，但非但没有对其进行扶持，反而压缩了西兴豆腐店的生存空间，增加了其经营的困难。作为非物质文化遗产保护的主体力量，政府的相关职能部门应根据不同饮食类非物质文化遗产的生存现状，对其采取不同的扶持保护措施。对于活力发展型饮食类非物质文化遗产，应为其提供一些政策上的便利，或为其提供更高的平台，推动其继续发展。对于保存整理型，应做好资料整理和建档工作，必要的可以建立相关展览室博物馆等用于展示教育。对于抢救保护型，应及时给予扶持，提供相关资金和政策帮扶，助其渡过难关，若相关饮食类非物质文化遗产确实已无保留价值，应及时处理好记录工作。

5.2 提高行业协会的规范作用

一方面应该建立市场化的企业机制。"传承"是饮食类非物质文化遗产保护的核心，近千年来，在传承方面，饮食类非物质文化遗产通常是以群众生活为基点进行的，然而，事物需要发展的眼光，对文化遗产的保护工作也是如此。所以，在市场经济的现实情况中，企业也是饮食类非物质文化遗产保护和传承的中流砥柱，公司的资金注入、规范的管理体系、其拥有的市场资源都会成为保护与传承饮食类非物质文化遗产的中坚力量。因此要鼓励更多的公司积极参与到这一工作中来，借助它们的体系实现保护工作的发展，令饮食类非物质文化遗产得到传承和弘扬。

另一方面，加强民间参与机制。饮食类非物质文化是广大劳动人民创造的，源于民间，也应弘扬和发展于民间，这样才能使饮食类非物质文化遗产在其产生之源、其最适宜的环境中生长。所以，有关政府部门要制定出激励政策，调动广大的人民群众参与到这项工作中来，激发民间饮食文化继承者们传承、保护饮食文化的热情，要对那些已经获得了较好成绩的继承者们给予荣誉和奖赏，给他们一定的资金帮扶，在大众间大力推广饮食类非物质文化遗产的传承工作，令广大群众真正的、完全的认识到他们所拥有的丰富的饮食类非物质文化遗产，在向他们进行展示的过程中，要坚决抵制造假行为，保护其知识产权，宣扬其文化内涵，传播其拥有的正能量。

除此之外，在对其进行传承及保护的工作中，非营利组织也是一股不可忽视的力量，如果能对其进行正确的引导，发挥其正面作用，相信会大力推动非物质文化遗产保护及传承工作的发展。举例来说，大自然保护协会作为一个非营利性组织，和杭州市文化局联手，开展了多种多样的宣传活动，旨在让更多人加入到保护、传承这些文化的队伍中来。其在市内开设展厅，给游客、居民和学生宣传保护非物质文化遗产的重要性，并跟社区一同进行相关研究，以此来为这项保护工作贡献力量。

5.3 加强杭州市饮食类非物质文化遗产的宣传教育

拥有五千年历史的我国是遗产大国，有着各种各样、种类齐全的饮食类非物质文化遗产。要想将其保护起来、传承下去，除了要借助政府的扶持，民间力量也是极为重要的。所以，在进行保护和传承工作时，必定要在对民众进行相关的教育、宣传方面下足功夫。第一，各级政府以及相关机构要在自身的财政预算中专门拨出一笔资金用来进行相关的宣传教育，保障好其宣传力度，提升宣传效果；第二，要积极开展相关的技能培训，尤其要对那些经营饮食类非物质文化遗产的人进行职业技能培训，对培训合格者颁发合格证书以及特许经营证，借助此种方法来规范其经营；最后，借助现有的发达的多媒体体系，利用其影响力广、覆盖范围全等特点，开展相关的宣传活动。

具体来说，有以下 3 种方法：

（1）和媒体联手，打造一系列"饮食类赛事"。近年来，人们经常用举办赛事的方法来进行宣传，吸引人们观看、参与，在宣传饮食类非物质文化遗产时也可采用这一方法，不仅能提高人们对其的注意力，还能借助此种形式令游客们进行比赛、购物、观光，既可通过宣传提高他们保护饮食非物质遗产的认识，又可以加强受众对饮食类非物质文化遗产的直观体验，还能发挥饮食类非物质文化遗产的经济价值及社会价值，同时进一步地挖掘其旅游价值，把赛事打造成该地区重要的旅游文化品牌。

（2）与有关专家学者一起举办"会议或者论坛宣传"。政府应积极联系有关的专家学者，促成学术会议或者论坛的开展。借助这种会议的形式，能够学习国内外在传承、保护方面的先进经验，还能获得国际的支持力量。此种会

二、论文

议相信也会成为地方旅游的重要卖点。

（3）建立相关饮食类非物质文化遗产博物馆。博物馆可以很好保存和记录饮食类非物质文化遗产，同时又是研究和宣教教育的中心，甚至可以作为相关载体供饮食类非物质文化遗产传承延续。可以以此建立相关饮食类非物质文化遗产博物馆，将相关非遗项目作为宣传研究中心的同时实现产学研的新发展。

5.4 相关学者的顾问咨询作用

相关学者的研究支撑了饮食类非物质文化遗产的理论高度，也是饮食类非物质文化遗产保护过程中不可或缺的重要力量。学者可以根据其对相关领域的了解，来对不同地区各有特点的饮食类非物质文化遗产进行研究，发现现象背后的问题，将非物质文化遗产的各项问题用相关理论来找出解决办法。而且学者还可以通过多方面多角度学习国外保护饮食类非物质文化遗产的相关理念，获取国外的先进方法，提升目前我国稍显落后的饮食类非物质文化遗产保护的水平。最后相关政府机构可以聘请相关学者作为顾问，为政府相关政策的制定扮演智囊的角色，出台更贴合饮食类非物质文化遗产实际的相关法规，让有关部门能更综合、理性地思考与决策。

同时，政府也可以帮助相关学者建立饮食类非物质文化遗产保护的专门研究机构，促进饮食类非物质文化遗产研究的进行还有助于建构多样化的教学体系，为非物质文化遗产教育融入现有教育体系提供有力支持。如中央美术学院就设立了非物质文化遗产中心，可全方位开展非物质文化遗产普查、保护、研究等工作。

6 结论与展望

6.1 全文结论

6.1.1 政府保护和引导成效方面

杭州市政府对于杭州饮食类非物质文化遗产的重视程度较好，通过制定政策，引导投资，规模化产业化等措施促进了杭州饮食类非物质文化遗产的保护和传承。同时通过项目申遗，文化展览和资金扶助等方式对饮食类非物质文化遗产的文化价值、教育价值、经济价值进行了较好的挖掘，并取得了较好的成效。但是客观来看，也存在着不同项目的失衡问题，主要表现为对社会接受度高，现实意义较好，规模化的经济价值较高的饮食类非物质文化遗产推行力度较高，而对与社会存在一定脱节，不具备规模化经济价值的饮食类非物质文化遗产保护和传承的引导力度仍然有待于加强。

6.1.2 杭州饮食类非物质文化遗产的传承方面

从对 17 名杭州饮食类非物质文化遗产传承人的基本情况来看：第一，访谈传承人的年龄在 55 岁以上的占绝大多数，说明前人所遗留的无形财富后继无人或濒危的现实，也彰显了保护工作的重要性和紧迫性；第二，传承人的传承受到了社会接受程度和制作工艺难度两个方面的影响。社会接受度越高、制作工艺越简单的饮食类非物质文化遗产传承也要更加容易。

从传承人生存状况方面来看，杭州市饮食类非物质文化遗产传承人的收入尚可，但部分濒危的饮食类非物质文化遗产传承人收入过低，生活状况不佳。

从杭州饮食类非物质文化遗产的生存状况方面来看，在杭州市饮食类非物质文化遗产代表传承人的认知中，濒危状态需要抢救保护的项目占到了总访谈项目的 23.52%，说明杭州市饮食类非物质文化遗产已经面临十分危急的保护局势。

从杭州饮食类非物质文化遗产的承袭方面来看，杭州市饮食类非物质文化遗产项目的学习仍然固有保持了"传男不传女""不传外人""师徒相授"等传统的保守传承方式，而开放式的社会学习仍然有待于提高。

6.2 研究展望

无论是对杭州市来说，还是对我国其他地区而言，饮食类非物质文化遗产都是极其重要的，都是各地区具备的软实力。所以，各级政府以及相关部门应该要尽最大努力去发掘自身拥有的非物质文化遗产资源，并将其展现于世人面前，发挥它的社会价值和经济价值，将其打造成本地区的文化品牌，进而令其发展为具有较高竞争力的文化产业。通过此种方法，能够将经济和旅游、传统文化、教育等方面融为一体，给地区群众创造更高的收入。一旦传统文化能够为现在的人们创造收益，改善他们的生活环境，群众自然会自发地对其进行保护和传承，令其生生不息，代代相传。

在这样的背景下，本篇文章以访谈调查为基础，通过了解杭州市饮食类非物质文化遗产保护的现存状况和其中的缺陷，给出了相应的完善措施。在这一基础上，结合前人的研究，提出强化政府的引导，提高行业协会的规范作用，才是解决杭州饮食类非物质文化遗产传承、保护和发展的出路。

参考文献

1. 专著

[1] 顾军，苑利. 文化遗产报告——世界文化遗产保护运动的理论和实践 [M]. 北京：社会科学文献出版社，2005:86-87.

[2] 宋俊华，王开桃. 非物质文化遗产保护研究 [M]. 广州：中山大学出版社，2013.

[3] 王文章主编. 非物质文化遗产概论 [M]. 北京：文化艺术出版社，2006.

[4] 王巨山. 非物质文化遗产概论 [M]. 北京：学苑出版社，2012.

[5] 乌丙安. 非物质文化遗产保护理论与方法 [M]. 北京：文化艺术出版社，2010.

[6] 贵州省文化厅，贵州省非物质文化遗产保护中心编. 守望与思考：贵州省非物质文化遗产的传承与保护 [M]. 贵阳：贵州民族出版社，2009.

[7] 江明惇主编. 守望与开拓：上海非物质文化遗产保护的理论与实践 [M]. 上海：上海社会科学院出版社，2009.

[8] 浙江农业大学茶学系编. 庄晚芳茶学论文选集 [C]. 上海：上海科学技术出版社，1992.

[9] 杨明. 非物质文化遗产的法律保护 [M]. 北京：北京大学出版社，2014.

[10] 张仲谋主编. 非物质文化遗产传承研究 [M]. 北京：文化艺术出版社，2010.

[11] 潘年英. 非物质文化遗产保护与本土经验 [M]. 贵阳：贵州人民出版社，2009.

[12] 赵荣光.《衍圣公府档案》食事研究 [M]. 济南：山东画报出版社，2007:294-296.

[13] 王建荣，张佳，朱阳编著. 西湖茶文化 [M]. 杭州：杭州出版社，2013.

[14] 冯骥才编. 中国非物质文化遗产百科全书 [M]. 北京：中国文联出版社，

2015.

[15] 白居易 . 白居易文集校注 [M]. 北京：中华书局，2015.

[16] 韩冰 . 禅茶一味：佛教与茶道 [M]. 郑州：中州古籍出版社，2014.

[17] 中共杭州市余杭区委宣传部编 . 民间艺术 [M]. 杭州：西泠印社出版社，2007.

[18] 宋宪章 . 人文荟萃话杭州 [C]. 上海：东方出版中心，2015.

[19] 梁建军主编 . 百年老号知味观 [M]. 杭州：浙江古籍出版社，2014.

[20] 陆羽 . 茶经 .

[21] 周必大 . 周益文忠公集 .

[22] 潜说友 . 咸淳临安志 .

[23] 杭县志稿编委会 . 杭县志稿 .

[24]《杭州府志》，1925 年清稿本排本 .

[25] 许慎 . 说文解字 .

[26] 司马迁 . 史记 .

[27] 周密 . 武林旧事 .

[28] 吴自牧 . 梦粱录 .

[29]《余杭县志》，明嘉靖年本 .

2. 期刊

[1]Harriet Deacon.Intangible Heritage in Conservation Man-agement Planning [J]. International Journal of Heritage.Studies,2004(5):68-70.

[2]Kenji Yoshida. The Museum and the Intangible Cultural Heritage[J]. Museum International, 2004, 56 (5): 8 -10.

[3]Rex Nettleford.Migration,Transmission and Maintenance of the Intangible Heritage [J]. Museum International,2004,40(5):178-190.

[4] 毛笑文，闻艳云 . 饮食技艺类非物质文化遗产保护研究 [J]. 旅游纵览 (下半月),2014(12):60-63.

[5] 曹岚，李旭，王新梅，等 . 传统饮食文化类非物质文化遗产的保护及转型研究 [J]. 中国调味品 ,2015(01):106-109.

[6] 于干千，程小敏 . 中国饮食文化申报世界非物质文化遗产的标准研究 [J].

思想战线，2015(02):120-126.

[7] 陈姝含 . 云南饮食类非物质文化遗产的困境与出路 [J]. 黑龙江史志，2014(05):276.

[8] 于富业 . 我国传统制造技艺类非物质文化遗产保护与传承的生态环境研究 [J]. 广西社会科学，2014(01):47-51.

[9] 杜莉，张茜 . 川菜的历史演变与非物质文化遗产保护发展 [J]. 农业考古，2014(04):279-283.

[10] 余明社，谢定源 . 中国饮食类非物质文化遗产生产性保护探讨 [J]. 四川旅游学院学报，2014(06):8-11.

[11] 邱庞同 . 对中国饮食烹饪非物质文化遗产的几点看法 [J]. 四川烹饪高等专科学校学报，2012(05):11-15.

[12] 杜莉，张茜 . 川菜非物质文化遗产保护与传承状况研究 [J]. 四川烹饪高等专科学校学报，2012(06):19-23.

[13] 贺剑武，高艳玲 . 民族地区手工技艺类非物质文化遗产开发式保护研究——以广西壮锦为例 [J]. 青海民族研究，2010(03):147-151.

[14] 朱宏宾 . 回族清真饮食制作技艺类非物质文化遗产的保护与开发 [J]. 科学中国人，2016(23):220-222.

[15] 姚伟钧 . 武汉饮食老字号与非物质文化遗产保护 [J]. 武汉文博，2012(03):44-49.

[16] 姚伟钧，于洪铃 . 中国传统技艺类非物质文化遗产的分类研究 [J]. 三峡论坛 (三峡文学 . 理论版)，2013(06):69-72.

[17] 王瑛 . 四川世界遗产地饮食文化资源旅游开发构想 [J]. 安徽农业科学，2013(10):4698-4700.

[18] 曹锡山 . 山东民间饮食文化资源开发研究——以老字号名吃为例 [J]. 南宁职业技术学院学报，2013(05):11-14.

[19] 周旺 . 广西饮食文化遗产资源态貌与保护思考 [J]. 南宁职业技术学院学报，2011(03):1-5.

[20] 王晓葵 . 日本非物质文化遗产保护法规的演变及相关问题 .[J] 文化遗产 .2008(2):135-139.

[21] 王宁 . 界定：非物质文化遗产保护的第一步 [J]. 中国民族，2003(3).

[22] 贺学君 . 非物质文化遗产"保护"的本质与原则 [J]. 民间文化论坛，2005(6).

[23] 宋俊华，王明月 . 我国非物质文化遗产数字化保护的现状与问题分析 [J]. 文化遗产，2015(6).

[24] 姚伟钧 . 武汉饮食老字号与非物质文化遗产保护 [J]. 武汉文博，2012(3).

[25] 余明社，谢定源 . 中国饮食类非物质文化遗产生产性保护探讨 [J]. 四川旅游学院学报，2014(6).

[26] 刘志华 . 莫里茨·盖格尔的美学思想 [J]. 武汉理工大学学报 (社会科学版)，2011(2).

3. 学位论文

[1] 陈姝含 . 非物质文化遗产保护中的政府职能研究 [D]. 云南财经大学，2014.

[2] 刘敬者 . 中国饮食文化申遗现状及对策研究 [D]. 河北师范大学，2015.

[3] 符霞 . 旅游对非物质文化遗产的影响研究 [D]. 北京林业大学，2007.

[4] 陈文 . 城市非物质文化遗产保护研究 [D]. 西北大学，2007.

[5] 毕研娜 . 非物质文化遗产虚拟旅游产品开发研究 [D]. 青岛大学，2012.

[6] 蒋英 . 川西各民族饮食文化研究 [D]. 中央民族大学，2010.

[7] 黄赛凤 . 政府主导的西藏非物质文化遗产保护研究 [D]. 西藏大学，2010.

[8] 魏彬 . 饮食文化历史课程资源开发与利用研究 [D]. 广西师范大学，2013.

[9] 孙霞飞 . 试论非物质文化遗产保护中的宣传 [D]. 中国艺术研究院，2012.

4. 会议论文

[1] 刘春玲 . 论固阳县非物质文化遗产的文化价值 [A]. 内蒙古固阳县政府、内蒙古河套文化研究会、内蒙古包头大漠文化艺术中心 . 北魏六镇学术研讨会论文集 [C].2014:6.

[2] 李淑环 . 回族清真饮食制作技艺类非物质文化遗产的保护与开发 [A]. 宁夏回族自治区银川市人民政府 . 中国回商文化（第二辑）[C]. 宁夏回族自治区银川市人民政府，2009:11.

[3] 谢定源 . 中国饮食类非物质文化遗产的生产性保护问题探讨 [A]. 曼谷·亚

二、论文

洲食学论坛论文集 [C]. 泰国朱拉隆功大学、中国浙江工商大学、泰国文化部，
2012:24.

【文章来源】叶方舟：《杭州饮食类非物质文化遗产的现状、保护及传承研究》，浙江工商大学硕士学位论文，2017 年

42. 余杭饮食文化遗产及其传承保护

摘要： 从食材类、技艺类、民俗类以及文献类代表性内容对余杭区域范围内的饮食文化遗产类型与特征进行研究，指出余杭地区长时间以来在以"饭稻羹鱼"与"鹿猪牛鸡"为基础食材的食生活特征下，隋唐以后，杭州的蜜橘、青梅、枇杷等水果果品成为著名的区域性美食标志。在目前已经对径山茶宴、塘栖传统烹饪技艺、三家村藕粉等较好传承的基础上，余杭区还应对烘豆制作技艺、风菜制作技艺、冻腐制作技艺、蜜饯制作技艺进行恢复性研究与传统制作技艺的传承与创新利用。

关键词： 塘栖；食材；烹饪制作；饮食文化遗产

在法国传统烹饪及其仪式、地中海四国饮食、土耳其小米粥、韩国越冬泡菜等国家传统饮食入选世界非遗代表作名录后，国内相关部门对"中国烹饪"申请世界非遗表现出极大热情。各地区积极开展了有关当地饮食文化遗产的研究与申遗实践工作。目前，在对余杭饮食文化与历史的研究和整理成果中，以《余杭美食》[1]最具有代表性。但是该成果更多是对当地名菜、名点、土特产、风俗及商号方面的普查式梳理。此外，在林正秋《杭州饮食史》（浙江人民出版社，2011年）、俞为洁《良渚人的饮食》（杭州出版社，2013年）、何宏《民国杭州饮食》（杭州出版社，2012年）、赵荣光《十三世纪以来下江地区饮食文化风格与历史演变特征述论》（《东方美食》，2003年第2期）等研究中，包含有关于此议题的研究内容。本文拟从历史和文化遗产视角，对余杭食材、食物制作技艺、饮食民俗以及代表性余杭饮食文献角度，对其展开分析。

一、余杭食材类饮食文化遗产

长期对良渚饮食进行研究的浙江社科院俞为洁研究员指出，"饭稻羹鱼""鹿猪牛鸡""菱橡薏茨""桃李瓜蓼"是良渚先民的主要食材。[2]（P42—89）据考古挖掘发现，良渚文化时期，稻作已成为良渚人的主要粮食来源，杭州水田畈和余杭卞家山[3]等遗址的良渚文化河沟堆积层内，都发现过炭化稻遗存。[4]（P8）另外，余杭茅家山遗址直接发现了良渚文化中晚期的稻田遗迹，这更是证明稻是当时的主要食料。西晋永嘉之乱后，北人南下，带来中原地区先进的农耕和园艺种植技术。《晋书·隐逸传》中原人郭文"乃步担入吴兴余杭大辟山中穷谷无人之地……区种菽麦，采竹叶木实。"[5]（P2440）以及《吴兴记》又有"乌程县西有温山，出御荈"[6]（P187）的记载，这些材料皆说明杭州地区在西晋时期就有种植大豆和小麦的历史。

隋唐时期，余杭的柑橘、木瓜、蜜姜和干姜都已经非常有名。《新唐书》所记杭州余杭郡土贡中就有橘、蜜姜和干姜等食物。[7]（P159）此外诸如梅子、樱桃、桃子等水果也多有记载。丁仙芝《馀杭醉歌赠吴山人》亦云："城头坎坎鼓声曙，满庭新种樱桃树。桃花昨夜撩乱开，当轩发色映楼台。"[8]（P51）清代何琪《唐栖志略》中，更是总结了当地各种果品："小丁山……其外村落多枇杷、橙、橘、梅、杏、桃、李之树。"[9]（P553）诸多果品中，尤其值得一提的是余杭塘栖枇杷。

清胡龙友《枇杷》："炎果产栖水，迁地胡弗良。颗颗着高树，色比黄金黄。锡名自贾售，晚翠盈倾筐。泊舟恣饱嚼，玉露淋陂塘。"[10]（P817）清吴振械《塘西》："栖水无波似镜平，野枇杷下雪初晴。寒鸦比我归心急，已趋残阳乱入城。"[11]（P230）清光绪《塘栖志》："四五月时，金弹累累，各村皆是，筠筐千万，远返苏沪，岭南荔枝无以过之。"根据民国《杭县志稿》记载："塘栖为杭州之首镇，土地肥沃，物产丰富，凡镇周围三十里内皆为枇杷产地。"[12]（P66）说明塘栖是杭州地区主要的枇杷产区。另外，根据嘉庆十三年（1808）《余杭县志》记载了"甘薯，土名番薯，旧非土产，近年闽粤蓬民，不种苎麻，即种番薯……遍种番薯山头上"的情况，说明甘薯的种植在余杭地区是比较普遍的。清代时期杭州的钱塘、余杭都有笋的种植，食用也非常普遍。清代龚嵘的《康熙余杭县新志》记载："笋四时不绝，其煮晒为脯，则曰玉版，一曰咸笋干，而青笋为最。"[13]（P2335）说明余杭地区食材丰富，甘薯、笋等食材受到当地欢迎。近年来随着我国对特色禽畜和农产品开展地理标志产品保护以来，塘栖枇杷、余杭黄湖白壳哺鸡笋、三家村藕粉等余杭名特产品皆已入选杭州的"地理标志产品"。

上述历史上存在且在现实社会中依然作为余杭乃至杭州地区代表性食材的农特产品，同时也代表着余杭当地美食文化的传承。尤其是枇杷、竹笋、藕粉等极具余杭历史文化地方价值的食物，值得我们重点传承与研究。

二、余杭技艺类饮食文化遗产

自 2006 年余杭区的"径山茶宴"成功列为第一批杭州市非物质文化遗产代表作项目以来，余杭区"红曲酒酿造技艺"2009 年成功列为第三批杭州市非物质文化遗产代表作，"径山茶宴"2011 年成功列为第三批国家级非物质文化遗产代表作，"蜜饯制作技艺"2012 年成功列为第四批杭州市非物质文化遗产代表作，"传统茶食制作技艺"2014 年列为第五批杭州市非物质文化遗产代表作，"王元兴塘栖传统烹饪技艺"2016 年成功列为第五批余杭区非物质文化遗产代表作，"三家村藕粉制作技艺"2017 年成功列为第五批浙江省非遗代表作。

近年来，余杭区的餐饮老字号尤其注重从文化遗产角度保护与传承本地烹饪技艺，2018 年第四批余杭区非物质文化遗产代表性传承人中，王元兴特色菜点烹饪技艺、崇贤蹄髈烹饪技艺、红烧羊肉传统烹制技艺、传统茶食制作技艺、蜜饯制作技艺、红曲酒酿制技艺、径山茶炒技艺均选出了该项民俗技艺的传承人。这对于构建余杭饮食文化遗产代表性项目的传承谱系，意义重大。技艺类饮食文化遗产应该注重这种文化样式的民间知识性与共享性，甚至将这种技艺作为社区间情感交流的媒介，而不应该将某种技艺类饮食文化遗产看作只能是精英大厨或者某位技艺传承人的专属权力。如果食物本身或烹饪技艺离开了家庭、社群，仅仅成为某些个人或某个职业人群所拥有的"产权"，那么这种取向就背离了非物质文化遗产保护和传承的初衷。

三、余杭民俗类饮食文化遗产

"今年地上用河泥，来年枇杷吃不及"，因塘栖枇杷成名已久，当地有关枇杷的民俗谚语有很多。此外余杭还有夜晚"持烛寻蟹"的风俗。白居易《重题别东楼》"春雨星攒寻蟹火，秋风霞飐弄涛旗"[14](P514) 描述的就是夜晚众人捕蟹的场景，并且还提及"余杭风俗，每寒食雨后夜凉，家家持烛寻蟹，动盈万人"[14](P514)。吴越国时期，政府专设蟹户，负责捕蟹，史载"钱氏间置鱼户、蟹户，专掌捕鱼蟹，[15](P136) 由此可见杭州地区食蟹传统之悠久。欧阳修的归田录》也提及一个有关杭人嗜爱食蟹的典故："往时有钱昆少卿者，家世余杭人也。杭人嗜蟹，昆尝求补外郡，人问其所欲何州，昆曰：'但得有螃蟹无通判处则

二、论文

可矣。'至今士人以为口实。"[16]（P131）

余杭地区的酒文化也十分发达。晚唐诗人曹唐《王远宴麻姑蔡经宅》，诗云："要唤麻姑同一醉，使人沽酒向余杭。"[17]（P25—26）唐代曾任余杭县尉的丁仙芝也提及："十千兑得余杭酒，二月春城长命杯。酒后留君待明月，还将明月送君回。"[18]（P3）罗隐《送程尊师之晋陵》也讲到了余杭酒："溪含句曲清连底，酒赍余杭渌满尊。"[19]（P1669）余杭地区高超的酿酒技术，唐时就流传开来。唐懿宗咸通年间在明州城内卖药沽酒的王可交就说道："时言药则壶公所授，酒则余杭阿母相传。药极去疾，酒甚醉人。"故"明州里巷，皆言王仙人药酒，世间不及"。此外，晁补之《径山》诗称自己在余杭径山喝松醪酒，"明月庵前醉松醪，白云峰顶瞰吴郊"。松醪即用松胶或松黄（即松花粉）酿制的酒。另，因为余杭地区径山茶在历史上赫赫有名，这也是径山茶宴可以入选国家级非遗的原因。径山茶，产于余杭径山寺，相传为唐代径山寺开山祖师法钦禅师亲手所植，采以供佛。逾年，茶树蔓山谷，其味鲜芳，特异他产。宋时已成名茶，北宋叶清臣《述煮茶泉品》记载："吴楚山谷间，气清地灵，草木颖挺，多孕茶荈，为人采拾。大率右于武夷者，为白乳；四于吴兴者，为紫笋；产禹穴者，以天章显；茂钱塘者，以径山稀。"[22]（P8）早至北宋时，文人墨客就已将径山茶视为杭州名茶。《咸淳临安志》亦记："近日径山寺僧，采谷雨前者，以小缶贮送。"[23]（P2068）《梦粱录》卷十八《物产》也有类似的记载："径山采谷雨前茗，以小缶贮馈之。"[24]（P163）

不管是余杭地区历史悠久的饮茶或饮酒习俗，还是其代表性的制作技艺与民俗文化内容，皆可以成为进一步传承保护的非物质文化遗产内容。

四、余杭文献类饮食文化遗产

曾著有《续补唐栖志略》的清代塘栖才子韩应潮所作的《栖溪风味十二咏》是余杭地区有关塘栖当地饮食的重要文献类遗产代表作，是韩应潮仿《东郊土物诗》而作。收入清代《塘栖志》书中。《簖蟹》："平湖插簖持螯晨，舍傍渔庄兴味真。编竹截流行郭索，牵蒲和雨缚轮困。一灯秋水草泥滑，九月溪霜畦稻新。正是清馋频斫雪，西风何必忆鲈莼。"《笼虾》："羡煞栖溪秋水澄，笼虾编竹几层层。扁舟放云芦三尺，凉夜捞来月半棱。市早却宜沿岸卖，食鲜共喜执筐承。

423

碟须佐酒须姜醋，可让持螯风味曾。《蜜橘》："丁山湖畔厥包荣，味溢琼浆橘著名。色嫩如金迷径鞠，实甜如蜜忆江萍。漫言仙叟棋谈罢，都羡蜂王花酿成。惟有蔗竿堪比拟，弥甘佳境析朝醒。"《茶菊》："处士餐英秀色催，龙团初煮菊花开。东篱逸兴松风沸，北苑清腴玉露堆。扫雪每教红袖试，烹泉何待白衣来。从兹陆羽搜佳品，须问樊川冒雨栽。"《烘豆》："莫笑冬烘老圃传，豆棚早屑话深秋。圆剥出纤纤手，新嫩淘来瑟瑟流。活火焙干青玉脆，盈瓶赠到绿珠投。堆盘正好消寒夜，细嚼诗情一种幽。"《熟菱》："新雨前溪漾老菱，移船采得满鱼罾。紫苞青刺时初熟，活水清泉气自蒸。脱壳应嫌露圭角，堆盘岂待削舳棱。携来上座供咀嚼，遥忆长安酒价增。"《蒸谷》："田家获稻尽腰镰，嘉谷登场气象恬。蒸爱浮浮资汲瓮，曝看栗栗向晴檐。香升翠釜如炊玉，色映银匙胜积盐。漫说红莲芳颖异，加餐妇子喜新尖。"《窖蔗》："甘蔗声价待春融，旨蓄绸缪土窖崇。佳境人深泥数尺，舞竿踏晦地三弓。穴空智等搬僵鼠，藏谨情如坏户虫。转眼惊雷齐发卖，糖霜品味有无同。"《煨芋》："掯拙欣煨笑语温，芋魁风味又初添。拳擎茅舍新灰火，香溢田家老瓦盆。曝背南檐村酿熟，围炉冬夜雪花翻。消寒正好资吟咏，饱暖余情写故园。"《风菜》："连畦撷秀菜登场，风庋家家瑾户忙。和月挑来盈担压，带霜悬云一绳长。索掏檐下根须足，旨蓄冬初瓦瓮香。三月无盐愁玉局，清羹自笑压疏狂。"《冻腐》："石槽滴乳玉无瑕，一冻冰凝腐可夸。色相融金披绉縠，清瓤嚼蜡味梅花。霜桥小市冲寒买，月店横塘和酒赊。冷淡家风宜我辈，嘉名也可以儒加。"《醉鱼》："腊重青鱼家酿熟，丁湖风味擅江乡。漫呼宋嫂调羹供，却称陶潜和酒尝。入瓮作鳞教骨醉，开坛去乙沁心香。何当千里思鲈脍，曲蘖沉醋趣兴长。"[25](P152—154) 清代塘栖人姚宝田《栖水土物咏》之《枇杷》："蜡家好兄弟，白者称为良。珍逾白玉白，胜他黄金黄。子重堕枝头，山雨声浪浪。"[26](P6)《青梅》："绿叶已成阴，枝头孕梅子。浸以昔昔盐，余酸溅人齿。妙技缕成丝，相思亦如此。"《藕粉》："雪藕滴珠液，甘芳和心脾。前身玉人臂，滑腻如凝脂。一歌玲珑曲，再歌白雪词。"《甘蔗》："小林贡甘蔗，记之潜氏书。登场舞竿木，到老味有余。似此坚多节，惜哉心未虚。"《蜜橘》："一点铸秋烟，离离绽朱实。中有岁寒心，隽味夺崖蜜。无核不须杯，拜赐长者席。"[27](P262—263) 不仅提及了塘栖之枇杷、青梅、甘蔗、蜜橘，还提及了藕粉。清朝初年塘栖诗人卓长龄《塘栖糖色》："姚家短饤巧能松，香雾霏霏扑面浓。糖拌日烘排岸北，最先尝得是游峰。"[25](P105) 塘栖人善作蜜饯，又称之为糖色。《东郊土物诗》中所收清乾隆年间杭州诗人茅德芬《姚氏糖色》道："曝粉采佳果，煎酿制甘脯。材料集精良，名目难指偻。咀嚼引香甜，清气豁灵府。白玉颜其斋，食典应有取。"[10](P806) 此外清代金张《塘栖蜜橘》、清代徐元文《塘栖橘》(四首) 同样是有关当地特色食品的文献记载。

五、传承和保护建议

作为余杭当地优秀传统文化内容之一的饮食文化遗产，有力地丰富和发展了余杭良渚文化、运河文化、径山文化为代表的"三大文化"。由于当地饮食文化遗产类型与内容的丰富性，余杭区文广新局等非遗管理部门应该积极探索适合本地区非遗传承与保护的策略，尤其是不属于传统"非遗十大类"的饮食文化遗产，应该重新审视与研究这种属于当地社区与群众的"活态遗产"。随着传统烹饪技艺、食生活与食生产民俗文化的消失，越来越多的余杭饮食文化遗产处于濒危状态。在条件合适的时候，余杭区有必要创建类似名为"余杭美食博物馆"的专门性主题博物馆，让其成为传承和保护当地饮食文化与历史记忆的公共空间与载体。同时，这样的博物馆载体也可以丰富和发展成余杭当地的美食旅游景观，让其成为余杭新的旅游标志性目的地。限于篇幅，本文目前尚未对余杭器具类饮食文化遗产进行论述。而饮食器具作为物质文化的重要内容，属于余杭当地的独特烹饪器具、饮具、食器、加工器具、食品贮藏器具等内容，同样是余杭饮食文化遗产的重要内容，有待于进一步的研究。

参考文献

[1] 杭州市余杭区政协文史和教文卫体委员会编 . 余杭美食 [M]. 杭州：杭州出版社，2016.

[2] 俞为洁 . 饭稻衣麻：良渚人的衣食文化 [M]. 杭州：浙江摄影出版社，2007.

[3] 丁品等 . 浙江余杭茅山史前聚落遗址第二、三期发掘取得重要收获 [N]. 中国文物报，2011-12-30(4).

[4] 俞为洁 . 良渚人的衣食 [M]. 杭州：杭州出版社，2013.

[5] [唐] 房玄龄等撰 . 晋书 [M]. 北京：中华书局，1974.

[6] 刘纬毅 . 汉唐方志辑佚 [M]. 北京：北京图书馆出版社，1997.

[7] [宋] 欧阳修，宋祁撰 . 新唐书 [M]. 北京：中华书局，1975.

[8] 黄钧，龙华，张铁燕等校 . 全唐诗 [M]. 长沙：岳麓书社，1998.

[9] [清] 丁丙辑 . 武林掌故丛编 [M]. 京华书局，1967.

[10] 孙忠焕主编 . 杭州运河文献集成 [M]. 杭州：杭州出版社，2009.

[11] [清] 张之鼎辑 . 栖里景物略 [M]. 北京：当代中国出版社，2014.

[12] 何宏 . 民国杭州饮食 [M]. 杭州：杭州出版社，2012.

[13] 浙江省地方志编纂委员会编 . 浙江通志 [M]. 北京：中华书局，2001.

[14] [唐] 白居易 . 白居易全集 [M] 北京：中华书局，1979.

[15] [宋] 傅肱撰 . 蟹谱 [M] 卷下 . 兰州：甘肃人民出版社，2008.

[16] [宋] 欧阳修 . 欧阳修集编年笺注 [M]. 成都：巴蜀书社，2007.

[17] [唐] 曹唐 . 曹唐诗注 [M]. 上海：上海古籍出版社，1996.

[18] 中共杭州市余杭区委宣传部编 . 名人咏余杭 [M]. 杭州：西泠印社出版社，2007.

[19] [清] 彭定求等编 . 全唐诗 [M]. 上海：上海古籍出版社，1986.

[20] [宋] 李昉等编 . 太平广记 [M]. 北京：团结出版社，1994.

[21] [清] 王士旗选 . 古诗笺 [M]. 上海：上海古籍出版社，2010.

[22] [宋] 蔡襄 . 茶录 [M]. 上海：上海书店出版社，2015.

[23] [宋] 潜说友纂 . 咸淳临安志 [M]. 杭州：浙江古籍出版社，2012.

[24] [宋] 吴自牧 . 梦粱录 [M]. 杭州：浙江人民出版社，1980.

[25] 中国人民政治协商会议，浙江省余杭县委员会文史资料委员会编 . 余杭文史资料（第 5 辑）[Z].1989.

[26] 刘大培 . 杭州运河土特产 [M]. 杭州：杭州出版社，2013.

[27] [清] 潘衍桐编纂 . 两浙猶轩续录 [M]. 杭州：浙江古籍出版社，2014.

【文章来源】周鸿承：《余杭饮食文化遗产及其传承保护》，《楚雄师范学院学报》，2018 年第 6 期

二、论文

43. 非物质文化遗产与烹饪教育课程资源体系融合研究
——以"杭帮菜"非物质文化遗产传承为例

摘要： 烹饪教育课程资源相对于课程资源的内涵特点，其在外在表现上还具有体验性、实践性和人文性。"杭帮菜"非物质文化遗产融入烹饪课程体系面临的困境为："非遗"资源向课程要素转化之困，烹饪教师对"非遗"资源的接纳之困，由"师徒相授"到职业教育转变之困。"非遗"进入烹饪课程资源的研究路径为：研究"非遗"资源的申报，熟悉"非遗"资源的研究成果；做好"非遗"资源进入烹饪课程资源的筛选工作，建立"非遗"资源库；做好"非遗"资源库利用与课程教学领域的对接工作。

关键词： 杭帮菜；非物质文化遗产；烹饪教育；课程资源融合

一、研究背景和相关研究

课程资源开发是近些年来课程改革的一个重要方向，有关课程资源的研究目前也日渐成熟和丰富。国外有关"课程资源"的研究较早的有 Ralph W. Tyler 的教学目标以及教学经验组织学说[1]。Torsten Husen&T.Neville Postlethwaiter 的寻求目标、选用教学活动、组织教学以及设计评估方案的可利用资源说[2](P670)。Daniel Tanner&Laurel N.Tanner 从学习者、社会、知识世界的角度对课程来源进行了探讨[3]。国内关于课程资源的研究起于 20 世纪 80 年代，2000 年后伴随着教育技术、信息技术、知识经济与网络时代的发展，课程资源开发和利用无论是理论层面还是实践层面都有了积极的推进[4]。黄甫全提出学习化课程依托于学习化课程资源，学习化课程资源与教授化课程资源相对应，它作为生态化的学习环境文化而存在，并通过学程化、整体性、开放性、动态化、信息网络化等基本特征，以学习本位的开发形态整合内生性和外源性资源获得自己独特的学习价值[5]。段兆兵强调课程资源的多样性还表现在同一课程资源具有多种课程价值，提出正确的课程观是课程资源开发的关键[6]。范兆雄提出课程资源

427

系统可以分为思想资源、知识资源、人力资源、物力资源四个子系统，课程资源系统是一个多层次的开放系统，它的功能体现在构建课程内容系统和课程活动支持系统两个方面[7]。吴刚平提出课程资源按照功能分类可以分为条件性资源和素材性资源[8]。汪晓璐指出高职教育资源库可以向着多元共建和项目化、通用性、开放式、共享式等的方向进行[9]。

将"非物质文化遗产"（以下简称"非遗"）与烹饪课程资源整合的研究目前来看还没有，将范围扩大将非物质文化遗产和教育相结合的研究成果较多。马岳勇、祝婷婷从文化互动的角度谈维吾尔族非遗的课程资源导入[10]。张莹莹从系统论出发研究"非遗"与美术教育课程资源的融合[11]。刘红雨、曾雪莲、艾小平阐述了民族文化课程资源的开发和特点等[12]。从文献检索情况来看，不难看出许多专家学者已从不同的角度对非物质文化遗产的保护与开发做了不同程度的研究和创新，同时也肯定了职业教育的课程资源对"非物质文化遗产"传承的重要性。在笔者看来，对"非物质文化遗产"传承和职业教育互动的研究还是很欠缺的，尤其是烹饪技艺方面的"非物质文化遗产"保护和职业技术教育课程融合的研究基本上处于空白。

二、烹饪教育课程资源的内涵特征与外在特点

"课程资源"就其本质而言，具有待开发性、人为命定性、多样性、动态性的特点[13]。"课程资源"的待开发性具体表现在课程资源还不能直接构成课程要素，需要教师或者课程开发者主观地将其梳理、归纳、提炼和开发后，才能转化为现实的课程要素，用以实际教学。人为命定性则表现为资源开发的主观导向性，因为资源开发者的目的和导向不同，课程资源所展示的效果和表现形式、价值判断、教学目的等可能不一样。然而正是这种人为主观的不确定性，导致课程资源在客观上表现形式多样。课程资源的动态性，具体表现在资源的演变和发展，随着社会进步和科技发展，课程资源的内涵和外延都存在着与时俱进的过程。相对于课程资源的内涵特点，其在外在表现上还具有如下特征：

（一）体验性

烹饪教育区别于其他学科的本源，在于其对饮食产品以及服务审美的全方位体验。饮食的审美可以概括成"色、香、味、形、质、适、序、器、意、境"[14](P157)。

二、论文

其从体验性角度讲涵盖饮食消费的全部过程。烹饪学科的设置大致也是围绕着饮食消费的过程而设计。"非遗"资源作为烹饪或饮食文化课程资源的一种潜在来源，需要体现出烹饪这一学科的独特审美和学科特色。因此，"非遗"这种潜在的烹饪课程资源要想进入烹饪课程资源系统，就必须分析和挖掘其具有体验性的部分，不能脱离烹饪的审美来谈文化。尤其是对于那些将要转化为烹饪课程内容的"非遗"资源而言，更需要突出体验性特点，否则将失去烹饪学科的基本特性。

（二）实践性

目前烹饪课程的设置基本上是根据对应操作岗位的职位要求进行设置。范围涵盖厨房生产的冷菜、热菜、面点的烹调与制作、初加工与切配，以及饮食加工与生产必须具备的营养配餐和卫生等课程。就其学习活动方式而言，笔者认为可以分为"造型—烹饪""设计—加工""欣赏—评述""综合—探索"四个学习领域。这四个学习领域都要求加强对学生的实践能力的锻炼。尤其是烹调制作、菜品设计、营养配餐以及以烹饪贯穿其中的综合探索活动，都需要学生动手制作，在体验中实践学习。烹饪课程的实践性，使烹饪课程很自然地就关注到烹饪的食材和烹调技术等方面的知识。作为支持烹饪课顺利实施的烹饪课程资源，需要全面考虑其材料因素、技术因素。

（三）人文性

烹饪是人类饮食文化的重要表现形式和载体，它体现了不同地域和民族的文化特点。烹饪作品总是与一定的文化背景紧密相连。区域文化、社会百态、饮食审美和时代风貌等人文要素都可能在烹饪作品上得以表现。"非遗"强调对文化的诠释和传承，具有鲜明的人文主义色彩，是一种很有价值的潜在的烹饪课程资源。

三、"非遗"资源与课程融合困境

（一）"非遗"资源向课程要素转化之困

对于烹饪课程资源而言，"非遗"只是诸多潜在文化资源中的一种。虽然它具备准烹饪课程资源的潜力，但并非就是烹饪课程资源。"非遗"要成为烹饪课程资源还需经过分析和转化的过程，否则"非遗"只是一个与烹饪课程资源无法联系起来的独立概念。然而，从烹饪课程资源的外延来看，"非遗"又似乎与烹饪课程资源的外延彼此相关。以"杭帮菜"非遗资源为例："杭帮菜"包含着关于杭州饮食文化独特的审美特点和别具特色的烹调技巧，将这些审美要素与烹饪技巧进行归纳和转化，就可以成为烹饪课程知识资源。从这个意义上讲，"非遗"资源中所蕴含的一些因素，是能够满足烹饪课程资源系统外延的要求而进入烹饪课程资源系统的。然而从潜在的烹饪课程资源到烹饪课程资源，这里显然存在一个分析和转化的过程。通过分解"非遗"内在蕴含的一些因素，使"非遗"与烹饪思想资源要素、烹饪技术资源要素、烹饪经验资源要素、烹饪人力资源要素等建立起联系，并最终以烹饪课程资源要素的形式进入烹饪课程资源系统。然后再经过烹饪课程资源系统的运作，即烹饪课程资源的开发、转化与利用。如果忽视这一系列的分析和转化过程，就容易陷入一种认识误区，即将"非遗"、地方饮食文化或者民间烹饪简单地与烹饪课程资源画上等号。

（二）烹饪教师对"非遗"资源的接纳之困

笔者对杭州地区高职中职 63 名烹饪教师进行问卷调查发现，烹饪教师对课程资源开发和"非遗"资源向课程资源转化的认识差别较大。有 86.3% 的烹饪教师认为杭州的烹饪学校应该对"杭帮菜"非物质文化遗产资源予以重视。必须将一些经典"杭帮菜"融合到课堂教学中去。但是认为学校对"非遗"资源利用不重视的占 77.6%，问卷还显示开展过"非遗"相关教学活动的学校只占 34.6%。这说明教师将"非遗"纳入自己课堂教学的期望，与学校开展"非遗"相关教学活动的现实之间存在矛盾。

在广大教师期望引入"非遗"资源进课堂的同时，有关"非遗"的系统研究又有所欠缺。以"杭帮菜"非物质文化遗产为例，很多教师缺乏对"非遗"的全面了解，对"非遗"资源的引入大都只停留在几个菜肴实例的实践上，缺乏深层次的归纳与总结。有关"非遗"的研究和课程资源转化相差较远。对"非遗"资源课程转化的一些基础工作，如从知识、经验、技能、思想、教学支持等角度的系统整合工作大都还没有起步。

（三）由"师徒相授"到职业教育转变之困

"非遗"作为一种潜在的课程资源，在进入课程体系时，技艺的传承往往是最先被认可的，因此常常可以看到教师会在"非遗"的技巧上给予较多的关

二、论文

注，然而技艺的训练往往需要较多的时间，学生在有限的课堂时间内往往难以达到教学要求，同时对技艺的关注也会较大程度的挤占对"非遗"知识的学习，而缺少文化记忆的技能训练则背离了"非遗"的传承初衷。除此之外，"非遗"的资源价值还表现在其在技艺传承的同时，还向学生灌输一种长期以来形成的信仰、心理禁忌、行业规则和职业道德[15]。这些思想上的文化记忆和现代职业教育在某些层面上是相冲突的，学生往往也不会全盘接受。烹饪课程资源在接受"非遗"的技术和文化记忆时需要根据烹饪课程和烹饪教育的要求有侧重和有条件地吸纳。对于烹饪课程而言，"非遗"的文化记忆应该被转化为学习"非遗"过程中形成的技艺学习的记忆和文化体验的记忆。这种文化接纳的态度会引导学生批判性地继承非物质文化，进而推动非物质文化的延续与发展。

四、"非遗"进入烹饪课程资源的路径研究

"非遗"资源进入课程，首先需要经过梳理和总结，让非遗资源具备进入课程资源的准入条件。以"杭帮菜"非遗资源为例，杭帮菜隶属于长江下游饮食文化圈，是浙江菜系的主要组成部分。"杭帮菜"选料讲究、制作精益。从文化角度来看，传承久远，两汉、唐宋、明清时期都留下过众多的文献记载和研究杂说。"杭帮菜"强调基本功的扎实，文思豆腐、锦绣鱼丝、钱江肉丝等都对刀工要求较高，非常适合教学时学生基础刀工的训练。从烹调技艺上看，"杭帮菜"口味融合南北，注重火功，有文人菜的戏说。在烹法上以蒸、烩、氽、烧为主，讲究轻油、轻浆、清淡鲜嫩的口味，注重鲜咸合一[16](P2)。这些口味和对火工的要求也十分适合烹饪教学。"杭帮菜"的这些地域和工艺特点使其具备了成为烹饪课程资源的潜在条件，但仅此还远远不够。笔者认为，非遗资源进入课程，可以从如下方面入手：

（一）研究"非遗"资源的申报，熟悉"非遗"资源的研究成果

以"非遗"传承为目的的烹饪课程资源开发，就是对"非遗"这种潜在的烹饪课程资源进行勘探和挖掘的过程。随着我国"非遗"研究和管理的日渐完善，"非遗"的认定已形成了基本的制度。以"非遗"传承为目的的烹饪课程资源开发有了这样的保障，能够减轻烹饪课程资源开发者的勘探任务。烹饪课程资源的开发者可以借助目前国家级、省级，甚至是地区级的非遗评定标准，比较

431

清晰和便捷地获取"非遗"项目的基本情况。烹饪课程资源的开发可以先勘探这些"非遗"资源中可能成为潜在烹饪课程资源的部分,挖掘其可能成为烹饪课程资源的具体项目和内容。这不仅可以调动尽可能多的研究资源和社会资源,还能让烹饪课程资源的开发者更多地接触到当下的一些先进"非遗"研究成果,拓展烹饪课程资源开发者对"非遗"的了解宽度与深度。

(二)做好"非遗"资源进入烹饪课程资源的筛选工作,建立"非遗"资源库

以"杭帮菜非物质文化遗产"为例:首先,杭州是一座历史文化名城和华东重要的旅游城市,杭州的饮食文化包含着丰富的民俗、历史、民间艺术。"杭帮菜"作为杭州饮食文化最显著的表现形式,它密切联系着当地的饮食风俗,体现民间大众的饮食审美,除了直观的美食体验外,还具有人文性特点,所以"杭帮菜"满足烹饪课程资源开发的几个核心要求是:其一"杭帮菜"具有教育意义和传承价值,其二"杭帮菜"具有饮食的审美特性和烹饪技艺的教育特性。具备以上两个特征后,课程资源开发者就需要将"杭帮菜"按照烹饪课程资源要素特征分类。比如,"杭帮菜"承载着杭州的民俗文化和历史,杭州是东南名城,工业、农业和商业都比较繁荣,历史上还经历过宋朝南迁,社会文化发展水平非常高。同时杭嘉湖平原丰富的物产结合当地的气候条件形成了"杭帮菜"饭稻鱼羹、口味清新淡雅、追求本味真味,以及一菜一典、人文气息厚重的名菜风格[17]。这些独特的饮食观念可以产生丰富的烹饪表现内容和题材,使之成为烹饪课程思想内容资源。其次,根据"杭帮菜"的审美品质挖掘"杭帮菜"蕴藏的烹饪课程知识资源。"杭帮菜"的饮食审美讲究"色、香、味、形、质、适、序、器、意、境"[14],这样的审美要素搭配就是烹饪课程知识资源;"杭帮菜"需要精细的刀功,这点可以作为技能学习要点进入烹饪课程知识资源范畴;"杭帮菜"菜品的风格讲究清、新、雅、丽,注重与器皿的搭配和宴饮主题的呼应,可以作为菜品设计知识进入烹饪课程烹调知识资源范畴;"杭帮菜"重视选料,在选料上重部位、重季节、重质量[17],可以把杭帮菜的选料经验作为原料知识纳入烹饪原料配伍知识资源范畴;与此同时,"杭帮菜"的传承人可以作为重要的人力资源,对烹饪课程发挥积极的影响。最后,根据上述内容寻找对应的实物资料、文字资料和图像资料,建立资料库和图像

二、论文

库。"杭帮菜"课程资源要素设计如表1，其中"资源素材"是对"杭帮菜"所蕴藏的信息资源分类归纳，"分析和整理"是将这些信息资源的具体内容详细列出来，"课程资源要素归类"就是根据烹饪课程资源不同要素的特征，把各种烹饪课程资源进行初步梳理。

表1 "杭帮菜"课程资源要素设计表

资源素材	分析与整理	课程资源要素归类
"杭帮菜"历史沿革	"杭帮菜"可以追溯到南宋，历史上分为"湖上""城厢"两个流派。前者用料以鱼虾和禽类为主，擅长生炒、清炖、熘等技法，讲究清、鲜、脆、嫩的口味，注重保留原汁原味。后者用料以肉类居多，烹调方法以蒸、烩、炖、烧为主，讲究轻油、轻浆、清淡鲜嫩的口味，注重鲜咸合一。 改革开放以来，杭帮菜吸收多家所长成为浙菜中极富特色的风味菜系。	饮食史知识资源 饮食思想 知识资源
"杭帮菜"传统烹饪工艺	"杭帮菜"擅长炒、烧、蒸、炖、熘、炸等。菜品讲究清新雅致 代表菜肴有： 炒：龙井虾仁、南炒鳝、春笋步鱼、钱江肉丝等 蒸：家乡南肉、荷叶粉蒸肉、蟹酿橙、清蒸鲥鱼等 烧：红烧卷鸡、家乡鱼头、南乳肉、葱烧鲫鱼等 熘：西湖醋鱼、虾爆鳝背、鸡汁鳕鱼、糖醋排骨等 炸：干炸响铃、椒盐乳鸽、素烧鹅、腐皮肉等 炖：火踵神仙鸭、鱼头豆腐、笋干老鸭煲、清汤越鸡等 烩：宋嫂鱼羹、烩鱼羹、鲈鱼羹、糟烩鞭笋等	烹调技术 知识资源 烹饪加工 造型技术 知识资源 烹饪原料 搭配设计 技术资源
"杭帮菜"的人文典故	西湖醋鱼与叔嫂传珍；苏东坡与东坡肉；乾隆与皇饭儿鱼头豆腐；清蒸鲥鱼与严子陵；白居易与春笋步鱼；张啸林与油爆大虾；司徒雷登与咸件儿；蒋介石与蜜汁火方……	烹饪文化 知识资源
"杭帮菜"与民俗文化	立春吃芹，日日来劲 雨水复雨水，韭芽鸡丝烩 开春一声雷，惊蛰布鱼肥 春分尝鲜有讲究，桃花鳜鱼马兰头 清明螺，赛过鹅 雨前春芽雨后笋，一日一餐伴长生 花雕六月黄，夏至神仙当 卤鸭童子鸡，大暑补身体 ……	饮食民俗 知识资源 烹饪经验资源
"杭帮菜"与杭州餐饮名店	杭州楼外楼——"湖上帮"的招牌饭店 杭州知味观——杭州名小吃的集大成者 杭州酒家——杭州"城里帮"的传承 西湖春天——新"杭帮菜"的领军人物 ……	"杭帮菜"经营品牌资源

433

（三）"非遗"资源库利用与课程教学领域的对接

以"非遗"传承为目的的资源库的利用，就是利用蕴含"非遗"的课程资源，并通过考察这些"非遗资源库"资源对达成烹饪课程的目标、丰富烹饪课程的内容和提高烹饪课程的教学效果这三个角度的作用，来衡量"非遗"资源的利用程度和效果。在具体的实施过程中可通过分析和整理出来的课程资源要素，与烹饪课程学习领域相互对接。以"杭帮菜"非遗资源为例。表2是根据烹饪课程的领域目标，结合烹饪课程的教学内容，寻找"杭帮菜"非遗所蕴含的课程资源。

表 2　非遗资源与课程目标、课程内容联系示例表

"非遗"传承的烹饪课程领域目标	"非遗"传承的烹饪课程内容	"非遗"资源蕴含的课程资源要素
通过"欣赏与评述"学习领域活动学习和了解"杭帮菜"的特点，并与其他菜系进行比较	欣赏"杭帮菜"的制作和文化；比较"杭帮菜"与其他菜系的菜品特点	菜品制作的图片和影音资料；揭示"杭帮菜"发展沿革的文史和文献资料
通过"造型与烹饪"学习领域活动学习和了解"杭帮菜"，对一些烹饪烹调的基本手法进行实际训练	以"杭帮菜"的代表菜式，配合烹饪技法，对经典的"杭帮菜"进行实例教学	烹调技术知识资源中的技术要点示例、烹饪造型示例
通过"加工与设计"学习领域活动学习，对菜肴烹饪的加工和配伍方面内容进行实际训练	以"杭帮菜"的审美要求和原料特点为导向，进行刀工训练和设计配伍菜肴	烹饪加工与原料搭配技术知识资源的典型原料手法示例
通过"综合与探索"学习领域活动学习，能够对菜肴创新、宴会设计等方面有所了解	创新"杭帮菜"的示例与制作，带有杭州地方风味特色的风味宴席和主题筵席	饮食民俗、烹饪文化元素的引入烹调技法加工配伍技法示例

通过上述分析可以看出，以"非遗"传承为目的的文化资源利用，实际上是一个不断深入和挖掘的过程。其本质是通过"非遗"资源的开发、转化，实现烹饪课程学习领域的对接、实施、反馈，不断丰富烹饪课程资源的过程。烹饪课程资源利用的目的，就是不断丰富烹饪课程的内容，促进烹饪课程目标的达成，并且不断丰富"非遗"传承的资源宝库。

二、论文

参考文献

[1]Ralph W.Tyler.Basic Principles of Curriculum and Instruction[M].Chicago and London:the University of Chicago Press，1949.

[2]T. 胡森，等 . 国际教育百科全书 [M]. 贵阳 : 贵州教育出版社，1990.

[3]Daniel Tanner & Laurel N.Tanner.Curriculum Development:Theory into Practice[M].NewYork:Macmillan Publishing Co.Inc.& London: Collier Macmillan Publishers，1980.

[4] 殷晓静 . 课程资源研究进展述评 [J]. 宁夏大学学报，2005(3):116-118.

[5] 黄甫全 . 当代教学环境的实质与类型新探 : 文化哲学的分析 [J]. 西北师范大学学报 (社科)，2002(5):31-36.

[6] 段兆兵 . 课程资源的内涵与有效开发 [J]. 课程•教材•教法，2003(3):26-30.

[7] 范兆雄 . 课程资源的层面与开发 [J]. 教育评论，2002(4):74-76.

[8] 吴刚平 . 课程资源的理想架构 [J]. 教育研究，2001(8):24-30.

[9] 汪晓璐 . 高职教育课程资源库建设初探 [J]. 江苏高教，2013(1):107-109.

[10] 马岳勇，祝婷婷 . 课程资源开发与新疆维吾尔族非物质文化遗产的传承发展的双向互动 [J]. 江西教育学院学报，2013(2):53-57.

[11] 张莹莹 . 非物质文化遗产进入美术课程资源系统研究 [D]. 首都师范大学，2013.

[12] 刘红雨，曾雪莲，艾小平 . 民族文化课程资源开发研究的特点和启示 [J]. 重庆第二师范学院学报，2013(2):166-168.

[13] 黄晓玲 . 课程资源 : 界定特点状态类型 [J]. 中国教育学刊，2004(4):36-39.

[14] 赵荣光 . 中国饮食文化概论 [M]. 北京 : 中国高等教育出版社，2003

[15] 刘茜，邱远 . 贵州苗族多元文化课程资源的开发与利用 [J]. 贵州民族研究，2007(6):195-202.

[16] 中国名菜谱编辑委员会 . 中国名菜谱——浙江风味 [M]. 北京 : 中国财政经济出版社，1988.

[17] 史涛 . 饮食文化旅游产品开发体系探析 [J]. 扬州大学烹饪学报，2012(4):55-59.

[18] 董顺祥. 杭州传统名菜名点 [M]. 杭州：浙江人民出版社，2013.

【文章来源】史涛：《非物质文化遗产与烹饪教育课程资源体系融合研究——以"杭帮菜"非物质文化遗产传承为例》，《教育与教学研究》，2014年第9期

二、论文

44. 从"老字号"看"楼外楼"

摘要： 我国目前尚在经营的百年老字号饮食店不足100家，在延续时间、地理分布、文化传统和生存状况上各有不同；杭州楼外楼菜馆是其中的佼佼者。其长盛不衰的秘诀主要是：打旅游牌，充分利用自持景观与人文景观的相乘效应；唱文化戏，不断增强和提高企业品牌的无形资产；练内家功，始终坚持并发扬"湖上帮"浙菜的独特魅力；做弄潮儿，运用科学管理方法锲而不舍地"修谱"，这些经验，是商业文化学的生动体现，可以给餐饮企业经营者提供有益的启示。

关键词： 杭州；楼外楼；餐饮业；饮食文化；餐饮管理

"人瑞"有长寿之道，百年老店亦有长寿之道。近一段时期，通过大量翻阅老字号资料和深入走访"楼外楼"，使人感到，如何保留中国百年老店的"金字招牌"，使她能和海外的"松下"波音"通用""菲利浦""可口可乐""麦当劳"一样"生命之树常青"，应当是个重要的研究课题。本文试图就此进行些探索，供有关方面参考。

1 百年老字号饮食店的现状

老字号，是商店的名称和招牌，如王府井百货大楼、嘉睦摩托车符、风人松书屋、明白人茶社。老字号，一般系指新中国成立前开设、店史在50年以上、社会影响较大、至今仍在经营的店铺，全国大约有3000家，如杭州都锦生丝织厂、兰州培琪西服店、北京仿膳饭庄、上海绿杨部酒家。至于百年老字号，则指清朝末年至1898年以前开设、店史在100年以上、社会影响很大、至今仍在经营的店铺，全国大约有300家；其中包括书画古玩行（如荣宝斋）、文房四宝行（如胡开文）、工艺美术行（如王星记）、服装鞋帽行（如内联升）、日杂百货行（如劝业场）、钟表眼镜行（如亨达利）、参燕国药行（如同仁堂）、餐饮糕饼行（如清和元）等30多个行业的店铺。

杭州全书 · 杭帮菜文献集成

依据笔者目前搜集到的不完全资料，在 300 余家百年老字号中，饮食店（含酱菜坊、卤菜铺、糕饼店、糖果厂等）仅有 78 家，其建店的时间顺序依次是：

明朝来年开业的有 4 家。即嘉靖年间 (1522—1566) 的北京六必居和太原益源庆；崇祯年间 (1628—1644) 的北京大顺斋和太原清和元。

清初康熙年间 (1662—1722) 开业的有 3 家。即苏州的陆稿荐 (1662)；以及北京的致美斋和烤肉苑。

乾隆年间 (1736—1795) 开业的有 10 家，即北京的天福号 (1738)，北京的砂锅居 (1741)，苏州的稻香村 (1773)，北京的月盛斋 (1775)，苏州的松鹤楼 (1780)，苏州吴县的乾生元 (1781)；还有武汉的老锦春、西安的辇止坡老童家、北京的都一处和苏州吴县的石家饭店。

嘉庆年间 (1796—1820) 开业的有 1 家。即上海的老人和 (1820)。

道光年间 (1821—1850) 开业的有 8 家。即苏州的黄天源 (1821)，北京的同和居 (1822)，安庆的胡玉美 (1830)，武汉的老大兴 (1838)，杭州的楼外楼 (1848)，济南的汇泉饭店 (1848)；还有南京的马祥兴和绍兴的兰香馆。

咸丰年间 (1851—1861) 开业的有 8 家。即上海的邵万生 (1852)，北京的便宜坊 (1855)，上海的杏花楼 (1856)，天津的狗不理 (1858)，上海的五芳斋 (1858)；还有北京的烤肉季和宝兰斋，以及杭州的奎元馆。

同治年间 (1862—1874) 开业的有 12 家。即上海的万升 (1862)，成都的陈麻婆豆腐 (1862)，上海的老正兴 (1862)，北京的全聚德 (1864)，开封的马豫兴 (1864)，福州的聚春园 (1865)，北京的天源 (1869)，上海的三阳 (1870)，沈阳的那家馆 (1874)；还有杭州的杭州酒家、无锡的聚丰园和梅县的白渡。

清末光绪年间 (1875—1908) 开业的有 32 家。即北京的泰丰楼 (1875)，如皋的老松林 (1875)，上海的上海老饭店 (1876)，广州的陶陶居 (1880)，上海的沈大成 (1880)，合肥的张顺兴 (1882)，武汉的曹祥泰 (1884)，苏州的采芝斋 (1884)，扬州的富春茶社 (1885)，广州的蛇餐馆 (1885)，常熟的王四酒家 (1887)，广州的莲香楼 (1889)，上海的德兴菜馆 (1890)，上海的洪长兴 (1891)。青岛的春和楼 (1897)，武汉的老会宾 (1898)；还有北京的东必楼，天津的耳朵眼和思义成，长春的太盛园，洛阳的真不同，江陵的聚珍园，九江的道生，安庆的迎江寺茶楼和麦陇香，杭州的天香楼和状元馆，绍兴的咸亨酒店，上海的甬江状元楼和真老大房，以及广州的惠如楼和太平馆等。

438

二、论文

如果对这些百年老字号饮食店加以归纳分析，可以得出以下 4 种印象。

1.1 从延续时间看

百年老字号饮食店最长的将近 450 年，最短的也有整整 100 年，店史平均时间为 158 年左右，店龄在 100—150 年的为最多。其中，开店最多的是光绪朝的 34 年间 (32 家)；其次是同治朝的 13 年间 (12 家) 和乾隆朝的 60 年间 (10 家)；再次是道光朝的 30 年间和咸丰朝的 11 年间 (各 8 家)；较少的是明末 (4 家)、康熙年间 (3 家) 和嘉庆年间 (1 家)。

这一方面说明光绪、同治、乾隆 3 朝的 107 年间，烹调技艺比较发达，饮食市场比较兴旺，业主的经营意识比较强烈，名牌商标的社会效应比较显著；另一方面说明资格愈老的字号延续下来愈不容易，它既要做好商业与文化的外部结合，又要做好商业与文化的内部结合，使名菜美点同时具有价值、使用价值和文化传承价值。像延续 450 多年的六必居、延续 350 多年的清和元、延续 330 多年的陆稿荐这样的老店，在世界商业史上都是屈指可数的。它体现出商业文化学中的"商业伦理文化"，即创业者和守成者具有德 (品格与道德修养)、智 (灵活而规范、理智而进取的决策行为)、美 (仪表和风范、襟怀和情操)、情 (和谐友善的人际关系) 的良好素质，能够使谱系不断，"祖业"长存。

1.2 从分布地域看

78 家老店集中在 17 个省市。北方 8 省市共为 28 家，占 36%，其中，北京 16 家，天津 3 家，山东、山西与河南各 2 家，辽宁、吉林与陕西各 1 家。南方 9 省市共为 50 家，占 64%。其中，上海 13 家，江苏 12 家，浙江 7 家，广东 6 家，湖北 5 家，安徽 4 家，江西、福建与四川各 1 家。北京、上海及江苏分居前 3 名，这与它们或是权贵云集的两朝国都，或是珠光宝气的"十里洋场"，或是人杰地灵的鱼米之乡有关。至于南方以极大的优势压倒北方，这又是经济实力、烹饪水平和美食风尚使然。

若是按自然区划归并，则是长江流域 43 家，占 55.1%；黄河流域 26 家，占 33.3%；珠江流域 6 家，占 7.7%；辽河流域 2 家，占 2.6%；闽江流域 1 家，占 1.3%；而历史上比较穷困的三北 (东北、塞北、西北) 地区和云贵，则很少有老字号传留下来。这可说明，中国最有影响的饮食老字号，集中分布在经济发达、交通方便、文化昌盛，同时又是政治中心的长江、黄河中下游以及东南

439

沿海，呈"新月"状。这轮"新月"，背靠大海，面向广袤的大陆腹地，沿着3大水系从东向西辐射，具有鲜明的示范性和顽强的生命力。

用商业文化学的理论分析，这叫"商业环境文化"。举凡经商，都离不开一定的文化环境；而且一个地区、一个民族的历史渊源、经济基础、文化习惯、乡风民俗等，还会构成商业活动的社会心理环境。特别是一些历史文化名城的道德精神环境、思想制度环境、文化艺术环境和社会风俗环境，对于经商者具有不可估量的同化力、渗透力和约束力。这样，中国便孕育出大模大样的北京商人、精明巧智的上海商人、稳中取胜的江苏商人、独领风骚的浙江商人、天赋奇才的广东商人、聪慧过人的湖北商人，还有勤俭敛财的山西商人、忠厚信义的山东商人、小富即安的河南商人、贾而好儒的安徽商人、哥们义气的辽宁商人、安土重迁的陕西商人等等。这些商人对待饮食文化的不同态度，便在一定意义上决定着各地老字号饮食店的兴衰。京、沪、江、浙、粤、鄂等地均有"酒席桌上谈生意"的传统，商人们爱吃、会吃，这一带的餐饮老字号较多，也是顺理成章之事。

1.3 从文化传统看

老字号饮食店基本上定位于市井文化的坐标上，同时也受到商贾文化、士子文化和官绅文化等的浸润。它一般具有5个鲜明的特征。其一，常是某一个家族或集团惨淡经营多少代才渐成"气候"的，在管理手段上大多带有封建家长式的作风，在技术传承上倾向于小手工业者的保守封闭性。如以家族式作坊生产红润、香醇的"腊羊肉"250余年的西安辇止坡老童家，由童承廉到童义德十多代相传，大事小事"老爷子"说了算，诚信为本，手艺"传媳不传女"，其二，在烹调技术上多有某些"绝活"，在招牌的定名上多有某些"怪招"，常以一种或几种特色风味菜点作为"拳头产品"，连锁经营，造成规模及声势，并且通过传媒扩大影响，给人一种"不吃×××等于白到××地"的导向。如号称"津门美食三绝"之首，名儿怪怪的，逆反效应暴响，现已在30多个国家和地区广设分店，财源滚滚的"狗不理"包子铺。其三，多有比较固定的市井食客群支撑，在店址选择、门面装潢、价格定位、接待礼仪和服务方式等方面极力迎合"追星族"的文化品位。不论企业规模如何扩大，传统的本色不丢；不论时代潮流如何冲击，经营的方针不变。如以挑夫、小贩、菜农、乡老为主要客源，兼顾外地人的猎奇求异心理，始终坚持勤俭创业、薄利多销、以"麻婆豆腐"唱主角的成都陈麻婆豆腐店。其四，随着城市的兴衰而兴衰，随着商潮的涨落而涨落，随着市场经济和市井需求的演变而演变，其存亡在很大程度上取决于时代风尚和运营机制的制约，决策上若有重大失误且不及时纠正，往往便会"突然死亡"。如广州的莲香楼，不论太平盛世还是离乱岁月，都是谨慎地把稳航舵充分利用天时、地利及人和，使"莲蓉第一家"的金字招牌110年巍然不倒。其五，它往往成为一个地区的市井文化景观，孕育出特异的城风、民风和食风，具有较高的旅游文化价值，被后人充分利用和宣传。凡能享此殊荣的百年老店，其"免疫力"和"再生机能"往往也较强，每每遇难呈祥，可以"仙寿恒昌"。如坐落在江苏常熟兴福景区，以"花蹊帘影""骚人墨宝""山肴野味"倾倒古今中外观光客的王四酒家。

这就说明，老字号春秋能延续长久，既靠内因，又靠外因。在某种意义上讲，它是传统饮食文化积淀的产物。这一遗产能否在大动荡、大分化、大改组的"新时期"中沿袭下来，并进入21世纪，一方面要增强自身的"基因优势"，可以成功地"克隆"；另一方面也要看经营者的识见和手段，会不会着意营造一个适宜于它再生的"小气候"，使之"雨露滋润禾苗壮"，免遭"物种灭绝"的厄运。对此，商业文化学中称之为"商品文化"和"营销文化"。它既体现在菜品的设计、生产、包装、流通、销售、发展渊源以及食客的消费习惯上，展示一个地区居民的文化水平、思维方式和鉴赏情趣；又包括牌匾艺术、幌子艺术、橱窗艺术、柜台艺术、定价艺术、广告艺术等促销手段，反映出经营者的名牌意识、服务意识、审美意识、竞争意识等哲学理念。这样，百年老字号饮食店就能做到了解市场信息化、经营定向合理化、菜点品牌优质化和推销策略科学化，可以永葆美妙之青春。

1.4 从生存状况看

目前红火风光的约占20%，较不活跃的约占30%，沉寂不振的约占40%，濒临衰亡的约占10%。相对而言，北京、上海、江苏、浙江、广东、福建等经济发达地区，老字号饮食店生机旺盛。像全聚德、杏花楼、马祥兴、奎元馆、陶陶居、聚春园，无不是车马盈门，年营业额平均在2000万元左右，最高者超亿元，雄居当地饮餐业之首。建店已有52年的广州泮溪酒家，正值"壮年"，占地12000多平方米，拥有广阔的湖面，共设30多个餐厅和2000余个餐位，

441

是我国最大的老字号园林餐厅。每天供应三茶市两饭市，服务近20个小时，接待8000余人（外宾占20%）。1997年1—10月的营业额高达5460万元，创利税426万元，分别比1996年同期增长10.9%和17.34%，堪称羊城餐饮业的龙头。而建店已有218年的苏州松鹤楼，依然宝刀不老，英气蓬勃。它占地4800平方米，有餐厅19间和餐位1000多个，特级厨师25名，"松鼠鳜鱼"和"姑苏卤鸭"等特菜名传遐迩，其厨师近年来在国内外烹饪大赛上连续捧回10多个金杯。1990年入选全国商业酒店（饭店）"50强"行列，1997年又跻身于首批36家国家级酒家（饭店）的群体，新闻媒体称之为"松鹤楼潇洒风景线"。

至于辽宁、吉林、山西、河南、江西、安徽等实力较弱的省份，老字号饮食店的发展却是相当不易。像当地著名的那家馆、太盛园、益源庆、马豫兴、道生、迎江寺茶楼，年营业额平均仅在1000万元左右，最低者还不到500万元。华北有家百年老字号餐厅，新中国成立后虽经政府几次"输血"，至今也不过500多餐位，高中级厨师相加不到20人。它的一种"当家药膳"，尽管日销售量可达600—1000份，营业额才6000余元；加之其他名菜点和名宴，每天进项很少超过1.5万元，100多名职工维持生计艰难。华中某大都会还有一家百年老字号餐厅，雄居闹市，商机鼎沸，在历史上曾是该市餐饮业的"大哥大"，名师辈出，80年代中后期职工奖金每月曾发到400—1000元，有"摇钱树"之说。近年来虽然力图重塑"金身"，但因改革没有触及体制、分配、市场、品牌质量等根本问题，只是在门面装修、媒体广告、员工条例、引进流行菜式方面下些功夫，结果是连换6位经理仍连年亏损，负债700多万元。只好在1997年年底将一楼出租作了五金市场，100多名职工被迫下岗。1998年4月又不得不与一家民营企业"联姻"，改换招牌，由个人承包经营，成为别人的"第六分店"。这又说明，老字号的衰落与否，一在于"东风"是否给予"周郎"之"便"，二在于具备不具备诸葛亮的谋略。如果没有洞察风云的能力，没有良好的运营机制和过得硬的产品，没有红火的市场与"人气"，任何老字号都将逃不脱"铜雀春深锁二乔"的窘境。因为商海行舟，不进则退，市场竞争就是这样无情！

中国艺术研究院徐城北研究员在《老字号春秋》一书和有关的讲演中，从群体的角度研究了老字号的生成、发展、高潮、衰微的规律，探讨了振兴、救治或"安乐死"的方法，并给某些老字号的文化定位及复苏策略提出了建议。他的结论有点悲观，认为老字号的"八大劣势"中有4个可吃补品，变劣为优；

另 4 个则是无可救药，"最好早点送它寿终正寝"。这一观点虽然只是"一家之言"，又过于率直，但也不是毫无道理，因为它揭示出事物发展中"物竞天择"的某些客观规律。这在商业文化学中，名曰"改革意识"和"适应张力"。因为不同的历史阶段会产生不同的商业文化；而在商品经济社会中，商业文化又是依赖商品流、顾客流、信息流、人才流来传播的。百年老字号饮食店，都是从封建社会或半封建半殖民地社会走过来的，"包袱"很重，它的文化内涵和经营经验不一定都能适应当今社会的需要。这就必须适度改革，处理好继承与扬弃、守成与创业的关系，不断用新的商业文化内涵去充实它或置换它，使之枯木逢春，枝繁叶茂。这种改革，又不能是全盘否定，推倒重来，而应当是像绍兴的咸亨酒店那样，源于传统又高于传统，万变不离其宗。这样，人们就可以由今溯古，使老字号的"谱系"传留下来。基于这一点，笔者认为绝大多数老字号都是可以"救治"的，关键是由谁去救治，用什么方法救治，救治后是否仍有"历史的烟尘"和商业文化的品位，可以不可以得到新老食客群的认同，并且经受得住市场上的风浪考验。

2 楼外楼长盛不衰的奥秘

与风头正盛的全聚德、狗不理、松鹤楼、泮溪等老字号相比，杭州西湖的楼外楼菜馆也毫不逊色。她在 1996、1997 两年各项经济指标的完成情况是（见表 1）：

表 1　楼外楼两年的各项经济指标（万元）

经济指标	1996 年	1997 年	增长率 %
营业总收入	6009.44	7110.61	18.31
总店收入	4462.64	4862.92	8.92
实现利润	824.08	1010.32	22.60
上缴税金	294.26	347.69	18.16
固定资产值	2385.0	2830.37	18.67
人均劳效	13.16	18.76	42.55
人均创利	2.43	2.66	9.46

须知，这一骄人的成绩，只是依靠一个餐饮总店、两个餐饮分店、4 家小

型连锁企业（矿泉饮料厂、水产养殖场、食品厂、贸易公司）、1200多个餐位和350名职工完成的。如果从其效益看，从1980年至1997年的18年间，其增长幅度更是惊人（见表2）。

表2　楼外楼18年效益增长情况（万元）

	1980	1983	1986	1989	1992	1995	1997
营业额	74.0	165.0	345.0	907.0	1236.0	4773.0	7110.6
经营利润	8.4	18.7	58.8	145.4	193.0	605.0	1010.3

浙江并不是全国消费水平最高的地区，杭州不是餐饮业最红火的地方，楼外楼也不是国内最大的餐馆。她为什么能够在百舸竞流的商海大潮中保持着加速度的航率，取得比许多同类型的老字号更大的成就呢？如果从商业文化学的角度进行综合考察，楼外楼在商业伦理文化、商业环境文化、商品文化、营销文化、改革意识和适应张力等方面，确实有成功之处，个中缘由，值得深思与探求。

2.1 打旅游牌，充分利用自然景观与人文景观的相乘效应

首先，应当承认，与其他百年老字号饮食店相比，楼外楼的地理位置和建筑风貌占据着环境优势，堪称寸土寸金，风光无限。

楼外楼坐落在杭州西湖风景区的腹地——孤山岛上。背依梅香鹤唳的梅屿，面向碧波千顷的西湖，左傍浙江省博物馆和珍藏《四库全书》的文澜阁，右邻蜚声文坛的俞楼和西泠印社，前有桃柳成行、芳草如苗的白堤与小瀛洲，后有挺拔俊秀、曲径通幽的保俶塔与黄龙洞，真可谓"一楼风月当酣饮，十里湖山豁醉眸"。这样的地理环境就是一幅妙笔天成的水墨丹青，含金量极高的"风水宝地"，在中国恐怕难有一家酒店能与之相匹敌。

其次，与同在西湖景区的"天外天""山外山"等酒楼相比，占据旅游中心的楼外楼更能与周边的自然景观、人文景观融为一体，并发挥出食境互涵的相乘效应。

就自然景观而言，首推芳名远播的"西湖双十景"，二是元代传留下来的"钱塘十景"，如同众星捧月，楼外楼正在"双十景"的聚焦点上，分外醒目，无论湖边漫步的游客，还是缓缓盘行的车队，都不能不对她行注目礼，留下深刻的印象。这样，楼因景传，景因人传，楼外楼的名声无形中便"靓"了起来。

二、论文

再就人文景观而言，西湖景区可以逗撩人们思古幽情的地方甚多。如堤有白堤、苏堤、杨公堤；塔有白塔、六和塔、雷峰塔；庄有刘庄、宋庄、金衙庄；庙有孔庙、钱王庙、岳王庙；寺有龙兴寺、净慈寺、宝成寺、凤凰寺、资延寺、法喜寺、法净寺、法镜寺和灵隐寺；墓有岳飞墓、牛皋墓、于谦墓、张苍水墓、苏小小墓、秋瑾墓、徐锡麟墓、陶成章墓和章太炎墓；以及南宋石经、三老石室、司马光家人卦石刻、十六罗汉像刻石、麻曷葛剌造像、飞来峰像；等等。

更可贵的是，不论水光潋滟、山色空蒙的秀色，还是千古兴亡，催人奋进的掌故，儒雅的楼外楼人都能巧妙借用，将之"入馔"，在餐桌上发挥出"寓教于食"的相乘效应。如由严光引出的"清蒸鲥鱼"，由张翰引出的"西湖莼菜场"，由王羲之引出的"掌上明珠"，由苏轼引出的"东坡肉"，由秦观引出的"油焖春笋"，由宋高宗引出的"宋嫂鱼羹"，由岳飞引出的"油炸按"，由宗泽引出的"家乡南肉"，由贾似道引出的"一品南乳肉"，由虞集引出的"龙井虾仁"，由伯颜引出的"南味烤鸭"，由乾隆引出的"鱼头豆腐"，由袁枚引出的"八宝豆腐"，由俞曲园引出的"西湖醋鱼"，由俞平伯引出的"平炸响铃"，由鲁迅引出的"虾子烧鞭笋"，由抗击日寇引出的"番茄虾仁锅巴"，由周总理引出的"地栗炒虾仁"；以及由西湖十景引出的"西湖十景宴"，由乾隆六巡杭州引出的"乾隆船宴"等。食客"不下堂筵"便能"坐穷泉壑"，无须导游可追思兴亡。

楼外楼其所以能如此，奥妙就在于充分利用了得天独厚的地利，将湖山、店堂、文化与肴馔"四美合一"，以创建"中国优秀旅游城市"和"杭州市文明单位"为载体，紧紧抓住"西湖"巧做文章，真正使"吃喝游乐教一体化"了，这在商业环境文化的演绎上可说是完美的了。

当然，能够如此，还与楼外楼的顶头上司——杭州市园林文物局的鼎力支持有关。由于他们的这种隶属关系是"天然就顺"，彼此之间无害有利，所以能有诸多方便，很少遇到"麻烦"或"扯皮"，比如在湖边开辟水产养殖场，开矿泉饮料厂，增设孤山分店与虎跑分店，租赁承包水上餐厅等。这样该店便能在经营结构中形成合理的比例（餐饮占 69.83%，饮料与食品生产占 41%，贸易占 18.76%），实现以餐饮为龙头，食、工、商互为犄角，连续发展的新的思路，从而以"岸上湖中各自奇、山肴水酌两相宜"的独特优势，将生意盘活、做大、出奇制胜。与之相比，同样具有湖面游赏资源的北京仿膳和广州泮溪，

445

只能望之兴叹了。

2.2 唱文化戏，不断增强和提高企业品牌的无形资产

据说，同仁堂、荣宝斋、茅台酒、红塔山这些企业品牌，经济专家们估算其无形资产都高达数亿元。那么，始终奉行"以文会友"宗旨的楼外楼呢？尽管没有确切的估算，应当也是与之相伯仲的。从建店时间看，它虽然仅有150载，但若论及历史渊源，至少也逾千年。浙菜研究专家吕继棠先生说她"体现着南宋时花园酒店的优良传统"（见《中国烹饪百科全书·楼外楼条》）；方志专家林正秋教授说她"楼以人名，文以兴楼，高朋满座，名人流连"（见《楼外楼》第26页）。这都是对楼外楼"以菜名楼""以文促经"的真知灼见。

第一，从菜馆的命名看，它源自南宋诗人林升《题临安邸》的诗"山外青山楼外楼"。

第二，从招牌的题写和字画的收藏看，楼外楼可以称得上是一个名家荟萃的精品博物馆。她正门悬挂的店名匾额是金石圣手吴昌硕的挚友张坚所书。至于现代书法大师赵朴初、沙孟海、尹瘦石、沈定庵等人题写的匾颠，无不力透纸背、字字珠玑。与此同时，楼外楼还精心收藏着吴昌硕、丰子恺、启功、沈鹏、溥杰、史树青、吴祖光、顾廷龙、朱关田、张宗祥、潘天寿、黄宾虹、程十发、唐云、朱屺瞻、吴湖帆、江寒汀、叶毓中、刘文西、华君武、丁聪等名家字画百余幅，价值连城。它们常在店庆或重要活动时展出，使名楼翰墨飘香，倾慕者如云，进一步提高了文化品位，创造了"不待举杯人共醉，西湖日日是芳辰"的艺术氛围，令人赏心悦目。

第三，从她与社会名流的关系看，也是异常密切的。数十年来，这里"美酒佳肴迎挚友，名楼雅座待高朋"，接待过的海内外知名人士多达数百。"人以楼聚，楼以人名"，其中蕴藏着众多掌故与传闻，是一笔重要的无形资产，可使"名接誉满三江水，佳话情连四海心。"

第四，从该店近年来举办的数十种企业文化活动看，也多以弘扬传统文化为宗旨、振兴中华为己任。例如，1992年举办的"楼外楼首届食品节"，1993年举办的"楼外楼第二届食品节"，1994年举办的"浙江饮食文化研讨会"，1995年举办的"浙江——台湾饮食文化技艺研讨会"，1997年承办的"中华名小吃认定活动"以及"西期与饮食文化笔会"，1998年举办的"创店150周

年暨亚洲饮食文化技艺研讨会"等。其中，由黄宗江、陆文夫、邓云乡、林厅澜等知名作家撰写的《楼外楼书系》和《楼外楼创办150周年豪华画册》已经出版。这些活动广邀海内外的文化名人、饮食文化专家和烹饪大师参加，研讨范围从楼外楼菜、湖上帮菜、杭州菜、浙江菜到海峡两岸饮食文化，进而拓展到21世纪的中国和亚洲饮食潮流，还有餐饮文艺，应属不同凡响的大手笔。一家菜馆，不惜投放大量的人力、物力和财力，认真组织这些有意义的商业文化活动，这在国内的餐饮大户中恐怕也是绝无仅有的。它说明楼外楼决策者高瞻远瞩的识见，及其在"文化公关"和"形象塑造"上英明的智力投资。

第五，从烹饪技艺的交流看，该店亦是站在"楼外楼不仅是杭州的、中国的，更应当是世界的"的高度，予以重视，并且导演出一台又一台的好戏。他们在引进哈尔滨的罗宋菜、辟建俄罗斯厅，引进上海、北京、广州、香港、台湾的名菜美点丰富供应品种的同时；还将目光关注世界，与多个国家的餐饮业进行更多层面的深度交流。一方面积极邀请日本、韩国、泰国、新加坡、马来西亚、印度的名厨来华献艺，开拓本店厨师的视野，增强媒体效应；另一方面又派出精兵强将出访泰国、新加坡、法国、德国、荷兰、比利时、卢森堡、美国与澳大利亚，学习国际同行的管理经验，并在新加坡举办"杭菜精品展"、与澳大利亚合办中餐厅，扩大了中国烹饪的世界影响，增强了企业品牌的社会效益和经济效益。

楼外楼还有一个"主雅客来勤"的优良传统。企业和名人的亲和力更强。新中国成立后历届楼外楼老总，多有"儒商""儒厨"之称，更是青出于蓝胜于蓝，在知识学术界广交朋友，将文化戏唱得有声有色。这也可以证明，楼外楼品牌的文化含量，既体现在景观和店貌，又体现在食肴和客流，还体现在经营者的气度和素质上，习染熏陶，店风使然。文化功能是塑造企业高大形象的基本要素，它无疑也可推动经济向高层次、高教益发展，楼外楼正是如此。

2.3 练内家功，始终坚持并发扬"湖上帮"浙菜的独特魅力

楼外楼是家菜馆，主要做餐饮生意，必须以丰美的菜点迎待宾客，创造利润。该店一直以"湖上帮"浙菜作为经营方向，把主要精力放在"宋嫂鱼羹""西湖醋鱼"等传统名菜的研制和改进上，用独创的品牌占领市场，从而保证企业的生存、发展与壮大。

浙菜的典型代表，是清鲜爽脆、秀雅济楚的杭州菜。在杭州菜中，又有"城

里帮"与"湖上帮"之别。前者用料多为禽畜和瓜蔬,粗中有细,鲜咸合一,丰盛大方而又经济实惠,由市区的杭州酒家、奎元馆、知味观、太子楼等名店领衔;后者用料多为水产和时鲜,讲究刀工,重视佐配,口味清美而又蕴含文采,执牛耳者则是湖区中风华绝代的楼外楼。

近年来,楼外楼更是乘长风破万里浪,不断丰富"湖上帮"浙菜的内涵。通过承前启后、革故鼎新,一方面大抓 500 余款传统菜式的质量,使之精益求精,形成以"西湖醋鱼""龙井虾仁""叫化童鸡""莼鲈之思"为代表的"老十大名优品牌"系列;另一方面又推出 200 多种创新菜,吸引更多的食客,用"柠檬脆牛柳""鲍鱼扣肥鸭""虎跑素火腿""元鱼煨王鸽"等建构"新十大名优品牌"阵容。尤其是"西湖十景宴"和"乾隆船宴",湖光山色席面辉映,古今名肴珠联璧合,跃升到一个新的高度。

当今以楼外楼名馔为主导的"湖上帮"浙菜的风味特色是:一以鱼虾菜和时鲜菜为主干,重视物料的鲜、活、肥、嫩与天生丽质,筛选严格,层层把关,务求清新怡人,迎合当代人"尝鲜为快"的心态。二按科做菜,物尽其用,应时而异,因客而变,确保刀工之精细与佐配之科学,以火候神妙、味感新奇和一菜一格展示诱人的魅力。三古为今用,洋为中用,广开菜路,顺应时尚,师承百家而又坚持自己的特色,艺通四海而又不为四面进逼的沪菜、苏菜、徽菜、闽菜所左右,在竞争中求生存,在继承中开新路。凡此种种,就保证了楼外楼菜的相对稳定,品牌不变形;"湖上帮"风味千年延续,永葆美妙之青春。

特别值得赞许的是楼外楼人的自信、自立、自强精神。近年来饮食市场新潮蜂起,怪招迭出,而楼外楼则是"任尔西北东南风,咬定青山不放松",始终坚持走自己的路,兢兢业业将"湖上帮"浙菜发扬光大。这告诉人们,餐饮业(尤其是老字号)切勿轻易"转产""改向",要珍视自己的"家谱",爱惜自己的"祖业"。只有勤练内家功,多出特色菜,才能在风云多变的市场竞争中稳操胜券。

2.4 做弄潮儿,运用科学管理方法锲而不舍地"修谱"

许多经验证明,百年老店欲想重创辉煌,既要继承传统,正确定位导向,又要开拓进取,增强自身活力。改革开放以来,楼外楼人在实践中不断探索,寻求突破,努力实现"四个一流"(服务设施、服务水平、卫生标准、员工队伍),

二、论文

逐步形成"勤奋、求实、创新、开拓"的企业精神，并将其贯穿到日常的各种经营管理中去，使企业的全部活动都纳入规范化和制度化的科学轨道，从而保证了名楼青春常在、谱系百年永存。

第一，始终坚持"质量第一、信誉第一、宾客第一"的服务宗旨，强化管理，以"内宾面前我代表杭州、外宾面前我代表中国"的清新形象，出现在西湖之滨。

在基础管理方面，要求滴水不漏。全店牢固树立"为一线服务"的思想，在人事管理、财务核算、质量检查、后勤保障、工程维修、消防内保、安全生产、物价计量、清洁卫生等各个环节，都做到了管理到位，措施得力。发现问题，及时整改，整改率务求100%，以保证全店经营秩序正常而有效。与此同时。还拉大岗位技能工资的幅度，奖金分配向"当桌服务员和当桌厨师"倾斜，真正体现出"责任重、劳动多、风险大、报酬丰"的分配原则。

在强化服务方面，要求以"全优"作为标杆。一方面公开烹饪号码，推行"厨师长高薪聘任制"和"厨师下岗制"，形成厨师岗位的竞争机制，进一步提高菜品质量；另一方面要求服务员用端庄的仪表、甜美的微笑、温馨的话语和暖人的情怀，营造"宾至如归"的环境，塑造企业形象，完善人际关系。

在队伍建设方面。要求"以人为本"。楼外楼的领导者深知"企业的竞争最终是人才的竞争"，矢志不渝地从敬业精神、价值观念、质量意识、技艺水平、历史传统、文化积累以及企业行为规范等方面，培养一支优秀的队伍。通过"先锋工程"，组建"四有（勤政、公仆、开拓、自律）意识"的各级领导班子，使正气上扬、歪风敛迹；通过"凝聚力工程"，从婚恋、子女、住房、医疗、读书、文体、旅游、休假等方面关心职工，使人人爱岗、乐于奉献。现在全店拥有30名特级厨师、46名服务技师和能满足企业发展需要的各项专业人才，大小活动不求于人，处处方便。

第二，始终保持"花园酒店"的品牌特色，不断注入现代科技气息，源于传统又高于传统，方方面面都让顾客看得惯、信得过、忘不掉。

在店容美化上，他们装修不改本色，做到了"整旧如旧、创新出新、古今相承、中西协调"，给人以景美室雅的舒适感、亲切感和愉悦感。

在工艺改进上，他们菜点不变风味。近年来尽管引用众多新原料、新设备、新技法、新口味，推出"西湖醋鱼王""盼盼游西湖""双味脆梅""橙汁鸡腿""乌

449

龙赏目""一帆风顺"等新菜，始终还是"严把三关"：一是鲜，即严格进货，层层检查，决不使用次品原料和假原料；二是准，即配料不缺，用量及核算准确，务求货真价实、诚信无欺；三是精，即选料精严、切配精细，烹调精致，装盘精巧，确保色、香、味、形、器、名、时、养 8 美兼备，展示楼外楼"湖上帮"浙菜的芳姿。

在接待礼仪上，始终坚持"站立迎宾、微笑致意、导引安座、敬茶奉巾、斟酒分菜、介绍特色、巡台照应、掌握节奏、为客结账、准确迅速、礼貌道别、热情相送"等为中华民族所喜闻乐见的服务程序。老老实实经营，规规矩矩服务，靠真本事赚钱，靠好传统扬名。

在企业定向上，他们经营不赶时髦。该学的东西则学，如全面质量管理、现代食品科技、中外饮食民俗、营养卫生知识，以及英语、日语、普通话和粤语等。该抓的业务则抓，如婚宴、寿宴、小吃、套餐、散客点菜、团体包餐、上门服务等。至于其他方面，则谨慎从事。

第三，科技兴店，不断完善产业布局，寻求新的经济增长点，增强自身的综合实力。

楼外楼是一家历史积淀深厚、以手工操作为主、受季节和游客限制、盈利并不容易的中型老字号餐饮企业。在社会主义市场经济的条件下，欲想生存和壮大，一不能等，二不能靠，三不能要，只可自力更生、奋发图强，积极培育新的经济增长点，有质量有目标地推进着经济稳步、高速的增长。

近年来，在饮食高消费萎缩的市场制约下，在外资企业和民营企业的进逼下，许多老字号国营餐饮业举步维艰。有的转轨了，有的合营了，有的被兼并了，还有的倒闭了，楼外楼同样面临着何去何从的问题。如果转产，不说凭借天时、地利，就是那块地皮和楼宇卖掉，全店职工也可以坐吃 20 年；但是他们没有那样做，因为谁也不想当败家子，被子孙后代鄙弃。唯一的出路是在经营策略上想办法，将沿袭已久的经营结构从筵席消费为主转向散客消费为主，从面向外宾、归侨和高薪阶层为主转为面向一般游客和普通市民为主。为此，他们采取了 3 项有力措施：一是抓好周一至周五和冬天的淡季生意，开放包厢，随意点菜，抛掉部分大圆桌，对常客给予优惠，几十元的买卖也做，并且和几百元、几千元的买卖一样热情。二是取消服务费，让利于顾客，吸引大批低消费者，始终保持"人气"的旺盛。三是名特菜和家常菜兼顾，高档菜与中低档菜并举，大件、中件与小件齐上，真正放下名酒楼的架子，一切都以市场的需求为转移。实施的结果是，仅 1000 多餐位的总店，1997 年仍然抓住了近 70 万的客流以及 4680.92 万元的营业额，平均每天的进餐者约为 1900 人，营业额 12.55 万元（其中一般游客和普通市民的消费约占 40%），这在全国的餐饮大户中也是不多见的。

与此同时，他们还利用自身的优势，引进技术人才和设备，积极发展与西湖、楼外楼、"湖上帮"浙菜相关的产业，寻求新的经济增长点，集团作战，相互支撑，使产业布局渐趋合理，自身实力日益增强。例如：通过建立水产养殖场，不仅保证了鲜活鱼虾的供应，降低了成本，还能支援菜市场和兄弟酒店，取得了主要原料供应的主动权；通过建立饮料厂和食品厂，推出虎跑矿泉水与楼外楼中秋月饼，还有真空包装的叫化童鸡、东坡肉、酥鱼和瘦火腿，不但增加了收入，还使这些名品走出杭州，扩大了楼外楼的知名度；通过开办贸易公司，自产自销，减少中间环节，既便于名优尖新产品的推广，又能获取更多的经济效益。1997 年，这 4 家下属企业的产值为 2145.27 万元，约占集团总产值的 30.75%，相当可观。

3 结语

打旅游牌，唱文化戏，练内家功，做弄潮儿，这就是楼外楼长盛不衰的全部奥秘，也是实施商业文化学的成功范例。楼外楼人开店经商，一向是以民族饮食文化作基石，加进外来的进步文化和现代科学技术成果，还将商品意识和商品经济糅合进去，适应当代中国的国情、社情和民情，从而形成一个比较完美的运行机制。一方面"在商言商"，按商品经济和市场规律办事，推出名、精、特、新产品，扩大市场的占有份额，做出声势，做出信誉，做出效益；另一方面"以文促商"，深刻理解商品生产和流通领域中形形色色的文化现象，善于用文化的方式向不同文化背景的人推销具有文化属性的商品。使人与人之间达成共识、物与物之间交换通畅。这样，楼外楼就能随着商品经济的发展而发展，随着改革开放的完善而完善，随着社会整体文化水平的提高而提高，随着西湖风物的日益繁盛而繁荣。

【文章来源】陈光新：《从"老字号"看"楼外楼"》，《中国烹饪研究》，1998 年第 2 期

45. 杭帮菜发展浅析

摘要：本文分析了"杭帮菜"存在的问题，在此基础上，给出了解决对策，认为发展中餐饮需要做好如下几方面的工作：提高品牌意识，塑造具有地域特色的杭帮品牌形象；营造良好就餐环境，提升服务水平；不断学习，提高厨师创新意识。

关键词：旅游业；杭帮菜；品牌对策

一、引言

在杭州，每个来到杭州的游客，一定会来品尝杭州的特色菜，"杭帮菜"必定是首选。今天的"杭帮菜"就是"迷宗菜"。"杭帮菜"的定义："杭帮菜"讲究清、鲜、脆、嫩的口味，注重原汁原味，选料时鲜，食料大众化，制作精细，色彩鲜艳，色、香、味俱全，品种繁多，价格适中。但是，饮食行业又是不断在竞争的，在同一时期，我国所有的大中城市都经历过两次大的外来菜系冲击本地菜系的风潮，一次是川菜，一次是粤菜。冲击之后便是川菜、粤菜打败本地菜系。"杭帮菜"却在这两次冲击面前波澜不惊，2000年以后，一大批"杭帮菜"餐饮知名企业，通过资本积累，打造出了一批"航母"级的超级餐馆旗舰店。但是，"杭帮菜"如今面临一系列的问题。

二、"杭帮菜"存在的一些问题

1."杭帮菜"的生存空间受冲击

"杭帮菜"曾实行低价路线，以20%~30%的毛利掀起的低价风暴。但是现在海派菜馆、宁派菜馆也以低价叫板"杭帮菜"，他们现在甚至比"杭帮菜"卖得更便宜，挂着菜价3元起、饮料1元起横幅的海派餐馆已是随处可见，从而导致经营利润下降，亏损面扩大。

2."杭帮菜"的菜品的创新落后

菜品的创新是整个菜系得以蓬勃发展的根本。"杭帮菜"当初能受到大众欢迎，正是因为它师承各帮，不断在守成中创新，总结中提高，继承中发展。而"杭帮菜"在赢得了市场之后，就躺在这点成绩上睡大觉，例如在2008年，楼外楼餐厅的销售额达到1.5个亿，5道当家名菜：东坡肉、宋嫂鱼羹、龙井虾仁、叫化鸡和西湖醋鱼的销量占了其中55%的份额。由于当时的生意供不应求，这些三四年的厨师也因此缺了菜肴创新的动力，认为自己已是餐饮界的头把交椅。据有关人士分析：作为一名杭帮菜的大厨，他们几乎天天忙着生意，没有空闲时间进修，因此厨师的文化水平和功底就有了限制。但创新是硬任务，于是就没有了章法，有些创新菜就变成了大拼盘。

3. 品牌缺少产品支撑，未能形成具有强势品牌的餐饮企业

在旅游行业中，最欢迎的"杭帮菜"是5道当家名菜，新推出的"杭帮菜"都不被旅客认可。原因有杭帮菜餐馆相互之间的过度竞争，互相封锁，各家店都力推自己的新杭州名菜，不太愿意卖别人的新杭州名菜，特别是大店，还有面子观念，所以新杭州名菜在某种程度上成了一店之名，店关菜也死。城隍酒楼的"吴山鸭舌头"，顺风大酒店的"白沙红蟹"，福禄寿大酒店的"砂锅鱼头王"，环湖大酒店的"双味鸡"，宝大酒店的"蒜香蛏鳝"，海上明珠大酒店的"过桥鲈鱼"，港航大酒店的"风味牛柳卷"等新名菜都随着酒店的歇业而有名无实。据调查，在首届中国美食节上评选出来的48道新杭州名菜，经过短短的三年多时间，至今仍能在餐饮酒店里见到的不足半数，已有的新杭州名菜陷入了香火难续的窘境，实在是杭帮菜的巨大损失。

4. 产品线过长，同质化竞争严重

如果我们将饭店分为大酒店、中档酒店与小吃店三类的话，大酒店无疑为"杭帮"餐饮的代表。对这些酒店的经营管理方式加以分析，就可以看出"杭帮"餐饮存在着非常严重的同质化竞争问题。这突出地表现在如下几个方面。（1）店面规模求大；（2）装潢求高；（3）菜肴品种求全；（4）价格定位趋同。随着杭州餐饮业的发展，"杭帮"餐饮中的大型酒店的面积与装修档次越来越高。十多年前，杭州还没有一家能容纳下100桌酒席的饭店。而现在不论是在杭州还是在外地的"杭帮菜"的代表性酒店，营业面积动辄在5000平方米以上，甚至达10000多平方米，如：在杭州的原"五环喜乐"面积达13000平方米；名人名家萧山店的面积达8000平方米；戴记农庄在上海的酒店有一万多平方米的营业面积；"张生记"在南京市中心的新街口开设了5000平方米酒店；"红泥"在南

京的一家酒店占三层楼，有100个包间，2000多个餐位，营业面积达12000平方米。与这些酒店规模相应的，这些酒店的装潢也非常考究，红泥在南京的那家店的装修就用了4000多万。在竞相攀比提高酒店的装修档次的同时，"杭帮"餐饮还普遍采取了低价路线，将毛利定在20%~30%。而在各家酒店提供的菜肴方面，各个酒店除提供具有杭州特色的数十款典型的杭式招牌菜外，还普遍提供其他菜系的一些菜肴，几乎每一家酒店的菜肴都在200种以上。但真正给消费者留下深刻印象的并不多，正如有的消费者指出的那样："这些大酒店吃来吃去，无外乎老鸭煲、烤菜之类，别无新意。"

三、发展杭帮菜的策略

1. 提高品牌意识，塑造具有地域特色的"杭帮"品牌形象

自南宋以来的，历经一千多年的历史积淀，杭帮菜形成了以"叫花子鸡""西湖醋鱼""东坡肉""宋嫂鱼羹"等为代表的精品老杭菜，它们撑起了具有区域特征的"杭帮"品牌，当然改革开放后新开发出来的48道杭州名菜对该品牌形象进一步进行了充实。"杭帮菜"这几年能风靡全国，正是基于这一具有区域特色的"杭帮"品牌。同时在"杭帮菜"的经营方面，我们也再度看到了浙江经济赖以成功的法宝——集群化经营。这样，不仅是减少了经营的风险，而且可以取长补短，创造双盈的局面，另外，无意中共同打造了"杭帮"餐饮这一具有地域特色的品牌。

2. 营造良好就餐环境，提升服务水平

杭帮菜在硬件设施上已经走在全国餐饮企业的前列，但在餐厅的装潢材料的选取上应对中餐餐饮的特点有更多的考虑。为了避免现有装潢条件下，每隔几年，因为就餐环境恶化需要停业进行重新装修的局面，杭帮餐饮完全可以采用一些新的装饰方式对餐厅进行装修。事实上，如果采用户外广告更换模式对餐厅墙壁采用壁纸装潢的话，需要更换时只需将壁纸更换掉，就完全可以在不影响营业的情况下，为顾客营造焕然一新的就餐环境，必会大大提高"杭帮"餐饮企业的效益。

3. 适应市场环境，在经营管理模式上功夫要做足

目前"杭帮菜"急需解决的问题：落后的经营管理模式导致了餐馆的定位不够精细，缺乏有特色的东西。杭帮菜适应市场环境，打造自己的精品店。所谓精品店不仅是菜肴上要有特色，装修上够豪华，更要在服务上下苦功，让顾

客感受到无微不至的关怀和照顾。如海派精品名店"玉麒麟"就以一流的服务，精致的环境广受食客赞誉，杭帮菜也可以学习。

4. 不断学习，提高创新意识

杭帮菜在餐饮业不断进步，提高菜肴的水平也是至关重要的一点。这一点和厨师的文化水平和厨艺是分不开的，要有危机意识。因此，在盈利的基础上，也要提高厨师的创新动力，提供进修的平台。创新是核心，是杭帮菜不断前进的动力。但是创新并不是没有章法，不能把创新菜变成大拼盘，而是要在守成中创新，挖掘自己特色总结中提高，继承中发展。在上海的虹口体育场开过的中小规模的得味轩很有市场，因为管理成本下降，加上菜肴利润的提高，现在这 1000 平方米的餐厅居然做出了原来 5000 平方米的利润，对经营者来说，更加有利可图。

5. 打"文化"牌，推出以宋文化为背景的"杭帮菜"

"杭帮菜"之所以能够得到发展，依赖于一定的传统文化基础，而新"杭帮菜"的发展，其最终的基础还是传统文化的基石。例如"杭帮菜"中"西湖醋鱼"，相传出自"叔嫂传珍"的故事，最终"西湖醋鱼"也就随"叔嫂传珍"的美名不衰地流传至今。另外，"杭帮菜"可以追溯到距今一千多年的南宋，有上千年的历史，而南宋在杭州一百多年历史，使得杭州的本土文化也因此变成了以宋文化为主体。所以，现在到了杭州更可以领略到原汁原味的大宋文化。可以推出以宋文化为背景的新"杭帮菜"，那样不仅可以促进杭帮菜的不断发展，也是逐渐在推动旅游业的发展，带动新一轮寻找宋文化古迹的线路。

参考文献

[1] 陈永清 . 杭帮菜的发展与思考 [J]. 扬州大学烹饪学报，2004.

[2] 袁安府 . 从"杭帮菜"看中餐餐饮的困境与对策 [J]. 江苏商论，2006.

[3] 卢荫衔 . 杭帮菜你凭什么打天下 [N]. 每日商报，2005.

[4] 赵艳丰 . 菜单定价策略细思量 [J]. 中国烹饪，2009.

【文章来源】李鑫：《杭帮菜发展浅析》，《商业现代化》，2010 年第 20 期

46. 非遗传承背景下现代杭帮菜传承人培养模式探索

摘要： 杭州市中策职业学校与企业合作设立"杭帮菜传承人班"，依托"行会驻校、名企订单"校企合作深度融合的专业建设优势，将杭帮菜非遗传承人培养有机嵌入餐饮服务集群的人才培养体系。通过结构化设计，创新运用现代学徒制，从非遗人才培养目标、培养环境、培养内容、培养标准入手，耦合"目标定位、运行策略、支持保障"三大系统，实施杭帮菜非遗传人与烹饪专业人才一体化培养。通过"收徒—学艺—出师"三个典型环节设计，构建项目化的管理模式、师徒式的师生关系、开放性的教学环境、交替式的学习方式、小型化的组织形式和全方位的教学内容，积极探索和推进现代学徒制。

关键词： 中职；烹饪专业；杭帮菜；现代学徒制；非遗传承

《中华人民共和国非物质文化遗产法》明确要求，学校应当按照国务院教育主管部门的规定，开展相关的非物质文化遗产教育。有着千年历史底蕴的"杭帮菜烹饪技艺"于 2007 年被列入浙江省非遗传统手工技艺名录，是杭州市中策职业学校学生必须传承和发扬的本土非物质文化遗产。2013 年，杭州市中策职业学校与百年老店杭州知味观合作，设立"杭帮菜传承人班"，开展杭帮菜传承人培养，历经"自主探索—订单试点—创新开班—持续发展—模式成形"五次跨越，最终形成了中职学校杭帮菜传承人培养模式，培养了一大批具有工匠精神和国际视野的杭帮菜传人，为服务区域经济做出了积极贡献。2018 年，学校的实践成果《践行现代学徒制蕴育非遗传承人——现代杭帮菜传人培养模式创新实践》获得职业教育国家级教学成果二等奖。本文在介绍现代杭帮菜非遗传承人培养的现实背景和具体实践内容的基础上，对非遗背景下中职学校现代学徒制人才培养模式提出若干策略性建议。

一、现代杭帮菜非遗传承人培养的现实背景

杭州市中策职业学校烹饪专业成立于 1983 年，现烹饪专业以"专业（部）办公室"为管理载体，下设中式烹饪和西式烹饪两大专业，是浙江省烹饪专业教研大组理事长学校。自创办 36 年来，学校始终致力于为杭州餐饮业输送高质量的技术人才，培养技术全面、德艺双馨的烹饪师，至今已为社会输送了近 7000 名具有中、高级证书的中式烹饪师、中西面点师、西式烹调师、营养配餐师，被誉为浙江"现代烹调师的摇篮"。

近年来，在杭州市政府的引导下，杭州市餐饮业形成了投资主体多元化、经济成分多样化的繁荣局面。历史悠久的杭帮菜短短几年立足杭州，辐射周边，风靡大江南北。杭帮菜的火爆，使得杭帮菜传承人越发紧俏。但是杭帮菜传承人的培养存在培养机构缺位、培养模式效率低、培养内容缺乏、培养标准滞后等诸多问题，满足不了市场需求，更无法满足人们对杭帮菜营养、口味、视觉等方面的高规格需求，因此，培养一支高质量的传承人队伍迫在眉睫。在这样的背景下，2013 年 9 月，杭州市中策职业学校与杭州知味观联手打造的"杭帮菜传承人班"正式开班。

二、现代杭帮菜非遗传承人培养的实践探索

"杭帮菜传承人"的培养目标是德艺双馨的"儒厨"，因此对于传承人，要求其不仅关注杭帮菜烹饪技艺的传承，而且要具备鲜明的地域餐饮文化特征和正确的职业价值观——工匠精神。为了破解杭帮菜传承人培养过程中面临的问题，实现人才培养目标，杭州市中策职业学校在省、市行业协会和杭帮菜研究会的引领下，通过烹饪专业学生核心素养调研，将杭帮菜非遗传承人培养有机嵌入餐饮服务集群的人才培养体系；通过结构化设计，创新运用现代学徒制，从非遗人才培养目标、培养环境、培养内容、培养标准入手，耦合"目标定位、运行策略、支持保障"三大系统，实施杭帮菜非遗传承人与烹饪专业人才一体化培养；通过实践探索，全新构建了基于非遗传承、聚焦核心素养、融合现代学徒制的杭帮菜传承人"三维三环四标六共"人才培养模式。

该模式多元分解现代杭帮菜传承人的培养目标定位，即传承"古法＋本味"非遗技艺，将匠心、创新融入现代餐饮体系标准，具备新媒体传播手段，重塑

"传承、创新、传播"三维目标；优化"收徒、学艺、出师"三个环节；重组内容嵌入非遗"四模块"课程标准，搭建平台创设传承人培养三维空间，聚焦素养确定传承人"四合一"评价标准，全面保障现代学徒制的运行；培养过程凸显仪式共承、资源共享、多师共导、多途共举、多方共评、多元共融的"六共"特色，如图1所示。

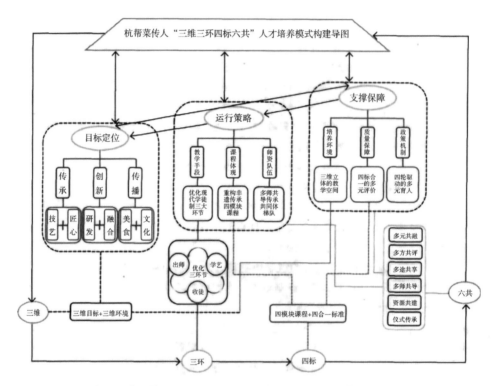

图1 "三维三环四标六共"杭帮菜传承人培养模式导图

（一）多元分解，重塑杭帮菜传人培养三维目标；搭建平台，创设传承人培养的立体化三维空间

学校在分析餐饮行业需求和调研烹饪专业学生核心素养的基础上，多元分解现代杭帮菜非遗传承人属性特征：技艺传承、研发创新和文化传承；重塑现代杭帮菜非遗传承人"传承—创新—传播"三维开放的培养目标；传承目标突出非遗技艺传习和工匠精神培养（技艺＋匠心），创新目标突出菜品研发和创新能力培养（研发＋融创），传播目标突出美食推广、饮食文化传播和国际视

二、论文

野培养（美食＋文化）；明确目标构成要素，搭建多元化平台，创设"教室＋空间""基地＋工作室""场馆＋平台"三维立体的教学空间，为杭帮菜非遗传承人培养指明方向和着力点。

首先，根据"技艺＋匠心"的传承目标，构建"教室＋空间"的教学环境；根据"研发＋融创"的创新目标，构建"基地＋工作室"的教学环境；根据"美食＋文化"的传播目标，构建"场馆＋平台"的环境，实现培养目标和培养环境的有机结合。

传承人的"传承"目标（技艺＋匠心）通过构建"教室＋空间"的方式来实现。其中，教室是指"企业教室"，主要开设企业学徒课程、部分专业核心能力课程和顶岗实习课程，采用现场教学的方式，由非遗大师、企业师傅、学校专业教师或学长担任教师，多师共导。"企业教室"的教学活动具有鲜明的企业特色，现场教学，按照"用工季节性"时间和"一天作息规律"开展"忙时实习，闲时学习"的分段式课程教学。例如，安排学生在酒店业务比较繁忙的五月和十一月进入"企业教室"学习，忙时（10—13点、16—18点）进行生产实训，闲时（14—16点）在"企业教室"进行文化课专业理论学习和体育锻炼。

"空间"特指"透明厨房"和"云课堂"。"透明厨房"开设专业核心能力和职业核心素养类课程，采用网络微格、理实虚一体的方式开展教学，学生教师和企业师傅"双师"共导。根据学校与知味观共同开发的"杭帮菜教学菜谱"，拍摄微课视频，创建学"云课堂"，并通过中策烹饪 App 传送给学生。采用网络学习、移动学习的方式，突破传统学徒制技能传承"点对点"劣势，展示现代信息技术"点对面"的培养优势，实现双向实时交流、校企远程教学等功能，使得教学资源得到更大程度的共享，学生的自主学习、网络互动能力得到进一步提升。

其次，利用"基地＋工作室"的教学环境完成创新能力目标培养。其中，基地指"杭帮菜非物质文化遗产传承基地"。在基地中，学校承办各类烹饪文化活动，学生成为宣传员、志愿者和讲解员，宣传杭帮菜非遗知识，在传承中保护中国传统饮食文化。民间艺人、机构人员、学校专业教师和非遗传承人均可成为基地的师资力量。工作室专指胡忠英大师工作室，由中国烹饪大师、浙江省餐饮终身成就奖获得者、杭帮菜研究会常务副会长胡忠英大师领衔，学校专业教师团队和学生团队共同参与，产学研训一体，通过专业培训、菜品研发、

459

竞赛辅导、订单生产和美食培训，提升学生实战能力和职业素养，作为传承人培养的有益补充。

最后，依靠"场馆＋平台"来实现"美食＋文化"的传播目标。场馆指烹饪艺术博物馆、烹饪剧场，平台指杭州电视台拍摄基地和涉外访问点。学校建设"杭之味"发展共同体，设立"烹饪剧场""杭州电视台美食拍摄基地"。与电视台生活频道合作，办"中华美食风云会"等电视直播节目；通过美食真人秀、厨艺大比拼、微公益活动、厨王擂台赛等，将杭州、学校、师生、杭帮菜餐饮的特色，呈现给全国各地的人民，进而不断扩大杭帮菜的知名度和影响力。

学校和知味观作为传承人培养的两个主要场所，发挥各自优势，构建阶段递进"一日体验、一周始业、一月见习、一年顶岗"的教学模式，即升学体验阶段安排一日参观体验知味观；高一第一周始业教育进入知味观"企业教室"；高一下学期和高二上学期各安排一个月的"企业教室"现场学习；在高三顶岗实习期间，前六个月轮岗培训，实习内容课程化，按岗、按时分组轮换，第二阶段为定岗、顶岗，确定工作岗位，为就业做准备。

（二）融合现代学徒制三大典型环节，全方位优化杭帮菜传承人培养过程

学校充分发挥校内外实训基地、非遗传承基地、大师工作室等功能，优化现代学徒制的收徒学艺和出师三个典型环节，融合非遗传承人培养过程和现代学徒制组织形式，全方位组织非遗传承人培养过程，实现学生、学徒和传承人的无缝对接。

具体而言，收徒环节旨在孕育学生匠心，采用"嵌入非遗订单＋师徒结对仪式"的形式，确认学生的传承人身份。收徒阶段主要为学生入学后的第一、二、三学期，第一学期学生学习餐饮集群课程，第二学期的课程嵌入非遗模块，第三学期学生自主选择、确定所学的传承内容。学艺是传承人培养过程的重要环节，在三维教学空间中采用多师共导的方式，共育传承人，完成传承内容的教学。学艺环节采用项目化管理的方式，将整个传承人班级分成若干个项目组，每个项目组由4—5名学生组成，包括一名项目负责人（学长）、一名指导师傅、一名专业教师。在"企业教室"根据工作岗位进行轮岗学习，轮岗流转规范，完整有序。下表即为高二上学期学生在"企业教室"的岗位轮转表，学生通过一个月的岗位轮转，可熟悉岗位相关菜点的原料、切配、打荷、制作、出品。

表1　知味观总店杭帮菜传承人一月岗位轮转表

组别 \ 周次内容	第一周		第二周		第三周		第四周	
	周二—周四	周五—周日	周二—周四	周五—周日	周二—周四	周五—周日	周二—周四	周五—周日
第一组	〓@	◉※	◎*	⊙%	▽&	■	☆★	◇▽
第二组	◉※	◎*	⊙%	▽&	■	☆★	◇▽	〓@
第三组	◎*	⊙%	▽&	■	☆★	◇▽	〓@	◉※
第四组	⊙%	▽&	■	☆★	◇▽	〓@	◉※	◎*
第五组	▽&	■	☆★	◇▽	〓@	◉※	◎*	⊙%
第六组	■	☆★	◇▽	〓@	◉※	◎*	⊙%	▽&
第七组	☆★	◇▽	〓@	◉※	◎*	⊙%	▽&	■
第八组	◇▽	〓@	◉※	◎*	⊙%	▽&	■	☆★

备注：■一楼面点房堂食　★二楼点心房　△二楼切配　◎二楼打荷　☆二楼冷菜间　@二楼蒸灶　◉二楼烤鸭房　※水果间
●三楼切配　⊙三楼打荷　▽四楼打荷　◇四楼切配　〓四楼蒸灶　%三楼灶台　&四楼灶台　*二楼灶台

出师环节通过"多元评价＋信息化管理"的方式，评价"传承质量"。学校以烹饪专业毕业学分标准、核心素养标准、技能考核标准、西餐西点结构化标准（即毕业证、中级工证书、传承人证书、国际资格证书）为要求，通过自评和他评相结合、过程和结果评价相结合的方式进行学生出师考核评价。评价过程中，借助信息化管理手段，如电子档案袋、校企通平台等，为进一步的考核评价提供依据。

（三）重组内容，嵌入非遗"四模块"课程标准; 聚焦素养,确定传承人"四合一"的评价标准

为实现形式和结构标准化，在省、市行会和华东师范大学科研团队的具体指导下，学校组织开展行业调研和专家研讨，制订《现代学徒制杭帮菜传承人培养方案》，确定课程标准框架，并于2013年5月与知味观签署杭帮菜传承人培养协议。根据浙江省课改精神，实施培养计划，高一第一学期集群课程，第二学期嵌入企业学徒课程，高二阶段确定专业学习细分方向。

学校与企业共建课程，重构专业"公共基础＋专业核心＋企业订单＋多样选修"的课程体系（见图2），形成传承人培养嵌入式的"非遗文化课程＋非遗技艺传习＋非遗创新课程＋非遗传播课程""四模块"非遗传承实践型课程

体系（见图3）。

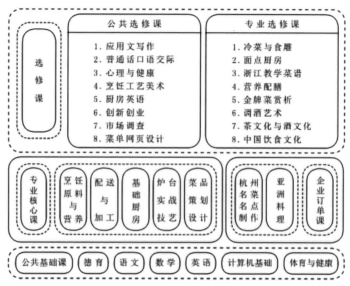

图2 中餐烹饪与营养膳食专业课程体系基本框架

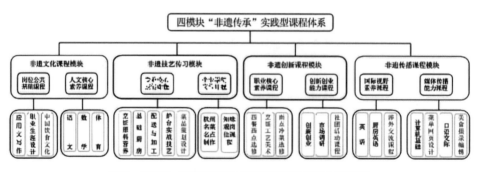

图3 四模块"非遗传承"实践型课程体系基本框架图

学校与企业共建传承人培养标准，以"双证融通、两考合一"为关键点，整合形成杭帮菜传人核心素养标准（四维十六项）、技能考核标准、国际认证结构化标准和毕业学分标准，形成"四合一"的杭帮菜传承人评价标准，如图4所示。

二、论文

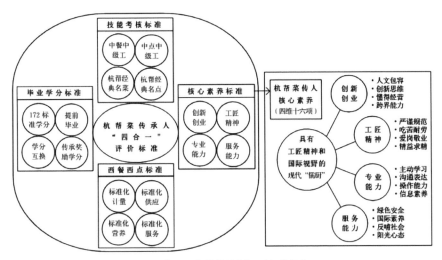

图4 "四合一"的杭帮菜传承人评价标准

构建传承人技艺传习和能力素养考核评价体系，如图5所示，并在评价过程中引入网络信息管理和一系列西餐西点（配方定量、制作定时、供应定温、服务定序）结构化标准，创新杭帮菜制作标准。学生同时获取毕业证书、中式烹调师中级工证书、意大利西点证书和杭帮菜传承人认证证书，做到"四证"齐全，实现"四标合一"。

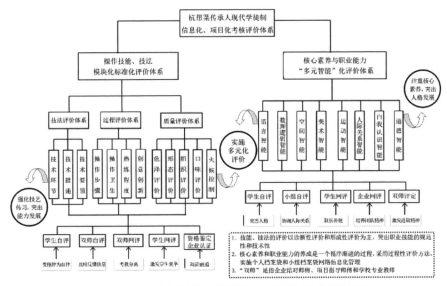

图5 现代学徒制杭帮菜技艺传承和素养能力考核评价体系

463

（四）注重仪式共承、资源共建、多师共导，凸显多途共举、多方共评、多元共融

整合传统非遗传承人和现代学徒制培养的优势，通过"政府驱动、行业指导、学校主导、企业主体"实现主体多元共融；通过"非遗大师、企业师傅、学校教师、传承学长"梯队建设实现多师共导；组合运用长短学制、现场教学、网络微格等现代教学技术和方法，多途并举提升传承效率；校企开发课程资源（杭帮菜教学菜谱、南宋菜、G20峰会菜、网络微课），实现共建共享；科学运用分层递进、教学诊断等管理手段，实现传承人的多元评价和质量监控。

学校和企业十分注重通过师徒结对，浙菜文化代代传导式提升学生的职业归属感和文化认同感。例如，从高一开始，学校与知味观根据学生的专业特长、表现情况综合评估，结合学生志愿，选拔出 16 名学生，分两个阶段实施师徒结对仪式。结对师傅都是知味观的顶尖大师和行业翘楚，这些师傅不仅要把学徒造就成技术熟练的劳动者，进行职业道德教育，通过言传身教，培育职业精神，而且要使学徒成为符合道德标准的合格公民，突破学校教育（特别是德、技的分离）的局限，全面促进传承人核心素养养成。

三、关于中职学校践行现代学徒制培养模式孕育非遗传承人的建议

随着工业化和信息化时代的来临及社会生活的变迁，许多非遗传统手工技艺传承正面临后继无人的严峻挑战。国家政策积极倡导并鼓励中职院校参与到传统手工技艺非遗传承中来，深化产教融合、校企合作，改革非遗传承模式，探索现代学徒制培养非遗传承人的新路径，担任起传承优秀民族文化的重任。学者结合学校杭帮菜传承人培养实践经验，从教育传承的视角出发，汲取国内相关院校成功样本，就如何基于现代学徒制更好地传承非遗传统手工技艺，实现"活态传承"提出以下建议。

（一）机制保障：服务区域，"政企校一体"，为非遗传承落地保驾护航

中职学校应根据本校各相关专业的特色与优势，结合本区域丰富的非遗文化，通过深化校企合作、整合非遗项目相关资源，改变非遗传统手工技艺单线

二、论文

传承的传统模式，引进、消化、吸收非遗文化精髓，组织专业教师、行业专家和非遗传承人在引非遗项目入校方面进行深入探究，建设校内外非遗实训基地，构建"学校、行企、政府、传承人"四方合力的非遗传承工作机制，制订非遗项目人才培养方案，打通非遗传承人在中职院校的培养途径。例如，杭州市中策职业学校"杭帮菜传承人"现代学徒制试点在加强与行业协会联系方面尤为突出，与浙江省餐饮协会、杭州市杭帮菜研究会、杭州市拱墅区餐饮协会"三会"合作，建立了规范的餐饮行业标准；设立胡忠英大师工作室校内、校外双基地作为现代学徒制指挥部，通过分层、分批"内培外训"，打造结构合理、技能指导水平较高的高素质杭帮菜传承的"双师"团队，定期组织专业讲座、竞赛辅导、学术研讨，共同进行南宋菜、浙系菜、杭帮菜、G20峰会菜的创新研发。又如，浙江省龙泉市中等职业学校以"区域非遗文化活态传承"为己任，发挥政府主导作用，分别于2003年设立青瓷工艺专业、2010年设立刀剑工艺专业，着眼于龙泉特有的"青瓷和刀剑非遗"技艺与文化的传承，发挥现代学徒制优势，由隐到显、由众到精，创建了具有自身特色的"金字塔型"现代学徒制模式，打造中职现代学徒制人才培育的"非遗样本"。

（二）培养目标：三维重构，"技艺道一体"，融传承内容于课程体系

任何非遗文化都有时代的烙印，蕴含着当时鲜明的时代特征。因此，"变"与"不变"是手工艺非遗传承的永恒命题，既保持传统技艺的流变性和创新性，又保持其核心技术和人文意蕴，是守住传统手工技艺价值的根本所在。学校要围绕非遗传承人培养规律，按照培养目标递进逻辑，实现"技艺道一体"的"传承、创新、传播"三维重构，形成并完善杭帮菜传承、创新、实践型"非遗传承""四模块"课程体系，实现"非遗内容课程化"。同时，将杭帮菜非遗技艺传承与中餐烹饪和营养膳食专业教学相结合，融入现代餐饮时尚美食元素，补充非遗课程体系，创新"非遗＋食尚"的传承内容。厘清烹饪专业毕业学分标准、核心素养标准、技能考核标准、西餐西点结构化标准与传承人培养之间的逻辑关系，形成"四标合一"的杭帮菜传承人培养标准和烹饪专业四维十六项核心素养，确定传人的培养方向。而西方现代餐饮标准体系的引入，实现杭帮菜从配方、营养、制作到服务全方位国际标准化，进而使杭帮菜走出国门、走向世界。

465

（三）培养途径：多维交互，"教学做一体"，为"活态传承"提供创新空间

现代学徒制是一种落实职业教育面向人人、面向社会、体现职业教育教学规律的制度，实施"教学做一体化"，加强学校、工作场所和"互联网＋"的多维交互式学习，可以更好地为培养非遗传承人开创有效路径，为"活态传承"提供创新空间。

总之，中职学校要充分结合自身优势特点，紧扣非遗传承项目服务区域经济发展的需求，以培养高素质创新型非遗传承人为目标，改革人才培养方案，探索专业课程体系，在推动中等职业教育现代学徒制改革的同时，积极落实推进国家非遗传承振兴战略。

参考文献

[1] 李术蕊 . 探索实践现代学徒制培养杭帮菜传承人——访杭州中策职业学校校长高志刚 [J] . 中国职业技术教育，2015(11):39-46.

[2] 高志刚，张金英，唐林达，等 . 行会驻校·名店订单·企业教室·项目管理——中职烹饪专业人才培养模式的探索与实践 [J] . 中国职业技术教育，2015(31):69-74.

[3] 贾继冬 . 烹饪专业推行"现代学徒制"的思考与实践 [J] . 职业，2012(4):162-163.

[4] 杨小燕 . 现代学徒制的探索与实践 [J] . 职教论坛，2012(3):17-20.

[5] 施胜胜，张卫平 . 中职烹饪专业现代学徒制人才培养模式探析 [J] . 职业，2012(7):113-114.

[6] 包红，吴家宏 . 构建职业教育"特色人才驿站" [N] . 中国教育报，2014-04-21.

[7] 孙凤敏，孙红艳 . 传统手工技艺类非物质文化遗产的现代传承——基于现代学徒制的视角 [J]. 职业技术教育，2017(13):39-43.

[8] 刘晓宏 . 现代学徒制：非物质文化遗产传承人的培养 [J]. 绥化学院学报，2018(6):127-129.

[9] 叶军峰 . 基于国家级技能大师工作室人才培养模式探索现代学徒制的研

究——岭南特色工艺传承基地建设 [J]. 高等农业教育，2016(6):112-114.

[10] 赵成 . 现代学徒制下非物质文化遗产的传承探索 [J]. 教学管理与教育研究，2016(8):20-21.

[11] 谢文波 . 非遗传承创新视野下深化湘绣专业建设的思考 [J]. 大观，2017(2):251-252.

[12] 葛建伟 . "三制融合"高职教育人才培养机制探索 [J]. 太原城市职业技术学院学报，2017(9):6-7.

[13] 鞠美玲 . 现代学徒制对苏帮菜非物质文化遗产保护的影响 [J]. 食品界，2016(6):103.

[14] 李兰青 . 高校手工艺类非遗工作室发展模式探讨 [J]. 大观，2018(9):175-176.

[15] 徐珍珍 . 基于现代学徒制的非遗传统手工技艺传承策略研究 [D]. 杭州：浙江工业大学，2016.

[16] 曾国健 . 由隐到显由众到精——龙泉市中等职业学校打造学徒制"非遗样本" [J]. 职业，2018(17):20-21.

【文章来源】高志刚、唐林达：《非遗传承背景下现代杭帮菜传承人培养模式探索》，《职业教育（评论版）》，2019 年第 3 期

47. 杭帮菜发展与思考

摘要: 近年来,杭帮菜在国内及港台地区深受顾客青睐。与其他地方菜相比,杭帮菜在创新、价格、规模上有相当优势。但是,杭帮菜在发展中也出现了如品种、质量、管理等问题,杭帮菜要持续发展必须走多元化、精致化、人本化、工业化与科技化相结合的模式。

关键词: 杭帮菜;餐饮业;饮食文化;餐饮管理

餐饮业经营的商品,是面向消费者的菜点及相应的服务。现代营销学之父菲利普·科特勒曾明言"顾客满意取决于消费者所理解的一件产品的效能与其期望值进行的比较"[1](P9),只有这种特定的商品满足了消费者的欲望,生产企业及其行业才会有发展。杭帮菜当前的持续红火正说明了其产品得到了广大消费者的认可。

杭帮菜热始于1998—2000年[2](P34),持续至今,仍保持着旺盛的发展势头。究其原因,有国民经济持续快速发展的宏观背景,有杭州深厚的历史文化沉淀及雄厚的经济优势,同时也有由此带来的强有力的消费等诸方面因素。如果仅仅从行业经营本身进行考察,不难看出,杭帮菜经营者具有富于创造和勇于创新、追求发展的精神,特别是厨师的学习与创新,这正是推动杭帮菜发展的真正动力。

1 杭帮菜发展沿革与现状

1.1 创新是杭帮菜发展的生命,杭帮菜的创新走在了全国同行业前列

杭帮菜原先只是浙菜中的一个地方菜,而浙菜在全国八大菜系中远不如川菜、粤菜、鲁菜、苏菜名气大,为什么杭帮菜能沧海巨变,走红浙江、走红上海、走红全国,蜚声海外?业内外专家提出了许多真知灼见:比如吴越悠久的历史和人文沉淀;浙江与上海、江苏文化上的兼容性;比如杭州自古以来就有

二、论文

"销金窟"之称的风景、旅游、消费城市特点；比如杭帮菜取料广泛、口味清淡、原汁原味、精工细作；等等。上述方面只是杭帮菜发展的基础，在国内其他城市也同样存在，像苏州、南京等地。能真正激活杭帮菜的根本原因是杭帮菜善于学习与创新。

早在 1986 年，杭州就开始了全市性的创新菜大赛，通过杭州厨师十余年的努力，奠定了杭帮菜发展的基础。由"南方迷宗菜"引发的杭州菜的创新，出现了大量的新派杭州菜如金牌扣肉、稻草鸭、鸡汁鳕鱼、XO 酱鲈鱼、微波鸭等等，由新原料、新搭配、新口味、新烹调工艺、新炊具、新器皿、新吃法孕育的新菜肴也源源不断地充实更新原有的菜品。菜系、地域、年代的界限在杭帮菜的发展中统统被打破，外帮菜、外地土菜、历史上的名菜有的改头换面，有的原封不动进了杭餐馆的菜谱。在知名的杭州餐馆中，食客既可以点到传统正宗的杭帮菜，也可以看到川菜、湘菜的影子，甚至可以看到日本料理、法国大菜的改良风味。

杭帮菜厨师在学习和创新方面有自己独到的理解，而不是简单地引进和重复。"剁椒鱼头"中剁椒原本是湘菜的调料，剁椒大红鲜辣，杭帮厨师引进使用在千岛湖的生态鱼头上，并根据杭州人的饮食习惯，减轻了辣味和咸味，保持了大鱼头原有的鲜味而又耳目一新，适合了杭州饮食和口味的需求，成为48只新杭州名菜之一。新杭州名菜中的"金牌扣肉"，是在"东坡肉"的基础上，经过刀工技法创新，将五花肉批成连刀薄片，增添淡笋干丝，围成金字塔状，蒸透扣入盘中，既保持了东坡肉"酥而不烂、油而不腻"的特点，又让食客感到造型别致，其味更佳，更有苏东坡"不媚不俗笋烧肉"的意境。

杭帮菜更多地适应了现代人的饮食需要和审美要求。做到了"传统菜点现代化、现代菜点古典化、民间菜点饭店化、饭店菜点大众化、大众菜点标准化、家常菜点营养化、外地菜点本地化、本地菜点规范化的新潮流"[3]。

1.2 面向大众消费的准确定位是杭帮菜强有力的竞争手段之一

抽样调查结果表明，杭帮菜对消费者最大的吸引力来自菜肴的价廉物美。杭州菜与上海菜、北京菜、南京菜等发达地区的菜品相比，价格低廉是业内人士以及消费者的共识 (见表 1)。

表 1   不同餐饮地区的价格比较

餐饮地区	内扣毛利率	同样一桌宴席价格比较
杭州	45% 左右	500 元
上海	53% 左右	700 元
北京	60% 左右	1100 元

上海餐饮界人士评价，杭帮菜带动了上海家庭居民消费，"将上海市民从家庭中请进了餐馆"。杭帮菜入沪，激活了上海餐饮市场，使一直居高的餐饮消费一下猛降到人均 40 元左右，深受精明的上海人喜爱、追捧；在南京的"红泥"餐馆，提出"让价格回归合理、请百姓进入红泥"的口号，进入豪华的包厢，一桌消费仅百十元的消息在南京广为流传。"万家灯火"餐馆更以超低价格吸引顾客，价位至少比南京同类菜便宜一半。杭帮菜定位是"面向大众化，立足工薪族，高中低兼顾，突出中低档经营，全方位高质量服务"。具体体现在两个方面：

一是菜品：杭帮菜的菜品以家常菜为主，老杭帮菜的原料因时令而变，冬天用冬笋、春天用春笋、夏秋天用鞭笋，原料以小海鲜、河鲜及地产菜蔬、豆制品为主，以名、特、新、优为特色（如天目山笋干、杭州豆腐皮、雪里蕻等），而新杭帮菜的用料已经不受时空的限制，给厨师创造了菜肴天天可变的条件。老的 36 道杭州名菜，原料仅 20 多种，48 道新杭州名菜，原料达 70 多种，从中可以看到取料的广泛为菜肴创新创造了条件，杭帮菜做到了去粗取精、精工细做。"365 天，天天有新菜"，家常菜和创新菜成为杭帮菜的特色。当然，也有高档海鲜、鲍参翅肚名贵等菜肴，以适应不同层次的消费。

二是环境：知名的杭帮餐馆不惜斥巨资扩大营业面积、装饰餐厅、刻意设计餐馆亮点，努力营造具有杭州特色的就餐氛围。如"花中城"炫目的霓虹灯成为杭城的一道景观；"名人名家"餐馆张贴名人字画渲染就餐环境；"张生记"则供奉巨型弥勒佛、冷菜用镜面衬托等等。这种规模经营与装修宽敞的环境，一方面迎合了中国人爱热闹、爱面子的消费心理，另一方面也给予了食客在就餐时的极好的视觉效果与舒适程度。上海的一些杭帮餐馆更是在卫生间引进了四星级、五星级宾馆的设施和服务，在厕所内装液晶电视，让外地同行业经营者望而兴叹。杭帮餐馆营造了独特的就餐环境，以简洁明净为主基调，布局、用景、照明、桌椅、器皿、摆设，都有与外地不同的风格，江南古韵与现代时尚相融；菜点与环境相映衬，营造了杭帮菜特有品牌。

二、论文

1.3 超大面积的规模经营是杭帮菜的创新和特色之一，也是制造影响、创造品牌的主要途径

知名的杭帮餐馆如张生记、红泥、花中城、好阳光、新开元、新三毛、万家灯火、知味观、楼外楼、金色阳光、新喜乐、新香园等，餐厅营业面积从五六年前初创期的单家店几千平方米到目前的 1 万甚至 2 万平方米不等，营业面积总量迅猛发展 (见表 2)。

由于民营餐饮经营机制灵活、注重菜品质量和服务，加上规模经营后有自己独立的原料加工配送中心，降低了成本，保证了菜点的质量，吸引更多的顾客。一般投资 4000 平方米的饭店，投资额在 600 万元左右，日营业收入在投资初期可达 10 万元左右，扣除租金、工资、税金等费用后，净利润达 15% 至18%，大都在一年或一年半收回投资。

表 2　红泥餐饮公司的经营规模增长情况

年份	餐厅面积	餐位	数量	最大单店面积
1994 年	2000 平方米	800 人	1 家	2000 平方米
2003 年	60000 平方米	16000 人	13 家	18000 平方米

杭帮菜善于打造餐饮"航空母舰"，在全国已有 80 多家连锁店分布在华东、华北和香港等地，给当地的餐饮行业带来了生机和活力，并成功地实施了品牌扩张 (见表 3)。

表 3　杭州知名餐馆规模经营分布情况 *

餐馆名称	数量	分布地区
张生记酒店	9 家	杭州 (1)、上海 (3)、北京 (1) 香港 (2)、苏州 (1)、南京 (1)
红泥餐饮公司	13 家	杭州 (4)、上海 (4)、南京 (1)、北京 (1)、仪征 (1)、长兴 (1)、宁波 (1)
花中城大酒店	4 家	杭州 (4)
新开元酒店	8 家	杭州 (1)、上海 (3)、香港 (2)、义乌 (1)、常熟 (1)
万家灯火大酒店	13 家	杭州 (3)、上海 (4)、北京 (2) 南京 (2)、香港 (1)、合肥 (1)
知味观	21 家	杭州 (18)、上海 (2)、北京 (1)
楼外楼餐饮公司	5 家	杭州 (1)、北京 (1)、上海 (1)、合肥 (1)、临安 (1)

★2003 年 12 月的数据

471

杭州全书·杭帮菜文献集成

1.4 厨房管理创新是杭帮菜运作的基础

杭帮菜超大规模经营，就厨房而言，没有一套创新的运行方法是很难保证菜品质量的。有一定规模的杭帮餐馆，无论营业楼面是一层、二层、三层甚至是五层，每一层都有独立的厨房，这与国内许多餐馆一二层餐厅共用一个厨房的布局有很大的不同，这是为了出菜快捷，从下菜单至厨房再到菜肴上桌，能做到时间控制在15分钟以内，大大提高了出菜速度，另外还降低了管理成本，便于厨房、餐厅人员调配，原料使用更合理。大型厨房通常有上百个员工，从厨师长到初加工、切配、炉灶、冷菜、打荷、点心、划菜、勤杂洗碗等岗位，分工具体明确，责任到人，奖惩严格，厨房生产场所更工艺化、整体化，保证了满负荷营业时厨房流程通畅。

1.5 杭帮菜对国内餐饮市场影响

杭帮菜时下火爆上海，风靡华东，走俏鲁、冀、闽、京、津、香港等地。据了解，老字号张生记1998年开始进军上海，当时上海餐饮业竞争异常激烈，决策者曾担心能否立足，结果恰恰相反，生意火爆，由于担心顾客太多导致照顾不周，就采取连月扩张的策略，开出了第二家连锁店。2002年月12月18日，新开元把杭帮菜开到了香港，开张数天，全场爆满，几个月后，张生记、新开元分别在香港开出了两家分店，新开元的第二家店距离第一家开张仅仅相隔3个月，可见杭帮菜的大受欢迎；甚至在宝岛台湾，"台湾杭菜也风流"[4]。

杭帮菜每到一地，就给当地的餐饮业带来了不小的振动。1999年初，在上海开张的张生记、红泥等餐馆吸引了大批的当地顾客，形成了排队等位的空前旺盛现象，这种现象在餐饮原本非常发达的上海特别是在经营者和厨师从业者中引起了不小的震动，上海烹饪、餐饮行业纷纷考察杭帮菜的经营秘诀，商讨对策，有的上海本地知名餐馆不得不引进杭派新菜，加入竞争的行列。在无锡，杭帮菜一出现，无锡烹饪协会就出面召开对策会。在苏州，杭帮菜更是红极一时，让当地烹饪餐饮界人士刮目以视。在南京，杭州餐馆在当地的餐饮界形成了一股冲击波，提前预订、等候就餐。这就是杭帮菜在外地经营的一道独特的风景！

杭帮菜在省内外的轰动效应、品牌效应，不仅仅是杭帮菜本身的成功，更重要的是引发了传统餐饮经营理念上的震动和革命。对于杭帮菜来说，是一个大胆的年代，是个创新的年代，也是个辉煌的年代。对于外地的餐饮来说，有了杭帮菜的介入，激活了当地的市场，提高了当地餐饮发展的总体水平。有媒体称，杭帮菜的社会影响是推动中国餐饮发展的一个重要手段，杭帮菜的流行，是我国餐饮市场步入健康发展的阶段性标志[5]。

1.6 杭帮菜创新机制扎实、平台构筑良好

杭州市贸易局组建杭菜研究会，市委书记担任会长，政府拨专项资金扶持，这在全国餐饮行业中是不多见的。餐饮同业工会、创新菜研究会几乎每年都要举办或承办烹饪大赛，如创新菜大赛、新杭菜大赛、家常菜大赛、千岛湖有机鱼大赛、草鸡、三文鱼大赛等，客观上形成了杭帮菜良好的交流氛围。2003年"非典"期间，餐饮首当其冲受到影响，生意清淡，杭菜研究会与中医专家共同研究，免费向杭菜餐馆推出100款食养菜，政府则推出减免税政策，给杭帮菜发展提供了有力的支持。

为了维护、宣传激励杭帮菜走出杭州、走向全国，杭州市制定了"杭州菜馆"标准[6]，通过50条规矩确保杭帮菜的声誉和品牌。杭州饮食旅店业同业公会还在2003年9月建立了专业网站"杭帮菜"，以此展示杭菜的最新动态和杭帮菜的风采。

1.7 杭帮菜发展中的问题

一是连锁扩张遭遇人才瓶颈。杭州饮食服务有限公司总经理戴宁认为：中菜馆走连锁化之路最基本的要解决两个问题，一是响亮的品牌，二是源源不断的合格人才。杭帮菜红火全国的同时，也暴露出了许多经营管理上棘手的问题，其中人才难求和管理水平不高是制约杭帮菜持续发展的重要因素。知味观在杭州开出了20家店，最缺的是既懂专业技术、又有管理知识的"全才型"店长，招聘广告开出4000元以上的月薪也难能找到一个。张生记、红泥等杭城知名餐馆，在连锁扩张的过程中，不得不从服务员、厨师中选拔技术型专门人才从事管理工作，这些人技术出众，但经营管理经验和理念由于文化水平的限制，管理效果并不理想。而招聘的大学本科毕业生，即便是饭店管理专业，由于缺乏实践经验，也很难胜任比洋快餐"情况复杂"的中餐馆的管理工作。

二是经营品种、风格偏于单调。就杭帮菜整体而言，内涵丰富、包容性较强，主打产品是创新家常菜、周边的土菜，但高档次的叫得响的杭帮大菜非常缺乏。杭帮菜馆相互之间经营的菜点大多雷同，"张生记"和"红泥"二家店的绝大

部分菜点几乎难于区分，杭帮菜的特色优势随着时间的流逝正在逐渐丧失。去年开始在杭城流行的泰国"芭蕉菜"，说明了消费者对菜点的求新、求异、求奇的不断需求的心理。杭帮菜持续红火究竟会有多久？再创新和发展的因子是什么？杭帮菜的可持续发展成了众多经营者思考的棘手问题。

在杭帮菜发展的同时，外帮菜的创新与发展也非常迅速，杭帮菜有自我满足、排外的现象出现，外帮菜如扬帮菜、川菜等仍有许多可以吸收的养分。杭帮菜要再发展和保持优势，"拿来主义"仍是不可丢的主要手段。作为中国经济发展最快最发达地区之一的杭州，餐饮经营的品种、风格的多元化还远远不能满足社会的需求，尤其杭州要想打造休闲都市，杭帮菜休闲菜品开发还做得非常不够。

2 杭帮菜的发展对策

2.1 走精致化发展模式

玉玲珑、天上人间、玉麒麟、海上星等与张生记、红泥等不同的另类杭帮餐馆的出现，是杭城餐饮走精致化模式的样板。玉玲珑的格局是沙发座、西餐桌、红颜色，播放西方音乐，但是经营的是中国菜，偶尔也有西菜；玉麒麟则表现出与杭菜馆不一致的"小资"情调；海上星则亮出燕鲍翅西餐厅的经营格局，将中餐里的极品与西餐中的极品合为一体。这些让人看到杭帮菜从菜肴的创新上升到餐馆的创新，"西式中餐""中餐西吃""新潮中餐馆"精致化的样板餐厅将是杭帮菜下一阶段餐饮业的热点，杭帮菜的餐厅装修精致化将成为今后餐饮业的流行趋势，越来越多的业内人士呼唤有"人情味"的精致餐厅和精致菜点的出现。

当然，精致化不等于高档化，家常菜、传统菜、土菜、外来菜到了本地，可以改良、并蓄、融合，菜点应该更贴近现代人的审美观、食用观、时尚感。旨在"讲究透明经营、改变卫生习惯"的透明厨房也将成为杭帮菜的最新亮点。

2.2 细分餐饮市场，做出准确定位

杭帮菜的分层次经营、错位竞争、反常规餐饮是餐饮市场细分和竞争的必然结果。目前，杭帮菜的创新和红火已是一个不争的事实，各家餐饮店的努力

二、论文

也毋庸置疑，而杭州人餐饮的消费方式也悄然发生了变化，几年前一味要求菜肴价廉物美，如今则不再是他们选择就餐场所的惟一取向，取而代之的是越来越讲究的菜点特色和细节，在这种消费需求之下，开大店已不是杭帮菜的惟一选择。分层次经营将成为当今乃至今后杭帮菜发展的趋势。特别是宾馆餐饮，采取错位经营法，开辟自己小而精的阵地，做高档菜，走专业化道路。如黄龙饭店开出龙吟阁"黄龙鲍翅"，经营业绩大增；雷迪森内设个小餐厅，都有自己的清晰定位，无论是吃北京宫廷菜、潮州菜、日本料理还是意大利菜，食客都可以做出准确的选择。对餐饮市场细分是争取特定客源并获取利润的法宝之一。想营造几万平方米的大餐厅，经营各种层次和风味的菜点，以吸引全部不同消费层次的顾客的做法，已经是不切合实际和高风险的举措！细分后的杭帮菜应该是多元化的（见表4）。

表4　杭帮菜的风味类型

杭帮菜风味类型	举例
大众消费的杭帮菜	张生记、红泥、花中城、新开元、万家灯火、新香园、金色阳光、新喜乐等
精致化、个性化杭帮菜	桥亭居酒屋、醉爱、玉玲珑、天上人间、玉麒麟、海上星、红磨房等
土味、异地风味杭帮菜	桐庐土菜馆、严州府酒楼、刘家香辣馆、川味观、一窝鸡、一地鸡毛等
高档顶级杭帮菜	索菲特涌金阁、粤浙会酒楼、龙吟阁等、至尊鲨鱼等
传统风味杭帮菜	楼外楼、知味观、杭州酒家、素春斋、多益处、王润兴、皇饭儿、奎元馆、天香楼等
休闲时尚杭帮菜	园林餐馆、美容素菜馆、生态餐饮等

由此可见，杭帮菜已经成为一个包含菜点、服务、经营等诸多因素的代名词，也不仅仅是杭州本地菜、浙江菜，而是全国的杭帮菜，是中国菜的浓缩和提升。

2.3 开发人本化的餐饮产品

营养保健餐饮、休闲餐饮、绿色餐饮是人本化餐饮的体现。联合国粮农组织官员、国际营养科学联盟主席 Mark 在 2003 年杭州举行的"国际营养与健康专家会议"上说，25% 的人吃东西时想知道食品是从何而来，所以树立绿色、健康食品的品牌对杭帮菜来说尤为重要[7]。就好像提到杭州，人们就立刻会联想风景优美的西湖，如果提到杭帮菜，人们就能想到绿色、健康、美味这样的

475

词汇，那无疑就为杭帮菜树立了一个很好的品牌。千岛湖有机鱼、豆制品、笋、茶叶等是杭帮菜常用的原料，提倡"绿色食品"将成为全世界的饮食潮流，杭州餐饮业也应跟上消费新观念和世界饮食新趋势，在"营养保健型"饮食上下功夫。

推出独具特色的营养套餐，开发美容、减肥及食疗保健系列产品、健康食品、文化食品，以迎合人们崇尚绿色保健的需求。

2.4 传统工艺科技化，提高杭帮菜的科技含量

中国烹饪大师、杭帮菜老一辈名厨杨定初认为，杭帮菜的制作工艺一定要提高科技含量，否则菜肴质量和稳定性无从谈起。同一道杭帮菜，在不同的餐馆有不同的出品，即便在同一家店，不同厨师的出品也不同，杭帮菜厨师应该主动接受厨房生产新设备、新工艺、新方法，不断提高菜品质量和稳定性。一方面厨房分工细化限制了厨师技能的全面发展，另一方面且保证了出品的高质量，西餐厨房中的许多东西值得杭帮厨师学习和借鉴。

限制杭帮菜发展的另一个方面是信息化管理。杭帮菜经营虽然热火朝天，不少想赚"第二桶金"的人也将目光紧锁在餐饮业上。但是在信息化管理方面，不得不承认，杭帮菜目前仍然停留在"用财务软件记记账、打打单子"的程度上，这势必会对饭店的可持续发展形成阻碍，管理信息化是餐饮企业的必然选择，为了更好地在餐饮业内实现现代化、科学化的经营管理，杭城的餐饮企业要充分利用计算机技术和网络技术，建立完整的企业信息管理系统，进行供应链管理、客户关系管理、工艺流程管理、财务结算管理等，使现代化的管理手段和自身的管理模式相结合。

目前，杭帮菜就应推出"无线点菜"，"无线点菜"是餐饮信息化的助推器，杭帮菜要做大做强，不断提升管理水平和"休闲大都市"的餐饮品位，信息化管理是必由之路。无线点菜系统最显著的优点是点菜快、送单快、结账快，并可从中看出顾客点菜的信息和消费水平。信息技术的运用将大大提高杭帮菜餐饮企业管理的科学性和效率。

2.5 从品牌餐饮向文化餐饮发展

菲利普·科特勒将产品划分为三个层次：核心产品，即核心利益和服务有形产品，包括质量、特色、式样、商标名称和包装；延伸产品，如安装、送货、

二、论文

信贷、售后服务及保证等。餐饮产品也是一个兼顾多种要素的组合体，在注重产品外观效果的同时，更应该去深刻研究消费需求，在"菜肴、环境、服务、价格"等产品基本属性上做足文章。

现代餐饮竞争，已不再是产品的竞争，转而成为理念与观念的竞争。而对消费者来说，他们购买的已不仅仅是企业的美味佳肴，还包括企业所代表的一切，即企业文化、企业精神等内涵的东西。就像食客来到杭州"红泥"餐饮，并不仅仅是为了吃某道名菜，而是"红泥"餐饮文化带来的精神上的愉悦和认知，杭帮菜脱离不了杭州文化的支撑。

杭帮菜在创新、价格、经营规模上仍保持着优势，只要杭帮菜经营者不骄不躁、继续创新，杭帮菜还可以在相当长的时间内保持领先地位。

参考文献

[1] 菲利普·科特勒.市场营销导论[M].北京：华夏出版社，2001.

[2] 赵荣光.杭州菜热俏的分析与思考[J].饮食文化研究，2001(1):34-40.

[3] 李松林.胡忠英去湖州讲学[J].东方美食：2000(5):25.

[4] 白莉.台湾杭菜也风流[J].东方美食：2000(5):32.

[5] 马其良.杭菜盛行亦要慎行[J].餐饮世界：2002(5):8-9.

[6] 杭州日报报业集团."杭州餐馆"命名条例[N].每日商报，2003-2-28(6).

[7] 刘洋.联合国官员为杭帮菜吆喝[N].每日商报，2003-10-15(6).

【文章来源】陈永清：《杭帮菜发展与思考》，《扬州大学烹饪学报》，2004年第2期

杭州全书·杭帮菜文献集成

48. "杭帮菜"品牌发展研究

杭帮菜有两千多年历史，凝聚着历代杭州厨师的智慧和心血，积淀了杭州饮食文化的精髓。"杭帮菜"深厚的文化内涵、灵活多变的经营理念和贴近大众的市场定位使之深受各地消费者欢迎。1998年以来，杭帮菜先赴上海抢滩，后又陆续登录北京、天津、大连等北方城市，以极快的速度遍及全国走向境外。"杭帮菜"所到之处，都产生了拉动整个社会餐饮消费的轰动效应，这种现象被称之为"杭帮菜现象"或"一种值得研究的经济现象"。

"火爆"的杭帮菜并非"毫无问题"。近年来，随着上海消费结构的变化，大众消费升幅趋缓，白领消费与商务消费大幅上升，"杭帮菜"在当地的优势渐受挑战，部分经营"杭帮菜"的餐馆营业额出现大幅回落。针对这一现象，笔者认为"杭帮菜"要取得长足发展，就必须在其菜肴特色、文化内涵、经营理念以及品牌效应方面多下功夫，发挥其优势。

一、保持兼容并蓄的菜肴特点，开拓创新

杭帮菜以资源丰富、选料严谨、制作精细、注重原味、清鲜爽嫩、因时制宜，讲究色、香、味、形、意、器，形成独特的风味，在中华食坛中独树一帜。辣不过川菜，生猛不及粤菜，亲近不如鲁菜，实惠比不上东北菜，那么，杭帮菜是如何征服南北两地口味不同的众多食客的呢？

杭帮菜在我国源远流长，著名的东坡肉、咸件儿、蜜汁火方、叫化童鸡、宋嫂鱼羹均有几百年的历史。而近代以来，龙井虾仁、西湖醋鱼更使杭帮菜名闻天下。现代人在吃上更关注吃得健康，吃出品位。杭帮菜的色美、香郁、味丰、形秀正好符合现代人的口味。但杭帮菜今日的火爆，却不是由历史铸就的。"西湖醋鱼"救不了杭帮菜，几代人守着一条鱼的日子早已一去不复返。当粤菜、川菜风头正劲时，老杭帮菜曾一度无路可走。而如今，通过融合改进其他地方菜系特色，价格适中的杭帮菜风光再现，稳占一方江山。细究原因，唯有二字——创新。博采众长，兼收并蓄，集各菜系之大成、融南北方烹饪技艺为一体是杭

478

二、论文

帮菜的精华所在。

杭帮菜的兼容性，决定了它广泛的市场适应性。从餐饮文化角度来讲，它是能够雅俗共赏的。从市场角度来讲，它是能够满足不同地域和不同消费层面需要的。但杭帮菜也存在"克隆"较多的问题。"千店一面，克隆菜满天飞"是当今餐饮市场存在的一个大问题，不仅杭州如此，全国范围内大都是这样。什么菜式热销，随后都跟着上。造成如此局面，除了业者创新能力不足外，也是餐饮产品缺乏专利权所致。从经济学的角度看，在销售市场中，只有不断推出差异性产品，方能取得高额利润，如果大家都销售同类产品，势必造成市场供大于求，最终导致价格的下降，给餐饮经营带来困难。

二、坚持"以顾客为中心，持续改进"的经营理念，挖掘产品特色

杭帮菜是在激烈的市场竞争中发展和成熟起来的，这种竞争背景形成了它特有的经营理念——"让价格回归合理，请百姓品尝杭帮菜"。这种经营理念，各家餐饮企业在具体的文字表述和口头表达上各不相同，但在本质上都有一个共同的特点，就是面向社会，贴近市场，贴近百姓。杭帮菜在经营过程中不断挖掘普通菜肴的附加值，将普通消费者巩固成稳定的客源，目标消费群求广不求高，用薄利多销的方式，走一条求稳求远的路。自20世纪90年代中期迅速崛起，杭州民营餐饮在经营规模、装修档次、菜肴服务、价格定位等方面做到既不同于让百姓望而却步的大雅之堂，又区别于形式简单的夫妻餐饮店，通过广纳社会各层面的消费者，为自己找到了合理的市场定位。杭帮菜所到之处，不单满足某一社会层面的消费需要，更拉动了整个社会的餐饮消费。

如今，餐饮行业已经进入买方市场阶段，企业之间的竞争业已从原来的价格竞争发展到现在的质量、品牌，甚至是文化竞争。消费者的需求也从但求温饱转变为求新、求异、求个性，讲求吃特色、吃氛围、吃环境、吃文化。因此，餐饮业者只有改变旧的经营理念，突出服务个性，挖掘产品特色，才能赢得顾客的青睐，争取到越来越多的回头客和忠实的顾客群体，使自己门前生意保持长期的红火。

三、挖掘城市文化内涵，提高杭帮菜文化品位

人们对物质的需求是有限的，而对精神文化的需求却是无限的。当今，提高餐饮企业的饮食文化品位，已成为餐饮市场竞争的一种趋势。饮食文化是一个广泛的概念，人们吃什么，怎么吃，吃的目的，吃的效果，吃的观念，吃的情趣，吃的礼仪，都属于饮食文化范畴。它贯穿于餐饮企业经营和餐饮活动的全过程，体现在各个方面、各个环节之中。饮食文化品位上去了，可以提高企业的知名度，增加客源。饮食文化说起来似乎是无形的，实际是有形的，而且是有价的。文化品位提高的同时，可以提升产品和服务的附加值，为企业带来更大的效益。

要提高杭帮菜文化品位，就必须领略和借鉴外帮菜的文化底蕴。各地餐饮市场百花齐放，各具特点，各具优势。杭帮菜分布各地，有集百家之长的极好的条件。要就地、就近、深入多方面学习，从经营、管理、菜肴、服务、环境等方面全方位提高。挖掘、学习都要结合自己的实际，不能照搬、照抄、牵强附会，而是在领悟的基础上，融会贯通。在原有特色的基础上，紧贴市场，进行新的创造，形成杭州餐饮特有的文化，提高杭帮菜的文化品位。

四、发挥杭帮菜品牌优势，发展集团经营

当今的餐饮市场竞争日趋激烈。在趋于饱和的市场里，要使"杭帮菜"在新一轮的竞争中立于不败之地，关键还是要打响企业品牌，走规范化、连锁化的现代餐饮业之路，努力打造国际大都市的餐饮文化品牌。

1. 发挥杭帮菜品牌优势

作为杭城餐饮企业要及时把握时机，发挥杭帮菜的品牌优势。饭店的产品就是菜肴和服务，从经营理念来说，只要有产品，就会有市场竞争，就需要有品牌。品牌是区别于竞争对手的标志，是饭店向顾客提供服务的核心和直接表现，是饭店的重要竞争力。

餐饮经营的品牌化是本世纪发展的趋势，是餐饮业者应重视的经营战略。推行品牌战略，对杭州本地餐饮业增强自我发展能力，提高产品竞争力，有着重要的意义。

二、论文

餐饮业推行品牌战略，主要是实施名师、名品、名企三大工程。名师工程要求名师理论修养深厚、烹调技艺卓绝、管理经验丰富、道德情操高尚；名品工程要求名品技术含量高、风味特色浓、文化内涵深、营养卫生好、流传地域广、经济效益大；名企工程要求名企资金雄厚、人才众多、菜点精美、形象健康、规模宏大、管理规范。当然，餐饮企业品牌的形成，需要产品、服务、环境、文化等多种因素的整合与营造。但其基础是产品。一个知名的餐饮企业，必定有其知名的产品。只有坚持实施品牌战略，争创品牌菜肴，企业才有生命力。

2. 发展集团和连锁经营

市场的竞争，在很大程度上是实力的竞争。作为拥有杭帮菜品牌的餐饮企业，要彻底抛弃封闭式的发展模式和"肥水不流外人田"的落后观念，利用自身的品牌优势实现资本构成多元化，采取多种联营合作方式，走集团化道路，力争在短时间内赢得最大限度的市场份额，在竞争中处于优势地位。

走集团化、连锁化的道路，是上个世纪末以来诸多企业所走之路，也是餐饮企业做强做大的必由之路。因为集团经营有着资金、人力、信息、管理、成本、市场等六大优势。目前餐饮业集团化有四种模式：一是稳步地增设直营店；二是有选择地发展连锁店；三是审慎地吸收加盟店；四是互利地建立联合店。至于采取何种形式的集团化，还要根据业者的实际情况，选择一种有利于自己企业发展的方式。发展集团和连锁要量力而行，稳扎稳打，要有规范和信誉保证。切忌降低质量，无序运作，自砸牌子；切忌超越可能，盲目扩张，形成如"昙花一现"的泡沫经济。

【文章来源】王勇：《"杭帮菜"品牌发展研究》，《职业》，2010年第27期

49. 杭帮菜消费者消费者行为分析

摘要：本文以杭帮菜消费者消费行为为研究对象，通过分析杭帮消费者消费行为的影响因素与人口统计特征之间的关系，得出杭帮消费者年龄与影响因素负相关，杭帮消费者教育程度和个人月收入与影响因素正相关。

关键词：消费者行为；影响因素

在现如今经济时代，消费者行为出现新的特点：第一，消费者行为的决定因素发生改变。消费者行为的决定因素不再单一由效用最大化决定，同时也受感性和理性的支配。第二，消费者行为的目的发生改变。随着时代的发展和可支配收入的增加，消费者行为的目的逐渐从低层次的生理、温饱追求过渡到高层次的情感、精神追求。

而杭帮菜作为最先发现消费者行为出现新特点的菜系之一，杭帮菜应不断发展才能适应现今的消费者行为特点。本文通过分析杭帮菜消费者消费者行为的影响因素，探讨不同的年龄，教育程度和收入状况的杭帮消费者消费者行为的影响因素如何不同，以期对杭帮菜馆适应现今消费者行为新特点做出贡献。

一、理论分析

1. 研究现状

随着市场的演变和发展，消费者行为的研究范围将不断扩大，研究角度将趋向于多元化，研究参数趋向多样化，研究方法将趋向定量化，科学依据将日益充足，对消费者心理现象的产生、发展及其规律性的研究将日臻完善，将进入成熟的发展阶段。各国的研究者从不同的角度就这一问题开展研究形成了各种具有代表性的模式，归纳如下：

（1）经济学模式以经济学家马歇尔为代表，该理论认为购买者决策的做出是建立在理性的经济计算基础之上的，购买者追求的是边际效用最大化。

（2）需求驱策力模式是传统的心理模式，该理论认为需求促使人们产生购买行为，而需求是由驱策力引起的。

（3）社会心理学模式认为人们的需求和行为都受到社会群体的压力和影响，同一社会阶层在商品需求、兴趣、爱好，购买方式等方面有着惊人的相似。

2. 餐饮消费者消费行为的影响因素

杨铭铎（2008）认为影响餐饮消费者消费行为的主要有以下 6 大因素：（1）速度因素。餐饮产品提供的速度是消费者对餐饮的首要要求，也是餐饮本质特征和餐饮经营的核心。（2）质量因素。这类需求主要是一种安全需求。（3）品味因素。这类需求实际上属于一种心理需求。（4）价位因素。现代餐饮的本质特征之一是快速和物美价廉，这是由餐饮定位的主要消费者的基本特征决定的。（5）个性因素。人作为复杂的社会群体，由于年龄、性别、职业、生长环境、文化水平、社会氛围、饮食习惯等诸多因素的影响，会表现出需求的个性化，体现在饮食上则是对品种、花色、风味等方面选择的独特性。（6）观念因素。消费者在餐饮消费需求观念上的变化主要是由于经济收入的大幅度提高和闲暇时间的延长引起的。

本文研究指标从餐饮产品的有形性和无形性以及杭帮菜消费者对餐饮企业提供餐饮产品的直观感受，结合前文所述影响消费者餐饮消费的诸如知名度、服务态度等 26 个变量指标。根据实际获得的数据进行提取主要指标，借由主成分分析法对杭帮菜消费者消费行为的影响因素进行提取，根据前人的研究与指标所表达的信息进行命名，得到指标：餐饮服务价格、餐饮环境品味、餐饮特色形象、餐饮提供速度。

二、实证检验

本研究自 2009 年 11 月—2010 年 12 月对杭帮菜消费者进行调研，共计发放问卷 180 份，回收问卷 161 份，其中有效问卷 128 份，有效问卷占总问卷比例约为 71.11%。

在本文的研究过程中，针对 SPSS 的统计结果取其特征根大于 1 所取的负荷量绝对大于 0.5 的变量，作为因子命名的依据，共 4 个因子且各自的变量负荷值的绝对值大于 0.5 以上，总计累计贡献率为 66.024%。运用 SPSS 方差最大化正交旋转进行分析，采用 Varimax 旋转法对初始因子做出进一步的旋转，经过旋转后其负荷值在 0.4 以上，得出正交旋转后的因子负荷矩阵，然后分别确定 4 个因子的各自决定变量，现在将 4 个因子的决定变量详细阐述如下：

因子一餐饮服务价格因素：包括餐点份量、服务效率和价格折扣等八项指标。

因子二餐饮环境品味因素：包括室内造型、室外庭院和设计风格等八项指标。

因子三餐饮特色形象因素：包括菜单变化、独家料理和停车空间等九项指标。

因子四餐饮提供速度因素：包括等待时间。

根据以上四因子，对其与人口统计特征的相关性进行了分析。

三、研究结论

从四因子与人口统计特征的相关性研究，我们可以得出以下结论：

（1）从年龄角度来看，杭帮菜消费者年龄与四因子负相关，其中餐饮服务价格与年龄中度负相关，负相关系数达到 0.513。随着杭帮菜消费者年龄的增长，对餐饮服务价格的容忍度也越小。年龄越大，要求餐饮服务价格越低。餐饮服务价格越高，对年龄大的消费者吸引力越小。

（2）从教育程度角度来看，杭帮菜消费者教育程度与除餐饮特色形象之外的三因子正相关，其中餐饮环境品位与教育程度中度正相关，正相关系数达到 0.563。这说明，随着杭帮荣消费者教育程度的增加，对餐饮环境品味的要求也增加。餐饮环境品味越高，对拥有高学历的消费者的吸引力越大。

（3）从个人月收入角度来看，杭帮菜消费者个人月收入与除开餐饮服务价格之外的三因子正相关，其中餐饮环境品味和餐饮特色形象与个人月收入中度正相关，正相关系数分别达到 0.584，0.652。这要求，随着杭帮菜消费者个人月收入的增加，要求餐厅提供更高的餐饮环境品味，更好的餐饮特色形象。餐饮环境品味越高，餐饮特色形象越好，越能吸引高收入的消费者前来就餐。

参考文献：

[1] 符国群. 消费者行为学 [M]. 北京高等教育出版社,2001.

[2] 杨铭铎. 餐饮概论 [J]. 科学出版社,2008.

二、论文

[3] 袁安府. 从杭帮菜看中餐餐饮的困境与对策 [J]. 商业经济 ,2006.

【文章来源】李欣荣：《杭帮菜消费者消费者行为分析》，《现代商业》，2010 年第 33 期

50. 基于城市旅游纵深发展背景下的杭州传统小吃开发研究

摘要：城市作为旅游目的地在旅游业发展中的重要地位日益凸显，杭州城市旅游纵深发展已成为必然，杭州传统小吃作为重要的旅游资源，将起到很强的促进作用。文章分析了传统小吃开发的三要素，诠释了杭州传统小吃特点，提出了杭州传统小吃的开发思路和开发路径，以期对杭州旅游的进一步发展有所启示。

关键词：城市旅游；杭州传统小吃；开发

现代旅游者在选择旅游目的地时一般有两种情形：一是选择所居城市周边的旅游景区，二是选择其他城市的旅游景区。随着城市化进程的加快，城市旅游在旅游业发展中的重要地位日益凸显。根据国际市场的调研，大约有 60% 的旅游者在从事各种旅游活动时会经历城市旅游。城市旅游的纵深度标志着旅游发展的广度与深度，城市的深度旅游能够满足当代旅游者越来越强烈的渴望参与及文化体验的需求。饮食文化作为旅游文化的重要组成部分与旅游业的关系十分密切，从产业要素配置的角度看，"食"作为旅游六要素中的基本要素之一，是旅游产品的一个有机组成部分，直接影响到旅游业的深度发展。地方传统小吃是最能体现当地饮食文化特色的要素之一，可以提高旅游者旅游体验的满意度。杭州作为"中国最佳旅游城市"在国际上的知名度不高，城市旅游产品对海外旅游者的吸引力较小，开发独具地方文化特色的传统小吃，将对杭州城市旅游的纵深发展、打响国际旅游品牌具有重要意义。

一、国内关于城市旅游的研究

伴随着我国旅游业的高速发展，城市作为旅游主要目的呈现出高速发展的态势。根据国家旅游局公布的数据，2009 年我国接待入境旅游者人数超过 20 万人次的城市 42 个 (深圳、广州、上海、北京、珠海、杭州等)；接待外国旅游者人数超过 20 万人次的城市 32 个 (上海、北京、广州、杭州等)；国际旅游 (外汇) 收入超过 1 亿美元的城市 39 个 (上海、北京、广州、深圳、杭州等)。作为对城市旅游高速发展的响应，国内学者对其进行了较多的研究，根据对中国学术期刊网中的核心期刊检索 (时间为 "2001—2010 年"，检索词为 "城市旅游"，方法为 "模糊")，检索到十年来有 437 篇论文对国内城市旅游进行了研究，研究领域前三位分别为城市旅游资源与产品、城市旅游形象与品牌、案例综合研究 1。

张玲认为，城市旅游已成为当代旅游活动的主体，是指旅游者以城市本身作为旅游目的地，在城市内部及其周边地区完成其包括物质消费和精神消费的各种旅游活动的总称。魏艳等分析城市旅游产品是由旅游吸引物、旅游设施、旅游服务和可进入性 4 部分构成的，城市旅游吸引物包括：城市特色旅游、游憩商业区 (RBD)、特色街区和环城游憩带。城市游憩商业区的概念是 C.Stansfield 和 J.E.Rickert 于 1970 年在研究旅游区的购物问题时首次提出的，并用以描述这类旅游地的结构和功能特性，他们给 RBD 的定义就是为季节性涌入城市的游客的需要，城市内集中布置饭店、娱乐业、新奇物和礼品商店的街区。保继刚等对初具规模的广州城市 RBD——天河城地段进行实证研究，分析城市 RBD 的形成过程和发展特点，总结其形成机制。卞显红等借鉴巴黎等国外知名城市 RBD 的研究成果，结合我国城市 RBD 的发展状况，对我国城市游憩商业区开发与发展中存在的主要问题进行了分析，并提出了相关对策。

二、杭州城市旅游纵深发展的必然性

杭州是中国第一批 "中国优秀旅游城市"，2006 年获得中国旅游行业的最高荣誉—— "中国最佳旅游城市" 称号，然而，杭州城市旅游产品对海外旅游者的吸引力较小。例如，关键词 "Hangzhou" 在国际搜索引擎 Google 上的检索结果不及 "Beijing(Peking)" "Guangzhou" "Shenzhen" "Shanghai"，与国际上一些著名的旅游城市比较，更是差距甚远。在国旅总社的入境线路目录清单中，杭州作为一个国际旅游产品的份额也是很少，不如北京、西安和苏州。在接待入境旅游者人数、接待外国旅游者人数和国际旅游收入等指标上分列国内的第 6、4、5 位，有一定的提升空间。作为城市吸引力重要指标的入境旅游者的停留时间显示，2010 年杭州为 3.08 天，低于苏州 (4.3 天)、北京 (4.3 天)

487

等城市。由此可见，杭州城市旅游的纵深发展是未来杭州旅游经济发展的关键。

时任杭州市委书记王国平提出推动杭州从"旅游城市"向"城市旅游"的历史性跨越，把旅游产业与历史文化、城市发展相结合，大力发展城市旅游，让杭州市民与中外游客共建共享"生活品质之城"。谈晓论及杭州城市旅游产品的开发时，提出随着杭州城市经济的不断发展，杭州旅游产品已经不能仅仅围绕西湖风景区景点，需要进行集观光、休闲、会展"三位一体"的多元化旅游产品开发与优化。

三、传统小吃开发要素分析

小吃一般指正餐（午餐和晚餐）以外用作点心及夜宵的各种风味食品，主要为垫饥或消遣之用。传统小吃具有历史悠久、知名度高、就地取材、有一定文化内涵等特点，能够突出反映当地的物质及社会生活风貌，是一个地区不可或缺的重要特色。作为旅游产品，在开发过程中受到市场、资源等要素的影响。

（一）市场要素

从当前旅游市场的发展趋势分析，传统小吃的旅游市场前景广阔。一方面，旅游者在城市旅游的第一需求是品尝当地的特色风味，传统小吃最具代表性，如，北京的宫廷风味小吃、成都的市井小吃、上海的城隍庙小吃、南京的夫子庙小吃、苏州的玄妙观小吃、长沙的火宫殿小吃等都是当地主要的旅游吸引物。另一方面，在后现代主义思潮影响下，旅游者的旅游心理、消费模式发生变化，他们反对整齐划一的旅游方式，强调个性，注重体验。旅游者已经不满足于品尝传统小吃的浅层次的旅游需求，需要进一步了解、认知、体验传统小吃的内涵，传统小吃的深度开发是为必需。

（二）资源要素

中国是饮食大国，是世界著名的美食王国，小吃是中国饮食不可或缺的一部分。小吃食品的产生，可以追溯到先秦时期，而在梁朝，人们的饮食结构中已经有小食和常馔的区别。小吃之名，始见于宋代，当时的汴梁（今开封）、临安（今杭州）等都市，均以各种小吃著称。中国传统小吃体现了地方特色和民族特色，例如，北京的豌豆黄、上海的南翔小笼、南京的鸭血汤、杭州的吴山酥油饼、成都的担担面、开封的焙龙须面、西安的羊肉泡馍、兰州的拉面、广州的虾饺、云南的过桥米线、新疆的羊肉串等等，不胜枚举，为各地传统小吃的深度开发提供了坚实的基础。

（三）核心要素

深度旅游产品最核心的理念是"畅"体验和"后大众旅游理念"，具体某个深度旅游产品的核心理念可能偏重两者中的一方，但两者缺一不可，二者是深度旅游产品的本质。

旅游产品的重点在于满足旅游者的体验需求，深度旅游产品的核心要素应包含"体验"这一要素。传统小吃在开发过程中应充分挖掘文化内涵，做足"体验"的文章。

四、杭州传统小吃开发研究

杭州美食自古闻名遐迩，尤其是自南宋以后，大量的传统小吃流传至今，成为旅游者到杭州旅游的主要动机。相对于国内其他旅游城市，杭州传统小吃的开发潜力巨大。

（一）杭州传统小吃特点

1.品种丰富，口味多样。杭州传统小吃主要包括饼酥类、面饺类、糕品类、果蔬类、糯食类、饭粥类等，还有豆品类、卤品类、汤羹类等，目前市场上供应的且广受欢迎的品种有数十种。口味上兼具南北特色，咸中带甜，以甜提鲜，甜点则糯香黏滑甜纯适口，口感呈现香酥、绵糯、滑爽等多样性。

2.制作精细，应时而变。杭州传统小吃充分展示了南方点心精细多姿的特点，外观精致小型。并且四季有别，应时变换，从馅料、口味、形状上体现了不同时令的特色。

3.经济实惠，方便携带。杭州传统小吃多来源于市井，走平民路线，经济实惠。许多品种为干点，且具有一定的耐储性，便于携带。

4.历史悠久，典故繁多。不少著名品种的诞生可以追溯到千年以前，经过历史的积淀，显示了深厚的文化底蕴和强大的生命力。同时，伴随着小吃的出现而出现的典故传说繁多，赋予小吃的魅力使各种小吃名扬天下。

（二）杭州传统小吃的开发思路

在当今旅游经济快速发展、旅游结构不断调整的态势下，传统小吃应不仅仅体现美食的功能，更应作为具有杭州地方特色的旅游资源。产品开发应紧紧围绕杭州深度旅游的发展目标，通过品牌推广、搭建市场、设计美食旅游产品、培养专业人才等途径，全面提升杭州传统小吃在现代旅游中的作用。

（三）杭州传统小吃的开发路径

1.挖掘文化内涵，注重品牌推广。杭州的传统小吃有经典的传说故事，如：吴山酥油饼因帮助宋帝赵匡胤凯旋而被命名为"大救驾"，富有传奇色彩；定胜糕，曾表达了南宋时杭州百姓为岳家军出征鼓舞将士的美好祝愿，当今学子为金榜题名必在考前品尝该小吃；"朝糕"是宋代官员上朝前的点心，有黄条糕、水晶糕、薄荷糕、绿豆糕、豌豆糕、茯苓糕、松花团子等十余品种；油炸桧则是人们痛恨民族英雄岳飞被卖国贼秦桧和他的老婆王氏以"莫须有"罪名所害，而发明的点心。另外幸福双、猫耳朵、知味小笼、西湖藕粉、片儿川等都有经久流传的故事。挖掘整理小吃背后的典故，整合小吃文化，将有助于打造杭州传统小吃的新形象。树立品牌意识，切实加强品牌保护，做好宣传推广，充分发挥品牌作用，利用品牌价值拓宽产品和服务领域，以期开拓更广阔的市场，产生更大的经济效益和社会效益。

2.借鉴他山之石，搭建小吃市场。国内不少城市在利用小吃文化促进旅游方面取得了成功的经验，如前面提到的北京、成都、上海、南京、苏州、长沙等城市，通过相对集中的美食市场聚集了人气；广州、兰州、西安等城市则凭借广泛散布的网点吸引着旅游者。杭州目前既没有集中展示传统小吃的美食街，也缺乏专营店，虽然市政府在近几年打造了几条美食街，但经营的产品并非本地传统小吃而是引进了国内其他地方的风味，对旅游者不具备吸引力。应该借鉴他山之石，结合杭州 RBD 的状况，建设若干风味小吃街（区），在河坊街、中山路湖滨步行街、运河商贸街、钱江新城等区域建立传统小吃网点。

3.以传统小吃为载体，设计美食旅游产品。旅游产品可以包括多种类型：(1)小吃品尝体验产品。在美食街区或小吃网点，为旅游者提供现场制作的品种，同时开辟场所让旅游者参与 DIY，得到体验的乐趣。(2)小吃景点串联产品。作为南宋都城的杭州，有相当数量的小吃与景点蕴含南宋的历史文化，品尝小吃、介绍并游览旅游景点，会加深旅游者对杭州的了解。(3)小吃礼品。购买当地的旅游商品也是旅游者旅游的动机之一，将杭州传统小吃包装成旅游商品，以此延伸来杭游客的旅游印象。

二、论文

4.根据开发需要，培养专业人才。(1) 专业技术人才的培养。传统小吃基本属于手工制作产品，这也正是其魅力所在，然而随着社会多元化的发展，传统技艺的传承出现了后继乏人的局，培养小吃制作的专业技术人才对传统小吃的进一步开发至关重要。师傅带徒弟的培养模式已经不能适应当代经济发展，需要在专业院校中建立人才的资源库，保证杭州传统小吃制作技艺的传承。(2) 专业经营人才的培养。小吃经营的传统模式已经跟不上社会发展的步伐，需要有一批具有先进的经营理念和管理方法的专业人才，可以采取人才引进和院校培养相结合的措施，在杭州建立经营管理的人才队伍，做强做大杭州传统小吃的市场，使之在城市旅游纵深发展中起到更大的作用。

参考文献

[1] 何宏.饮食文化对旅游发展的影响 [J].社会科学战线，2007(2).

[2] 国家旅游局 20 年中国旅游业统计公报 [EB/OL].http/www.cnta.gov.cn/hm/2010/2010-10-20104369972.html.

[3] 谢燕娜，石培基.近十年来因内城市旅游研究进展 [J].经济地理，2009(1).

[4] 张玲.城市旅游与旅游城市化 [J].网络财富，2009(4).

[5] 魏艳等.城市旅游的建设重点及对策研究 [J].河南科学，2009(7).

[6] 保继刚，古诗韵.广州城市游憩商业区 (RBD) 的形成与发展 [J].人文地理，2002，17(5).

【文章来源】徐迅：《基于城市旅游纵深发展背景下的杭州传统小吃开发研究》，《中国证券期货》，2011 年第 6 期

51. 中国餐饮新热点："杭州菜"热俏的分析与思考

由餐饮业经营的地方风味菜肴，属于面向消费者的商品生产。著名管理学家彼得·杜拉克曾明言："顾客便是生意""做生意的目的是招徕顾客"。即只有首先满足客人的需要，才能有企业需要的满足，菜肴的声誉和市场占有如何，同样要受市场机制和规律的制约与影响。1999年—2000年，杭州菜于世纪之交的热俏，同样应当以此为基本着眼点去认识。当然，在餐饮业市场发育不够完善和许多非经济因素干预市场机制作用的今天，要想清楚透彻地认识杭州菜近年来热俏的原因和意义，恐怕还不能仅仅局限于内部，还应作视野更为广阔的社会和文化考察。

一、走马灯转：近20年来大陆餐饮市场的时潮现象

改革开放，首先放开的是餐饮市场，而且是一直活跃至今的市场。在这个活跃兴旺的市场上，消费者与经营者彼此处于差异很大的心态中。与消费者面对市场兴旺繁荣、品种异彩纷呈的应接不暇和愉快满足感觉相反的是，许多餐饮经营者则处于疲惫劳顿、苦恼思索，甚至举足失措、无所适从的艰难之中。这期间，川菜、粤菜、潮州菜、淮扬菜、东北菜、杭州菜，当然还有港菜、客家菜、海派菜，等等，均或先或后、时限或长或短、空间或大或小地相继各自热闹了相当时间。于是形成了改革开放以来20世纪末中国餐饮市场"你方唱罢我登场"的走马灯转现象。它们都成了popular culture，都成了一阵或大或小、或长或短的风，任何一种区域性菜肴文化都没有成为一种主导力量在其原壤之外长久地保持热俏的势头。正是当代中国餐饮业这种风味时潮的走马灯旋转，才使得中国烹饪与饮食文化异彩纷呈，实现了持续跨越式的发展，使各文化区位、各省（市）、区烹饪技术和餐饮文化打破既往长久稳定格局，不断更新发展。厨师和广大餐饮工作者的自尊、自主与创新意识是我们这个饮食文明古国、饮食文化大国与"烹饪王国"既往五千年文明史上前所未有的；自由经营、积极更新、激烈竞争的深度和广度同样也是大陆餐饮业所未曾经历的；说广大厨

师的才能因工作者的聪明才智和创造性得以无所顾忌地淋漓尽致发挥，那是丝毫也不过份的。

应当说，这种走马灯转的时潮现象，是改革开放以来中国餐饮市场自由发展的必然，同时也是这一时期政治上政府大力拉动，经济上各类消费资金集力支撑的时代社会与文化大背景下的必然。如同其他过客一样，杭州菜也不可避免的会是一个歌坛舞台上走红式的角色。因为任何一种文化的产生和其生长都是以特定的原壤为基础的，迄今为止，还没有哪一种餐饮文化是超空间和超时间的，从根本上说它都是"一方水土"的，因而也首先是属于那"一方人"的。一种风味类型的菜肴集群，作为一种文化丛，它是一定区位饮食文化重要的有机构成。它体现的是"一方水土养一方人"的人与自然的契合。某一风味类型菜肴集群构成的餐饮文化丛，首先是属于，并从根本上说是属于其赖以生长的饮食文化区域，即特定的饮食文化圈的。正是这众多独立存在、不断更新又彼此相辅相成、协同发展的各区位饮食文化才支撑了中华民族饮食文化圈的存在，才造就了东亚地区中华饮食文化圈的历史辉煌与长久繁荣。

问题在于，我们有必要深入研究这种走马灯转现象的种种实在和具体原因，探究其规律，从而获得更多的自觉性和主动性，这样做很有意义，它可以使研究者获得真知，而使实践者可能得到更多的经济利益。

二、上海滩辉煌：杭州菜热俏的必然因素

上海是中国最大的餐饮市场之一，而且是最具包容并蓄能力的餐饮市场，是中国餐饮市场中的航母。上海餐饮市场博大臻备，它的眼光和胸怀很难会少见多怪，因此，想在这里的餐饮市场造就风靡影响是极难的。这一点，我们从上海近百年来餐饮市场发展历史中不难窥见，尤其可以从它对粤菜、川菜等地方风味菜种实行包容、消化、再造的魄力和成功中得到印证。可以说，经过20世纪80—90年代相当长一段时间"非菜系"的排抑困惑并最终以"海派"的理念和实力突破"菜系"说的桎梏之后，上海餐饮市场早已经是见怪不怪、处乱不惊了。而杭州菜正是在这样一种态势下的上海餐饮市场劲爆成功的，这便让我们不能不深思。

近两年，杭州一些有影响的饭店张生记、新名门、江南屯、新开元、鑫旺阁、

花中城、新三毛、新阳光、高朋、红泥、顺风、万家灯火、欢乐农家、谢记蛇庄、知味观、楼外楼等相继在上海取得火爆成功。而且我们了解到,又一批杭州饭店将要挂牌开张。本月18日位于黄浦区的一家拥有4000平方米营业面积,近1000个餐位的甲级杭州风味饭店将隆重开张。似乎可以说,杭州菜正在大上海走上更高辉煌。究其主要原因,大概不外以下若干方面:

首先,不断变换口味、更新观念的餐饮市场要求,在呼唤新风味、新形象的菜品,它已经不满足于既往以"生猛海鲜""百菜百味"等相标榜的旧面孔了。同时,由于消费群体结构的变化,中档的所谓"工薪族消费"一些年来占市场份额的比重逐渐增大。这两者决定继起的餐饮市场宠儿应当是既能以新式样、新口味迎合人们的新观念、新时尚,又能以逐渐扩大的白领群体或其相当消费能力的人群为主体顾客的风味菜种。

其次,现代国际大都市上海正是上述两种要求最强烈的极其广大的餐饮市场。有人撰文说上海人的口味"喜新厌旧",应当说颇有道理。其实,"喜新厌旧"是中国人(未必不是时人和世人)对餐饮的共性心理,不过上海人表现得更为突出强烈一些罢了。比较其他城市的人群来说,上海人更少因循守旧,更乐于和更易于接受外部文化、新事物,这是上海作为一个近代开放都会的传统文化心态。上海人既有前卫的新观念,又有猎新的强嗜欲,更有强劲的消费实力(当然还应包括数量相当可观的流动消费群体)。

再次,上海相对良性的投资环境对吸引外地餐饮企业的立足发展具有不可轻估的意义。为兄弟省市企业到上海发展提供优惠政策,是上海政府的明确态度。打破部门利益和地方利益的狭隘观念,对在沪的外地企业实行政策宽松、税收(水、电、排污等)优惠、手续简便等一系列极具吸引力的措施。于是便决定了上海将再次成为中国餐饮市场时潮的大舞台。这里,政府的政策是至关重要的,东邻日本有一个很说明问题的事例:1971年日本实行餐饮业百分之百的资本自由化政策,于是造成了欧洲汉堡包店、油炸鸡店、炸面饼圈店以及"家庭餐厅"的风速兴起,以至"从繁华街市直到郊区,美式餐饮鳞次栉比"(《当代日本社会面面观》,商务印书馆,1995)。

又次,杭州与上海同处历史形成的长江下游文化区和饮食文化圈内,区域文化通融、经济联系有很高的便易性,两市人们的口嗜与习尚表现在菜肴的原料、加工、风格、味型等诸方面有较多的相似性及潜在的更多一致性。

二、论文

最后，杭州菜自身具备了扮演中国餐饮大舞台上名角的充分条件。比较上海本帮或各外帮风格饭店来说，杭州菜以全新面目和较低价位很快便成了众所瞩目的娇客和倍受欢迎的新宠。

三、不是噱头是拳头：变化革新中生存发展的杭州菜

长期以来，许多人都对杭州菜的渊源历史、文化蕴积作了相应的研讨与叙述，本文不想就此再作赘述。它至少可以从吴越文化追溯起的骄傲和南宋的繁华，的确是不尽的话题，也实在是杭州菜和杭州饮食文化（不仅只杭州）坚实深厚的基础。例如，创建于民国十二年（1923）的天香楼早于1949年便在九龙开号，在台湾也于1988年开号，并且都是很地道的传统杭州菜。今天，港台等地许多饭店经营的菜肴风味都打着包括杭州菜在内的下江地区风味招牌。需要指出的是，杭州菜的文化传统在杭州本地一直受到高度重视和爱顾，它们没有被冷落，更没有被摧残，而是一直被珍视传承。早于1956年，浙江省政府便认定有36个"杭州名菜"，它们是：西湖醋鱼、叫化童鸡、蛤蜊余鲫鱼、杭州酱鸭、一品南乳肉、红烧卷鸡、鱼头豆腐、八宝童鸡、春笋步鱼、栗子炒子鸡、咸件儿、栗子冬菇、鱼头浓汤、槽鸡、龙井虾仁、火蒙鞭笋、南肉春笋、西湖莼菜汤、斩鱼圆、火踵神仙鸭、油爆虾、虾子冬笋、蜜汁火方、番虾锅巴、槽青鱼干、卤鸭、东坡肉、槽烩鞭笋、排南、干炸响铃、清蒸鲥、鱼百鸟朝凤、荷叶粉蒸肉、油焖春笋、火腿蚕豆、生爆鳝片（《都市快报》2000年8月1日）。这些名菜不仅许多人耳熟能详，而且许多至今仍是各类饭店经营的常规和高频品种，是杭州人（不仅杭州人）家庭节庆、待客，甚至是家居的惯用品目。

从1956年至今，已经是45个年头了，杭州菜以其菜品和技艺的深厚实力与独特魅力一直居于中国餐饮市场翘楚的地位。自1983年以来的4次全国烹饪大赛，杭州菜的得分基本都是名列前茅，表明了拳头的实力而非噱头的势力。可以说，不断探索创造、求新发展，是杭州餐饮界广大工作者，尤其是那些技术中坚、思想前卫者的基本素质和一般作风。正是那些在经营管理诸方面对杭州餐饮界具有举足轻重影响的企业和人物不断求新、更新甚至革新的倡导与表率作用，在杭州菜的更新发展中发挥了助动和起搏的作用，推动人们的脚步，

495

激活人们的思想，才有了今天上海滩的辉煌。实力—务实—求新，正是昨天杭州菜走过的道路，也正是今天"杭州菜现象"所昭示的道理。我们可以通过比较近20余年来出版的几本具有代表性的浙江菜和杭州菜谱书看到：

《中国菜谱：浙江》（《中国菜谱》编写组，中国财经出版社，1977）

分类：	肉菜类	禽蛋菜类	水产菜类	甜菜类	野味菜类	素菜类	其它类	合计
品数：	41	25	94	12	13	17	24	226

《杭州菜谱》（杭州市饮食服务公司，浙江科学技术出版社，1988 年 3 月第一版）

分类：	拼盘冷菜类	肉菜类	水产菜类	禽蛋菜类	野味菜类	素菜类	其它类	甜菜类	汤菜类	合计
品数：	32	38	98	44	16	34	53	20	15	350

《杭州菜谱（修订本）》（戴宁主编，浙江科学出版社，1988 年 2 月第一版，2000 年 1 月第八次印刷，2 月当是 3 月之误）

分类：	冷菜	肉菜	水产菜	禽蛋菜	素菜	野味菜	其它菜	汤羹煲菜	点心小吃	合计
品数：	24	35	119	29	23	24	46	20	39	359

《中国名菜谱（浙江风味）》（中国财经出版社，1988 年 6 月）

分类：	山珍海味菜	肉菜	禽蛋菜	水产菜	植物菜	其它菜	合计
品数：	30	35	40	109	25	20	258

《浙菜》（中国烹饪协会主编，鲍立军等编著，华夏出版社，1997 年 1 月）未作具体分类，但可分类如下：

分类：	冷菜（或看盘）	肉类菜	水产类菜	禽蛋类菜	蔬菜类	甜菜	点心	其他	合计
品数：	10	17	45	20	10	3	10	51	20

《华夏菜点精粹：浙江风味》（姚培均主编，华夏出版社，1997 年 12 月）

分类：	畜肉类	禽蛋类	水产类	干货类	素菜类	甜菜类	面点小吃	合计
品数：	26	25	42	13	14	3	35	158

二、论文

《浙菜精华》（本书编委会，浙江科学技术出版社，1999 年 3 月）

分类：热菜、冷菜、名小吃点心、果蔬雕、面塑、合计

品数：115　　30　　　27　　　16　　　12　　220

以上 6 本菜谱书，2 本专讲杭州菜，4 本是统计浙菜。值得注意的是，两本杭州菜谱其实是时隔 12 年后的同一版本的再版修订本（以下分别称为旧本、新本），这便能通过比较说明问题。其中：

冷菜类。新本只保留旧本的 12 品，保留率不足 27%，新增 12 品，占新本 24 个品种的 50%；而一增一减合计 32 品，恰与旧本品数完全相等。

肉菜类。新本仅保留旧本的 11 品，保留率不足 35%，新增 24 品，几乎占新本 35 个品种的 70%，一增一减合计 51 品。旧本的猪里脊原料菜有 13 品，而新本只有 4 品，这表明以猪肉为主体肉料在人们——至少是饭店就餐者群体心目中传统至重地位的明显下落。而"迷宗子排""钱江肉丝""东坡腿""东坡肘子"（甚至水产类中的"东坡脯"等）等一批新入选品种，都表明时下餐饮业格外注重肴馔以新颖品种吸引消费者的市场利益驱动。

水产菜类。旧本、新本品数分别是 90、119，新本相对增加了 29 品，但新本仅保留了旧本的 30 品，即总量的三分之一（其中 2 品移至汤羹煲菜类，本类目下仅为 28 品），新增品种 89 个，更新率高达 70%。水产类菜品数量的大幅度提高和如此之高的更新率，足以说明中国人营养学观念历史性的变化，这与上述肉类菜肴的变化恰从反、正两个方向上得到证明。其中像"果汁三文鱼"一类肴品，从原料到味型，都反映了杭州餐饮业毫不保守的经营理念。此外，像"鱼子扒鱼皮""一品鱼唇"两个品种，原是旧本"虾仁鱼皮"和"鸡火鱼唇"的略作变化。但对坐在餐桌旁凭《菜谱》点菜的顾客来说，却可能产生"犹抱琵琶半遮面"的诱惑效果。这同样是经营者成功揣摩消费者心理以有效利用的一例。

禽蛋菜类。旧本、新本品数分别是 44、29，新本相对减少了 15 品，保留了旧本的 13 品，不足旧本总品数的 30%，更新品种 16 种。

野味菜类。新本 24 品，比旧本的 16 品多出 8 品，仅保留旧本 3 个品种，不足 20%；新增或改革品种 21 个，新本中新、旧品种比例竟悬殊到 7:1。这显然是 20 世纪 80 年代以来大陆餐饮市场迎合某些特殊消费者猎奇心理的饮食文

化时潮反映。不同的是，本菜谱中的此类品种所用原料基本都是人工饲养而非取自自然生态。比如，旧本的"炸烹鹌鹑"本属该书的"野味菜类"，因为鹌鹑已成大量饲养的肉食小禽。

素菜类。新、旧版本品种分别是 23 和 34，新本保留旧本品种的 22 个（其中新本"虎跑素火腿"一品即是旧本"杭州素火腿"，内容文字完全一样），占全部旧本此类品种的约 60%，是各类品种中保留率较高的一个类别。这主要是因为受原料的限制素菜变化空间相对较小，且一些素菜品种已经相对定型的缘故。新本素菜类在保留旧本 22 个品种之外增加一种，未收录的 12 个多属就餐者点要比较冷落的品种。

其它菜类。需要说明的是，新、旧两种版本都列有"其它菜"同一类别，但新本是将"甜菜类"包括其中，而旧本则两类同时并列存在。旧本体例，代表的是 20 世纪中国饭店业的传统分类法，反映的是清末至民国期间，深受西餐筵式及膳品分类模式影响的，以都市中上层社会成员为主要服务对象的中国饭店业菜肴品类的时代习惯。新本将甜菜类品种并入其它类的文化背景，则主要是饭店就餐群体中的大多数人恐糖心理致使甜菜类冷背的社会性饮食心理的时潮影响。说新本将甜类菜并入了其它菜类，其实并不确切，也许说新本取消了旧本的甜菜类别更为准确。因为新本只保留了旧本甜菜类 20 个品种的 6 个，保留率仅为 30%。

汤菜类。旧本称汤菜类，而新本则称汤羹煲菜。前者为旧有历史的传统分类法，后者是 20 世纪 80 年代以后大陆餐饮市场粤菜一度火热走俏和以肉类为主料的炖煮类菜为大众喜爱时潮的反映。新、旧两本的品种分别是 20、15，新本品种总量增加了 30% 多，但保留的却是极具特色且具有 17 个世纪之久的历史文化名肴"西湖莼菜汤"一个品种，保留率不足 7%。其中"宋嫂鱼羹"等是从旧本的水产菜类中原样移过来的。

点心小吃。旧本没有此类，那是遵从中国古往今来肴馔区别，即副食、主食分列传统的结果，既为"菜谱"书便不将主食品种计入其中，因为那是"食谱"书的体例。新本设有"点心小吃"类目，那是 20 世纪末以来大陆餐饮文化界中某些"三神"心态中国烹饪弘扬式研究方法与观念影响的结果。把地方菜种释为极其广大、无所不包的文化概念，将古今中国人与吃行为相关的一切文化现象和因素都纳入经过无限放大的"菜"的概念之中，是这些研究者的一个很

二、论文

勇敢的创造。它反映的是这一时期研究现象空前热闹表象之下的研究队伍的芜杂混乱，反映的是中国饮食文化研究的不成熟和这一研究文化的幼稚与愚昧时代印记。新本点心小吃类收有17种杭州名点中的15种和1997年首届中华名小吃认定会认定的杭州17只名小吃的10种，即另外收录新本中的点心小吃品种为14种。

比较1977年出版的《中国菜谱》浙江分册的226个品种，1988年的《杭州菜谱》中基本出现的有70多个，约占31％以上。这些菜品，在两本书出版（准确些说是编写）相间的十余年里变化是相当大的，这种变化可以概括为以下三类特点：一是基本无变化的旧的或称"传统"品种原样保留；二是一些品名无一字之差的菜肴，多在选料、技法上有程度不同的新变化；三是不少肴品是对过去的原料、技法与口味甚至风格把握作了较大改变后推出的"革新"性品种，因此品名也相应改变了。而总体说来，上述这些特点都十分突出地体现了饮食企业在改革开放后引导和追步餐饮市场变化的规律性和大趋势。这就是快：餐饮经营者变化与更新观念转化和行动快，餐饮市场的变化与更新节奏快。新：餐饮消费者与经营者在世界科学民主和国内改革开放的时代大潮中，仅用不足二十年就打破了封建社会两千余年和近代以来约二百年的民族饮食生活禁抑传统，实现了饮食观念跨越历史时代的革命性更新。尤其是大中城市中公共餐饮消费的一批前卫群体，更促进了这种中国传统烹饪品种向新奇、精美的"美食化"方向变化的速度和数量。

上述分析同样可以用于4种浙江菜谱，由此我们也可以从更广阔些的视野来认识中国传统烹饪菜肴品种这种变化的现象、性质、趋势与意义。

1988年中国财经出版社出版的《中国名菜谱》浙江风味分册，非常突出地反映着"中国烹饪热"的时代色彩。首先是设置了"山珍海味菜"品类，并且大大扩充了海珍原料的品种和数量；而且其他类别肴品也大多明显地精美高档了。也就是说，1988年的这本菜谱有着非常鲜明的追求珍奇奢华的时代特色。而与此一特点相伴的，同样是肴品翻新和刷新的变化。有特色但工艺却很简朴的"雪菜大汤黄鱼"即见于此谱。原名品未变或略作变更重复出现的品种约75个（其中许多品种用料与技法亦有不同程度变化），淘汰名品151个，仅10年间淘汰率即高达66％。更新品种183，更新品种与保留品种比为2.4：1。而1997年鲍立军等三人编著的《浙菜》因受丛书体例模式的限制，只选录了120

499

个品种，并且受"弘扬"式大包容"菜系"说的影响，还在这本菜谱中录进了10个点心品种。也就是说，这本《浙菜》谱比1988年《中国名菜谱》的浙江风味分册，在入选菜品上少了148品。但从后者入选仅61个品种，变化之大一目了然。保留品种之中，一些亦有相应变化，如"冰糖排骨"改为"糖醋排骨"，"四生火锅"变为"八生火锅"等。

《华夏菜点精粹：浙江风味》与上述《浙菜》是同一个出版社在一年内出版的，这对出版业来说是个特例。但这同时也表明社会对菜谱的热度需求，首先是餐饮业的持续发展造成越来越广大的厨师从业队伍的需求。还需要特别指出的是，本系列丛书明确标为"菜点"而非"菜谱"，这无疑是正确表意，是对名为"菜谱"书却列入主食品的违背基本常识的"菜系"表述法的否定。同时不应忽视的是，该丛书由山东风味、关东风味、浙江风味、福建风味、四川风味、安徽风味、上海风味7个分册组成，在观念上也打破了"三神"观念的"系"模式。

以本菜点谱的123个菜品与1988年的《中国名菜谱：浙江风味》的258个品种比较，可以看到：重复出现的有74个品种，不足30%；此外，"红焖麻雀"变成"清炒麻雀"，"蟹粉菜心"改作"鸡油扒菜心"一类趋潮翻新品种亦占一定比例。若比较同一出版社同年1月出版的上述《浙菜》谱，则在各自158与120品种，重复的仅有52品，仅占三分之一左右。当然，这或许有出版者和编写者主观上有意降低重复率的意图在。这一点我们可以从一是"清炒鸡丝"，一是"掐菜炒鸡丝"；一是"生爆鳝背"，一是"生爆鳝片"等品目的差别上清楚地看到。

最后，我们来看一下浙江科学技术出版社1999年出版的《浙菜精华》，相对于前两本谱书来说，它仅是两年间隔的记录，反映的是更近在身边眼前的情况（据悉，一本立足反映杭州菜新品种、新变化、新特点的更新的菜谱近期即将面世）。此谱与《浙菜》谱相比，重复者不足40品，而且基本集中于肉、水产品及禽类原料，重复率不及三分之一。仅仅两年之间变更如此之大，或曰入选的随意性如此之大，还不足以让人们对某些饭店经营宣传家式的三神观念"系"说产生不足凭信的疑惑吗？若以《浙菜精华》比较1977年，即二十年前出版的《中国菜谱：浙菜》，我们则发现：在220和260个品种中，重复出现的只有不到20品，其中一些从名到实有很大的差异，如"蒸火腿块"变成"排南"，"火膛炖鸡"变成"火踵神仙鸭"，"蟹粉鱼翅"变成"鱼翅炒虾蟹"等，重复率远远不足 10%！

四、"杭州菜热"现象的启示

持续了两年，正方兴未艾的"杭州菜热"中国餐饮文化热点现象，既不是偶然的，也不是难明所以然的。在中国餐饮市场和饮食文化大背景下深入考察，我们不难总结出这样一些基本认识：

第一，杭州或浙江餐饮界即某些人习惯讲的"烹饪界"中人及烹饪文化、饮食文化研究者，即便在上个世纪八十年代至九十年代中十余年间中国餐饮文化白热时期，也很少有人作三神式的"弘扬"或"弘扬"式的烹饪"研究"，这与某些省区的烹饪撰文者极力要把本地菜"研究"和弘扬成中国"第一"或所谓"四大菜系"之一（往往是之首）、"五大菜系"之一、"六大菜系"之一……一类的现象成极鲜明的反差：一方面是竭尽全力和不遗余力地对本地区菜"包装""推销"宣传（这是长时间以来非常流行的观念和行动方式），而另一方面则是跟踪消费、服从市场的务实精神和行动。既往的二十年，杭州菜正是在这种无声胜有声的形态下实实在在发展的。自 1983 年至 1999 年相继举行过四次的全国烹饪比赛。在一定程度上可以反映各省区参赛选手的烹调技术水平，也在一定意义上代表了各省区餐饮业的实力。四次比赛表明，浙江的成绩一直是名列前茅。而杭州市的餐饮业，由于饮食文化的深厚底蕴，与主体消费群好尚习惯的密切关系，便以不断更新发展的本地菜牢固地占据着消费市场。所谓"外地菜很难打进杭州"的说法，可以从一定意义上由此说明。多年来，一些相继很红火过的外地菜，尽管也在杭州打出旗号，但基本上旋即息鼓，偌大杭州城至今很少见到外地风格招牌的大型饭店。甚至连某家很有实力的"全聚德"烤鸭店目前也在亏本经营。餐饮业经营的菜肴，本来就是首先服务于人们基本生理需要的一次性消费商品，就是要适合大众的口味、习惯和购买能力，就是个市场问题，当代一些免单食客的兴会品议，许多情况下不是无关宏质、无补于事，就是惑乱误导。事实已经证明了这一点。

第二，今天火爆的杭州菜，是以所谓家常菜、创新菜，而非传统或曰"正宗"菜为主体的，也就是说，它是面向大众，面向工薪阶层，面向个人消费的，是

501

大陆餐饮市场健康发展的阶段性代表。"家常菜"大张旗鼓打出招牌始于1998年，这正是杭州餐饮界认真研究市场和适应消费主体群变化的大趋势而作出的积极正确反应。但这一理念早于1993年左右便已作为餐饮界的前卫思想与行动开始显现了。

第三，有一批富于创造精神和勇于更新、追求发展的经营者、管理者和勤于跟踪市场发展菜品的厨工队伍在杭州餐饮业起着不可低估的导向作用和骨干作用。百年名店楼外楼每年举行一次全国性甚至国际性的饮食文化节，店内厨师每年都要搞若干次直接与工资、奖金、福利、出国机遇挂钩的创新菜比赛，甚至还将传统名肴"东坡肉""叫化鸡"等成功地转上了工业化、标准化生产线，而这是近几年来杭州市一些名店已经相继迈出的对于餐饮业和中国传统烹饪具有双重意义的重大步骤。经常有组织地到包括新疆、西藏、海南、内蒙古在内的各省区市去进行市场、菜品、原料、技术等考察调研，然后体现为2—3个新菜品的试验推出，以富有吸引力的品牌菜开拓市场，这已经是杭州市许多店家多年来一直实行的经营之道。本市市场研究更是积极活跃，正如业中人感慨所言："某家店推出一款新菜，不出三天就全城开花。"老板带本店人员随时到其他店品尝调研已成行业风气。他们在包厢点菜，请服务员回避，然后关起门来解析研究。许多厨师为了解市场动态、顾客需求和提高技艺的目的，频频出入于各店，经营者的市场压力和厨工从业的压力，迫使老板和雇工都自觉不自觉地进入了市场设的竞争图存、制胜发展的轨道。有的店还有组织地进行菜品演变的文化寻根长途考察，走出杭州，深入乡间，远涉外省，边看、边问、边尝、边思考讨论……4500多家饭店汇成的杭州餐饮市场，竞争的激烈，从业者自然都不乏切肤的感受。激烈的竞争中，原材料和成品价格近几年来一直呈下落趋势。调查表明，杭州菜肴本地市场价格在整个华东地区都是偏低的。于是，一些店亏本经营，一些店倒闭，而那些不断取长补短、扬长避短，锐意进取者则戴上了瞩目的光环。同时应当看到的是，杭州市的餐饮行业协会在杭州菜的研制发展中起到了不容低估的重要的组织和促进作用。

第四，可贵的革新思想。二十世纪八十年代中期，当"菜系"说在烹饪界中开始被张扬开来之际，笔者就尖锐指出这是个过分囿于地区与行业利益，行帮意识极强，在认识和实践上有很大直接与深刻危害的蛊惑性口号。一些睿智的研究者持着同样的看法，其后认同这一看法的人逐渐增多，因为笔者最初的

二、论文

警告和所揭示的诸种弊端已经逐一被时间所证明了。时至今日，只有个别行业推销员式的"烹饪研究者"尚偏嗜乐道于"菜系"说。而作为行业中人，最早在实践上突破束缚，进而从认识上异变否定"菜系"思维，杭州可谓天下之先。可以说，今天中国餐饮界中的绝大部分业中人都已经在实践上自觉或不自觉地突破和否定了"菜系"的定式与架构，虽然许多人还仅仅满足于眼前经营实利的一时成功而未能从认识上前进一步。这显然是由于时代行业的认识能力局限和餐饮文化发展的历史程度所限。但是，杭州餐饮业的一批精英却超越了中国当代餐饮业群体认识能力的历史局限，创造了其时代的前卫水平。这就是"迷宗"观点的提出和理念的确定。这是一桩中国当代餐饮文化、烹饪文化现象与研究中应当深刻认识并值得大书特书的题目。遗憾的是，许多美食评论性的烹饪文章撰写者和研究者迄今仍未予以足够的关注。而杭州人，正如以上所说，他们更多是一批敢想敢干的实践家。"迷宗"说法的某个个人灵感创意的背后，是上述杭州菜不断创新发展的群体实践与思考；是杭州菜从经营大陆餐饮业及自身自改革开放以来的曲折起伏中艰难前进的苦苦探索；是大陆餐饮市场机制的洪潮冲破"菜系"人工围堤在思想层面的逻辑结果。"迷宗"的涵义应当作如下三个层面理解：一是不拘定式，打破"杭州菜"既往的风格模式和具有某种定规意义的格局，实行全新观念的发展；二是广泛从各地区菜的原料、工艺、风味、成品名实等菜品文化中汲取杭州菜更新发展的营养，使杭州菜博采众家又能超乎众家之上；三是对餐饮业流行的所谓菜品、菜系"正宗"说法的扬弃与否定，因为"菜系"说正是以"正宗"观念为基础的，而以食用性、适应性和适口性为根本属性的菜品，本质上就是否定"正宗"的。这第三个层面是理论化层面，是"迷宗"说的最高层面，同时也是其相对较薄弱的层面。这是取自流行武学概念"迷宗"一词本身的局限所致。然而这一概念却非常适应今天中国餐饮业中人的文化趣味，容易产生明显的"定式现象"效果。事实也恰是如此，杭州人创意的"迷宗"说极大地引起了大陆餐饮业同仁的兴趣，也不可避免地要引起更深入的理论思考，并导致更高层的理性判断。而在这一点上，台湾地区的饮食文化研究者们表现出了更自由、更理智和更有成效的探索。他们不仅冷眼旁观且大不以为然大陆某些烹饪研究者的三神鼓吹，更进一步以高远的目标和博大的胸怀对中华饮食文化全面、深刻、系统地研究。以中国饮食文化基金会主办的既往六届（每二年一次）国际学术研讨会，每年一届的餐饮

503

管理学术研讨会，出版的专业期刊和研究文集为代表，给我们树立了一个很好的以科学精神从事学术研究的榜样。而台湾 1999 年出版的十分精美的《中华美食邮票专册》以"台湾菜""福建菜""广东菜""浙江菜""上海菜""湖南菜""四川菜""北京菜"为中国的八大地方菜种，也无疑是对大陆三神"菜系"诸种模式的耐人寻味的调侃。

第五，杭州菜的更新发展，冲破了束缚餐饮文化健康发展的"菜系"说人工壁垒，充分显示了地域饮食文化的深厚底蕴和巨大生命力。以上分析的每本菜谱所代表的是一定意义的杭州菜品文化演变的历史阶段性特点，作为已经静止了的文化断面，后者对前者往往都是一次扬弃和否定。这一次次严格的否定把"菜系"臆说践踏得支离破碎，将"正宗"臆说击毁成了齑粉。但无论怎样变化，它们还仍然是"杭州菜"——虽然是时刻发展变化着的，对于其他地域的菜品文化来说，对外地人的判别眼光来说，它们仍然是"杭州的"。事实也正如此，无论怎样更新变化，以下的主体格局和基本风格都是明确的：原料上以海鲜、河鲜及地产菜蔬为主，烹调以水为传热介质的煮（以及蒸等）法为主，适口性柔嫩细腻，口味鲜爽清淡，讲究材质，注重原味，为杭州的饮食文化传统和杭州人的饮食习惯所接受并始终以杭州人为消费主群体。由于交通条件的逐渐改善，可进入性大大提高，外地（当地基本是浙江本省）水产品原料目前已高达本市消费总量的百分之六十以上。1990 年以前变化相对迟缓的传统地方菜模式开始快节奏更新步伐，传统的烹调方法也更趋精细、高档，更注重成品形态的审美效果。因此，所谓"创新"，是相对于杭州菜传统的创新；所谓"家常菜"，是提高到时代新水准的更趋精细高档了的家常菜。今年 8 月 29 日，笔者在出租车上向一位年约 32 岁的女司机（驾号 04275）提问："如果家中来一位需热情招待的客人，并且由您下厨的话，将设计怎样的菜谱？"回答是：卤鸭（以一瓶啤酒煮，沸后入酱油、糖、桂皮，煮至干稠，鸭呈红色，冷后切盘）、蒸鸡（本鸡）、蒜泥刀豆或火焖刀豆（用火腿条子）、花菜肉末、青菜肉片、辣笋（笋干）烧肉、红烧肉千张、红烧鲫鱼（即鲫鱼汤）、冬瓜榨菜汤。这位女司机说她很愿意下厨，家中来客都是她下灶，母亲是绍兴人，故儿时家庭和个人口味习惯受其影响。显然，这是个职业、年龄都属于餐饮时潮群，且又在厨事经验和兴趣方面颇具代表性的典型个例。随口所拟菜单显然是传统意义家庭菜和市肆菜相向运动结合而成的新概念家常菜——真正在家庭厨房烹制

和家庭格调的家常菜。比较而言，目前杭州市一些颇具代表性的市肆甲级店以
"工薪族"为主要对象的菜单，则更具商业性质的"新"感觉，试举几例如下。
杭州酒家 800 元筵式：八味花碟、恭喜发财羹、白灼基围虾、福禄炸鸳鸯、火
腿双园鱼、蟹王年年高、尖椒炒牛柳、雪菜冬笋、叫化童子鸡、双百炒西芹、
八宝如意菜、北京烤鸭、双椒鲈鱼、蛤蜊冬瓜汤、炸春卷、小笼、一品水果。
太子楼酒家 800 元筵式：八味美碟、发财瑶柱羹、龙年大吉利（椒盐龙虾）、
火踵蒸甲鱼、剁椒蒸桂鱼、美味炸二样、飘香羊肉煲、骨酱焗肉蟹、八宝如意
菜、酱肉百合荷兰豆、团团圆圆（三鲜鱼圆煲）、合家欢砂锅、点心二道（春卷、
八宝饭）、水果拼盘。花中城大酒店 800 元筵式：美味八碟、白灼基围虾、咸
黄炒青蟹、海鲜鱼元煲、蒜子火文甲鱼、宫爆兔肉丁、生爆肚尖花、清蒸桂鱼、
花城小炒、花城脆皮鸭、嗜嗜炖河鳗、香炸芋黄球、百合西芹、点心二道（八
宝饭、水果粟米羹）、水果。楼外楼 800 元筵式：六味小碟、清汤鱼元、澳洲
龙虾、年年有余（鲈鱼）、尖椒牛柳、姜汁炝腰花、年糕梭蟹、瑶池金栗羹、
盐几甲鱼、锡纸兔肉、上汤时蔬、生炒鳝丝、蒜茸荷豆、三鲜砂锅、点心二道、
水果。以上几个筵式选自 2000 年 1 月 21 日《杭州价格信息》《杭州部分大酒
店新春团聚宴菜单》，故成品确定菜品选料、膳品命名、筵式结构等都一定程
度受时令、合家节庆（宴席主题）、价位等影响。但筵式模式、原料与成品组合、
烹调工艺性等均明显体现出市肆酒店的规范典雅（有时流于过份媚俗趋利）、
精美细腻特点。

第六，"杭州菜热"现象是时潮观念支配下的市场需求造成的。杭州菜时
下的火爆上海，风靡华东，走俏鲁、冀、闽、粤……众多言之者多归于杭州菜
本身的制胜原因，而很少从更广阔的视野，更深刻的意义予以认识。菜品是商品，
饭店是厂家，消费者是市场，市场规律的作用恰是时下"杭州菜热"餐饮文化
现象的基本支点。如前所述，近二十年来，大陆（主要是大中城市）各地菜式
走马灯转现象，反映的是餐饮市场从保守、滞后、单调不断走向兴旺繁荣的复杂、
曲折发展的过程。这一过程中，消费群体的结构，社会尤其是主流群体餐饮观
念的趣好品位，经营者的理念，以及整个社会的饮食文化，都相应发生了深刻
的变化。走马灯转现象是市场的检验过程，消费者的体验经历，也是市场健全、
成熟、完善和消费者成长的过程。时代消费大众——目前主要是城市中的庆娱
消费和工薪族外食需求，决定了"家庭"风格、时潮观念、低价位的市场，杭

州菜正是以其"家常""创新""经济"的特点和优点，逢时乘势，火爆走俏的。由此看来，"杭州菜热"便不一般等同于既往走马灯转现象过程中的那些地方菜种的一度红火，它具有更为广阔、更为深刻的意义。

【文章来源】赵荣光：《中国餐饮新热点："杭州菜"热俏的分析与思考》，香港《饮食文化研究》，2001 年第 1 期

二、论文

52. 杭州饮食旅游产品设计与开发研究

摘要： 杭州是驰名中外的旅游胜地，旅游资源丰富，旅游产品多样，多年来杭州旅游业发展迅猛，为当地创造了大量财富。但随着人民生活水平的显著提高，居民可支配收入不断增长，国内外游客对于旅游品质的要求日益提高，在这种情况下，任何旅游经营者都要把增加旅游产品新元素作为重要任务。文章以杭州饮食旅游产品为研究对象，客观分析了杭州饮食旅游产品开发的必要性和可行性，提出了独特性和互补性两大产品设计开发原则，并尝试设计出 10 个杭州饮食旅游产品。

关键词： 杭州饮食旅游；设计与开发

饮食旅游亦称美食旅游，已成为近 20 年来全球发展最快的旅游领域之一。博尼斐 (Boniface)(2003) 认为，饮食旅游由旅游地的特色饮食、文化遗产和生活方式整合而成，是文化旅游的重要表现形式之一。[1] 在"中国知网"通过检索"饮食旅游 / 美食旅游"相关"主题""篇名"的文献，得到 243 篇。王雪莲、杨雪、吴晓东、杜莉等专家认为美食旅游是指到异地寻求审美的愉悦经历，以享受和体验美食为主体的具有社会和休闲等属性的旅游活动。[2-5]

杭州是中外驰名的旅游城市，多年来杭州旅游业保持着良好的发展势头，根据杭州统计局发布的数据显示，2016 年杭州旅游市场呈现旺盛的发展势头，全市接待游客 14059.1 万人次，同比增长 13.5%，其中，接待国内游客 13695.9 万人次，增长 13.8%。实现旅游总收入 2571.84 亿元，增长 16.9%，实现国内旅游收入 2362.64 亿元，增长 17%。四项指标近三年均实现大幅增长，其中旅游总人数和国内旅游人数增幅更是呈逐年提高态势。[6] 同时，杭州是我国八大菜系之一——浙菜的发源地，这里的餐饮业同样保持着持续发展势头。2016 年，杭州餐饮业收入突破 500 亿元，实现同比增长 8.7%。然而，在旅游业和餐饮业两大产业各自欣欣向荣发展的同时，如何将两个产业有机结合起来实现"旅游＋餐饮"的共赢发展局面，学界和业界都没能给出很好的解决方案。鉴于此，本文以杭州饮食旅游产品为研究对象，客观分析了杭州饮食旅游产品开发的必

507

要性和可行性，提出了独特性和互补性两大产品设计开发原则，总结出 10 条产品设计与开发策略。通过以上的科学研究，以期为杭州饮食旅游产品设计开发提供一些有益的启发。

1 必要性和可行性

1.1 必要性

1.1.1 杭州饮食旅游产品是传统旅游产品的有效补充

"天下西湖三十六，就中最好是杭州"，作为"六朝古都"的杭州，自古以来吸引着天下无数游客。近几年来，随着"西湖博览会""世界互联网大会""G20峰会"等国际大型会议的召开及即将到来的亚运会，杭州已成为著名的旅游目的地。以湖光山色和人文古迹为核心要素的传统旅游产品已无法满足不同游客日益增长的新的旅游需求，设计开发饮食旅游产品是有效的补充。

1.1.2 杭州饮食旅游产品是完善旅游六要素的需要

吃住行游购娱是旅游六要素，是游客到访旅游目的地需要完整体验的六大类项目，作为六要素之首的"吃"，事实上，往往会因为并不美味的团餐和紧凑行程导致游客没有自主时间寻访杭州美食，使游客得不到最佳的美食体验，也愧对杭州作为全国首个"中国休闲美食之都"的称号。

1.1.3 杭州饮食旅游产品是个性化休闲旅游的必然产物

个性化旅游（或者称为定制旅游）的休闲旅游时代已经到来，以自驾游、高铁游等方式旅游的散客占来杭游客的比例接近七成，他们时间自由度高、个性化要求高，对旅游目的地的美食体验需求在层次和多元上都有提高，杭州亟须开发为游客量身定制的饮食旅游产品，作为代表杭州城市文化的新兴旅游产品，必将成为杭州新的旅游吸引物。

1.2 可行性

1.2.1 具备丰富的饮食旅游资源

从传统来看，浙江菜是中国八大菜系之一，杭州菜是浙江菜的灵魂。"楼外楼""天香楼""知味观"等百年老店的"东坡肉""西湖醋鱼""龙井虾仁""知味小笼"等传统杭帮菜享誉海内外，经久不衰。

从发展来看，20 世纪 90 年代从"迷宗菜"发端，杭州菜兼收并蓄、迅猛发展，

"外婆家""张生记""红泥""新开元"等本地餐馆在大江南北遍地开花，将杭州菜清新脱俗的特质印入了食客的心里。

从眼前来看，杭州的饮食精彩纷呈。高端的有 G20 国宴菜，街巷美食则有"舌尖上的片儿川"；养生的有胡庆余堂为代表的药膳，休闲的有茶楼茶园的茶餐茶点；本土的有自然生态的江鲜菜和乡村菜，异域美食则包罗了法意西德欧罗巴菜肴和泰印日韩等。

1.2.2 政府的支持推动饮食旅游

"健康中国"有望升至国家战略，中国素来重视饮食养身之道。国家旅游局已经严厉禁止低价旅游，推进品质旅游，"吃"这个旅游要素需要率先提高品质。省政府多次将浙江、杭州的美食在境外交流展示。浙菜与国内其他八个省联合进行"八大菜系申遗"活动，进一步提升了浙菜在世界上的知名度。杭州市政府将美食行业列为"十大特色潜力行业"，推出的《杭州美食 (餐饮) 行业品牌评价标准》为杭州饮食可持续发展提供了保障。

《杭州市城市旅游专项规划》指出要实现杭州旅游从"旅游城市"向"城市旅游"的转型发展。规划对吃住行游购娱六要素的近期 (2016 年前) 和远期 (2017—2020 年) 都做了谋划。"吃"方面，近期要实施"老字号复兴"计划，恢复船帮菜；远期则设计策划杭州"美食之旅"特色旅游产品，开辟系列美食线路，建设杭州餐饮产业投融资平台。[6]

1.2.3 饮食修学的时机已成熟

杭州市政府着力打造的中国杭帮菜博物馆是一座集杭帮菜展示、体验、培训、经营于一体的美食文化特色博物馆。博物馆设有展馆区、体验区和经营区，其中体验区体现了杭帮菜饮食文化的参与、交流、互动、学习的特征。在室内观众体验区的"老百姓大厨房"，原创性地设置了杭帮菜大师讲堂、烹饪表演与示范、市民游客参与菜点制作、百姓杭帮菜擂台竞技、电视饮食节目直播间等；在室外互动区的爽园，设置了打年糕、做馒头、磨豆浆等活动；室外亲水平台，可参与饮食文化沙龙及吃杭州菜、说杭州话、唱杭州戏等节目。

在 AAAA 景区浙江旅游职业学院的美食体验中心则为开发美食游学产品提供了平台。浙江旅游职业学院是浙江省政府与国家旅游局共建的国家骨干校，美食体验中心包含了中西餐演示中心和实训教室、中西点教学互动教室、糖艺雕刻欣赏与体验教室、调酒咖啡演示体验教室等，吸引着喜爱饮食文化的中外游客，为美食游学搭建了平台。

1.2.4 媒体对饮食节目的关注持续增加

媒体聚焦美食激发民众探求美食的热情。近几年来，各级各类公共媒体以不同的方式聚焦杭州美食。国家电视台的《舌尖上的中国》《味道》关注杭州的传统名菜和地方名小吃，《朗读者》把 G20 国宴的总策划师、杭帮菜大师胡忠英介绍给了中国观众；浙江电视台的《12 道锋味》《江南好味道》等挖掘了杭州及其周边地区的大量美食；大量的网红直播平台、美食 App 更是极尽所能地展示着代表杭州饮食文化的餐厅餐馆、风味佳肴。

2 杭州饮食旅游产品设计与开发的原则

2.1 独特性原则

饮食旅游产品设计与开发必须彰显杭州饮食旅游产品的特点，充分体现出"人无我有、人有我优"的特点，因此在进行杭州饮食旅游产品设计与开发时应该首先坚持独特性原则。

杭州名菜是唯一获得国家权威认定的地方名菜。1956 年浙江省认定的 36 道名菜得到国家商务部的发文认定，这是商务部唯一一次为地方名菜认定。一方面这些名菜充分体现了杭州及江南的饮食特征，另一方面每一道名菜背后的故事展示了中国饮食文化的博大精深。进行饮食旅游产品设计与开发时，应鼎力打造这些名菜的独特性。

2.2 互补性原则

优质的旅游产品是吸引游客并增加游客满意度的核心竞争力，饮食旅游产品是传统旅游产品的有效补充。通过各行业、各部门、各产业的互补能够最大限度发挥杭州饮食旅游产品的优势，取长补短。坚持互补性原则可以从以下几个方面着手：第一，功能互补。旅游是需要带给游客身心愉快的活动，传统旅游产品的设计将重心放在欣赏人文与自然的景观，给游客带来精神层面的享受，饮食旅游则通过享受和体验美食给予游客物质与精神双重的愉悦经历，饮食旅游产品设计与开发将能实现功能的互补。第二，内容互补。旅游追求差异化，饮食旅游亦然。六要素中的"吃"是指让游客"吃"到不一样的异域美食,杭州饮食文化具有那么多的独特性,必须呈给游客带有鲜明特色的杭州美食,从而达到饮食内容上的互补。第三,游线互补。饮食旅游产品设计与开发的重心是要为游客提供多样化的美食体验,一方面游客的饮食需求具有差异化,另一方面杭州美食自身也存在差异化,这就要求设计饮食旅游线路时既要突出每一条线路的核心特征,也要体现游线要素的互补性,便于让游客获得足够的选择方案。

3 杭州饮食旅游产品设计与开发举例

基于杭州饮食文化的深厚内涵,依托杭州饮食资源的丰富类型,本文尝试设计和开发出 10 个主题旅游产品以飨读者。

3.1 传统美食经典游

传统的杭帮菜可以分为湖上帮和城里帮,有着相对应的知名老店与经典美食。湖上帮的"楼外楼"名扬海内外,近百年来精心烹制"西湖醋鱼""龙井虾仁""宋嫂鱼羹"等佳肴;城里帮的"天香楼"也誉满全球,"东坡肉""叫花鸡""蜜汁火方"等美馔让人尝后爱不释口。还有"闻香下马,知味停车"的知味观有着世人皆知的"知味小笼""猫耳朵""幸福双"等传统名点;以及古人赴京赶考为求金榜题名必到"奎元馆"吃的"虾爆鳝面"等等。这些名菜名点的背后都有着历代文人骚客赋予的美好诗篇或经典传说,游客在品尝美食的同时,多了一分文化的陶醉。

3.2 乡村美食采风游

杭州自古便是"鱼米之乡",江湖山野美食纷呈。在不同季节、不同山水区域,选择不同的乡村美食进行采风而得到的美食体验是丰富而别致的。千岛湖的大鱼头是中国知名品牌,萧山的大种鸡是中国特色名鸡,临安的鲜笋鲜甜清脆,钱塘江的江鲜拥有河海交融的美味……天然环保又滋味鲜爽的美食会让游客得到既饱了口福又享受寄情于山水的舒畅。

3.3 市井美食寻觅游

带着游客走进杭州的街巷,市井美食无所不在。"吴山烤禽店"前的食客从开门排队一直到打烊，是为了一只在杭州人餐桌上飘香了数十年的吴山烤鸡；老店新开的"杭州酒家"里热气腾腾的南方大包，是借杭州人心头之爱的回归；"片儿川"之于杭州就像"担担面"之于成都、"热干面"之于武汉，那可以是杭州人的一日三餐；巷口里飘着香的臭豆腐、葱包烩儿、油墩儿既是孩童的零嘴，也是耄耋老人的童年记忆。当游客寻觅着这些小而特的市井美食时，抑或会想起人类学家张光直的"到达一个文化的核心的最佳途径之一就是通过它的肚子"吧。

3.4 养身美食品鉴游

"医食同源、药膳同功"是中国人深谙的养身之道，杭州拥有得天独厚的养身美食资源。土生土长的"浙八味"和经典流传的胡庆余堂"真不二价"的良心药材，为药膳提供了足以让游客欣慰的食材。杭州厨师既沿袭了八大菜系之浙菜的精华又秉执开拓创新的理念，烹制的药膳必定会带给游客养身与美味的双重体验。

3.5 素斋美食礼佛游

被康熙南巡时赐名"云林禅寺"的灵隐寺位列杭州热门旅游景点之首，上天竺、中天竺、下天竺是自古以来上香古道中的著名寺庙。每年来杭州礼佛的人士不计其数，有佛心的游客来杭州必有心去这些寺庙烧香拜佛，礼佛之时必茹素，杭州的素斋不仅味美而且精致，杭州 36 个名菜，"虎跑素火腿""干炸黄雀"位列其中。

3.6 美景美食赏心游

被世界文化遗产名录收录的西湖、大运河自然是游客心仪的旅游目的地，在西湖景区中、在运河两岸，散落着许多与美景融为一体的餐厅，在西湖画舫中也摆着古色古香的餐桌。"紫萱""味庄""乾隆坊""江南阿二"等餐厅奉献的精致菜肴恰恰应了苏东坡的那一句"淡妆浓抹总相宜"，带给游客的体验并非赏心悦目足以表达。

3.7 茶宴美食风情游

"茶为国饮，杭为茶都"，杭州市政府将杭州打造成了弥漫着悠悠茶香的城市，"色绿香郁味甘形美"的龙井茶是来杭游客必备的伴手礼，而当游客品尝了龙井茶与美食完美结合的茶宴之后，在离开杭州之后必会唇齿留香。"且将新火试新茶，诗酒趁年华"，杭州的厨师早已觅得唐代大诗人留下的烹饪秘籍，"龙井虾仁""茶香鸡"都是茶宴中的当家菜品。

3.8 媒体美食尝鲜游

杭州作为中国最佳旅游城市，自然也吸引着国内外美食家的纷至沓来，"跟着媒体品美食"已成为来杭旅游的新动机。河坊街、胜利河美食街、运河广场美食园、中山路日料一条街、白沙泉西餐汇以及 ShoppingMall 中的网红店足以满足不同层次游客的尝鲜需求，让游客的口腹满载而归。

3.9 国宴美食风光游

G20 让杭州美食再一次在世人面前亮相，电视银屏上"东坡牛肉""松鼠桂鱼"的诱惑将游客的味蕾再一次带到了杭州，带着游客在西子宾馆、西湖国宾馆、杭州国际博览中心沿着各国元首的足迹，品尝着国宴上烙印着杭州元素的美食，那种风光无比的体验是任何其他游程所无法得到的。

3.10 杭州美食修学游

杭州美食可赏、可品，亦可学。中国杭帮菜博物馆是中国最大的地方菜博物馆，游客们坐在博物馆的"钱塘厨房"或"杭州味道"或"东坡阁"，能品尝到地道杭州美食，亦可通过展品品读杭州的饮食文化，了解杭州菜的历史渊源，更可以了解在 G20 期间为世界宾客展示的杭州美食。在 AAAA 景区浙江旅游职业学院的"美食体验中心"，游客在大师的指导下，亲手制作心仪的美食，可亲口品鉴，亦可当作伴手礼。一举多得的美食修学游，必将是杭州饮食旅游产品中的奇葩。

4 结语

在开发杭州特色美食产品时，当地所特有的文化，为其提供了资源支持。当地政府可由此打造出一个特色的美食文化品牌，使美食产品更加具有特色，并有更强的生命力。此外，还应与当地自然风光相结合，同时开发美食与美景，增强两者的联系，让美食产品能依靠美景而持续发展。又由于现代信息技术的发展，人们的生活方式也在变化，喜欢通过媒体去尝鲜，当地政府可抓住消费者这一消费心理，打造特色媒体美食尝鲜游，使杭州美食更加适应现代社会需求。

参考文献

[1]Boniface P.Tasting tourism:travel for food and drink[M].Aldershot: Ashgate Publishing Limited，2003.

[2] 王雪莲，吴忠军，钟扬. 美食旅游市场需求分析：以桂林世界美食博览园为例 [J]. 乐山师范学院学报，2007,22(5):55-58.

[3] 杨雪. 特色美食旅游开发 [J]. 知识经济，2011(1):94-94.

[4] 吴晓东. 休闲经济视角下我国美食旅游的发展对策 [J]. 中国商论，2010(19):141-142.

[5] 杜莉. 基于饮食文化特色的美食名城建设：以成都市为例 [J]. 经济研究导刊，2015(10):131-133.

[6]2016 年杭州旅游总收入 2571.84 亿实现两位数增长 [EB/OL].[2017-02-20].http://www.askci.com/news/chanye/20170220/16414991092.shtml.2023-3-15.

【文章来源】徐迅：《杭州饮食旅游产品设计与开发研究》，《四川旅游学院学报》，2018 年第 1 期

二、论文

53. 关于杭州地方特色饮食文化旅游资源开发的研究

摘要：杭州具有悠久的历史文化，位于我国东海之滨，周边岛屿众多且渔场密布，水产资源十分丰富；毗邻西南丘陵且树木茂盛，山珍野味甚美，素有"鱼米之乡"之称，经过发展演化，逐渐形成独具特色的饮食文化。本文重点分析杭州地方特色饮食文化资源库对开发旅游资源的作用，以期为旅游资源开发提供借鉴。

关键词：杭州；特色饮食文化资源库；旅游资源

前言：自秦至今，杭州特色饮食文化已有两千多年历史，"上有天堂，下有苏杭"便是对杭州的美誉，它是一个人杰地灵的城市，拥有独具特色的地方饮食文化，是世界各国人民的旅游首选之地。杭州饮食具有制作精细、淡雅典丽、品种繁多、营养均衡等特点，主要代表名菜有西湖醋鱼等。

一、杭州地方特色饮食文化资源库

建立特色饮食文化资源库有利于帮助人们了解杭州，特色饮食文化资源库收集了杭州所有与特色饮食文化有关的历史资料、传记、文献、传说，人们可以通过查找资源库资料来制定旅游行程，切实感受杭州的一景一物、美食文化，特色饮食文化资源库对开发杭州旅游资源具有积极影响。杭州自古以来便是中国的文化名城，自秦朝至今约有2200年的历史，悠久且灿烂的历史文化促使其形成了独特的饮食文化。《都城纪胜》中有记载杭州经营餐饮店铺类型有包子酒店、茶酒店、直卖店、花园酒店等八九种之多，《史记》中也曾说"楚越之地，饭稻羹鱼"，由此可见杭州饮食文化的和谐精致、大气开放、源远流长[1]。杭帮菜历史悠久，又被称为"迷宗菜"，吸收了浙江其他地区菜系的长处，又融入了西湖的清醇灵秀，可谓是"博采众长、兼容并蓄"，其真正形成时间可追溯到南宋时期，南宋皇帝赵构建都杭州，全国大批名厨纷纷云集杭城，促使杭帮菜由萌芽时期进入快速发展时期。杭帮菜是杭州的特色菜，更是杭州践行创新理念的重要表现，杭州的饮食文化处处体现着"积极健康""精致和谐"的生活观念，极大程度上

515

杭州全书·杭帮菜文献集成

促进了杭州的农业、渔业、畜牧业、中药等多方经济领域的发展进步。

二、通过地方特色饮食文化资源库开发杭州旅游资源

（一）饮食民俗与民族情感

杭州美食传承了上千年，形成了具有其地方特色的饮食文化，传承并发扬饮食文化可以令外来人员体会到杭州的历史情感与文化意义，特色饮食文化资源库对行至杭州的旅游者来讲，是了解杭州、认识杭州的最好捷径。因此，杭州在开发旅游资源时，可以充分发挥特色饮食文化资源库的作用，将历史文化、民族特色、饮食民俗与旅游资源相结合，积极开发具有较高参与性的旅游饮食产品，并在开发新品种的同时大力弘扬地方文化。接待游客的杭州人民可以让旅游者参与到食品制作中，亲身感受杭州的历史情感与饮食民俗，充分调动游客的积极性，美化杭州对外的声誉与口碑。

（二）饮食历史与杭州美景

国人对于"趋吉避凶"的认同感极强，在饮食文化中也能处处感受到，比如大年三十的餐桌上会出现代表"年年有余"的鱼类、代表"富贵吉祥"的鸡类、代表"聚财聚宝"的白菜等，充分体现出了人们对美好生活的期盼。杭州人若是想通过特色饮食文化资源库开发更多旅游资源，吸引更多游客前来观光消费，可以将杭州美景与饮食一一记录在案，强化饮食文化作为旅游资源的宣传，做好促销工作，例如将景区主题饮食餐厅或旅游路线、地方美食街道标记在最显眼的位置。杭州可以将地方特色饮食文化作为人文景观，比如旅游者若是来到西湖便可尝一尝"西湖醋鱼""东坡肉""龙井虾仁"，若是来到后街吴山便可以品一品"砂锅鱼头豆腐"，若是去往广源寺不妨尝一尝"糟烩鞭笋"。

（三）从饮食文化中寻求持续发展

杭州地方特色饮食文化特点鲜明，其菜品丰富、烹饪技术高超、用料广博，体现着悠久的杭州历史文化内涵，是精神与物质的集合，正是因为这种特色使饮食文化成为杭州旅游资源的重要组成部分，为旅游业持续发展注入了新的活力。特色饮食文化资源库可以将文字与图片、视频相结合，以此来吸引游客、折服游客，尤其是对于外国人来讲，图片与视频更容易被他们理解和接受，特

色饮食文化资源库对杭州开发更多旅游资源、促进旅游业持续发展具有重要意义。由于大多数菜肴的原材料来自杭州周边自然环境，如果生态环境被破坏，那么原材料的质量便无法得到保证，所以杭州人民需要在特色饮食文化资源库中强调旅游环境生态保护的重要性，遵循历史文化与民族特色，严禁为了获取更多经济利益而忽视饮食文化本身所具有的严肃性和规范性，坚持保护与开发并重，避免盲目与盲从，提高饮食文化质量[2]。

（四）利用饮食文化吸引旅游者

品尝异地美食是旅游者开启旅行之路的目的之一，杭州具有"人间天堂""鱼米之乡"的美誉，在杭州美景的映衬下品尝杭州地方特色美食，是一件十分富有情调的享受之事，地理环境与人文差异使得杭州菜肴在用料、烹饪方法等方面独具特色，这种具有浓厚地方特色的饮食文化成为吸引旅游者的首要原因。社会经济快速发展，国民生活水平大幅度提升，旅游成为国民享受生活的主要方式，杭州人民可以将特色饮食文化资源库打造成旅游指南，将当地风俗文化与就餐环境、氛围、服务与美食充分展现出来，利用历史事件、著名景观打造独具特色的饮食人文景观，吸引更多游客前来观赏。所以杭州应大力开发"饮食旅游"，通过构建特色饮食文化资源库来吸引国内外游客，促使杭州实现经济效益、社会效益与文化效益的统一。

结束语：综上所述，特色饮食文化资源库是开发杭州旅游资源的重要手段，旅游讲求享受生活，追求精神层面的满足，游客利用特色饮食文化资源库更容易认同和理解杭州地方特色饮食文化，为杭州旅游资源注入了新的活力，对杭州开发旅游资源、提高经济效益、增强城市饮食文化对外交流起到了良好的积极影响。

参考文献：

[1] 兰延超. 长白山特色饮食文化旅游资源的开发构想 [J]. 旅游纵览（下半月），2018(1):104-106.

[2] 廖树群. 广西毛南族饮食文化旅游资源开发研究初探 [J]. 经济研究导刊，2017(14):78-81.

【文章来源】郑建良：《关于杭州地方特色饮食文化旅游资源开发的研究》，《数字化用户》，2019 年第 4 期

杭州全书·杭帮菜文献集成

54. 杭州市居民饮食习惯调查

【摘要】目的：了解杭州市居民的饮食习惯和结构情况。方法：应用食物频数问卷，采用分层随机抽样和机械抽样相结合的方法对杭州市15—69岁城乡常住人口938人进行调查。结果：调查人群食用新鲜蔬菜的频度最高，为86.57％，最低为奶及奶制品6.93％；女性对于新鲜蔬菜、水果与奶及奶制品摄入频率均高于男性；水果、猪牛羊肉、甜食的摄入各年龄组有差异，随年龄增加食用频率减少；文化程度越高，水果、蛋白质类食品、甜食摄入频度越高，腌制或熏制食品频度越低。结论：居民饮食结构欠合理，需引导居民合理膳食，促进健康。

【关键词】营养调查；饮食习惯；膳食营养

随着社会经济的发展，人民生活水平的提高以及人口的老龄化，疾病谱发生了重大改变，与社会心理和行为因素相关的疾病增多，尤其是非传染性慢性病的发病与死亡日趋增多，极大地影响了国民素质与经济[1,2]。居民的饮食习惯决定了该人群的膳食结构和营养状况，关系着疾病的发生、发展和预后[3]。因此，及时掌握居民的饮食习惯，对于帮助政府了解民情，进而制定相关政策十分重要。杭州市于2006年春对全市居民营养与健康状况进行了抽样调查。对其城乡居民饮食习惯和结构情况进行了分析。结果报告如下。

1 对象与方法

1.1 对象

参照"2002年中国居民营养与健康状况调查"的方案和原则[4]，采取分层随机抽样和机械抽样相结合的方法，抽取了杭州市市区15—69岁常住人口1000人，收回有效问卷938份，有效率93.8％。

518

二、论文

1.2 方法

以《食物成分表》为依据[5]，自制问卷调查表，统一培训调查员，逐一入户进行问卷调查，调查内容包括一般情况、饮食情况等。运用食物频数法，使用每周 5—7、3—4、1—2、<1d 来测量食用各类食品的摄入频度。

1.3 统计处理

用 EPIData 建立数据库并录入资料，用 SPSS11.5 统计软件包进行描述性分析、×2 检验。

2 结果

2.1 一般情况

共调查 938 人，其中男性 51.60%（484/938），女性 48.40%（454/938），男性平均年龄（47.38±12.76）岁，女性平均年龄（46.23±13.01）岁。

2.2 饮食情况

2.2.1 食用不同类别食品的频度

调查人群除主食外的不同类别食物的食用频度：86.57% 的人每天食用新鲜蔬菜；52.35% 的人每天食用水果；50% 以上人群每周 3—4d 以上食用猪牛羊肉和豆制品，49.25% 的人不食用奶及奶制品。有 15% 以上的人每周 3—4d 以上食用甜食以及高脂类食品；20% 左右的人每周 3—4d 以上食用熏制食品。（表 1）。

2.2.2 不同性别、年龄组、文化程度饮食情况

将每周摄入频率为 5—7d 和 3—4d 归为摄入较多组，每周 1—2d 和 <1d 归为摄入较少组进行比较分析。

2.2.2.1 不同性别饮食情况

在食用新鲜蔬菜、水果与奶及奶制品上，不同性别之间差异有统计学意义（P<0.001），这 3 类食物女性较男性吃得更多。而在食用油脂类食物与腌熏类食物上，不同性别之间差异有统计学意义（P<0.05），显示这 2 类食物男性较女性吃得多。（表 2）。

519

2.2.2.2 不同年龄组饮食情况

将市民按年龄分成 20 岁以下、20—39 岁、40—59 岁、60 岁以上 4 个组，不同年龄组每周食用 5—7d 及 3—4d 的人数、百分比见表 3，水果、猪牛羊肉、甜食、豆制品差异有统计学意义（P<0.01），其中前 3 者随年龄的增大食用频率减少，而豆制品随年龄的增大食用频率增加。在鸡鸭鱼虾类的摄入上，20—39 岁年龄组的食用频率高于其他年龄组，但差异无统计学意义（P=0.06）。

表 1 杭州市居民各类食物的食用频度

食物种类	5—7d/ 周	3—4d/ 周	1—2d/ 周	<1d/ 周
新鲜蔬菜	812(86.57)	60(6.39)	32(3.41)	34(3.62)
水果	491(52.35)	183(19.51)	190(20.26)	74(7.89)
猪肉、牛肉、羊肉等	211(22,49)	347(36.99)	290(30.92)	90(9.59)
鸡、鸭、鱼、虾等	149(15.88)	308(32.84)	344(36.67)	137(14.61)
豆类、豆制品	192(20.47)	364(38.81)	297(31.66)	85(9.06)
鸡蛋、鸭蛋	154(16.42)	285(30.38)	351(37.42)	148(15.78)
奶及奶制品	249(26.52)	94(10.02)	133(14.18)	462(49.25)
甜食	85(9.06)	86(9.17)	155(16.52)	612(65.25)
含油和脂肪多的食物	61(6.50)	84(8.96)	205(21.86)	588(62.69)
腌制或熏制食品	65(6.93)	124(13.22)	218(23.24)	531(56.61)

注：括号内数字为百分比 /%。

表 2 杭州市居民食物食用频率性别比较

食物种类	男性		女性		X2 值	P 值
	较多	较少	较多	较少		
新鲜蔬菜	431(89.05)	53(10.95)	441(97.14)	13(2.86)	23.422	<0.001
水果	315(65.08)	169(34.92)	359(79.07)	95(20.93)	22.679	<0.001
猪肉、牛肉、羊肉等	294(60.74)	190(39.26)	264(58.15)	190(41.85)	0.654	0.29
鸡、鸭、鱼、虾等	229(47.31)	255(52.69)	228(50.22)	226(49.78)	0.792	0.205
豆类、豆制品	284(58.68)	200(41.32)	272(59.91)	182(40.09)	0.181	0.360
鸡蛋、鸭蛋	216(44.63)	268(55.37)	223(49.12)	231(50.88)	1.898	0.095
奶及奶制品	153(31.61)	331(68.39)	190(41.85)	264(58.15)	10.587	<0.001
甜食	87(17.98)	397(82.02)	84(18.50)	370(81.50)	0.04	0.450
含油和脂肪多的食物	85(17.56)	399(82.44)	60(13.22)	394(86.78)	3.386	0.040
腌制或熏制食品	110(22.73)	374(77.27)	79(17.40)	375(82.60)	4.131	0.025

注：括号内数字为百分比 /%。

二、论文

表3　杭州市居民年龄别食物食用情况

食物种类	≤ 19岁	20—39岁	40—59岁	60岁—	X2值	P值
新鲜蔬菜	13(86.67)	242(92.37)	447(93.51)	170(92.90)	1.275	0.735
水果	13(86.67)	207(79.01)	332(69.46)	122(66.67)	12.051	<0.001
猪肉、牛肉、羊肉等	10(66.67)	178(67.94)	280(58.58)	90(49.18)	16.371	<0.001
鸡、鸭、鱼、虾等	7(46.67)	142(54.20)	226(47.28)	82(44.81)	4.690	0.060
豆类、豆制品	8(53.33)	148(56.49)	273(57.11)	127(69.40)	9.695	0.011
鸡蛋、鸭蛋	7(46.67)	135(51.53)	206(43.10)	91(49.73)	5.614	0.528
奶及奶制品	8(53.33)	108(41.22)	153(32.01)	74(40.44)	9.729	0.343
甜食	6(40.00)	60(22.90)	82(17.15)	23(12.57)	12.909	<0.001
含油和脂肪多的食物	4(26.67)	47(17.94)	75(15.69)	19(10.38)	6.303	0.017
腌制或熏制食品	1(6.67)	46(17.56)	104(21.76)	38(20.77)	3.600	0.179

注：括号内数字为百分比/%。

2.2.2.3 不同文化程度饮食情况

不同文化程度食用频率为每周食用5—7d及3—4d的人数、百分比见表4。新鲜蔬菜在不同文化程度间存在差异；水果、豆制品、猪牛羊肉、蛋类、鸡鸭鱼虾和奶及奶制品、甜食、腌制或熏制食品在不同文化程度间差异均有统计学意义（P<0.001或0.01），其中水果、豆制品、猪牛羊肉、蛋类、鸡鸭鱼虾和奶及奶制品、甜食等食物文化程度越高摄入频度越高，腌制或熏制食品文化程度越高摄入频度越少。

表4　杭州市居民不同文化程度食物食用情况

食物种类	文盲半文盲	小学	初中	高中或中专	大专及以上	X2值	P值
新鲜蔬菜	79(94.05)	196(95.15)	313(90.99)	174(90.63)	109(98.20)	9.947	0.041
水果	45(53.57)	120(58.25)	260(75.58)	147(76.56)	101(90.99)	57.259	<0.001
猪肉、牛肉、羊肉等	34(40.48)	103(50.00)	208(60.47)	134(69.79)	78(70.27)	34.230	<0.001
鸡、鸭、鱼、虾等	18(21.43)	75(36.41)	174(50.58)	118(61.46)	72(64.86)	62.065	<0.001
豆类、豆制品	50(59.52)	105(50.97)	199(57.85)	122(63.54)	79(71.17)	14.360	<0.01
鸡蛋、鸭蛋	21(25.00)	71(34.47)	164(47.67)	105(54.69)	78(70.27)	58.074	<0.001

521

杭州全书·杭帮菜文献集成

续表

食物种类	文盲半文盲	小学	初中	高中或中专	大专及以上	X2 值	P 值
奶及奶制品	8(9.52)	32(15.53)	125(36.34)	105(54.69)	73(65.77)	133.698	<0.001
甜食	7(8.33)	28(13.59)	65(18.90)	43(22.40)	28(25.23)	14.460	<0.01
含油和脂肪多的食物	7(8.33)	30(14.56)	59(17.15)	33(17.19)	16(14.41)	4.671	0.323
腌制或熏制食品	27(32.14)	64(31.07)	49(14.24)	38(19.79)	11(9.91)	37.448	<0.001

注：括号内数字为百分比 /%。

3 讨论

通过食物摄入频数的方法对居民饮食习惯及结构进行调查，虽不能精确反映通过食物摄取营养素的量，但能揭示被调查的居民饮食结构中存在的问题[6]。本文通过分析了杭州市城乡居民的饮食习惯与结构情况，基本摸清了目前居民的膳食结构特点，主要有以下几个特点。

3.1 居民膳食质量较高，但结构欠合理

调查结果显示，杭州市居民膳食质量较高，尤其新鲜蔬菜、水果、蛋白质类食品摄入较为充足，腌制或熏制食品等食品摄入较少，尤其是豆类制品的摄入量超出以往同类调查[7]。目前我国正处于经济转型时期，同时也是居民健康与营养的转型时期。城乡居民在获得充足食物的同时，膳食结构发生明显变化[8]，人们更趋向于消费动物性食物，而且特别趋向于消费畜肉类食品和蛋类食品，而不太倾向于摄入水产、禽肉和奶类动物性食品[9]。本调查也得出了相似的结论，超出半数的人摄入禽畜类食品的频率较高，接近半数的人几乎不食用奶及奶制品。

3.2 性别、年龄和文化程度是影响饮食习惯的主要因素

营养信息影响总体的膳食质量，居民可以通过吸收和利用膳食与健康相关的信息，指导其向更健康的膳食模式转变[10]，本调查结果显示，在影响健康和营养知识水平的因素中，女性饮食结构更为合理。在不同年龄的人群中，青少年人群甜食及油脂类食品的摄入量最高，提示潜在的青少年肥胖问题需要得到重视。同时老年人群的水果及动物类蛋白质摄入量最低，与其他各人群存在显著差异，

522

这种不平衡的膳食构成对健康极为不利，也提醒卫生工作者需要加强关注 [11]。

饮食习惯和膳食结构与慢性病密切相关 [12]。合理营养是健康的物质基础，而平衡膳食是合理营养的唯一途径。因此，杭州市下一步的营养工作重点应主要针对调整营养结构欠平衡，加大宣传普及营养知识和中国居民膳食指南力度，正确引导居民的食物消费，防止发生发达国家的弊端，合理营养，促进健康，提高国民素质。

参考文献

[1] 郭醒华 . 慢性病防治面临的问题及对策 [J]. 中国公共卫生 1997,13(4):253-254.

[2] 葛可佑 .90 年代中国人群的膳食与营养状况（1992 年全国营养调查）[M]. 北京：人民卫生出版社，1996：123-301.

[3] 魏鸿斌 . 饮食结构对人体健康的影响 [J]. 药膳食疗，2004(8):35.

[4] 杨晓光，孔灵芝，翟凤英，等 . 中国居民营养与健康状况调查的总体方案 [J]. 中华流行病学杂志，2005,26(7):471-474.

[5] 中国预防医学科学院 . 食物成分表（全国代表值）[s]. 北京：人民卫生出版社，1991：2-60，106-113.

[6] 李艳平，宋军，潘慧，等 . 食物频率问卷法评估人群能量和营养素摄入量的准确性验证 [J]. 营养学报，2006,28(2):143-147.

[7] 翟凤英，何宇纳，马冠生，等 . 中国城乡居民食物消费现状及变化趋势 [J]. 中华流行病学杂志，2005,26(7):485.

[8]shufaD，TomAM，Fengying Z，et al. Rapid income growth adversaly affects diet quality in China particularly for the poor [J].Soc Sci Med，2004,59:1505-1515.

[9] 翟凤英，王惠君，王志宏，等 . 中国居民膳食营养状况的变迁及政策建议 [J]. 中国食物与营养，2005(5):4.

[10] 何宇纳，翟凤英 . 中国成年人膳食质量的影响因素分析 [J]. 卫生研究，2005,34(5):611-612.

[11] 于红霞，赵仲堂，郝凤荣，等 . 城区 100 名老年人的营养状况调查分析 [J].

营养学报，1999,21(2):242.

[12] 中国营养学会．中国居民膳食指南及平衡膳食宝塔 [J]. 营养学报，1998,20(4):387-397.

【文章来源】卞铮：《杭州市居民饮食习惯调查》，《预防医学情报杂志》，2007 年第 2 期

二、论文

55. 杭州市老年人营养知识掌握现状及饮食习惯的调查分析

摘要：【目的】了解杭州市老年人营养知识掌握现状及饮食习惯。【方法】随机抽取150名杭州市老年人，进行营养知识和饮食自我评价的问卷调查。【结果】老年人营养知识普遍比较缺乏，对膳食宝塔这类的健康饮食指导工具知晓率很低，同时大多数人日常饮食中实际各类食物摄入量与推荐摄入量相差很大，但老年人的饮食自我评价合理的比例却很高。【结论】老年人饮食知识缺乏，对现有的权威的健康饮食指导工具缺乏认知，但普遍对自身饮食结构盲目乐观，因此需要加强对老年人的饮食健康教育。

关键词：老年人；饮食；营养；平衡膳食

老年人的营养状况与他们的健康关系密切，了解老年人的营养知识和饮食习惯可以为开展针对性的健康饮食教育提供依据，从而更好地为老年人的晚年健康生活服务。为了解杭州市老年人对平衡膳食知识的了解程度以及杭州市老年人对自身日常饮食的评价，从而了解老年人的饮食观念和饮食误区，为制定适合的健康饮食指导计划提供依据，我们进行了问卷调查，现报告如下。

1 对象与方法

1.1 调查对象

在 2014 年 12 月—2015 年 3 月，随机抽取杭州市区 60 岁以上老年人 150 名进行问卷调查，接受调查的 150 名老人中男 64 人，女 86 人，平均年龄 68.3 岁。

1.2 调查方法

采用自行设计的问卷，在杭州市区的 3 个居民区内随机抽取 150 名 60 岁以上老年人进行调查。调查内容包括被调查者的年龄、学历、平衡膳食知识、对自身饮食的自我评价和饮食习惯。

525

2 结果

2.1 被调查的老年人的年龄构成（见表1）

表 1　被调查的老年人的年龄构成　　　　单位：人

组别	60~69 岁	70~79 岁	80 岁及以上	合计
男	38	16	10	64
女	45	26	15	86
合计	83	42	25	150

2.2 被调查老年人的学历构成（见表2）

表 2　被调查的老年人学历构成　　　　单位：人

组别	大学	高中	初中	小学	文盲	合计
男	16	14	13	17	4	64
女	5	15	18	31	17	86
合计	21	29	31	48	21	150

2.3 被调查老年人的平衡膳食知识

2.3.1 对平衡膳食宝塔的知晓率

受调查的老年人中大多数人没有听说过《中国居民平衡膳食宝塔》或《中国老年人平衡膳食宝塔》。相对而言，男性受访者的知晓率高于女性，文化程度较高者高于文化程度较低者。老年人对《中国居民平衡膳食宝塔》的知晓率略高于对《中国老年人平衡膳食宝塔》的知晓率。但总体的知晓率都比较低，只有16.67%的受访者知道《中国居民平衡膳食宝塔》和12.67%的人知道《中国老年人平衡膳食宝塔》。见表3、表4。

表 3　不同文化程度的被调查老年人对《中国居民平衡膳食宝塔》的知晓情况

组别	人数	大学/人	高中/人	初中/人	小学/人	文盲/人	合计/人	知晓率/%
男	64	7	4	4	2	0	17	26.7
女	86	3	2	1	1	1	8	9.3
合计	150	10	6	5	3	1	25	16.7

二、论文

表 4 不同文化程度的被调查老年人对《中国老年人平衡膳食宝塔》的知晓情况

组别	人数	大学/人	高中/人	初中/人	小学/人	文盲/人	合计/人	知晓率/%
男	64	6	4	2	1	0	13	20.3
女	86	2	2	1	1	0	6	7.0
合计	150	8	6	3	2	0	19	12.7

2.3.2 对老年人各类食物推荐摄入量的知晓情况

绝大多数被调查的老年人不知晓老年人食用油、蔬菜、水果和水的推荐摄入量。老年人对食盐和谷类的推荐摄入量掌握情况相对较好，但也只分别占受访者的 29.3% 和 30.7%。而知晓健康老年人水的每日推荐摄入量的受访者仅占 11.3%。见表 5。

表 5 被调查的老年人对各类食物推荐摄入量的知晓情况（n=150）人（%）

项目	知晓
食盐	44(29.3)
食用油	20(13.3)
蔬菜	26(17.3)
水果	32(21.3)
谷类	46(30.7)
水	17(11.3)

2.3.3 慢性病老年人营养知识需求情况

在接受调查的 150 名老年人中，4 人患有 1 种或 1 种以上老年慢性病，占被调查者的 56.0%。这部分患慢性病老年人中，有 31 人表示对相关疾病营养知识不了解，有 45 人认为自己需要相关的慢性病营养知识教育，占被调查的慢性病老人的 53.6%。

2.4 被调查的老年人饮食习惯

2.4.1 主要就餐地点

调查发现，大多数老年人的主要就餐地点是家里，达 85%。另有 10% 左右的老年人主要就餐地点是在社区食堂。居家自制饮食是老年人最主要的饮食生活方式。

527

2.4.2 饮食制备者

在接受调查老年人中 123 名（占 82%）老年人表示平时主要是自己或配偶做饭，自己决定饮食搭配和制作方式。由子女、保姆做饭或接受送餐服务者只占少数，合计有 27 人，占 18%。

2.4.3 老年人饮食结构的自我评价

通过问卷让 150 名受访者简单评价自己的饮食是否合理，结果发现，大部分老年人对自我饮食结构的评价相当高：自我评价饮食合理 112 人，占 74.7%；认为自己每日能摄入足够的蔬菜和水果 119 人，79.3%；但同时，69 人（占 46%）选择的日常饮食搭配荤素比例为 1:1~2:1，素食摄入明显偏低。此外，以《中国老年人平衡膳食宝塔》为参照，通过回顾调查法评估老年人对 6 类食物的实际摄入量，发现多数老年人的各类食物实际摄入量与《宝塔》推荐的摄入量有较大差距，见表 6。

表6 6类食物实际摄入与《宝塔》推荐摄入量

项目	推荐摄入量	相符合情况（n=150）		人 (%)
		符合	一般	不符合
食盐	5g	52(34.7)	44(29.3)	54(36.0)
食用油	20g～25g	32(21.3)	36(24.0)	82(54.7)
奶类	300g	64(42.7)	14(9.3)	72(48.0)
豆类	30g～50g	42(28.0)	25(16.7)	83(55.3)
蔬菜	400g～500g	50(33.3)	63(42.0)	37(24.7)
水果	200g～300g	83(55.3)	25(16.7)	42(28.0)

注：食盐"符合"是指每日摄入量为5g～6g"一般"指每日摄入量为7g～10g"不符合"指每日摄入量>10g；食用油"符合"是指每日摄入量为20g～25g"一般"指每日摄入量为26g～35g"不符合"指每日摄入量>36g；奶类、豆类、蔬菜、水果"符合"是指实际摄入量能达到推荐摄入量的80%以上"一般"是指实际摄入量能达到推荐摄入量70%～80%"不符合"是指实际摄入量不足推荐摄入量的70%。

3 讨论

3.1 老年人平衡膳食知识缺乏是个普遍问题

本次调查发现，杭州市老年人平衡膳食知识缺乏的现象较为普遍。绝大多数受访的老年人对平衡膳食的知识都缺乏必要的了解，不仅是不知道《平衡膳食宝塔》的存在，对各类食物的推荐摄入量也缺乏了解。老年人缺乏必要的基础营养知识，就很难做到日常生活中的健康饮食。调查还显示，老年人中绝大部分人是主要在家中就餐，并且主要由老年人自己或老伴准备饭菜，这意味着老年人自身对健康饮食知识的掌握程度在很大程度上决定着老年人能否做到健康饮食。值得注意的是，老年人中女性营养知识缺乏的情况比男性更为明显，而在我国传统的家庭功能中女性通常是买菜做饭的主角，她们的平衡膳食知识掌握情况对自己及老伴的饮食健康会有更直接的影响。

3.2 老年人对自身饮食结构盲目乐观的现象普遍

本次调查发现，老年人对自我膳食结构的评价很高，大多数老年人都认为自己的膳食结构合理。而我们从对应的老年人饮食结构的问卷调查却发现，老年人实际的饮食结构并没有他们自我认为的那样合理健康，存在荤食摄入过多、偏咸、用油偏多、蔬菜水果摄入不足以及饮水量过少等问题。与茅小燕等[1]的调查结论一致。由于老年人自身营养知识的缺乏，难以对自身的日常饮食结构做出正确的评价，很多老年人盲目地跟着广告选择补品而忽略日常饮食的科学选择，或只是片面地凭借生活经验和习惯选择食物搭配[2]。在这种情况下老年人对自己的饮食结构做出较高的评价也就不足为奇了。但老年人这种盲目乐观的饮食认识对改善他们的饮食结构不但没有好处而且有害，因为对自身饮食结构的盲目自我肯定，可能会阻止他们主动学习平衡膳食知识来改善自己的饮食结构。

3.3 老年人的健康饮食教育需要落到实处

改善老年人的饮食结构是社会各界有识之士的共识，如何提高老年人的营养知识水平和帮助老年人建立平衡膳食模式是营养工作者和老年护理服务者共同面临的问题。应该说，现阶段我们并不缺乏适用于老年人的简单易用的营养指南。如中国营养学会已经编制了针对我国老年人体质的健康饮食指南——《中国老年人膳食指南》和《中国老年人平衡膳食宝塔》[3]。尤其是《宝塔》，以直观生动的形象为老年人提供日常饮食搭配的指导，确实简便易用。此外，为方便老年人记住和应用平衡膳食知识，有学者制定出"十个拳头原则"的食物搭配方案[3]，可以为老年人提供简单实用的健康饮食指导。然而，这些平衡膳食指导工具大多还只是停留在理论层面上，它们的大众知晓率并不高。从我们的调研情况看，老年人知道这些饮食指导工具者只占非常少数，而这些知道的人中有多少人能正确应用这些营养工具还是未知数。有研究显示，老年人对健康饮食知识的了解非常有限，大多老年人或其共同生活者对健康饮食知识只有粗略了解或不了解，如很多人只知道应该"多吃什么""少吃什么"或某种食物"营养好"[4]。而"多""少""营养好"这些形容词概念模糊，每个人都可以有不同的理解，如笔者一次对 1 名老年人宣教要多饮水，对方回答他每天喝水很多的，要喝一大茶杯（大约 500mL 容量），当笔者告知要这样的大茶杯3 杯才够时，他非常惊讶。

由于历史的原因，老年人中文化程度不高者较多，文盲和小学文化程度的老年人不在少数，对这些老年人的营养教育需要一个更加通俗易懂而且详细的教育方式。而即使是文化程度较高的老年人，由于受传统观念误区和生活习惯的影响，对健康饮食原则也不一定就能很容易接受。因此，对老年人的健康饮食教育需要具体可行的方案和实在的行动，而不能只停留在理论层次的研究。老年人饮食知识缺乏仍然是个普遍现象。尽管现阶段有不少适用于老年人的健康饮食指导工具，但要具体落实指导老年人的日常饮食，还有很多实际的工作，当务之急是研究一个能被大多数老年人接受，同时又方便实施的老年人饮食健康教育模式。

参考文献

[1] 茅小燕，张爱珍．杭州市老年人主要食物摄入量与营养调查 [J]．浙江预防医学，2006,18(4):4-6.

[2] 宋佐东，翟凤英，马爱国．论老年营养保障 [J]．营养学报，2007,29(1):1-3.

[3] 中国营养学会．中国老年人膳食指南 [M]．济南：山东美术出版社，2010:1.

[4] 高霞，薛鹏，刘斯静，等．中国城乡老年居民的膳食知识现况中国老年学杂志，2012,6(32):2572-2573.

【文章来源】洪少华、傅圆圆、严谨：《杭州市老年人营养知识掌握现状及饮食习惯的调查分析》，《全科护理》，2015 年第 34 期

二、论文

56. 从饮食文化博物馆谈城市美食观光业发展提升策略

　　随着杭州经济的稳定快速的发展，餐饮业成为杭州十大潜力产业之一，杭州菜已经成为杭州的一张新名片，这是建立中国杭帮菜博物馆的背景优势。本文拟以中国杭帮菜博物馆创建与展陈设计为例，探讨后博物馆时代的饮食文化博物馆建立原则与城市美食观光业发展提升策略问题。

一、中国杭邦菜博物馆建立原则与内容

　　中国杭帮菜博物馆展示的是"五千年文明，十三亿人口"理念主导下的中华民族饮食文化结晶——"杭州菜"。博物馆内展示的杭州菜不再是简单的杭州地方菜品和零散的美食文化集聚。置身中国杭帮菜博物馆的时候，参观者会体验到如下情境：

　　大禹与始皇南巡所食，古运河餐饮广场，雷峰塔起造工程民食，宋高宗买食宋嫂鱼羹，南宋都城食肆，食圣袁枚食学建树与美食经历，清杭州将军府满汉全席，白居易、苏东坡疏浚西湖食事，西湖博览会美食等一系列重大与典型历史食事；清明、端午等中华传统节令食俗等。按照中国杭帮菜博物馆馆陈设计者赵荣光教授的话来说，该馆建立原则强调的是："以'中华民族饮食历史'作为主线贯穿，'民族食事事象'作为平面延展以及'餐饮文化'作为构建基础。"以上三重构建基础正是设计该博物馆的三大原则。离开民族性、区域性以及对现实餐饮文化的关照，历史上的杭帮菜是无法出现在博物馆中的。不仅如此，杭州菜、浙江菜、下江菜以及中国菜，他们之间的层级关系是正确认识与评价杭州菜的历史地位的关键所在。如果以地域城市观念来划分中国菜系的话，那么把杭州菜作为中国菜的重要代表之一，是合情合理的。对杭州菜历史地位与文化高度的正确认知，通过由中国杭帮菜博物馆馆陈设计者提出的杭州菜文化"承传·互动·延展"平面关系示意图（图 1）来说，十分清晰。

531

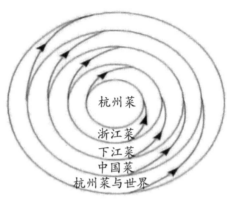

图 1

在设计上,中国杭帮菜博物馆主要基于以下几大原则:一是历史场景主题再现的原则。比如《武林旧事》等记录杭州城酒店街市场景比例群塑或图画;林洪素馔文献与肴馔模型;秦桧与葱包桧儿图画;乾隆与龙井茶、杭州菜文图;西博会美食场景文图与食品模型;等等。二是通过杭州菜历史文献长廊的方式凸显杭州菜文化的文献载体。三是构建杭州名菜长廊。博物馆通过文献与考古发现研究、田野考察、模拟实验等方法,再现了各个历史阶段、不同生活场景下具体菜品的原真形态,是杭帮菜食料、工具、工艺、菜品及食用者文化行为的一次考古学意义的历史再现。

从现实产业角度来分析,中国杭帮菜博物馆具有商业、社会和文化的多重意义。中国杭帮菜博物馆的出现是由于杭州地区有悠久的民族饮食文化沉淀,也是由于近30年来中国旅游业和杭州美食产业的繁荣发展所致。中国杭帮菜博物馆的建立既可以成为杭州美食观光产业新景点与新地标,更是拓展了杭州美食产业的文化与经济互动空间。通过中国杭帮菜博物馆来立体地、集中地、全面地、客观地展示杭州饮食文化,杭州美食观光产业的国际化步伐将会极大地加快。而得到国际社会乃至异文化族群的文化认同概率亦会增高。我们甚至可以理解为,创建中国杭帮菜博物馆是杭州饮食领域文化遗产系统整理与保护工作的积极信号。杭州美食观光产业的文化旅游属性将会成为杭州餐饮业、旅游业的重要标志。

二、城市美食观光业发展提升策略

自实行改革开放政策以来，中国城市的美食观光产业（主要是东部的沿海城市）实现了前后三个十年的连续性跨越，每一次跨越，都是一次历史性进步。然而，由于内地国情、政情和时代条件的现实，一个具有国际视野的休闲城市在发展美食观光业方面，还有很多工作需要去做。首先，对自身存在的问题要有充分的认识。在美食观光产业行业内，永续发展理念并未渗透到我们的美食产品之中，餐饮行业以及旅游组织对公共健康乃至能源消耗问题，并未承担起必要而充足的社会公益责任。其次，从观念上，必须强调美食观光业结构调整成功与否，取决于对中华饮食文化的核心价值理解的程度深浅。最后，从现实操作上，我们认为博物馆职能介入饮食文化遗产保护是提升城市美食观光业发展的重要策略。

第一，公共健康作用最大化：重视餐饮与食品企业营销策略和道德模式中的健康原则。

从全球的工业食品发展历史来看，健康食品往往被排除在饮食选择外是大家普遍认同的观点。全球多数食品企业、饮料企业在产品的健康性与利益诉求方面，处于矛盾之中。我国美食观光产业发展时间虽不长，但美食产品之中健康因素的缺乏却是非常普遍。对于企业研发来说，新产品的开发显然是要尽量依据现有的技术，满足人们的饮食偏好和欲望，进而为企业赚取高额的商业利益。食品公司受价格驱动，这是商业普遍规律。但是，随着健康与科学观念的深化，任何产品的设计和盈利，都必须先遵循最优营养原则。顾及社会公共利益的同时，城市美食观光产业还应该把健康原则纳入自己的营销计划与企业道德建设之中。需要指出的是，永续发展观念就是用来规范营销中的片面行为。永续的产业发展必须从内部开始。当短期利益与长期健康诉求之间发生冲突的时候，必须首先坚持公共健康作用最大化这一原则。食品企业的利益诉求与道德之间，不应该对立起来，它们亦不矛盾。在后消费时代，我们更加注重与提倡食品企业树立良好的道德观，通过营养和科学的方式，满足弱势群体的营养需求。对人类公共健康的重视程度，是美食行业永续发展观念深化程度的重要评价标准。

第二，美食观光业结构调整必须重视中华饮食文化的核心价值。

旅游学研究者一直有一种声音，那就是强调文化是旅游的本质。然而无形的文化价值却不易体现在旅游活动的整个过程中。美食观光产业结构调整势必面向其文化层面，从观光产品的制造、分配到消费的整个过程中，休闲城市的价值取向势必是朝着体验性、休闲性和文化性方面努力。从中国杭帮菜博物馆馆陈设计就可以清晰地发现，没有深厚的饮食文化沉淀，没有从未间断的民族传统饮食文化空间，没有系统的整理与研究，是不可能为现实美食观光业寻找到价值依托的。以博物馆为公共空间（或者称之为建筑载体）来保护中华饮食文化，还只是操作层面的努力。推进饮食领域的文化遗产工作（涉及整理、开发与保护），才是具有全局战略眼光的结构调整。构建地方文化遗产保护体系是国家文化遗产保护工作的基础，亦是未来申请世界文化遗产的准备性工作。可以想象，饮食遗产观光产业的巨大吸引力。

第三，美食博物馆：城市质量与休闲精神最佳的有形体验形式。

杭州美食地景以文化为最终归宿的发展趋势，势必会对中国以及亚洲其他国家和地区提升城市质量与休闲精神产生重大影响。通过食物的有形表达与文化的无形价值，"城市质量—休闲精神"的最佳结合方式就是通过建立美食博物馆。值得注意的是，消费时代的美食地景以餐饮大牌、主题餐厅以及快餐连锁经营为主要构成；后消费时代随着科学饮食与绿色饮食观念的强化，饮食主题类博物馆成为较大公共空间范围内的美食地景。倡导健康的饮食观念、留存民族饮食文化记忆、传播优良的传统饮食知识，是饮食类主题博物馆责无旁贷的重要功能。以中国杭帮菜博物馆来说，它将会成为"中国菜"的信息库，将会成为内地"菜品·餐饮·烹饪"的文化交流平台，将会成为饮食文化研究的国际交流平台，将会成为以"杭州菜"为主的烹饪文化普及、技术交流培训基地，将会成为集教育与休闲于一体的文化实体。

【文章来源】何方、周鸿承：《从饮食文化博物馆谈城市美食观光业发展提升策略》，《杭州（我们）》，2014年第8期

二、论文

57. 基于可用性评估的博物馆网站建设现状与对策研究
——以浙江自然博物馆与中国杭帮菜博物馆为例

摘要：目前，我国对博物馆建设高度重视，其规模在逐渐扩大，数量也明显增多。以浙江自然博物馆与中国杭帮菜博物馆网站为例，通过启发式评估、用户测试以及问卷调查相结合的方式对其可用性进行评估，并在此基础上提出改进策略。

关键词：博物馆网站；可用性评估；启发式评估；用户测试；问卷调查

一、研究背景

近年来，伴随文博事业的蓬勃发展，杭州的博物馆数量日渐增多，其总量已逾40座(含民营博物馆)。而博物馆网站作为博物馆对外展示的重要窗口之一，其建设却尚未受同等的重视。据课题组调查统计，在杭州现有的40余座博物馆中，仅18座拥有自己的网站，不及总量的50%，且质量良莠不齐。网络信息时代已经来临，博物馆网站建设及相关研究的重要性与意义不言而喻。

二、可用性与可用性评估方法

对于网站的可用性，国际标准化组织(ISO)的定义为：在特定的使用环境下特定用户使用特定产品完成特定的任务时所具有的有效性、效率和主观满意度。网站可用性评估的方法较多，主要包括启发式评估(Heuristic Evaluation)、问卷调查(Questionnaire)、用户测试(User Test)、认知走查(Cognitive Walkthrough)、焦点团体(Focus Group)、任务分析(Task Analysis)等。

启发式评估是评估者通过网站界面观察来发现其可用性问题的一种评估方法。评估者以启发项为依据，将观察过程中发现的问题与之匹配，继而按照预先设定的评价标准进行评分。该评估方法的优点在于简单易用，对评估者人数要求不高，且易发现问题，尤其是大问题。其局限性在于评估者并非真正地使用网站，对于问题的发现不够全面。此外，由于在评估过程中需要将问题与启发项相匹配，因此对评估者的专业性要求较高。

用户测试是评估者通过执行实际任务来发现网站可用性问题的一种评估方法，其优点在于所执行任务的真实性，能够弥补在启发式评估中被忽略的问题。同时，不要求评估者具有相关的专业知识。该方法的局限性在于典型任务无法完全覆盖所有可能的页面，且外在环境对评估者的评估结果易产生较大的影响。此外，参与评估的人数与评估结果的可信度成正比，因此对评估者的数量有一定的要求[1]。

启发式评估与用户测试在评估过程与评估结果上均能有效弥补另一方的缺陷，而问卷调查则能最大限度地反映用户的真实想法。综合考虑评估成本、可操作性、评估方法的特点与局限性等多种因素，课题组决定综合采用上述三种评估方式对浙江自然博物馆与中国杭帮菜博物馆的网站分别进行可用性评估。

三、启发式评估

（一）启发项及测量方法的确定

启发式评估法的发明者 JacobNielsen 针对 WEB 界面提出了"十个常用的可用性启发"，分别为：系统状态的可视性、与真实世界的符合度、用户自由权与控制权、标准化与一致性、错误的预防、依赖识别而非记忆、使用的有效性与灵活性、美学与最小化设计、帮助用户识别、诊断及从错误中恢复、帮助与文档。上述十条启发项对于网站的可用性评估具有普遍的通用性，但并非专门针对博物馆网站而提出。课题组以此为参照，通过对向博物馆网站进行自由访问的 40 位受访者进行观察与访谈，结合博物馆网站的特征，总结出了具有针对性的 11 个启发项，如表 1 所示。

二、论文

表1　针对博物馆网站的启发项

序号	启发项	具体说明
01	操作简便性	是否能提供便捷且人性化的操作平台，避免用户学习操作技能的负担，并具备必要的帮助信息。
02	页面导航合理性	是否能帮助用户准确快捷地找到目标页面。
03	反馈效果	是否能对用户的操作结果给出准确、快速、清晰、直观的反馈。
04	搜索便捷性	是否能帮助用户准确、便捷地找到目标信息。
05	链接有效性	是否能避免无效或错误链接。
06	链接辨识度	是否能帮助用户轻易辨认已访问过的链接。
07	页面下载速度	是否能合理安排页面内容以保证合理的页面下载速度。
08	内容更新频率	是否能及时更新网站信息。
09	错误恢复能力	是否能明确地表达错误内容并提供解决方案。
10	网页美观度	是否能使用户乐于接受。
11	信息含量	是否能使用户对博物馆各方面信息有全面的了解。

本次评估采用里克特量表法作为对各启发项指标的测量方法，运用语义学标度分为五个梯度：没有问题、问题轻微、问题较大、问题很大、问题极大，并分别赋值0、1、2、3、4分。

（二）评估者的确定及评估的实施

综合考虑成本、评估者专业性及经验等因素，课题组邀请了7位评估者参与此次评估，其中4位具有较强的可用性评估专业知识，其余3位拥有计算机多媒体专业学习背景，且对可用性评估有一定的了解。评估开始后，评估者首先需要对页面基本构成作简要了解，然后以表1的11个启发项为依据，寻找、记录网站可用性问题并评分，最后将问题与启发项进行匹配。

（三）评估结果分析

课题组取七位评估者对各启发项评分的平均值，结果如表2所示。该评估结果显示，浙江自然博物馆网站在反馈效果与链接有效性方面得分为0，表现良好，不存在问题；在页面导航合理性与下载速度方面得分为1.14，存在轻微的问题；在链接辨识度方面的得分为4，说明存在极大的问题；其余各方面得分均低于1，可视为基本没有问题。相对地，中国杭帮菜博物馆网站在反馈效

537

果、链接有效性、页面下载速度及错误恢复能力四个方面得分为0，即没有问题；在内容更新频率上得分为1.86，问题轻微；在页面导航合理性上得分为2.29，问题较大；在网页美观度方面得分为3.14，问题很大；在搜索便捷性、链接辨识度、信息含量三个方面得分为4，问题极大；其余各方面得分低于1，基本没有问题。

表2　可用性评估得分表

序号	启发项	浙江自然博物馆	中国杭帮菜博物馆
01	操作简便性	0.43	0.71
02	页面导航合理性	1.14	2.29
03	反馈效果	0.00	0.00
04	搜索便捷性	0.29	4.00
05	链接有效性	0.00	0.00
06	链接辨识度	4.00	4.00
07	页面下载速度	1.14	0.00
08	内容更新频率	0.14	1.86
09	错误恢复能力	0.71	0.00
10	网页美观度	0.86	3.14
11	信息含量	0.29	4.00

四、用户测试

（一）评估者招募

课题组通过各种渠道共招募评估者50人，其基本情况如下：

1. 评估者专业背景情况

理工科计算机相关专业23人，占总人数的46%；理工科非计算机相关专业4人，占总人数的8%；文科艺术类相关专业8人，占总人数的16%；文科非艺术类相关专业5人，占总人数的10%；其他10人，占总人数的20%。

2. 评估者年龄结构情况

18~30岁34人，占总人数的68%；30~45岁9人，占总人数的18%；45~60岁5人，占总人数的10%；60岁以上2人，占总人数的4%。

二、论文

3. 评估者上网经验情况

1年以内1人，占总人数的2%；1—2年4人，占总人数的8%；3—5年2人，占总人数的4%；5年以上43人，占总人数的86%。

4. 评估者上网频率情况

每天都上网37人，占总人数的74%；每周上网几次11人，占总人数的22%；每月上网几次2人，占总人数的4%。

（二）测试任务的确定

为保证测试任务的有效性，课题组在任务设定过程中遵循以下三条原则：(1) 尽可能多地涵盖网站所拥有的栏目；(2) 任务总体难易度适中；(3) 从相对容易的任务开始测试，逐渐提高测试难度，最后再以相对容易的任务结束。在综合考量的基础上，课题组对两个博物馆测试任务的设定如表3与表4所示。记录任务开始与结束时间的主要目的在于：(1) 为分析评估者的执行任务过程提供依据；(2) 如执行时间超过课题组预估值，则说明可能该任务的执行较困难。

（三）测试任务的执行与结果分析

课题组将表3与表4发放给测试者，并要求其独立完成测试，并记录开始与结束时间。本次测试历时一周，发放测试卷50份，回收测试卷48份，剔除无效测试卷4份，最后共得有效测试卷44份。

表3　浙江自然博物馆网站测试任务表

序号	任务	开始时间	结束时间
01	浏览主页面"最新展览"中的【临特展】会飞的花——中国蝴蝶特展		
02	找到博物馆招聘信息		
03	运用搜索功能，找到并访问标题为"灰鲸"的页面		
04	访问"馆藏珍品"下"地球科学"中的"紫水晶"		
05	浏览对专业人员"严洪明"的介绍		
06	通过基本陈列全景虚拟展示观看三楼浙江的动植物资源展厅的场景		
07	在自然论坛注册一个账号并发表一个帖子		
09	下载"浙江自然博物馆志愿者服务队报名表"		
10	访问网站地图		

539

杭州全书·杭帮菜文献集成

表4　中国杭帮菜博物馆网站测试任务表

序号	任务	开始时间	结束时间
01	访问"杭帮菜'双十佳'评选"页面		
02	访问"中国杭帮菜博物馆楹联征集获奖公告"		
03	访问"新闻资讯"中的"杭帮菜博物馆第二届市民学艺日"		
04	联系网站技术支持方（找到相关信息即可）		
05	访问"公司简介"		

　　浙江自然博物馆网站测试结果显示，完成比例相对较低的三项任务分别为（由低到高排列）：06、07与09。此外，评估者完成任务10的平均时间也远高于课题组预估时间。课题组认为，任务06与07的操作相对复杂，其完成率较低可能与网站在操作简便性及帮助信息设置方面的缺陷有关，而在任务09与任务10出现的问题则可能与网站导航合理性存在关联。中国杭帮菜博物馆网站测试结果显示，各项任务的完成率都较高，但任务02与任务03的完成时间超过了课题组的预估时间，说明网站导航合理性可能存在问题[2]。

五、问卷调查

（一）问卷调查的对象与内容

　　问卷调查的对象即为参与测试任务的50名评估者，课题组要求其在完成任务测试后随即完成问卷调查，其目的在于最大限度地获得评估者对网站的真实感受。问卷所涉及内容除评估者个人基本情况外，主要包括以下三项内容：首页满意度、内容满意度、整体满意度[3]。

（二）问卷调查的展开与结果分析

　　与任务测试相同，课题组发放问卷50份，回收问卷48份，其中有效问卷44份。课题组运用语义学标度，将上述三项内容的评价选项分为"满意""一般"与"不满意"三个等级，其中内容满意度包括"视觉效果""栏目设置""搜索功能"与"使用操作"四个子项。计算勾选"满意"的评估者数量与总量的比率，其结果如图1所示。由图可知：(1)浙江自然博物馆网站在各方面的满意度均高于中国杭帮菜博物馆，其整体质量相对较高；(2)相对而言，浙江自然博物馆在使用操作满意度与视觉效果满意度两方面的表现稍弱于其他方面；(3) 中国杭帮菜博物馆的各项满意度指标均未超过50%，其中以整体满意度、搜索功能满意度以及栏目设置满意度为最低。

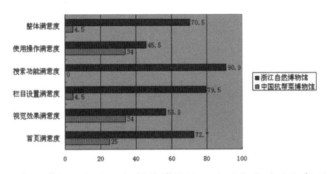

浙江自然博物馆与中国杭帮菜博物馆网站满意度对比分析图

六、结论及建议

综合分析上述三种评估方式所得结果，课题组对两个博物馆网站的可用性问题提出以下结论与改进建议：

浙江自然博物馆网站的可用性总体而言较强，其相对薄弱的环节主要体现在使用操作方面，也是网站改版时应首先考虑解决的问题。具体而言包括以下三个方面：(1) 链接辨识度欠佳，用户无法区分已访问与未访问的链接；(2) 页面导航有待改进，返回首页的导航欠明确，易对初次访问网站的用户造成困扰；(3) 全景虚拟展示部分的网页下载速度略显缓慢。此外，评估者对该网站的视觉效果满意度不高，页面的色彩设计与图文编排有待改进。

中国杭帮菜博物馆网站的可用性总体而言较差，其主要问题包括：(1) 网站内容过于单薄，没有对实体博物馆作详尽介绍，用户无法通过网站对实体博物馆的空间构成、展陈情况等作详细了解；(2) 未提供搜索功能，用户无法快速定位目标信息。(3) 网页美观度欠佳，页面图文编排欠合理，部分图片模糊不清；课题组建议该博物馆在对网站进行改版时首先应着力提高网站信息含量，增设栏目以提供关于博物馆基本陈展情况、学术交流、服务指南等方面的信息。其次应增设搜索功能，区分已访问与未访问链接以方便用户的使用。最后，优化版面构成，提高图文编排质量。

参考文献

[1] 张瑞. 数字博物馆的可用性评估 [D]. 济南：山东大学硕士学位论文，2005:8-27.

[2] 王颖，孙成权. 网站的可用性评估标准浅议 [J]. 图书与情报，2008(1):98-102.

[3] 张晶晶. 浅谈博物馆网站建设的意义 [J]. 信息管理，2010(3):171-180.

【文章来源】陆斌、王雪：《基于可用性评估的博物馆网站建设现状与对策研究——以浙江自然博物馆与中国杭帮菜博物馆为例》，《黑龙江教育学院学报》，2012 年第 12 期

二、论文

58. 企业家价值观对企业当责的作用机理研究——以楼外楼为例

摘要：当前，我们的生活似乎被各种频发的危机事件所缠绕。这些事件不但覆盖面广、涉及领域宽、影响范围大，而且在事件发生后要么被"当事人"所否认，要么以各种理由搪塞开脱，常常无法追寻到准确的"当事人"。但仔细分析来看，企业在这类事件中都扮演着十分重要的角色，是事件的始作俑者。在这样的背景下，全社会都在思考如何才能确保企业当责。

既有理论主要强调通过外部控制与监督来"强迫"企业当责，然而根据现实观察来看，强迫式当责正在失去效力。不少研究者已经意识到，实现企业当责的有效途径必须立足于企业内隐视角，企业存在着主动追求内在和更高层次的当责，其核心驱动力来自企业家价值观。因此，本文将从企业家价值观这一视角切入，试图揭开企业家价值观对企业当责作用的内在机理。在广泛借鉴和总结既有相关研究的基础之上，本文对企业当责和企业家价值观概念进行了重新演绎，并界定了本研究的核心概念。采用单案例纵向研究法，结合一手访谈资料和二手文本资料，本文对楼外楼的企业家价值观对企业当责的作用机理进行了深入分析，最终提出了本研究的理论命题。

本研究的主要结论为：（1）企业当责主要包含自明性当责和交易性当责两种类型，在企业的发展过程中，两类企业当责相互作用，在企业的不同发展阶段呈现为三种当责形态，分别为裂口型当责、融合型当责以及统摄型当责；（2）企业家价值观是企业当责的核心驱动因素，企业家"重义轻利"型的价值观确保了企业能够在长期发展中保持着当责，并且初代企业家的价值理念决定了企业当责的基础，不同企业家核心价值观的传承与一致性驱动企业当责的不断发展；（3）企业家价值观对企业当责的影响受到员工价值认同的调节，企业家价值观需要得到员工的广泛认可，才能形成较大的当责合力。

关键词：当责；企业当责；企业家价值观

1 绪论

1.1 研究背景与问题提出

近年来，当责的理论与实践意义日益突出，越来越多的学者将当责视为维系社会系统有效运转的必然选择（Samuel&Novak，2001）[1]。从既有研究来看，当责主要局限于个体层面，并在人力资源管理领域形成了一股潮流（Beu&Buckley，2004；Ammeter 等，2004；Hall 等，2004）[2][3][4]。然而迄今为止，围绕企业层面的当责研究非常有限，且多见于企业财务审计（Banks，2004）[5]和组织治理（Aguilera，2005）[6]方面。鉴于此，一些学者呼吁应强化当责的跨层级研究（Frink 等，2008）[7]，认为在更广泛的范围里展开聚焦于企业当责的研究将"极富价值"（华新海、茅宁，2009）[8]。

从组织研究的视角来看，企业社会责任是与企业当责联系最为紧密的议题，不少学者赞同企业当责的概念构建可以参照或沿用已有企业社会责任的研究模式。比如，Rupp 等（2006）[9]的研究认为，企业社会责任作为内化的行为标准为企业当责的结果衡量提供了参照标准；Valor（2005）[10]虽然承认企业当责是

---

[1] Samuel, M. & Novak, B..The accountability revolution: achieve breakthrough results in half the time [M].Tempe, AZ: Facts on Demand Press. 2001.

[2] Beu. D. S., & Buckley, M. R.. Using accountability to create a more ethical climate [J]. Human Resource

[3] Ammeter, A. P, Douglas, C., FerrisG R., and Goka, H. A.. Social relationship conceptualization of trust and accountability in organizations [J]. Human Resource Management Review, 2004, 14(1): 47-65.

[4] Hall, A. T, Blass, F. R, Ferris, G. R., & Massengale, R.. Leader reputation and accountability in organizations: Implications for dysfunctional leader behavior [J].The Leadership Quarterly, 15(4), 515-536. 2004.

[5] Banks, E.. Corporate governance: financial responsibility, controls, and ethics [J].New York: Palgrave Macmillan. 2004.

[6] Aguilera, R. Corporate governance and director accountability: an institutional perspective [J].British Journal of Management, 2005, 16:39-53.

[7] Frink, D. D., Hall, A. T, Perryman, A. A., Ranft, A. L., Hochwarter, W. A., Ferris, G. R. & Todd Royle, M.. Meso-level theory of accountability in organization [J].Research in Personnel and Human Resource Management, 2008,27: 177-245.

[8] 华新海,茅宁.个体当责行为研究现状与展望[J].外国经济与管理,2009, 31(3).

[9] Rupp, D. E., Ganapathi, J., Aguilera, R. V, and Williams, C. A.. Employee reactions to corporate social responsibility: an organizational justice framework [J]. Journal of Organizational Behavior, 2006,27(4):537-543.

[10] Valor, C.. Corporate social responsibility and corporate citizenship: towards corporate accountability [J]. Business and Society Review, 2005, 110(2): 191-212.

继企业社会责任、企业公民概念之后的重要革新，但也认为企业当责本质上应根植于企业社会责任。然而，回顾企业社会责任的演进脉络，一个明显的事实是自 Bowen（1953）[1] 开创了企业社会责任的概念之后，各派在企业社会责任的概念、内容、边界和本质认识上存有极为显著的差异，且愈演愈烈（沈洪涛、沈艺峰，2007）[2]。

作为一个模糊的概念，企业社会责任跨度 30 余年，囊括了企业社会责任层次、企业社会回应、企业社会绩效、企业公民等 10 余种构念，并依然处于不断发展变化之中（Bakker 等，2005）[3]。虽然它们大都围绕着企业履行哪些社会责任（what）、企业应如何履行社会责任（how）以及企业为什么履行社会责任（why）这三个问题展开（李伟阳、肖红军，2008）[4]。但是，基于这三个问题的研究只是向我们静态地、割裂地展示了企业当责的内容、手段和原因，难以借此动态、深刻地窥探企业当责的内在机理。例如，虽然多数学者已经摒弃了 Friedman（1970）[5] 经济责任是唯一责任的观点，但 Brummer（1991）[6] 等人将企业社会责任独立于经济、法律、道德责任之上，而美国经济委员会的同心圆模式（ECD，1971）[7]，Carroll（1998）[8] 的"四面说"等却认为经济、法律、伦理和慈善责任皆为企业社会责任，这类争执凸显企业社会责任缺乏统一的衡量标准，由此路线演进，企业当责的内容与维度可能会变得"见仁见智"；此外，自 Freeman（1984）[9] 提出企业利益相关者理论以来，不断涌现

---

[1] Bowen, H. R.. Social responsibilities of the businessman [M]. Harper & Brothers, 1953.

[2] 沈洪涛,沈艺峰.公司社会责任思想起源与演变[M]. 上海:上海世纪出版社（上海人民出版社），2007.

[3] Bakker, A Q A., Groenewegen, P., & Hond, F.. A bibliometric analysis of 30 years of research and theory on corporate social re&sponsibility and corporate social performance [J].Business and society, 2005, 44(3):283-317.

[4] 李伟阳,肖红军.企业社会责任概念探究[J].经济管理, 2008:21-22.

[5] Friedman, M.. The social responsibility of business is to increase its profits [J]. New York Times Magazine,1970(9): 13.

[6] Brummer, J., J.. Corporate responsibility and legitimacy: an interdisciplinary analysis. New York: Greenwood Press. 1991.

[7] Committee for Economic Development. Social responsibilities of business corporations [M]. New York: CED,1971.

[8] Carroll, A., B.. The four faces of corporate citizenship [J]. Business and society review, 1998,100(1): 1-7.

[9] Freeman, R., Edward.. Stratgic management: a stakeholder approach [M]. Pitman Publishing Inc., 1984.

的相关研究虽有助于明确企业当责的对象和策略，但以企业为中心的、外部的、静态的个体视角下的利益关联分析，只能聚焦于具有合法性、权力性和紧急性（Mitchell 等，1997）[1] 或者恩情关系（Su 等，2007）[2] 的狭义群体，无法在更为广阔的视角下呈现企业当责的对象；最后，企业社会责任一贯倡导的经济理性隐喻企业承担社会责任是其获取经济利益的"委曲求全"行为，即使当前较为流行的企业公民协商治理模式（如 Matten&Crane，2005）[3] 也多暗示企业承担社会责任是对政府主导的社会压力剧情发展作出相应的反应，这有违当责作为"当仁不让、负责到底"的本意（张文隆，2008）[4]。不难看出，如果完全照搬企业社会责任的现有研究路径，企业当责依然无法走出"在旁监督"或"阳奉阴违"的怪圈。

为此，Frink 等（2008）[7] 呼吁要对有关当责的研究线索进行重新整理，以确定当责的本质。从个体层面来看，当责存有两种不同的研究取向："作为机制的当责"和"作为美德的当责"。虽然前者一度成为主流研究路径，但不少学者已经开始渐渐转向内隐视角来思考当责现象，强调当责的"美德成分"，并在此基础上衍生出内在当责、自我当责等概念，将价值观作为驱动当责的核心因素加以考虑（如 Brief 等，1991；Frink&Klimoski，2004）[5][6]。而在企业层面，虽然鲜有文献直指企业当责，但有关企业社会责任的研究正在逐步向企业"内心"窥视。比如 Basu 和 Palazzo（2008）[7] 已经尝试将企业人格化，以探究企

---

[1] Mitchell, R. K., Agle, B. R., and Wood, D. J.. Toward a theory of stakeholder identification and salience: defining the principle of who and what Really counts [J]. Academy of Management Review,1997,22(4):853-886.
[2] Su, C., Mitchell, R. K., and Sirgy, M. J.. Enabling guanxi management in China: a hierarchical stakeholder model of effective guanxi [J]. Journal of Business Ethics, 2007, 71(3): 301-319.
[3] Crane, A., & Matten, D.. Corporate citizenship: msing the point or missing the boat? a eply to van Oosterhout [J]. The Academy of Management Review, 2005: 681-684.
[4] 张文隆.当责[M].北京:清华大学出版社, 2008.
[5] Brief, A. P., Dukerich, J. M., & Doran, L. L. Resolving ethical dilemmas in management: experimental investigations of values, accountability, and choice [J].Journal of Applied Social Psychology, 1991, 21(5): 380-396.
[6] Frink, D. D., & Klimoski, R. J.. Advancing accountability theory and practice: introduction to the human resource management review special edition [J].Human Resource Management Review, 2004, 14(1): 1-17
[7] Basu, K., & Palazzo, G. Corporate social responsibility: a process model of sensemaking [J]. Academy of Management Review, 2008, 33(1): 122-136.

业对社会责任的"所思、所说、所为",而 Aguilera 等（2007）[1] 发现企业在承担社会责任时会遵循三种不同的动机，分别是工具性动机（自我利益驱动）、关系性动机（关系维护导向）和道德动机（遵循道德标准），在三种动机的驱动之下，企业社会责任呈现出竞争式的权力获取、协作式的利益融合以及利他主义式的责任共担三种形态。同时，有关企业伦理气氛的研究也表明，企业盛行的组织价值观和准则对企业的环保态度和良好行为有正向影响（Ferrell 等，1997）[2]、驱动企业履行伦理承诺（Bartels，1998）[3]。

从现实角度来看，近期发生的一系列企业不当责事件，比如冠生园（2000）的霉变月饼、光明乳业（2005）的过期牛奶、三鹿（2008）和新西兰（2013）的毒奶粉、肯德基（2012）的速成鸡、富士康（2010）的员工跳楼、家乐福（2011）的价格欺诈、中石化旗下公司（2012）和山东潍坊地区（2013）的偷排污水等事件告诉我们，虽然这类企业实力雄厚、在全国乃至世界范围内都较为有影响力，但它们不一定会当责。但反观另一面，一些我们可能较为不熟悉的"小众企业"却一直履行着企业当责。比如，笔者所熟悉的杭州楼外楼就是一个典型的例子，在企业发展的 160 多年间（始建于 1848 年），企业始终一点一滴、认真地践行着企业当责。

为何会出现这样的问题呢？根据企业资源依赖理论来看，组织是不同利益主体的结合，那些影响着企业关键资源获取的群体应该成为企业当责的对象（Pfeffer&Salaneik，1978）[4]，企业资源越多、越丰富，就应该更为当责，但上述的现实案例并非如此。Hall 等（2007）[5] 的研究就指出，在研究企业当责机理的问题上应该更关注企业家问题，处于组织结构顶端的企业家能够通过识

---

[1] Aguilera, R. V., Rupp, D. E., and Williams, C. A., Putting the S back in corporate social responsibility: a multilevel theory of social change in organizations [J].The Academy of Management Review, 2007, 32(3): 836–863.

[2] Ferrell, O. C., LeClair, D. T, and Ferrell. L.. Environmental activities related to social responsibility and ethical climate [J]. Journal of Marketing Management: 1997, 7(2):1–13.

[3] Bartels, K. K.. The relationship between ethical climate and ethical problems within human resource management [J]. Journal of Business Ethics,1998,17(7): 799–804.

[4] Pfeffer, J., & Salancik, G R., The external control of organizations [J]. New York, 1978.

[5] Hall, A. T., Bowen, M.G, Ferris, G R., Royle, M. T, & Fitzgibbons, D. E.. The accountability lens: a new way to view management issues [J]. Business Horizons, 2007, 50(5): 405–413.

别外部环境压力与机会，并结合自身价值取向，进而决定如何采取行动，他们的价值观与信仰才是推动企业当责的关键因素。纵观国内外研究，有关企业家价值观与企业当责的研究思路虽然已有不少人提供了研究线索，但真正能深入挖掘背后机理、有所洞见的研究较为缺乏，本文力图在这方面有所贡献。

1.2 研究目的及意义

1.2.1 研究目的

在探究企业家价值观对企业当责的作用机理之前，必须要明确两个问题，即企业当责的概念，以及企业家价值观的内涵。

首先，当责本身是一个充满争议的定义，而针对企业当责的研究更是少之又少，一些为数不多的研究只是零散地指出了企业当责的若干特征。比如 Koppell（2005）[1] 就指出，企业当责除了强调责任以外，更重要地体现在透明度（transparency）、义务（liability）、控制能力（controllability）和响应性（responsiveness）四个方面上。Valor（2005）认为企业当责的实现有赖于两项重要的变革：一是企业要将社会与环境目标融入企业经济目标之中，经济决策必须不再排斥道德价值追求；二是企业内外部环境具有良好的生态性，企业领导者能以公共利益和环境大局为重、法律体系清晰完善、国际机构共同协作等。Waddock（2004）[2] 针对当前频发的社会问题提倡更大范围的当责，特别强调了报告和透明度问题。但这些零星的线索对于深入了解企业当责现象是远远不够的，Yang（2012）[3] 就直言不讳地指出，现有当责研究根本无法清晰展现行动者缘何当责、如何当责以及当责结果的内在逻辑。

其次，有关价值观的研究往往将以文化价值观作为依据，并衍生出企业家文化价值观概念，尤以 Hofstede（1984）[4] 的文化价值观 5 维度较为盛行，它包括权力距离、个人主义/集体主义、不确定性规避、男性/女性特征和长期导向。

---

[1] Koppel, J. G. S.. Pathologies of accountability: ICANN and the challenge of multiple accountabilities disorder [J].Public Administration Review, 2005,65 (5).

[2] Waddock, S.. Creating corporate accountability: foundational principles to make corporate citizenship real [J].Journal of Business Ethics, 2004, 50(4): 313-327.

[3] Yang, K.. Further understanding accountability in public organizations actionable knowledge and the structure-agency duality [J]. Administration & Society, 2012, 44(3): 255-284.

[4] Hofstede, G. Culture's consequences: international differences in work-related values [M]. Sage, 1984.

二、论文

Gelfand 等（2004）[1] 就从文化个体主义 / 集体主义、文化松紧度、文化距离三个角度论述了文化对于企业当责网络的影响。但文化价值观毕竟不等同于价值观本身。同时，对于价值观的分类既有 Super（1970）[2] 内在价值观、外在价值观和附带价值观的分类，也有 Rokeach（1973）[3] 的终极价值观和工具价值观的分类，更有 Schwartz（1999）[4] 所给出的 4 个维度的 10 个普遍的价值观动机类型，共 57 项的罗列式价值观。因此，关于价值观的知识依然非常不完备的，也很难根据研究结果进行系统对比。

因此，本文研究目的有三：第一，对既有当责文献进行解读，挖掘和确定当责本义，并结合相关研究确定企业当责的概念内涵，在此基础上确立维度构成和范围边界；第二，依据既有研究，找到合适的价值观区分方法，并以此为据对企业家价值观进行归类与分析；第三，基于企业家在企业当责行为决策中所扮演的重要的、不可替代的作用，本文以企业家与企业当责的关系为研究视角，通过案例研究的方法，探究企业家价值观对企业当责的作用机理。

1.2.2 研究意义

在当今时代，企业当责研究显然是一个紧迫而又具有重大理论和实践意义的课题。人们已经深切地感受到了企业不当责所带来的痛楚，而愈加呼吁企业践行当责。现实案例一再表明，外在的制约已然无法驱使企业当责，而内隐视角下的企业当责驱动因素探索式研究似乎并没有引起足够多的重视，虽然已有不少学者提供了部分线索，并一再强调了价值观的重要作用，但针对该方面的系统性研究依旧式微。因而，从价值观的角度剖析企业当责的对象、目的、程度等问题显得尤为迫切。本文可能的贡献也体现在以下方面：

（1）理论意义

首先，本文将丰富有关当责和企业当责的研究。回顾已有研究，针对当责的主流研究至少存有三点不足：①现有理论对于当责概念阐述不清晰，系统性、

---

[1] Gelfand, M. J., Lim, B. C., and Raver, J. L.. Culture and accountability in organizations: variations in forms of social control across cultures [J].Human Resource Management Review. 2004. 14(1): 135-160.

[2] Super, D. E.. Work values inventory [M]. Boston, MA: Houghton-MitJlin.

[3] Rokeach, M.. The nature of human values [M]. New York: Free Press. 1973.

[4] Schwartz, S. H.. A theory of cultural values and some implications for work [J]. Applied Psychology. 1999,48(1): 23-47.

一致性不足，术语杂乱，且定义与内涵局限于个体层面；②一些模型和方法将角色相互间的联系割裂开来，缺乏内在联系与作用机理阐释；③对于当责机制的考察过于强调惩罚、控制和制约等负面情况，角度单一、较为片面。本文从内隐视角对当责机理的探究，以及汲取个体当责与企业社会责任研究成果对企业当责概念的剖析将弥补现有理论空白点。

其次，从企业家价值观出发来探究其对企业当责作用机理，将对发现和揭示企业当责的前置因素有所贡献。价值观作为一个古老的社会科学概念，为解释诸多行为和现象提供了契机，而企业家价值观对于企业当责的影响在多篇前人研究中都有所提及，但尚缺乏直接对两者关系机理进行阐释的研究。因而，本文基于价值观视角下的企业当责研究将为探究企业当责的成因、过程以及结果提供诸多启示。

（2）现实意义

首先，为寻求如何确保企业当责提供指导和方向。目前，企业当责的指导理论主要体现在利益相关者理论上，但我们不难发现，该视角认定企业当责是外部利益相关者的"联手压制"的结果。同时，由于外部利益相关者众多，难以穷尽，企业在面临当责选择时，往往会顾此失彼或者陷入难以决断的境地。而价值观视网下的企业当责研究则可以让企业正视自身的内在诉求，知晓并明确在企业当责过程中应该做什么、如何做、为什么这么做。

其次，为解决复杂和反复发生的社会危机提供启示。中国正经历着转型升级的剧烈阵痛，各种利益格局深刻调整，各种社会矛盾集中出现，社会问题层出不穷。而作为社会重要构成细胞的企业，其管理决策与行动对社会有重要影响，从近年来的每一次重大社会问题来看，企业都可谓是"当局者"。倘若本研究能为中国企业在社会大变革中实现当责提供指导，无疑将对当今处于转型和升级时期的中国社会的健康发展提供现实启发意义。

1.3 研究思路及论文框架

本文首先对已有大量相关文献进行细致解读，以构建企业家价值观和企业当责概念与维度。为了避免先入为主的偏见，本文并没有构建理论模型，而是直接深入到案例之中，通过纵向的单案例分析，让基本发现"浮出水面"。同时，本文将对案例结果进行讨论，归纳相关研究结论、提出命题。图1.1展示了本文研究框架与技术路线。

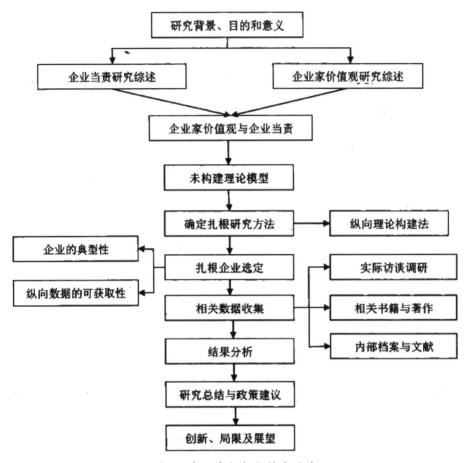

图 1.1 本研究框架与技术路线

2 研究综述

2.1 文献检索说明

为了确保能够尽量详细掌握相关研究线索，笔者先根据导师推荐，对相关领域的经典文献进行反复阅读、形成初步判断。然后根据相关性、经典性和前沿性对文献检索与筛选。

基于本研究所涉及的概念和研究目标，分别依照"当责""accountability"

杭州全书·杭帮菜文献集成

"corporate accountability" 以及"企业家价值观"和"management values"等关键词对文献进行了检索。为了保证理论的饱满性与发展性，笔者对企业社会责任的相关文献进行了通读与梳理，尤其是沈洪涛、沈艺峰于2007年合著的《公司企业社会责任思想的起源与演变》以及厦门大学企业社会责任研究中心所编写的一系列企业社会责任研究丛书，如《企业社会责任前沿文献导读》《走出"丛林"：企业社会责任的新探索》等著作给本文的写作以莫大启示。

2.1.1 相关性

为了确保能够最大限度地收集到相关文献，本文主要从两个方面加以努力：

第一，充分使用权威数据库，反复检索。在查找中文相关文献时，主要使用的是中国期刊全文数据库 CNKI。而在查找英文文献时，主要使用 JSTOR、EBSCO、JohnWiley、SDOL、ProQuest 学位论文全文数据库和 SAGE 回溯期刊数据库等多种外文文献数据库，同时也利用 Google Scholar 进行定向查询。在查找文献过程中，本文尤为关注 *Journal of Business Ethical*、*Academy of Management Review*、*Academy of Management Journal*、*Administrative Science Quarterly*、*Journal of Personality and Social Psychology* 和 *Ethics and Society Review* 等顶级学术期刊。从笔者所掌握的信息来看，国外有关当责的文献 50 余篇，这 50 余文献的内容主要沉溺于个体当责，涵盖了当责的含义、个体层次当责的前因变量和结果变量等方面，但企业当责的研究文献则较少；国内关于当责的研究主要是台湾学者张文隆于 2008 年出版的《当责》一书，以及核心期刊《外国经济与管理》2007、2009 年刊发的《国外组织责任行为研究模式评价》与《个体当责行为研究现状与展望》等 10 多篇相关文献。总体来看，国外研究成果领先于我国，我国学者在当责研究领域处于刚刚起步阶段。

其次，依据对文献的把握，通过文献后面的引文定向检索。首先，笔者根据国内华新海、茅宁（2009）在《外国经济与管理》上对国外当责研究的详细梳理为线索，依次找到该文章所引用的 14 篇当责英文文献，进行反复精度、细致把握，确定外文核心文献。然后基于外文核心文献如 *Advancing accountability theory and practice：Introduction to the human resource management review special edition*、*Implications of organizational exchanges for accountability theory* 和 *The accountability lens：A new way to view management issues* 等，进一步去逐一寻

找相应引文，反复进行多次，以求全面详实地掌握研究脉络。

2.1.2 经典性

为了收集到企业当责与企业价值观方面的经典性文献，主要有以下几个方面的努力与保证：

首先，向该领域的老师请教，由于他们深谙该领域的研究脉络，能够提供指导建议和方向指引，对本研究的顺利进行起到了极为关键的作用。同时，在研究过程中，与同门相互交流，经常召开研讨会，共同探讨对企业当责与企业家价值观内涵的理解。通过不懈的努力，本研究团队已经在当责研究领域有了丰硕的沉淀和收获，对该领域的研究现状有了整体性把握。

其次，在检索中特别注意那些引用率比较高的文献，从学术研究来看，引用率比较高的文献往往是该领域中比较经典性和代表性的。比如，国外Frink 和 Klimoski 以及 Tetlock 等对于当责的研究是学者们较为公认的；而Kluckhohn、Rokeach 和 Schwartz 等对于价值观研究的贡献则奠定了该领域的基础。据此，本文将这些学者的文章进行了反复咀嚼和认真体悟。

2.1.3 前沿性

为了追踪当责领域最新研究，以保证收集到前沿性的研究与文献，本文做了以下的工作：在检索论文时，笔者将搜索时间的上限设定为最近的时间，并在论文的写作过程中不断更新和追踪相关的数据库。尤其值得一提的是，在 *Accountability theory meets accountability practices*（2012）一书刚刚发行不久，本课题组就及时地获得了本书。虽然本课题组对本书的研究方法以及作者对当责概念的界定与发展存有异议，但不可否认的是，本书较为系统性地呈现了当责研究的最新进展，为本文的当责研究提供了有益启示。

以上是本文进行文献检索的一般方法和步骤，本文在查找文献过程中充分结合以上的方法和步骤，力图全面挖掘相关研究成果。在后期的文献阅读和相关研究中，根据具体情况灵活调整文献检索的方法和数据库的选择。另外，还有一些其他的资料查找和索取方法，比如由于价值观的一些早期的论文非常不易获得，笔者就利用图书馆的馆藏资源、以及图书馆提供的馆际互借服务等手段加以查找。经过不懈的努力，我们获得了大量的研究成果，大致情况如下表2.1所示。

表 2.1　文献检索情况

检索词		外文文献		中文文献	
英文	中文	期刊	著作	期刊	著作
Corporate accountability Entrepreneurs'values	企业（组织）当责／责任／问责 & 企业家价值观	0	0	0	0
Corporate accountability/ accountability	企业（组织）当责／责任问责	55	1	16	3
Entrepreneurs'Values	企业家价值观	>60	0	>60	>5
Corporate social responsibility	企业社会责任	>70	>10	>50	>10

2.2 当责相关研究

自 2008 年张文隆在《当责》一书中，首开先河地将"accountability"译为"当责"以来，国内的研究者们基本上都采用了这一翻译，本文也沿用该译法。不少学者将当责视为一种新兴的概念，但根据 Von Dornum（1997）[1] 的考察，当责的起源最早可追溯到古希腊时期，亚里士多德等哲学家曾指出"一个有序社会需要管理者对他们的行为合法性地当责"。那么何为合法性当责呢？对此问题的思考催生了两种不同的研究取向，即"作为机制的当责"（accountability as mechanism）与"作为美德的当责"（accountability as virtue）。

2.2.1 作为机制的当责研究取向

在"作为机制的当责"研究取向下，当责主要作为一个消极性的、描述性的概念被使用，且在早期的政治学领域中尤为盛行。此类学者对合法性当责的普遍看法是"官僚结构中，较低权威者对较高权威者负有责任或是一种存在于组织内部的连锁命令（chain of command）"（Kearns，1996）[2]。因此，合法性当责的形式就是层级式当责，即下级依据自我的职责角色向上级负责，而实现或保证合法性当责的核心在于绩效评价。Ammons（2007）[3] 明确指出，

---

[1] Von Dornum, D. D.. Straight and the crooked: legal accountability in ancient greece, the [J]. Colum. L. Rev. 1997,97:1483.

[2] Kearns, K. P, Managing for accountability: preserving the public trust in public and nonprofit organizations [M]. San Francisco, California: Jossey-Bass Publishers, 1996.

[3] Ammons, D. N.. Performance measurment: a tool for accountability and performance improvement [J]. County and municipal government in North Carolina, 2007, 16: 1-12.

二、论文

绩效评价是当责实现的核心工具，如果缺乏绩效评价报告，内外部的观众就无法获得有价值的信息，该政府或机构的效率和效果就不得而知了，当责也就无从谈起。Day 和 Klein（1987）[1] 更将绩效评估视为"当责的生命血液（the life blood of accountability）"。在他们看来，当责指的是一种对组织或者个体绩效等因素的正式测量评估机制，该机制的有效运行有赖于明晰的指挥命令链条和法规程序。

20 世纪 80 年代，当责概念被引入到组织研究领域时，多数学者沿袭了作为机制的当责研究取向，从控制、服从的角度对当责概念阐述，充斥着负面偏差（negativitybias）。Boven（1998）[2] 认为，当责并不是发生在真空状态下，不管双方关系如何，人与人之间总存在着质询和疑问，那么个体必须有效回应质询和疑问才能做到当责。Ferris 等（1995）[3] 对此进行了更为详细的讨论，他们指出当具有奖赏或惩罚权的外部观众评价个体行为时，就形成了一种外在约束，并内化为个体的内在压力，促使其行为与评价标准相一致。因此，行为人必须按照观众的意愿和要求，完成特定的任务、实现既定的目标。一旦结果偏离观众的预期，并超出其忍耐限度时，行为人将会遭受惩罚。然而，对于那些达到期望的行为，Cummings 和 Anton（1990）[4] 却声称，我们承认一个人的行为会带来好坏两种结果，一旦结果不符合组织的期望，个体就应当受到惩罚。即使一些超出期望的行为，除非较为显著，否则也不应给予奖励。

总体来看，主流研究将当责视为一种制约机制和合法的禁令，所属组织（或上级领导）的惩戒、责备或者解雇等惩罚措施是减少或遏制个人行为不当责的有力武器。而为了避免这种惩戒，行为人往往会"略施小计"，Boven（1998）的研究发现，个体通常使用几种可能的辩护策略（如印象管理、开脱罪名等），

---

[1] Day. P, & Klein, R.. Accountability [J]. Five Public Services. London: Tavistock, 1987.
[2] Bovens, M.. The quest for responsibility: accountability and citizenship in complex organizations[M]. Cambridge: Cambridge University Press, 1998.
[3] Ferris, G. R., Mitchell, T. R., Canavan, P. J., Frink, D. D. and Hopper, H.. Accountability in human resources system [J]. In G.R. Ferris, S.D. Rosen and D. T Basman, Eds.. Handbook of human resource managemen [M]. Oxford: Blackwell Business, 1995: 175–196
[4] Cummings, L. L., & Anton, R. J.. The logic and appreciative dimensions of accountability [J]. In S. Srivasta & D. L. Cooperrider & Associates, Eds,. Appreciative management and leadership: the power of positive thought and action in organization[M]. San Francisco. CA: Jossey–Bass. 1990: 257–286.

以使某些理由"看起来"更让人信服。

然而，在本文看来，上述学者的研究始终没有摆脱传统经济学的经典假设，他们从完全理性人的假设出发，依托委托代理理论，认为当责只是委托人在面对外在压力与不确定时不得不采取的一种妥协行为（Koestenbaum&Block，2001）[1]，并在以下三个方面达成了共识。首先，当责的对象主要指"别人"，行为人要向别人证明自己观点和偏好正当性的需要，以及考虑别人对自己观点和偏好的评价（Simonson&Nye，1992）[2]。其次，当责的基础在于"别人"（个人或组织）对行为人掌握某些权利或资源优势（Unerman&O'Dwyer，2006）[3]；最后，虽然大多数当责含有对结果负责之意，但驱动行为人对结果负责的手段绝大多数都侧重于监督、控制和惩罚（Cummings&Anton，1990）。可是，这样的"绩效评估＋结果控制＋负面激励"的模式和手段能驱动当责发挥正面影响么？其实不然，Schlenker（1997）[4]指出，如果每一项失败都带来惩罚，行为者一定会想尽办法来为自己的行为辩护、逃脱责任。长此以往，便会产生资源、精力的浪费（Dubnick，2005）[5]，不准确的业绩评价（Klimoski&Inks，1990）[6]，以及流程僵化、官僚层级作风、虚假信息等问题（Dose&Klimoski，1995）[7]，而对不利结果的过多辩护只能带来承诺和信任流失（Kosmicki，1999）[8]。

2.2.2 作为美德的当责研究取向

相较于前者，作为美德的当责研究取向是式微的。只有部分学者们发现作

---

[1] Koestenbaum. P., & Block, P. Freedom and accountability at work: applying philosophic insight to the real world [M]. San Francisco, CA: Jossey-Bass. 2001.

[2] Simonson, I., & Nye, P.. The effect of accountability on susceptibility to decision errors [J]. Organizational Behavior and Human Decision Processes, 1992, 51(3): 416-446.

[3] Unerman, J., & O'Dwyer, B.. Theorising accountability for NGO advocacy [J]. Accounting, Auditing & Accountability Journal, 2006, 19(3): 349-376.

[4] Schlenker, B. R.. Personal responsibility: application of the triangle model[J]. In L. L. Cummings & B. Staw, Eds,. Research in organizational behaviorM, 1997,19: 241-301.

[5] Dubnick, M.. Accountability and the promise of performance [J]. Public Performance & Management Review, 2005, 28(3): 376-417.

[6] Klimoski, R., & Inks, L. Accountability forces in performance appraisal. Organizational Behavior and Human Decision Processes, 1990,45: 194-208.

[7] Dose, J. J., & Klimoski, R. J.. Doing the right thing in the workplace: responsibility in the face of accountability [J].Employee responsibilities and Rights Journal, 1995,8(1): 35-56.

[8] Kosmicki, R.. Accountability standards[J]. Vital Speeches of the Day, 1999,66(4):126-127.

二、论文

为机制的当责研究取向是极为狭隘的，它只看到了当责的负面性和强制性。因而，他们开始致力于倡导作为美德的当责研究，将它作为一个积极性的、规范性的概念使用，强调的是行动者没有借口的承诺，调动各种因素超越当前处境，拿出期望的成果（Connors 等，2004）[1]。从根本上来看，当责与责任相似，含有公共信任和公共利益成分，即要将个人或组织镶嵌在利益相关者的网络之中，以责任体系为认知标准，通过正式或非正式的当责行为，予以"适当证明"（Schlenker，1997）。该思路在 Frink 和 Klimoski（2004）的"现象观"中得到了体现，他们认为当责的动因来源更偏向于对现实的看法与感知而非现实本身，不再是具体的客观事务性工作。如此一来，即使在正式的当责机制缺失的情况下或者无法建立一套正式、明确的当责流程或程序时，也能保证行为当责。而我国台湾学者的张文隆在其著作中，更是索性将 accountability 译为"当责"而非"问责"，以示区别，并一再强调当责应有担当、恰当、为所当为，乃至当责不让、达成任务、交出成果的含义，其原意及引申义本就是：要算清楚的、需报告的、可依赖的、能解释的、知得失的、负后果的、重成果的（张文隆，2008）。华新海、茅宁（2009）也以此为线索，认为当责就是主动承担，是行为主体对应负责任的自觉意识与积极履行责任的行为倾向。

一些研究者对此表示了赞同，并在努力突破传统的强权控制与服从模式，寻找新的当责模式，以实现行动者主动与其他社会主体（观众）互动交流，进而构建"社会交代机制"。Samuel 和 Novak（2001）[2] 认为当责应是一个完整的过程，包括调查了解、反馈、判断与认可四个阶段；Frink 和 Klimoski（2004）主张将各种因素放在一起，力图形成一个包括正式和非正式制度、主客观评价和奖励、以及内部和外部观众的机制的综合系统；而 Miller（2006）[3] 提出当责的"简单"（SIMPLE）流程，即要确定各层次的目标（set expectation）、取得员工承诺（invite commitment）、客观衡量结果（measure results）、鼓励与员工回馈（promote feedback）、与结果挂钩（link to consequences）、评估

---

[1] O'Connor, N., Kotze, B., and Wright, M.. Blame and accountability 1: understanding blame and blame pathologies[J]. Australasian Psychiatry, 2011, 19(2): 113-118.
[2] Samuel, M., & Novak, B.. The accountability revolution: achieve breakthrough results in half the time [M]. Tempe, AZ: Facts on Demand Press. 2001.
[3] Miller, B. C.. Keeping employees accountable for results: quick tips for busy managers [M]. AMACOM Div American Mgmt Assn, 2006.

557

成效（evaluation effectiveness），一环接一环，环环相扣；Culbert 和 Ullmen（1999）[1]认为只要行为人与观众之间存在着利益交叉或者任意一方的利益主张有利于共同目标的实现，当责都应该是相互的，因此要构建当责共同体；Redding（2004）[2]也持有类似观点，他认为自我当责是他人当责的先决条件，只有双方都相互当责才能建构出真正意义上的当责；Kraines（2001）[3]认为当责是一种心理契约，在人与人交往中形成的一种长期的、广泛的社会情感交互与互惠义务，确保了双方的信任与承诺。

由此可见，在作为美德的当责研究中，当责指的是对行为人的实质性规范。这种规范之力来自组织内部和组织外部的多种多样的，与义务、责任相关，并隐含着衡量绩效的标准期望（Lemer&Tetlock，1999）[4]，是一种典型的"期望观"（Erdogan 等，2004）[5]。更进一步来讲，当责就是在行为人和观众之间，通过相应的机制、程序和战略安排与设计去传递和实现双方的期望。

2.2.3 当责概念解析

当责的两种研究取向使其成为一个难以捉摸的问题，也让有关当责的研究出现了两种截然不同声音。但近些年来，随着研究的深入，该概念的本质也逐步走向清晰。学者们已经意识到将当责视为单向回应（singular answerability）的层级内现象将无法走出现有的研究困境，而更加呼吁从美德的角度来认识当责概念。

Tetlock（1992）[6]认为之前的当责研究大都将人隐喻为"天生的科学家"（主动认知和了解环境的因果结构）或"天生的经济学家"（追求个人效用的最大化）。但是经济效用最大化的假设往往缺乏充分的依据，并且由于大多数

---

[1] Culbert, S. A., & Ullmen. J. B.. Don't kill the bosses!: escaping the hierarchy trapM. San Francisco: Berrett-Koehler. 1999.

[2] Redding, C. J.. Increasing accountability [J]. Organizational Development Journal, 2004, 22(1):56-66.

[3] Kraines, G. A.. Accountability leadership [J].Systems Thinker, 2003, 13:2-6.

[4] Lerner, J. S., & Tetiock, P E.. Accounting for the effects of accountability [J]. Psychological Bulletin, 1999, 125(2): 255-2-75.

[5] Erdogan, B., Sparrowe, R. T., Liden, R. C. and Dunnegan, K. J.. Implications of organizational exchanges for accountability theory [J]. Human Resource Management Review, 2004,14(1):19-45.

[6] Tetlock, P. E.. The impact of accountability on judgment and choice: toward a social contingency model [J]. In M. Zanna. Eds., Advances in experimental social psychology [M], 1992.25: 331-276.

情境具有不确定性，行动者无法准确判定所有行动的后果和潜在效用（Polanyi，1957）[1]。据此，他将特定的社会背景纳入考虑范畴，并从社会功能主义出发提出了当责的社会应变模型，即当责在个人与社会背景的微妙的相互适应和互动衍生中产生。Jos 和 Tompkins（2004）[2] 更明确指出外部当责要求的合理解释和应用，依赖于能提供良好判断的美德的培养，如果单纯以外部标准的命令机制以及监督它们是否符合这些标准则的手段，往往威胁到良好判断的做出，人们往往无法当责。Frink 和 Klimoski（2004）依据角色理论构建了当责行为角色理论框架，当责与人的内在世界息息相关，而非一套完整的约束机制或规章制度就能保证当责。

事实上，早在 20 世纪 70 年代末首次提出心理学视角的当责概念时，Knouse（1979）[3] 强调当责应根植于人们对责任的感知，且与个人的价值观系统相联系，具有内生性和互动性的观点。而 Semin 和 Manstead（1983）[4] 经过深入探究后认为，人们通过社会互动形成一种简化与浓缩外在世界的逢释架构（interpretativeschemata），衍生共同的知识要素，赋予人们解读社会真实场景的感觉和意义，提供个人认识他人与自我的可能和指导行为，从而使人的行为具有普遍当责性。

在本文看来，这样的论述一再明示或暗示着，当责蕴含着自明式的"社会交代"。当责不应该只是委托人与代理人之间的有关于行为结果的惯例性回报、监督和惩戒，而更应是一种涉及自我反思的回溯性概念，蕴含着自我承诺、积极兑现和明察反思，其内涵除了以达到"别人"（观众）期望为目的而行动，谋求某种结果以外（Cummings&Anton，1990），还应当包括按自我期许去行动并担当结果之意（Schlenker&Weigold，1991）[5]。

---

[1] Polanyi, K. The economy as instituted process [J]. In K. Polanyi, C. M. Arensberg, and H. W Pearson, Eds.. Trade and market in early empire: economics in history and theory [M]. New York: Free Press. 1957:271-306.

[2] Jos, P H., & Tompkins, M. E.. The accountability paradox in an age of reinvention the perennial problem of preserving character and judgment [J]. Administration & Society, 2004, 36(3): 255-281.

[3] Knouse. S.. Toward a psychological theory of accountability [J]. 1979,9(3): 59-63.

[4] Semin, G, R., & Manstead; A. S. R.. The accountability of conduct: a social psychological analysis [M] London: Academic Press. 1983.

[5] Schlenker B. R., & Weigold M. F.. Self-identification and accountability [A]. In: Giacalone R. A., and Rosenfeld P (Eds.). Impression management in the organization [C]. Hillsdale, NJ: Erlbaum, 1991: 21-43.

2.3. 企业当责相关研究

2.3.1 企业当责研究现状

在当责研究中，明显存在薄弱之处。学者们大多以微观视角作为切入点，采用实验法来探究个体与个体之间的当责关系与过程，主要关注了诸如个体特征变量对当责的影响（Mero 等，2007；Hall 等，2003）[1][2]；个体不同组织行为与当责之间的关系（Thoms 等，2002；Hochwarter 等，2007；Turusbekova，2007）[3][4][5]；决策者的当责决策过程（Baumeister 等，1994；Tetlock，1992）[6] 等。而基于中观和宏观视角的研究少之又少，Frink 等（2008）以微观、中观、宏观视角对既有当责研究进行了回顾，并提出了当责的中观模型，强调当责概念并非单一的微观概念，需要跨层级、多维度地探析。对此，华新海、茅宁（2009）表示了赞同，并特别指出企业当责的开创性研究将"极富价值"。

然而迄今为止，有关企业当责的研究非常缺乏。在已有研究中，Koppell 对企业当责的界定相对较有代表性。Koppell（2005）认为，企业当责概念反映了企业以其透明度（transparency）、义务（liability）、控制能力（controllability）、责任感（responsibility）及响应性（responsiveness），寻求企业存在的合法性及合理性证据的努力。透明度是指组织必须要能够解释其行动，以避免丑闻的发生；义务则偏向绩效议题，并隐含惩罚的意思；控制能力是说建立在透明度或义务之上的组织活动能够被引导和调控；责任感则是指组织必须受到法律、

---

[1] Mero, N. P., Guidice, R. M., and Brownlee, A. L.. Accountability in a performance appraisal context: the effect of audience and form of accounting on rater response and behavior [J]. Journal of Management, 2007, 33(2): 223-52.

[2] Hall A. T, Houchwarter W. A., P. L., and Ferris GR.. Job autonomy as an antidote to the dysfunctional effects of accountability as a stressor: Implications for job satisfaction and emotional exhaustion [A]. In: presented at the annual meeting of the Southern Management Association, Clearwater Beach. FL, 2003.

[3] Thoms, P, Dose, J. J,, and Scott, K. S.. Relationships between accountability, job satisfaction, and trust [J]. Human resource development quarterly, 2002, 13(3): 307-323.

[4] Hochwarter, W. A., Ferris, G. R., Gavin, M. B., Perrew8, P L., Hall, A. T., and Frink, D. D.. Political skill as neutralizer of felt accountability-job tension effects on job performance ratings: a longitudinal investigation [J].Organizational Behavior and Human Decision Processes, 2007,102(2): 226-239.

[5] Turusbekova N.. Individual Accountability: The Interplay Between Task, Social Context and Personality Attributes [D]. Groningen: University of Groningen, 2007.

[6] Baumeister, R. F., & Newman, L. S.. Self-regulation of cognitive inference and decision processes [J].Personality and Social Psychology Bulletin, 1994, 20(i): 3-19.

规则及规范的限制；响应性就是组织直接诉诸顾客或服务对象的需求，强调顾客导向的途径。而在张文隆（2008）看来，企业当责有对内与对外两个任务。对内要建立一个适宜个体当责、团队当责运作与滋长的环境；对外要主动、适时、适当地对利害关系人，如股东、顾客、员工和社区等做出必要的报告或说明，建立与外界沟通的桥梁，并照顾其利益，成为一个公开、透明、信任的现代组织。Valor（2005）认为企业当责的实现有赖于两项重要的变革：一是企业要将社会与环境目标融入企业经济目标之中，经济决策必须不再排斥道德价值追求，二是企业内外部环境具有良好的生态性，企业领导者能以公共利益和环境大局为重、法律体系清晰完善、国际机构共同协作等；Waddock（2004）针对当前频发的企业社会问题提倡更大范围的当责，特别强调了报告和透明度问题。

事实上，不光是国内，国外也出现过一些影响巨大的企业危机问题，并一度出现过企业当责运动（Boven，2007）[1]，那么为何企业当责的研究未能涌现呢？在本文看来，用于探究企业当责的理论基础限制了企业当责的研究。从现有的研究来看，企业当责的理论基础主要由委托代理理论和利益相关者理论构成：首先，资源依赖理论认为保持组织的稳定要从解决资源分布不均和权力关系不对称入手，为了获得必要的资源和支持，企业必须以当责为赌注（stake），以切实的利益给予作为赌资，以期从那些拥有组织权力、控制着重要资源的关键观众手中赢得支持，而关键观众可以对其行使监督控制和奖惩权力，当责关系成为一种典型的委托—代理关系（Grant&Keohane，2005）[2]。不难看出，这种单向回路式的枷锁已经不足以驱动企业当责。其次，利益相关者理论认为能够影响企业生存与发展的不仅包括股东，还包括员工、客户、政府等，而缺乏利益相关者的关注与参与，企业将无以为继（Freeman1984；Clarkson，1995）[3]。该理论被广泛用于企业社会责任、企业社会绩效和企业道德研究，它要求企业不仅要按照社会和环境准则对股东当责，还要对员工、客户、政府等利益相关者当责。然而，基于外部利益相关者的不同关系，当责形式变得异

---

[1] Bovens, M.. Analysing and assessing accountability: a conceptual framework. European Law Journal, 2007,13(4), 447-468.
[2] Grant, R. W., & Keohane, R. O.. Accountability and abuses of power in world politics [J]. American political science review, 2005, 99(1): 29-43.
[3] Clarkson, M. E.. A stakeholder framework for analyzing and evaluating corporate social performance [J]. Academy of management review, 1995, 20(1): 92-117.

常复杂（Lerner&Tetlock, 1999）。同时，利益相关者的研究主要关注具有合法性、权力性和紧急性（Mitchell 等，1997）或者由关系网连接（Su 等，2007）的狭义群体，使得企业当责范围和对象较为局限。

2.3.2 企业社会责任研究及其局限性

从组织研究视角来看，企业社会责任是与企业当责联系最为紧密的议题，不少学者赞同企业当责的概念构建可以参照或沿用已有企业社会责任的研究模式。比如，Rupp 等（2006）的研究认为，企业社会责任作为内化的行为标准为企业当责的结果衡量提供了参照标准；Valor（2005）指出企业当责是继企业社会责任、企业公民概念之后的重要革新，企业当责本质上应根植于企业社会责任。但事实上，回顾企业社会责任的演进脉络，一个明显的事实是自 Bowen（1953）开创了企业社会责任的概念之后，各派在企业社会责任的概念、内容、边界和本质认识上存有极为显著的差异，且愈演愈烈（沈洪涛、沈艺峰，2007）。

作为一个不断发展变化的概念，企业社会责任跨度 30 余年，囊括了企业社会责任层次观、企业社会回应、企业社会绩效、企业公民等 10 余种构念（Bakker等，2005）。这些概念分别以不同的方式回答了企业应履行哪些社会责任（what）、如何履行社会责任（how）以及为什么履行社会责任（why）（李伟阳、肖红军，2008），但依然存在着缺陷。

（1）企业社会责任层次观

20 世纪 70 年代初，美国经济开发委员会（ECD，1971）提出了企业社会责任同心圆模式，内层经济责任、中间层是法律和道德责任、外层是新近出现但还不是很清晰的责任，要求企业更广泛地积极投入到改善社会环境的活动中去。而 Carroll（1979）[1] 提出了一个更具影响力的企业社会责任"四面说"，内容包括经济责任、法律责任、伦理责任、慈善责任。在此基础上，Carroll 在1991 年进一步提出了以经济责任为塔基、自行裁量责任为塔尖的企业社会责任金字塔模型 [2]，这个模型暗含了企业对社会责任不同领域考虑的优先顺序。该

---

[1] Carroll, A. B.. A three-dimensional conceptual model of corporate performance [J]. Academy of management review, 1979, 4(4):497-505.

[2] Carroll, A. B.. The pyramid of corporate social responsibility: toward the moral management of organizational stakeholders [J]. Business horizons, 1991, 34(4): 39-48.

模型为后来的学者和实践者提供了一个较为详尽的分类框架。如Lantos(2001)[1]的分类是道德性责任、慈善性责任和战略性责任，Enderle（2006）[2] 的分类是经济责任、政治和文化责任以及环境责任。之后，Jamali（2007）[3] 综合了Carroll的"四面说"和金字塔模型以及Lantos的三分类模型，提出了企业社会责任的3+2模型，将企业社会责任分为强制性的社会责任（经济责任、法律责任、道德责任）和自愿性的社会责任（自由决定的策略性责任、自由决定的慈善性责任）。而国内的学者也做了相关研究，如陈志昂、陆伟（2003）[4] 也提出了社会责任三角模型，其最下层是法规层、中间层是标准层、最上层为战略和道义层。从研究成果来看，企业社会责任层次说逐步明确了企业需要承担的社会责任，但并未指明为何要承担这些责任，缺少对动力维度的探究。

（2）企业社会回应

基于"企业—社会"关系的认识，学者们提出了"企业社会回应"的概念来进一步阐释企业为何承担责任。Frederick（1994）[5] 认为，企业社会回应就是企业回应社会压力的能力，在组织微观层面，它"意味着管理企业与各类社会团体之间关系的能力"，在制度宏观层面，它指"对每个进行社会回应企业的制度安排和程序设计"。Ackerman和Bauer（1976）[6] 指出，企业社会回应涵盖五个因素，①是一种企业战略；②是一个包括认识、应对和制度化的过程；③是一个创新性的业绩表现衡量方法；④是应对不同时间公众预期变化的新技术和新管理技能；⑤是一种制度化的决策方式。Sethi（1975）[7] 将企业社会回应区分为防守型、反应型和预防型。具体而言，企业对社会需求的回应过程包括认识、专人负责和组织参与三个阶段。在认识阶段，企业

---

[1] Lantos, G. P.. The boundaries of strategic corporate social responsibility [J]. Journal of consumer marketing, 2001, 18(7): 595-632.

[2] Enderle, G.. Corporate responsibility in the CSR debate [J]. Unternehmensethik im spannungsfeld der kulturen and religionen, 2006, 14: 108

[3] Jamali, D. A.. Stakeholder approach to corporate social responsibility: a fresh perspective into theory and practice [J]. Journal of business ethics, 2008, 82(1): 213-231.

[4] 陈志昂,陆伟.企业社会责任三角模型[J].经济与管理, 2004 (11): 60-61.

[5] Frederick, W. C.. From CSR1 to CSR2 the maturing of business-and-society thought[J]. Business & Society, 1994,33(2):150-164.

[6] Ackerman, R. W., & Bauer, R. A.. Corporate social responsibility [J]. Reston: Reston, 1976.

[7] Sethi, S. P.. Dimensions of corporate social performance: an analytical framework [J]. California management review, 1975, 17(3).

高层认识到社会需求的重要性，开始讨论、参与和支持相关活动，最终对企业政策进行新的调整。在专人负责阶段，企业任命专人负责系统性地收集信息，评估社会环境需求，开发可作为控制机制的方法。在组织参与阶段，整个组织机器都被调动起来参与社会回应需求的活动，包括问题的管理、资源的运用和程序的修正，以提高企业社会回应水平（Ackerman，1973）[1]。总体来看，他们都将企业看作是社会环境场景中的"演员（actor）"，必须对社会压力的剧情发展作出回应，包括回应策略的设计、实施和制度化等可衡量性方面的考虑（Mitnick，1995）[2]，该模式将企业看作是机械的"刺激—反应"系统（Lee，2008）[3]，企业社会回应本身只是对外部社会压力和环境变化的被动反应，而非前瞻性行动。

（3）企业社会绩效

为了分析判断或预先识别企业运营过程对外部社会可能造成的消极影响，并提前行动以规避和管理这些消极影响，确保企业对社会负责任，企业社会绩效的概念应运而生。Wartick 和 Cochran（1985）[4]将企业社会责任原则（经济、法律、伦理和自行裁断），企业社会回应（反应、防御、适应和预防型）和社会问题管理（问题识别、问题分析和形成回应）三个阶段融合起来，形成了"原则—过程—结果"三位一体的企业社会表现模型，最大化地减少"意外事故"的发生。进一步地，Wood（1991）[5]从企业社会责任三层次原则、企业社会回应过程以及企业行为的结果等三个方面对企业社会绩效进行了界定，并从制度、组织和个体三个层面分析了企业社会责任的驱动原则，即合法性原则（principle of legitimacy）、公共责任原则（principle of public responsibility）和管理者裁断权原则（principle of managerial discretion）。不难看出，企业社会绩效强调

---

[1] Ackerman, R. W.How companies respond to social demands [J].Harvard Business Review, 1973,51(4): 88-98.

[2] Mitnick, B. M.. Systematics and CSR The theory and processes of normative referencing [J]. Business & Society, 1995, 34(1): 5-33.

[3] Lee, M. D. P. A review of the theories of corporate social responsibility: its evolutionary path and the road ahead [J]. International journal of management reviews, 2008, 10(1): 53-73.

[4] Wartick, S. L., & Cochran, P L.. The evolution of the corporate social performance model [J]. Academy of management review, 1985, 10(4): 758-769.

[5] Wood, D. J.. Corporate social performance revisited [J]. Academy of management review, 1991, 16(4): 691-718.

要更为前瞻性、主动性和预防性地承担社会责任，力图从企业本身的核心业务流程入手，将企业社会责任融入自身战略和决策流程。但企业在"经济利益最大化"和"道德责任一致"的两端如何平衡？触发点在哪里？Swanson（1995）[1]对有关企业社会绩效的定义进行了总体批评性检视，认为如果无法消解两种视角的内在矛盾，企业社会责任的概念也就只能越来越狭隘。他将价值观作为企业社会表现模型的导向，将企业社会责任和企业社会回应概念化为以决策为基础的价值观的形成过程，对企业如何承担社会责任进行了极为有益的探讨，但这种探讨却未被后续的研究者给予足够的重视。

（4）企业公民

由于受到古典经济学的禁锢，企业社会责任一直无法走出实用主义范畴。Van Luijik（2001）[2]认为，无论是"企业道德"还是"企业社会责任"，都暗示着企业缺乏道德或者反对"责任"，所以企业界从来就不是很喜欢企业伦理的一些用语，而"企业公民"则让公司看到或者说是重新意识到企业在社会中的正确位置，它们在社会中与其他"公民"相邻，企业与这些公民一起组成了社区。而公民意识强调的是社区中所有相互联系和相互依赖的成员的权利和义务。企业公民通过在企业社会表现的框架内将企业社会责任利益相关者管理糅合在一起，从而克服了企业社会责任在运作和实施上的困难，企业公民可以从个人公民的表现中明白社会对公民的要求。在Waddock（2004）看来，企业公民概念第一次将利益相关者理论付诸行动，从而将企业和社会领域中的利益相关者理论和企业社会责任思想融合在了一起，将企业社会表现与利益相关者和自然环境结合在了一起。此外，围绕企业公民是否像个人公民一样拥有公民身份、具有公民权利、承担公民责任这样几个问题，企业公民研究者们形成了三个不同的答案。一是，企业是公民，企业在社会中既有权利也有义务，个人公民的概念可以扩展为企业公民（Cohen&Altman，2000）[3]；二是，企业像公民，

---

[1] Swanson, D. L.. Toward an integrative theory of business and society: a research strategy for corporate social performance [J].Academy of management Review, 1999, 24(3): 506–521.

[2] Van Luijik, H.. Business ethics in Europe: a tale of two efforts [J]. A companion to business ethics. 2001:353–365.

[3] Vidaver – Cohen, D., & Altman, B. W.. Corporate citizenship in the new millennium: Foundation for as architecture of excellence [J]. Business and Society Review, 2000, 105(1): 145–168.

企业如个人公民一样参与社会和治理，与政府和社会组织合作并管理个人公民权利（Matten&Moon，2008）[1]；第三，企业管理公民权，在公民权管理中具有积极的作用（Matten&Crane，2005）[2]。企业公民高度概括了企业在当代社会背景下的角色与责任承担，强调企业的"社会性"，以"自我规制"来获得政府及公众的认可，进而实现"先动优势"。然而，一个明显的问题在于，如果说单凭其他权威组织的强制力来驱动企业如公民一样履行责任，在一个健全的、长期发挥作用的制度环境或许还比较适用，而一旦这一条件不具备或缺失，企业公民可能就会流于形式。

因而，从总体上来看，企业社会责任的研究虽然一直处于不断演进中。企业社会责任力图在理论上回答企业应当承担什么责任这个问题，而企业社会回应和企业社会绩效则试图立足于实践回答企业为何以及如何承担了责任这样的问题，企业公民尝试从理论和实践的综合角度回答企业应当扮演什么样的责任角色这个问题。但深究来看，已有的研究更多的是基于功利原则从企业外部对企业进行研判的（见图2.1）。企业社会责任概念的演化过程表明：相关研究实际上是学者们一直以一个旁观者的身份探寻"企业当责"的问题。

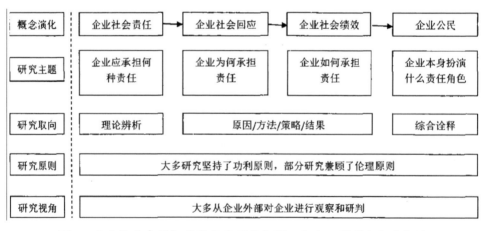

图2.1 企业社会责任相关研究的研究主题、取向、原则和视角归纳

---

[1] Matten, D., Moon, J.. "Implicit" and "explicit" CSR: a conceptual framework for a comparative understanding of corporate social responsibility [J]. Academy of management Review, 2008; 33(2): 404–424.
[2] Matten, D., & Crane, A.. Corporate citizenship: toward an extended theoretical conceptualization [J]. Academy of Management review, 2005, 30(1): 166–179.

二、论文

2.3.3 企业当责概念界定

按照 Kearns（1996）的观点，企业当责是一个动态过程，必须镶嵌于多元利益相关者的关系网络中，并带有正式与非正式的负责意涵。这个观点表述了企业当责的过程、对象和性质要义。而基于之前对当责概念的解析，同时考虑到利益相关者这个词语的狭义性，以及结合企业社会责任相关概念的变迁与演进。本文认为企业当责指的是企业按照一定标准行事并达成观众或自我期望的结果，且在必要时向观众做出行为正确性证明的努力。对于该定义的确定，本研究进行了深入的探讨。一方面，该定义有明显区别于企业社会责任的诸多定义，其核心是从企业自身而非外部视角出发来思考具体如何当责；另一方面，该定义又沿袭并结合了企业社会责任现有成果，明确了企业为何当责、依靠何种标准当责、在合适回应外部观众期望以及如何回应外部观众的期望等重要问题。总结来看，有以下四个方面：

其一，企业当责的外部对象是观众。长期以来，委托代理模式下的企业当责对象局限于拥有合法性、权力性和紧急性的群体和个人（Mitchell 等，1997），极为单一。观众一词的使用，更符合当前学术界和实践界呼吁企业回归社会性的诉求。不难发现，随着社会活动信息传递的日益网络化，人们对企业行为后果的了解日趋透明和迅捷，对企业行为的监督者和受企业行为影响的群体已经或正在逾越传统利益相关者范围，开始面向更为广泛的、甚至毫无利益相关的社会群体与个人，企业当责对象必须要在更为广泛的范围内加以考虑（Dubnick，2013）[1]，任何人都可能受到企业当责有形与无形的影响，并直接和间接地影响着企业当责。

其二，企业也向自我当责。根据之前的理论分析来看，主流的理论主要从外部视角来探究企业为何当责，企业当责的对象只涉及外部观众，这也是"作为机制的当责"研究取向所倡导的。但构建主义和人本心理学启示我们，作为一般的行为主体，企业也有自己的评价主体，应该对自己的行为及其后果承担责任，企业当责往往是一种"美德"，由内至外的善举。

其三，企业按照一定标准当责。传统的资源依赖理论认为保持组织的稳定

---

[1] Dubnick, M.. Blameworthiness, trustworthiness, and the second-personal standpoint: foundations for an ethical theory of accountability [J]. Available at SSRN 2324724, 2013.

要从解决资源分布不均和权力关系不对称入手，企业当责要考虑企业所掌握的资源状况。而制度理论则更强调制度轮廓对于企业当责的合法性制约（DiMaggio & Powell，1983）[1]。当然，上述理论都为当责标准提供了依据。但从企业本身来看，除了资源之外，企业价值观对企业当责起着更为核心的作用，相关文献已经发现，企业在承担社会责任时会遵循着不同的动机，动机不同则当责形态各异（Aguilerad 等，2007）。因此从更根源的角度追溯，企业当责行为的发生更源于企业自我价值追求的某种信念标准。

其四，企业在必要时才向观众证明行为的正确性。有关企业社会责任的研究已经形成了一个定式思维，企业必须定期（比如每个财政年度）向观众报告（证明）主要行为及其结果，或者在特定时期报告（证明）某项特定行为及其结果，才足以彰显企业的当责。然而，我们在现实中看到不少企业往往保持着低调的做法，并没有定期地向观众证明着自己行为的当责性，而遵循着自我价值追求，默默地履行着企业当责，企业当责往往体现为在必要时才向观众证明行为的正确性。

2.3.4 企业当责层次划分

企业是经济性与社会性的统一，但企业在当责抉择中可能无法平衡两种性质以至于不当责。Valor（2005）认为企业当责的实现必须有赖于企业自身将社会与环境目标融入企业经济目标之中，经济决策必须不再排斥道德价值追求。从之前的企业社会责任研究来看，学者们对于企业社会责任的划分大都基于"外部要求性"，而非从当责主体的企业本身入手加以思考。

古典经济学认为，企业作为经济体，其赖以存在的基本条件是最大化利润和企业绩效，这也是长久以来被人们推崇的企业当责出发点。然而，发生在企业上的各种交易行为必然建立在与社会通联的开放状态上，企业与社会存在着广泛的契约，这些契约将企业与社会绑定成一体化（Donaldson&Dunfee，1994）[2]。因而，企业不仅是经济主体，也是道德主体，会自发当责。Basu

---

[1] DiMaggio, E J., & Powell, W. W.. The iron cage revisited: institutional isomorphism and collective rationality in organizational fields [J]. American sociological review, 1983: 147-160.

[2] Donaldson. T, Dunfee, T. W.. Toward a unified conception of business ethics: Integrative social contracts theory [J]. Academy of management review, 1994, 19(2): 252-284.

和 Palazzo（2008）尝试将企业人格化，以探究企业对社会责任的"所思、所说、所为"，发现企业会根据自己的价值诉求来承担相应的责任。Aguilera 等（2007）发现企业在承担责任时会遵循三种不同的动机，分别是工具性动机（自我利益驱动）、关系性动机（关系维护导向）和道德动机（遵循道德标准），在三种动机的驱动之下，企业当责会呈现出竞争式的权力获取、协作式的利益融合以及利他主义式的责任共担三种形态。而 Tuzzolino 和 Armandi（1981）[1] 更是对应马斯洛的需求层次模型，相似的将企业当责的动机分为五个层次，即：保持利润以维持企业的生存、增强其竞争性、获得行业协会和利益相关者的关注与认可、取得市场领导地位和市场份额并建立良好的企业形象、自我实现。

在社会行动理论中，韦伯（1921）[2] 和帕森斯（1951）[3] 认为，社会中的各种行动者的行为模式都受到不同价值取向工具性价值、情感性价值和道德性价值的驱动，企业也不例外。但由于情感的广射性，基本上又能够涵盖工具性和道德性，本文倾向于将企业当责划分为两个层面，一是基于工具价值追求而驱动的企业当责行为，即交易性当责；二是基于道德价值追求而驱动的企业当责行为，即自明性当责（见表 2.2）。

表 2.2　企业当责维度及其特征

企业当责维度	原则	价值规范	目的	规律
交易性当责	利己主义	工具价值	生存维持	边际递减
自明性当责	利他主义	道德价值	共生发展	边际递增

（1）交易性当责：企业坚持工具性价值规范，基于经济利益满足而履行的当责行为。由于外部环境的不确定性，任何企业可能面临资源分布不均和权力关系不对称问题，为了能够获得生存下来，企业必须从基本上得到经济性的满足，即保持稳定的现金流。而具有至关重要的组织权力的特定观众，如员工、消费者和政府则直接决定企业能否合法性地生存。因而，交易性当责表现为：企业必须支付员工的劳动所得，提供一个安全的工作环境等，以保障员工的基

---

[1] Tuzzolino, F., & Armandi, B. R.. A need-hierarchy framework for assessing corporate social responsibility [J]. Academy of Management Review, 1981, 6(1): 21–28.
[2] [德]韦伯著, 胡景北译.社会学的基本概念[M].上海:上海人民出版社, 2005.
[3] [美]帕森斯著, 张明德、夏遇南、彭刚译. 人文与社会译丛:社会行动的结构[M].江苏:译林出版社, 2011.

本生存权；企业所生产的产品最起码应该是安全的，能满足消费者基本的人身权利；企业还需要遵守政府颁布的基本法律法规。在这些条件满足的情况下，企业才能和以利益链勾连起来的各方观众进行交易，这也是企业当责的最为基础的层次。

（2）自明性当责：企业自我秉承道德价值规范，基于精神追求而履行的当责行为。自明一词来源于现象学，是人的行为的最高标准，体现了人的本质追求，是古希腊时期最高的"德行和善"。自明性当责是企业当责的高层次表现，企业遵照高尚的道德情操，用行动彰显"博爱""大爱"之美。企业在内部编制了一张道德网，将观众与自我交错在一起，观众的概念已经不再具体化，而是那些需要帮助和支持的个人、群体或社会。处于这一当责层次的企业在具体行为中，明显表现出利他主义特征，比如企业在生产过程中会自发控制扰民的生产噪音、援建邻近社区的公共设施、特大自然灾害的捐赠、关注社会弱势群体、支持教育等慈善性事业。

2.4 企业家价值观相关研究

2.4.1 企业家价值观概念

价值观是社会科学一个古老的概念，扮演着整合诸多社会科学的关键角色。哲学、社会学、心理学、经济学、教育学、人类学的研究者们似乎更乐意将自我封闭起来，"与世无争"式地构造各自的概念体系。从主流的研究来看，被学术界公认的对价值观研究作出突出贡献的外国学者有 Kluckhohn、Rokeach、Feather、Schwartz、Hofstede 等。Kluckhohn（1951）[1] 称价值观是人们关于什么是"值得的"的看法；Rokeach（1973）将其定义为"持久的信念，该信念指引个人或社会偏好某种特定的行为模式或存在的最终状态，而排除另外一种相对立的行为模式或存在的最终状态"；Feather（1995）[2] 认为价值观是"关于什么是值得的信念"；Schwartz（1999）指出价值观是"关于值得的跨情境

---

[1] Kluckhohn, C. K. M.. Value and value orientation in the theory of action: an exploration in definition and classification, In T Parsons & E. A. Shils (Eds.), T oward a general t heory of action[M]. Cambridge, M A: Harvard University Press, 1951.
[2] Feather, N. T. Values, valences, and choice: the influences of values on the perceived attractiveness and choice of alternatives [J]. Journal of personality and social psychology, 1995, 68(6): 1135.

的目标"；Hofstede（1984）提出价值观是一种偏爱某种情形胜过其他情形的普遍倾向等；Super（1970）认为价值是个人所追求的与工作有关的目标表达，表达个人内在需要及其从事活动时所追求的工作特质；England（1967）[1]认为，价值系统是一种较持久的知觉架构，能塑造并影响个人行为。

我国的研究者多倾向于直接引用西方学者定义。如黄光国（1995）[2]就采用了Rokeach的定义，并承袭终极价值观与工具价值观的分类框架；而岑国祯（2007）[3]则沿袭了Kluckhohn的观点，认为价值观是个人关于什么是"值得"的一种外显和内隐的看法，它能将不同个体与群体区分开来，影响着人们对行为方式、手段和目的的选择。与此同时，也有一些学者提出了自己的看法，如杨国枢（1994）[4]认为价值观是人们对特定行为、事物、状态或目标的一种持久性偏好；石云霞（1996）[5]认为价值观就是人们对于价值的根本观点和看法；张进辅（2005）认为价值观是人们以自身的需要为尺度对事物重要性的认识的观念系统等；杨德广、晏开利（1997）[6]将价值观定义为社会共同持有的关于什么有价值的看法、特有的规范化见解、主体对客体的态度。

尽管多个学科都围绕价值观构念进行了讨论，而且不同研究者在价值观界定上有所不同，但价值观的定义存有五个共同之处。第一，价值观是一种信念，这种信念具有认知表征特性，是具有整合功能的认知体系的一部分；第二，只有那些人们认为"值得的"终极状态才构成价值观的内容；第三，价值观是一个抽象的概念，超越具体情境；第四，价值观指导人们的选择与评价；第五，价值观是对相对重要性的排序（Schwartz&Bilsky，1987）[7]。

由此，本文认为，企业家价值观就是"企业家关于什么是'值得的'的看法和信念，该信念具有持久性，指引企业家偏好某种特定的行为模式或存在的

[1] England, G. W.. Personal value systems of american managers [J]. Academy of Management Journal, 1967, 10(1): 53–68.
[2] 黄光国.儒家价值观的现代转化:理论分析与实证研究[J]. 载乔健、潘乃谷主编, 中国人的观念与行为[M].河北:天津人民出版社, 1995.
[3] 岑国祯.青少年主流价值观:心理学的探索[M]上海:上海教育出版社, 2007.
[4] 杨国枢.中国人的价值观——社会科学的观点[M].台北:桂冠图书公司, 1994.
[5] 石云霞.当代中国价值观论纲[M].湖北:武汉大学出版社, 1996.
[6] 杨德广, 晏开利.中国当代大学生价值观研究[M].上海:上海教育出版社, 1997.
[7] Schwartz. S. H., & Bilsky W.. Toward a theory of the universal content and structure of values: extensions and cross-cultural replications [J]. Journal of personality and social psychology, 1990, 58(5): 878.

最终状态，而排除另外一种相对立的行为模式或存在的最终状态"。它可以体现为一种偏爱某种情形胜过其他情形的普遍倾向，决定着企业家对行为方式、手段和目的的选择。同时，决定管理者的道德水准，影响企业家的决定及解决问题的态度。

2.4.2 企业家价值观内容与维度

在价值观的内容划分上，主要形成了四种经验式研究：个体价值观、组织价值观、工作价值观和文化价值观。其中一个较为典型的问题就是，学者们在研究个体或者组织价值观时，往往将其与文化价值观等同起来或混为一谈。比如Hofstede（1984）将文化价值观划分5个维度，包括权力距离、个人主义/集体主义、不确定性规避、男性/女性特征和长期导向，被广泛应用于跨文化研究；Bond（1988）[1]提出的儒家文化价值观，被认为是对中国人所特有的以"人情""面子""关系"为主导的集体主义价值观极具说服力的解释；杨国枢进行的"个人现代性与传统性的并存"和"社会取向"的研究，以及杨中芳有关中国人"自我"的概念分析等都较有影响。

不可否认，这类研究对解释文化差异提供了重要线索，个人价值观必然受到文化濡化（enculturization）的作用与影响。但是，一味地使用文化价值观来预设个人价值观，忽略了价值观所具有的"跨情境性"（Schwartz，1999）和"统摄性"（帕森斯，1951）是不可取的。而且，文化价值观从根本上将人的心理预设为天生具有属于文化纹理的"大理石纹"，个体需经社会文化的"灌输"及"刻模"，价值观才能变得合理（司马云杰，1988）[2]。杨中芳（2001）[3]就对中国人是否真的是集体主义进行了追问，她认为用一个特定标签来概括一个文化的价值体系是毫无意义的，滥用的社会文化价值观虽表面上看似为成员的共知性提供了可能，但也可能是异化的泯灭个体独立性的文化专制主义。

价值观的划分必须立足于个人主体自身。Allport等（1960）[4]依据人们面

---

[1] Bond, M. H. Finding universal dimensions of individual variation in multicultural studies of values: the Rokeach and Chinese value surveys [J]. Journal of Personality and Social psychology, 1988, 55(6): 1009.

[2] 司马云杰.文化价值论[M].北京:人民出版社，1988.

[3] 杨中芳.中国人真是集体主义的吗？——试论文化，价值与个体的关系[[J].载杨中芳，如何理解中国人[M].香港:远流(香港)出版公司，2001.

[4] Allport, G. W., Vernon, P. E., and Lindzey G..A study of values[M]. Boston: Houghton Mifflin, 1960.

二、论文

对的生活的日常，将价值观分为六类，分别是经济的、理论的、审美的、社会性的、政治的和宗教的。我国学者黄希庭等（1994）[1]也做了类似的研究，将价值观分为政治的、道德的、审美的、宗教的、职业的、人际的、婚恋的、自我的、人生的和幸福的10种类型。Rokeach（1973）则提出价值观系统理论，认为各种价值观是按一定的逻辑意义联结在一起的，它们按一定的结构层次或价值系统而存在、价值系统是沿着价值观的重要性程度的连续体而形成的层次序列，在他看来有两类价值观：终极性价值系统和工具价值系统，每种价值系统皆有18项组成。而Schwartz（1999）编制的价值观量表包括了57项价值观，用以代表自我超越、自我提高、保守、对变化的开放性态度等4个维度的10个普遍的价值观动机类型。Lowe和Corkindale（1998）[2]将价值观分为人与自然倾向、自我倾向、关系倾向、时间倾向和个人行为倾向5个维度。

与此同时，一些学者专门就企业家价值观展开了研究。Sashkin和Fullmer（1985）[3]开发了针对企业管理者价值观的量表MVP，是衡量企业家价值观较为常用的量表，这个量表由功利主义、个人权利和社会公平三个测量维度构成。他们的研究发现，如果企业家基于功利主义价值观进行管理行为决策，一般来说通常与有效的共同组织目标、工作效率及组织成果保持相一致；如果企业家价值观建立在对个体权利尊重的基础上，那么他们在实际工作中将更加注重对于员工个人权利的尊重和保护；如果企业家价值观是基于社会公正的基础之上，他们将会更加关心社会环境下大多数人的利益和去处理社会经济形态下的不公平。

中国企业家调查系统（2004）[4]以企业家为调查对象，对涉及中国企业经营者的五个方面价值观取向进行了调查，包括品格价值观取向、工作成就价值观取向、法治价值观取向、个人与社会关系价值观取向以及金钱与权力价值观

---

[1] 黄希庭, 张进辅, 李红.当代中国青年价值观与教育[M]. 四川:四川教育出版社, 1994.
[2] Lowe; A. C. T., & Corkindale, D. R.. Differences in "cultural values" and theireffects on responses to marketing stimuli: A cross-cultural study between Australians and Chinese from the People's Republic of China [J]. European Journal of Marketing, 1998, 32(9/10): 843–867.
[3] Sashkin, M., & Fullmer, R. M.. Measuring organizational excellence [C]. National meeting of the Academy of Management, San Diego. 1985.
[4] 中国企业家调查系统.中国企业经营者价值取向明.管理世界, 2004, 129(6): 82–96.

573

取向。刘显法、张德（2007）[1] 在关于企业领导者价值观与企业节能绩效关系的实证研究中，运用扎根方法得出企业领导者价值观的七个维度，分别是经济—社会责任导向、外部监督—自发行为、创新导向、个人—集体主义导向、长期—短期导向、客户—企业导向、员工导向。通过两轮德尔菲法，他们将企业家价值观精简为两个维度：个人—集体主义导向和经济—社会责任导向。其中，前者指领导者在管理过程中，处理个人与集体矛盾和利益冲突时奉行的是集体本位还是个人本位，在分析环境、判断形势、拟定方案、做决策时，更多的是考虑个人的利益，还是集体的利益。他们特意强调这里的个人主义导向不是一切从个人出发，一切以个人为中心，而是承认个体在尊重共同的社会规则和他人同等权利的前提下以合理的方式谋取个人利益；后者指领导者在管理过程中，主要是以经济责任还是以社会责任为导向。经济责任导向是指企业领导者主要以利润最大化为企业决策的依据，而社会责任导向则指企业在经营管理过程中主要考虑对利益相关方的责任。

大陆学者金盛华等（2004）[2] 采用"义利"两分法对我国珠三角、长三角、环渤海三地的企业经营者价值观进行了对比研究。通过对 3192 位企业家进行问卷跟踪调查，最终形成了 10 因素的企业家价值观框架。其中，利益包括"金钱权利"和"成就"两因素；正义包括"道德""法律"和"生态伦理"三因素；义利关系包括"违规经营""守法经营""急功近利"和"付出与收获"；而"企业价值观的作用"另作分析。在他的义利两分法中，"义"指的是企业家对于道德、生态伦理以及法律等事物的价值倾向，具有这样价值观的企业家会认为民主、平等是人类追求的根本目标，他们有强烈的道德和精神追求，在任何情况下都不会为个人利益而损害公共利益；而"利"指的是企业家对于金钱和权力以及成就的倾向，有这样价值倾向的企业家一般会关心物质利益的重要性，以结果效益作为评判标准。

Vinson 等（1977）[3] 认为，市场营销领域中有关价值观的内容和维度的研

---

[1] 刘显法，张德.企业领导者价值观与企业节能绩效关系的实证研究[J]. 中国软科学，2007 (7): 71-78.
[2] 金盛华，李兰，郑明身，等.中国企业经营者价值取向:现状与特征——2004中国企业经营者成长与发展专题调查报告[J]. 管理世界，2004 (6): 82-96.
[3] Vinson, D. E., Scott, J. E., and Lamont, L, M.. The role of personal values in marketing and consumer behavior [J]. The Journal of Marketing, 1977: 44-50.

究可以分为三个层次，即总体价值观、具体领域价值观、以及产品属性的评估信念。除了产品属性的评估信念层次，不难看出，有关企业家价值观的研究一般都是从总体价值观出发的，虽然一部分学者已经注意到了针对企业家群体本身开展调研的必要性，但大多数学者在研究企业家价值观时都是直接采用Schwartz、Rokeach等人的总体价值观量表对企业家群体进行测量。事实上，虽然总体价值观更为持久稳定，能用来分析更广泛的人类行为，但不同层次的价值观之间并非是一以贯之的关系。因而，企业家群体的价值观除了一般的共同性，也应具有特殊性，这尤其表现在企业家精神上。由此，基于本文的研究问题，我们更倾向借鉴金盛华等（2004）对企业家价值观的"义利"两分法。一方面，它将企业家本身嵌入到我国特殊的文化背景中，连接着总体价值观的共性；另一方面，也从企业家群体自身出发，勾勒了这一群体价值观的特性。

2.5 企业家价值观与企业当责

由于信息不对称、外部环境的不确定性，以及个人能力的问题，企业家对于外部事物的认识是有限的，他们总是通过选择性感知得到的现象和信息，并对这些现象的解释以及由此而对其形成的主观态度也是通过自己已有的价值观和信仰来过滤。由于价值观具有强大的力量，可以促使拥有如此价值观的人按他们的方式形成对于某些行动的看法，影响他们对这些行动的参与度（Burton，2003）[1]。这也就是说，企业家作为企业的领导者，对企业当责具有自愿选择权，在如何实施当责行动和决策具有管理自由度和自愿性，企业家能够通过想象企业应该是什么样子的方式来自由地选择和决定企业当责的形态与方式，他们所具有的价值观在企业当责过程中不仅具有直接推动和选择作用，也能够起着改变与修正的作用。

从现有的研究来看，学界尚缺乏直接对企业价值观与企业当责之间的关系进行研究的文献。有关企业社会责任的研究为本文提供了诸多线索。Swanson（1995）在重构的企业社会绩效模型中，从微观视角强调了企业家在企业社会责任绩效所发挥的作用，企业家应将经济目标和生态目标统一起来，成为负责任的企业家，推动企业承担社会责任。Hemingway和Maclagan（2004）[2]指出

---

[1] Burton, L.. Independence, wellbeing and choice: What about people with dementia? [J]. International Journal of Therapy and Rehabilitation, 2006, 13(6): 246-246.
[2] Hemingway, C. A., & Maclagan, P W.. Managers' personal values as drivers of corporate social responsibility[J]. Journal of Business Ethics, 2004, 50(1): 33-44.

一个持有股东至上主义的企业家在企业决策中会更多地关注股东的利益，忽视其他利益相关者的要求，降低企业社会责任行为；而持有利益相关者理论的企业家在企业决策中会考虑除股东之外的其他利益相关者的要求，提高企业社会责任行为。Sturdivant 和 Ginter（1977）[1] 的研究认为，在企业与社会问题上持开放和宽容态度的企业家更倾向于鼓励企业从事企业社会责任活动，尤其对生态环境、员工福利和消费者保护等问题作出积极反应；而对企业与社会问题持保守和狭隘观点的企业家，更倾向于抵制社会期望带来的压力，不愿对社会期望做出积极响应。Ullmann（1985）[2] 指出，企业关键决策者对待社会要求的反应模式（主动或被动）影响企业社会绩效及企业社会责任信息披露。

可以看出，现有探讨企业家价值观对于企业社会责任影响机理的研究大多是基于"双重人性"假设的，即企业家一方面具有利己主义或实用主义，另一方面具有利他主义或伦理主义。如此看来，企业家在企业当责问题上，两种价值观所带来的企业当责是截然不同的。具有利己主义倾向的企业家会依据企业从该行动中获得的可能利益后果，来判断是否采取行动。如若企业当责行为能够为企业带来的现实利益越明确，企业家推动企业当责的意愿也就越高，反之，如果企业当责行为不能够甚至损害企业可能的现实利益，企业家则不愿意推动企业当责。而持有利他主义倾向的企业家则不再依据可能利益后果来决定是否推动企业当责行为，他们往往以社会秩序的公正与稳定以及人道主义为评价标准和行动准则，来判断行动。

2.6 理论评述和研究切入点

由上述理论的梳理可以看出，学界对于当责的概念存有两种不同的研究取向，作为机制的当责是当责研究中的主流。然而，随着研究的深入，学者们愈加发现主流的"作为机制的当责"正在失去效力，单纯的以外部标准命令机制以及监督手段已经无法实现当责。而"作为美德的当责"正在被越来越多的研究者所看重，基于内隐视角的当责研究亟待突破。

---

[1] Sturdivant, F. D., & Ginter, J. L.. Corporate social responsiveness: management attitudes and economic performance [J]. California Management Review, 1977, 19(3).
[2] Ullmann, A. A.. Data in search of a theory: a critical examination of the relationships among social performance, social disclosure, and economic performance of US tir rns [J]. Academy of management Review; 1985, 10(3): 540—557.

二、论文

从组织领域研究的发展脉络来看，个体层面的当责研究最先获得了学者们的青睐，并取得了一系列研究成果。但是，基于企业组织层面的当责研究却没有引起足够的重视，直接研究企业当责的文献非常缺乏。虽然有关企业社会责任的研究较为相关，且成果繁多、文献浩如烟海，但绝大部分研究依然寄希望于通过利害关系人的"在旁监督"驱动企业承担责任，依然没有摆脱传统经济人的桎梏。这与内隐的、有感而发、自动自发的企业当责概念相去甚远。基于现实中"有些不当责，有些企业却又当责"的矛盾现象，驱动企业当责的因素尚待学界进一步审视与挖掘。

不同学科对于企业承担责任的思考存有较大区别。从概念解析来看，企业当责更偏向于哲学或伦理学的主张：企业应注重精神修为，履行高尚价值追求的当责行为，带有理所当然之意。而企业社会责任则大部分源于经济学理念：基于对企业成本收益的考虑，企业社会责任是企业实现经济目的和创造价值的手段或工具。起点不同，则研究思路大相径庭。因而，在探究企业担当责任的研究中，从外部驱动研究有余，而从内部动因思考不足。

从内部动因来看，企业家价值观是驱动企业当责至关重要的因素之一。企业家作为企业的领导者，对企业当责具有自主选择权，在如何实施当责行动和决策上具有管理自由度和自愿性，企业家能够通过想象企业应该是什么样子的方式来自由地选择和决定企业当责的形态与方式。从已有的研究来看，学者们都较为一致地从"双重人性"的角度对企业家价值观进行了区分，以利己主义与利他主义两分法，考察了企业家价值观对于企业承担责任的影响。但这类研究多依赖于横截面数据，鲜有以纵向案例为切入点来探究其内在机理的研究。因此，本文力图在价值观两分法的基础上，通过企业纵向案例，挖掘企业价值观对企业当责的内在作用机理。

3 研究方法：案例研究

3.1 案例研究法的相关研究

20 世纪 60 年代以来，社会科学的学者们日渐意识到，仅用定量方法研究复杂的社会现象具有一定的局限性，因为定量研究无法触及事物微观层面的动态变化。为此，不少学者开始探究并采用其他的研究方法，以弥补定量研究方法的这一缺陷。作为一种尝试，案例研究法是为了探索某一问题而使用多重证据来源的质性研究方法，非常有助于透析现象的丰富性（邓丽芳、郑日昌，2008）[1]。研究者能够借助该方法对案例进行厚实的描述与系统的理解，对动态的互动历程与情境脉络加以掌握，从而获得全面与整体的观点（Gummesson，2000）[2]。同时，案例研究法着重于当时事件的检视，不介入事件的操控从而保留事件的整体性与有意义的特征，非常有助于研究者产生新的领悟（Bryman，1989）[3]。

组织领域的研究学者们已经在案例研究方法的设计逻辑、资料收集和分析方法等方面取得了共识。案例研究是构建和修正完善理论的有效方法，适合回答"缘何改变的""为什么会变成这样"及"结果怎样"的研究问题，即新的研究领域或现有研究不充分的领域中所存在的解释性和探索性问题（Eisenhardt&Graebner，2007）[4]。比起基于大样本数据的实证分析，案例研究可以提供丰富、详细和深入的洞见，同时不加修正地将实践背景反映到研究中，最大限度地实现事件的还原（苏敬勤、崔森，2011）[5]，有利于更为清晰地观察事物发展的过程及其背后的规律（Eisenhardt，1989）[6]。

本文选择单案例研究方法的依据主要有：其一，单案例研究的方法有助于捕捉和追踪管理实践中涌现出来的新现象和新问题，如果设定理想的时间间隔对案例进行剖析，能够更好地检视研究框架中提出的问题，同时有助于加深对于同类事件的理解；其二，研究者可以在个案上投入更多的时间和精力进行数据采集，并对采集的数据加以细致地分析，以保证案例的深入性，这与本文所专注的过程研究是十分匹配的；其三，单案例研究在纵贯式案例研究中应用最为广泛，更易于研究者投入精力对多个不同时间点上的同一案例进行研究，反

---

[1] 邓丽芳，郑日昌. 组织沟通对成员工作压力的影响：质，量结合的实证分析[J]. 管理世界，2008,1(105): 1.

[2] Gummesson, E.. Qualitative methods in management research [M].Sage, 2000.

[3] Bryman, A.. Quantitative and qualitative research: further reflections on their integration [J]. Mixing methods: Qualitative and quantitative research, 1992: 57-78.

[4] Eisenhardt, K. M., & Graebner, M. E.. Theory building from cases: opportunities and challenges [J]. Academy of management journal, 2007, 50(1):25-32.

[5] 苏敬勤，崔森.探索性与验证性案例研究访谈问题设计理论与案例[J]. 管理学报，2011，8(10): 1428-1437.

[6] Eisenhardt, K. M.. Building theories from case study research [J]. Academy of management review, 1989, 14(4): 532-550.

映出案例在各个阶段的变化情况（Eisenhardt&Graebner，2007）。

总体来看，单案例能够使我们在多个不同时间点上对同一案例进行反复研究与观察，有助于反映出研究案例在各个阶段的变化情况。在一个较长的时期内，反复对同一主体进行观察，能够使观察结果更加精确并且可以排除不同主体的差异，因此纵向案例研究比横截面研究更具说服力。本文的研究目的是揭示企业家价值观对企业当责的作用机理，具有显著的时间跨度特征，因此采用单案例研究更有助于对研究问题的展开。

3.2 案例企业选择

案例选择是案例研究的重要环节。传统实验研究中的假设检验依靠的是统计抽样，研究者从总体中随机抽样，目的在于获得总体中变量分布的精确统计证据。而案例研究采用的是理论抽样的方法（Eisenhardt，1989），即所选案例是出于理论的需要，而非统计抽样的需要（Glaser&Strauss，2009）[1]。案例研究学者建议的案例样本选择原则主要有两点，即典型性和数据易获得性。选择典型性案例进行研究的目的是突出其事件、项目、现象的共同显著特征，而非所有特征，而数据可获得性则强调纵向案例的关键数据信息稳定可靠且具有便捷性（费小冬，2008）[2]。

根据研究需要，对于典型案例的选择原则如下：（1）企业存续时间长，在长期的发展过程中，能够克服各种困难和风险，依旧屹立不倒。杭州楼外楼始建于清朝光绪年间，至今已有160多年的历史，在长期的经营过程中，历经百年沧桑，一直保持持续成长的态势，是商务部首批拟定的中华老字号、中国十大餐饮品牌企业，是浙江乃至全国知名的餐饮企业之一。（2）相对于行业中的竞争对手，企业具有明显的竞争优势。企业在行业中的地位可以体现出企业敏锐的战略洞察力，企业家价值理念的传承与变迁对企业当责行为产生着决定性的作用。在企业的百年发展中，楼外楼一共出现了6位企业家，他们在企业变革的各个时期发挥着关键的决定性作用，而且深刻影响着楼外楼的企业当责形态。（3）企业是当责领域的重要关注对象。从近些年的企业

---

[1] Glaser, B. G, & Strauss, A. L.. The discovery of grounded theory: Strategies for qualitative research [M]. Transaction Publishers, 2009.

[2] 费小冬.扎根理论研究方法论:要素, 研究程序和评判标准[J]. 公共行政评论, 2008, 3:23-43.

危机案例来看，食品安全一直处于"重灾区"，引发全社会强烈关注。知味观作为食品加工与生产的知名品牌，契合时下企业当责的热点呼吁。（4）企业资料和数据的丰富性以及可获得性。楼外楼作为杭州家喻户晓的百年老字号，有许多流传着的故事，其中由杭州出版社出版的《西湖全书》一书还专门就楼外楼历史进行了详尽的描述，而企业内部和杭州市档案馆保存的历史资料则整体呈现了楼外楼的历史发展过程。同时，由于笔者与楼外楼内部高层管理人员有较好的关系，能够对部分外界不熟知的资料加以查阅与印证。因此，楼外楼符合了案例研究的典型性，以及纵向数据的可获得性两大要素，与本研究有着很好的契合度。

3.3 数据收集

Glaser 和 Strauss（2009）[133]认为，质性研究所需要获取的数据并非越多越好，为了使分析变得有效，分析的资料需要限定在一定范围内，尽管刚开始搜集不同的资料是有用的，但是通常还是只搜集那些分析起来最有效的资料组。为了获得有效的资料，案例研究的数据来源主要包括相关文档、企业档案、访谈记录、实地观察、参与性观察和实物证据等方面。并且，资料越完备、相互之间能够相互佐证，以支持构成研究中的"三角验证"，可以避免同源性误差，研究效度也就越高（Yin，2009）[1]。

为了增强信度与效度，本文使用了多种方式收集到了大量而又丰富的数据。主要包括以下三个方面：

第一，半结构化与开放式访谈。Fontana 和 Frey（2003）[2]认为，"访谈"是试图了解我们所生存的社会最普遍、最有力量的方式之一，它包括多种形式，在研究上使得研究目的、对象与研究规模具有多元效用。本文为确保访谈与研究主题密切相关，决定采用半结构化访谈，即参考事先准备好的访谈提纲（见表 3.1），对被访者进行较开放式的深度访谈。同时，基于质性研究方法的指导，本研究团队在访谈过程中根据所需要进一步研究的内容进行提问，并根据被访谈者的回答内容进一步探索和发展了相关概念。

---

[1] Yin, R. K.. Case study research: design and methods[M]. sage, 2009.
[2] Fontana. A., & Frey J. H.. Interviewing, the art of science [J]. NK Denzin & Y S. Lincoln (Eds) Collecting and interpreting qualitative materials, 2003:47-78.

二、论文

表 3.1　楼外楼案例访谈提纲

1	您能介绍下楼外楼么，在您心目中，如何评价楼外楼？
2	160 年间，楼外楼是否有明显的发展阶段，各个阶段的特征是如何的？
3	楼外楼至今有过多少位企业家，您对他们如何评价？
4	在不同的企业家领导楼外楼时，他们的主要做了那些事情，他们的价值理念是怎样的？
5	楼外楼这些年的发展中，核心价值观是否改变过，企业家们是如何将这些价值理念传递开来的？
6	领导者们如何看待企业责任，他们承担企业责任的方式有何差异？

自 2013 年 7 月开始，研究小组用事先准备好的访谈提纲对楼外楼的 3 名高层管理人员和 1 名资深老员工（在楼外楼工作长达 45 年，被尊称为楼外楼历史的"活化石"）进行了深入而又全面的实地访谈，每次每人约 60 分钟，并在访谈的当晚完成访谈记录的整理，这样一来保证了证案例信息的充裕性及准确性。由于研究涉及信息较为敏感，为保护受访者、并力求获取信息的真实性，遵照之前对受访者的承诺，本文对受访企业以及受访者均采用匿名记录，以单个英文大写字母作为受访企业以及受访者的代码（见表 3.2）。

表 3.2　主要被访谈对象信息与特征

访谈对象	性别	岗位	工作年限
A	男	党委书记	23 年
B	男	总经理助理	15 年
C	女	工会主席	25 年
D	男	资深老员工	45 年

第二，二手数据收集。本研究团队在楼外高层和杭州市餐饮协会的支持下收集到了大量企业的内部资料，取得了数次重要会议的文字记录、年度报告和员工评价信息，尤其是楼外楼档案室和杭州档案局内的一些历史资料，提供了全面而又详实的研究素材。同时，为了确保本研究的真实性，作者还将草稿发给知味观高层人员，反复磋商，两度修改，直到有关内容符合事实为止。

此外，本研究团队成员有多人居住在浙江地区，其中一名研究人员成长于杭州，具有地理就近优势，并时常在楼外楼用餐，对楼外楼的历史与发展有切身的体会和观察。

581

3.4 数据编码

3.4.1 对资料编码的说明

Eisenhardt（1989）曾指出，在案例研究中，数据分析是最难且最不易言表的一步。以往的研究对研究目的、数据来源均做了详细的介绍，但对数据分析的讨论却一带而过，因此留下数据和结论之间的鸿沟。纵观案例研究的现有成果，其主要两条研究路径在于：其一，在研究过程中嵌入一定的案例分析方法及内容呈现的方法，比如访谈记录、主题分析、网络分析、文本编码等，这些方法不仅是深入挖掘案例的工具，同时也是我们呈现案例结论的路径；其二，在确定案例分析及案例编码的方法和案例呈现的方式之后，在案例中发现概念，总结规律，探索变量之间的影响关系，以及提出相关理论。

案例研究的数据分析是一个从大量的定性数据中提炼出主题的过程，在该过程中首先要对有用的定性数据进行编码。有用的定性数据与案例研究的主题有关，以一定意思表达的一段文字的形式分布在所收集的案例资料中。一段一定意思表达的文字就是一条条目，把条目按所表达的意思进行归类就是编码。本文运用 Glaser 和 Strauss（2009）的内容编码分析法对不同来源的数据进行编码。由研究小组中的 3 名成员分别通读全部案例资料，进行渐进式编码。编码的规则如下：第一，条目必须有明确的含义，并与案例研究主旨相关；第二，对于文档资料，同一文档中相同或相似的意思表达只计为 1 条条目；第三，对于访谈资料，同一人相同或相似的意思表达也只计为 1 条条目；第四，经 3 人编码后，一致的条目方可进入条目库，对于意见不一致的条目经研究小组全体成员讨论后确定进入条目库或删除；第五，统计条目数时不同来源的条目合并计算；第六，在编码过程中，如果发现前期编码有不够确切之处，或者有新的发现，经研究小组全体成员讨论后，对前期已完成的编码进行修正。

在编码的过程中，本文尤其关注两个方面：一是，各类资料的相互印证与补充；二是，针对典型事件的单独分析。

首先，就本研究来看，本文主要采用了两种编码形式：访谈资料编码和文本编码。访谈资料编码是有针对性地对个别访谈对象进行深入访谈而获得资料并对资料进行编码。虽然研究小组事先规定了访谈的基本框架，并提前将访谈

二、论文

大纲告知给被访谈对象，但在访谈过程中还是出现了不少问题，比如被访谈者常常偏离主题、泛泛而谈，或者刻意隐藏某些问题避而不谈，或者因记忆模糊而淡忘了某些关键事件等，因而整个工作量较为庞大、结构零乱而难以处理。文本编码则主要通过对各类文档资料进行整理加工并编码。虽然一定程度上能够克服访谈资料编码的主观随意性，相对比较客观。但研究小组也发现，多数报道或者记录具有明显的抒情色彩，对于同一件事或同一主体有着截然不同的报道或者评论。因而，为了更为贴近"真相"，本文在资料编码过程中非常强调资料之间的相互印证与内在逻辑的一致性。具体而言，在编码的过程中，本文首先对访谈对象进行结构与半结构化访谈，在访谈结束后及时整理和分析资料；在分析的过程中，着重强调一二手资料的相互印证与补充，将获得来的一手访谈资料与二手文本资料进行对比，并对向外部知情人进行咨询以提高资料的可信度，避免内部人误差，以及个人主观印象偏差。

其次，Eisenhardt 和 Graebner（2007）曾指出，考虑到所能研究的案例数目通常有限，我们有理由去选择那些极端情境和极端类型的案例，只有在这些案例中我们感兴趣的过程才能被清晰透明地观察到。在案例分析过程中，我们常常遇到一些突发性的事件，这些事件的发生从表面上来看是单独的、割裂的，但经过仔细分析，我们不难发现，这些突兀的突发事件的背后隐藏着生动和丰富的信息，能够帮我们发现和找到更为深刻的洞见。

此外，扎根理论要求"具备开放的思想"，往往被认为是拍脑袋的结果。事实上，开放的思想并不等于没有思想，没有人能从一张完全空白的白纸开始进行研究（Goulding，2001）[1]。因而基于之前的理论综述与分析，本文在编码过程中对于两个主要变量进行了"预设"。在对企业家价值观进行编码时主要参考了金盛华等（2004）所采用的"义利"两分法，而对于企业当责变量，则以研究文献中的变量定义作为参考点分析受访者的谈话内容。

3.4.2 信度效度检验

对于案例设计质量的评价可以通过信度和效度来考察，具体包括四个方面：构念效度、内部效度、外部效度和信度（Eisenhardt&Graebner，2007）。

---

[1] Goulding, C.. Grounded theory: a magical formula or a potential nightmare [J]. Marketing Review, 2001, 2(1).

（1）构念效度

构念效度是指研究中所使用的测量指标是否准确测量了研究者所要测量的构念（苏敬勤、崔淼，2011）。提高构念效度的方法包括采取多重证据来源的三角验证、证据链的建立、信息提供人的审查、唱反调者的挑战等做法（Eisenhardt&Graebner，2007）。

在进行案例资料收集和分析过程中，采取以下方法来保证构念效度。①在资料收集阶段，本研究采用了多重数据来源，并通过实地访谈对资料不足或存有疑问的地方及时查漏补缺，以确保大量资料的梳理可以获得类似的证据。在访谈过程中，对不同受访者提供的信息进行三角验证。鉴于有些企业家时间较久，并非每一位受访者都熟知，研究团队进一步查阅了书籍和文档记录加以验证；②在资料整理阶段，采用建立证据链的方式让搜集的资料具有连贯性且符合一定的逻辑。逐步完成了以下 5 项工作，形成了严密的证据链：提出案例研究问题→根据研究问题设计案例研究草案→根据草案搜集数据并建立案例研究数据库→根据数据库分析数据→根据分析结果撰写论文；③在资料分析阶段，采用唱反调者的挑战做法，针对资料的搜集、分析以及结果提出不同意见，并请关键知情者审阅草稿，从而检视本文的盲点与偏见。

（2）内部效度

内部效度是指案例研究者在进行案例分析的过程中是否对变量进行了全面的考虑，将所有相关因素均纳入到了研究框架中，而未出现遗漏（苏敬勤、崔淼，2011）。也就是说，研究者必须确定因变量的改变确实是因为自变量的改变而引起的，提升内部效度的方法包括模式匹配、解释的建立和时间序列的设计（Eisenhardt&Graebner，2007）。

本文在资料分析阶段利用模式匹配方法，尝试运用"企业生命周期模型"以及"企业资源理论"进行模式匹配。当数据与模型匹配出现矛盾时，注意寻找情境变量，以解释变量间的关系。

（3）外部效度

外部效度是指研究结论在其他条件和总体中的可扩展性（苏敬勤，崔淼，2011）。即案例所得的结果，可以在以后的案例上重复发现，由此证实该案例所获得的结果确实存在（Eisenhardt&Graebner，2007）。

本文从中国企业当责的热点领域入手，选择楼外楼作为研究对象。该企业

二、论文

作为典型的食品行业企业，其具有典型的代表性，而且历经百年的发展，该企业竞争力强且自身发展较为成熟，企业家对企业当责的影响与决定性作用具有非常强的代表性。本论文通过系统化和规范化的案例研究步骤进行案例分析与讨论，可以保证案例研究的外部效度。

（4）信度

信度阐明研究的复制性（Eisenhardt&Graebner，2007），也指研究过程的可靠性，所有过程必须是可以重复的，因此，必须准备周详的案例研究计划书，让后来的研究者可以重复进行研究，也要建立研究资料库，让后来的人能够重复进行分析（Yin，2009）。本论文详尽阐述了问题背景、研究目的、研究设计、研究结果等；同时建立了研究资料库，包括书籍、领导内部讲话、内部刊物、新闻报道、访谈资料等，在对多重数据进行分析编码时，具有详细的编码过程，后续研究者能够进行再检查和再分析。

4 案例分析与研究

4.1 案例企业背景

4.1.1 楼外楼企业简介

楼外楼创建于公元 1848 年（清道光二十八年），距今 160 余年。其创始人为洪瑞堂，是一位从绍兴来杭谋生的落第文人。他从南宋诗人林升的诗中取了三个字，把自己的小店取名为"楼外楼"。因洪瑞堂是晚清的落第秀才，有一定的文化素养，了解杭州曾是南宋都城，于是他便借流传在民间的史话、传说，推出了宋嫂鱼羹、醋熘鱼等仿宋口味的菜肴，受到顾客的欢迎与好评。

楼外楼善于经营，诚心待客，因而声名鹊起，生意日益兴隆，但是原有两间门面，单层二楼已经无法适应进一步扩大经营的需要。1925 年，楼外楼开始第一次改造工作，将原有的单层二楼扩建为带屋顶平台的三层楼房。次年正月初九先行交易，六月初十正式营业。

1929 年，在民族工业初兴与世界博览会日益深入人心的背景下，浙江省政府决定在杭州举办一次"吾浙旷代之盛典，湖山空前之嘉会"的西湖博览会，这为楼外楼带来巨大机会，楼外楼先后聘用多名名厨，以美味的菜肴和优良的服务殷勤待客，广受赞扬，在国际上有了知名度。20 世纪 40 年代，楼外楼所

585

烹饪的杭州名菜以及各种佳肴美点已经闻名遐迩，酒楼名望颇高。此时的楼外楼不仅是文化名流品饮观赏场所，而且已成为民国政要、官员宴请缩客之地。

1952年，由于历史环境，楼外楼经营亏损，曾一度停业。后来，徐文盛以7500万人民币受盘楼外楼菜馆，经杭州市工商局批准后重新开设。当时的楼外楼仅14名员工，主营业务为酒菜面饭，兼营业务为冷饮，为私营独资企业。但经营业绩一直处于低谷，1955年4月份，楼外楼菜馆的营业额为8500元，11月份仅为1200元。

1955年底，国家采取"宣传动员，自愿申请，批准合营"的办法，采用"赎买"的方式对资本主义工商业进行社会主义改造。杭州市的私营饮食服务企业，积极响应这一号召，纷纷申请公私合营。楼外楼也名列其中，并很快获得批准。公私合营的楼外楼菜馆，重点恢复名菜的特色，重点钻研了西湖醋鱼、神仙肥鸭、叫化童鸡等杭州名菜的烹调技艺，以保持特色，提高质量，最终恢复了杭州名菜的特色。

1958年，楼外楼为了更好地接待中外宾客，将三层洋楼与广化寺一起拆除，从俞楼旁迁入西泠印社之东原太和园菜馆，成为一家三开间门面，三层楼建筑，面积990平方米，系砖木结构的临湖菜馆。由于乔迁新址、装修考究，楼外楼成为国家领导人接待外宾、文化名流的聚集地。周恩来总理曾9次在此接待外国元首和贵宾。

20世纪60年代，楼外楼一度遭受到了极"左"思潮的冲击，具有文化历史内涵的名菜菜名受到亵渎。其收藏的名人字画，也都在"文化大革命"期间被毁之一炬，损失惨重。店里取消了"服务到桌"的供应方法，改为帐台开票，群众"自我服务"，造成了开票排队、饭菜自己拿，服务员当起了"指挥员"，顾客忙得团团转的现象。直到1972年，这些问题才得以改正。

1978年第四季度，楼外楼停业开始拆房第三次扩建。经过两年时间的建设，面貌焕然一新的楼外楼于1980年7月17日落成并正式复业。扩建后的楼外楼，占地面积4400平方米，建筑面积3841平方米，上下两层主楼内设6个餐厅，可同时接待1000多位顾客就餐。同时，菜单上开列了20多种传统名菜100多种各色菜肴供中外游客挑选。

从1992年开始，楼外楼连续主办各种大型饮食文化和烹饪技艺的研讨交流活动。根据"好看、好吃、好做、实惠"的方针推出了楼外楼十大新名菜，

二、论文

并将菜肴种类增加到近 400 种。

1999 年，楼外楼菜馆又进行了以产权制度改革为核心的现代企业制度改制，由全民所有制企业改制成国有法人和企业职工共同持股的多元投资主体的实业有限公司。进入 21 世纪以来，楼外楼每年有 250 万人次境内宾客、20 多万人次境外宾客慕名而来。

2004 年，楼外楼完成营业额 1.3 亿元，实现利润 2180 万元。2008 年，兴办了楼外楼食品有限公司，探索食品工业化发展之路，主要生产以"楼外楼"为注册商标的 7 个系列的百余种产品。

2010 年楼外楼实现销售额 1.2 亿元，上缴税收 1050 万元。如今的楼外楼，已经实现了集工、商、贸为一体的多元化经营业态，其真空包装杭州名菜已进入北京、上海、宁波等城市超市，并逐步延伸至华东乃至全国。

4.1.2 楼外楼企业家整体状况

在楼外楼 160 多年的风雨发展历程中，共涌现出了 6 位企业家。通过对楼外楼现任高管层以及资深老员工访谈，以及翻阅档案馆资料，本文发现 6 位企业家存有 3 种明显的群体特征。为了便于区分，本文分别将其命名为洪氏三代、徐氏风格和沈氏继承。之所以这样划分的原因是，在洪氏三代时期，楼外楼是家族性企业，企业家以家族式接班方式更替；在徐氏风格时期，楼外楼已经不再是洪氏家族企业，实现了国有化，并进入职业经理人时代；而在沈氏继承时期，楼外楼则再次进行了股权改革，由全民所有制改制成为国有法人和企业职工共同持股。

（1）洪氏三代

洪瑞堂是一位清朝的落第文人，他与妻子陶秀英自双亲亡故后由绍兴东湖迁至钱塘，定居在孤山脚下的西泠桥畔，以划船捕鱼谋生。因夫妻双双是从鱼米之乡的绍兴而来，在烹制鲜鱼活虾方面有一技之长。1848 年，他们在孤山广化寺开了一家仅有一楼一底的饮食小店，并从南宋诗人林升《题临安邸》中的"山外青山楼外楼"诗句中选取楼外楼为店名。为了提高菜肴的知名度，他借用流传在民间的史话、传说，推出了宋嫂鱼羹、醋熘鱼等仿宋口味的菜肴，广受好评。

在创业之初，洪瑞堂在经营方面颇有独到之处，别出心裁地在店内专设一"乞墨宝"专柜，凡有文人墨客来店肯留下诗画作品者，一律待为上宾，免费供餐；轿夫、船娘凡拉客上店的，都招待免费用餐；店内主仆不分老幼，一律参加店

587

堂工作。客多时，全力招待；闲暇时，则下湖捕鱼捉虾。洪瑞堂经常带着儿子在店堂大门转来转去，同客人打招呼，很恭敬地躬身迎送，顾客多有宾至如归之感。

1875年，洪瑞堂之子洪荣庆接手楼外楼，基本上沿用父亲的经营思路，将楼外楼进一步做大。巧妙地利用社会名流来宣传楼外楼，成为社会名流、普通市民争相前往之地。一时间，楼外楼出现了"高悬着炫目的石油灯，酒人已如蚁聚"的热闹场景。

20世纪初，洪瑞堂之孙洪顺森继承家族事业，并在1925年将原有的单层二楼翻新成为三层楼厅，室内进行了重新装修，"楼外楼"终于名副其实。在开业之时，他决定廉价一个月，以让利顾客，为了打消顾客对于质量的疑虑，他在新闻报刊上公布菜价以及采购成本，以取信顾客，保持声誉。同时，前瞻性地聘请万益律师为楼外楼酒菜馆的常年法律顾问。

（2）徐氏风格

1952年8月27日，由于连年的战争，楼外楼生意清淡，营业亏损并一度停业，洪家子女将楼外楼推盘。徐文盛通过签订推盘契约合同书，以7500万元人民币（旧币）接手楼外楼菜馆。在公私合营的背景下，他连同杭州的其他5家菜馆一起向杭州市人民政府委员会递交了要求公私合营的申请书，标志着楼外楼从私营企业转变成为公私合营性质的企业。

为了改变楼外楼在私营作风上遗留下来的一些弊病，以及原料不足等问题。徐文盛对活鱼的养殖做了具体要求，在蒸煮方面做了详细规定，并将这些步骤写成文字，固定下来，先后起草了《厨房管理规定》《烹饪手册》等。此外，徐文盛更善事件营销。1956年春节期间，他在《杭州日报》上专门刊登"提高烹调技艺，做好春假供应"的广告，并在将营业时间提早，从早上五六点就开始供应各种食品，部分名菜还半价出售。

1972年，深得徐文盛赏识的蒋水根接手楼外楼经理一职，作为楼外楼的第一位职业经理人，蒋水根从1942年就进入楼外楼学习烹调技艺，并先后代表楼外楼多次在重大的场合进行过厨艺表演。同时，作为一名从楼外楼成长起来的典型代表，他深谙楼外楼管理之道。在"文化大革命"之后，他首先恢复了"服务到桌"的做法，并重新对楼外楼的文化内饰进行了全面提升。

1973年，蒋水根遵循周恩来总理的指示精神决定对楼外楼进行重新设计、

二、论文

修建。1978 年，楼外楼全面停业进行拆房重建。经过两年的建设，于 1980 年 7 月落成并正式复业，成为全国屈指可数的大型餐厅之一。内饰考究、布局精巧，"推窗望，湖平、水清、柳翠，楼外风光好"。由于厨师出身、厨艺不凡，蒋水根极为重视新品研发和菜肴的质量，多次组织精干力量扩增菜单。蒋水根传承历史做法，在门店前的西湖建造了鲜鱼饿养池，让用来烹制西湖醋鱼的鱼吐尽泥土。同时，他建立了原料追溯制度，确保原料采购的安全，而在供应的菜肴的盘边贴上厨房号标签，公开烹饪号码，接受消费者的监督。

（3）沈氏继承

1985 年，沈关忠出任楼外楼总经理。为了续写楼外的传奇故事。这位烹饪专业出身的领导者，秉承"以文兴楼"的信念同时，更加强调"以菜名楼"。从 1992 年起，楼外楼开始连续举办各种大型饮食文化和烹饪技艺研讨交流活动。2008 年，沈关忠带领楼外楼参评由杭州市品牌办和杭州日报主办的"杭州品牌"评选活动，楼外楼毫无悬念地被评为"杭州品牌"之一。

为确保楼外楼传统杭州名菜的特色，沈关忠多次组织专家组，并亲自挂帅编写《杭州楼外楼名菜工艺流程》，将菜肴烹调中制作方法统一规定标准操作程序，达到质量的统一。还撰写了《杭州楼外楼名菜谱》《吃在杭州》《西湖名菜》等一系列的书籍，为传承和推广杭帮菜留下了文字的记忆。他坚持"以菜名楼"的理念，在菜肴上一步步继承与创新，打造了"不到楼外楼不知杭帮菜"的口碑，如今楼外楼的名菜营业额已占了总营业额将近 55% 的份额。

在食品安全广受关注的背景下，沈关忠以其创新的思维导入了 ISO220000 体系，让食品的生产全过程置于全面的控制与跟踪之中。他还投入了 300 多万资金引进国际先进的检测设备投放到月饼生产线，健全了月饼制作过程的检测手段。

"沈氏继承"为楼外楼开拓了更广阔的发展天地。在沈关忠的决策下，楼外楼与中国茶叶博物馆合作创办杭州楼外楼茶博休闲中心，别出心裁地推出了茶菜宴，吸引了国内外众多的游客和茶博士；曾与澳大利亚西澳洲合作创办佩斯帝宫酒楼，将中国特色与西方元素巧妙融合；收购西湖船宴"环碧号"游船，目前又打造一条"湖光山色"号豪华游船接待中外游客。

4.1.3 楼外楼企业家群体与企业发展阶段的契合性

通过对收集的楼外楼访谈资料与档案的整理与分析，本文发现，楼外楼的

杭州全书·杭帮菜文献集成

企业家变迁历史与企业发展的历程显现出耦合性和一致性，每一个阶段都嵌入着鲜明的企业家群体烙印（见表4.1）。

表4.1　楼外楼不同发展时期与企业家群体契合性

发展时期	时间	企业家	企业家群体
艰苦创业期	1848—1875	洪瑞堂	洪氏三代
	1875—1915	洪荣庆	
	1915—1952	洪顺森	
振兴成长期	1952—1972	徐文盛	徐氏风格
	1972—1985	蒋水根	
全面发展期	1985—至今	沈关忠	沈氏继承

从1848年至1950年，楼外楼处于艰苦创业阶段，这一阶段主要是洪氏三代人以家族继承的方式经营和打拼；从1950年至1990年，楼外楼走上了振兴发展的阶段，这一阶段徐文盛和蒋水根通过不断的传承与创新，以"徐氏风格"带领楼外楼励精图治，走上了正规化，实现了企业的良性发展，并开启了职业经理人管理时代；而从1990年至今，楼外楼在沈关忠的带领下，在传承中创新、在创新中突破，终以"沈氏继承"的方式使楼外楼实现了极大的发展，进入全面发展时期。

由于本研究旨在考查企业家价值观与企业当责之间的关系，前者为因，后者为果。楼外楼不同发展阶段与企业家群体耦合性，为本文提供了非常好的研究视角。一方面，我们可以透视不同企业家个体价值观对企业当责的影响；另一方面，我们更可以在相对较长的时间节点来探究企业家群体价值理念对企业当责的影响。这样一来，既能避免单个个体价值观与企业当责相互关系的在一定时间内的偏差或者不显著的问题，又能全面窥见企业家价值观的变迁与企业当责形态变化的过程。更为重要的是，有关企业社会责任的研究已经注意到了在企业不同的生命周期时期，企业家精神与企业承担社会责任之间的关系。比如从最近的研究来看，沙彦飞（2012）[1]就发现在企业不同成长阶段，企业家

---

[1] 沙彦飞.基于企业生命周期的企业家社会责任及精神祸合研究闭.管理学报，2012, 9(7): 1078-1083.

二、论文

精神与企业社会责任具有耦合性，并以此构建了相应的模型。这类研究启发我们思考，在企业不同的发展阶段，企业价值观与企业当责也存有耦合性吗？如果存在，表现为何种形态？内在机理又是怎样的呢？

4.2 楼外楼企业家价值观的编码

通过访谈与档案资料的查询，研究小组对楼外楼6位企业家的价值观进行了逐一编码。为了便于观察和比较，本文将同一阶段的企业家放在一起并用列表的形式呈现（见表4.2、表4.4、表4.6）。为了体现三角验证，原则上每条编码均列举两条来自不同受访者的引语（于天远、吴能全，2012）[1]。其中，洪氏三代时期是一个特例，由于洪氏三代年代较为久远，只有受访者 D 较为熟悉。为了避免内部人的误差，以及个人主观印象的偏差，研究小组通过外部知情人、后续事件以及档案资料与访谈资料进行了对比（见表4.3、表4.5、表4.7）。这里的外部知情人指的是杭州市餐饮协会的负责人以及与楼外楼齐名的知味观的负责人。

4.2.1 洪式三代时期的企业家价值观编码

表4.2　洪式三代时期的企业家行为与价值理念编码

企业家	编码依据及数据来源	行文编码	价值理念（条目数）
洪瑞堂	1. 当时市场上卖鱼并不便宜，考虑到成本，店主经常带着家人到湖里捉鱼； 2. 为了节约人手，店里只有他和他妻子，妻子烧得一手好菜，他负责接待客人	成本控制	财富（18）
	1. 店主颇有文化，将每道菜肴都用以仿宋的形式命名，并赋予一个故事，至今如此； 2. 当时的店很小，赚不了多少钱，但店主对文人墨客特别客气，来了就奉为上宾，轿夫、船娘凡拉客上店的，都招待免费用餐	以文名楼	信仰（45）
	1. 当时店小偏陋，店主认为保本微利就好，并不求巨利，够用、够吃就好； 2. 来了客人以后，店主都是亲迎亲送，一些好友，特别一些文人，只要一来到店里，店主非要拉他们喝酒喝到很晚	精神满足	

---

[1] 于天远, 吴能全.组织文化变革路径与政商关系——基于珠三角民营高科技企业的多案例研究[J]. 管理世界, 2012 (8):129-146.

续表

企业家	编码依据及数据来源	行文编码	价值理念（条目数）
洪荣庆	1. 当时杭州鱼市在卖鱼桥，店主为了买到便宜的鱼，非常早就起床，后来直接和卖鱼铺签订协议，大批量购进，进价成本并不是很高； 2. 小店有了名声，客源不断，荣庆从老家请了几名亲戚来帮忙，包吃包住，因此工资并不高	成本控制	财富（22）
	1. 荣庆从小被父亲的行为耳濡目染，依旧保留"乞墨宝"专柜； 2. 1884到1900年，清政府名将刘铭传、傅云龙，文学家俞曲园等接连来到楼外楼用餐；1912年，孙中山两次到楼外楼用餐，并见诸报端，名声大噪	以文名楼	信仰（40）
	1. 文化水平不高，但烧得一手好菜，对菜的品质要求非常高，有时候一道菜烧好了，但菜色达不到要求就会立刻重新再做，力求色香味俱全； 2. 店主在选购青菜的时候，都是要挑选那些有虫眼的，以保证是无毒无公害的，甚至还与部分菜农签订了协议，如果有问题是要负责任的	质量把关	守信（30）
	1. 荣庆坚持送自己的儿子去读私塾，让他接受正统文化洗礼，从小开始就让他临摹和背诵家里的字画，在顺森19岁之时，还送他到南洋留学了三年，对其影响巨大； 2. 老家请来的几名帮手知识不高，店主就经常教授他们学习基本的文化知识，要求他们至少能够写出菜名，同时传授基本的服务礼仪	人才储备与发展	长远发展（23）
洪顺森	1. 重新开业后，楼外楼在《大浙江报》上登出"廉价一月"的广告，吸引了非常多的客人前来用餐； 2. 花费重金聘请了万益律师作为楼外楼的常年法律顾问，处理法律相关问题，避免了不少法律上的问题	商战创举	财富（33）
	1. 借力首届西湖博览会，绘出西湖全图，楼外楼成为西湖一景，一时间食客川流不息，声誉远播海内外； 2. 1934至1936年，杭州市先后在《浙江新闻》专栏《杭州食谱》、副刊《杭州通》，《越风》杂志，以及《旅杭快览》中，专门介绍了楼外楼的餐饮特色	品牌文化推广	社会效益（20）
	1. 1925年店主将原有的单层二楼翻新成为三层楼厅，室内进行了重新装修，让人耳目一新，"楼外楼"终于名副其实； 2. 地址不曾移动，但翻造了三层楼带屋顶的洋式门面，新漆亮光光的刺眼，在湖中就望见楼上电扇的急转，客人闹莹莹地挤着，堂信也换了，穿上西式长袍	首次翻新	信仰、使命（44）
	1. 妻子是御厨之女，平素耳濡目染，深得乃父厨艺之三昧，她潜心研究厨艺之道，使传统特色名菜更上层楼，渐为定制； 2. 聘杭州名厨陈文、陈惠掌勺，对菜肴精益求精，一丝不苟，增添不少新品	产品开发	创新（21）
	1. 抗日战争爆发后，楼外楼先后四次拿出资金支持军队抗战，并每天免费为难民发放300多碗猫耳朵，在店堂柜台上还放有"施茶汤"免费供应行人饮用； 2. 抗战末期，虽然楼外楼的经营受到了重创，但楼主还是带头与天香楼、太和园、知味观等店一起捐助给国民政府1500万（旧币）用于市政建设	仁义报国	爱国（10）

二、论文

表 4.3　洪氏三代的企业家行为与价值理念的统一性与吻合性比较

企业家	访谈对象	档案资料	相关知情人	行为长期一致性	吻合程度
洪瑞堂	D	《楼外楼》、《天咫偶闻》、楼外楼历史档案	洪瑞堂道德修养非常高，有典型的文人儒雅	高度一致	非常吻合
洪荣庆			洪荣庆和父亲极为相似，勤勤恳恳，大智若愚	高度一致	非常吻合
洪顺森			洪顺森受过国外教育，善创新思维，敢想敢做，比较有前瞻性	1952，洪顺森违背祖训将楼外楼以 7500 万人民币（旧币）卖给了徐文盛	不大吻合

通过价值观理念的频数以及内容范畴来看，洪氏三代的价值观都是典型的重义轻利型价值观。在第一代企业家洪瑞堂时期，其价值理念包含：追求财富、个人信仰与情怀追求，从访谈和收集到的资料来看，他对财富的追求较为清淡，其行为更多的是个人信仰与情怀所致。在第二代企业家洪荣庆时期，他的价值理念包含了追求财富、个人信仰、坚持守信和长远发展，由于受到洪瑞堂的耳濡目染，他的价值理念可谓与其父一脉相承；在第三代企业家洪顺森时期，他的行为在继承了祖父和父辈的优秀传统之外，又跳出了既定框架，表现出诸多创新性，尤其关注到了社会效益、创新与爱国义举，使得楼外楼一度成为当时杭州餐饮行业的翘楚，名声大噪。

然而，令人意想不到是，依据被访谈者 D 提供的证据来看，洪顺森的价值理念具有非常高的追求，在 1952 年洪顺森曾违背祖上意愿将楼外楼转手给徐文盛。为了弄清问题的原因，研究小组仔细查阅了内部文档记载并多次向不同外部知情人咨询。从得到的资料来看，洪顺森当时转手楼外楼属于无奈之举，并非价值观发生了重大变化。首先，由于连年的战乱，楼外楼曾连续 4 年出现严重亏损，资不抵债，为了维持经营，洪顺森不得不进行裁员；其次，在做出转手楼外楼的决定之前，洪顺森曾多次召开家庭会议，在经过家人一致同意后才将楼外楼转手给徐文盛；最后，在楼外楼转手一年之后，洪顺森曾向故友借了 6000 元，并以远远高出转手时的价格力图将楼外楼买回。

4.2.2 徐氏风格时期的企业家价值观编码

表4.4　徐氏风格的企业家行为与价值理念编码

企业家	编码依据及数据来源	行文编码	价值理念（条目数）
徐文盛	1. 以7500万人民币（旧币）受盘楼外楼，由于之前经营不善，楼外楼仅有员工14人，徐士盛对此提出了主动出击的概念，船夫拉来一位客人可以计提一定利润（访谈D）； 2. 在春节期间提早营业时间，从早上五六点就开始供应各种食品，部分名菜半价出售，游客花六七角钱就能吃到西湖醋鱼等名菜，同时恢复了名菜定制的特色（访谈C）	恢复经营	财富（15）
	1. 1955年底，徐文盛连同杭州的其他五家知名菜馆，一起向杭州市政府递交了要求公私合营的申请书，完成了社会主义改造（访谈A） 2. 公私合营后，楼外楼成了杭州食品公司下属企业，在政策和资源上得到了很大的支持，比如西湖醋鱼所需的特定大小的鱼，杭州食品公司优先提供（访谈D）	公私合营	长远发展（28）
	1. 为了保持菜肴的质量，楼外楼提出了改进措施，自己操办养鱼，并严格规定了养鱼的标准，重新编写和改进了名菜的做法，极为细致（访谈B；观察） 2. 鉴于原料供应以前常出现纰漏，埋有安全隐患，徐文盛开创了原料追溯制，从采购到加工生产，每一个环节都有专门的负责人，一旦出现问题就能找到当事人（访谈D）	质量保证	守信（32）
	1. 1956年3月、10月，徐文盛两度带领楼外楼参加浙江省、杭州市饮食展览会，分享名菜的烹调特点，并在楼外楼现场烹饪，供观摩交流（访谈D） 2. 在各界名流和外国贵宾来杭州时，徐文盛都力邀他们来楼外楼品尝杭州名菜，陈怡、杨尚昆、梅兰芳等都曾来过这里，他本人还与总经理进行了合照（访谈B；观察）	品牌与文化推广	社会效益（30）
	1. 1958年，楼外楼二次重建，成为一家三开间门面，三层楼建筑，面积大大增加，达到了990平方米，系砖木结构的临湖菜馆（访谈D） 2. 再建的原因主要有两个，一是经过30多年的风雨冲刷，原有建筑已经陈旧不堪，并遭到白蚁的蚀蛀；二是，外宾越来越多，没有专门的接待外宾的地方。重建之后，特地预备了两间外宾接待间（访谈B）	二次重建	使命（44）
	1. 返聘用陈文、陈惠两位师傅，并发展了一大批后起之秀，有曾为蒋介石烹制西湖醋鱼的阿毛，专职为毛泽东烧菜20多年的韩阿富，精于刀的李定坤，还有被誉为"当今宋嫂"的蒋水根（访谈D） 2. 徐文盛制定期组织员工进行技艺培训，开展烹饪比赛，鼓励他们走出去，蒋水根曾代表楼外楼在全国和世界级的烹饪比赛中获得过奖（访谈B；观察）	提高技艺	长远发展（27）
	1. 楼外楼乔迁之后，收到了一大批文化界知名人士的画作与题字，比如《报春》《松石图》《竹石锦雀图》《九老书画图》等一大批画作都是那时候送的（访谈B；观察） 2. 在外宾间，徐文盛专门请人画了十多幅油画作品，用于装点房间，非常漂亮（访谈D；观察）	以文缀楼	信仰（45）
	1. 大幅提高员工工资和福利待遇，对于资深的、技艺超凡的厨师诸多优质待遇，帮他们解决住房、子女上学问题，非常人性化（访谈B） 2. 徐文盛非常关心员工的家庭和生活，经常带领领导干部去困难家庭职工家里慰问，职工家里有什么困难事情他都了如指掌（访谈C）	关爱员工	仁爱（25）

二、论文

续表

企业家	编码依据及数据来源	行文编码	价值理念（条目数）
蒋水根	1. "文革"期间楼外楼一度受到极"左"思想的冲击，他上来后第一件事情就是恢复传统经营模式"落堂开票、服务到桌"，恢复传统名菜的供应（访谈B） 2. 由于诸多名人字画被付之一炬，蒋水根四处联系原有作者，请他们赐墨宝，一段时间经常在全国各地跑（访谈D）	恢复传统	信仰（50）
	1. 出身于厨师，蒋水根对菜肴的品质达到了苛求的状态，顾客的每一个意见他都认真地记录下来，并加以揣摩和研究，档案馆里藏有他当年留下来的厚厚的笔记（访谈A；观察） 2. 一件非常典型的例子是，周总理当年来到楼外楼时随口说了句在清炒虾仁中放入板栗可能会更好，蒋水根当即亲自动手尝试新做法，果然口感更好，由此诞生了今天地果炒虾仁的名菜（访谈B）	创新菜品	创新（27）
	1. 1973年，根据周总理的指示，蒋水根决定对楼外楼进行重建，扩建后的楼外楼占地面积4400平方米，建筑面积3841平方米，上下两侧主楼设6个餐厅，可同时接待1000多位顾客就餐（访谈A） 2. 第三次重建使楼外楼有了翻天覆地的变化，整个外形和内厅都有大变化，从那时起开始在西湖设立水上餐厅，共有3个大游船可用于游湖赏景、把酒言欢（访谈B）	三次重建	使命（46）
	1. 重新编定了传统名菜的制作流程，做到"四定"，名菜定专门名师，菜肴有定料、定时、定量，这样一来整个楼外楼的菜肴全部有了极为规范的制作流程（访谈B） 2. 此外，在服务定座、定人，每一个人或者团队定点服务几桌，从微笑到礼貌用语，到事情解决都细致地进行了规定，只要谁没做好，谁就会被立刻发现（访谈A）	规范流程	秩序（33）
	1. 蒋水根做过多年的厨子，深知厨师的辛苦，特别是夏天在中央厨房的闷热。在杭州餐饮业，他率先在厨房里装上空调，虽然耗电量巨大，一些人提出反对，他依旧觉得厨师舒服了才能做出好菜（访谈C） 2. 按照我们当时的定价，一艘游船可以一天为我们带来2万—3万元的利润，尤其是在节假日，都是专门招待贵客的，但临近春节的四五天，蒋水根会专门空出一艘请最优秀的员工一起登船庆功（访谈D）	关爱员工	仁爱（28）

表4.5　徐氏风格的企业家行为与价值理念的统一性与吻合性比较

企业家	访谈对象	档案资料	相关知情人	行为长期一致性	吻合程度
徐文盛	ABCD	《楼外楼》、《中国杭州楼外楼》、楼外楼档案	徐文盛从接盘楼外楼后，就定位明确，毫无私心，虽然是自己买下的，但很慷慨、放心地就交给了国家，也没有让自己的孩子继承产业	高度一致	非常吻合
蒋水根	ABCD		蒋水根为人朴实、低调，但做事极为细心，特别具有亲和力，与徐文盛的理念一致，但风格更让人如沐春风	高度一致	非常吻合

595

通过价值观理念的频数以及内容范畴来看，徐氏风格的价值理念也是重义轻利型。在徐文盛时期，作为一楼外楼的接盘者，他毫无私心地对楼外楼进行公私合营，传承了洪氏三代所保留的文化精华，同时也进行了不少的创新与改革。根据资料显示，他的价值理念至少包括了：想追求财富、立足长远发展、守信经营、创造社会效益、坚守使命与信仰、恪守责任意识、奉行仁爱之道，也是典型的重义轻利型价值观。而在蒋水根时期，作为从楼外楼一步一步成长起来的内部职业经理人，蒋水根的价值理念与行为特征与徐文盛极为相似，他以责任、理想、使命、秩序、仁爱的价值理念，将楼外楼的发展提升到了一个新的水平。

4.2.3 沈氏继承的企业家行为与价值理念编码

表4.6　沈氏继承的企业家行为与价值理念编码

企业家	编码依据及数据来源	行文编码	价值理念（条目数）
沈关忠	1. 他一接手楼外楼就提出"不到楼外楼不知杭帮菜"的口号，确保每道菜肴百年不变的经典味道，保留其原汁原味，让每一位食客都能品尝到百年前的食味（访谈A；观察） 2. 每年仅东坡焖肉、叫化童鸡、西湖醋鱼等10大名菜的营业额就占了总营业额将近55%的份额，每月定期推出一款新品菜肴，如今楼外楼形成了"乾隆宴""东坡宴""仿宋宴""古都风味宴"等名宴，创新菜肴200余款（访谈B；观察）	以菜名楼	财富（10）
	1. 组织专家亲自挂帅编写《杭州楼外楼名菜工艺流程》，将菜肴烹调中制作方法统一规定标准、操作程序，达到质量的统一（访谈A） 2. 2007年起，先后撰写了《杭州楼外楼名菜谱》《吃在杭州》《西湖名菜》等一系列书籍，大家能想到的杭帮菜的做法都有囊括进去，书中的制作工艺流程极为细致，非常考究（访谈B）	规范流程	秩序（25）
	1. 在食品安全广受关注的背景下，沈关忠在杭州餐饮行业率先导入了ISO220000体系，让食品的生产全过程置于全面的控制与跟踪之中（访谈B） 2. 投入300多万资金引进国际先进的检测设备投放到月饼生产线，健全了月饼制作过程的检测手段。现在楼外楼不但能做微生物检测，而且还能做理化检测及金属探测，质量绝对保障（访谈A）	保证质量	守信（30）
	1. 1992年开始，楼外楼开始连续主办各种行业性、全国性乃至国际性的大型饮食文化和烹饪技艺的研讨交流活动，特别是在150周年时，盛况空前，在澳大利亚、新加坡等都巡回举办过美食节（访谈A） 2. 楼外楼与中国茶叶博物馆合作创办杭州楼外楼茶博休闲中心，别出心裁地推出了茶菜宴，吸引了国内外众多的游客和茶博士；曾与澳大利亚西澳洲合作创办佩斯帝宫酒楼，将中国特色与西方元素巧妙糅合（访谈B；观察）	品牌与文化推广	社会效益（28）

二、论文

续表

企业家	编码依据及数据来源	行文编码	价值理念（条目数）
沈关忠	1. 引入现代管理方法，进行产权制度改革，实行总店与分店职能分化，总店主要行使职能管理、服务经营职能，分店更侧重市场营销、前端服务职能。同时，总店除职能部门外均实行工资总额承包制，下属企业实行利润考核制，餐厅部门实行营业额提奖制，厨房部门采用毛利率考核制（访谈B） 2. 在2000年，楼外楼单独成立了市场营销部，系统研究市场竞争因素，收集竞争对手的信息，分析和确定企业目标。各分公司实行独立核算，自负盈亏，采取灵活的用工制度，可以根据自己的情况建立不同的管理模式（访谈A）	管理创新	创新（35）
	1. 1995年办起了食品加工厂生产外带产品，我们的东坡肉、叫化童鸡、杭州酱鸭等现在是可以外卖的，带回家稍微蒸煮就能吃，味道和店里没有差别（访谈A） 2. 1997年，我们开始生产月饼和八宝粥，先让资深面点师尝试去做，共做了200多个样品，最终选了15种，现在光这两种产品每年可以卖到20多个亿（访谈B）	产品开发	
	1. 1996年，沈总邀集专家、学者和新闻出版与文化界人士，先后编写《名人笔下的楼外楼》《楼外楼创建150周年纪念画册》《楼外楼珍藏名家书画选集》等系列书籍，对楼外楼的文化进行了重新审视与梳理，对部分受损的古画进行了原样修复（访谈A） 2. 投资250万拍摄电视连续剧《红顶商人胡雪岩》，在电视剧中包揽全部菜肴的制作权，并将部分珍贵画作与书法作品免费提供给剧组作为现场道具，彰显了楼外楼的文化沉淀与魅力（访谈B）	以文兴楼	信仰（56）
	1. 沈总特别重视员工培训工作，授人以鱼不如授人以渔，每年都会有近百万的资金用于员工培训，他亲自参与授课，将自身实践中积累的经验无保留以传授。同时，我们的工资和福利是全杭州餐饮业最高的，没有比我们更好的（访谈A） 2. 我们中高层领导每到3、4月份是最忙的，不仅要轮流为员工上课，还要组织举办各类企业活动，比如外出旅游、登山、歌咏比赛、出省或出国考察学习交流，我们的员工从1990年开始到现在，没有一个主观辞职的（访谈C）	关爱员工	仁爱（48）
	1. 这些年，楼外楼几乎参与了所有的大型公益献爱心活动，比如汶川大地震、舟曲泥石流、雅安地震等等一系列特大灾害的救灾活动，我们一共捐助了约有500万元的资金与物质（访谈C） 2. 在浙江省境内，我们率先发起公益基金，为那些因贫困而读不起书的大学生提供全额助学金，每年资助100名大学生完成学业，同时，我们几乎每个月都要带队去杭州救助站送上我们的八宝粥、东坡肉、点心糕点等，救助那些无家可归的老人（访谈A）	爱心帮扶	

表 4.7　沈氏继承的企业家行为与价值理念的统一性与吻合性比较

企业家	访谈对象	档案资料	相关知情人	行为长期一致性	吻合程度
沈关忠	ABC	《楼外楼》、《中国杭州楼外楼》、杭州工商大学校友资料、楼外楼档案	沈关忠是典型的不以利为追求的企业家，注重以人为本的发展，楼外楼目前在单位面积的盈利能力国内无可匹敌。从改制到现在，每年基本保持着10%-12%的增长	高度一致	非常吻合

通过价值观理念的频数以及内容范畴来看，"沈氏继承"不同于一般餐饮公司一味追求企业规模的扩大、利润的增长，而是更加注重协调百年餐饮业的继承与创新的关系，力求在新的商业潮流中能抓住机遇谋突破求发展，同时以"以人为本"的理念提升公司凝聚力，促进了企业的全面提升与发展。资料显示，沈关忠的价值理念表现为明显的责任担当、建立秩序、诚实守信、追求长远的社会效益、不断创新、坚守信仰、奉行仁爱之道，追求个人财富的价值理念已经非常少了，表现为一种更为显著的重义轻利型价值观。

4.3 楼外楼企业当责行为的编码

在对楼外楼的企业当责行为进行编码过程中，本文就如何准确判定企业当责行为是属于自明性还是交易性，产生了一些问题。其一，一些相同或相似的企业当责行为可能会分属不同的当责类型。比如同属公益性事件，洪顺森时期对政府的捐资就带有明显的目的性，而沈关忠时期对社会帮扶就表现为自发性行为；其二，企业当责行为往往和企业家行为重合，如何予以区分。比如洪顺森转手楼外楼属个人行为，但这种个人行为反过来又可以判定为企业当责表现，因为转手楼外楼后一些员工的利益就会受到冲击。

经过讨论和推敲，本文认为判断何种行为为企业当责行为，以及企业当责行为应归属哪种类型时，应该综合考虑以下几点：（1）在判断行为是否为企业行为时，尽量弱化企业家的特殊决定，从较长的时间跨度来审视；（2）结合具体时代背景以及历史沿革，综合评估企业当责行为的影响，不以行为本身作为判断的主要依据；（3）结合行为的一系列过程，追溯该过程中所体现的企业终极价值追求。同时，按照之前对企业当责的定义以及两个维度的划分，本文认为企业自明性当责行为应更多地表现出例行性的、持久的、超越他人的、自我追求的、自我引领的、共享的、公益性的等特点，而企业交易性当责行为

二、论文

则更多地表现出策略性的、追随他人的、受制于外部环境的、为了获得制度利益和经济利益等特征。根据以上的原则本文对三个不同时期的企业当责进行了编码（见表4.8、表4.9和表4.10）。

4.3.1 洪氏三代时期的企业当责行为编码

表4.8 洪氏三代时期的企业当责行为编码

企业家	企业当责行为	例行性与策略性归类	当责对象	编码解释	当责类型
洪瑞堂	质优价廉	策略性	顾客	楼外楼只是一家小店，价格高了没有人来	交易性
	缔造文化	例行性	自我		自明性
	免费膳食	例行性	文人墨客	店主是文人出身，喜交结志气相投的文人墨客	自明性
洪荣庆	质优价廉	策略性	顾客	吸引客源，薄利多销	交易性
	传承文化	例行性	自我		自明性
	宴请名人	策略性	名人	及时登报以宣传楼外楼，提高企业名声	交易性
	技艺培训	例行性	员工		自明性
洪顺森	质优价廉	策略性	顾客	廉价一月，吸引了大量的客源，薄利多销	交易性
	传承文化	例行性	自我		自明性
	首次翻新	例行性	自我	做大做强楼外楼是上几代人共同的愿景	自明性
	仁义报国	策略性	政府	政府事先向楼外楼承诺大力宣扬义举	交易性
	技艺培训	例行性	员工		自明性

由上表可以看出，洪氏三代的企业当责主要表现在：提供质优价廉的产品；缔造传统、夯实文化；提高员工技艺；对文人以礼相待；首次翻新；对社会做出符合时局的义举等方面。从企业家个体来看，企业当责的类型基本上都是自明性当责多于或等于交易性当责。在洪氏三代时期，企业当责类型也是自明性当责略多于交易性当责。

599

4.3.2 徐氏风格时期的企业当责行为编码

表4.9　徐氏风格时期的企业当责行为编码

企业家	企业当责行为	例行性与策略性归类	当责对象	编码解释	当责类型
徐文盛	质优价廉	策略性	顾客	因之前经营不善，急需提高利润	交易性
	企业改制	策略性	政府	杭州市政府统一要求：获得国家支持	交易性
	提高技艺	例行性	员工		自明性
	传承文化	例行性	自我		自明性
	关爱员工	例行性	员工		自明性
	二次重建	例行性	自我	做大做强楼外楼是上几代人共同愿景	自明性
蒋水根	稳定菜价	策略性	顾客		交易性
	恢复传统	例行性	自我		自明性
	三次重建	例行性	自我	做大做强楼外楼是上几代人共同愿景	自明性
	关爱员工	例行性	员工		自明性
	提高技艺	例行性	员工		自明性
	规范管理	例行性	员工		自明性

由上表可以看出，徐氏风格的企业当责主要表现在：提供质优价廉的产品；恢复传统、创新文化；提高员工技艺；两次扩建企业等方面。从每一位企业家来看，企业当责的类型基本上都是自明性当责较多于交易性当责。从而，徐氏风格时期的整体当责类型是自明性当责较多于交易性当责。

4.3.3 沈氏时期的企业当责行为编码

表4.10　沈氏继承时期的企业当责行为编码

企业家	企业当责行为	例行性与策略性归类	当责对象	编码解释	当责类型
沈关忠	质优价廉	策略性	顾客	赚取合理利润	交易性
	创新管理	例行性	员工		自明性
	提高技艺	例行性	员工		自明性
	新品开发	例行性	自我	以菜名楼，发扬传统精华	自明性
	文化传播	例行性	自我		自明性
	关爱员工	例行性	员工		自明性
	公益帮扶	例行性	所有观众		自明性

二、论文

由上表可以看出，沈氏继承的企业当责主要表现在：提供质优价廉的产品；弘扬传统、创新文化；提高员工技艺；社会担当等方面。沈氏继承时，楼外楼的企业当责呈现为自明性当责远大于交易性当责的形态。

4.4 楼外楼企业家价值观变迁与传承对企业当责行为的影响

案例显示，楼外楼企业家价值观是企业当责行为的决定性因素，这种决定性显示在两个方面：一是，单个企业家价值观对企业当责行为的直接决定作用；二是，不同企业家之间价值理念传承对企业当责行为的持续作用。

4.4.1 企业家个体价值观对企业当责行为的决定作用

在楼外楼160年的发展中，每位企业家的在位时间都较长。从第一代创业者到现今的第六代传承人，楼外楼始终保持着持续性的当责状态。基于个体层面来看，通过之前本文对6位企业家的价值观编码，他们都是重义轻利型的价值观，虽然他们都有追求财富的"利益"价值观，但在每一代企业家身上都不是主要价值理念。因而，每一代企业家时期下的企业当责都表现为自明性多于或至少等于交易性的形态。同时，从第一代企业家到第六代企业家身上所表现的价值理念来看，"义"的价值理念的内涵是不断延展和增加的。从最初的信仰不断增加了社会效益、创新、仁爱等等"义"的价值观，而使得每一代企业家时期下的企业当责越来越多地表现为自明性统摄于交易性当责，当责的范围越来越大，层次也越来越高（见表4.11）。

表 4.11　楼外楼企业当责行为频数与频率统计

企业家	交易性当责		自明性当责	
	频数	频率	频数	频率
洪瑞堂	1	0.33	2	0.67
洪荣庆	2	0.5	2	0.5
洪顺森	2	0.4	3	0.6
徐文盛	2	0.33	4	0.67
蒋水根	1	0.2	4	0.8
沈关忠	1	0.14	6	0.86

4.4.2 不同企业家价值理念传承对企业当责行为的持续作用

在单个企业家价值观对企业当责行为起直接决定作用的同时，资料也显示，

601

虽然六代企业家的价值观略有差异，但在核心价值观方面具有传递性。在资料收集中，不同的访谈者多次提到，每一代企业家在接手楼外楼时，都将"要将楼外楼做成百年老店""楼外楼不能在我这里做砸了"作为自己的核心价值理念，兢兢业业地促进着楼外楼的发展。虽然在中途洪顺森曾将楼外楼卖给了徐文盛，但这更多的是由于当时的外部环境的问题，受到抗日战争和解放战争的冲击，楼外楼生意凋敝，顾客非常少，这种行为并非出于他的本心。

在艰苦创业期，洪氏三代一脉相承，洪瑞堂以一位文人的信仰一手创办了楼外楼，他不以逐利为目的，而是凭借小酒馆结识名人墨客、求人赐墨宝，并以此为乐；洪荣庆在继承了父亲的对财富与信仰的平衡之道之后，对楼外楼的长远发展有了新的考虑，并以诚实守信为本，进一步促进了楼外楼的发展；而洪顺森，除了继承祖父辈、父辈的价值理念之外，还在社会效益与爱国义举上做了拓展，将楼外楼的影响力进一步增强。

在振兴成长期，徐文盛与蒋水根二人将楼外楼的发展带入了一个新的台阶。徐文盛自接盘楼外楼之后，虽然当时的楼外楼存有不少弊病，但他并没有一味地将楼外楼全盘否定，而是非常冷静地看到了问题的两面性，在祛除楼外楼之前的家族制私有化管理的弊病之后，他非常创造性地对楼外楼进行了公私合营，并延续着楼外楼以文兴楼的传统，本着对传统负责、对顾客负责、对员工负责的态度，楼外楼重获新生，走上健康发展的轨道。而作为楼外楼的第一位职业经理人，蒋水根基本上沿袭着徐文盛的价值理念，并在规范管理上大做文章，以创新的方式完成了"把楼外楼做成杭州人的楼外楼"的使命，恪尽职守，将楼外楼的发展带入了快速成长的轨道。

在全面发展期，沈关忠以独特的沈氏继承实现了楼外楼的全面发展。沈氏继承的一个极为典型的特点是，将继承与创新作为突破口，以卓越的理想信仰形成强大自我驱动力和企业凝聚力，从而自然而然地获得和扩大利润，推动企业全方位发展。沈关忠始终把"人"放在最重要的位置，无论是对消费者、员工、政府，还是对外部毫无利益关系的观众都自我明证式地担当责任，在他的价值引领下，楼外楼已成为"杭州味道"，在全国和全世界的影响力都不可小觑。

从整体来看，楼外楼不同企业家的核心价值观聚焦于"信仰""使命""守信""社会效益"。正因为在一代又一代的企业家迭代过程中，核心价值观始终被传递与坚守着。所以楼外楼在160多年的发展中才显现为自明性当责统摄于交易性当责的状态。

4.5 不同发展阶段楼外楼当责形态

4.5.1 不同发展阶段的企业当责形态

本文之前提到一个重要的问题：在企业的不同发展阶段，企业当责是否会表现出不同的形态？就案例结果显示来看，虽然在企业的不同发展阶段，企业当责的基本形态都包含着自明性当责和交易性当责两种基本当责类型，但他们的组合方式是存有差异的。一个显著的趋势是，从艰苦创业期到全面发展期，自明性当责对于交易性当责的统摄性是逐渐提高的。在艰苦创业期，楼外楼的企业当责整体呈现为自明性当责仅仅略多于交易性当责，企业当责表现中具有显著的交易性当责成分；在振兴成长期，楼外楼的当责行为表现为自明性当责较多交易性当责，自明性当责的成分增加，交易性当责成分有所下降，自明性当责已经对交易性当责形成了较强的统摄力，但依然不是完全统摄状态；而在全面发展期，楼外楼的当责行为表现为自明性当责远大于交易性当责，交易性当责成分已经非常少了，自明性当责完全统摄着交易性当责。根据自明性当责与交易性当责的成分与相互关系，三种不同的当责本文分别命名为裂口型当责、融合型当责以及统摄型当责（见图4.1）。

图 4.1 楼外楼不同发展时期三种企业当责形态

4.5.2 不同发展阶段的企业当责形态变化原因

那么为何会存在这种差异呢？从前述结论来看，既然每一位企业家的内在核心价值观都具有内在一致性与传递性，这种在不同发展阶段的企业当责差异又是如何产生的呢？

价值观的研究学者认为，在价值观影响行为的研究中，必须同时考虑两个因素：一个是企业家本身的价值观；另一个是企业家对员工价值观影响的深度。

换个说法就是我们常常讲的员工的价值认同度。研究表明当员工强烈地认同他的老板或者团队领导的时候，就会形成自我定义，会对老板或者领导有依附心理，进而形成对他们的认同。这种认同越是强烈，就越会产生积极的行为，反之，则不会带来积极的行为。因此，本文推测在不同企业家价值观内在较为一致的情况下，楼外楼不同时期的当责形态变化可能是由于价值认同度的变化引起的。那么是否是这样呢？

根据这一问题，本文针对楼外楼的价值观认同问题进行了调研，主要通过访谈、内部资料与数据收集的方式获得相关资料，并加以分析。研究人员首先对楼外楼的60名企业员工进行了访谈，其中中层管理人员10名，基层员工50名；其次，对楼外楼现有的大小会议档案进行了汇总、整理与分析。结果如下表4.12所示：

表4.12　楼外楼价值认同度表

时期	企业家	价值观扩散对象	寻求认同主要手段	频次	效果	认同度	整体认同度
创业期	洪瑞堂	妻子	心领神会		优	高	低
	洪荣庆	老家请来的亲戚	春节、中秋等重要节日聚会闲聊	一年2—3次	差	低	
	洪顺森	妻子、亲戚、外聘的几个员工	重大问题导向的小型会议，如家长训斥	一年5—6次	差	低	
成长期	徐文盛	资深员工、中高层管理者	重大问题导向的定期、定人的专门会议，备案跟进	每月1次；	良	中	中
	蒋水根	资深员工、中高层管理者、部分员工代表	多层次、多面向的专题会议，定期讨论楼外楼各类问题，专人跟进	每周二为员工沟通日	良	中	
发展期	沈关忠	全体员工	链条式、平行式沟通，不定时、不定期的面对面交流，重大问题的全员参与式讨论	每月3次正式会议；	优	高	高

二、论文

由上表可以看出，在楼外楼发展的三个不同时期，企业家的价值认同度是截然不同的，呈现出低中高的发展趋势。

在艰苦创业期，由于洪瑞堂只有妻子与他二人操持料理楼外楼，虽然没有进行特别的价值教育工作，夫妻间的心领神会使得两人的默契度极高，洪瑞堂的价值理念自然传递得非常到位，认同度也就自然较高；而洪荣庆接手楼外楼时，店里面的主要成员都是亲戚，碍于情分，他也只是在重大节日时期，以围桌的形式向一大家人表露自己的心迹与抱负，问题导向不明显、针对性也不强，因此价值认同度较低；到了洪顺森之时，虽然他在价值认同努力方面有了针对性，并在问题发生之时力求当场解决，但这种沟通方式较为散漫，事情一旦过去效力就失去了，效果不佳，员工对总经理的价值认同度并不高。总体而言，在艰苦创业期，洪氏三代在价值认同努力上的方式带有显著的宗族家长式风格，以亲情维系、当面批评教育为显著特征，价值认同度总体较为低下。

在振兴成长期，随着楼外楼的规模发展，员工人数不断增加。徐文盛为了保证价值观的有效传递和提升认同度，开始有意识地定期召开一些专门会议，与资深老员工以及中高层管理人员就重大问题进行协商与沟通，相关决议与问题解决方案都予以备案，并不断跟进。同时，还设立员工会谈日，在每周二请不同的员工到其办公室进行交流沟通。此后，蒋水根基本上沿用了徐文盛的专项会议的做法，并保留了员工沟通日。此外，他在重大会议和专门会议上会请一些员工代表参与，而且增加了专门会议的频率，由过去的每月一次改为每月三次。在备案的同时，他会指定专人完成专项议题。这些做法大大提高了员工对于徐文盛与蒋水根的价值认同度。然而，在访谈中研究小组也注意到，不少参与过员工访谈的老员工认为，"员工访谈日有一种被逼的感觉，每周二见到总经理时，感觉有很多话要说，但见到后却又害怕得讲不出来"，"被请到总经理办公室，同事们常常以为我犯了什么错误，感觉很不好"，"有些人干脆就不说坏的方面，只讲好听的，感觉没什么用"等等。由此可见，徐氏风格下的两位企业家在价值认同的努力属于官僚层级式做法，以管理层推动、层层把控为显著特点。其所带来的效果只能算是良好，认同度也只能处于中等水平。

在全面发展期，楼外楼出现了规模急速扩大的局面，员工人数超过千人，

605

面对持续不断的规模增长与人员增加,为了保证每个员工都能深刻体悟楼外楼的价值理念和文化核心要义,沈关忠将链式与平行式沟通结合起来,企业中高层每年都要花大量的时间为员工培训与传达企业价值理念。除企业重大会议或者全体会议之外,现在的楼外楼的所有会议与沟通形式都是不固定的,只要有必要,无论是员工还是管理层都能够发起一次正式或者非正式的会谈。他取消了员工沟通日,只要他没有出差就会到总店前台或者各分店进行"明察暗访",找不同的员工进行互动交流,现场发现问题,及时解决。在他的努力下,楼外楼在10年间基本上没有出现过员工主动辞职的事件,员工对楼外楼以及他本人的"沈氏继承"有着深刻的理解,将楼外楼看作自己的家,将沈关忠看成是自己的知心朋友。因此,沈关忠在价值认同努力上的做法属于伙伴互动式,以信任合作、坦诚交流为显著特征,获得了较高的价值认同。

由案例可以看出,在企业家价值观对企业当责产生作用的内在机理中,必须要考虑到价值认同的问题。虽然企业家的价值观有时候非常高远、宏大,但价值认同努力不足,价值认同不高,企业当责的水平也就不会高。虽然楼外楼三类企业家群体在价值理念上具有传承性与一致性,然而他们在不同时期所使用的价值认同努力方式截然不同,导致了不同的价值认同,使得企业当责在三种不同的时期表现为不同的形态(见图4.2)。

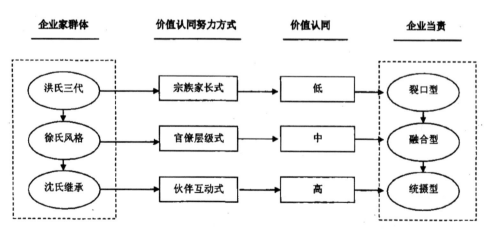

图4.2 楼外楼不同阶段价值认同与企业当责关系示意图

二、论文

5 基本发现与讨论

5.1 基本发现

5.1.1 企业家的"义利"价值观决定了自明性当责必然统摄交易性当责

作为企业整体经营战略的制定者和具体行动的控制者，企业家的主观意志决定着企业的战略选择、决策行为和经营活动。企业家们经常会构建自己的某种价值态度结构，用于对来自外部环境的概念或者刺激进行理解，并作出行动反应，而企业当责就是这种反应的结果。在基于双重人性的假设下，本文发现中国企业家身上明显体现出"重义轻利"型的价值理念，而这种价值理念决定了中国企业当责的内部结构的特殊性。

中国儒家文化长期劝导商人在从事商业活动中要遵循"重义轻利"的原则，强调"财自道生，利缘义取"，把道义作为取利的前提，提倡"义然后取"，在追求利益的同时，力求去赋予经营"义"的目的，有时为了义可以舍利，甚至是牺牲大利也在所不惜。受此影响，中国人身上体现着一种浓烈的理想原型，带有强烈的社会担当感，比如诸葛亮的"鞠躬尽瘁，死而后已"，范仲淹的"先天下之忧而忧，后天下之乐而乐"，以及林则徐的"苟利国家生死以，岂因祸福避趋之"等都是这一现象的集中反映。

按照资源基础理论的观点来看，只有在经济利益满足或最大化之后，企业当责才能由交易性当责逐步转向自明性当责。而本研究案例一再告诉我们，事实并非如此。受到中国式"重义轻利"企业家价值的驱动，企业在长期的发展过程中，企业当责一直表现为自明性当责不断地渐进式地统摄着交易性当责。即使在第一代企业家艰苦创业之时，面临着资源匮乏、利润微薄的困境，楼外楼依然没有为了"利"而有损"义"，企业家们所坚守的"重义轻利"型价值观驱动企业依然能在自明性当责与交易性当责之间保持平衡，不去触碰底线，做出有损观众利益和自我信仰的行为。由此，本文提出命题1。

命题1：企业家的"义利"价值观决定了自明性当责必然统摄交易性当责。

5.1.2 初代企业家的价值观以及传承决定了企业当责的基本形态

在企业家相关问题的研究上，学者们已经注意到了初代企业家的特殊作用。初代企业家往往是企业核心价值观形成的关键力量，对企业的行为与发展起着深刻的导向作用。以往相关研究主要采用横截面数据，关注了同一时期不同价值观对于企业应该承担的责任的选择问题。而本文在纵向案例的研究基础上更聚焦了价值观的变迁与传承对于企业当责的影响。

基于本研究发现，初代企业家的价值理念决定了企业当责的基本基调。从案例反映的材料来看，在洪瑞堂时期，作为第一代企业家，他将信仰作为核心的价值理念，强调个人的精神与信仰追求，很少关注到财富、权力等"利"的方面，这种精神式的信仰追求对他的行为具有十分深刻和持久的激励作用。因而，在楼外楼初期，企业当责的基本形态已经确定。

随着组织的成长和发展，初代企业家对组织日常活动作出决策，这些决策将影响组织对环境的反应，渐渐形成了独特的组织文化（Schein，2006）[1]，企业当责的基本基调也就形成了。经由文化濡化的过程，后来的企业家们渐渐习得上一代的核心价值理念，促使个体适应既有的当责文化，并按照原有的"指示牌"做出行为决策。这样一来，企业当责的文化便延续下来，并深入每一代企业家心中，初代企业家的个人梦想也就凝结成一个共同的、集体的梦想（Cater&Justis，2009）[2]。

案例显示，自洪瑞堂之后，每一代企业家都基本上延续了最初的楼外楼"以文兴楼"的初衷和梦想，始终将自明性当责放在第一位，以自明性当责带动交易性当责。同时，有意思的是，随着这个"共同的、集体的梦想"逐渐深入人心、不断沉淀，企业当责的边界是不断扩大的。可以看到，在楼外楼初期，企业当责的观众只局限于部分关键的利益相关者，而时至今日，当责的对象已经是面向全部的观众了。因而，本文提出命题2：

命题2：初代企业家的价值观以及传承决定了企业当责的基本形态。

5.1.3 价值认同对企业家价值观与企业当责的关系起中介作用

案例显示，在企业家对企业当责起着核心驱动作用的同时，企业家推动企业当责必须依赖员工的价值认可，将他们个人的价值观普及开来，才能形成当责合力。这契合了20纪90年代中期以House为代表的领导学者所提出的基于价值观的领导理论，该理论强调领导与下属之间建立一种以共享价值观为基础的新型关系，领导者通过向组织注入核心价值观并引导、教育职员，使他们认可并将此价

---

[1] Schein, E. H.. Organizational culture and leadership [M]. John Wiley & Sons, 2006.
[2] Cater, J. J., & Justis, R. T. The development of successors from followers to leaders in small family firms an exploratory study [J]. Family Business Review, 2009, 22(2): 109-124.

值观内化成为个人的行动准则。作为企业整体经营战略的制定者和具体行动的控制者,企业家对于企业当责行为的参与,是通过战略层面的行动制定以及具体活动的实施支持两个方面来进行的,归根到底都会落脚到企业的员工身上。员工认可组织目标和价值,就会愿意为组织利益奉献,听从领导者的安排采取行动,在各项活动中考虑组织利益(Mayer&Schoorman,1992)[1]。

据此,本文提出企业家价值观、员工价值认同与企业当责三者之间关系的一般逻辑(见图5.1):

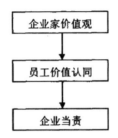

图 5.1 企业家价值观、员工价值认同与企业当责关系

楼外楼的案例显示,在组织中,企业当责的目标与形式一般都来自企业家的心中,通过他们的行为得以外显,并通过某种方式,传达给企业中的员工,使员工产生价值认同,进而实施企业当责行为。本文主要考察了楼外楼在沟通方面的工作,并以此为突破口来衡量和评估企业家在价值认同方面的努力程度,因为组织沟通是组织成员间互相交换事实、观点和观念,促使组织内部成员可享有共同的目标与利益,齐心协力合作完成组织任务的关键所在。但需要说明的,价值认同努力并非此一种形式,企业家所建立的企业组织架构、工作过程和工作程序、奖惩制度等等都是价值观传递的途径。通过案例可知,楼外楼不同企业家在价值认同努力上呈现明显的差异,正是这种差异导致不同的员工价值认同,最后产生了不同的企业当责形态。由此,本文提出命题3:

---

[1] Mayer, R. C., & Schoorman, F D.. Differentiating antecedents of organizational commitment: a test of March and Simon's model [J]. Journal of Organizational Behavior, 1998, 19(1): 15–28.

命题 3：价值认同对企业家价值观与企业当责的关系起中介作用。

5.2 研究讨论

5.2.1 企业资源对企业当责基础作用

由案例来看，在企业的不同成长阶段，企业当责表现为三种不同的当责形态，通过访谈的形式，本文找到了其中的中介变量：员工价值认同。但另一方面，企业当责在企业不同发展阶段的变化也契合了有关企业生命周期理论的观点。在不同的企业发展阶段，由于企业所获得的资源不同，企业当责出现了阶段性的变化。资源基础理论告诉我们，企业成长的源泉来自企业的内部资源，正是企业内部的资源和能力构筑了企业绩效和发展方向的坚实基础（Penrose，1959）[1]，这种基础长期作用于企业当责行为。

现有的研究在考察企业资源与企业承担责任的关系问题上，主要从两个方面来考虑：一是将企业资源作为前置变量和投入变量，探究如何有效利用企业资源以促进企业承担相关责任；二是将企业资源作为结果变量和产出变量，研究如何最"明智地"承担责任以获得资源，进而形成竞争优势。在楼外楼的案例中，这两种方式都有所体现。

一方面，企业资源限制了企业当责行为的内容和范围；另一方面，企业当责行为可能表现为明显的以资源获取为目的的交易性当责。这突出地表现在几个方面:（1）在楼外楼艰苦创业期间，虽然三位企业家的价值观都是"重义轻利"型，但由于受到资源的限制，企业当责的能力不足，无法如"徐氏风格"和"沈氏继承"时期一样，对全部观众进行当责，只能有选择性地对主要观众进行当责；（2）在部分当责行为上，尤其是洪顺森变卖楼外楼一事上，企业当责具有明显的资源获取性目的。虽然从一段时间来看，变卖楼外楼一事在当时对洪氏家族是有利的，但基于楼外楼的核心价值理念来看，此举有违上两代企业家的初衷，因而当责行为出现了"悖论"，资源的匮乏成为继续履行企业当责的限制性因素。

因而，无论企业家的价值追求有多么高远和宏大，在楼外楼六位企业家经营楼外楼时，追求财富、获得合理利润，始终是他们的基本诉求。因为，作为一个"被一个行政管理框架协调并限定边界的资源集合"，企业当责无法构建在"空中楼阁"上，必须以一定的资源作为基础。因而，本文提出命题 4：

---

[1] Penrose, E. T. The theory of the growth of the firm [M]. Cambridge, MA, 1995. 1959.

二、论文

命题 4：企业资源对企业当责起基础性作用。

5.2.2 企业当责过程中的印象管理成分

案例显示，楼外楼的当责行为中存有印象管理成分。印象管理最初起于个体层面，是指个体努力控制社会交往过程中形成印象的活动，互动中一方的兴趣在于控制别人的行为，使对方通过对自己行为的理解，做出符合自己计划中的行为反应（Gardner&Martinko，1988）[1]。后来，学者们渐渐发现在组织层面也存在印象管理。当组织处于争议事件中，或有重大行为和变化时，往往需要组织对其行为或行动向受众做出合理的解释，管理或重建组织正当性，其基础建立在观众（内部和外部）支持或接受它的集体认知基础上，符合观众基本的价值取向（Suchman，1995）[2]。如此组织便能在观众中获得可靠可信的积极印象，以避免消极看待。

在洪氏三代时期，洪顺森在抗日战争爆发后，先后四次拿出资金支持军队抗战，并向灾民免费发放食物。此义举表面上来看非常高尚，体现了个人为国为民的大义情怀，楼外楼在民族危难之际勇于当责。但仔细分析来看，该行为具有明显的印象管理成分，是一种典型的获得性印象管理策略。其中，迎合、组织提升等都是此类策略中的常用方式。楼外楼非常巧妙地使用了该策略。首先，在行为时机上，契合了民族抗日的大背景，只要有能力就应该报国尽忠、挽救祖国；其次，该行为符合大众的道德诉求，体现了中国传统文化中"天下兴亡、匹夫有责"的要义。这样一来，楼外楼的行为在规范、价值、信念和定义的理所当然系统内是合适的和理想的，满足了组织正当性的两大条件：道德正当性和认知正当性，从而维护了组织正当性（Suchman，1995）。但从根本上来看，该行为目的在于，基于先前与政府的协议，楼外楼获得政府的承诺和支持，具有鲜明的利益导向。

当然，案例也显示，印象管理成分虽然存在，但对于一个持续当责的企业来说，并非是主流现象。企业在特定时期使用印象管理并非是不正当的。新制度主义理论指出，组织具有的社会政治嵌入性，使得组织生存与演化的环境动因不仅

---

[1] Gardner, W L., & Martinko, M. J.. Impression management in organizations [J]. Journal of management, 1988, 14(2): 321-338.
[2] Suchman, M. C.Managing legitimacy: Strategic and institutional approaches [J]. Academy of management. review, 1995, 20(3): 571-610.

来源于竞争压力和技术因素，而且受到规范、文化、惯例等社会建构的信念和制度体系的控制。因而，组织当责的行为的动因可能来自因获得或保持与环境（尤其是组织域中的组织）一致性（或同构性）的需要。由此，楼外楼企业当责行为中的印象管理成分在理论上来看便是合理的。因而，本文提出命题5：

命题5：企业当责过程中存有印象管理成分。

6 研究启示、不足与展望

6.1 研究启示

通过纵向案例的分析，本文探究了中国企业家价值观对企业当责的作用机理。本文发现，不同于资源依赖理论提出的一般性框架，企业当责在价值驱动下呈现为显著的自明性当责逐步统摄于交易性当责的状态，这与中国企业家根深蒂固的"重义轻利""以义取利"的价值理念分不开。中国企业家重视传统、传承传统的思想观念凸显了初代企业家的特殊作用，他们往往能在核心层面决定企业当责的基调，后续的企业家们基本上都会遵从这一核心理念而去承担责任。

与此同时，基于对企业生命周期规律的考察，企业当责在企业发展的不同时期会呈现为不同的特征，这说明了资源在企业实施当责行为的基础作用，企业当责不能离开资源的支持。然而，资源只是企业当责的制约性因素，无法起决定性作用，因为案例表明，即使资源再缺乏，只要企业家"想"，企业就能"做"出高水平的当责。

与此同时，非常重要的一点是，本文的研究回答了企业家价值观如何驱动企业当责。企业家处于组织的最高端，决定着企业当责的战略选择与行动方针。但这些构想的实施必须要通过员工来具体实现，企业家只有通过某种方式，将企业当责的构想传达给企业中的员工，使员工产生价值认同后，才能有效地调动资源和人力来实现企业当责，否则企业当责也可能会沦为一句口号而已。

此外，本文发现了一个非常有意思的方面，企业当责过程中可能存在着印象管理成分。从新制度理论来看，对于特定事件和特定时间点，企业使用印象管理确实是必要的。但如果想要长期保持当责，比如楼外楼160年的企业当责，印象管理绝对不是万全之策，倘若一个企业希冀凭借印象管理策略来实现企业当责也必然是不可行的。

二、论文

6.2 研究贡献、不足与展望

6.2.1 可能的贡献

作为一项探索性研究，本文可能的贡献主要体现在以下几个方面：

首先，作为一个极富研究价值的概念，学界对企业当责的研究与关注较为不足。本文在系统梳理了当责概念的产生与发展后，提出了企业当责的概念与维度，为该概念的后续发展与演进奠定了基础。

其次，有关如何确保企业承担责任的研究主要关注在外部监督与强制上，本文从内隐的视角审视了企业当责的驱动力，将落脚点放在了企业家价值观上，并采用单案例的研究方法，揭示了企业当责的核心驱动力源于企业家价值观。

再次，本文将企业家价值观作为因，企业当责作为果，探究了企业家价值观影响企业当责的内在机理。企业家需要重视价值认同工作，努力将自己的价值观传播开来，让得到企业员工的认同，进而形成广泛的合力，推动企业当责。最后，企业当责具有复杂性和变化性，往往是多个因素的共同作用，本文初步探讨了资源、制度因素对企业当责的可能影响，将为后来的研究提供有益线索。

6.2.2 研究不足与展望

由于受到研究能力和研究方法的限制，本文在研究过程必然存在局限与不足，主要可以概括为以下三个方面，以供后续研究者借鉴。

第一，对于企业当责类型的界定。本文对企业当责的界定与维度划分建立在不同的价值取向上，考虑到同行专家的意见，并参考有关情感性价值的研究，本文并没有将情感当责列入进来，但事实上，企业作为"情感人"的研究已经正在开展，针对此的后续研究也将非常富有意义。另外，自明性当责与交易性当责的划分是否准确，仍需要后续理论研究和实践的进一步检验。后续研究可以加入哲学和心理学理论，采取多案例和大样本实证研究方法，对理论模型进一步完善，同时开发出企业当责的测量量表。

第二，企业当责的其他驱动因素研究。基于内隐视角，本文仅仅验证了企业家价值观对于企业当责的核心驱动作用与内在机理。而相关研究启示我们，任何事物的发生与发展都是内外因相互作用的结果，综合企业社会责任的研究成果，以及案例结果显示，企业当责的驱动力也可能来自资源与制度情境等因素，因此，后续的研究有必要综合考虑相关驱动因素，探究不同驱动因素的综

613

合作用机制。

第三，纵向单案例研究法。本论文采用单案例研究法对问题进行了研究，由于纵向研究本身的特点和研究者能力的限制，笔者无法富有成效地利用好该工具。在研究过程中，笔者深切感受到扎根理论的宏大与广博，后续研究者可以尝试建立多案例资料研究库，并结合语义学的相关方法，从而获得更为深刻的洞见。

【文章来源】郭奇：《企业家价值观对企业当责的作用机理研究——以楼外楼为例》，厦门大学硕士学位论文，2010 年

二、论文

59. "绿茶餐厅"战略管理分析

摘要： 绿茶餐厅是创自杭州的一家特色餐厅，从开始的一家青年旅舍经过战略调整和不断发展，逐渐成为店铺遍布全国超过六十家、年营业额破十亿的国内知名餐饮企业。这家企业的成功离不开管理层针对性的制定企业战略和行业分析，并逐步在统一规范的标准上形成自身文化特色，用低价高质的菜品，对细节的追求以及对顾客体验的重视来赢得口碑。本文结合其发展过程，取胜特色，利用 SWOT 与波特五力模型进行分析，解析绿茶餐厅在战略管理上的独到之处。同时也对餐饮行业进行了简要的概述，指出要想在此类竞争激烈的市场行业中脱颖而出，企业需要具备的能力与特征。

关键词： 绿茶餐厅；战略管理；细节差异

随着社会经济与文化的进步与发展，人们的生活方式和消费习惯都产生了重大的改变，餐饮业即是其中深受影响的一个行业。近些年，餐饮业取得了迅猛的发展，人们更愿意走出家门，去品尝多元化的美食。这样的消费需求和趋势，也为创造餐饮业新的发展机遇奠定了良好的基础。从另一个角度而言，人们对餐饮的质量和丰富度需求层次与日俱增，不再满足吃饱就行，甚至对其摆盘和看相都有一定的认可标准。这一行业也迎来崭新的机遇和激烈的竞争共存的新局面。

众多在一开始规模并不大的餐饮店，凭借着新奇的菜品、与众不同的店面装修风格、有趣的企业文化或是高质量高口碑的服务迅速抢占市场，逐步发展成全国知名餐饮连锁企业。绿茶餐厅就是其中一个典型的案例，由杭州起家的绿茶餐厅在十年出头的时间里，迅速占据一线和二线城市餐饮市场，目前店铺已有六十余家，年营业额超过十亿。绿茶餐厅从默默无闻的小店，做到现在有口碑、有规模、有市场，这家神奇的餐厅缔造了太多的神话，而其优秀且独特的企业战略和管理方式同样值得称道。

615

杭州全书·杭帮菜文献集成

一、"绿茶"发展

绿茶餐厅的前身是绿茶青年旅舍，2003年开始王勤松、路妍夫妇作为创始人开始在杭州西湖景区经营青年旅舍。由于青年旅舍的自身特性，入住的旅客来自全国各地，因此提供的菜品丰富度更高，包含了多种菜系。一段时间过后，王勤松发现只来就餐的食客甚至超过了入住旅社的旅客，一些美食家和社会名流都成了常客。于是王勤松决定改变经营模式只做餐饮，绿茶餐厅由此诞生。绿茶餐厅能够在竞争如此激烈的餐饮市场脱颖而出，发展迅速，一跃成为全国知名的连锁餐厅，离不开其核心的经营理念——精准的自身定位。

王勤松在接受采访时曾说："青年旅舍有很强的公益性质，绿茶餐厅由此而来，也是要定位年轻人的大众化餐饮，菜品要好吃，服务要一流，价格更要便宜。"他的这番话在餐厅的菜谱上得到了完美的印证。绿茶餐厅菜品十分丰富，无论是从菜系还是类型上都有明确划分，而价格也显得尤为亲民，一些甚至不足10元。这样的价格在同类型连锁餐厅中较为少见，并且盈利水平和低价策略往往会产生一定冲突，想要寻求平衡并不简单。因此，有必要深入了解绿茶餐厅能够始终保持低价的原因与特色所在。

二、"绿茶"特色

1. 菜品与口味的包容性强

创自杭州的绿茶餐厅对菜系的选择并不是杭帮菜或是某个地方菜系，而注明是创意菜。王勤松给出了这样的解释："我们想做全国性质的连锁品牌，最大范围地吸引大众吃我们的菜，所以并不局限于地方菜系。例如，我们在成都开店也会推出很多麻辣菜品。"

绿茶餐厅具有独特的菜品研发机制，针对所处城市会研发不同的特色菜品，在风味上也会结合当地人口味加以改良。而"末位淘汰制"更是其取胜之匙，若某道菜在一段时期内销量排在末位，下一周期将会被淘汰撤下菜单，同时将研发的新品随之补入。因此菜品保持着不断更新，既去除了不受认可的菜品，也保持了新菜品的更新换代。除此之外，绿茶餐厅的菜品研发还带来了众多新颖奇特的菜品甜品，能够作为餐厅的特色招牌与同业竞争对手相区分，满足食

616

客对新品的需求。而这一机制也保证了菜品种类的多元化，包容性强，使得每个顾客都有想吃、能吃、吃得好、吃得惯的菜肴。

2. 高度重视餐厅翻台率

翻台率是餐饮行业的特有名词，表示每台桌子平均每天有几批客人就餐，是衡量餐厅运营情况的重要指标之一。在一定程度上，翻台率四次左右，是一个比较理想的数字，基本可以保证有盈利。对比同业知名餐饮品牌翻台率，小肥羊翻台率为三到四次，海底捞翻台率约为七次，呷哺呷哺的翻台率更高一些，可以达到八次左右。而据统计，绿茶餐厅不少店铺翻台率达到十次左右，这表明在营业时间内几乎客源不断，并且在某些非高峰时间段都需要排队。

高翻台率不仅意味着营业收入的增加，还能减少一定的租金成本。商场向商户收取的租金往往和商户的客流量和营业收入有一定关联，客流量越大、营业收入越高，需要缴纳的租金就越少。由此，绿茶餐厅的租金占销售收入的比重可以控制在很低的范围内，甚至在二三线城市是以免租条件入驻的。另外，有了较为理想的翻台率和采购规模，谈判底气也足了许多，绿茶餐厅和台湾的台塑、海底捞组成兄弟联盟，在压低供应商采购价格方面同样做了不少努力。这样便能控制成本尽可能的低，售价保持在合理价位，吸引更多消费者前来，促进翻台率良性循环。

上面提到的降低菜品价格让利给顾客就是提高翻台率的手段之一，而另一个措施则是引入移动端在线点单和支付。绿茶餐厅之前统计平均每桌顾客点餐时间约为 10 分钟，而采用支付宝口碑 ISV 的扫码点餐之后，顾客在手机上即可进行查看、挑选和下单，点餐时间大幅缩短至 1 分 25 秒左右，同时节省下的时间还有结账时间。在引入了电子点餐和结账系统后，顾客全程可坐在座位上用手机完成点单和结账过程，不必去收银台排队，也不必呼喊服务员。

另外，随着外卖业务的兴起，绿茶餐厅也和几大主要外卖平台进行合作，增加外卖量的供应比例，并对菜品进行食材和包装上的调整，更适宜外卖这一就餐方式。除堂食之外，重视外卖业务的销售额，也是变相提高翻台率的一种有效措施。

翻台率的提升是对餐厅资源的有效利用，减少空桌待客时间，在没有增加房租成本和人工成本的前提下，能使餐厅一年增加近百万的销售额。这就是重视翻台率带来的高收益秘诀。

3. 精选店址

绿茶餐厅单日客流超过 1000 人次的店铺并不少见。能有这样的客流量，选址功不可没。餐饮行业的店铺选址是门学问，例如麦当劳、肯德基这类连锁快餐店有一套特殊的分析方法，在开新店前需要对备选店址进行多项考察和测算，大幅度降低选址失误造成客流量不理想、营业收入不达预期的风险。

绿茶餐厅当前的 60 余家分店，几乎全部盈利，并未有关店现象，这都应归功于创始人王勤松的分析和策略。他对新开分店的选址都已经到了能预估营业后营业额的水平，而正式营业后，营业收入与其最初预估的数值差距能保持在 10% 以内。此外，绿茶餐厅主动与大型连锁商业地产进行合作，将自身品牌影响力合理利用，低价入驻商业地产。商业地产提供稳定的平台、众多品牌资源、商业影响力以及较大店铺空间。绿茶餐厅提供品牌影响，客源吸引，并且可与周边其他品牌进行异业合作，双方各取所需，盘活了传统商业地产的经营模式。

三、SWOT 分析

1. 优势

（1）良好的就餐环境。餐厅从整体空间来看普遍不算太大，但能够令人感到舒适。众多布艺和花草的布局，重视精致细节的桌椅和餐具，再加上有意压低灯光营造私密感的温馨气氛，使得这种闲适慢节奏的风格与其他餐厅明显区分开来，更受定位目标人群中青年的喜爱。

（2）完善的设施。多种就餐形式可选：二人座、四人座、圆桌、包厢，另外等位座椅、电子点餐设备、停车场等方便顾客就餐的设施一应俱全，为顾客提供了良好的消费环境。

（3）口味。菜品丰富，花样繁多，中西餐结合，同时菜单一直在不断更新，引入"末位淘汰制"保证菜品受欢迎度，以满足不同客户的多种需求。

（4）定价合理。人均 40~80 元的定价在当前餐饮市场的需求最大，并且保持定价亲民的同时，还能保证菜品质量与份量。重视翻台率，重视低价策略，压低成本降低售价换取客流。

二、论文

2. 劣势

（1）线上营销力度不足。因为绿茶餐厅主要针对的是熟客，用客户体验换取声誉与回头客，并且菜品定价已足够低，甚至部分菜品接近成本价，所以营销力度和促销力度都不大。在各大团购网站中鲜有团购、促销、满减等优惠活动，影响新客的兴趣与关注度。

（2）知名度有待提升。总体而言目前绿茶餐厅的知名度不是很高，起步也较晚，这在现在网络信息高速发展的餐饮业中可能会影响进一步扩张。

（3）餐厅规模普遍较小。绿茶餐厅的就餐面积普遍不大，餐桌数量有限，在高峰期会导致排队人数过多，使得一部分客流流失。

3. 机会

（1）选址渐有心得。重视商圈、高校、景点附近的新店选址，把握当前正确的扩张步伐和经营理念，产业稳步提升，媒体宣传加强，用时间来换认可与名气。

（2）重视互联网与移动端合作。无论是引入在线点单支付系统，还是推行外卖服务，都是潜在的提升用户量与翻台率的机会。

（3）行业发展。餐饮业虽然竞争激烈，但发展和潜力都是巨大的。现代社会已经摆脱了家庭饮食不可取代的地位，习惯外出在平价品牌餐厅进行就餐的家庭与年轻人越来越多，而绿茶餐受到广大青年与白领小资的青睐，他们重视品牌与用餐体验，潜力巨大。

4. 威胁

（1）行业竞争。外婆家、橘味等餐厅同样是类似经营思路，在一定程度上会分流与抢占客源。餐饮行业竞争激烈且易于进入和模仿，必须要具备鲜明特色才能存有一席之地。

（2）成本因素。因为菜品定价接近成本价，一旦菜品成本或是其他营业成本上涨，很可能仅靠薄利多销不足以达到期望盈利水准。而若要菜品涨价，必然会失去原本定位，引起消费者不满，降低吸引力。

619

四、波特五力模型分析

1. 供应商的讨价还价能力

合理的经营定位与策略使得绿茶餐厅的影响力在不断提升，再结合规模化生产和统一标准的模式，待客流量达到一定规模后，就可以把边际利润变为纯利。

随着店铺数量扩张，需求也逐渐增大，在和供应厂家进行合作时就有足够谈判的筹码。通过定标准、提设计、按操作规范来进行代加工，进一步降低成本所占比重。比如深受食客喜爱的佛跳墙，其他餐厅饭店的售价至少在五六十元以上，而绿茶餐厅的售价仅为38元。这便是依托了工厂化生产模式。如果大规模向供应厂商采购，购进食材的成本价也会相应较低，然后将大量的货物提供给绿茶进行加工存储，最后销售。所以绿茶餐厅可以用平民的价位，出售具有较强吸引力的菜品。

再加上上文还曾提到绿茶餐厅与其他品牌组成兄弟联盟共同压低供应商价格，化零为整以更大规模的采购量来要求加大购货折扣。这一系列举措也使得供应商的议价能力显得较弱，绿茶餐厅可以有自己的完整生产订购销售链条。

2. 购买者的讨价还价能力

由于已经把菜品价格定的足够亲民，部分菜品仅按成本价售卖，绿茶餐厅选择主动牺牲一部分利润，让给消费者。在此基础上，进一步做打折促销、参与团购满减的意愿与可能性较低。因此购买者的讨价还价能力只能止步于此，但能够享受来自商家的主动让利，也能达到部分效果。

3. 同行业现有竞争者的竞争程度

餐饮市场竞争有史以来便相当激烈，只有声誉良好并具备特色的商家才能生存。中餐、西餐、快餐、小吃与特色餐饮等等分庭抗礼，而绿茶餐厅面向的是来自中餐的直接竞争。在中餐类别中，与绿茶餐厅定位和经营理念类似的还有外婆家、T8、57度湘、橘味等品牌，竞争激烈。虽然绿茶餐厅在其中拥有一片自己的领地，在市场份额中有不错的表现，但远未到领先和统治的地位。因此餐厅进行了部分针对性调查和特性营销。例如餐厅使用的支付宝口碑上提供了消费顾客的年龄、性别、支出花费比例等大数据。利用大数据加以分析，就能够结合当地顾客的喜好，有针对性地进行改变。当地人喜欢吃甜的，吃辣的，对甜品有更高的要求，对汤的口感有特殊的喜好，产品研发部门都会相应进行

二、论文

菜品调整和口味改良。

如今利润空间越来越小，而同业竞争程度与日俱增。若想生存，必须追求成本效益原则与针对性的细节把控。只有重视效率，提高创新，加强自身竞争力，才有可能在未来的餐饮市场更好地生存下去。

4.替代品的替代能力

无论是餐厅的经营方式，还是菜品的制作，都是几乎透明和易于模仿的，对于普通的餐饮品牌来说，想要模仿和替代并不是难事，因此推出个性化的产品与服务，降低替代品的替代能力显得尤为重要。

老板娘路妍常常会到不同店铺的餐位上体验一下，以顾客的视角来判断餐厅与餐位的设计是否给顾客良好的舒适感与消费体验。此外，米饭的细节处理也不得不提。绿茶餐厅的米饭都经过40分钟浸泡，再加入橄榄油和新鲜的玉米粒蒸制。这种方式蒸制的米饭拥有独特的口感，是其他普通竞争者的米饭难以超越和替代的。

绿茶餐厅采用自己的中央厨房进行标准化生产，在每天的进货时间段，门店的采购代表甚至是拿着尺子按照SOP筛选货品。如此重视细节和顾客感受的一套标准，顾客也许不会了解详情，但在就餐的过程中一定或多或少能被服务、环境、口感所吸引。有特性才会难以被仿制，才能降低其他替代品的替代能力。

细节决定成败。海底捞提供热毛巾、免费美甲、打印照片，尽可能满足客户各种需求，开创了服务至上的时代。黄太吉的美女老板并豪车送煎饼果子使得群众惊叹不已，大为好奇。这些重视服务与用户体验的细节才是决定餐饮行业替代品替代能力的核心衡量指标。

5、新进入者的威胁

餐饮行业每天都有入行的和出局的，新进入者的威胁在这个行业从始至终都存在，如同上一点，打造自己的特色与决定性细节才是防止威胁的最好方法。进入障碍主要包括规模经济、产品差异、资本需要、转换成本、销售渠道开拓、政府行为与政策、不受规模支配的成本劣势、自然资源、地理环境等方面，而并不是所有障碍都能通过模仿和复刻便能轻易越过，必须拥有独立的特色并且被市场所认可。

在这行业内想要生存与立足太容易又太不容易，主要得看期望做到多大的规模和盈利标准。餐饮是个开放的市场，想要垄断几乎不可能，想要做到行业

621

领先对于新进入者而言也得付出相当大的代价与努力。站在绿茶餐厅的角度而言，与其提防新进入者的威胁，远不如加快提升自身品牌认知度与价值更为关键。

五、结语

目前来说，做到好吃不贵很有效，但是要想做到持久的好吃不贵，是一个非常难的事情。绿茶餐厅现已选择走多元化路线，同时推出西餐菜品，其正是想要在激烈的竞争中提前布局。餐厅的菜品涵盖范围越来越广，菜系越来越丰富，差异化策略越来越明显，就是希望抓住下一个消费时代。

十二年时间，从小旅舍变为餐饮业的新生代势力，绿茶餐厅做了很多，但有更多还需要去努力。继续迎合目标客户群体去做个性化差异，把服务和细节上的优势进一步突显，把握合理的企业战略布局，绿茶餐厅的前景将会更美好。

参考文献

[1] 曲秀梅. 深化餐饮高等职业教育改革的思路 [J]. 吉林工商学院学报，2014(2).

[2] 韦博. 绿茶餐厅为何火了 [J]. 企业文化，2014(2).

[3] 小鸥. 绿茶餐厅做好互联网营销这道菜 [J]. 新晋商，2014(11).

[4] 张国宇. 排队，只是为了吃饭 [J]. 现代商业，2013(4).

[5] 绿茶餐厅的成功之道 [EB/OL]. 职业餐饮网，http://www.canyin168.com/Article/jyzx/57476.html，2013-12-20.

[6] 一日七次翻台，绿茶餐厅原来一直在做这件事 [EB/OL]. 联商网，http://www.linkshop.com.cn/web/archives/2016/357995.shtml，2016-09-10.

[7] 高翻台率的绿茶餐厅，为何全门店使用这台智能 POS?[EB/OL]. 宁夏在线，http://caijing.nxing.cn/yaowen/13380631.html，2016-03-09.

【文章来源】肖琦：《"绿茶餐厅"战略管理分析》，《当代经济》，2017 年第 31 期